Biblioteca dell'Orsa

4

Collezione diretta da Paolo Fossati

Grafica di Bruno Munari

Primo Levi

Opere
Volume primo

Se questo è un uomo
La tregua
Il sistema periodico
I sommersi e i salvati

Einaudi

ISBN 88-06-59920-8

Nota dell'editore

Quando era ancora in vita, Primo Levi ebbe la rara ventura di vedersi riconoscere dai lettori le qualità che solitamente connotano i classici: una salda coscienza etica, un fertile retroterra culturale, un radicamento totale nei drammi del proprio tempo e la capacità di trascenderli in una visione piú ampia, una scrittura ricca di umori nascosti ma controllata da una esigenza di esattezza e trasparenza. Via via che la sua bibliografia si arricchiva, diventava chiaro che in Levi convivevano il testimone e il ricercatore, lo scienziato e il poeta, l'artigiano attento alla probità del lavoro ben fatto e l'esploratore curioso di ogni territorio ignoto.

Col trascorrere degli anni prendeva altresí risalto l'originalità dell'approccio di Levi, il suo articolare gli scatti dell'indagine mediante l'apporto di strumenti concettuali che gli venivano dalla preparazione scientifica e dalla pratica quotidiana del mestiere di chimico. Nel nostro panorama letterario, attardato da propensioni liriche e impressioniste, la tensione cognitiva di Levi, fondata su metodi tanto rigorosi quanto duttili e aperti per lo spirito che li animava, ha rappresentato una forte novità. Una lettura meditata dell'opera di Levi è tuttavia solo agli inizi, benché non le siano mancati consensi vastissimi, negli ultimi anni anche all'estero. È accaduto che la serenità del testimone, capace di rievocare con pacata fermezza esperienze al di là di ogni immaginabile orrore, abbia come lasciato in ombra le qualità espressive, stilistiche e formali che so-

no tutt'uno con quella testimonianza. Nato dal trauma della deportazione, lo scrittore Levi è andato ben oltre il diritto-dovere della denuncia e della rammemorazione.

L'edizione delle sue opere nella «Biblioteca dell'Orsa», una collana dedicata alle maggiori esperienze letterarie del Novecento, vuole contribuire all'approfondimento della conoscenza e dell'indagine critica.

A questo primo tomo, che ospita i libri di piú schietta impronta autobiografica, seguirà un secondo destinato a raccogliere, con una introduzione specifica, i testi di invenzione: i racconti, *La chiave a stella*, *Se non ora, quando?*, i saggi, le poesie.

Introduzione
L'ordine delle cose e l'ordine delle parole

1. *Quivi*.

L'avverbio «quivi» si trova parecchie volte in *Se questo è un uomo**, il primo libro pubblicato da Primo Levi nel 1947. Esso è certo un residuo scolastico che scompare salvo errore nei libri posteriori. Secondo lui, in liceo era stato uno studente «mediocre in italiano» (*SQ* App. 211). Una volta, intervistato dalla «Stampa» sugli esami di maturità, si dichiarò contrario, dando l'esempio della sua classe: molti erano stati bocciati con un tre in italiano, tra di essi lui stesso e Fernanda Pivano. Ma la maturità era già allora un terno al lotto, anche se meno assurdo di oggi, e a tutti può capitare un matto come esaminatore. Tuttavia al suo liceo, in cui non sembra avere avuto insegnanti di rilievo di cui abbia serbato memoria, come quell'Augusto Monti che forgiò la generazione dei Mila, dei Foa, dei Pavese e degli Einaudi, restò affezionato, se per anni se ne occupò assumendo mansioni come la presidenza del consiglio dei genitori. Sarà stato un allievo (per italiano e storia) medio-

* Le opere di Primo Levi qui utilizzate sono citate con le seguenti abbreviazioni, seguite direttamente dal numero della pagina (che per le prime quattro è quello del presente volume): *SQ* = *Se questo è un uomo*; *T* = *La tregua*; *SP* = *Il sistema periodico*; *SES* = *I sommersi e i salvati*; *CS* = *La chiave a stella* (Einaudi, Torino 1978); *RR* = *La ricerca delle radici. Antologia personale* (Einaudi, Torino 1981); *L* = *Lilìt e altri racconti* (Einaudi, Torino 1981); *OI* = *Ad ora incerta* (Garzanti, Milano 1984); *AM* = *L'altrui mestiere* (Einaudi, Torino 1985); *RS* = *Racconti e saggi* (La Stampa, Torino 1986). Inoltre con *SQ* App. indico l'importante appendice del 1976 all'edizione scolastica di *Se questo è un uomo* (Einaudi, Torino 1976), riportata in questo volume. In questa introduzione, per non ripetermi, non ho insistito su alcuni temi già trattati negli scritti su Levi raccolti nel mio libro *Patrie lettere* (Einaudi, Torino 1987, pp. 137-50).

cre con professori mediocri, ma la bontà delle istituzioni si
rivela proprio quando gli individui non hanno disposizioni
spiccate (Levi le aveva naturalmente per le materie scien-
tifiche). Fatto sta che egli assimilò profondamente Dante,
Ariosto, Parini, Manzoni, Leopardi. «Mediocre» sarà sta-
to in quanto non lo interessava il fatto letterario in sé (a
differenza di quello linguistico) quanto come espressione
di verità fattuali o etiche o di invenzioni coerenti. Trovare
un liceale su cui la lettura del Parini, come si documenta
nella *Ricerca delle radici*, abbia agito in profondità, non era
cosa di tutti i giorni neanche allora. Inversamente, era di-
sposto a criticare i classici a lui piú cari quando gli sembra-
va che si discostassero dalla realtà effettuale. Qui lo scien-
ziato vegliava sulla letteratura e la giudicava in modo del
tutto inconsueto. L'articolo *Il pugno di Renzo* (*AM* 75 sgg.)
mostra come il Manzoni avesse un cattivo rapporto con la
gestualità e la descrivesse facendola passare attraverso
un'immagine stilizzata, «un'illustrazione nel gusto dell'e-
poca», che si rivela del tutto irreale, come nel caso di Ren-
zo che corre con il pugno chiuso per averlo pronto in caso
di aggressione, ciò che secondo Levi è tanto impossibile
quanto inutile. *«Le piú liete creature del mondo»* (*AM* 191)
getta un'ombra di dubbio sul leopardiano *Elogio degli uc-
celli*, che solo apparentemente sono cosí lieti e sfaticati co-
me li vedeva il poeta.

Il «quivi» rientra dunque in quel bagaglio scolastico che
senza l'esperienza dei Lager anche in Levi avrebbe proba-
bilmente lasciato le tracce che solitamente rimanevano ne-
gli scienziati a formazione umanistica: il gusto della ci-
tazione (per lo piú represso per via dell'incomprensione
dei colleghi, che però accettano volentieri la poesiola
scherzosa[1]); la rilettura solitaria dei classici; l'estensione
delle letture a scrittori non incompatibili con essi, come

[1] Come quella scritta per congedarsi dalla Montecatini (*Il testamento del
vicecapolaboratorio*), pubblicata ora in «Montedison. Progetto cultura», a. 2
(1987), n. 6.

Thomas Mann e Aldous Huxley. Poiché classicità significa
anche precisione, nettezza di scrittura, capacità di pesare
le parole come il chimico pesa sulla sua bilancetta. Nel do-
cumento piú sincero e coraggioso – perché conosceva ab-
bastanza l'ambiente letterario per sapere di esporsi ai suoi
strali – della sua poetica, l'articolo *Dello scrivere oscuro*
(*AM* 49 sgg.), egli respinge il «linguaggio del cuore» non in
nome di qualche estetica, ma perché ciascuno ha il suo e
quindi «a chi scrive nel linguaggio del cuore può accadere
di riuscire indecifrabile», mentre «la scrittura serve a co-
municare» e «chi non viene capito da nessuno non tra-
smette nulla, grida nel deserto». Lasciamo andare per il
momento la validità di questa teoria, esemplificata da vere
e proprie invettive contro poeti come Ezra Pound, Georg
Trakl e Paul Celan. Quel che ci importa è la sua imprescin-
dibilità per la comprensione dell'origine e della natura del-
l'arte di Levi: ha cominciato a scrivere per chiarire a se
stesso e agli altri un'esperienza insopportabile e ha conti-
nuato con questa convinzione in cui lo scienziato s'identi-
fica con lo scrittore. La distinzione è l'arma principale, la
confusione l'avversario di entrambi. Niente di piú perico-
loso del «quasi-uguale…, del praticamente identico, del
pressappoco, dell'oppure, di tutti i surrogati e di tutti i
rappezzi». «Le differenze possono essere piccole, ma por-
tare a conseguenze radicalmente diverse, come gli aghi de-
gli scambi; il mestiere del chimico consiste in buona parte
nel guardarsi da queste differenze, nel conoscerle da vici-
no, nel prevederne gli effetti. Non solo il mestiere del chi-
mico» (*SP* 484). Di qui un paesaggio verbale inconsueto
nella prosa italiana contemporanea (salvo che in Calvino,
non a caso anche lui imparentato con le scienze esatte), in
cui non c'è parola che non sia collocata al suo posto da un
invisibile (e forse, in questa radicalità chimica, inesistente)
dizionario dei sinonimi. Un paesaggio che è insieme la for-
za e la debolezza di Levi: straordinario quando è animato
dall'intensità delle esperienze e dall'urgenza delle idee;

freddo e un po' monotono quando ad esse si sostituiscono (come in taluni articoli o in certi racconti di fantascienza) invenzioni un po' cerebrali o riflessioni di buon senso, che non meriterebbero tanta precisione da orafo.

Questo senso dell'ordine che dagli atomi, dalle molecole, dal sistema periodico, si trasfonde naturalmente nel discorso, è cosí forte che non teme il confronto con ordini linguistici diversi. Sta bene per il gusto dei classici canonici, però Levi è anche grande ammiratore di Rabelais e di Teofilo Folengo, le cui *Macaronee* si porta spesso dietro nelle sue peregrinazioni. La chimica linguistica è anche alchimia, purché dalla combinazione eterodossa degli elementi risulti un composto cui presieda ugualmente una forza ordinatrice. Anzi, una lingua troppo perfetta e armonica urta contro un fondamentale principio leviano: la necessità dell'imperfezione. Il vero ordine la include necessariamente, perché è tale solo quando è in continua tensione contro le forze che tendono a disgregarlo. L'ordine perfetto «puzza», è l'indizio di qualche cosa che non va, che il reale sta esplodendo o inversamente si sta fissando in un'eternità innaturale. Il polietilene, per esempio, ha grandi virtú, «ma è anche un po' troppo incorruttibile, e non per niente il Padre Eterno medesimo, che pure è maestro in polimerizzazioni, si è astenuto dal brevettarlo: a Lui le cose incorruttibili non piacciono» (*SP* 559). Il rapporto di Levi con il linguaggio, che non è certo meno interessante di quello di altri scrittori italiani contemporanei su cui prosperano tante tesi di laurea, passa attraverso l'oscillazione tra l'attaccamento quasi puristico al «buon italiano» e la consapevolezza, di fronte all'«ottimo piemontese con argute venature astigiane» di un cliente ciabattino, che la storia di costui risulta necessariamente «un po' deperita per effetto della traduzione dal piemontese, linguaggio essenzialmente parlato, all'italiano marmoreo, buono per le lapidi» (*SP* 589). Il buon italiano è buono per le lapidi, tuttavia è questa la lingua in cui Levi si sente di casa come scrittore, considerando un «misterioso tabú nazionale»

quello per cui ci sono «parole che si possono scrivere ma non pronunciare». «Ce ne sono tante: chi, parlando, direbbe mai "poiché" o "alcuni" o "ascoltare"? Nessuno; lui, per esempio, si sarebbe fatto scuoiare prima...» (*L* 244-45).

A scriverle, però, Levi non ha esitazione alcuna. Il fatto è che per quanto sapesse il piemontese, non poteva far concorrenza al ciabattino. *Il sistema periodico* si apre con il grandioso capitolo *Argon* che ricostruisce sociologicamente, tipologicamente e linguisticamente, attraverso il parentado di Levi, l'ambiente ebraico-piemontese, e quasi lo stesso livello raggiunge il racconto *Il fondaco del nonno* (*AM* 215-18) dove dallo sfondo piemontese emerge addirittura un gergo iniziatico dei venditori di stoffe. Ma il ragazzo uscito da questa famiglia era stato troppo influenzato dagli studi. Il suo piemontese «è cosí liscio e snervato, cosí educato e languido, che appare poco autentico». «Piuttosto che un genuino atavismo, sembra il frutto di un diligente studio a tavolino, a lume di lanterna, su grammatica e lessico» (*SP* 586-87). Il rapporto è in qualche modo invertito, l'italiano diventa primario, per marmoreo che sia è diventato la *Heimat* di Levi, mentre scrivendo sulla «Stampa» un divertente elogio del piemontese («*Bella come una fiore*») ribadisce la sua insicurezza in proposito, «specie dopo un *suo* vergognoso fallimento presso la Famija Turineisa, dove il dialetto è d'obbligo» (*RS* 159). Come è noto, nel romanzo *La chiave a stella* Levi ha tentato un curioso impasto di italiano e di piemontese per rendere il parlato di un operaio specializzato torinese, il montatore Faussone. Il piemontese gli sembrava infatti particolarmente adatto a rendere i processi tecnologici: mentre un trattato di anatomia in dialetto gli pareva «un'impresa assurda e disperata», avrebbe visto con favore nel suo piemontese «un manuale sui trattamenti termici dei metalli» (*RS* 159). Su questa simbiosi di tecnologia vista come alto artigianato (non per nulla Faussone è figlio di un magnano), di campanilismo piemontese e di internazionalismo

(Faussone per mestiere deve andare in molti paesi e masticare molto lingue) ci sarebbe molto da dire per spiegare pregi e limiti del romanzo, ma questo esorbita dai limiti del presente scritto. Ci limitiamo a osservare che tale simbiosi si sente pochissimo nei racconti del *Sistema periodico*, appunto perché è vissuta nei limiti dell'autobiografia e non proiettata in un personaggio «idealtipico». Nella straordinaria figura di Sandro Delmastro, nei professori, assistenti e bidelli dell'Istituto di chimica, nei compagni di lavoro e nei clienti che Levi ci fa sfilare davanti nel *Sistema periodico*, questa simbiosi si eleva da sé a livelli tali che non hanno bisogno di coperture ideologizzanti.

È interessante notare come il personaggio di Faussone compendi anche molte delle osservazioni linguistiche cui l'insaziabile curiosità dello scienziato (con particolari interessi etimologici) spingeva Levi, e che non hanno nulla di dilettantesco, perché egli impiegava in questi studi la pazienza e la meticolosità del ricercatore. Spesso anzi bisogna ricorrere alle sue notazioni linguistiche per interpretare rettamente il linguaggio suo e dei suoi personaggi. L'articolo *L'aria congestionata* (*AM* 35 sgg.), che tratta delle deformazioni popolari di parole scarsamente comprensibili (come appunto l'aria «congestionata» per «condizionata»), spiega le «serracinesche» di Faussone per «saracinesche» (*CS* 100) o «alla finitiva» (*CS* 118) per «in definitiva» (in cui il concetto di «fine» sembra oscurato da quello di «definire»). Il «Cloruro Demonio» inventariato come tale tra il materiale di una fabbrica (invece di «cloruro d'ammonio») nel racconto *Cromo* (*SP* 577-78) sembra un'invenzione estemporanea, mentre l'articolo citato (*AM* 38) lo annovera tra le deformazioni comuni per termini «che designano sostanze nocive o ritenute tali». I personaggi di Levi si nutrono delle sue riflessioni linguistiche e inversamente queste della linfa dell'esperienza, per esempio del rapporto con l'antipatico fabbricante di rossetti di *Azoto* (*SP* 592 sgg.), che chiamava «anellina» l'anilina e

«adelaide» l'aldeide, o della vita in una fabbrica in cui la
formaldeide «veniva correntemente chiamata *Forma Dei*,
splendido termine dal sapore teologico» (*AM* 39)[2].

Se l'ordine, sia nella natura che nella parola, non solo
sopporta ma comporta la differenza, la varietà, la moltepli-
cità, non è men vero che esso si afferma contro una ten-
denza alla disgregazione e al caos con cui l'uomo deve ci-
mentarsi, a rischio, spesso con la quasi certezza del falli-
mento. Il mondo di Levi, che annovera Darwin tra i suoi
classici, è un mondo di lotta perpetua, che mette alla prova
gli individui come il tifone mette alla prova il capitano di
Conrad (altro scrittore prediletto). Da buon alpinista pie-
montese, egli non concepisce la vita altrimenti che come
questa lotta, e anche qui lo scrittore e il chimico s'identifi-
cano, il «mestiere di cucire insieme lunghe molecole presu-
mibilmente utili al prossimo», da lui esercitato per piú di
trent'anni, non è sostanzialmente diverso da quello di «cu-
cire insieme parole e idee» che abbraccia a cinquantacin-
que (*CS* 149). E il mezzo offre sempre una resistenza che
bisogna domare e in cui si parrà la nobilitate dell'artefice
di molecole o di parole. Il dualismo che è alla base della di-
visione tra sommersi e salvati, prima nel capitolo cosí inti-
tolato di *Se questo è un uomo*, poi nel volume omonimo, è
certo estremizzato dall'orrenda situazione del Lager, ma
affonda le sue radici nella natura umana, e qui si rivela
un'adesione al determinismo positivistico su cui per esem-
pio Theodor Adorno avrebbe avuto molto da dire. Poiché

[2] Alla base di questo fenomeno Levi riscontra (*AM* 36) la tendenza dell'i-
taliano a ricorrere «per le cose nuove alle lingue vecchie, al latino e al greco»,
sicché i termini cosí risultanti vengono sentiti come corpi estranei e quindi de-
formati. È strano che invece in *SES* (728) si trovi un'invettiva contro il tedesco
che da secoli «aveva mostrato una spontanea avversione per le parole di origine
non-germanica, per cui gli scienziati tedeschi si erano affannati a ribattezzare
la bronchite in "aria-tubi-infiammazione", il duodeno in "dodici-dita-in-
testino" e l'acido piruvico in "brucia-uva-acido"». In realtà si tratta di un
procedimento linguistico opposto a quello che Levi biasimava nell'italiano: per
un tedesco *Bronchitis* è un «latinorum» specialistico, mentre «aria-tubi-
infiammazione» (*Luftröhrenentzündung*) è immediatamente percepibile nel suo
significato.

non è detto che la pienezza dell'umano si riveli nel cimento, la cui ideologizzazione è strettamente legata al prometeismo del capitalismo ottocentesco. Certamente il mestiere di Levi suggeriva questa ideologizzazione. Soprattutto *Il sistema periodico* (ma anche *La chiave a stella*) è una serie di eventi paragonabili alla celliniana fusione del Perseo: pericoli immani sventati all'ultimo momento o processi misteriosi che sovvertono l'ordine stabilito e di cui si riesce a trovare la causa con molta intuizione e un pizzico di fortuna. Le vernici che Levi fabbrica e che per tali misteriose ragioni non «mantengono le promesse», diventano nel momento di crisi il simbolo di questa maligna volontà della materia di far fallire lo sforzo dell'uomo.

Il mondo della chimica si colora cosí di un'aura di tragedia o di commedia a seconda che l'accento poggi sull'entità dello sforzo o sulla sua finale inanità. «Mi buttai nel lavoro con lo stesso animo con cui, in un tempo non lontano, attaccavamo una parete di roccia; e l'avversario era sempre ancora quello, il non-io, il Gran Curvo, la Hyle: la materia stupida, neghittosamente nemica come è nemica la stupidità umana, e come quella forte della sua ottusità passiva. Il nostro mestiere è condurre e vincere questa interminabile battaglia» (*SP* 573). «Siamo chimici, cioè cacciatori: nostre sono "le due esperienze della vita adulta" di cui parlava Pavese, il successo e l'insuccesso, uccidere la balena bianca o sfasciare la nave» (*SP* 498). L'identificazione della Hyle – questa grande «antagonista dello Spirito», di cui l'instancabile etimologizzatore e derivatore ci ricorda (*SP* 458) che «curiosamente si ritrova imbalsamata nelle desinenze dei radicali alchilici: metile, butile eccetera» – con il nemico, con la balena bianca, significa che essa viene continuamente personificata. Elementi e composti hanno, come i concetti in Hegel, «mani e piedi», e tutte le altre connotazioni umane. Lo zinco è «un metallo noioso» (*SP* 458); i minerali sono magici ed evasivi, e infatti sono molti (e qui rispunta l'etimologista) quelli «i cui nomi contengono radici che significano "inganno, frode, abbaglia-

cose e delle parole «quivi» si applica ad ogni città senza luce, designa l'inferno di Dante come Auschwitz ed è l'inserimento di Dante in Auschwitz, il baluginare dell'ordine linguistico nel mondo del caos e del nulla. Una sola volta Dante viene espressamente citato in *Se questo è un uomo* ed è nel capitolo *Il canto di Ulisse*, che Primo tenta di spiegare a Pikolo: dunque il Dante che, almeno secondo la tradizione romantica – oggi contestata ma non morta, e certo ancora ufficiale ai tempi in cui Levi frequentava il liceo –, esce dai limiti del Medioevo e annuncia il Rinascimento con il suo programma di «seguir virtute e conoscenza», che suona in mezzo all'orrore di Auschwitz «come uno squillo di tromba, come la voce di Dio» (*SQ* 117). Ulisse contesta l'inferno in nome della volontà di conoscere. Il «quivi», come altri nascosti richiami danteschi, è invece l'affermazione che la parola non è del tutto morta in quel concerto di «diverse lingue, orribili favelle» in cui si rischia di perdere ogni capacità di comunicazione. La Torre del Carburo, che sorge in mezzo alla Buna, è chiamata dai deportati Torre di Babele, e in una bella pagina si dice che noi (i deportati) «odiamo in essa il sogno demente di grandezza dei nostri padroni, il loro disprezzo di Dio e degli uomini, di noi uomini», e che la maledizione pende su questa «insolente compagine, fondata sulla confusione dei linguaggi ed eretta a sfida del cielo come una bestemmia di pietra» (*SQ* 72). In mezzo alla babele, già Primo s'impegna, se sopravvivrà, a raccontare, per restaurare la comunicazione e per dimostrare che «non è vero che il disordine sia necessario per dipingere il disordine; non è vero che il caos della pagina scritta sia il miglior simbolo del caos ultimo a cui siamo votati» (*AM* 54). La composizione stessa di *Se questo è un uomo* passa dallo sfogo ancora incoerente «senza piano né sistema, intricato e gremito come un termitaio», grazie all'incontro con la donna che diventerà sua moglie, a «un costruire lucido, ormai non più solitario: un'opera di chimico che pesa e divide, misura e giudica su prove certe, e s'industria di rispondere ai perché» (*SP*

572). Alla Torre di Babele Levi contrappone la sua costruzione che nell'ordine vuole rendere tutto il disordine di quella.

2. «*Er will nix verstayen*».

Il curioso diagramma che apre *La ricerca delle radici* e che collega alcune delle letture predilette ivi raccolte è costituito da varie traiettorie ellittiche che cominciano con il libro di Giobbe e terminano con lo scritto di uno scienziato sui «buchi neri». L'ultima di esse unisce gli scienziati o i divulgatori di scienza (ma anche Giobbe è uno scienziato, ancorché improprio, perché vuole capire) e si chiama «la salvazione del capire». Come sa già Giobbe, «l'uomo soffre ingiustamente», ma si salva nel capire. Il capire è una dimensione essenziale nella chimica e nella filosofia di Levi. È un atto autonomo e impegnativo, è anch'esso una caccia alla balena bianca che implica audacia e decisione. Il Levi adolescente, costretto a ingerire un mucchio di nozioni, pensa tra sé e sé: «Capirò anche questo, capirò tutto, ma non come *loro* vogliono. Troverò una scorciatoia, mi farò un grimaldello, forzerò le porte» (*SP* 448-49). Fino all'ingresso ad Auschwitz, questo desiderio di capire non è disgiunto da quello di agire: sapere è potere. D'accordo, nel mestiere di chimico la scienza è condizionata, non si fa necessariamente quel che «loro» vogliono, ma quel che vuole la Hyle, e sappiamo come una volta Levi sia stato tentato di darsi alla pura teoria. Però ha poi optato per la chimica, piú rischiosa per questo suo corpo a corpo con la materia, ma proprio per questo piú idonea a sviluppare la capacità di capire, con il lungo ragionamento o l'improvvisa intuizione, quel magari piccolissimo guasto o errore che blocca un processo piú volte collaudato e che dovrebbe essere pacifico. Tornato a fare il chimico, egli torna anche a prolungare la conoscenza nella prassi, almeno fino a *La chiave a stella*.

Ma ad Auschwitz la funzione della conoscenza cambia, essa acquista davvero il carattere di sublimazione, di salvazione dall'orrore attraverso la sua ricognizione, e anche dopo la liberazione egli non vede il suo compito nella vendetta, già per la sua incapacità, fin da bambino, di «rendere il colpo» (*SES* 761). Che altri facessero impiccare i responsabili. «A me spettava capire, capirli» (*SES* 791). È questo il grande leitmotiv che fa la forza sia del primo libro che dell'ultimo. Certo Levi vuol raccontare e su questa ansia del raccontare che appariva già nel sogno, frequente nel Lager, di essere tornato nel «mondo civile» e di raccontare senza essere creduto (*SQ* 57 e altrove), ha spesso insistito. Ma ciò non differenzia il suo libro da altre piú o meno notevoli testimonianze, mentre ciò che colpí subito nella sua era la volontà caparbia di non arrendersi a un mondo assurdo e di «farsene una ragione», nei limiti in cui la ragione può ritrovarsi in un'immagine cosí atrocemente deformata di se stessa. Il capitolo *Al di qua del bene e del male*, in cui si esamina il ferreo e complicato ma inimmaginabile sistema dei delitti e delle pene che vige nel Lager, termina con un invito al lettore «a riflettere, che cosa potessero significare in Lager le nostre parole "bene" e "male", "giusto" e "ingiusto"» e a giudicare «quanto del nostro comune mondo morale potesse sussistere al di qua del filo spinato» (*SQ* 87).

In questo senso Levi è esattamente agli antipodi di Kafka. Mentre Josef K. trova naturali l'arresto e il processo e impiega tutte le sue energie a vagare tra giudici e avvocati senza mai stupirsi del loro comportamento, Levi si adatta bensí per necessità di sopravvivenza al mondo in cui è capitato, ma non cessa di stupirsi della logica inumana che ad esso presiede e che vorrebbe intendere senza mai venirne interamente a capo. Che proprio lui abbia poi tradotto *Il processo* è uno di quei paradossi in cui incappa uno scrittore che non respingeva la lotta col diverso. Il risultato non poteva non essere problematico proprio perché Levi, per quanto abbia fatto molte giuste osservazioni sul me-

stiere del tradurre, era troppo ancorato al proprio punto di vista per poter adottarne almeno temporaneamente un altro. Di fronte a Kafka si è posto come l'artigiano amante del lavoro ben fatto di fronte al prodotto di un altro artigiano, di cui riconosce che è migliore ma non è eseguito con i suoi procedimenti tecnici[3].

L'ingresso ad Auschwitz è una serie di offese senza spiegazioni, ma il vero choc del non capire si ha quando all'infermeria tentano di spiegargli il meccanismo della selezione. È il momento in cui deve capire di non essere finito in un campo di concentramento, sia pure cento volte piú spaventoso di altri, ma in un campo di sterminio organizzato e graduale. Schmulek, che gliene darà la prova venendo selezionato il giorno dopo, lo fa riflettere sul fatto che il suo numero è 174 517 mentre nel complesso dei campi si trovano solo alcune migliaia di *Häftlinge*. Dove sono gli altri? «Forse trasferiti in altri campi...?», propone Levi. Schmulek crolla il capo e dice al compagno: «Er will nix verstayen, – non vuole capire» (*SQ* 49). Levi non è il tipo da farsi illusioni, aveva intuito fin dai giorni del campo di raccolta di Fòssoli che alla fine di questa avventura c'era la morte, e per quanto stesse ad Auschwitz da poco tempo erano giunte fino a lui le voci dell'esistenza dei procedimenti di eliminazione. Ma altro è rappresentarsi qualcosa che resta nel vago, altro è vedere Schmulek con la sua faccia bonaria uscire dalla baracca in una fila che non ha fatto la barba e la doccia e che nessuno saluta. Cosí comincia il processo del capire che lo porterà sempre piú a fondo nei gironi dell'inferno: materialmente, perché solo a liberazione avvenuta, quando può uscire da Buna-Monowitz e vedere il Lager di Auschwitz propriamente detto e può paragonare quello, «un villaggio al confronto», con questa

[3] Cfr. per l'aspetto puramente filologico il confronto tra le diverse traduzioni del *Processo* nell'articolo di Sandra Bosco Coletsos, *La traduzione di «Der Prozeß» di Frank Kafka*, in «Studi tedeschi», a. XXVIII (Napoli 1985), n. 1-3, pp. 229-68 (su Levi soprattutto alle pp. 248-50).

«sterminata metropoli» (*T* 223), egli si rende conto dell'e-
normità della macchina della morte; psicologicamente,
perché misurerà i gradi dell'abiezione cui questa macchina
ha ridotto gli uomini, la grandezza morale che talora ha la
possibilità di rivelarsi anche «quivi» e l'esistenza di quella
«zona grigia» tra la collaborazione e la speranza di poter
ridurre il male cui sarà dedicato un capitolo dei *Sommersi
e i salvati*; ideologicamente, perché il suo desiderio di co-
noscenza lo porta a meditare sulla «corazza di ostinazione
e di deliberata sconoscenza» (*SQ* 145) in cui sono chiusi i
tedeschi, che si rifiutano di vedere l'inevitabile fine del lo-
ro potere e continuano con la meticolosa regolamentazione
dell'orrore quando essa non ha piú nessuna prospettiva.
Astutissimi nell'escogitare questa macchina mortale prati-
camente autogestita, i tedeschi la spingono all'assurdo e al-
l'insensato anche nella logica stessa della distruzione e so-
no ineguagliabili nell'osservanza di un «galateo particola-
re» del non vedere, non sapere e non parlare, con cui «il
cittadino tedesco tipico conquistava e difendeva la sua
ignoranza» (*SQ* App. 191).

Questa esperienza del «cittadino tedesco tipico» culmi-
na nel famoso esame di chimica e nello sguardo che egli in-
crocia con l'esaminatore, il dottor Pannwitz, «perché
quello sguardo non corse fra due uomini; e se io sapessi
spiegare a fondo la natura di quello sguardo, scambiato co-
me attraverso la parete di vetro di un acquario tra due es-
seri che abitano mezzi diversi, avrei anche spiegato l'es-
senza della grande follia della terza Germania» (*SQ* 109).
Non si può non ammirare la tenacia con cui Levi ha conti-
nuato a voltare e rivoltare questo problema; a indagare sui
tedeschi che aveva conosciuto, aiutato da casi spiegabili
solo con il fatto che lui e i vari dottor Pannwitz erano ri-
masti nel ramo della chimica (si veda il racconto *Vanadio*
nel *Sistema periodico*); ad avere carteggi con i suoi lettori
tedeschi, in parte riportati nell'ultimo capitolo dei *Som-
mersi e i salvati*; a studiare il tedesco per superare i com-
plessi verso questa lingua che aveva imparato prima solo

come linguaggio tecnico per decifrare il Gattermann, poi come gergo della violenza e della sottomissione. Ma con tutto ciò non si può dire che egli fosse riuscito a far quadrare il mistero. Nella sua volontà di capire era approdato alla conclusione di quegli storici (Bullock, Schramm, Bracher) che «confessano di *non comprendere* l'antisemitismo furibondo di Hitler e della Germania dietro di lui» e che anzi quanto è avvenuto «*non si deve* comprendere, perché comprendere è quasi giustificare», cioè identificarsi con l'oggetto da comprendere (nel senso etimologico di «contenere, abbracciare») (*SQ* App. 208).

«Er will nix verstayen» è anche l'iniziazione a una lingua che emerge dalla grande babele come un nucleo compatto e importantissimo: lo jiddish, la lingua di tutti gli ebrei orientali, e agli occhi di costoro quella di tutti gli ebrei, sicché gli italiani vengono guardati con diffidenza perché non solo non lo sanno, ma avevano al massimo vaghi sospetti della sua esistenza. Attraverso lo jiddish, cui continuerà a interessarsi con la sua curiosità e pazienza linguistica[4], Levi sperimenta anche qualche cosa di nuovo: l'appartenenza al popolo ebraico, che per un ebreo italiano era una nozione o del tutto astratta o che aveva una concretezza nella pura memoria locale o regionale (come nel capitolo iniziale del *Sistema periodico*). Kafka attraverso le recite del teatro jiddish di Leopoli intuí la possibilità di un ebraismo comunitario, garantito dall'unità linguistica, cui poteva reintegrarsi cancellando il peccato del distacco, della separazione dovuta all'assimilazione (ciò che poi non gli accadde, nonostante le tentazioni sioniste, né gli poteva accadere). Levi non si trova nella stessa situazione, né può sperare di integrarsi a una comunità cui non hanno appartenuto nemmeno i suoi avi, né pensare di re-

[4] Che egli, con la sicurezza del suo intuito linguistico (oltre che, come egli dice, per il perfetto funzionamento della sua «memoria meccanica») avesse già inteso in campo l'essenza di questa lingua ibrida e difficile, è confermato dall'episodio della frase (tedesca ma a costruzione jiddish) che il traduttore tedesco di *Se questo è un uomo* si rifiuta di avallare mentre Levi la trova poi verificata in esempi analoghi citati da un libro sull'jiddish (cfr. *SES* 731).

gredire al gergo ebraico-piemontese dei suoi antenati mon-
ferrini. Ma il trauma dell'esistenza di un popolo ebraico
uno nella fede e nell'idioma lo ha sempre accompagnato e
ha trovato la sua migliore espressione nel romanzo *Se non
ora, quando?*, che a nostro parere, oltre ai suoi intenti pa-
lesi di apologia delle possibilità di un'autodifesa ebraica,
ha una curiosa funzione di transfert: la meraviglia del-
l'ebreo occidentale di fronte al fenomeno dell'ebraismo
orientale si proietta nella meraviglia dei partigiani ebrei
polacchi che nelle ultime pagine approdano in Italia e sco-
prono l'esistenza di loro correligionari che ad onta delle
persecuzioni continuano a essere perfettamente integrati
nel tessuto economico, sociale e culturale dell'ambiente
cristiano. Un transfert difficile: Levi vuol vedere con gli
occhi di un popolo che aveva conosciuto troppo poco, e
quando stava agonizzando. Ma è certo che l'incontro con
esso fu determinante per rendere un po' meno assurda e
solitaria la coscienza dell'esclusione determinata dalle per-
secuzioni antisemite: gli ebrei italiani non erano un popo-
lo, ma altri lo erano. Dopo il Lager Levi non cesserà di nu-
trire per la cultura e la vita ebraica un vivo interesse che
certo prima non aveva, mentre in fatto di religione (come
di ideologia) rimase sempre rigorosamente agnostico, pur
dolendosi talvolta di esserlo, poiché ad Auschwitz avere
una fede purchessia rappresentava una grande fonte di for-
za, perché se non altro esimeva dalla fatica di comprende-
re l'incomprensibile, come si spiega in una bellissima pagi-
na (*SES* 771) in cui tra l'altro si dice dei credenti che perfi-
no «la loro fame era diversa dalla nostra; era una punizio-
ne divina, o una espiazione, o un'offerta votiva, o il frutto
della putredine capitalista».

Per l'atteggiamento di Levi verso la religione dei padri
mi sembra tipico il divertente articolo *Il rito e il riso* (*AM*
181 sgg.) sulla massima raccolta di leggi e usanze rituali, il
Shulkàn Arùkh (*Tavola imbandita*) di Joseph Caro (xvi se-
colo), che Levi rifiuta come normativa religiosa ma difen-
de come «gioco disinteressato dell'ingegno» e perché nella

puntigliosità del rito si nasconde un atteggiamento ironico, il riso. La religione lo interessava come fenomeno culturale, e del resto i suoi scritti attestano una dimestichezza con la Bibbia assai rara tra ebrei e cristiani italiani, che generalmente condividono l'ignoranza sia del Vecchio che del Nuovo Testamento. Tutto però finiva qui.

3. «Guerra è sempre».

Se sia l'esperienza del chimico che quella del testimone dei Lager si attuano entro l'orizzonte dello sforzo di capire, questo vien meno nella *Tregua*, che anche in tal senso costituisce una pausa di rilassamento nell'opera autobiografica. La babele continua, la vita è sempre dominata dal caos e dall'irrazionalità, ma di un altro tipo, dovuto alla disorganizzazione e non all'eccesso di organizzazione. Il sistema di Auschwitz aveva colpito Levi tra l'altro per la sua antieconomicità, che urtava il suo spirito razionalistico; dato (e naturalmente non concesso) lo scopo di spremere al massimo una vita umana considerata inferiore finché poteva rendere qualcosa, e poi trasformarla in cenere, i metodi scelti sembravano inidonei, c'era l'impiego di un'enorme quantità di «violenza inutile» (cui è dedicato un apposito capitolo nei *Sommersi e i salvati*) ed è sintomatico che l'esercito di schiavi cui apparteneva Levi non sia servito a fare uscire neanche un grammo di gomma sintetica dalle officine Buna, come egli ripete in piú occasioni. E ricorda (*SES* 749) come le donne di Ravensbrück fossero costrette, prima di essere assegnate a una determinata squadra di lavoro, a passare le giornate spostando la sabbia in cerchio, di modo che alla fine si tornasse allo stato iniziale. L'ordine coatto creava il caos, sia oggettivamente, sia nell'animo delle vittime, il cui disagio, rifiutando l'inadeguata parola «nevrosi», egli non sa definire altrimenti che come «un'angoscia atavica, quella di cui si sente l'eco nel secondo versetto della Genesi: l'angoscia inscritta in ognuno del

"tòhu vavòhu", dell'universo deserto e vuoto, schiacciato sotto lo spirito di Dio, ma da cui lo spirito dell'uomo è assente: non ancora nato o già spento» (*SES* 717). Solo la penna di questo scrittore alieno da pensamenti religiosi e filosofici può trasformare la parola biblica nella descrizione non libresca di una «condizione esistenziale».

Il caos in cui Levi viene ora a trovarsi ha poco in comune con il «tòhu vavòhu» del campo: è il prodotto della disorganizzazione sovietica, per cui si arriva non si sa dove, si parte verso non si sa dove, non si giunge mai alla mèta per via diretta e la mèta stessa non è una mèta ma un luogo fuori del mondo dove si resta per mesi e donde si parte quando meno ce lo si aspetta. Per i russi e lo spirito anarchico e nomadico che traspare dai loro comportamenti, Levi ha una simpatia sostanziale, e fa piacere dopo tanta insistenza esclusiva sui Gulag – la cui ombra talvolta si proietta anche qui – trovare pagine in cui Levi ravvisa, «in ciascuno di quei visi rudi e aperti, i buoni soldati dell'Armata Rossa, gli uomini valenti della Russia vecchia e nuova, miti in pace e atroci in guerra, forti di una disciplina interiore nata dalla concordia, dall'amore reciproco e dall'amore di patria; una disciplina piú forte, appunto perché interiore, della disciplina meccanica e servile dei tedeschi» sicché «era agevole intendere, vivendo fra loro, perché quella, e non questa, avesse da ultimo prevalso» (*T* 264). Levi insisterà sempre su questa differenza, sia pure idealizzandola un po', e si rifiuterà di equiparare i Gulag, dove la morte era solo un «sottoprodotto», ai campi di sterminio dove essa era lo scopo principale del processo industriale. La babele sotto il segno russo è quindi variopinta e contraddittoria, ma tutto sommato inoffensiva e spesso allegra: un'ottima fonte di riflessioni per un uomo cosí curioso dell'umana natura. Il problema della difficoltà di comunicare esiste piú che mai ma viene per lo piú superato con disinvoltura e sfoggio di arti mimetiche, senza la terribile angoscia che questo problema comportava nel Lager, tutt'al piú con imprevisti dovuti al carattere russo. Un sol-

dato tenta di insegnare a Levi il russo e insoddisfatto dei
risultati si lancia contro di lui con la baionetta, ma alla sua
paura ride e gli dice la parola russa per baionetta. Oppure
il marinaio che racconta gesticolando le sue imprese belli-
che e si riscalda tanto da mettere in pericolo l'incolumità
dei presenti (*T* 370-71). O il delizioso capitolo in cui Pri-
mo e Cesare in piena notte raggiungono un villaggio per
comprare un pollastro e per l'ostacolo della lingua ci rie-
scono solo quando Primo si decide a tracciare per terra
l'immagine di una gallina (*T* 335 sgg.).

In questa atmosfera in cui ciascuno è al minimo una
macchietta, prosperano le grosse personalità nel bene e nel
male, o piú spesso al di là del bene e del male: il ragionier
Rovi, innamorato del potere; il medico Gottlieb; il Moro
di Verona, vecchio e cupo bestemmiatore; Cesare, che
porta in giro la mentalità e le astuzie del ghetto romano;
infine il Greco, Mordo Nahum, tetro e infallibile rappre-
sentante della volontà di sopravvivere, e molti altri. Que-
sta galleria di personaggi a tutto tondo e l'aneddotica che
ne risulta hanno fatto spesso parlare di romanzo picaresco,
in parte a buon diritto. Tuttavia la differenza essenziale è
che nel romanzo picaresco l'io narrante è anche il protago-
nista, mentre Primo è piuttosto spettatore. Pronto a inter-
venire nelle imprese anche piú folli ogni volta che ci vuole
perseveranza e spirito d'iniziativa individuale (come nella
ricerca della gallinella o «curizetta»), la sua etica borghese
lo rende impermeabile alle esaltazioni collettive e gli fa ri-
fiutare con sdegno le «creature bianche e rosee» di cui il
Greco si era improvvisato magnaccia e che gli offre per
amicizia (*T* 334). Assiste alle storie «de haulte graisse» e le
racconta, ma non le vive. Del resto l'espressione rabelai-
siana salta fuori a proposito del rimpatrio di Cesare, che
Levi rimanda ad altra occasione, quando Cesare gliene da-
rà il permesso (*T* 411). E la storia viene puntualmente rac-
contata piú tardi (*L* 62 sgg.) e non è poi tanto «de haulte
graisse», anzi è velata dall'ombra del fallimento, dall'onta
del truffatore truffato.

La funzione di spettatore che Levi assume nelle storie «de haulte graisse» non è infatti fondata solo sul suo individualismo e moralismo, ma altresí sulla sua incapacità di lasciarsi andare al presente, come Cesare o altri personaggi; alla consapevolezza che si tratta appunto di una tregua e che la vergogna del passato era inestinguibile. *La tregua* comincia con la pagina indimenticabile dell'ingresso nel campo dei quattro soldati russi, «oppressi, oltre che da pietà, da un confuso ritegno, che sigillava le loro bocche, e avvinceva i loro occhi allo scenario funereo», stato d'animo simile alla certezza dei prigionieri della «natura insanabile dell'offesa» (*T* 216-17). E come motto il libro ha la poesia *Alzarsi* (questo è il titolo in *OI* 16) in cui il vecchio sogno del Lager di tornare e raccontare, interrotto dall'ordine di alzarsi, si trasforma nell'incubo di tornare alla stessa situazione, incubo poi raccontato analiticamente nella stupenda pagina che chiude il libro (*T* 421-23), in cui esso appare come la lenta decostruzione dell'ambiente familiare ritrovato nel caos del Lager. D'altra parte questa è solo la cornice del libro, che nell'insieme è sereno se pur non partecipe; una tregua, sí, ma anche una vacanza in cui l'autore è liberato dall'orrore del Lager e non è ancora ripreso dalla tristezza del dovere quotidiano che nonostante la gioia del rimpatrio lo opprimerà ogni lunedí (si veda la poesia cosí intitolata in *OI* 17). Tra il lavoro forzato e il lavoro accettato e convinto, ma faticoso e rischioso, Levi si concede una pausa in cui non è piú necessaria la tensione morale che ha segnato tutta la sua vita.

Per il momento, nonostante i sogni angosciosi, crede almeno di sapere che la guerra è finita. È il Greco, nel suo spietato realismo, a disingannarlo, affermando «memorabilmente»: «Guerra è sempre» (*T* 256). Entrambi erano stati in Lager: «io lo avevo percepito come un mostruoso stravolgimento, una anomalia laida della mia storia e della storia del mondo; lui, come una triste conferma di cose notorie» (*T* 256). Questa saggezza è sospetta, è quella di un commerciante discendente di commercianti, e per la classe

mercantile Levi, artigiano della chimica e poi della penna, cresciuto nell'avversione per gli strani riti del fondaco del nonno, non ha simpatia, il loro non gli sembra vero lavoro. «È un mestiere che tende a distruggere l'anima immortale; ci sono stati filosofi cortigiani, filosofi pulitori di lenti, perfino filosofi ingegneri e strateghi, ma nessun filosofo, che io sappia, era grossista o bottegaio» (*SP* 586). Certo in Mordo Nahum il commerciante sfuma ancora nell'avventuriero, nel filibustiere e nel contrabbandiere, e quindi egli può derogare alla norma ed essere filosofo, anzi un filosofo cosí persuasivo nel suo cinismo che da allora Levi oscillerà sempre tra la sua verità e la propria. Gli sviluppi del dopoguerra, peraltro, avevano profondamente modificato gli orizzonti entro i quali era nata la millenaria verità di Nahum, in modo di cui il Greco non poteva avere un'idea. Sarà con queste nuove prospettive che Levi dovrà fare i conti. Per dirla con Pier Vincenzo Mengaldo[5], egli «restò sempre diviso tra due interpretazioni della follia nazista: come episodio orribile, sí, ma circoscritto e concluso, della storia moderna, o invece come risultato conseguente delle tendenze del mondo contemporaneo, tra sviluppo vertiginoso della tecnica e vocazione totalitaria del potere, e su questa forcella continuò a interrogarsi sino all'ultimo». Il suo fondamentale ottimismo lo spingeva nella prima direzione, la sua lucidità nella seconda, e lo scienziato poteva fornire buoni argomenti per entrambe le tesi. Recensiva con preoccupazione *Il destino della terra* di Jonathan Schell (*AM* 168) terminando l'articolo con la constatazione che «non siamo una specie stupida», come documentano le scoperte scientifiche, e quindi riusciremo a far pervenire ai potenti la voce della ragione. E poco dopo: «l'avvenire dell'umanità è incerto [...] e la qualità della vita peggiora; eppure io credo che quanto si va scoprendo sull'infinitamente grande e l'infinitamente piccolo sia sufficiente ad

[5] Nel suo articolo commemorativo per il «Corriere del Ticino» del 18 aprile 1987.

assolvere questa fine di secolo e di millennio» (*AM* 175). L'ambiguità della scienza, che lavora sia per il bene che per il male, egli pensava di chiarirla proponendo una specie di giuramento ippocratico per gli scienziati affinché non si prestino a diventare «apprendisti stregoni». Ma non poneva né voleva porre in questione la scienza in quanto tale. Approvava la scelta di Peter Hagelstein, «padre» dello scudo stellare, che aveva abbandonato queste ricerche per occuparsi di applicazioni mediche dei laser, ma disapprovava quella di Martin Ryle, esperto di radar passato alla radioastronomia, che credeva innocua mentre serve alla missilistica, e allora aveva lanciato il messaggio radicale «stop science now». Se gli obbedissimo e abbandonassimo la ricerca di base, secondo Levi «tradiremmo la nostra natura e la nostra nobiltà di fuscelli pensanti, e la specie umana non avrebbe piú motivo di esistere» (*RS* 165). Ma è proprio cosí? Non c'è altro modo di pensare al di fuori della scienza moderna? I suoi personaggi popolani, veri o fittizi, erano piú radicali, meno ottimisti: «... il mondo è fuori quadro, – proclamava nel suo caratteristico stile il montatore Faussone, che voleva tutto ben squadrato (*CS* 46), – anche se adesso andiamo sulla luna, ed è sempre stato fuori quadro, e non lo raddrizza nessuno [...]» E Lorenzo, il muratore italiano che ad Auschwitz aveva aiutato lui e tanti altri, dopo il ritorno si lascia andare e muore. «Il mondo lo aveva visto, non gli piaceva, lo sentiva andare in rovina; vivere non gli interessava piú» (*L* 77).

Sembra che un giorno anche Primo Levi sia arrivato a questa conclusione.

<div align="right">CESARE CASES</div>

Torino, agosto 1987.

Cronologia
a cura di Ernesto Ferrero

Nota. All'inizio del 1987 avevamo discusso con Levi il progetto di raccogliere le sue opere nella presente collana, invitandolo a provvedere lui stesso a stendere la cronologia che accompagna i volumi della serie. Levi si mise al lavoro sul computer Macintosh che usava per scrivere, ma dopo la sua scomparsa i famigliari hanno potuto constatare che le annotazioni si fermavano all'inizio del 1975. La presente cronologia utilizza i dati lasciati da Levi e cerca di integrarli facendo parlare per quanto possibile lo stesso autore, attraverso le principali interviste da lui rilasciate o altri interventi scritti di carattere autobiografico. Obiettivo della cronologia non è quello di scavare nella vita privata di uno scrittore già tanto riservato, ma di offrire al lettore gli elementi essenziali per la migliore comprensione delle opere.

E. F.

1919

Primo Levi nasce a Torino il 31 luglio, nella casa dove abiterà poi tutta la vita. I suoi antenati sono degli ebrei piemontesi provenienti dalla Spagna e dalla Provenza. Levi ne ha descritto le abitudini, lo stile di vita e il gergo nel capitolo iniziale del *Sistema periodico*, ma non ne ha conservato una memoria personale al di là di quella dei nonni. Il nonno paterno era un ingegnere civile che abitava a Bene Vagienna, dove possedeva una casa e un piccolo podere; morí verso il 1885. Il nonno materno era un mercante di stoffe, e morí nel 1941. Il padre, Cesare, nato nel 1878, si era laureato in ingegneria elettronica nel 1901. Dopo vari soggiorni di lavoro all'estero (Belgio, Francia, Ungheria), nel 1917 si sposò con Ester Luzzati, nata nel 1895. Levi ricorda il padre come un uomo estroverso, moderno per i suoi tempi, amante del buon vivere e delle buone letture, poco curante delle cose di famiglia.

«Andava al tempio a Kippur perché era un po' superstizioso, ma frequentava Lombroso, i fisiologi positivisti di Torino; faceva sedute spiritiche, non perché credesse agli spiriti, ma per capire cosa c'era sotto...» (Levi e Regge, 1984).

1921

Nasce la sorella Anna Maria, cui Primo resterà legatissimo tutta la vita.

1925-1930

Frequenta le scuole elementari; è di salute cagionevole. Alla fine delle scuole elementari riceve lezioni private per un anno.

1934

Si iscrive al Ginnasio-Liceo D'Azeglio, un istituto noto per aver ospitato docenti illustri, oppositori del fascismo (Augusto Monti, Franco Antonicelli, Umberto Cosmo, Zino Zini, Norberto Bobbio e molti altri). Il liceo è stato ormai «epurato» e si presenta politicamente agnostico. Levi è uno studente timido e diligente, gli interessano la chimica e la biologia, assai meno la storia e l'italiano. Non si distingue particolarmente, ma non ha insufficienze in alcuna materia. In prima liceo ha per qualche mese come professore di italiano Cesare Pavese.

Stringe amicizie che dureranno tutta la vita. Lunghe vacanze a Torre Pellice, Bardonecchia, Cogne: inizia il suo amore per la montagna.

«La mia vocazione chimica è cominciata sui quattordici anni. Mio padre ha fatto caute pressioni per mandarmi dalla parte scientifica. Era un bibliofilo, comperava libri a caso e aveva passioni di autodidatta. Aveva studiato per conto suo tante cose, e ha continuato a studiare sino alla fine. Aveva riempito la casa di libri strani, che in parte ho ancora... Mi comperava la bella serie Mondadori di divulgazione scientifica, *I cacciatori di microbi*, *L'architettura delle cose*, un primo libro sulla genetica che stava allora nascendo, *L'uomo questo sconosciuto* di Carrell, che era di Bompiani; e una *Introduzione alla storia della stupidità umana* di Wilkins, mi pare [...]. Mio padre odiava la natura, aveva un odio selvaggio per la campagna, che per lui voleva dire stare chiuso in casa senza mettere mai il naso fuori, perché c'erano le formiche, la polvere, perché faceva caldo... Era innamorato del centro di Torino. Mi ci portava, anche se io ero renitente, e non capiva il fatto che io andassi in montagna, a sciare. Il tennis sí, perché

non era pericoloso, e si faceva entro un'area circoscritta. Ma la montagna gli era incomprensibile. Bevi, fuma, vai con le ragazze, consigliava. Ora io non fumavo, non bevevo, non avevo ragazze. Non c'era una gran comprensione, con mio padre. Io ero sostanzialmente un romantico, e anche della chimica mi interessava l'aspetto romantico, speravo di arrivare molto in là, di giungere a possedere la chiave dell'universo, di capire il perché delle cose. Adesso so che non c'è il perché delle cose, almeno cosí credo, ma allora ci credevo abbastanza. Tuttavia non ero religioso, la religione non mi diceva niente, e in fondo anche la cultura classica non mi dava molto, la subivo con una certa insofferenza [...].

Avevo una curiosa sensazione: che ci fosse una congiura ai miei danni, che la famiglia e la scuola mi tenessero nascosto qualcosa, che andavo cercando nei luoghi che mi erano riservati: per esempio la chimica, o anche l'astronomia [...]. Avevo un ottimo rapporto con la mia insegnante di italiano, ma quando ha detto pubblicamente che le materie letterarie hanno valore formativo, e quelle scientifiche solo valore informativo, mi si sono rizzati i capelli in testa. Sono uscito confermato nell'idea che esisteva una congiura gentiliana. Tu giovane fascista, tu giovane crociano, tu giovane cresciuto in questa Italia non avvicinarti alle fonti del sapere scientifico, perché sono pericolose [...]. Avevo due o tre amici di quattordici o quindici anni e ci predicavamo a vicenda queste cose: noi la via giusta l'abbiamo trovata, la scorciatoia l'abbiamo trovata, quella che la scuola ci nega. Anche se poi abbiamo diligentemente digerito greco e latino, persino volentieri, perché ci divertivano linguisticamente. [...].

Per la mia insegnante di scienze naturali la chimica era un testo di chimica, e basta. Era le pagine di un libro. Non aveva mai toccato in vita sua un cristallo o una soluzione. Era un sapere trasmesso da insegnante a insegnante, senza mai un collaudo pratico. C'erano le esperienze in aula, ma erano sempre le stesse. Mancava assolutamente tutto quello che c'è di inventivo in queste cose [...]. Mio padre mi aveva comperato un microscopio, organizzavo spettacoli "classici", una soluzione di allume per vedere i cristalli [...]. Avevo una macchinetta da proiezione del Pathé Baby, a passo ridottissimo: invitavo i miei amici, e mettevo il vetrino al posto della pellicola, si vedevano crescere i cristalli» (Levi e Regge, 1984).

Legge *L'architettura delle cose* di sir William Braggs (trad. it. Mondadori, Milano 1934). «Mi sono invaghito delle cose chiare e semplici che diceva, e ho deciso che sarei stato un chimico. Leggevo tra le righe una grande speranza: i modelli in scala umana, i concetti di forma e misura, arrivano molto lontano, verso il mondo minuscolo degli atomi e verso il mondo sterminato degli astri; forse infinitamente lontano? Se sí, viviamo in un cosmo immaginabile, alla portata della nostra fantasia, e l'angoscia del buio cede il posto all'alacrità della ricerca» (Levi, 1981).

1937

Alla licenza liceale è rimandato a ottobre in italiano.

Si iscrive al corso di chimica presso la facoltà di Scienze dell'Università di Torino.

«Per me l'esperienza universitaria è stata liberatoria. Ricordo ancora la prima lezione di chimica del professor Ponzio, in cui avevo notizie chiare, precise, controllabili, senza parole inutili, espresse in un linguaggio che mi piaceva straordinariamente, anche dal punto di vista letterario: un linguaggio definito, essenziale. E poi il laboratorio, ogni anno aveva il suo laboratorio: ci stavamo cinque ore al giorno, era un bell'impegno. Un'esperienza straordinaria. In primo luogo perché toccavi con mano: alla lettera, ed era la prima volta che mi capitava, anche se magari ti scottavi le mani o te le tagliavi. Era un ritorno alle origini. La mano è un organo nobile, ma la scuola, tutta presa ad occuparsi del cervello, l'aveva trascurata. E poi il laboratorio era collegiale, un centro di socializzazione dove si diventava veramente amici [...]. Lo sbagliare insieme è un'esperienza fondamentale. Si prendeva molto parte alle vittorie e alle sconfitte reciproche, per esempio analisi quantitativa, in cui ti davano una polverina e dovevi dire che cosa c'era dentro: non accorgerti che c'era il bismuto, o trovare il cromo che non c'era, erano delle avventure. Ci si dava consigli, ci si compiangeva a vicenda. Era anche una scuola di pazienza, di obiettività, di ingegno, perché i metodi che ti proponevano per fare un'analisi potevano essere perfezionati» (Levi e Regge, 1984).

1938

Il governo fascista emana le prime leggi razziali: è fatto divieto agli ebrei di frequentare le scuole pubbliche, tuttavia a chi è già iscritto all'Università è consentito di proseguire gli studi. Levi frequenta circoli di studenti antifascisti, ebrei e non; stringe amicizia con i fratelli Artom. Legge Thomas Mann, Aldous Huxley, Sterne, Werfel, Darwin, Tolstoj.

«Ho letto molto perché appartenevo a una famiglia in cui leggere era un vizio innocente e tradizionale, un'abitudine gratificante, una ginnastica mentale, un modo obbligatorio e compulsivo di riempire i vuoti di tempo, e una sorta di fata morgana nella direzione della sapienza. Mio padre aveva sempre in lettura tre libri contemporaneamente; leggeva "stando in casa, andando per via, coricandosi e alzandosi" (Deut. 6.7); si faceva cucire dal sarto giacche con tasche larghe e profonde, che potessero contenere un libro ciascuna. Aveva due fratelli altrettanto avidi di letture indiscriminate» (Levi, 1981).

«La liberazione universitaria ha coinciso con il trauma di sentirmi dire: attenzione, tu non sei come gli altri, anzi, vali di meno: sei avaro, sei uno straniero, sei sporco, sei pericoloso, sei infido. Ho reagito inconsapevolmente accentuando l'impegno nello studio» (Levi e Regge, 1984).

«Le leggi razziali furono provvidenziali per me, ma anche per gli altri: costituirono la dimostrazione per assurdo della stupidità del fascismo. Si era ormai dimenticato il volto criminale del fascismo (quello del delitto Matteotti, per intenderci); rimaneva da vederne quello sciocco... Nella mia famiglia si accettava, con qualche insofferenza, il fascismo. Mio padre si era iscritto al Partito di malavoglia, ma si era pur messo la camicia nera. Ed io fui balilla e poi avanguardista. Potrei dire che le leggi razziali restituirono a me, come ad altri, il libero arbitrio» (De Rienzo, 1975).

1941

In luglio, Levi si laurea con pieni voti e lode. Il suo diploma reca la menzione «di razza ebraica».

«Ho avuto la laurea con lode e sono convinto che questa lode mi sia stata data per un 40 per cento per merito mio e per il resto perché i professori, quasi tutti vagamente antifascisti, avevano trovato quel modo per esprimere il loro dissenso. Dal mio osservatorio era molto facile capire se un professore era un barone, come si dice adesso, o uno scienziato. Salvo un caso, erano tutti onest'uomini [...].

Devo aggiungere che di tutti i miei compagni, studenti e studentesse, non ce n'è stato uno che mi abbia chiamato "ebreo". Hanno tutti percepito le leggi razziali o come una sciocchezza o come una crudeltà, o tutt'e due. Erano tutti iscritti al Guf, naturalmente. E non c'è stato nemmeno chi abbia mostrato prudenza nel frequentarmi» (Levi e Regge, 1984).

Quarant'anni più tardi, includendo il suo vecchio testo di Chimica Organica Pratica (L. Gattermann, *Die Praxis des organischen Chemikers*, De Gruyter, Berlino 1939) nell'antologia personale *La ricerca delle radici*, scriverà: «Vi si sente qualcosa che è più nobile del puro ragguaglio tecnico: l'autorità di chi insegna le cose perché le sa, e le sa per averle vissute; un sobrio ma fermo richiamo alla responsabilità, il primo, a ventidue anni, dopo sedici anni di studio e infiniti libri letti. Le parole del Padre, dunque, che ti risvegliano dall'infanzia e ti dichiarano adulto sub conditione».

Levi cerca affannosamente un lavoro, perché la famiglia è a corto di mezzi, e il padre è morente per un tumore. Trova un impiego semilegale in una cava d'amianto presso Lanzo: ufficialmente non figura nei libri-paga, ma lavora in un laboratorio chimico. Il problema che gli viene proposto e a cui si dedica con entusiasmo è quello di isolare il nichel che si rinviene in piccole quantità nel materiale di discarica (vedi il capitolo *Nichel* nel *Sistema periodico*).

1942

Trova una sistemazione economicamente migliore a Milano, presso la Wander, una fabbrica svizzera di medicinali, dove è incaricato di studiare nuovi farmaci contro il diabete:

questa esperienza di lavoro è raccontata nel capitolo *Fosforo* del *Sistema periodico*.

Levi trasferisce a Milano le poche cose che sente indispensabili: «la bicicletta, Rabelais, le *Macaroneae*, *Moby Dick* tradotto da Pavese ed altri pochi libri, la piccozza, la corda da roccia, il regolo logaritmico e un flauto dolce».

Frequenta un piccolo gruppo di giovani intellettuali torinesi che vivono a Milano: «la nostra ignoranza ci concedeva di vivere, come quando sei in montagna, e la tua corda è logora e sta per spezzarsi, ma tu non lo sai e vai sicuro».

In novembre, gli alleati sbarcano in Nord Africa. A dicembre, i russi difendono vittoriosamente Stalingrado. Levi e i suoi amici prendono contatto con alcuni esponenti dell'antifascismo militante, e compiono la loro rapida maturazione politica. Levi entra nel Partito d'Azione clandestino.

1943

Nel luglio cade il governo fascista e Mussolini viene arrestato. Levi è attivo nella rete di contatti fra i partiti del futuro Cln.

L'otto settembre il governo Badoglio annuncia l'armistizio, ma «la guerra continua». Le forze armate tedesche occupano il nord e centro Italia. Levi si unisce a un gruppo partigiano operante in Val d'Aosta, ma all'alba del 13 dicembre è arrestato presso Brusson con altri due compagni. Molti anni piú tardi, nel 1980, Levi scriverà a Paolo Momigliano, presidente dell'Istituto storico della Resistenza in Valle d'Aosta: «Il mio periodo di partigiano in Valle d'Aosta è stato senza dubbio il piú opaco della mia carriera, e non lo racconterei volentieri: è una storia di giovani ben intenzionati ma sciocchi, e sta bene fra le cose dimenticate. Bastano e avanzano i cenni contenuti nel *Sistema periodico*...»

Levi viene avviato nel campo di concentramento di Carpi-Fòssoli.

«I fascisti non ci trattavano male, ci lasciavano scrivere, lasciavano che ci arrivassero pacchi, ci giuravano sulla loro "fe-

de fascista" che ci avrebbero tenuti là fino alla fine della guerra» (Camon, 1987).

1944

Nel febbraio il campo di Fossoli viene preso in gestione dai tedeschi, i quali avviano Levi e altri prigionieri, tra cui vecchi, donne e bambini, su un convoglio ferroviario con destinazione Auschwitz.

Il viaggio dura cinque giorni. All'arrivo gli uomini vengono divisi dalle donne e dai bambini, e avviati alla baracca n. 30.

«Non c'era un campo di Auschwitz, ce n'erano 39. C'era Auschwitz città e dentro c'era un Lager, ed era Auschwitz propriamente detto, ossia la capitale del sistema: piú sotto c'era a 2 km Birkenau, cioè Auschwitz secondo: qui c'era la camera a gas. Era un enorme Lager, diviso in 4-6 Lager confinanti. Piú in alto invece c'era la fabbrica, e presso la fabbrica c'era Monowitz, o Auschwitz terzo: io ero lí, questo Lager apparteneva alla fabbrica, era stato finanziato da essa. In piú, tutt'intorno, c'erano altri 30-35 Lager piccoli (miniere, fabbriche di armi, aziende agricole ecc.). Nel mio Lager eravamo in circa 10 000, però l'amministrazione era per tutti Auschwitz uno, e il campo di sterminio era Birkenau» (Camon, 1987).

Levi attribuisce la sua sopravvivenza ad una serie di circostanze fortunate. La sua conoscenza sufficientemente estesa del tedesco gli permette di comprendere gli ordini dei suoi aguzzini. Inoltre dalla fine del 1943, dopo Stalingrado, la carenza di manodopera in Germania è tale che diventa indispensabile utilizzare anche gli ebrei, serbatoio di manodopera a prezzo nullo.

«Noi ebrei italiani non parlavamo jiddish, eravamo stranieri per i tedeschi, e stranieri per gli ebrei dell'Est in quanto non avevano neppure nozione che esistesse un ebraismo come il nostro... Ci sentivamo particolarmente indifesi. Noi e i greci eravamo gli ultimi tra gli ultimi; direi ancora peggio noi dei greci, perché i greci erano in buona parte gente allenata a una discriminazione, a Salonicco esisteva un antisemitismo e mol-

ti ebrei salonicchioti si erano fatte le ossa a contatto con i greci non ebrei. Ma gli italiani, gli ebrei italiani, cosí abituati a essere considerati alla pari con tutti gli altri, erano veramente senza corazza, nudi come un uovo senza guscio» (Bravo e Jalla, 1986).

«Sono diventato ebreo in Auschwitz. La coscienza di sentirmi diverso mi è stata imposta. Qualcuno, senza nessuna ragione al mondo, stabilí che io ero diverso e inferiore: per naturale reazione io mi sentii in quegli anni diverso e superiore... In questo senso Auschwitz mi ha dato qualcosa che è rimasto. Facendomi sentire ebreo, mi ha sollecitato a recuperare, dopo, un patrimonio culturale che prima non possedevo» (De Rienzo, 1975).

Nel giugno Levi viene mandato a fare il manovale in una squadra di muratori che devono erigere un muro. Conosce un muratore di Fossano, Lorenzo Perrone, che lavora per un'impresa italiana trasferita d'ufficio ad Auschwitz, e ha una certa libertà di movimento. Perrone prende sotto la sua tutela Levi, e ogni volta che può riesce a fargli avere una gavetta di zuppa, raccolta tra gli avanzi del suo campo. Per i suoi precedenti di chimico, Levi viene poi trasferito in un laboratorio.

«I disagi materiali, la fatica, la fame, il freddo, la sete, tormentando il nostro corpo, paradossalmente riuscivano a distrarci dalla infelicità grandissima del nostro spirito. Non si poteva essere perfettamente infelici. Lo dimostra il fatto che in Lager il suicidio era un fatto assai raro. Il suicidio è un fatto filosofico, è determinato da una facoltà di pensiero. Le urgenze quotidiane ci distraevano dal pensiero: potevamo desiderare la morte, ma non potevamo pensare di darci la morte. Io sono stato vicino al suicidio, all'idea del suicidio, prima e dopo il Lager, mai dentro il Lager» (De Rienzo, 1975).

«Avevo un quaderno, ma questi appunti non erano piú di venti righe. Avevo troppa paura. Era pericolosissimo scrivere. Il fatto stesso di scrivere era sospetto. Quindi era la voglia di tenere appunti, avendo in mano la matita e la carta; era il desiderio, la voglia di trasmettere a mia madre, a mia sorella, ai miei, questa esperienza disumana che stavo vivendo... Non c'era modo di conservare nulla, se non nella memoria» (Bravo e Jalla, 1986).

«Ho saputo molto dopo che anche a Monowitz c'era una organizzazione di resistenza. Sul posto ne ho avuto solo due sospetti... Un comunista francese – ebreo – che era a Monowitz mi ha detto che c'era un reticolo di resistenza, di preparazione alla resistenza, che però aveva potere in qualche caso di vita o di morte, e che era in grado di mettere le mani sui fascicoli dell'anagrafe del campo e togliere un nome e metterne un altro» (*ibid.*).

Per tutta la durata della permanenza nel Lager, Levi riesce a non ammalarsi, ma contrae la scarlattina proprio quando nel gennaio 1945 i tedeschi, sotto l'avvicinarsi delle truppe russe, evacuano il campo, abbandonando gli ammalati al loro destino. Gli altri prigionieri vengono rideportati verso Buchenwald e Mauthausen e muoiono quasi tutti.

Nella notte «terribile e decisiva» in cui i tedeschi esitano tra l'uccidere i prigionieri e il fuggire, decidendo per la fuga, Levi si vede accidentalmente capitare tra mano un libro che avrà poi un qualche significato nella sua attività di scrittore: *Remorques* di Roger Vercel (Albin Michel, Parigi 1935). Vi si descrivono le avventure di un rimorchiatore d'alto mare, e del suo capitano Renaud. Levi vi scopre un tema attuale, «eppure stranamente poco sfruttato: l'avventura umana nel mondo della tecnologia». Scriverà nell'antologia personale *La ricerca delle radici*: «Questo libro fa vedere che l'avventura c'è ancora, e non agli antipodi; che l'uomo può mostrarsi valente e ingegnoso anche in imprese di pace; che il rapporto uomo-macchina non è necessariamente alienante, ed anzi può arricchire o integrare il vecchio rapporto uomo-natura [...]. La ricerca della paternità è sempre un'impresa incerta, ma non mi stupirei se nel mio Libertino Faussone [il protagonista di *La chiave a stella*] si trovasse trapiantato qualche gene del capitano Renaud».

«Ricordo di aver vissuto il mio anno di Auschwitz in una condizione di spirito eccezionalmente viva. Non so se questo dipenda dalla mia formazione professionale, o da una mia insospettata vitalità, o da un istinto salutare: di fatto, non ho mai smesso di registrare il mondo e gli uomini intorno a me, tanto da serbarne ancora oggi un'immagine incredibilmente dettagliata. Avevo un desiderio intenso di capire, ero costan-

temente invaso da una curiosità che ad alcuni è parsa addirittura cinica, quella del naturalista che si trova trasportato in un ambiente mostruoso ma nuovo, mostruosamente nuovo» (Roth, 1986).

«Devo dire che l'esperienza di Auschwitz è stata tale per me da spazzare qualsiasi resto di educazione religiosa che pure ho avuto... C'è Auschwitz, quindi non può esserci Dio. Non trovo una soluzione al dilemma. La cerco, ma non la trovo» (*ibid*.).

1945

Levi vive per qualche mese a Katowice, in un campo sovietico di transito: lavora come infermiere. Nel giugno inizia il viaggio di rimpatrio, che si protrarrà assurdamente fino all'ottobre. Levi e i suoi compagni percorrono un itinerario labirintico, che li conduce dapprima in Russia Bianca e poi finalmente in patria (il 19 ottobre) attraverso l'Ucraina, la Romania, l'Ungheria, l'Austria. È questa l'esperienza che Levi racconterà ne *La tregua*.

«La famiglia, la casa, la fabbrica sono cose buone in sé, ma mi hanno privato di qualcosa di cui ancora oggi sento la mancanza, cioè dell'avventura. Il mio destino ha voluto che io trovassi l'avventura proprio in mezzo al disordine dell'Europa devastata dalla guerra» (Roth, 1986).

1946

Difficile reinserimento nell'Italia disastrata del dopoguerra. Levi trova lavoro presso la fabbrica di vernici Duco-Montecatini, in Avigliana, nei pressi di Torino. È ossessionato dalle traversie subite e scrive febbrilmente *Se questo è un uomo*. Riesce tuttavia a trovare sollievo in questa esperienza di scrittura, come ricorderà nel *Sistema periodico*: «Scrivevo poesie concise e sanguinose, raccontavo con vertigine, a voce e per iscritto, tanto che a poco a poco ne nacque poi un libro: scrivendo trovavo breve pace e mi sentivo ridiventare uomo,

uno come tutti, né martire né infame né santo, uno di quelli
che si fanno una famiglia, e guardano al futuro anziché al pas-
sato».

Si fidanza con Lucia Morpurgo.

«Prima che mi arrestassero avevo già scritto un racconto,
ne conservo ancora una copia, ma mi guardo bene dal pubbli-
carlo. Era un mediocre arabesco, con dentro un po' di tutto
[...], molto mondo naturale, rocce e vegetali. Può darsi che
avrei scritto di questo, sí, quel mondo mi affascinava. Ma l'e-
sperienza del Lager è stata fondamentale per me. Natural-
mente non ci sarei; però, accanto all'orrore di questa espe-
rienza, che sento ancora adesso, non posso negare che essa ab-
bia avuto anche risultati positivi. Lí mi pare di avere imparato
a conoscere i fatti degli uomini [...]. Io avevo fatto l'universi-
tà, ma devo dire che la mia vera università è stata Auschwitz.
Ho l'impressione di averne avuto un arricchimento, tanto che
la stesura di *Se questo è un uomo* è avvenuta nel giro di pochi
mesi, e scrivendo ricordo di non avere mai avuto esitazioni»
(Camon, 1987).

«Forse, leggendo, mi sono inconsapevolmente preparato a
scrivere, cosí come il feto in otto mesi sta nell'acqua ma si
prepara a respirare; forse le cose lette raffiorano qua e là nelle
pagine che poi ho scritto, ma il nocciolo del mio scrivere non
è costituito da quanto ho letto» (Levi, 1981).

«Per il reduce, raccontare è impresa importante e comples-
sa. È percepita ad un tempo come un obbligo morale e civile,
come un bisogno primario, liberatorio, e come una promozio-
ne sociale: chi ha vissuto il Lager si sente depositario di un'e-
sperienza fondamentale, inserito nella storia del mondo, testi-
mone per diritto e per dovere, frustrato se la sua testimonian-
za non è sollecitata e recepita, remunerato se lo è» (Bravo e
Jalla, 1986).

«In *Se questo è un uomo* ho cercato di scrivere le cose piú
grosse, piú pesanti, e piú importanti. Mi sembrava che il tema
dell'indignazione dovesse prevalere: era una testimonianza di
taglio quasi giuridico, nella mia intenzione doveva essere un
atto d'accusa – non a scopo di provocare una rappresaglia,
una vendetta, una punizione –, ma sempre una testimonian-

za. Perciò certi argomenti mi sembravano un po' marginali, allora, un'ottava piú in basso; e li ho poi scritti molto tempo dopo (*ibid.*).

«Alla domanda che mi fanno spesso i miei lettori delle scuole medie ("Se Lei non fosse stato in Lager e non avesse studiato chimica, avrebbe scritto egualmente? E se sí, allo stesso modo?") si potrebbe dare una risposta sensata soltanto prendendo un altro Primo Levi che non abbia studiato chimica e che si sia messo a scrivere. La controprova non c'è. Qualche volta, forzando un po' il paradosso, ho scritto che il mio modello di scrittura era il rapportino di fine settimana e in certa misura è vero. Mi aveva colpito la frase attribuita a Fermi, che anche lui si annoiava a fare i temi al liceo. L'unico tema che avrebbe fatto volentieri sarebbe stato: descrivete una moneta da due lire. A me succede un po' la stessa cosa: quando devo descrivere una moneta da due lire, mi riesce bene. Se devo descrivere qualcosa di indefinito, ad esempio un carattere umano, allora ci riesco meno bene» (Levi e Regge, 1984).

1947

Si licenzia dalla Duco. Breve e frustrante esperienza di lavoro autonomo con un amico.

Settembre. Sposa Lucia Morpurgo.

Levi presenta il dattiloscritto alla casa editrice Einaudi, ma la proposta viene declinata con una formulazione generica.

Per intervento di Franco Antonicelli, il libro viene pubblicato dall'editore De Silva in 2500 esemplari.

Buone accoglienze critiche, ma scarso successo di vendita. Levi ritiene concluso il suo compito di scrittore-testimone e si dedica per intero alla professione di chimico.

Dicembre. Levi accetta un posto di chimico in laboratorio presso la Siva, piccola fabbrica di vernici tra Torino e Settimo Torinese. In pochi anni ne diviene il direttore.

«Sono approdato all'industria delle vernici per puro caso. Mi sono occupato piuttosto poco di vernici propriamente dette: la nostra fabbrica, sin dai primi anni si è specializzata in

produzione di smalti isolanti per conduttori elettrici in rame. A quel tempo contavo fra i trenta o quaranta specialisti del mondo in questo ramo: di filo smaltato sono fatti gli animali che ci sono nel mio studio... Non credo di avere sprecato il mio tempo dirigendo una fabbrica. Ho acquistato altre esperienze preziose, che si sono addizionate e combinate con quelle di Auschwitz» (Roth, 1986).

1948

Nasce la figlia Lisa Lorenza.

1956

Una mostra della deportazione in Torino incontra uno straordinario successo. Levi è assediato da giovani che lo interrogano sulle sue esperienze di deportato. Ritrova la fiducia nei suoi mezzi espressivi, e ripropone *Se questo è un uomo* all'editore Einaudi, che questa volta decide di pubblicarlo nella collana «Saggi»: da allora non cesserà di essere ristampato e tradotto.

1957

Nasce il figlio Renzo.

1959

Se questo è un uomo viene tradotto in Inghilterra e negli Stati Uniti.

1961

Escono le traduzioni in francese e in tedesco.

1962

Incoraggiato dal successo di *Se questo è un uomo*, inizia la stesura di *La tregua*, diario dell'avventuroso viaggio di ritorno dalla prigionia. A differenza del precedente, è un libro scritto su piano. Levi compone metodicamente un capitolo al mese, scrivendo alla sera, nei giorni festivi, durante le ferie; non sottrae neppure un'ora al suo impegno professionale. La sua vita è nettamente scissa in tre settori: la famiglia, la fabbrica, lo scrivere. L'attività di chimico lo occupa a fondo. Compie ripetuti viaggi di lavoro in Germania e in Inghilterra.

«*La tregua* è stato scritto quattordici anni dopo *Se questo è un uomo*; è un libro piú consapevole, piú letterario, e molto piú profondamente elaborato, anche come linguaggio. Racconta cose vere, ma filtrate. È stato preceduto da innumerevoli versioni verbali: intendo dire, ogni avventura era stata da me raccontata molte volte, a persone di cultura diversa (spesso a ragazzi delle scuole medie), ed aggiustata a poco a poco in modo da provocare le reazioni piú favorevoli. Quando *Se questo è un uomo* ha cominciato ad avere successo, ed io ho cominciato a intravedere per me un futuro di scrittore, mi sono accinto alla stesura. Volevo divertirmi scrivendo, e divertire i miei futuri lettori; perciò ho dato enfasi agli episodi piú strani, piú esotici, piú allegri: soprattutto, ai russi visti da vicino. Ho relegato all'inizio ed alla fine del libro i tratti, come tu dici, di lutto e di disperazione inconsolabile» (Roth, 1986).

La Radio Canadese realizza una riduzione radiofonica di *Se questo è un uomo*, che Levi apprezza molto: «Gli autori del copione, lontani nel tempo e nello spazio, ed estranei alla mia esperienza, avevano tratto dal libro tutto quello che io vi avevo rinchiuso, ed anche qualcosa di piú: una "meditazione" parlata, di alto livello tecnico e drammatico ed insieme puntigliosamente fedele alla realtà quale era stata».

Levi propone alla Rai una edizione italiana diversa rispetto alla riduzione canadese, sviluppando gli episodi piú adatti, ma conservando la tecnica del dialogo multilingue.

1963

Aprile. Einaudi pubblica *La tregua*, che ottiene accoglienze critiche molto favorevoli. Il «risvolto» di copertina è redatto da Italo Calvino.

Settembre. *La tregua* vince a Venezia la prima edizione del Premio Campiello.

1964-1967

Lavorando su idee che gli vengono suggerite dal lavoro in laboratorio e in fabbrica, scrive vari racconti a sfondo tecnologico, che vengono pubblicati su «Il Giorno» e altrove.

1965

Torna ad Auschwitz per una cerimonia commemorativa polacca.

«Il ritorno fu meno drammatico di quanto possa sembrare. Troppo frastuono, poco raccoglimento, tutto rimesso bene in ordine, facciate pulite, tanti discorsi ufficiali» (da un'intervista del 1984).

1967

Levi raccoglie i racconti in un volume intitolato *Storie naturali*, e adotta lo pseudonimo di Damiano Malabaila. Le ragioni di questa prudenza sono ampiamente spiegate nel «risvolto» editoriale, che rende agevole l'identificazione dell'autore:

«Ho scritto una ventina di racconti e non so se ne scriverò altri. Li ho scritti per lo piú di getto, cercando di dare forma narrativa ad una intuizione puntiforme, cercando di raccontare in altri termini (se sono simbolici lo sono inconsapevolmente) una intuizione oggi non rara: la percezione di una smagliatura nel mondo in cui viviamo, di una falla piccola o

grossa, di un "vizio di forma" che vanifica uno od un altro aspetto della nostra civiltà o del nostro universo morale... Nell'atto in cui li scrivo provo un vago senso di colpevolezza, come di chi commette consapevolmente una piccola trasgressione...

Io sono entrato (inopinatamente) nel mondo dello scrivere con due libri sui campi di concentramento; non sta a me giudicarne il valore, ma erano senza dubbio libri seri, dedicati a un pubblico serio. Proporre a questo pubblico un volume di racconti-scherzo, di trappole morali, magari divertenti ma distaccate, fredde: non è questa frode in commercio, come chi vendesse vino nelle bottiglie dell'olio? Sono domande che mi sono posto, all'atto dello scrivere e del pubblicare queste "storie naturali". Ebbene, non le pubblicherei se non mi fossi accorto (non subito, per la verità) che fra il Lager e queste invenzioni una continuità, un ponte esiste: il Lager, per me, è stato il piú grosso dei "vizi", degli stravolgimenti di cui dicevo prima, il piú minaccioso dei mostri generati dalla ragione».

Levi cura con Pieralberto Marchè una versione teatrale di *Se questo è un uomo*, che viene messa in scena dal Teatro Stabile di Torino, e si basa sulla versione radiofonica già realizzata per la Rai.

1971

Levi raccoglie una seconda serie di racconti, *Vizio di forma*, e questa volta la pubblica col suo nome. Presentandone una nuova edizione all'inizio del 1987, scriverà: «... Si tratta di racconti legati ad un tempo piú triste dell'attuale, per l'Italia, per il mondo, ed anche per me: legati ad una visione apocalittica, rinunciataria, disfattista, la stessa che aveva ispirato il *Medioevo prossimo venturo* di Roberto Vacca. Ora, il Medioevo non è venuto: nulla è crollato, e ci sono invece timidi segni di un assetto mondiale fondato, se non sul rispetto reciproco, almeno sul reciproco timore... Rivive cosí il piú trascurato dei miei libri, il solo che non è stato tradotto, che non ha vinto premi, e che i critici hanno accettato a collo torto, accusandolo di non essere abbastanza catastrofico. Se lo rileggo oggi, accanto a parecchie ingenuità ed errori di prospettiva, ci trovo qualcosa di buono».

1972-1973

Ripetuti viaggi per lavoro in Unione Sovietica (vedi anche *La chiave a stella*, *Acciughe, I* e *Acciughe, II*). «Ero a Togliattigrad, e notavo la stima con cui i sovietici trattavano i nostri operai specializzati. Questo fatto mi incuriosí: quegli uomini sedevano in mensa con me, gomito a gomito; rappresentavano un patrimonio tecnico e umano enorme; ma erano destinati a restare anonimi, perché nessuno aveva mai scritto di loro... *La chiave a stella* è forse nata proprio a Togliattigrad: lí, del resto, è ambientato il racconto, anche se la città non è mai nominata espressamente» (da un'intervista del 1978).

1975

Levi decide di pensionarsi e lascia la direzione della Siva, di cui rimarrà consulente per altri due anni.

«Ho vissuto in fabbrica per quasi trent'anni e devo ammettere che non c'è contraddizione fra l'essere un chimico e l'essere uno scrittore: c'è anzi un reciproco rinforzo. Ma stare in fabbrica, anzi, dirigere una fabbrica, significa molte altre cose diverse e lontane dalla chimica: assumere e licenziare personale; litigare col padrone, con clienti e con fornitori; far fronte a incidenti, ed essere chiamati al telefono, magari di notte o durante una cena da amici; occuparsi di noiose faccende burocratiche; e tante altre "soul destroying tasks", compiti che distruggono l'anima. Tutti questi affari sono brutalmente incompatibili con lo scrivere, che esige una certa pace dell'anima; perciò mi sento veramente nato una seconda volta quando ho raggiunto l'età della pensione e ho potuto dare le mie dimissioni, rinunciando cosí alla mia anima numero uno» (Roth, 1986).

«La mia chimica, che poi era una chimica "bassa", quasi una cucina, mi ha fornito in primo luogo un vasto assortimento di metafore. Mi ritrovo piú ricco di altri colleghi scrittori perché per me termini come "chiaro", "scuro", "pesante", "leggero", "azzurro", hanno una gamma di significati piú

estesa e piú concreta. Per me l'azzurro non è soltanto quello del cielo, ho cinque o sei azzurri a disposizione... Voglio dire che ho avuto per le mani dei materiali di uso non corrente, con proprietà fuori dell'ordinario, che hanno servito ad ampliare proprio in senso tecnico il mio linguaggio. Quindi dispongo di un inventario di materie prime, di "tessere" per scrivere, un po' piú vasto di quello che possiede chi non ha una formazione tecnica. In piú ho sviluppato l'abitudine a scrivere compatto, a evitare il superfluo. La precisione e la concisione, che a quanto mi si dice sono il mio modo di scrivere, mi sono venute dal mestiere di chimico» (Levi e Regge, 1984).

Levi raccoglie presso Scheiwiller le sue poesie in un volumetto dal titolo *L'osteria di Brema*.

1978

Pubblica *La chiave a stella*, storia di un operaio montatore piemontese che gira il mondo a costruire tralicci, ponti, trivelle petrolifere, e racconta incontri, avventure, difficoltà quotidiane del proprio mestiere.

«Il libro punta alla rivalutazione del lavoro "creativo" o del lavoro tout-court: un lavoro, del resto, può essere creativo sia a livello dei mille Faussone esistenti, sia in altri mestieri ed altri livelli sociali... Faussone non esiste in carne e ossa, come lascio credere nel libro, ma esiste: è una specie di conglomerato di persone reali, che ho conosciuto...»

«Accanto a una retorica ufficiale, cinica che esalta strumentalmente il lavoro, perché una medaglia costa meno di un aumento di paga, è nata una seconda retorica, non cinica ma profondamente stupida, che dipinge il lavoro come espressione puramente servile dell'uomo. Questa retorica, fra l'altro, si scontra proprio con una cultura operaia, quella dei Faussone, che invece fa della competenza professionale un valore fuori discussione».

«Ho scritto il libro perché mi affascinava una storia vergine. Anche per il linguaggio. Ogni epoca ed ogni area hanno valorizzato i rispettivi linguaggi. Anche il Piemonte ne ha

avuti, in passato: ma qui a Torino, in fabbrica, è ormai nato un altro italiano-piemontese, dove nuove espressioni, nuovi vocaboli, nuove metafore hanno sostituito il lessico precedente, figlio di una cultura agricola. Ora, nessuno – mi pare – aveva mai registrato in un libro questo nuovo piemontese, che dalla fabbrica ha ormai contagiato la società circostante. Era una lingua letterariamente vergine; ho voluto fare un omaggio, anche linguistico, a Faussone» (da un'intervista di quell'anno).

A luglio, *La chiave a stella* vince il Premio Strega.

1980

Esce l'edizione francese di *La chiave a stella*. Claude Lévi-Strauss scrive: «L'ho letto con estremo piacere perché non v'è nulla che ami quanto l'ascoltare i discorsi di lavoro. Sotto questo profilo Primo Levi è una sorta di grande etnografo. Inoltre il libro è davvero divertente».

In aprile, visita la piattaforma petrolifera «Castoro sei», al largo delle coste siciliane: «un dono raro per un uomo di terra quale io sono» (vedi *Trenta ore sul «Castoro sei»* in *L'altrui mestiere*).

1981

Su idea di Giulio Bollati, prepara per Einaudi un'antologia personale, cioè una scelta di autori che hanno contato particolarmente per la sua formazione culturale, o che piú semplicemente ha sentito come affini. Il volume esce con il titolo *La ricerca delle radici*. Levi scrive nella prefazione: «Mentre la scrittura in prima persona è per me, almeno nelle intenzioni, un lavoro lucido, consapevole e diurno, mi sono accorto che la scelta delle proprie radici è invece opera notturna, viscerale e in gran parte inconscia [...]. Devo constatare che proprio i mei amori piú profondi e durevoli sono i meno giustificati: Belli, Porta, Conrad. In altri casi la decifrazione è piú facile. Entrano in gioco la vicinanza professionale (Bragg, Gatter-

mann, Clarke, Lucrezio, il sinistro sconosciuto autore delle
Specification ASTM sugli scarafaggi), il comune amore per il
viaggio e l'avventura (Omero, Rosny, Marco Polo e altri), una
lontana parentela ebraica (Giobbe, Mann, Babel', Schalòm
Alechém), una piú vicina parentela in Celan e Eliot, l'amici-
zia personale che ho con Rigoni Stern, D'Arrigo e Langbein,
la quale fa sí che io senta (presuntuosamente) i loro scritti
quasi un po' miei, e mi faccia piacere farli leggere a chi non li
ha ancora letti».

«Le mie scelte hanno stupito persino me. Per esempio, il
mio passato pesante, quello che mi ha reso scrittore, il passato
di prigionia, non c'entra molto. L'antologia presenta di me
un'immagine non deformata, ma altra» (da un'intervista).

Levi ritrova tra i suoi appunti l'annotazione di un racconto
che Emilio Vita Finzi gli aveva fatto dieci anni prima. Nel
1945 Finzi prestava servizio nell'Ufficio Assistenza di via
Unione, a Milano, e vide arrivare un gruppo di ebrei russi,
componenti di una banda partigiana che, formatasi in Russia,
aveva attraversato con le armi in pugno l'Europa per appro-
dare provvisoriamente in Italia. Levi decide di dare forma ro-
manzesca alla vicenda, ma prima di iniziare la stesura si docu-
menta per un anno.

«Le ricerche mi sono servite ad accertare che c'è stato un
movimento ebraico di resistenza molto piú consistente – per
numero, ma anche per valore morale – di quanto non si pen-
si. E non si è trattato solo di bande formate esclusivamente
da ebrei; ci sono state anche bande sovietiche, guidate da uf-
ficiali o soldati ebrei. Lo dimostra un'ampia documentazione
di fonte sovietica» (Balbi, 1982).

«Avevo fatto una specie di scommessa con me stesso: dopo
tanta autobiografia aperta o mascherata, sei o non sei uno
scrittore a pieno titolo, capace di costruire un romanzo, di
creare personaggi, di descrivere ambienti in cui non sei stato?
Mettiti alla prova! Volevo divertirmi a scrivere un "western"
ambientato in uno scenario poco comune; volevo divertire i
miei lettori raccontando loro una storia sostanzialmente otti-
mistica, piena di speranza, anche se sullo sfondo della strage.
Volevo rompere un luogo comune ancora prevalente in Ita-
lia: un ebreo è un mite, uno studioso (pio o laico), una perso-

na imbelle, umiliata, che ha subito secoli di persecuzioni senza mai ribellarsi. Mi sembrava doveroso rendere omaggio a quegli ebrei che in condizioni disperate avevano trovato la forza e l'intelligenza di resistere ai nazisti.

Nutrivo anche l'ambizione di essere il primo scrittore italiano a descrivere il mondo jiddish; volevo insomma utilizzare la mia popolarità in Italia per far giungere fra le mani di molti lettori un libro che avesse come soggetto la cultura, la lingua, la mentalità e la storia dell'ebraismo askenazita, che in Italia è virtualmente sconosciuto.

Questi motivi sono stati riconosciuti come validi in misura diversa nei diversi paesi in cui il libro è stato pubblicato [...]. Personalmente, io sono soddisfatto di questo libro, soprattutto perché mi sono divertito molto nel progettarlo e nello scriverlo [...]. L'anno che ho impiegato a scriverlo è stato un anno felice; perciò, indipendentemente dal risultato, per me questo libro è stato liberatorio» (Roth, 1986).

Novembre. Pubblica *Lilít e altri racconti*, scritti dal 1975 al 1981: «Ho cercato di raggrupparli, e forzando talvolta sui termini ne ho ricavato un primo gruppo che riprende i temi di *Se questo è un uomo* e *La tregua*; un secondo che prosegue le *Storie naturali* e *Vizio di forma*, e un terzo i cui personaggi hanno in certa misura carne e ossa. Spero che ogni racconto adempia decorosamente al suo ufficio, che è solo quello di condensare in poche cartelle, e trasmettere al lettore, un ricordo puntuale, uno stato d'animo, o anche solo una trovata».

1982

Aprile. Esce *Se non ora, quando?*, con immediato successo.

A giugno il romanzo vince il Premio Viareggio, a settembre il Campiello.

Seconda visita ad Auschwitz. «Eravamo in pochi, l'emozione questa volta è stata profonda. Ho visto per la prima volta il monumento di Birkenau, che era uno dei trentanove campi di Auschwitz, quello delle camere a gas. È stata conser-

vata la ferrovia. Un binario arrugginito entra nel campo e termina sull'orlo di una sorta di vuoto. Davanti c'è un treno simbolico, fatto di blocchi di granito. Ogni blocco ha il nome di una nazione. Il monumento è questo: il binario e i blocchi.

Ritrovavo sensazioni. Per esempio, l'odore del luogo. Un odore innocuo. Credo sia quello del carbone» (Nascimbeni, 1984).

Agosto-settembre. Israele invade il Libano. Massacri nei campi palestinesi di Sabra e Chatila. Levi prende posizione, tra l'altro, con una intervista di Giampaolo Pansa pubblicata su «la Repubblica» del 24 settembre: «Gli argomenti che noi ebrei della Diaspora possiamo opporre a Begin sono due, uno morale e l'altro politico. Quello morale è il seguente: neppure una guerra giustifica la protervia sanguinosa che Begin e i suoi hanno dimostrato. L'argomento politico è altrettanto netto: Israele sta rapidamente precipitando nell'isolamento totale [...]. Dobbiamo soffocare gli impulsi di solidarietà emotiva con Israele per ragionare a mente fredda sugli errori dell'attuale classe dirigente israeliana. Abbattere questa classe dirigente. Aiutare Israele a ritrovare le sue origini europee, ossia l'equilibrio dei suoi padri fondatori, di Ben Gurion, di Golda Meir. Non che avessero tutti le mani pulite, ma chi ha le mani pulite?»

Traduzione francese di *Se non ora, quando?*

Su invito di Giulio Einaudi, intraprende la traduzione del *Processo* di Kafka per la nuova collana «Scrittori tradotti da scrittori».

1983

Traduce *La via delle maschere* di Claude Lévi-Strauss.

Aprile. Esce la traduzione del *Processo* di Kafka. Su «La Stampa» del 5 giugno, Levi spiega le ragioni che lo hanno indotto ad accettare la traduzione di un autore che ha dichiarato di non sentire come affine: «Si può sentirsi attratti anche da chi è molto diverso da noi, proprio perché lo è: se cosí non fosse, scrittori, lettori e traduttori si stratificherebbero in caste rigide, come quelle indiane, non ci sarebbero legami tra-

sversali né fecondazioni incrociate, ognuno leggerebbe solo gli scrittori che gli sono consanguinei, il mondo sarebbe (o apparirebbe) meno vario e non nascerebbero piú idee nuove.

Ora, amo e ammiro Kafka perché scrive in un modo che mi è totalmente precluso. Nel mio scrivere, nel bene o nel male, sapendolo o no, ho sempre teso a un trapasso dall'oscuro al chiaro, come (mi pare che lo abbia detto Pirandello, non ricordo piú dove) potrebbe fare una pompa-filtro, che aspira acqua torbida e la espelle decantata: magari sterile. Kafka batte il cammino opposto: dipana senza fine le allucinazioni che attinge da falde incredibilmente profonde e non le filtra mai. Il lettore le sente pullulare di germi e spore; sono gravide di significati scottanti, ma non è mai aiutato a rompere il velo o ad aggirarlo per andare a vedere cosa esso nasconde. Kafka non tocca mai la terra, non accondiscende mai a darti il bandolo del filo di Arianna».

Traduce *Lo sguardo da lontano* di Lévi-Strauss. Sui problemi della traduzione vedi anche *Tradurre ed essere tradotti* in *L'altrui mestiere*.

1984

Giugno. Incontra a Torino il fisico Tullio Regge. La conversazione, registrata e trascritta, è pubblicata in dicembre dalle Edizioni di Comunità con il titolo *Dialogo*.

Ottobre. Pubblica da Garzanti la raccolta di poesie *Ad ora incerta*, che comprende le 27 liriche già pubblicate da Scheiwiller nel 1975, e altre 34 apparse sul quotidiano «La Stampa», piú traduzioni da un anonimo scozzese, da Heine e da Kipling.

«Sono un uomo che crede poco alla poesia e tuttavia la pratica. Qualche ragione c'è. Per esempio, quando i miei versi sono pubblicati sulla terza pagina de "La Stampa", ricevo lettere e telefonate di lettori che manifestano consenso o dissenso. Se viene pubblicato un mio racconto, la rispondenza non è altrettanto viva. Ho l'impressione che la poesia in generale stia diventando uno strumento portentoso di contatto umano.

Adorno ha scritto che dopo Auschwitz non si può piú fare poesia, ma la mia esperienza è stata opposta. Allora (1945-46) mi sembrò che la poesia fosse piú idonea della prosa per esprimere quello che mi pesava dentro. Dicendo poesia, non penso a niente di lirico. In quegli anni, semmai, avrei riformulato le parole di Adorno: dopo Auschwitz non si può piú fare poesia se non su Auschwitz» (Nascimbeni, 1984).

Novembre. Esce l'edizione americana del *Sistema periodico* (*The Periodic Table*). Le accoglienze critiche sono estremamente favorevoli. Particolare risonanza assume il giudizio di Saul Bellow: «Siamo sempre alla ricerca del libro necessario. Dopo poche pagine mi immergevo nel *Sistema periodico* con piacere e gratitudine. Non vi è nulla di superfluo, tutto in questo libro è essenziale. È meravigliosamente puro, e ottimamente tradotto».

Il consenso di Bellow promuove una lunga serie di traduzioni dei libri di Levi in vari paesi. Ad esso si aggiungono le recensioni molto favorevoli di Neal Ascherson («The New York Times Review of Books»), di Alvin H. Rosenfeld («The New York Times Book Review»), di John Gross («The New York Times»).

1985

Gennaio. Raccoglie in volume, con il titolo *L'altrui mestiere*, una cinquantina di scritti apparsi principalmente su «La Stampa», che «rispondono alla sua vena d'enciclopedista dalle curiosità agili e minuziose e di moralista d'una morale che parte sempre dall'osservazione [...]. Tra gli oggetti dell'attenzione enciclopedica di Levi, i piú rappresentati nel volume sono le parole e gli animali. (Qualche volta si direbbe che egli tenda a fondere le due passioni in una glottologia zoologica o in una etologia del linguaggio). Nelle sue divagazioni linguistiche dominano le amene ricostruzioni di come le parole si deformano con l'uso, nell'attrito tra la dubbia razionalità etimologica e la sbrigativa razionalità dei parlanti» (Calvino, 1985).

Febbraio. Scrive l'introduzione per la nuova edizione tascabile di *Comandante ad Auschwitz. Memoriale autobiografico di Rudolf Höss.*

Aprile. Si reca negli Stati Uniti (New York, il Claremont College presso Los Angeles, Bloomington, Boston) per una serie di incontri e conferenze in varie sedi universitarie, e in occasione della traduzione di *Se non ora, quando?*, che porta una introduzione di Irving Howe. Le impressioni del viaggio sono descritte nell'articolo *Tra le vette di Manhattan* («La Stampa», 23 giugno 1985).

1986

Aprile. Pubblica *I sommersi e i salvati*, che rappresenta la summa delle sue riflessioni suggerite dall'esperienza del Lager.

Escono negli Stati Uniti le traduzioni di *La chiave a stella* e una scelta di racconti da *Lilít*, con il titolo *Moments of Reprieve*. Traduzione tedesca di *Se non ora, quando?*

Aprile. Levi si reca a Londra (dove incontra Philip Roth) e a Stoccolma.

Settembre. Riceve a Torino la visita di Roth, con cui ha concordato una lunga intervista scritta da pubblicare su «The New York Review of Books». L'intervista esce in ottobre, e a novembre appare tradotta su «La Stampa».

Il 21 settembre Levi interviene sulla questione della responsabilità degli scienziati: «Che tu sia o no un credente, che tu sia o no un "patriota", se ti è concessa una scelta non lasciarti sedurre dall'interesse materiale o intellettuale, ma scegli entro il campo che può rendere meno doloroso e meno pericoloso l'itinerario dei tuoi coetanei e dei tuoi posteri. Non nasconderti dietro l'ipocrisia della scienza neutrale: sei abbastanza dotto da saper valutare se dall'uovo che stai covando sguscerà una colomba o un cobra o una chimera o magari nulla» (*Covare il cobra*, «La Stampa»).

Novembre. L'Editrice «La Stampa» raccoglie in volume le collaborazioni 1977-86 al quotidiano torinese, con il titolo *Racconti e saggi*.

1987

In Germania prende corpo la polemica sul revisionismo storico. Levi interviene con un articolo, *Buco nero di Auschwitz*, pubblicato su «La Stampa» del 22 gennaio:

«La polemica in corso in Germania fra chi tende a banalizzare la strage nazista (Nolte, Hillgruber) e chi ne sostiene l'unicità (Habermas e molti altri) non può lasciare indifferenti. La tesi dei primi non è nuova: stragi ci sono state in tutti i secoli, in specie agli inizi del nostro, e soprattutto contro gli "avversari di classe" in Unione Sovietica, quindi presso i confini germanici. Noi tedeschi, nel corso della Seconda guerra mondiale, non abbiamo fatto che adeguarci ad una prassi orrenda, ma ormai invalsa: una prassi "asiatica" fatta di stragi, di deportazioni in massa, di relegazioni spietate in regioni ostili, di torture, di separazioni delle famiglie. La nostra unica innovazione è stata tecnologica: abbiamo inventato le camere a gas…»

Levi non assolve i sovietici dalle loro colpe specifiche, ma giudica «fragile» la tesi che presenta le stragi hitleriane come una difesa preventiva contro una invasione «asiatica». E se è vero che «il Gulag fu prima di Auschwitz» non può dimenticare che gli scopi dei due inferni non erano gli stessi. Il primo era un «massacro tra eguali», il secondo si fondava su un'ideologia impregnata di razzismo. Neppure dalle pagine di Solženicyn «trapela niente di simile a Treblinka ed a Chelmno, che non fornivano lavoro, non erano campi di concentramento, ma "buchi neri" destinati a uomini, donne e bambini colpevoli solo di essere ebrei». Levi ricorda inoltre che le imitazioni «asiatiche» erano bene europee: «il gas veniva prodotto da illustri fabbriche chimiche tedesche; ed a fabbriche tedesche andavano i capelli delle donne massacrate; e alle banche tedesche l'oro dei denti estratti ai cadaveri. Tutto questo è specificamente tedesco, e nessun tedesco lo dovrebbe dimenticare; né dovrebbe dimenticare che nella Germania nazista, e solo in quella, sono stati condotti ad una morte atroce anche i bambini e i moribondi, in nome di un radicalismo astratto e feroce che non ha uguali nei tempi moderni». «Se la Germa-

nia d'oggi tiene al posto che le spetta fra le nazioni europee –
conclude – non può e non deve sbiancare il suo passato».

Marzo. Escono le edizioni francese e tedesca del *Sistema
periodico*. Levi subisce un'operazione chirurgica.

11 aprile. Muore nella sua casa di Torino.

Bibliografia

Balbi, 1982
Rosellina Balbi, *Mendel, il consolatore*, «la Repubblica», 14 aprile.

Bravo e Jalla, 1986.
La vita offesa. Storia e memoria dei Lager nazisti nei racconti di due-cento sopravvissuti. A cura di Anna Bravo e Daniele Jalla, Franco Angeli, Milano.

Calvino, 1985
Italo Calvino, *I due mestieri di Primo Levi*, «la Repubblica», 6 marzo.

Camon, 1987
Autoritratto di Primo Levi. A cura di Ferdinando Camon. Edizioni Nord-Est, Padova.

De Rienzo, 1975
Giorgio De Rienzo, *In un alambicco quanta poesia*, «Famiglia cristiana», 20 luglio.

Levi, 1981
Primo Levi, *La ricerca delle radici*, Einaudi, Torino.

Levi e Regge, 1984
Primo Levi e Tullio Regge, *Dialogo*, Edizioni di Comunità, Milano. Nuova ed., Einaudi, Torino 1987.

Nascimbeni, 1984
Giulio Nascimbeni, *Levi: l'ora incerta poesia*, «Corriere della Sera», 28 ottobre.

Roth, 1986
Philip Roth, *Salvarsi dall'inferno come Robinson*, «La Stampa», 26 novembre e «*Il mio western degli ebrei ribelli*», ivi, 27 novembre.

Opere

Volume primo

Se questo è un uomo

Voi che vivete sicuri
Nelle vostre tiepide case,
Voi che trovate tornando a sera
Il cibo caldo e visi amici:
 Considerate se questo è un uomo
 Che lavora nel fango
 Che non conosce pace
 Che lotta per mezzo pane
 Che muore per un sí o per un no.
 Considerate se questa è una donna,
 Senza capelli e senza nome
 Senza piú forza di ricordare
 Vuoti gli occhi e freddo il grembo
 Come una rana d'inverno.
Meditate che questo è stato:
Vi comando queste parole.
Scolpitele nel vostro cuore
Stando in casa andando per via,
Coricandovi alzandovi;
Ripetetele ai vostri figli.
 O vi si sfaccia la casa,
 La malattia vi impedisca,
 I vostri nati torcano il viso da voi.

Prefazione

Per mia fortuna, sono stato deportato ad Auschwitz solo nel 1944, e cioè dopo che il governo tedesco, data la crescente scarsità di manodopera, aveva stabilito di allungare la vita media dei prigionieri da eliminarsi, concedendo sensibili miglioramenti nel tenor di vita e sospendendo temporaneamente le uccisioni ad arbitrio dei singoli.

Perciò questo mio libro, in fatto di particolari atroci, non aggiunge nulla a quanto è ormai noto ai lettori di tutto il mondo sull'inquietante argomento dei campi di distruzione. Esso non è stato scritto allo scopo di formulare nuovi capi di accusa; potrà piuttosto fornire documenti per uno studio pacato di alcuni aspetti dell'animo umano. A molti, individui o popoli, può accadere di ritenere, piú o meno consapevolmente, che «ogni straniero è nemico». Per lo piú questa convinzione giace in fondo agli animi come una infezione latente; si manifesta solo in atti saltuari e incoordinati, e non sta all'origine di un sistema di pensiero. Ma quando questo avviene, quando il dogma inespresso diventa premessa maggiore di un sillogismo, allora, al termine della catena, sta il Lager. Esso è il prodotto di una concezione del mondo portata alle sue conseguenze con rigorosa coerenza: finché la concezione sussiste, le conseguenze ci minacciano. La storia dei campi di distruzione dovrebbe venire intesa da tutti come un sinistro segnale di pericolo.

Mi rendo conto e chiedo venia dei difetti strutturali del libro. Se non di fatto, come intenzione e come concezione

esso è nato già fin dai giorni di Lager. Il bisogno di raccontare agli «altri», di fare gli «altri» partecipi, aveva assunto fra noi, prima della liberazione e dopo, il carattere di un impulso immediato e violento, tanto da rivaleggiare con gli altri bisogni elementari; il libro è stato scritto per soddisfare a questo bisogno; in primo luogo quindi a scopo di liberazione interiore. Di qui il suo carattere frammentario: i capitoli sono stati scritti non in successione logica, ma per ordine di urgenza. Il lavoro di raccordo e di fusione è stato svolto su piano, ed è posteriore.

Mi pare superfluo aggiungere che nessuno dei fatti è inventato.

<div align="right">PRIMO LEVI</div>

[1947].

Il viaggio

Ero stato catturato dalla Milizia fascista il 13 dicembre 1943. Avevo ventiquattro anni, poco senno, nessuna esperienza, e una decisa propensione, favorita dal regime di segregazione a cui da quattro anni le leggi razziali mi avevano ridotto, a vivere in un mio mondo scarsamente reale, popolato da civili fantasmi cartesiani, da sincere amicizie maschili e da amicizie femminili esangui. Coltivavo un moderato e astratto senso di ribellione.

Non mi era stato facile scegliere la via della montagna, e contribuire a mettere in piedi quanto, nella opinione mia e di altri amici di me poco piú esperti, avrebbe dovuto diventare una banda partigiana affiliata a «Giustizia e Libertà». Mancavano i contatti, le armi, i quattrini e l'esperienza per procurarseli; mancavano gli uomini capaci, ed eravamo invece sommersi da un diluvio di gente squalificata, in buona e in mala fede, che arrivava lassú dalla pianura in cerca di una organizzazione inesistente, di quadri, di armi, o anche solo di protezione, di un nascondiglio, di un fuoco, di un paio di scarpe.

A quel tempo, non mi era stata ancora insegnata la dottrina che dovevo piú tardi rapidamente imparare in Lager, e secondo la quale primo ufficio dell'uomo è perseguire i propri scopi con mezzi idonei, e chi sbaglia paga; per cui non posso che considerare conforme a giustizia il successivo svolgersi dei fatti. Tre centurie della Milizia, partite in piena notte per sorprendere un'altra banda, di noi ben piú potente e pericolosa, annidata nella valle contigua, irrup-

pero in una spettrale alba di neve nel nostro rifugio, e mi condussero a valle come persona sospetta.

Negli interrogatori che seguirono, preferii dichiarare la mia condizione di «cittadino italiano di razza ebraica», poiché ritenevo che non sarei riuscito a giustificare altrimenti la mia presenza in quei luoghi troppo appartati anche per uno «sfollato», e stimavo (a torto, come si vide poi) che l'ammettere la mia attività politica avrebbe comportato torture e morte certa. Come ebreo, venni inviato a Fossoli, presso Modena, dove un vasto campo di internamento, già destinato ai prigionieri di guerra inglesi e americani, andava raccogliendo gli appartenenti alle numerose categorie di persone non gradite al neonato governo fascista repubblicano.

Al momento del mio arrivo, e cioè alla fine del gennaio 1944, gli ebrei italiani nel campo erano centocinquanta circa, ma entro poche settimane il loro numero giunse a oltre seicento. Si trattava per lo piú di intere famiglie, catturate dai fascisti o dai nazisti per loro imprudenza, o in seguito a delazione. Alcuni pochi si erano consegnati spontaneamente, o perché ridotti alla disperazione dalla vita randagia, o perché privi di mezzi, o per non separarsi da un congiunto catturato, o anche, assurdamente, per «mettersi in ordine con la legge». V'erano inoltre un centinaio di militari jugoslavi internati, e alcuni altri stranieri considerati politicamente sospetti.

L'arrivo di un piccolo reparto di SS tedesche avrebbe dovuto far dubitare anche gli ottimisti; si riuscí tuttavia a interpretare variamente questa novità, senza trarne la piú ovvia delle conseguenze, in modo che, nonostante tutto, l'annuncio della deportazione trovò gli animi impreparati.

Il giorno 20 febbraio i tedeschi avevano ispezionato il campo con cura, avevano fatte pubbliche e vivaci rimostranze al commissario italiano per la difettosa organizzazione del servizio di cucina e per lo scarso quantitativo della legna distribuita per il riscaldamento; avevano perfino detto che presto un'infermeria avrebbe dovuto entrare in

efficienza. Ma il mattino del 21 si seppe che l'indomani gli ebrei sarebbero partiti. Tutti: nessuna eccezione. Anche i bambini, anche i vecchi, anche i malati. Per dove, non si sapeva. Prepararsi per quindici giorni di viaggio. Per ognuno che fosse mancato all'appello, dieci sarebbero stati fucilati.

Soltanto una minoranza di ingenui e di illusi si ostinò nella speranza: noi avevamo parlato a lungo coi profughi polacchi e croati, e sapevamo che cosa voleva dire partire.

Nei riguardi dei condannati a morte, la tradizione prescrive un austero cerimoniale, atto a mettere in evidenza come ogni passione e ogni collera siano ormai spente, e come l'atto di giustizia non rappresenti che un triste dovere verso la società, tale da potere accompagnarsi a pietà verso la vittima da parte dello stesso giustiziere. Si evita perciò al condannato ogni cura estranea, gli si concede la solitudine, e, ove lo desideri, ogni conforto spirituale, si procura insomma che egli non senta intorno a sé l'odio o l'arbitrio, ma la necessità e la giustizia, e, insieme con la punizione, il perdono.

Ma a noi questo non fu concesso, perché eravamo troppi, e il tempo era poco, e poi, finalmente, di che cosa avremmo dovuto pentirci, e di che cosa venir perdonati? Il commissario italiano dispose dunque che tutti i servizi continuassero a funzionare fino all'annunzio definitivo; la cucina rimase perciò in efficienza, le corvées di pulizia lavorarono come di consueto, e perfino i maestri e i professori della piccola scuola tennero lezione a sera, come ogni giorno. Ma ai bambini quella sera non fu assegnato compito.

E venne la notte, e fu una notte tale, che si conobbe che occhi umani non avrebbero dovuto assistervi e sopravvivere. Tutti sentirono questo: nessuno dei guardiani, né italiani né tedeschi, ebbe animo di venire a vedere che cosa fanno gli uomini quando sanno di dover morire.

Ognuno si congedò dalla vita nel modo che più gli si addiceva. Alcuni pregarono, altri bevvero oltre misura, altri

si inebriarono di nefanda ultima passione. Ma le madri vegliarono a preparare con dolce cura il cibo per il viaggio, e lavarono i bambini, e fecero i bagagli, e all'alba i fili spinati erano pieni di biancheria infantile stesa al vento ad asciugare; e non dimenticarono le fasce, e i giocattoli, e i cuscini, e le cento piccole cose che esse ben sanno, e di cui i bambini hanno in ogni caso bisogno. Non fareste anche voi altrettanto? Se dovessero uccidervi domani col vostro bambino, voi non gli dareste oggi da mangiare?

Nella baracca 6 A abitava il vecchio Gattegno, con la moglie e i molti figli e i nipoti e i generi e le nuore operose. Tutti gli uomini erano falegnami; venivano da Tripoli, attraverso molti e lunghi viaggi, e sempre avevano portati con sé gli strumenti del mestiere, e la batteria di cucina, e le fisarmoniche e il violino per suonare e ballare dopo la giornata di lavoro, perché erano gente lieta e pia. Le loro donne furono le prime fra tutte a sbrigare i preparativi per il viaggio, silenziose e rapide, affinché avanzasse tempo per il lutto; e quando tutto fu pronto, le focacce cotte, i fagotti legati, allora si scalzarono, si sciolsero i capelli, e disposero al suolo le candele funebri, e le accesero secondo il costume dei padri, e sedettero a terra a cerchio per la lamentazione, e tutta notte pregarono e piansero. Noi sostammo numerosi davanti alla loro porta, e ci discese nell'anima, nuovo per noi, il dolore antico del popolo che non ha terra, il dolore senza speranza dell'esodo ogni secolo rinnovato.

L'alba ci colse come un tradimento; come se il nuovo sole si associasse agli uomini nella deliberazione di distruggerci. I diversi sentimenti che si agitavano in noi, di consapevole accettazione, di ribellione senza sbocchi, di religioso abbandono, di paura, di disperazione, confluivano ormai, dopo la notte insonne, in una collettiva incontrollata follia. Il tempo di meditare, il tempo di stabilire erano conchiusi, e ogni moto di ragione si sciolse nel tumulto senza

vincoli, su cui, dolorosi come colpi di spada, emergevano
in un lampo, cosí vicini ancora nel tempo e nello spazio, i
ricordi buoni delle nostre case.

Molte cose furono allora fra noi dette e fatte; ma di
queste è bene che non resti memoria.

Con la assurda precisione a cui avremmo piú tardi do-
vuto abituarci, i tedeschi fecero l'appello. Alla fine, –
Wieviel Stück? – domandò il maresciallo; e il caporale sa-
lutò di scatto, e rispose che i «pezzi» erano seicentocin-
quanta, e che tutto era in ordine; allora ci caricarono sui
torpedoni e ci portarono alla stazione di Carpi. Qui ci at-
tendeva il treno e la scorta per il viaggio. Qui ricevemmo i
primi colpi: e la cosa fu cosí nuova e insensata che non pro-
vammo dolore, nel corpo né nell'anima. Soltanto uno stu-
pore profondo: come si può percuotere un uomo senza col-
lera?

I vagoni erano dodici, e noi seicentocinquanta; nel mio
vagone eravamo quarantacinque soltanto, ma era un vago-
ne piccolo. Ecco dunque, sotto i nostri occhi, sotto i nostri
piedi, una delle famose tradotte tedesche, quelle che non
ritornano, quelle di cui, fremendo e sempre un poco incre-
duli, avevamo cosí spesso sentito narrare. Proprio cosí,
punto per punto: vagoni merci, chiusi dall'esterno, e den-
tro uomini donne bambini, compressi senza pietà, come
merce di dozzina, in viaggio verso il nulla, in viaggio all'in-
giú, verso il fondo. Questa volta dentro siamo noi.

Tutti scoprono, piú o meno presto nella loro vita, che la
felicità perfetta non è realizzabile, ma pochi si soffermano
invece sulla considerazione opposta: che tale è anche una
infelicità perfetta. I momenti che si oppongono alla realiz-
zazione di entrambi i due stati-limite sono della stessa na-
tura: conseguono dalla nostra condizione umana, che è ne-
mica di ogni infinito. Vi si oppone la nostra sempre insuf-

ficiente conoscenza del futuro; e questo si chiama, in un caso, speranza, e nell'altro, incertezza del domani. Vi si oppone la sicurezza della morte, che impone un limite a ogni gioia, ma anche a ogni dolore. Vi si oppongono le inevitabili cure materiali, che, come inquinano ogni felicità duratura, cosí distolgono assiduamente la nostra attenzione dalla sventura che ci sovrasta, e ne rendono frammentaria, e perciò sostenibile, la consapevolezza.

Sono stati proprio i disagi, le percosse, il freddo, la sete, che ci hanno tenuti a galla sul vuoto di una disperazione senza fondo, durante il viaggio e dopo. Non già la volontà di vivere, né una cosciente rassegnazione: ché pochi sono gli uomini capaci di questo, e noi non eravamo che un comune campione di umanità.

Gli sportelli erano stati chiusi subito, ma il treno non si mosse che a sera. Avevamo appreso con sollievo la nostra destinazione. Auschwitz: un nome privo di significato, allora e per noi; ma doveva pur corrispondere a un luogo di questa terra.

Il treno viaggiava lentamente, con lunghe soste snervanti. Dalla feritoia, vedemmo sfilare le alte rupi pallide della val d'Adige, gli ultimi nomi di città italiane. Passammo il Brennero alle dodici del secondo giorno, e tutti si alzarono in piedi, ma nessuno disse parola. Mi stava nel cuore il pensiero del ritorno, e crudelmente mi rappresentavo quale avrebbe potuto essere la inumana gioia di quell'altro passaggio, a portiere aperte, ché nessuno avrebbe desiderato fuggire, e i primi nomi italiani... e mi guardai intorno, e pensai quanti, fra quella povera polvere umana, sarebbero stati toccati dal destino.

Fra le quarantacinque persone del mio vagone, quattro soltanto hanno rivisto le loro case; e fu di gran lunga il vagone piú fortunato.

Soffrivamo per la sete e il freddo: a tutte le fermate chiedevamo acqua a gran voce, o almeno un pugno di neve, ma raramente fummo uditi; i soldati della scorta allontanavano chi tentava di avvicinarsi al convoglio. Due gio-

vani madri, coi figli ancora al seno, gemevano notte e giorno implorando acqua. Meno tormentose erano per tutti la fame, la fatica e l'insonnia, rese meno penose dalla tensione dei nervi: ma le notti erano incubi senza fine.

Pochi sono gli uomini che sanno andare a morte con dignità, e spesso non quelli che ti aspetteresti. Pochi sanno tacere, e rispettare il silenzio altrui. Il nostro sonno inquieto era interrotto sovente da liti rumorose e futili, da imprecazioni, da calci e pugni vibrati alla cieca come difesa contro qualche contatto molesto e inevitabile. Allora qualcuno accendeva la lugubre fiammella di una candela, e rivelava, prono sul pavimento, un brulichio fosco, una materia umana confusa e continua, torpida e dolorosa, sollevata qua e là da convulsioni improvvise subito spente dalla stanchezza.

Dalla feritoia, nomi noti e ignoti di città austriache, Salisburgo, Vienna; poi cèche, infine polacche. Alla sera del quarto giorno, il freddo si fece intenso: il treno percorreva interminabili pinete nere, salendo in modo percettibile. La neve era alta. Doveva essere una linea secondaria, le stazioni erano piccole e quasi deserte. Nessuno tentava piú, durante le soste, di comunicare col mondo esterno: ci sentivamo ormai «dall'altra parte». Vi fu una lunga sosta in aperta campagna, poi la marcia riprese con estrema lentezza, e il convoglio si arrestò definitivamente, a notte alta, in mezzo a una pianura buia e silenziosa.

Si vedevano, da entrambi i lati del binario, file di lumi bianchi e rossi, a perdita d'occhio; ma nulla di quel rumorio confuso che denunzia di lontano i luoghi abitati. Alla luce misera dell'ultima candela, spento il ritmo delle rotaie, spento ogni suono umano, attendemmo che qualcosa avvenisse.

Accanto a me, serrata come me fra corpo e corpo, era stata per tutto il viaggio una donna. Ci conoscevamo da molti anni, e la sventura ci aveva colti insieme, ma poco sapevamo l'uno dell'altra. Ci dicemmo allora, nell'ora della decisione, cose che non si dicono fra i vivi. Ci salutam-

mo, e fu breve; ciascuno salutò nell'altro la vita. Non avevamo piú paura.

Venne a un tratto lo scioglimento. La portiera fu aperta con fragore, il buio echeggiò di ordini stranieri, e di quei barbarici latrati dei tedeschi quando comandano, che sembrano dar vento a una rabbia vecchia di secoli. Ci apparve una vasta banchina illuminata da riflettori. Poco oltre, una fila di autocarri. Poi tutto tacque di nuovo. Qualcuno tradusse: bisognava scendere coi bagagli, e depositare questi lungo il treno. In un momento la banchina fu brulicante di ombre: ma avevamo paura di rompere quel silenzio, tutti si affaccendavano intorno ai bagagli, si cercavano, si chiamavano l'un l'altro, ma timidamente, a mezza voce.

Una decina di SS stavano in disparte, l'aria indifferente, piantati a gambe larghe. A un certo momento, penetrarono fra di noi, e, con voce sommessa, con visi di pietra, presero a interrogarci rapidamente, uno per uno, in cattivo italiano. Non interrogavano tutti, solo qualcuno. «Quanti anni? Sano o malato?» e in base alla risposta ci indicavano due diverse direzioni.

Tutto era silenzioso come in un acquario, e come in certe scene di sogni. Ci saremmo attesi qualcosa di piú apocalittico: sembravano semplici agenti d'ordine. Era sconcertante e disarmante. Qualcuno osò chiedere dei bagagli: risposero «bagagli dopo»; qualche altro non voleva lasciare la moglie: dissero «dopo di nuovo insieme»; molte madri non volevano separarsi dai figli: dissero «bene bene, stare con figlio». Sempre con la pacata sicurezza di chi non fa che il suo ufficio di ogni giorno; ma Renzo indugiò un istante di troppo a salutare Francesca, che era la sua fidanzata, e allora con un solo colpo in pieno viso lo stesero a terra; era il loro ufficio di ogni giorno.

In meno di dieci minuti tutti noi uomini validi fummo radunati in un gruppo. Quello che accadde degli altri, delle donne, dei bambini, dei vecchi, noi non potemmo stabilire

allora né dopo: la notte li inghiottí, puramente e semplice-
mente. Oggi però sappiamo che in quella scelta rapida e
sommaria, di ognuno di noi era stato giudicato se potesse
o no lavorare utilmente per il Reich; sappiamo che nei
campi rispettivamente di Buna-Monowitz e Birkenau, non
entrarono, del nostro convoglio, che novantasei uomini e
ventinove donne, e che di tutti gli altri, in numero di piú
di cinquecento, non uno era vivo due giorni piú tardi. Sap-
piamo anche, che non sempre pur tenue principio
di discriminazione in abili e inabili fu seguito, e che suc-
cessivamente fu adottato spesso il sistema piú semplice di
aprire entrambe le portiere dei vagoni, senza avvertimenti
né istruzioni ai nuovi arrivati. Entravano in campo quelli
che il caso faceva scendere da un lato del convoglio; anda-
vano in gas gli altri.

Cosí morí Emilia, che aveva tre anni; poiché ai tedeschi
appariva palese la necessità storica di mettere a morte i
bambini degli ebrei. Emilia, figlia dell'ingegner Aldo Le-
vi di Milano, che era una bambina curiosa, ambiziosa, al-
legra e intelligente; alla quale, durante il viaggio nel vago-
ne gremito, il padre e la madre erano riusciti a fare il ba-
gno in un mastello di zinco, in acqua tiepida che il degene-
re macchinista tedesco aveva acconsentito a spillare dalla
locomotiva che ci trascinava tutti alla morte.

Scomparvero cosí, in un istante, a tradimento, le nostre
donne, i nostri genitori, i nostri figli. Quasi nessuno ebbe
modo di salutarli. Li vedemmo un po' di tempo come una
massa oscura all'altra estremità della banchina, poi non ve-
demmo piú nulla.

Emersero invece nella luce dei fanali due drappelli di
strani individui. Camminavano inquadrati, per tre, con un
curioso passo impacciato, il capo spenzolato in avanti e le
braccia rigide. In capo avevano un buffo berrettino, ed
erano vestiti di una lunga palandrana a righe, che anche
di notte e di lontano si indovinava sudicia e stracciata.
Descrissero un ampio cerchio attorno a noi, in modo da
non avvicinarci, e, in silenzio, si diedero ad armeggiare

coi nostri bagagli, e a salire e scendere dai vagoni vuoti.

Noi ci guardavamo senza parola. Tutto era incomprensibile e folle, ma una cosa avevamo capito. Questa era la metamorfosi che ci attendeva. Domani anche noi saremmo diventati cosí.

Senza sapere come, mi trovai caricato su di un autocarro con una trentina di altri; l'autocarro partí nella notte a tutta velocità; era coperto e non si poteva vedere fuori, ma dalle scosse si capiva che la strada aveva molte curve e cunette. Eravamo senza scorta? ... buttarsi giú? Troppo tardi, troppo tardi, andiamo tutti «giú». D'altronde, ci siamo presto accorti che non siamo senza scorta: è una strana scorta. È un soldato tedesco, irto d'armi: non lo vediamo perché è buio fitto, ma ne sentiamo il contatto duro ogni volta che uno scossone del veicolo ci getta tutti in mucchio a destra o a sinistra. Accende una pila tascabile, e invece di gridare «Guai a voi, anime prave» ci domanda cortesemente ad uno ad uno, in tedesco e in lingua franca, se abbiamo danaro od orologi da cedergli: tanto dopo non ci servono piú. Non è un comando, non è regolamento questo: si vede bene che è una piccola iniziativa privata del nostro caronte. La cosa suscita in noi collera e riso e uno strano sollievo.

Sul fondo

Il viaggio non durò che una ventina di minuti. Poi l'autocarro si è fermato, e si è vista una grande porta, e sopra una scritta vivamente illuminata (il suo ricordo ancora mi percuote nei sogni): ARBEIT MACHT FREI, il lavoro rende liberi.

Siamo scesi, ci hanno fatti entrare in una camera vasta e nuda, debolmente riscaldata. Che sete abbiamo! Il debole fruscio dell'acqua nei radiatori ci rende feroci: sono quattro giorni che non beviamo. Eppure c'è un rubinetto: sopra un cartello, che dice che è proibito bere perché l'acqua è inquinata. Sciocchezze, a me pare ovvio che il cartello è una beffa, «essi» sanno che noi moriamo di sete, e ci mettono in una camera, e c'è un rubinetto, e Wassertrinken verboten. Io bevo, e incito i compagni a farlo; ma devo sputare, l'acqua è tiepida e dolciastra, ha odore di palude.

Questo è l'inferno. Oggi, ai nostri giorni, l'inferno deve essere cosí, una camera grande e vuota, e noi stanchi stare in piedi, e c'è un rubinetto che gocciola e l'acqua non si può bere, e noi aspettiamo qualcosa di certamente terribile e non succede niente e continua a non succedere niente. Come pensare? Non si può piú pensare, è come essere già morti. Qualcuno si siede per terra. Il tempo passa goccia a goccia.

Non siamo morti; la porta si è aperta ed è entrata una SS, sta fumando. Ci guarda senza fretta, chiede: – Wer kann Deutsch? – Si fa avanti uno fra noi che non ho mai

visto, si chiama Flesch; sarà lui il nostro interprete. La SS fa un lungo discorso pacato: l'interprete traduce. Bisogna mettersi in fila per cinque, a intervalli di due metri fra uomo e uomo; poi bisogna spogliarsi e fare un fagotto degli abiti in un certo modo, gli indumenti di lana da una parte e tutto il resto dall'altra, togliersi le scarpe ma far molta attenzione di non farcele rubare.

Rubare da chi? perché ci dovrebbero rubare le scarpe? e i nostri documenti, il poco che abbiamo in tasca, gli orologi? Tutti guardiamo l'interprete, e l'interprete interrogò il tedesco, e il tedesco fumava e lo guardò da parte a parte come se fosse stato trasparente, come se nessuno avesse parlato.

Non avevo mai visto uomini anziani nudi. Il signor Bergmann portava il cinto erniario, e chiese all'interprete se doveva posarlo, e l'interprete esitò. Ma il tedesco comprese, e parlò seriamente all'interprete indicando qualcuno; abbiamo visto l'interprete trangugiare, e poi ha detto: – Il maresciallo dice di deporre il cinto, e che le sarà dato quello del signor Coen –. Si vedevano le parole uscire amare dalla bocca di Flesch, quello era il modo di ridere del tedesco.

Poi viene un altro tedesco, e dice di mettere le scarpe in un certo angolo, e noi le mettiamo, perché ormai è finito e ci sentiamo fuori del mondo e l'unica cosa è obbedire. Viene uno con la scopa e scopa via tutte le scarpe, via fuori dalla porta in un mucchio. È matto, le mescola tutte, novantasei paia, poi saranno spaiate. La porta dà all'esterno, entra un vento gelido e noi siamo nudi e ci copriamo il ventre con le braccia. Il vento sbatte e richiude la porta; il tedesco la riapre, e sta a vedere con aria assorta come ci contorciamo per ripararci dal vento uno dietro l'altro; poi se ne va e la richiude.

Adesso è il secondo atto. Entrano con violenza quattro con rasoi, pennelli e tosatrici, hanno pantaloni e giacche a righe, un numero cucito sul petto; forse sono della specie di quegli altri di stasera (stasera o ieri sera?); ma questi

sono robusti e floridi. Noi facciamo molte domande, loro invece ci agguantano e in un momento ci troviamo rasi e tosati. Che facce goffe abbiamo senza capelli! I quattro parlano una lingua che non sembra di questo mondo, certo non è tedesco, io un poco il tedesco lo capisco.

Finalmente si apre un'altra porta: eccoci tutti chiusi, nudi tosati e in piedi, coi piedi nell'acqua, è una sala di docce. Siamo soli, a poco a poco lo stupore si scioglie e parliamo, e tutti domandano e nessuno risponde. Se siamo nudi in una sala di docce, vuol dire che faremo la doccia. Se faremo la doccia, è perché non ci ammazzano ancora. E allora perché ci fanno stare in piedi, e non ci dànno da bere, e nessuno ci spiega niente, e non abbiamo né scarpe né vestiti ma siamo tutti nudi coi piedi nell'acqua, e fa freddo ed è cinque giorni che viaggiamo e non possiamo neppure sederci.

E le nostre donne?

L'ingegner Levi mi chiede se penso che anche le nostre donne siano cosí come noi in questo momento, e dove sono, e se le potremo rivedere. Io rispondo che sí, perché lui è sposato e ha una bambina; certo le rivedremo. Ma ormai la mia idea è che tutto questo è una grande macchina per ridere di noi e vilipenderci, e poi è chiaro che ci uccidono, chi crede di vivere è pazzo, vuol dire che ci è cascato, io no, io ho capito che presto sarà finita, forse in questa stessa camera, quando si saranno annoiati di vederci nudi, ballare da un piede all'altro e provare ogni tanto a sederci sul pavimento, ma ci sono tre dita d'acqua fredda e non ci possiamo sedere.

Andiamo in su e in giú senza costrutto, e parliamo, ciascuno parla con tutti gli altri, questo fa molto chiasso. Si apre la porta, entra un tedesco, è il maresciallo di prima; parla breve, l'interprete traduce. – Il maresciallo dice che dovete fare silenzio, perché questa non è una scuola rabbinica –. Si vedono le parole non sue, le parole cattive, torcergli la bocca uscendo, come se sputasse un boccone disgustoso. Lo preghiamo di chiedergli che cosa aspettiamo,

quanto tempo ancora staremo qui, delle nostre donne, tutto: ma lui dice di no, che non vuol chiedere. Questo Flesch, che si adatta molto a malincuore a tradurre in italiano frasi tedesche piene di gelo, e rifiuta di volgere in tedesco le nostre domande perché sa che è inutile, è un ebreo tedesco sulla cinquantina, che porta in viso la grossa cicatrice di una ferita riportata combattendo contro gli italiani sul Piave. È un uomo chiuso e taciturno, per il quale provo un istintivo rispetto perché sento che ha cominciato a soffrire prima di noi.

Il tedesco se ne va, e noi adesso stiamo zitti, quantunque ci vergogniamo un poco di stare zitti. Era ancora notte, ci chiedevamo se mai sarebbe venuto il giorno. Di nuovo si aprí la porta, ed entrò uno vestito a righe. Era diverso dagli altri, piú anziano, cogli occhiali, un viso piú civile, ed era molto meno robusto. Ci parla, e parla italiano.

Oramai siamo stanchi di stupirci. Ci pare di assistere a qualche dramma pazzo, di quei drammi in cui vengono sulla scena le streghe, lo Spirito Santo e il demonio. Parla italiano malamente, con un forte accento straniero. Ha fatto un lungo discorso, è molto cortese, cerca di rispondere a tutte le nostre domande.

Noi siamo a Monowitz, vicino ad Auschwitz, in Alta Slesia: una regione abitata promiscuamente da tedeschi e polacchi. Questo campo è un campo di lavoro, in tedesco si dice Arbeitslager; tutti i prigionieri (sono circa diecimila) lavorano ad una fabbrica di gomma che si chiama la Buna, perciò il campo stesso si chiama Buna.

Riceveremo scarpe e vestiti, no, non i nostri: altre scarpe, altri vestiti, come i suoi. Ora siamo nudi perché aspettiamo la doccia e la disinfezione, le quali avranno luogo subito dopo la sveglia, perché in campo non si entra se non si fa la disinfezione.

Certo, ci sarà da lavorare, tutti qui devono lavorare. Ma c'è lavoro e lavoro: lui, per esempio, fa il medico, è un medico ungherese che ha studiato in Italia; è il dentista del Lager. È in Lager da quattro anni (non in questo: la Buna

esiste da un anno e mezzo soltanto), eppure, possiamo ve-
derlo, sta bene, non è molto magro. Perché è in Lager? È
ebreo come noi? – No, – dice lui con semplicità, – io sono
un criminale.

Noi gli facciamo molte domande, lui qualche volta ride,
risponde ad alcune e non ad altre, si vede bene che evita
certi argomenti. Delle donne non parla: dice che stanno
bene, che presto le rivedremo, ma non dice né come né do-
ve. Invece ci racconta altro, cose strane e folli, forse anche
lui si fa gioco di noi. Forse è matto: in Lager si diventa
matti. Dice che tutte le domeniche ci sono concerti e par-
tite di calcio. Dice che chi tira bene di boxe può diventare
cuoco. Dice che chi lavora bene riceve buoni-premio con
cui ci si può comprare tabacco e sapone. Dice che vera-
mente l'acqua non è potabile, e che invece ogni giorno si
distribuisce un surrogato di caffè, ma generalmente nessu-
no lo beve, perché la zuppa stessa è acquosa quanto basta
per soddisfare la sete. Noi lo preghiamo di procurarci qual-
cosa da bere, ma lui dice che non può, che è venuto a ve-
derci di nascosto, contro il divieto delle SS, perché noi sia-
mo ancora da disinfettare, e deve andarsene subito; è ve-
nuto perché gli sono simpatici gli italiani, e perché, dice,
«ha un po' di cuore». Noi gli chiediamo ancora se ci sono
altri italiani in campo, e lui dice che ce n'è qualcuno, po-
chi, non sa quanti, e subito cambia discorso. In quel men-
tre ha suonato una campana, e lui è subito fuggito, e ci ha
lasciati attoniti e sconcertati. Qualcuno si sente rinfranca-
to, io no, io continuo a pensare che anche questo dentista,
questo individuo incomprensibile, ha voluto divertirsi a
nostre spese, e non voglio credere una parola di quanto ha
detto.

Alla campana, si è sentito il campo buio ridestarsi. Im-
provvisamente l'acqua è scaturita bollente dalle docce, cin-
que minuti di beatitudine; ma subito dopo, irrompono
quattro (forse sono i barbieri) che, bagnati e fumanti, ci
cacciano con urla e spintoni nella camera attigua, che è ge-
lida; qui altra gente urlante ci butta addosso non so che

stracci, e ci schiaccia in mano un paio di scarpacce a suola di legno, non abbiamo tempo di comprendere e già ci troviamo all'aperto, sulla neve azzurra e gelida dell'alba, e, scalzi e nudi, con tutto il corredo in mano, dobbiamo correre fino ad un'altra baracca, a un centinaio di metri. Qui ci è concesso di vestirci.

Quando abbiamo finito, ciascuno è rimasto nel suo angolo, e non abbiamo osato levare gli occhi l'uno sull'altro. Non c'è ove specchiarsi, ma il nostro aspetto ci sta dinanzi, riflesso in cento visi lividi, in cento pupazzi miserabili e sordidi. Eccoci trasformati nei fantasmi intravisti ieri sera.

Allora per la prima volta ci siamo accorti che la nostra lingua manca di parole per esprimere questa offesa, la demolizione di un uomo. In un attimo, con intuizione quasi profetica, la realtà ci si è rivelata: siamo arrivati al fondo. Piú giú di cosí non si può andare: condizione umana piú misera non c'è, e non è pensabile. Nulla piú è nostro: ci hanno tolto gli abiti, le scarpe, anche i capelli; se parleremo, non ci ascolteranno, e se ci ascoltassero, non ci capirebbero. Ci toglieranno anche il nome: e se vorremo conservarlo, dovremo trovare in noi la forza di farlo, di fare sí che dietro al nome, qualcosa ancora di noi, di noi quali eravamo, rimanga.

Noi sappiamo che in questo difficilmente saremo compresi, ed è bene che cosí sia. Ma consideri ognuno, quanto valore, quanto significato è racchiuso anche nelle piú piccole nostre abitudini quotidiane, nei cento oggetti nostri che il piú umile mendicante possiede: un fazzoletto, una vecchia lettera, la fotografia di una persona cara. Queste cose sono parte di noi, quasi come membra del nostro corpo; né è pensabile di venirne privati, nel nostro mondo, ché subito ne ritroveremmo altri a sostituire i vecchi, altri oggetti che sono nostri in quanto custodi e suscitatori di memorie nostre.

Si immagini ora un uomo a cui, insieme con le persone amate, vengano tolti la sua casa, le sue abitudini, i suoi

abiti, tutto infine, letteralmente tutto quanto possiede: sa-
rà un uomo vuoto, ridotto a sofferenza e bisogno, dimen-
tico di dignità e discernimento, poiché accade facilmente,
a chi ha perso tutto, di perdere se stesso; tale quindi, che si
potrà a cuor leggero decidere della sua vita o morte al di
fuori di ogni senso di affinità umana; nel caso piú fortuna-
to, in base ad un puro giudizio di utilità. Si comprenderà
allora il duplice significato del termine «Campo di annien-
tamento», e sarà chiaro che cosa intendiamo esprimere
con questa frase: giacere sul fondo.

Häftling: ho imparato che io sono uno *Häftling*. Il mio
nome è 174 517; siamo stati battezzati, porteremo finché
vivremo il marchio tatuato sul braccio sinistro.

L'operazione è stata lievemente dolorosa, e straordina-
riamente rapida: ci hanno messi tutti in fila, e ad uno ad
uno, secondo l'ordine alfabetico dei nostri nomi, siamo
passati davanti a un abile funzionario munito di una specie
di punteruolo dall'ago cortissimo. Pare che questa sia l'ini-
ziazione vera e propria: solo «mostrando il numero» si ri-
ceve il pane e la zuppa. Sono occorsi vari giorni, e non po-
chi schiaffi e pugni, perché ci abituassimo a mostrare il nu-
mero prontamente, in modo da non intralciare le quotidia-
ne operazioni annonarie di distribuzione; ci son voluti set-
timane e mesi perché ne apprendessimo il suono in lingua
tedesca. E per molti giorni, quando l'abitudine dei giorni
liberi mi spinge a cercare l'ora sull'orologio a polso, mi ap-
pare invece ironicamente il mio nuovo nome, il numero
trapunto in segni azzurrognoli sotto l'epidermide.

Solo molto piú tardi, e a poco a poco, alcuni di noi han-
no poi imparato qualcosa della funerea scienza dei numeri
di Auschwitz, in cui si compendiano le tappe della distru-
zione dell'ebraismo d'Europa. Ai vecchi del campo, il nu-
mero dice tutto: l'epoca di ingresso al campo, il convo-
glio di cui si faceva parte, e di conseguenza la nazionali-
tà. Ognuno tratterà con rispetto i numeri dal 30 000 al-

l'80 000: non sono piú che qualche centinaio, e contrassegnano i pochi superstiti dei ghetti polacchi. Conviene aprire bene gli occhi quando si entra in relazioni commerciali con un 116 000 o 117 000: sono ridotti ormai a una quarantina, ma si tratta dei greci di Salonicco, non bisogna lasciarsi mettere nel sacco. Quanto ai numeri grossi, essi comportano una nota di essenziale comicità, come avviene per i termini «matricola» o «coscritto» nella vita normale: il grosso numero tipico è un individuo panciuto, docile e scemo, a cui puoi far credere che all'infermeria distribuiscono scarpe di cuoio per individui dai piedi delicati, e convincerlo a corrervi e a lasciarti la sua gamella di zuppa «in custodia»; gli puoi vendere un cucchiaio per tre razioni di pane; lo puoi mandare dal piú feroce dei Kapos, a chiedergli (è successo a me!) se è vero che il suo è il Kartoffelschälkommando, il Kommando Pelatura Patate, e se è possibile esservi arruolati.

D'altronde, l'intero processo di inserimento in questo ordine per noi nuovo avviene in chiave grottesca e sarcastica. Finita l'operazione di tatuaggio, ci hanno chiusi in una baracca dove non c'è nessuno. Le cuccette sono rifatte, ma ci hanno severamente proibito di toccarle e di sedervi sopra: cosí ci aggiriamo senza scopo per metà della giornata nel breve spazio disponibile, ancora tormentati dalla sete furiosa del viaggio. Poi la porta si è aperta, ed è entrato un ragazzo dal vestito a righe, dall'aria abbastanza civile, piccolo, magro e biondo. Questo parla francese, e gli siamo addosso in molti, tempestandolo di tutte le domande che finora ci siamo rivolti l'un l'altro inutilmente.

Ma non parla volentieri: nessuno qui parla volentieri. Siamo nuovi, non abbiamo niente e non sappiamo niente; a che scopo perdere tempo con noi? Ci spiega di malavoglia che tutti gli altri sono fuori a lavorare, e torneranno a sera. Lui è uscito stamane dall'infermeria, per oggi è esente dal lavoro. Io gli ho chiesto (con un'ingenuità che solo

pochi giorni dopo già doveva parermi favolosa) se ci avrebbero restituito almeno gli spazzolini da denti; lui non ha riso, ma col viso atteggiato a intenso disprezzo mi ha gettato: – Vous n'êtes pas à la maison –. Ed è questo il ritornello che da tutti ci sentiamo ripetere: non siete piú a casa, questo non è un sanatorio, di qui non si esce che per il Camino (cosa vorrà dire? lo impareremo bene piú tardi).

E infatti: spinto dalla sete, ho adocchiato, fuori di una finestra, un bel ghiacciolo a portata di mano. Ho aperto la finestra, ho staccato il ghiacciolo, ma subito si è fatto avanti uno grande e grosso che si aggirava là fuori, e me lo ha strappato brutalmente. – Warum? – gli ho chiesto nel mio povero tedesco. – Hier ist kein Warum, – (qui non c'è perché), mi ha risposto, ricacciandomi dentro con uno spintone.

La spiegazione è ripugnante ma semplice: in questo luogo è proibito tutto, non già per riposte ragioni, ma perché a tale scopo il campo è stato creato. Se vorremo viverci, bisognerà capirlo presto e bene:

... Qui non ha luogo il Santo Volto,
qui si nuota altrimenti che nel Serchio!

Ora dopo ora, questa prima lunghissima giornata di antinferno volge al termine. Mentre il sole tramonta in un vortice di truci nubi sanguigne, ci fanno finalmente uscire dalla baracca. Ci daranno da bere? No, ci mettono ancora una volta in fila, ci conducono in un vasto piazzale che occupa il centro del campo, e ci dispongono meticolosamente inquadrati. Poi non accade piú nulla per un'altra ora: sembra che si aspetti qualcuno.

Una fanfara incomincia a suonare, accanto alla porta del campo: suona *Rosamunda*, la ben nota canzonetta sentimentale, e questo ci appare talmente strano che ci guardiamo l'un l'altro sogghignando; nasce in noi un'ombra di sollievo, forse tutte queste cerimonie non costituiscono che una colossale buffonata di gusto teutonico. Ma la fanfara, finita *Rosamunda*, continua a suonare altre marce, una do-

po l'altra, ed ecco apparire i drappelli dei nostri compagni, che ritornano dal lavoro. Camminano in colonna per cinque: camminano con un'andatura strana, innaturale, dura, come fantocci rigidi fatti solo di ossa: ma camminano seguendo scrupolosamente il tempo della fanfara.

Anche loro si dispongono come noi, secondo un ordine minuzioso, nella vasta piazza; quando l'ultimo drappello è rientrato, ci contano e ci ricontano per piú di un'ora, avvengono lunghi controlli che sembrano tutti fare capo a un tale vestito a righe, il quale ne rende conto a un gruppetto di SS in pieno assetto di guerra.

Finalmente (è ormai buio, ma il campo è fortemente illuminato da fanali e riflettori) si sente gridare «Absperre!», al che tutte le squadre si disfano in un viavai confuso e turbolento. Adesso non camminano piú rigidi e impettiti come prima: ciascuno si trascina con sforzo evidente. Noto che tutti portano in mano o appesa alla cintura una scodella di lamiera grande quasi come un catino.

Anche noi nuovi arrivati ci aggiriamo tra la folla, alla ricerca di una voce, di un viso amico, di una guida. Contro la parete di legno di una baracca stanno seduti a terra due ragazzi: sembrano giovanissimi, sui sedici anni al massimo, tutti e due hanno il viso e le mani sporche di fuliggine. Uno dei due, mentre passiamo, mi chiama, e mi pone in tedesco alcune domande che non capisco; poi mi chiede da dove veniamo. – Italien, – rispondo; vorrei domandargli molte cose, ma il mio frasario tedesco è limitatissimo.

– Sei ebreo? – gli chiedo.

– Sí, ebreo polacco.

– Da quanto sei in Lager?

– Tre anni, – e leva tre dita. Deve essere entrato bambino, penso con orrore; d'altronde, questo significa che almeno qualcuno qui può vivere.

– Qual è il tuo lavoro?

– Schlosser, – risponde. Non capisco: – Eisen; Feuer, – (ferro, fuoco) insiste lui, e fa cenno colle mani come di chi batta col martello su di un'incudine. È un fabbro, dunque.

– Ich Chemiker, – dichiaro io; e lui accenna gravemente col capo, – Chemiker gut –. Ma tutto questo riguarda il futuro lontano: ciò che mi tormenta, in questo momento, è la sete.

– Bere, acqua. Noi niente acqua, – gli dico. Lui mi guarda con un viso serio, quasi severo, e scandisce: – Non bere acqua, compagno, – e poi altre parole che non capisco.

– Warum? –

– Geschwollen, – risponde lui telegraficamente: io crollo il capo, non ho capito. – Gonfio, – mi fa capire, enfiando le gote e abbozzando colle mani una mostruosa tumescenza del viso e del ventre. – Warten bis heute abend –. «Aspettare fino oggi sera», traduco io parola per parola.

Poi mi dice: – Ich Schlome. Du? – Gli dico il mio nome, e lui mi chiede: – Dove tua madre? – In Italia –. Schlome si stupisce: – Ebrea in Italia? – Sí, – spiego io del mio meglio, – nascosta, nessuno conosce, scappare, non parlare, nessuno vedere –. Ha capito; ora si alza, mi si avvicina e mi abbraccia timidamente. L'avventura è finita, e mi sento pieno di una tristezza serena che è quasi gioia. Non ho piú rivisto Schlome, ma non ho dimenticato il suo volto grave e mite di fanciullo, che mi ha accolto sulla soglia della casa dei morti.

Moltissime cose ci restano da imparare, ma molte le abbiamo già imparate. Già abbiamo una certa idea della topografia del Lager; questo nostro Lager è un quadrato di circa seicento metri di lato, circondato da due reticolati di filo spinato, il piú interno dei quali è percorso da corrente ad alta tensione. È costituito da sessanta baracche in legno, che qui si chiamano Blocks, di cui una decina in costruzione; a queste vanno aggiunti il corpo delle cucine, che è in muratura; una fattoria sperimentale, gestita da un distaccamento di Häftlinge privilegiati; le baracche delle docce e delle latrine, in numero di una per ogni gruppo di sei od otto Blocks. Di piú, alcuni Blocks sono adibiti a scopi particolari. Innanzitutto, un gruppo di otto, all'estremità est del campo, costituisce l'infermeria e l'ambulatorio;

v'è poi il Block 24 che è il Krätzeblock, riservato agli scab-
biosi; il Block 7, in cui nessun comune Häftling è mai en-
trato, riservato alla «Prominenz», cioè all'aristocrazia, agli
internati che ricoprono le cariche supreme; il Block 47, ri-
servato ai Reichsdeutsche (gli ariani tedeschi, politici o cri-
minali); il Block 49, per soli Kapos; il Block 12, una metà
del quale, ad uso dei Reichsdeutsche e Kapos, funge da
Kantine, cioè da distributorio di tabacco, polvere insetti-
cida, e occasionalmente altri articoli; il Block 37, che con-
tiene la Fureria centrale e l'Ufficio del lavoro; e infine il
Block 29, che ha le finestre sempre chiuse perché è il
Frauenblock, il postribolo del campo, servito da ragazze
Häftlinge polacche, e riservato ai Reichsdeutsche.

I comuni Blocks di abitazione sono divisi in due locali;
in uno (Tagesraum) vive il capo-baracca con i suoi amici;
v'è un lungo tavolo, sedie, panche; ovunque una quantità
di strani oggetti dai colori vivaci, fotografie, ritagli di rivi-
ste, disegni, fiori finti, soprammobili; sulle pareti, grandi
scritte, proverbi e poesiole inneggianti all'ordine, alla di-
sciplina, all'igiene; in un angolo, una vetrina con gli attrez-
zi del Blockfrisör (barbiere autorizzato), i mestoli per di-
stribuire la zuppa e due nerbi di gomma, quello pieno e
quello vuoto, per mantenere la disciplina medesima. L'al-
tro locale è il dormitorio; non vi sono che centoquarantot-
to cuccette a tre piani, disposte fittamente, come celle di
alveare, in modo da utilizzare senza residui tutta la cu-
batura del vano, fino al tetto, e divise da tre corridoi;
qui vivono i comuni Häftlinge, in numero di duecento-
duecentocinquanta per baracca, due quindi in buona parte
delle cuccette, le quali sono di tavole di legno mobili, prov-
viste di un sottile sacco a paglia e di due coperte ciascuna.
I corridoi di disimpegno sono così stretti che a stento ci si
passa in due; la superficie totale di pavimento è così poca
che gli abitanti di uno stesso Block non vi possono soggior-
nare tutti contemporaneamente se almeno la metà non so-
no coricati nelle cuccette. Di qui il divieto di entrare in un
Block a cui non si appartiene.

In mezzo al Lager è la piazza dell'Appello, vastissima, dove ci si raduna al mattino per costituire le squadre di lavoro, e alla sera per venire contati. Di fronte alla piazza dell'Appello c'è una aiuola dall'erba accuratamente rasa, dove si montano le forche quando occorre.

Abbiamo ben presto imparato che gli ospiti del Lager sono distinti in tre categorie: i criminali, i politici e gli ebrei. Tutti sono vestiti a righe, sono tutti Häftlinge, ma i criminali portano accanto al numero, cucito sulla giacca, un triangolo verde; i politici un triangolo rosso; gli ebrei, che costituiscono la grande maggioranza, portano la stella ebraica, rossa e gialla. Le SS ci sono sí, ma poche, e fuori del campo, e si vedono relativamente di rado: i nostri padroni effettivi sono i triangoli verdi, i quali hanno mano libera su di noi, e inoltre fra le due altre categorie che si prestano ad assecondarli: i quali non sono pochi.

Ed altro ancora abbiamo imparato, piú o meno rapidamente, a seconda del carattere di ciascuno; a rispondere «Jawohl», a non fare mai domande, a fingere sempre di avere capito. Abbiamo appreso il valore degli alimenti; ora anche noi raschiamo diligentemente il fondo della gamella dopo il rancio, e la teniamo sotto il mento quando mangiamo il pane per non disperderne le briciole. Anche noi adesso sappiamo che non è la stessa cosa ricevere il mestolo di zuppa prelevato dalla superficie o dal fondo del mastello, e siamo già in grado di calcolare, in base alla capacità dei vari mastelli, quale sia il posto piú conveniente a cui aspirare quando ci si mette in coda.

Abbiamo imparato che tutto serve; il fil di ferro, per legarsi le scarpe; gli stracci, per ricavarne pezze da piedi; la carta, per imbottirsi (abusivamente) la giacca contro il freddo. Abbiamo imparato che d'altronde tutto può venire rubato, anzi, viene automaticamente rubato non appena l'attenzione si rilassa; e per evitarlo abbiamo dovuto apprendere l'arte di dormire col capo su un fagotto fatto con la giacca, e contenente tutto il nostro avere, dalla gamella alle scarpe.

Conosciamo già in buona parte il regolamento del campo, che è favolosamente complicato. Innumerevoli sono le proibizioni: avvicinarsi a meno di due metri dal filo spinato; dormire con la giacca, o senza mutande, o col cappello in testa; servirsi di particolari lavatoi e latrine che sono «nur für Kapos» o «nur für Reichsdeutsche»; non andare alla doccia nei giorni prescritti, e andarvi nei giorni non prescritti; uscire di baracca con la giacca sbottonata, o col bavero rialzato; portare sotto gli abiti carta o paglia contro il freddo; lavarsi altrimenti che a torso nudo.

Infiniti e insensati sono i riti da compiersi: ogni giorno al mattino bisogna fare «il letto», perfettamente piano e liscio; spalmarsi gli zoccoli fangosi e repellenti con l'apposito grasso da macchina, raschiare via dagli abiti le macchie di fango (le macchie di vernice, di grasso e di ruggine sono invece ammesse); alla sera, bisogna sottoporsi al controllo dei pidocchi e al controllo della lavatura dei piedi; al sabato farsi radere la barba e i capelli, rammendarsi o farsi rammendare gli stracci; alla domenica, sottoporsi al controllo generale della scabbia, e al controllo dei bottoni della giacca, che devono essere cinque.

Di piú, ci sono innumerevoli circostanze, normalmente irrilevanti, che qui diventano problemi. Quando le unghie si allungano, bisogna accorciarle, il che non si può fare altrimenti che coi denti (per le unghie dei piedi basta l'attrito delle scarpe); se si perde un bottone bisogna saperselo riattaccare con un filo di ferro; se si va alla latrina o al lavatoio, bisogna portarsi dietro tutto, sempre e dovunque, e mentre ci si lavano gli occhi, tenere il fagotto degli abiti stretto fra le ginocchia: in qualunque altro modo, esso in quell'attimo verrebbe rubato. Se una scarpa fa male bisogna presentarsi alla sera alla cerimonia del cambio delle scarpe: qui si mette alla prova la perizia dell'individuo, in mezzo alla calca incredibile bisogna saper scegliere con un colpo d'occhio una (non un paio: una) scarpa che si adatti, perché, fatta la scelta, un secondo cambio non è concesso.

Né si creda che le scarpe, nella vita del Lager, costitui-

scano un fattore d'importanza secondaria. La morte incomincia dalle scarpe: esse si sono rivelate, per la maggior parte di noi, veri arnesi di tortura, che dopo poche ore di marcia davano luogo a piaghe dolorose che fatalmente si infettavano. Chi ne è colpito, è costretto a camminare come se avesse una palla al piede (ecco il perché della strana andatura dell'esercito di larve che ogni sera rientra in parata); arriva ultimo dappertutto, e dappertutto riceve botte; non può scappare se lo inseguono; i suoi piedi si gonfiano, e piú si gonfiano, piú l'attrito con il legno e la tela delle scarpe diventa insopportabile. Allora non resta che l'ospedale: ma entrare in ospedale con la diagnosi di «dicke Füsse» (piedi gonfi) è estremamente pericoloso, perché è ben noto a tutti, ed alle SS in ispecie, che di questo male, qui, non si può guarire.

E in tutto questo, non abbiamo ancora accennato al lavoro, il quale è a sua volta un groviglio di leggi, di tabú e di problemi.

Tutti lavoriamo, tranne i malati (farsi riconoscere come malato comporta di per sé un imponente bagaglio di cognizioni e di esperienze). Tutte le mattine usciamo inquadrati dal campo alla Buna; tutte le sere, inquadrati, rientriamo. Per quanto concerne il lavoro, siamo suddivisi in circa duecento Kommandos, ognuno dei quali conta da quindici a centocinquanta uomini ed è comandato da un Kapo. Vi sono Kommandos buoni e cattivi: per la maggior parte sono adibiti a trasporti, e il lavoro vi è assai duro, specialmente d'inverno, se non altro perché si svolge sempre all'aperto. Vi sono anche Kommandos di specialisti (elettricisti, fabbri, muratori, saldatori, meccanici, cementisti, ecc.), ciascuno addetto a una certa officina o reparto della Buna, e dipendenti in modo piú diretto da Meister civili, per lo piú tedeschi e polacchi; questo avviene naturalmente solo nelle ore di lavoro: nel resto della giornata, gli specialisti (non sono piú di tre o quattrocento in tutto) non hanno trattamento diverso dai lavoratori comuni. All'assegnazione dei singoli ai vari Kommandos sovrintende uno

speciale ufficio del Lager, l'Arbeitsdienst, che è in conti-
nuo contatto con la direzione civile della Buna. L'Arbeits-
dienst decide in base a criteri sconosciuti, spesso palese-
mente in base a protezioni e corruzioni, in modo che, se
qualcuno riesce a procurarsi da mangiare, è anche pratica-
mente sicuro di ottenere un buon posto in Buna.

L'orario di lavoro è variabile con la stagione. Tutte le
ore di luce sono ore lavorative: perciò si va da un orario
minimo invernale (ore 8-12 e 12,30-16) a uno massimo
estivo (ore 6,30-12 e 13-18). Per nessuna ragione gli Häft-
linge possono trovarsi al lavoro nelle ore di oscurità o
quando c'è nebbia fitta, mentre si lavora regolarmente an-
che se piove o nevica o (caso assai frequente) soffia il vento
feroce dei Carpazi; questo in relazione al fatto che il buio
o la nebbia potrebbero dare occasione a tentativi di fuga.

Una domenica ogni due è regolare giorno lavorativo;
nelle domeniche cosiddette festive, invece di lavorare in
Buna si lavora di solito alla manutenzione del Lager, in
modo che i giorni di effettivo riposo sono estremamente
rari.

Tale sarà la nostra vita. Ogni giorno, secondo il ritmo
prestabilito, Ausrücken ed Einrücken, uscire e rientrare;
lavorare, dormire e mangiare; ammalarsi, guarire o morire.

... E fino a quando? Ma gli anziani ridono a questa do-
manda: a questa domanda si riconoscono i nuovi arrivati.
Ridono e non rispondono: per loro, da mesi, da anni, il
problema del futuro remoto è impallidito, ha perso ogni
acutezza, di fronte ai ben piú urgenti e concreti problemi
del futuro prossimo: quanto si mangerà oggi, se nevicherà,
se ci sarà da scaricare carbone.

Se fossimo ragionevoli, dovremmo rassegnarci a questa
evidenza, che il nostro destino è perfettamente inconosci-
bile, che ogni congettura è arbitraria ed esattamente priva
di fondamento reale. Ma ragionevoli gli uomini sono assai
raramente, quando è in gioco il loro proprio destino; essi

preferiscono in ogni caso le posizioni estreme; perciò, a seconda del loro carattere, fra di noi gli uni si sono convinti immediatamente che tutto è perduto, che qui non si può vivere e che la fine è certa e prossima; gli altri, che, per quanto dura sia la vita che ci attende, la salvezza è probabile e non lontana, e, se avremo fede e forza, rivedremo le nostre case e i nostri cari. Le due classi, dei pessimisti e degli ottimisti, non sono peraltro cosí ben distinte: non già perché gli agnostici siano molti, ma perché i piú, senza memoria né coerenza, oscillano fra le due posizioni-limite, a seconda dell'interlocutore e del momento.

Eccomi dunque sul fondo. A dare un colpo di spugna al passato e al futuro si impara assai presto, se il bisogno preme. Dopo quindici giorni dall'ingresso, già ho la fame regolarmente, la fame cronica sconosciuta agli uomini liberi, che fa sognare di notte e siede in tutte le membra dei nostri corpi; già ho imparato a non lasciarmi derubare, e se anzi trovo in giro un cucchiaio, uno spago, un bottone di cui mi possa appropriare senza pericolo di punizione, li intasco e li considero miei di pieno diritto. Già mi sono apparse, sul dorso dei piedi, le piaghe torpide che non guariranno. Spingo vagoni, lavoro di pala, mi fiacco alla pioggia, tremo al vento; già il mio stesso corpo non è piú mio: ho il ventre gonfio e le membra stecchite, il viso tumido al mattino e incavato a sera; qualcuno fra noi ha la pelle gialla, qualche altro grigia: quando non ci vediamo per tre o quattro giorni, stentiamo a riconoscerci l'un l'altro.

Avevamo deciso di trovarci, noi italiani, ogni domenica sera in un angolo del Lager; ma abbiamo subito smesso, perché era troppo triste contarci, e trovarci ogni volta piú pochi, e piú deformi, e piú squallidi. Ed era cosí faticoso fare quei pochi passi: e poi, a ritrovarsi, accadeva di ricordare e di pensare, ed era meglio non farlo.

Iniziazione

Dopo i primi giorni di capricciosi trasferimenti da bloc-
co a blocco e da Kommando a Kommando, a sera tarda,
sono stato assegnato al Block 30, e mi viene indicata una
cuccetta in cui già dorme Diena. Diena si sveglia, e, ben-
ché esausto, mi fa posto e mi riceve amichevolmente.

Io non ho sonno, o per meglio dire il mio sonno è ma-
scherato da uno stato di tensione e di ansia da cui non so-
no ancora riuscito a liberarmi, e perciò parlo e parlo.

Ho troppe cose da chiedere. Ho fame, e quando doma-
ni distribuiranno la zuppa, come farò a mangiarla senza
cucchiaio? e come si può avere un cucchiaio? e dove mi
manderanno a lavorare? Diena ne sa quanto me, natural-
mente, e mi risponde con altre domande. Ma da sopra,
da sotto, da vicino, da lontano, da tutti gli angoli della ba-
racca ormai buia, voci assonnate e iraconde mi gridano:
– Ruhe, Ruhe!

Capisco che mi si impone il silenzio, ma questa parola è
per me nuova, e poiché non ne conosco il senso e le impli-
cazioni, la mia inquietudine cresce. La confusione delle
lingue è una componente fondamentale del modo di vivere
di quaggiú; si è circondati da una perpetua Babele, in cui
tutti urlano ordini e minacce in lingue mai prima udite, e
guai a chi non afferra a volo. Qui nessuno ha tempo, nes-
suno ha pazienza, nessuno ti dà ascolto; noi ultimi venuti
ci raduniamo istintivamente negli angoli, contro i muri,
come fanno le pecore, per sentirci le spalle materialmente
coperte.

Rinuncio dunque a fare domande, e in breve scivolo in un sonno amaro e teso. Ma non è riposo: mi sento minacciato, insidiato, ad ogni istante sono pronto a contrarmi in uno spasimo di difesa. Sogno, e mi pare di dormire su una strada, su un ponte, per traverso di una porta per cui va e viene molta gente. Ed ecco giunge, ahi quanto presto, la sveglia. L'intera baracca si squassa dalle fondamenta, le luci si accendono, tutti intorno a me si agitano in una repentina attività frenetica: scuotono le coperte suscitando nembi di polvere fetida, si vestono con fretta febbrile, corrono fuori nel gelo dell'aria esterna vestiti a mezzo, si precipitano verso le latrine e il lavatoio; molti, bestialmente, orinano correndo per risparmiare tempo, perché entro cinque minuti inizia la distribuzione del pane, del pane-Brot-Broit-chleb-pain-lechem-kenyér, del sacro blocchetto grigio che sembra gigantesco in mano del tuo vicino, e piccolo da piangere in mano tua. È una allucinazione quotidiana, a cui si finisce col fare l'abitudine: ma nei primi tempi è cosí irresistibile che molti fra noi, dopo lungo discutere a coppie sulla propria palese e costante sfortuna, e sfacciata fortuna altrui, si scambiano infine le razioni, al che l'illusione si ripristina invertita lasciando tutti scontenti e frustrati.

Il pane è anche la nostra sola moneta: nei pochi minuti che intercorrono fra la distribuzione e la consumazione, il Block risuona di richiami, di liti e di fughe. Sono i creditori di ieri che pretendono il pagamento, nei brevi istanti in cui il debitore è solvibile. Dopo di che, subentra una relativa quiete, e molti ne approfittano per recarsi nuovamente alle latrine a fumare mezza sigaretta, o al lavatoio per lavarsi veramente.

Il lavatoio è un locale poco invitante. È male illuminato, pieno di correnti d'aria, e il pavimento di mattoni è coperto da uno strato di fanghiglia; l'acqua non è potabile, ha un odore disgustoso e spesso manca per molte ore. Le pareti sono decorate da curiosi affreschi didascalici: vi si vede ad esempio lo Häftling buono, effigiato nudo fino alla

cintola, in atto di insaponarsi diligentemente il cranio ben tosato e roseo, e lo Häftling cattivo, dal naso fortemente semitico e dal colorito verdastro, il quale, tutto infagottato negli abiti vistosamente macchiati, e col berretto in testa, immerge cautamente un dito nell'acqua del lavandino. Sotto al primo sta scritto: «So bist du rein» (cosí sei pulito), e sotto al secondo: «So gehst du ein» (cosí vai in rovina); e piú in basso, in dubbio francese ma in caratteri gotici: «La propreté, c'est la santé».

Sulla parete opposta campeggia un enorme pidocchio bianco rosso e nero, con la scritta: «Eine Laus, dein Tod» (un pidocchio è la tua morte), e il distico ispirato:

> Nach dem Abort, vor dem Essen
> Hände waschen, nicht vergessen

(dopo la latrina, prima di mangiare, làvati le mani, non dimenticare).

Per molte settimane, ho considerato questi ammonimenti all'igiene come puri tratti di spirito teutonico, nello stile del dialogo relativo al cinto erniario con cui eravamo stati accolti al nostro ingresso in Lager. Ma ho poi capito che i loro ignoti autori, forse inconsciamente, non erano lontani da alcune importanti verità. In questo luogo, lavarsi tutti i giorni nell'acqua torbida del lavandino immondo è praticamente inutile ai fini della pulizia e della salute; è invece importantissimo come sintomo di residua vitalità, e necessario come strumento di sopravvivenza morale.

Devo confessarlo: dopo una sola settimana di prigionia, in me l'istinto della pulizia è sparito. Mi aggiro ciondolando per il lavatoio, ed ecco Steinlauf, il mio amico quasi cinquantenne, a torso nudo, che si strofina collo e spalle con scarso esito (non ha sapone) ma con estrema energia. Steinlauf mi vede e mi saluta, e senza ambagi mi domanda severamente perché non mi lavo. Perché dovrei lavarmi? starei forse meglio di quanto sto? piacerei di piú a qualcuno? vivrei un giorno, un'ora di piú? Vivrei anzi di meno, perché lavarsi è un lavoro, uno spreco di energia e di calo-

re. Non sa Steinlauf che dopo mezz'ora ai sacchi di carbone ogni differenza fra lui e me sarà scomparsa? Piú ci penso, e piú mi pare che lavarsi la faccia nelle nostre condizioni sia una faccenda insulsa, addirittura frivola: un'abitudine meccanica, o peggio, una lugubre ripetizione di un rito estinto. Morremo tutti, stiamo per morire: se mi avanzano dieci minuti fra la sveglia e il lavoro, voglio dedicarli ad altro, a chiudermi in me stesso, a tirare le somme, o magari a guardare il cielo e a pensare che lo vedo forse per l'ultima volta; o anche solo a lasciarmi vivere, a concedermi il lusso di un minuscolo ozio.

Ma Steinlauf mi dà sulla voce. Ha terminato di lavarsi, ora si sta asciugando con la giacca di tela che prima teneva arrotolata fra le ginocchia e che poi infilerà, e senza interrompere l'operazione mi somministra una lezione in piena regola.

Ho scordato ormai, e me ne duole, le sue parole diritte e chiare, le parole del già sergente Steinlauf dell'esercito austro-ungarico, croce di ferro della guerra '14-18. Me ne duole, perché dovrò tradurre il suo italiano incerto e il suo discorso piano di buon soldato nel mio linguaggio di uomo incredulo. Ma questo ne era il senso, non dimenticato allora né poi: che appunto perché il Lager è una gran macchina per ridurci a bestie, noi bestie non dobbiamo diventare; che anche in questo luogo si può sopravvivere, e perciò si deve voler sopravvivere, per raccontare, per portare testimonianza; e che per vivere è importante sforzarci di salvare almeno lo scheletro, l'impalcatura, la forma della civiltà. Che siamo schiavi, privi di ogni diritto, esposti a ogni offesa, votati a morte quasi certa, ma che una facoltà ci è rimasta, e dobbiamo difenderla con ogni vigore perché è l'ultima: la facoltà di negare il nostro consenso. Dobbiamo quindi, certamente, lavarci la faccia senza sapone, nell'acqua sporca, e asciugarci nella giacca. Dobbiamo dare il nero alle scarpe, non perché cosí prescrive il regolamento, ma per dignità e per proprietà. Dobbiamo camminare diritti, senza strascicare gli zoccoli, non già in omaggio alla disci-

plina prussiana, ma per restare vivi, per non cominciare a morire.

Queste cose mi disse Steinlauf, uomo di volontà buona: strane cose al mio orecchio dissueto, intese e accettate solo in parte, e mitigate in una più facile, duttile e blanda dottrina, quella che da secoli si respira al di qua delle Alpi, e secondo la quale, fra l'altro, non c'è maggior vanità che sforzarsi di inghiottire interi i sistemi morali elaborati da altri, sotto altro cielo. No, la saggezza e la virtú di Steinlauf, buone certamente per lui, a me non bastano. Di fronte a questo complicato mondo infero, le mie idee sono confuse; sarà proprio necessario elaborare un sistema e praticarlo? o non sarà più salutare prendere coscienza di non avere sistema?

Ka-Be

I giorni si somigliano tutti, e non è facile contarli. Da non so quanti giorni facciamo la spola, a coppie, dalla ferrovia al magazzino: un centinaio di metri di suolo in disgelo. Avanti sotto il carico, indietro colle braccia pendenti lungo i fianchi, senza parlare.

Intorno, tutto ci è nemico. Sopra di noi, si rincorrono le nuvole maligne, per separarci dal sole; da ogni parte ci stringe lo squallore del ferro in travaglio. I suoi confini non li abbiamo mai visti, ma sentiamo, tutto intorno, la presenza cattiva del filo spinato che ci segrega dal mondo. E sulle impalcature, sui treni in manovra, nelle strade, negli scavi, negli uffici, uomini e uomini, schiavi e padroni, i padroni schiavi essi stessi; la paura muove gli uni e l'odio gli altri, ogni altra forza tace. Tutti ci sono nemici o rivali.

No, in verità, in questo mio compagno di oggi, aggiogato oggi con me sotto lo stesso carico, non sento un nemico né un rivale.

È Null Achtzehn. Non si chiama altrimenti che cosí, Zero Diciotto, le ultime tre cifre del suo numero di matricola: come se ognuno si fosse reso conto che solo un uomo è degno di avere un nome, e che Null Achtzehn non è piú un uomo. Credo che lui stesso abbia dimenticato il suo nome, certo si comporta come se cosí fosse. Quando parla, quando guarda, dà l'impressione di essere vuoto interiormente, nulla piú che un involucro, come certe spoglie di

insetti che si trovano in riva agli stagni, attaccate con un filo ai sassi, e il vento le scuote.

Null Achtzehn è molto giovane, il che costituisce un pericolo grave. Non solo perché i ragazzi sopportano peggio degli adulti le fatiche e il digiuno, ma soprattutto perché qui, per sopravvivere, occorre un lungo allenamento alla lotta di ciascuno contro tutti, che i giovani raramente posseggono. Null Achtzehn non è neppure particolarmente indebolito, ma tutti rifuggono dal lavorare con lui. Tutto gli è a tal segno indifferente che non si cura piú di evitare la fatica e le percosse e di cercare il cibo. Eseguisce tutti gli ordini che riceve, ed è prevedibile che, quando lo manderanno alla morte, ci andrà con questa stessa totale indifferenza.

Non possiede la rudimentale astuzia dei cavalli da traino, che smettono di tirare un po' prima di giungere all'esaurimento: ma tira o porta o spinge finché le forze glielo permettono, poi cede di schianto, senza una parola di avvertimento, senza sollevare dal suolo gli occhi tristi e opachi. Mi ricorda i cani da slitta dei libri di London, che faticano fino all'ultimo respiro e muoiono sulla pista.

Ora, poiché noi tutti cerchiamo invece con ogni mezzo di sottrarci alla fatica, Null Achtzehn è quello che lavora piú di tutti. Per questo, e perché è un compagno pericoloso, nessuno vuol lavorare con lui; e siccome d'altronde nessuno vuol lavorare con me, perché sono debole e maldestro, cosí spesso accade che ci troviamo accoppiati.

Mentre, a mani vuote, ancora una volta torniamo strascicando i piedi dal magazzino, una locomotiva fischia breve e ci taglia la strada. Contenti della interruzione forzata, Null Achtzehn ed io ci fermiamo: curvi e laceri, aspettiamo che i vagoni abbiano finito di sfilarci lentamente davanti.

... Deutsche Reichsbahn. Deutsche Reichsbahn. SNCF. Due giganteschi vagoni russi, con la falce e il martello mal cancellati. Deutsche Reichsbahn. Poi, Cavalli 8, Uomini 40, Tara, Portata: un vagone italiano. ... Salirvi

dentro, in un angolo, ben nascosto sotto il carbone, e stare fermo e zitto, al buio, ad ascoltare senza fine il ritmo delle rotaie, piú forte della fame e della stanchezza; finché, a un certo momento, il treno si fermerebbe, e sentirei l'aria tiepida e odore di fieno, e potrei uscire fuori, nel sole: allora mi coricherei a terra, a baciare la terra, come si legge nei libri: col viso nell'erba. E passerebbe una donna, e mi chiederebbe «Chi sei?» in italiano, e io le racconterei, in italiano, e lei capirebbe, e mi darebbe da mangiare e da dormire. E non crederebbe alle cose che io dico, e io le farei vedere il numero che ho sul braccio, e allora crederebbe.

... È finito. L'ultimo vagone è passato, e, come al sollevarsi di un sipario, ci sta davanti agli occhi la catasta dei supporti di ghisa, il Kapo in piedi sulla catasta con una verga in mano, i compagni sparuti, a coppie, che vengono e vanno.

Guai a sognare: il momento di coscienza che accompagna il risveglio è la sofferenza piú acuta. Ma non ci capita sovente, e non sono lunghi sogni: noi non siamo che bestie stanche.

Ancora una volta siamo ai piedi della catasta. Mischa e il Galiziano alzano un supporto e ce lo posano con malgarbo sulle spalle. Il loro posto è il meno faticoso, perciò essi fanno sfoggio di zelo per conservarlo: chiamano i compagni che indugiano, incitano, esortano, impongono al lavoro un ritmo insostenibile. Questo mi riempie di sdegno, pure già so ormai che è nel normale ordine delle cose che i privilegiati opprimano i non privilegiati: su questa legge umana si regge la struttura sociale del campo.

Questa volta tocca a me camminare davanti. Il supporto è pesante ma molto corto, per cui a ogni passo sento, dietro di me, i piedi di Null Achtzehn che incespicano contro i miei, poiché egli non è capace, o non si cura, di seguire il mio passo.

Venti passi, siamo arrivati al binario, c'è un cavo da scavalcare. Il carico è mal messo, qualcosa non va, tende a scivolare dalla spalla. Cinquanta passi, sessanta. La porta del

magazzino; ancora altrettanto cammino e lo deporremo.
Basta, è impossibile andare oltre, il carico mi grava ormai
interamente sul braccio; non posso sopportare piú a lungo
il dolore e la fatica, grido, cerco di voltarmi: appena in
tempo per vedere Null Achtzehn inciampare e buttare
tutto.

Se avessi avuto la mia agilità di un tempo, avrei potuto
balzare indietro: invece eccomi a terra, con tutti i muscoli
contratti, il piede colpito stretto fra le mani, cieco di dolo-
re. Lo spigolo di ghisa mi ha colpito di taglio il dorso del
piede sinistro.

Per un minuto, tutto si annulla nella vertigine della sof-
ferenza. Quando mi posso guardare attorno, Null Acht-
zehn è ancora là in piedi, non si è mosso, colle mani infila-
te nelle maniche, senza dire una parola, mi guarda senza
espressione. Arrivano Mischa e il Galiziano, parlano fra di
loro in yiddisch, mi dànno non so che consigli. Arrivano
Templer e David e tutti gli altri: approfittano del diversivo
per sospendere il lavoro. Arriva il Kapo, distribuisce peda-
te, pugni e improperi, i compagni si disperdono come pula
al vento; Null Achtzehn si porta una mano al naso e se la
guarda àtono sporca di sangue. A me non toccano che due
schiaffi al capo, di quelli che non fanno male perché stor-
discono.

L'incidente è chiuso. Constato che, bene o male, mi
posso reggere in piedi, l'osso non deve essere rotto. Non
oso togliere la scarpa per paura di risvegliare il dolore, e
anche perché so che poi il piede gonfierà e non potrò piú
rimetterla.

Il Kapo mi manda a sostituire il Galiziano alla catasta, e
questi, guardandomi torvo, va a prendere il suo posto ac-
canto a Null Achtzehn; ma ormai già passano i prigionieri
inglesi, sarà presto ora di rientrare al campo.

Durante la marcia faccio del mio meglio per camminare
svelto, ma non riesco a tenere il passo; il Kapo designa
Null Achtzehn e Finder perché mi sostengano fino al pas-
saggio davanti alle SS, e finalmente (fortunatamente sta-

sera non c'è appello) sono in baracca e mi posso buttare sulla cuccetta e respirare.

Forse è il calore, forse la fatica della marcia, ma il dolore si è risvegliato, assieme a una strana sensazione di umidità al piede ferito. Tolgo la scarpa: è piena di sangue, ormai rappreso e impastato con il fango e coi brandelli del cencio che ho trovato un mese fa e che adopero come pezza da piedi, un giorno a destra, un giorno a sinistra.

Stasera, subito dopo la zuppa, andrò in Ka-Be.

Ka-Be è abbreviazione di Krankenbau, l'infermeria. Sono otto baracche, simili in tutto alle altre del campo, ma separate da un reticolato. Contengono permanentemente un decimo della popolazione del campo, ma pochi vi soggiornano piú di due settimane e nessuno piú di due mesi: entro questi termini siamo tenuti a morire o a guarire. Chi ha tendenza alla guarigione, in Ka-Be viene curato; chi ha tendenza ad aggravarsi, dal Ka-Be viene mandato alle camere a gas.

Tutto questo perché noi, per nostra fortuna, apparteniamo alla categoria degli «ebrei economicamente utili».

Al Ka-Be non sono mai stato, neppure all'Ambulatorio, e tutto qui è nuovo per me.

Gli ambulatori sono due, Medico e Chirurgico. Davanti alla porta, nella notte e nel vento, stanno due lunghe file di ombre. Alcuni hanno bisogno solo di un bendaggio o di qualche pillola, altri chiedono visita; qualcuno ha la morte in viso. I primi delle due file già sono scalzi e pronti a entrare; gli altri, a mano a mano che il loro turno di ingresso si avvicina, si ingegnano, in mezzo alla ressa, di sciogliere i legacci di fortuna e i fili di ferro delle calzature, e di svolgere, senza lacerarle, le preziose pezze da piedi; non troppo presto, per non stare inutilmente nel fango a piedi nudi; non troppo tardi, per non perdere il turno d'ingresso: poiché entrare in Ka-Be con le scarpe è rigorosamente proibito. Chi fa rispettare il divieto è un gigantesco Häftling francese, il quale risiede nella guardiola che sta fra le porte dei due ambulatori. È uno dei pochi funzionari fran-

cesi del campo: né si pensi che il passare la propria giornata fra le scarpe fangose e sbrindellate costituisca un piccolo privilegio. Basta pensare a quanti entrano in Ka-Be colle scarpe, e ne escono senza averne piú bisogno...

Quando arriva la mia volta, riesco miracolosamente a togliermi scarpe e stracci senza perdere gli uni né le altre, senza farmi rubare la gamella né i guanti, e senza perdere l'equilibrio, pur stringendo sempre in mano il berretto, che per nessuna ragione si può tenere in capo quando si entra nelle baracche.

Lascio le scarpe al deposito e ritiro lo scontrino relativo, dopo di che, scalzo e zoppicante, le mani impedite da tutte le povere mie cose che non posso lasciare da nessuna parte, sono ammesso all'interno e mi accodo a una nuova fila che fa capo alla sala delle visite.

In questa fila ci si spoglia progressivamente, e quando si arriva verso la testa, bisogna essere nudi perché un infermiere ci infila il termometro sotto l'ascella; se qualcuno è vestito, perde il turno e ritorna ad accodarsi. Tutti devono ricevere il termometro, anche se hanno soltanto la scabbia o il mal di denti.

In questo modo si è sicuri che chi non è seriamente malato non si sobbarcherà per capriccio a questo complicato rituale.

Arriva finalmente la mia volta: sono ammesso davanti al medico, l'infermiere mi toglie il termometro e mi annuncia: – Nummer 174 517, kein Fieber –. Per me non occorre una visita a fondo: sono immediatamente dichiarato Arztvormelder, che cosa voglia dire non so, non è certo questo il posto di domandare spiegazioni. Mi trovo espulso, ricupero le scarpe e ritorno in baracca.

Chajim si felicita con me: ho una buona ferita, non pare pericolosa e mi garantisce un discreto periodo di riposo. Passerò la notte in baracca con gli altri, ma domani mattina, invece di andare al lavoro, mi debbo ripresentare ai medici per la visita definitiva: questo vuol dire Arztvormelder. Chajim è pratico di queste cose, e pensa che pro-

babilmente domani verrò ammesso al Ka-Be. Chajim è il mio compagno di letto, ed io ho in lui una fiducia cieca. È un polacco, ebreo pio, studioso della Legge. Ha press'a poco la mia età, è di mestiere orologiaio, e qui in Buna fa il meccanico di precisione; è perciò fra i pochi che conservino la dignità e la sicurezza di sé che nascono dall'esercitare un'arte per cui si è preparati.

Cosí è stato. Dopo la sveglia e il pane, mi hanno chiamato fuori con altri tre della mia baracca. Ci hanno portati in un angolo della piazza dell'Appello, dove c'era una lunga fila, tutti gli Arztvormelder di oggi; è venuto un tale e mi ha portato via gamella cucchiaio berretto e guanti. Gli altri hanno riso, non sapevo che dovevo nasconderli o affidarli a qualcuno, o meglio che tutto venderli, e che in Ka-Be non si possono portare? Poi guardano il mio numero e scuotono il capo: da uno che ha un numero cosí alto ci si può aspettare qualunque sciocchezza.

Poi ci hanno contati, ci hanno fatti spogliare fuori al freddo, ci hanno tolto le scarpe, ci hanno di nuovo contati, ci hanno rasa la barba i capelli e i peli, ci hanno contati ancora, e ci hanno fatto fare una doccia; poi è venuta una SS, ci ha guardati senza interesse, si è soffermata davanti a uno che ha un grosso idrocele, e lo ha fatto mettere da parte. Dopo di che ci hanno contati ancora una volta e ci hanno fatto fare un'altra doccia, benché fossimo ancora bagnati della prima e alcuni tremassero di febbre.

Ora siamo pronti per la visita definitiva. Fuori dalla finestra si vede il cielo bianco, e qualche volta il sole; in questo paese lo si può guardare fisso, attraverso le nuvole, come attraverso un vetro affumicato. A giudicare dalla sua posizione, debbono essere le quattordici passate: addio zuppa ormai, e siamo in piedi da dieci ore e nudi da sei.

Anche questa seconda visita medica è straordinariamente rapida: il medico (ha il vestito a righe come noi, ma sopra indossa un camice bianco, ed ha il numero cucito sul camice, ed è molto piú grasso di noi) guarda e palpa il mio piede gonfio e sanguinante, al che io grido di dolore, poi

dice: – Aufgenommen, Block 23 –. Io resto lí a bocca
aperta, in attesa di qualche altra indicazione, ma qualcuno
mi tira brutalmente indietro, mi getta un mantello sulle
spalle nude, mi porge un paio di sandali e mi caccia all'a-
perto.

A un centinaio di metri c'è il Block 23; sopra c'è scritto
«Schonungsblock»: chissà cosa vorrà dire? Dentro, mi tol-
gono mantello e sandali, e io mi trovo ancora una volta nu-
do e ultimo di una fila di scheletri nudi: i ricoverati di
oggi.

Da molto tempo ho smesso di cercare di capire. Per
quanto mi riguarda, sono ormai cosí stanco di reggermi sul
piede ferito e non ancora medicato, cosí affamato e pieno
di freddo, che nulla piú mi interessa. Questo può benissi-
mo essere l'ultimo dei miei giorni, e questa camera la ca-
mera dei gas di cui tutti parlano, che ci potrei fare? Tanto
vale appoggiarsi al muro e chiudere gli occhi e aspettare.

Il mio vicino non deve essere ebreo. Non è circonciso, e
poi (questa è una delle poche cose che ho imparato finora)
una pelle cosí bionda, un viso e una corporatura cosí mas-
sicci sono caratteristici dei polacchi non ebrei. È piú alto
di me di tutta la testa, ma ha una fisionomia abbastanza
cordiale, come l'hanno solo coloro che non soffrono la
fame.

Ho provato a chiedergli se sa quando ci faranno entra-
re. Lui si è voltato all'infermiere, che gli somiglia come un
gemello e sta in un angolo a fumare; hanno parlato e riso
insieme senza rispondere, come se io non ci fossi: poi uno
di loro mi ha preso il braccio e ha guardato il numero, e al-
lora hanno riso piú forte. Tutti sanno che i centosettanta-
quattromila sono gli ebrei italiani: i ben noti ebrei italiani,
arrivati due mesi fa, tutti avvocati, tutti dottori, erano piú
di cento e già non sono che quaranta, quelli che non sanno
lavorare e si lasciano rubare il pane e prendono schiaffi dal
mattino alla sera; i tedeschi li chiamano «zwei linke Hän-
de» (due mani sinistre), e perfino gli ebrei polacchi li di-
sprezzano perché non sanno parlare yiddisch.

L'infermiere indica all'altro le mie costole, come se io fossi un cadavere in sala anatomica; accenna alle palpebre e alle guance gonfie e al collo sottile, si curva e preme coll'indice sulla mia tibia e fa notare all'altro la profonda incavatura che il dito lascia nella carne pallida, come nella cera.

Vorrei non aver mai rivolto la parola al polacco: mi pare di non avere mai, in tutta la mia vita, subìto un affronto piú atroce di questo. L'infermiere intanto pare abbia finito la sua dimostrazione, nella sua lingua che io non capisco e che mi suona terribile; si rivolge a me, e in quasi-tedesco, caritatevolmente, me ne fornisce il compendio: – Du Jude kaputt. Du schnell Krematorium fertig – (tu ebreo spacciato, tu presto crematorio, finito).

Qualche altra ora è passata prima che tutti i ricoverati venissero presi in forza, ricevessero la camicia e fosse compilata la loro scheda. Io, come al solito, sono stato l'ultimo; un tale, col vestito a rigoni nuovo fiammante, mi ha chiesto dove sono nato, che mestiere facevo «da civile», se avevo figli, quali malattie ho avuto, una quantità di domande, a che cosa possono mai servire, questa è una complicata messinscena per farsi beffe di noi. Sarebbe questo l'ospedale? Ci fanno stare nudi in piedi e ci fanno delle domande.

Finalmente anche per me si è aperta la porta, e ho potuto entrare nel dormitorio.

Anche qui, come dappertutto, cuccette a tre piani, in tre file per tutta la baracca, separate da due corridoi strettissimi. Le cuccette sono centocinquanta, i malati circa duecentocinquanta: due quindi in quasi tutte le cuccette. I malati delle cuccette superiori, schiacciati contro il soffitto, non possono quasi stare seduti; si sporgono curiosi a vedere i nuovi arrivati di oggi, è il momento piú interessante della giornata, si trova sempre qualche conoscente. Io sono stato assegnato alla cuccetta 10; miracolo! è vuota.

Mi distendo con delizia, è la prima volta, da che sono in campo, che ho una cuccetta tutta per me. Nonostante la fame, non passano dieci minuti che sono addormentato.

La vita del Ka-Be è vita di limbo. I disagi materiali sono relativamente pochi, a parte la fame e le sofferenze inerenti alle malattie. Non fa freddo, non si lavora, e, a meno di commettere qualche grave mancanza, non si viene percossi.

La sveglia è alle quattro, anche per i malati; bisogna rifare il letto e lavarsi, ma non c'è molta fretta né molto rigore. Alle cinque e mezzo distribuiscono il pane, e si può tagliarlo comodamente a fette sottili, e mangiare sdraiati con tutta calma; poi ci si può riaddormentare, fino alla distribuzione del brodo di mezzogiorno. Fin verso le sedici è Mittagsruhe, riposo pomeridiano; a quest'ora c'è sovente la visita medica e la medicazione, bisogna scendere dalle cuccette, togliersi la camicia e fare la fila davanti al medico. Anche il rancio serale viene distribuito nei letti; dopo di che, alle ventuno, tutte le luci si spengono, tranne la lampadina velata della guardia di notte, ed è il silenzio.

... E per la prima volta da che sono in campo, la sveglia mi coglie nel sonno profondo, e il risveglio è un ritorno dal nulla. Alla distribuzione del pane si sente lontano, fuori dalle finestre, nell'aria buia, la banda che incomincia a suonare: sono i compagni sani che escono inquadrati al lavoro.

Dal Ka-Be la musica non si sente bene: arriva assiduo e monotono il martellare della grancassa e dei piatti, ma su questa trama le frasi musicali si disegnano solo a intervalli, col capriccio del vento. Noi ci guardiamo l'un l'altro dai nostri letti, perché tutti sentiamo che questa musica è infernale.

I motivi sono pochi, una dozzina, ogni giorno gli stessi,

mattina e sera: marce e canzoni popolari care a ogni tedesco. Esse giacciono incise nelle nostre menti, saranno l'ultima cosa del Lager che dimenticheremo: sono la voce del Lager, l'espressione sensibile della sua follia geometrica, della risoluzione altrui di annullarci prima come uomini per ucciderci poi lentamente.

Quando questa musica suona, noi sappiamo che i compagni, fuori nella nebbia, partono in marcia come automi; le loro anime sono morte e la musica li sospinge, come il vento le foglie secche, e si sostituisce alla loro volontà. Non c'è piú volontà: ogni pulsazione diventa un passo, una contrazione riflessa dei muscoli sfatti. I tedeschi sono riusciti a questo. Sono diecimila, e sono una sola grigia macchina; sono esattamente determinati; non pensano e non vogliono, camminano.

Alla marcia di uscita e di entrata non mancano mai le SS. Chi potrebbe negare loro il diritto di assistere a questa coreografia da loro voluta, alla danza degli uomini spenti, squadra dopo squadra, via dalla nebbia verso la nebbia? quale prova piú concreta della loro vittoria?

Anche quelli del Ka-Be conoscono questo uscire e rientrare dal lavoro, l'ipnosi del ritmo interminabile, che uccide il pensiero e attutisce il dolore; l'hanno provato e lo riproverranno. Ma bisognava uscire dall'incantamento, sentire la musica dal di fuori, come accadeva in Ka-Be e come ora la ripensiamo, dopo la liberazione e la rinascita, senza obbedirvi, senza subirla, per capire che cosa era; per capire per quale meditata ragione i tedeschi avevano creato questo rito mostruoso, e perché, oggi ancora, quando la memoria ci restituisce qualcuna di quelle innocenti canzoni, il sangue ci si ferma nelle vene, e siamo consci che essere ritornati da Auschwitz non è stata piccola ventura.

Ho due vicini di cuccetta. Giacciono tutto il giorno e tutta la notte fianco a fianco, pelle contro pelle, incrociati

come i Pesci dello zodiaco, in modo che ciascuno ha i piedi
dell'altro accanto al capo.

Uno è Walter Bonn, un olandese civile e abbastanza
colto. Vede che non ho nulla per tagliare il pane, mi impre-
sta il suo coltello, poi si offre di vendermelo per mezza ra-
zione di pane. Io discuto sul prezzo, indi rinuncio, penso
che qui in Ka-Be ne troverò sempre qualcuno in prestito, e
fuori costano solo un terzo di razione. Non per questo
Walter vien meno alla sua cortesia, e a mezzogiorno, man-
giata la sua zuppa, forbisce colle labbra il cucchiaio (il che
è buona norma prima di imprestarlo, per ripulirlo e per
non mandare sprecate le tracce di zuppa che vi aderiscono)
e me lo offre spontaneamente.

– Che malattia hai, Walter? – «Körperschwäche», –
deperimento organico. La peggiore malattia: non la si può
curare, ed è molto pericoloso entrare in Ka-Be con questa
diagnosi. Se non fosse stato dell'edema alle caviglie (e me
le mostra) che gli impedisce di uscire al lavoro, si sarebbe
ben guardato dal farsi ricoverare.

Su questo genere di pericoli io ho ancora idee assai
confuse. Tutti ne parlano indirettamente, per allusioni,
e quando io faccio qualche domanda mi guardano e tac-
ciono.

È dunque vero quello che si sente dire, di selezioni, di
gas, di crematorio?

Crematorio. L'altro, il vicino di Walter, si sveglia di so-
prassalto, si rizza a sedere: chi parla di crematorio? che av-
viene? non si può lasciare in pace chi dorme? È un ebreo
polacco, albino, dal viso scarno e bonario, non piú giova-
ne. Si chiama Schmulek, è fabbro. Walter lo ragguaglia
brevemente.

Cosí, «der Italeyner» non crede alle selezioni? Schmu-
lek vorrebbe parlare tedesco ma parla yiddish; lo capisco
a stento, solo perché lui vuole farsi capire. Fa tacere Wal-
ter con un cenno, ci penserà lui a farmi persuaso:

– Mostrami il tuo numero: tu sei il 174517. Questa
numerazione è incominciata diciotto mesi fa, e vale per

Auschwitz e per i campi dipendenti. Noi siamo ora dieci-
mila qui a Buna-Monowitz; forse trentamila fra Auschwitz
e Birkenau. Wo sind die Andere? dove sono gli altri?

– Forse trasferiti in altri campi...? – propongo io.

Schmulek crolla il capo, si rivolge a Walter:

– Er will nix verstayen, – non vuole capire.

Ma era destino che presto mi inducessi a capire, e
Schmulek stesso ne facesse le spese. A sera si è aperta la
porta della baracca, una voce ha gridato – Achtung! –
e ogni rumore si è spento e si è sentito un silenzio di
piombo.

Sono entrate due SS (uno dei due ha molti gradi, forse
è un ufficiale?), si sentivano i loro passi nella baracca come
se fosse vuota; hanno parlato col medico capo, questi ha
mostrato loro un registro indicando qua e là. L'ufficiale ha
preso nota su un libretto. Schmulek mi tocca le ginocchia:
– Pass' auf, pass' auf, – fa' attenzione.

L'ufficiale, seguito dal medico, gira in silenzio e con
noncuranza fra le cuccette; ha in mano un frustino, frusta
un lembo di coperta che pende da una cuccetta alta, il ma-
lato si precipita a riassettarla. L'ufficiale passa oltre.

Un altro ha il viso giallo; l'ufficiale gli strappa via le co-
perte, quello trasalisce, l'ufficiale gli palpa il ventre, dice:
– Gut, gut, – poi passa oltre.

Ecco, ha posato lo sguardo su Schmulek; tira fuori il li-
bretto, controlla il numero del letto e il numero del tatuag-
gio. Io vedo tutto bene, dall'alto: ha fatto una crocetta ac-
canto al numero di Schmulek. Poi è passato oltre.

Io guardo ora Schmulek, e dietro di lui ho visto gli oc-
chi di Walter, e allora non ho fatto domande.

Il giorno dopo, invece del solito gruppo di guariti, sono
stati messi in uscita due gruppi distinti. I primi sono stati
rasi e tosati e hanno fatto la doccia. I secondi sono usciti
cosí, con le barbe lunghe e le medicazioni non rinnovate,

senza doccia. Nessuno ha salutato questi ultimi, nessuno li ha incaricati di messaggi per i compagni sani.

Di questi faceva parte Schmulek.

In questo modo discreto e composto, senza apparato e senza collera, per le baracche del Ka-Be si aggira ogni giorno la strage, e tocca questo o quello. Quando Schmulek è partito, mi ha lasciato cucchiaio e coltello; Walter e io abbiamo evitato di guardarci e siamo rimasti a lungo silenziosi. Poi Walter mi ha chiesto come posso conservare cosí a lungo la mia razione di pane, e mi ha spiegato che lui di solito taglia la sua per il lungo, in modo da avere fette piú larghe su cui è piú agevole spalmare la margarina.

Walter mi spiega molte cose: Schonungsblock vuol dire baracca di riposo, qui ci sono solo malati leggeri, o convalescenti, o non bisognosi di cure. Fra questi, almeno una cinquantina di dissenterici piú o meno gravi.

Costoro vengono controllati ogni terzo giorno. Si mettono in fila lungo il corridoio; all'estremità stanno due bacinelle di latta e l'infermiere, con registro, orologio e matita. A due per volta, i malati si presentano, e devono dimostrare, sul posto e subito, che la loro diarrea persiste; a tale scopo viene loro concesso un minuto esatto. Dopo di che presentano il risultato all'infermiere, il quale osserva e giudica; lavano rapidamente le bacinelle in una apposita tinozza, e subentrano i due successivi.

Fra coloro che attendono, alcuni si torcono nello spasimo di trattenere la preziosa testimonianza ancora venti, ancora dieci minuti; altri, privi di risorse in quel momento, tendono vene e muscoli nello sforzo opposto. L'infermiere assiste impassibile, mordicchiando la matita, uno sguardo all'orologio, uno sguardo ai campioni che gli vengono via via presentati. Nei casi dubbi, parte con la bacinella e va a sottoporla al medico.

... Ho ricevuto una visita: è Piero Sonnino, il romano. – Hai visto come l'ho buscherato? –: Piero ha una enterite assai leggera, è qui da venti giorni, e ci sta bene, si riposa e ingrassa, se ne infischia delle selezioni e ha deciso di re-

stare in Ka-Be fino alla fine dell'inverno, a ogni costo. Il suo metodo consiste nel mettersi in fila dietro a qualche dissenterico autentico, che offra garanzia di successo; quando viene il suo turno gli domanda la sua collaborazione (da rimunerarsi con zuppa o pane), e se quello ci sta, e l'infermiere ha un momento di disattenzione, scambia le bacinelle in mezzo alla ressa e il colpo è fatto. Piero sa quello che rischia, ma finora gli è sempre andata bene.

Ma la vita del Ka-Be non è questa. Non sono gli attimi cruciali delle selezioni, non sono gli episodi grotteschi dei controlli della diarrea e dei pidocchi, non sono neppure le malattie.

Il Ka-Be è il Lager a meno del disagio fisico. Perciò, chi ancora ha seme di coscienza, vi riprende coscienza; perciò, nelle lunghissime giornate vuote, vi si parla di altro che di fame e di lavoro, e ci accade di considerare che cosa ci hanno fatti diventare, quanto ci è stato tolto, che cosa è questa vita. In questo Ka-Be, parentesi di relativa pace, abbiamo imparato che la nostra personalità è fragile, è molto più in pericolo che non la nostra vita; e i savi antichi, invece di ammonirci «ricordati che devi morire», meglio avrebbero fatto a ricordarci questo maggior pericolo che ci minaccia. Se dall'interno dei Lager un messaggio avesse potuto trapelare agli uomini liberi, sarebbe stato questo: fate di non subire nelle vostre case ciò che a noi viene inflitto qui.

Quando si lavora, si soffre e non si ha tempo di pensare: le nostre case sono meno di un ricordo. Ma qui il tempo è per noi: da cuccetta a cuccetta, nonostante il divieto, ci scambiamo visite, e parliamo e parliamo. La baracca di legno, stipata di umanità dolente, è piena di parole, di ricordi e di un altro dolore. «Heimweh» si chiama in tedesco questo dolore; è una bella parola, vuol dire «dolore della casa».

Sappiamo donde veniamo: i ricordi del mondo di fuori

popolano i nostri sonni e le nostre veglie, ci accorgiamo con stupore che nulla abbiamo dimenticato, ogni memoria evocata ci sorge davanti dolorosamente nitida.

Ma dove andiamo non sappiamo. Potremo forse sopravvivere alle malattie e sfuggire alle scelte, forse anche resistere al lavoro e alla fame che ci consumano: e dopo? Qui, lontani momentaneamente dalle bestemmie e dai colpi, possiamo rientrare in noi stessi e meditare, e allora diventa chiaro che non ritorneremo. Noi abbiamo viaggiato fin qui nei vagoni piombati; noi abbiamo visto partire verso il niente le nostre donne e i nostri bambini; noi fatti schiavi abbiamo marciato cento volte avanti e indietro alla fatica muta, spenti nell'anima prima che dalla morte anonima. Noi non ritorneremo. Nessuno deve uscire di qui, che potrebbe portare al mondo, insieme col segno impresso nella carne, la mala novella di quanto, ad Auschwitz, è bastato animo all'uomo di fare dell'uomo.

Le nostre notti

Dopo venti giorni di Ka-Be, essendosi la mia ferita praticamente rimarginata, con mio vivo dispiacere sono stato messo in uscita.

La cerimonia è semplice, ma comporta un doloroso e pericoloso periodo di riassestamento. Chi non dispone di particolari appoggi, all'uscita dal Ka-Be non viene restituito al suo Block e al suo Kommando di prima, ma è arruolato, in base a criteri a me sconosciuti, in una qualsiasi altra baracca e avviato a un qualsiasi altro lavoro. Di piú, dal Ka-Be si esce nudi; si ricevono vestiti e scarpe «nuovi» (intendo dire, non quelli lasciati all'ingresso), intorno a cui bisogna adoperarsi con rapidità e diligenza per adattarli alla propria persona, il che comporta fatica e spese. Occorre procurarsi daccapo cucchiaio e coltello; infine, e questa è la circostanza piú grave, ci si trova intrusi in un ambiente sconosciuto, fra compagni mai visti e ostili, con capi di cui non si conosce il carattere e da cui quindi è difficile guardarsi.

La facoltà umana di scavarsi una nicchia, di secernere un guscio, di erigersi intorno una tenue barriera di difesa, anche in circostanze apparentemente disperate, è stupefacente, e meriterebbe uno studio approfondito. Si tratta di un prezioso lavoro di adattamento, in parte passivo e inconscio, e in parte attivo: di piantare un chiodo sopra la cuccetta per appendervi le scarpe di notte; di stipulare taciti patti di non aggressione coi vicini; di intuire e accettare le consuetudini e le leggi del singolo Kommando e del

singolo Block. In virtú di questo lavoro, dopo qualche set-
timana si riesce a raggiungere un certo equilibrio, un certo
grado di sicurezza di fronte agli imprevisti; ci si è fatto un
nido, il trauma del travasamento è superato.

Ma l'uomo che esce dal Ka-Be, nudo e quasi sempre in-
sufficientemente ristabilito, si sente proiettato nel buio e
nel gelo dello spazio siderale. I pantaloni gli cascano di
dosso, le scarpe gli fanno male, la camicia non ha bottoni.
Cerca un contatto umano, e non trova che schiene voltate.
È inerme e vulnerabile come un neonato, eppure al matti-
no dovrà marciare al lavoro.

In queste condizioni mi trovo io quando l'infermiere,
dopo i vari riti amministrativi prescritti, mi ha affidato alle
cure del Blockältester del Block 45. Ma subito un pensiero
mi colma di gioia: ho avuto fortuna, questo è il Block di
Alberto!

Alberto è il mio migliore amico. Non ha che ventidue
anni, due meno di me, ma nessuno di noi italiani ha dimo-
strato capacità di adattamento simili alle sue. Alberto è en-
trato in Lager a testa alta, e vive in Lager illeso e incorrot-
to. Ha capito prima di tutti che questa vita è guerra; non si
è concesso indulgenze, non ha perso tempo a recriminare
e a commiserare sé e gli altri, ma fin dal primo giorno è
sceso in campo. Lo sostengono intelligenza e istinto: ragio-
na giusto, spesso non ragiona ed è ugualmente nel giusto.
Intende tutto a volo: non sa che poco francese, e capisce
quanto gli dicono tedeschi e polacchi. Risponde in italiano
e a gesti, si fa capire e subito riesce simpatico. Lotta per la
sua vita, eppure è amico di tutti. «Sa» chi bisogna corrom-
pere, chi bisogna evitare, chi si può impietosire, a chi si
deve resistere.

Eppure (e per questa sua virtú oggi ancora la sua memo-
ria mi è cara e vicina) non è diventato un tristo. Ho sem-
pre visto, e ancora vedo in lui, la rara figura dell'uomo for-
te e mite, contro cui si spuntano le armi della notte.

Non sono però riuscito a ottenere di dormire in cuccet-
ta con lui, e neppure Alberto ci è riuscito, quantunque nel

Block 45 egli goda ormai di una certa popolarità. È peccato, perché avere un compagno di letto di cui fidarsi, o con cui almeno ci si possa intendere, è un inestimabile vantaggio; e inoltre, adesso è inverno, e le notti sono lunghe, e dal momento che siamo costretti a scambiare sudore, odore e calore con qualcuno, sotto la stessa coperta e in settanta centimetri di larghezza, è assai desiderabile che si tratti di un amico.

D'inverno le notti sono lunghe, e ci è concesso per il sonno un intervallo di tempo considerevole.

Si spegne a poco a poco il tumulto del Block; da piú di un'ora è terminata la distribuzione del rancio serale, e soltanto qualche ostinato persiste a grattare il fondo ormai lucido della gamella, rigirandola minuziosamente sotto la lampada, con la fronte corrugata per l'attenzione. L'ingegner Kardos gira per le cuccette a medicare i piedi feriti ed i calli suppurati, questa è la sua industria; non c'è chi non rinunzi volentieri ad una fetta di pane, pur che gli venga alleviato il tormento delle piaghe torpide, che sanguinano ad ogni passo per tutta la giornata, ed in questo modo, onestamente, l'ingegner Kardos ha risolto il problema di vivere.

Dalla porticina posteriore, di nascosto e guardandosi attorno con cautela, è entrato il cantastorie. Si è seduto sulla cuccetta di Wachsmann, e subito gli si è raccolta attorno una piccola folla attenta e silenziosa. Lui canta una interminabile rapsodia yiddisch, sempre la stessa, in quartine rimate, di una melanconia rassegnata e penetrante (o forse tale la ricordo perché allora ed in quel luogo l'ho udita?); dalle poche parole che capisco, dev'essere una canzone da lui stesso composta, dove ha racchiuso tutta la vita del Lager, nei piú minuti particolari. Qualcuno è generoso, e rimunera il cantastorie con un pizzico di tabacco o una gugliata di filo; altri ascoltano assorti, ma non dànno nulla.

Risuona ancora improvviso il richiamo per l'ultima fun-

zione della giornata: – Wer hat kaputt die Schuhe? – (chi ha le scarpe rotte?) e subito si scatena il fragore dei quaranta o cinquanta pretendenti al cambio, i quali si precipitano verso il Tagesraum con furia disperata, ben sapendo che soltanto i dieci primi arrivati, nella migliore delle ipotesi, saranno soddisfatti.

Poi è la quiete. La luce si spegne una prima volta, per pochi secondi, per avvisare i sarti di riporre il preziosissimo ago e il filo; poi suona lontano la campana, e allora si insedia la guardia di notte e tutte le luci si spengono definitivamente. Non ci resta che spogliarci e coricarci.

Non so chi sia il mio vicino; non sono neppure sicuro che sia sempre la stessa persona, perché non l'ho mai visto in viso se non per qualche attimo nel tumulto della sveglia, in modo che molto meglio del suo viso conosco il suo dorso e i suoi piedi. Non lavora nel mio Kommando e viene in cuccetta solo al momento del silenzio; si avvoltola nella coperta, mi spinge da parte con un colpo delle anche ossute, mi volge il dorso e comincia subito a russare. Schiena contro schiena, io mi adopero per conquistarmi una superficie ragionevole di pagliericcio; esercito colle reni una pressione progressiva contro le sue reni, poi mi rigiro e provo a spingere colle ginocchia, gli prendo le caviglie e cerco di sistemarle un po' piú in là in modo da non avere i suoi piedi accanto al viso: ma tutto è inutile, è molto piú pesante di me e sembra pietrificato dal sonno.

Allora io mi adatto a giacere cosí, costretto all'immobilità, per metà sulla sponda di legno. Tuttavia sono cosí stanco e stordito che in breve scivolo anch'io nel sonno, e mi pare di dormire sui binari del treno.

Il treno sta per arrivare: si sente ansare la locomotiva, la quale è il mio vicino. Non sono ancora tanto addormentato da non accorgermi della duplice natura della locomotiva. Si tratta precisamente di quella locomotiva che rimorchiava oggi in Buna i vagoni che ci hanno fatto scaricare:

la riconosco dal fatto che anche ora, come quando è passata vicina a noi, si sente il calore che irradia dal suo fianco nero. Soffia, è sempre piú vicina, è sempre sul punto di essermi addosso, e invece non arriva mai. Il mio sonno è molto sottile, è un velo, se voglio lo lacero. Lo farò, voglio lacerarlo, cosí potrò togliermi dai binari. Ecco, ho voluto, e ora sono sveglio: ma non proprio sveglio, soltanto un po' di piú, al gradino superiore della scala fra l'incoscienza e la coscienza. Ho gli occhi chiusi, e non li voglio aprire per non lasciar fuggire il sonno, ma posso percepire i rumori: questo fischio lontano sono sicuro che è vero, non viene dalla locomotiva sognata, è risuonato oggettivamente: è il fischio della Decauville, viene dal cantiere che lavora anche di notte. Una lunga nota ferma, poi un'altra piú bassa di un semitono, poi di nuovo la prima, ma breve e tronca. Questo fischio è una cosa importante, e in qualche modo essenziale: cosí sovente l'abbiamo udito, associato alla sofferenza del lavoro e del campo, che ne è divenuto il simbolo, e ne evoca direttamente la rappresentazione, come accade per certe musiche e certi odori.

Qui c'è mia sorella, e qualche mio amico non precisato, e molta altra gente. Tutti mi stanno ascoltando, e io sto raccontando proprio questo: il fischio su tre note, il letto duro, il mio vicino che io vorrei spostare, ma ho paura di svegliarlo perché è piú forte di me. Racconto anche diffusamente della nostra fame, e del controllo dei pidocchi, e del Kapo che mi ha percosso sul naso e poi mi ha mandato a lavarmi perché sanguinavo. È un godimento intenso, fisico, inesprimibile, essere nella mia casa, fra persone amiche, e avere tante cose da raccontare: ma non posso non accorgermi che i miei ascoltatori non mi seguono. Anzi, essi sono del tutto indifferenti: parlano confusamente d'altro fra di loro, come se io non ci fossi. Mia sorella mi guarda, si alza e se ne va senza far parola.

Allora nasce in me una pena desolata, come certi dolori appena ricordati della prima infanzia: è dolore allo stato puro, non temperato dal senso della realtà e dalla intru-

sione di circostanze estranee, simile a quelli per cui i bambini piangono; ed è meglio per me risalire ancora una volta in superficie, ma questa volta apro deliberatamente gli occhi, per avere di fronte a me stesso una garanzia di essere effettivamente sveglio.

Il sogno mi sta davanti, ancora caldo, e io, benché sveglio, sono tuttora pieno della sua angoscia: e allora mi ricordo che questo non è un sogno qualunque, ma che da quando sono qui l'ho già sognato, non una ma molte volte, con poche variazioni di ambiente e di particolari. Ora sono in piena lucidità, e mi rammento anche di averlo già raccontato ad Alberto, e che lui mi ha confidato, con mia meraviglia, che questo è anche il suo sogno, e il sogno di molti altri, forse di tutti. Perché questo avviene? perché il dolore di tutti i giorni si traduce nei nostri sogni cosí costantemente, nella scena sempre ripetuta della narrazione fatta e non ascoltata?

... Mentre cosí medito, cerco di profittare dell'intervallo di veglia per scuotermi di dosso i brandelli di angoscia del sopore precedente, in modo da non compromettere la qualità del sonno successivo. Mi rannicchio a sedere nel buio, mi guardo intorno e tendo l'orecchio.

Si sentono i dormienti respirare e russare, qualcuno geme e parla. Molti schioccano le labbra e dimenano le mascelle. Sognano di mangiare: anche questo è un sogno collettivo. È un sogno spietato, chi ha creato il mito di Tantalo doveva conoscerlo. Non si vedono soltanto i cibi, ma si sentono in mano, distinti e concreti, se ne percepisce l'odore ricco e violento; qualcuno ce li avvicina fino a toccare le labbra, poi una qualche circostanza, ogni volta diversa, fa sí che l'atto non vada a compimento. Allora il sogno si disfa e si scinde nei suoi elementi, ma si ricompone subito dopo, e ricomincia simile e mutato: e questo senza tregua, per ognuno di noi, per ogni notte e per tutta la durata del sonno.

Devono essere passate le ventitre perché già è intenso l'andirivieni al secchio, accanto alla guardia di notte. È un tormento osceno e una vergogna indelebile: ogni due, ogni tre ore ci dobbiamo alzare, per smaltire la grossa dose di acqua che di giorno siamo costretti ad assorbire sotto forma di zuppa, per soddisfare la fame: quella stessa acqua che alla sera ci gonfia le caviglie e le occhiaie, impartendo a tutte le fisionomie una deforme rassomiglianza, e la cui eliminazione impone ai reni un lavoro sfibrante.

Non si tratta solo della processione al secchio; è legge che l'ultimo utente del secchio medesimo vada a vuotarlo alla latrina; è legge altresí, che di notte non si esca dalla baracca se non in tenuta notturna (camicia e mutande), e consegnando il proprio numero alla guardia. Ne segue, prevedibilmente, che la guardia notturna cercherà di esonerare dal servizio i suoi amici, i suoi connazionali, e i prominenti; si aggiunga ancora che i vecchi del campo hanno talmente affinato i loro sensi che, pur restando nelle loro cuccette, sono miracolosamente in grado di distinguere, soltanto in base al suono delle pareti del secchio, se il livello è o no al limite pericoloso, per cui riescono quasi sempre a sfuggire alla svuotatura. Perciò i candidati al servizio del secchio sono, in ogni baracca, un numero assai limitato, mentre i litri complessivi da eliminare sono almeno duecento, e il secchio deve quindi essere vuotato una ventina di volte.

In conclusione, è assai grave il rischio che incombe su di noi, inesperti e non privilegiati, ogni notte, quando la necessità ci spinge al secchio. Improvvisamente la guardia di notte balza dal suo angolo e ci agguanta, si scarabocchia il nostro numero, ci consegna un paio di suole di legno e il secchio, e ci caccia fuori in mezzo alla neve, tremanti e insonnoliti. A noi tocca trascinarci fino alla latrina, col secchio che ci urta i polpacci nudi, disgustosamente caldo; è pieno oltre ogni limite ragionevole, e inevitabilmente, con le scosse, qualcosa ci trabocca sui piedi, talché, per quan-

to questa funzione sia ripugnante, è pur sempre preferibile esservi comandati noi stessi piuttosto che il nostro vicino di cuccetta.

Cosí si trascinano le nostre notti. Il sogno di Tantalo e il sogno del racconto si inseriscono in un tessuto di immagini piú indistinte: la sofferenza del giorno, composta di fame, percosse, freddo, fatica, paura e promiscuità, si volge di notte in incubi informi di inaudita violenza, quali nella vita libera occorrono solo nelle notti di febbre. Ci si sveglia a ogni istante, gelidi di terrore, con un sussulto di tutte le membra, sotto l'impressione di un ordine gridato da una voce piena di collera, in una lingua incompresa. La processione del secchio e i tonfi dei calcagni nudi sul legno del pavimento si mutano in un'altra simbolica processione: siamo noi, grigi, e identici, piccoli come formiche e grandi fino alle stelle, serrati l'uno contro l'altro, innumerevoli per tutta la pianura fino all'orizzonte; talora fusi in un'unica sostanza, un impasto angoscioso in cui ci sentiamo invischiati e soffocati; talora in marcia a cerchio, senza principio e senza fine, con vertigine accecante e una marea di nausea che ci sale dai precordi alla gola; finché la fame, o il freddo, o la pienezza della vescica non convogliano i sogni entro gli schemi consueti. Cerchiamo invano, quando l'incubo stesso o il disagio ci svegliano, di districarne gli elementi, e di ricacciarli separatamente fuori dal campo dell'attenzione attuale, in modo da difendere il sonno dalla loro intrusione: non appena gli occhi si richiudono, ancora una volta percepiamo il nostro cervello mettersi in moto al di fuori del nostro volere; picchia e ronza, incapace di riposo, fabbrica fantasmi e segni terribili, e senza posa li disegna e li agita in nebbia grigia sullo schermo dei sogni.

Ma per tutta la durata della notte, attraverso tutte le alternanze di sonno, di veglia e di incubo, vigila l'attesa e il terrore del momento della sveglia: mediante la misteriosa facoltà che molti conoscono, noi siamo in grado, pur senza

orologi, di prevederne lo scoccare con grande approssimazione. All'ora della sveglia, che varia da stagione a stagione ma cade sempre assai prima dell'alba, suona a lungo la campanella del campo, e allora in ogni baracca la guardia di notte smonta: accende le luci, si alza, si stira, e pronunzia la condanna di ogni giorno: – Aufstehen, – o piú spesso, in polacco: – Wstawać.

Pochissimi attendono dormendo lo Wstawać: è un momento di pena troppo acuta perché il sonno piú duro non si sciolga al suo approssimarsi. La guardia notturna lo sa, ed è per questo che non lo pronunzia con tono di comando, ma con voce piana e sommessa, come di chi sa che l'annunzio troverà tutte le orecchie tese, e sarà udito e obbedito.

La parola straniera cade come un pietra sul fondo di tutti gli animi. «Alzarsi»: l'illusoria barriera delle coperte calde, l'esile corazza del sonno, la pur tormentosa evasione notturna, cadono a pezzi intorno a noi, e ci ritroviamo desti senza remissione, esposti all'offesa, atrocemente nudi e vulnerabili. Incomincia un giorno come ogni giorno, lungo a tal segno da non potersene ragionevolmente concepire la fine, tanto freddo, tanta fame, tanta fatica ce ne separano: per cui è meglio concentrare l'attenzione e il desiderio sul blocchetto di pane grigio, che è piccolo, ma fra un'ora sarà certamente nostro, e per cinque minuti, finché non l'avremo divorato, costituirà tutto quanto la legge del luogo ci consente di possedere.

Allo Wstawać si rimette in moto la bufera. L'intera baracca entra senza transizione in attività frenetica: ognuno si arrampica su e giú, rifà la cuccetta e cerca contemporaneamente di vestirsi, in modo da non lasciare nessuno dei suoi oggetti incustodito; l'atmosfera si riempie di polvere fino a diventare opaca; i piú svelti fendono a gomitate la calca per recarsi al lavatoio e alla latrina prima che vi si costituisca la coda. Immediatamente entrano in scena gli scopini, e cacciano tutti fuori, picchiando e urlando.

Quando io ho rifatto la cuccia e mi sono vestito, scendo sul pavimento e mi infilo le scarpe. Allora mi si riaprono le piaghe dei piedi, e incomincia una nuova giornata.

Il lavoro

Prima di Resnyk, con me dormiva un polacco di cui tutti ignoravano il nome; era mite e silenzioso, aveva due vecchie piaghe alle tibie e di notte emanava un odore squallido di malattia; era anche debole di vescica, e perciò si svegliava e mi svegliava otto o dieci volte per notte.

Una sera mi ha lasciato i guanti in consegna ed è entrato in ospedale. Io ho sperato per mezz'ora che il furiere dimenticasse che ero rimasto solo occupante della mia cuccetta, ma, quando già era suonato il silenzio, la cuccetta ha tremato e un tipo lungo e rosso, con il numero dei francesi di Drancy, si è arrampicato accanto a me.

Avere un compagno di letto di statura alta è una sciagura, vuol dire perdere ore di sonno; e a me toccano proprio sempre compagni alti, perché io sono piccolo e due alti insieme non possono dormire. Ma invece si è visto subito che Resnyk, malgrado ciò, non era un cattivo compagno. Parlava poco e cortesemente, era pulito, non russava, non si alzava che due o tre volte per notte e sempre con molta delicatezza. Al mattino si è offerto di fare lui il letto (questa è una operazione complicata e penosa, e inoltre comporta una notevole responsabilità perché quelli che rifanno male il letto, gli «schlechte Bettenbauer», vengono diligentemente puniti), e lo ha fatto rapidamente e bene; in modo che ho provato un certo fugace piacere nel vedere, più tardi in piazza dell'Appello, che è stato aggregato al mio Kommando.

Nella marcia verso il lavoro, vacillanti nei grossi zoccoli

sulla neve gelata, abbiamo scambiato qualche parola, e ho saputo che Resnyk è polacco; ha vissuto vent'anni a Parigi, ma parla un francese incredibile. Ha trent'anni, ma, come a tutti noi, gliene potresti dare da diciassette a cinquanta. Mi ha raccontato la sua storia, e oggi l'ho dimenticata, ma era certo una storia dolorosa, crudele e commovente; ché tali sono tutte le nostre storie, centinaia di migliaia di storie, tutte diverse e tutte piene di una tragica sorprendente necessità. Ce le raccontiamo a vicenda a sera, e sono avvenute in Norvegia, in Italia, in Algeria, in Ucraina, e sono semplici e incomprensibili come le storie della Bibbia. Ma non sono anch'esse storie di una nuova Bibbia?

Quando siamo arrivati al cantiere, ci hanno condotti alla Eisenröhreplatz, che è la spianata dove si scaricano i tubi di ferro, e poi hanno cominciato ad avvenire le solite cose. Il Kapo ha rifatto l'appello, ha preso brevemente atto del nuovo acquisto, si è accordato col Meister civile sul lavoro di oggi. Poi ci ha affidati al Vorarbeiter e se ne è andato a dormire nella capanna degli attrezzi, vicino alla stufa; questo non è un Kapo che dia noia, perché non è ebreo e non ha paura di perdere il posto. Il Vorarbeiter ha distribuito le leve di ferro a noi e le binde ai suoi amici; è avvenuta la solita piccola lotta per conquistare le leve piú leggere, e oggi a me è andata male, la mia è quella storta, che pesa forse quindici chili; so che, se anche la dovessi adoperare a vuoto, dopo mezz'ora sarò morto di fatica.

Poi ce ne siamo andati, ciascuno con la sua leva, zoppicando nella neve in disgelo. A ogni passo, un po' di neve e di fango aderiscono alle nostre suole di legno, finché si cammina instabili su due pesanti ammassi informi di cui non ci si riesce a liberare; a un tratto uno si stacca, e allora è come se una gamba fosse un palmo piú corta dell'altra.

Oggi bisogna scaricare dal vagone un enorme cilindro di ghisa: credo che sia un tubo di sintesi, peserà parecchie tonnellate. Per noi è meglio cosí, perché notoriamente si

fatica di meno coi grandi carichi che coi piccoli; infatti il lavoro è più suddiviso e ci vengono concessi attrezzi adeguati; però siamo in pericolo, non bisogna mai distrarsi, basta una svista di un attimo e si può essere travolti.

Meister Nogalla in persona, il capomastro polacco, rigido serio e taciturno, ha sorvegliato l'operazione di scarico. Ora il cilindro giace al suolo e Meister Nogalla dice:
– Bohlen holen.

A noi si svuota il cuore. Vuol dire «portare traversine» per costruire nel fango molle la via su cui il cilindro verrà sospinto colle leve fin dentro la fabbrica. Ma le traversine sono incastrate nel terreno, e pesano ottanta chili; sono all'incirca al limite delle nostre forze. I più robusti di noi possono, lavorando in coppia, portare traversine per qualche ora; per me è una tortura, il carico mi storpia l'osso della spalla, dopo il primo viaggio sono sordo e quasi cieco per lo sforzo, e commetterei qualunque bassezza per sottrarmi al secondo.

Proverò a mettermi in coppia con Resnyk, che pare un buon lavoratore, e inoltre, essendo di alta statura, verrà a sopportare la maggior parte del peso. So che è nell'ordine delle cose che Resnyk mi rifiuti con disprezzo, e si metta in coppia con un altro individuo robusto; e allora io chiederò di andare alla latrina, e ci starò il più a lungo possibile, e poi cercherò di nascondermi con la certezza di essere immediatamente rintracciato, deriso e percosso; ma tutto è meglio di questo lavoro.

Invece no: Resnyk accetta, non solo, ma solleva da solo la traversina e me l'appoggia sulla spalla destra con precauzione; poi alza l'altra estremità, vi pone sotto la spalla sinistra e partiamo.

La traversina è incrostata di neve e di fango, a ogni passo mi batte contro l'orecchio e la neve mi scivola nel collo. Dopo una cinquantina di passi sono al limite di quanto si suole chiamare la normale sopportazione: le ginocchia si piegano, la spalla duole come stretta in una morsa, l'equilibrio è in pericolo. A ogni passo sento le scarpe succhiate

dal fango avido, da questo fango polacco onnipresente il cui orrore monotono riempie le nostre giornate.

Mi mordo profondamente le labbra: a noi è noto che il procurarsi un piccolo dolore estraneo serve come stimolante per mobilitare le estreme riserve di energia. Anche i Kapos lo sanno: alcuni ci percuotono per pura bestialità e violenza, ma ve ne sono altri che ci percuotono quando siamo sotto il carico, quasi amorevolmente, accompagnando le percosse con esortazioni e incoraggiamenti, come fanno i carrettieri coi cavalli volenterosi.

Arrivati al cilindro, scarichiamo a terra la traversina, e io resto impalato, cogli occhi vuoti, la bocca aperta e le braccia penzoloni, immerso nella estasi effimera e negativa della cessazione del dolore. In un crepuscolo di esaurimento, attendo lo spintone che mi costringerà a riprendere il lavoro, e cerco di profittare di ogni secondo dell'attesa per ricuperare qualche energia.

Ma lo spintone non viene; Resnyk mi tocca il gomito, il piú lentamente possibile ritorniamo alle traversine. Là si aggirano gli altri, a coppie, cercando tutti di indugiare quanto piú possono prima di sottoporsi al carico.

– Allons, petit, attrape –. Questa traversina è asciutta e un po' piú leggera, ma alla fine del secondo viaggio mi presento al Vorarbeiter e chiedo di andare alla latrina.

Noi abbiamo il vantaggio che la nostra latrina è piuttosto lontana; questo ci autorizza, una volta al giorno, a una assenza un po' piú lunga che di norma, e inoltre, poiché è proibito recarvisi da soli, ne è seguito che Wachsmann, il piú debole e maldestro del Kommando, è stato investito della carica di Scheissbegleiter, «accompagnatore alle latrine»; Wachsmann, per virtú di tale nomina, è responsabile di un nostro ipotetico (risibile ipotesi!) tentativo di fuga, e, piú realisticamente, di ogni nostro ritardo.

Poiché la mia domanda è stata accettata, me ne parto nel fango, nella neve grigia e tra i rottami metallici, scortato dal piccolo Wachsmann. Con questo non riesco a intendermi, perché non abbiamo alcuna lingua in comune; ma i

suoi compagni mi hanno detto che è rabbino, è anzi un Melamed, un dotto della Thorà, e inoltre, al suo paese, in Galizia, aveva fama di guaritore e di taumaturgo. Né sono lontano dal crederlo, pensando come, cosí esile e fragile e mite, riesca da due anni a lavorare senza ammalarsi e senza morire, acceso invece di una stupefacente vitalità di sguardo e di parola, per cui passa lunghe sere a discutere di questioni talmudiche, incomprensibilmente, in yiddisch e in ebraico, con Mendi che è rabbino modernista.

La latrina è un'oasi di pace. È una latrina provvisoria, che i tedeschi non hanno ancora provveduto delle consuete tramezze in legno che separano i vari scompartimenti: «Nur für Engländer», «Nur für Polen», «Nur für Ukrainische Frauen» e cosí via, e, un po' in disparte, «Nur für Häftlinge». All'interno, spalla a spalla, siedono quattro Häftlinge famelici; un vecchio barbuto operaio russo con la fascia azzurra OST sul braccio sinistro; un ragazzo polacco, con una grande P bianca sulla schiena e sul petto; un prigioniero militare inglese, dal viso splendidamente rasato e roseo, con la divisa kaki nitida, stirata e pulita, a parte il grosso marchio KG (Kriegsgefangener) sul dorso. Un quinto Häftling sta sulla porta, e ad ogni civile che entra sfilandosi la cintola, chiede paziente e monotono:
– Êtes-vous français?

Quando ritorno al lavoro, si vedono passare gli autocarri del rancio, il che vuol dire che sono le dieci, e questa è già un'ora rispettabile, tale che la pausa di mezzogiorno già si profila nella nebbia del futuro remoto e noi possiamo cominciare ad attingere energia dall'attesa.

Faccio con Resnyk ancora due o tre viaggi, cercando con ogni cura, anche spingendoci a cataste lontane, di trovare traversine piú leggere, ma ormai tutte le migliori sono già state trasportate, e non restano che le altre, atroci, dagli spigoli vivi, pesanti di fango e ghiaccio, con inchiodate le piastre metalliche per adattarvi le rotaie.

Quando viene Franz a chiamare Wachsmann perché vada con lui a ritirare il rancio, vuol dire che sono le undi-

ci, e il mattino è quasi passato, e al pomeriggio nessuno pensa. Poi c'è il ritorno della corvée, alle undici e mezzo, e l'interrogatorio stereotipo, quanta zuppa oggi, e di che qualità, e se ci è toccata dal principio o dal fondo del mastello; io mi sforzo di non farle, queste domande, ma non posso impedirmi di tendere avidamente l'orecchio alle risposte, e il naso al fumo che viene col vento dalla cucina.

E finalmente, come una meteora celeste, sovrumana e impersonale come un segno divino, la sirena di mezzogiorno esplode a esaudire le nostre stanchezze e le nostre fami anonime e concordi. E di nuovo accadono le cose solite: tutti accorriamo alla baracca, e ci mettiamo in fila colle gamelle tese, e tutti abbiamo una fretta animalesca di perfonderci i visceri con l'intruglio caldo, ma nessuno vuol essere il primo, perché al primo tocca la razione piú liquida. Come al solito, il Kapo ci irride e ci insulta per la nostra voracità, e si guarda bene dal rimescolare la marmitta, perché il fondo spetta notoriamente a lui. Poi viene la beatitudine (positiva questa, e viscerale) della distensione e del calore nel ventre e nella capanna intorno alla stufa rombante. I fumatori, con gesti avari e pii, si arrotolano una magra sigaretta, e gli abiti di tutti, madidi di fango e di neve, fumano densi alla vampa della stufa, con odore di canile e di gregge.

Una tacita convenzione vuole che nessuno parli: in un minuto tutti dormono, serrati gomito a gomito, cascando improvvisi in avanti e riprendendosi con un irrigidirsi del dorso. Di dietro alle palpebre appena chiuse, erompono i sogni con violenza, e anche questi sono i soliti sogni. Di essere a casa nostra, in un meraviglioso bagno caldo. Di essere a casa nostra seduti a tavola. Di essere a casa e raccontare questo nostro lavorare senza speranza, questo nostro aver fame sempre, questo nostro dormire di schiavi.

Poi, in seno ai vapori delle digestioni torpide, un nucleo doloroso si condensa, e ci punge, e cresce fino a varcare le soglie della coscienza, e ci toglie la gioia del sonno. «Es wird bald ein Uhr sein»: è quasi l'una. Come un cancro

rapido e vorace, fa morire il nostro sonno e ci stringe di angoscia preventiva: tendiamo l'orecchio al vento che fischia fuori e al leggero fruscio della neve contro il vetro, «es wird schnell ein Uhr sein». Mentre ognuno si aggrappa al sonno perché non ci abbandoni, tutti i sensi sono tesi nel raccapriccio del segnale che sta per venire, che è fuori della porta, che è qui...

Eccolo. Un tonfo al vetro, Meister Nogalla ha lanciato contro la finestrella una palla di neve, ed ora sta rigido in piedi fuori, e tiene l'orologio col quadrante rivolto verso di noi. Il Kapo si alza in piedi, si stira, e dice, sommesso come chi non dubita di essere obbedito: – Alles heraus, – tutti fuori.

Oh poter piangere! Oh poter affrontare il vento come un tempo facevamo, da pari a pari, e non come qui, come vermi vuoti di anima!

Siamo fuori, e ciascuno riprende la sua leva. Resnyk insacca la testa fra le spalle, si calca il berretto sugli orecchi, e leva il viso al cielo basso e grigio da cui turbina la neve inesorabile: – Si j'avey une chien, je ne le chasse pas dehors.

Una buona giornata

La persuasione che la vita ha uno scopo è radicata in ogni fibra di uomo, è una proprietà della sostanza umana. Gli uomini liberi dànno a questo scopo molti nomi, e sulla sua natura molto pensano e discutono: ma per noi la questione è più semplice.

Oggi e qui, il nostro scopo è di arrivare a primavera. Di altro, ora, non ci curiamo. Dietro a questa meta non c'è, ora, altra meta. Al mattino, quando, in fila in piazza dell'Appello, aspettiamo senza fine l'ora di partire per il lavoro, e ogni soffio di vento penetra sotto le vesti e corre in brividi violenti per i nostri corpi indifesi, e tutto è grigio intorno, e noi siamo grigi; al mattino, quando è ancor buio, tutti scrutiamo il cielo a oriente a spiare i primi indizi della stagione mite, e il levare del sole viene ogni giorno commentato: oggi un po' prima di ieri; oggi un po' più caldo di ieri; fra due mesi, fra un mese, il freddo ci darà tregua, e avremo un nemico di meno.

Oggi per la prima volta il sole è sorto vivo e nitido fuori dell'orizzonte di fango. È un sole polacco freddo bianco e lontano, e non riscalda che l'epidermide, ma quando si è sciolto dalle ultime brume un mormorio è corso sulla nostra moltitudine senza colore, e quando io pure ho sentito il tepore attraverso i panni, ho compreso come si possa adorare il sole.

– Das Schlimmste ist vorüber, – dice Ziegler tentendo al sole le spalle aguzze: il peggio è passato. Accanto a noi è un gruppo di greci, di questi ammirevoli e terribili ebrei

Saloniki tenaci, ladri, saggi, feroci e solidali, cosí determinati a vivere e cosí spietati avversari nella lotta per la vita; di quei greci che hanno prevalso, nelle cucine e in cantiere, e che perfino i tedeschi rispettano e i polacchi temono. Sono al loro terzo anno di campo, e nessuno sa meglio di loro che cosa è il campo; ora stanno stretti in cerchio, spalla a spalla, e cantano una delle loro interminabili cantilene.

Felicio il greco mi conosce: – L'année prochaine à la maison! – mi grida; ed aggiunge: – ... à la maison par la Cheminée! – Felicio è stato a Birkenau. E continuano a cantare, e battono i piedi in cadenza, e si ubriacano di canzoni.

Quando siamo finalmente usciti dalla grande porta del campo, il sole era discretamente alto e il cielo sereno. Si vedevano a mezzogiorno le montagne; a ponente, familiare e incongruo, il campanile di Auschwitz (qui, un campanile!) e tutto intorno i palloni frenati dello sbarramento. I fumi della Buna ristagnavano nell'aria fredda, e si vedeva anche una fila di colline basse, verdi di foreste: e a noi si è stretto il cuore, perché tutti sappiamo che là è Birkenau, che là sono finite le nostre donne, e presto anche noi vi finiremo: ma non siamo abituati a vederlo.

Per la prima volta ci siamo accorti che, ai due lati della strada, anche qui i prati sono verdi: perché, se non c'è sole, un prato è come se non fosse verde.

La Buna no: la Buna è disperatamente ed essenzialmente opaca e grigia. Questo sterminato intrico di ferro, di cemento, di fango e di fumo è la negazione della bellezza. Le sue strade e i suoi edifici si chiamano come noi, con numeri o lettere, o con nomi disumani e sinistri. Dentro al suo recinto non cresce un filo d'erba, e la terra è impregnata dei succhi velenosi del carbone e del petrolio, e nulla è vivo se non macchine e schiavi: e piú quelle di questi.

La Buna è grande come una città; vi lavorano, oltre ai dirigenti e ai tecnici tedeschi, quarantamila stranieri, e vi si parlano quindici o venti linguaggi. Tutti gli stranieri abitano in vari Lager, che alla Buna fanno corona: il Lager dei

prigionieri di guerra inglesi, il Lager delle donne ucraine, il Lager dei francesi volontari, e altri che noi non conosciamo. Il nostro Lager (Judenlager, Vernichtungslager, Kazett) fornisce da solo diecimila lavoratori, che vengono da tutte le nazioni d'Europa; e noi siamo gli schiavi degli schiavi, a cui tutti possono comandare, e il nostro nome è il numero che portiamo tatuato sul braccio e cucito sul petto.

La Torre del Carburo, che sorge in mezzo alla Buna e la cui sommità è raramente visibile in mezzo alla nebbia, siamo noi che l'abbiamo costruita. I suoi mattoni sono stati chiamati Ziegel, briques, tegula, cegli, kamenny, bricks, téglak, e l'odio li ha cementati; l'odio e la discordia, come la Torre di Babele, e cosí noi la chiamiamo: Babelturm, Bobelturm; e odiamo in essa il sogno demente di grandezza dei nostri padroni, il loro disprezzo di Dio e degli uomini, di noi uomini.

E oggi ancora, cosí come nella favola antica, noi tutti sentiamo, e i tedeschi stessi sentono, che una maledizione, non trascendente e divina, ma immanente e storica, pende sulla insolente compagine, fondata sulla confusione dei linguaggi ed eretta a sfida del cielo come una bestemmia di pietra.

Come diremo, dalla fabbrica di Buna, attorno a cui per quattro anni i tedeschi si adoperarono, e in cui noi soffrimmo e morimmo innumerevoli, non uscí mai un chilogrammo di gomma sintetica.

Ma oggi le eterne pozzanghere, su cui trema un velo iridato di petrolio, riflettono il cielo sereno. Tubi, travi, caldaie, ancora freddi del gelo della notte, sono grondanti di rugiada. La terra smossa degli scavi, i mucchi di carbone, i blocchi di cemento, esalano in lieve nebbia l'umidità dell'inverno.

Oggi è una buona giornata. Ci guardiamo intorno, come ciechi che riacquistino la vista, e ci guardiamo l'un l'altro. Non ci eravamo mai visti al sole: qualcuno sorride. Se non fosse della fame!

Poiché tale è la natura umana, che le pene e i dolori simultaneamente sofferti non si sommano per intero nella nostra sensibilità, ma si nascondono, i minori dietro i maggiori, secondo una legge prospettica definita. Questo è provvidenziale, e ci permette di vivere in campo. Ed è anche questa la ragione per cui cosí spesso, nella vita libera, si sente dire che l'uomo è incontentabile: mentre, piuttosto che di una incapacità umana per uno stato di benessere assoluto, si tratta di una sempre insufficiente conoscenza della natura complessa dello stato di infelicità, per cui alle sue cause, che sono molteplici e gerarchicamente disposte, si dà un solo nome, quello della causa maggiore; fino a che questa abbia eventualmente a venir meno, e allora ci si stupisce dolorosamente al vedere che dietro ve n'è un'altra; e in realtà, una serie di altre.

Perciò, non appena il freddo, che per tutto l'inverno ci era parso l'unico nemico, è cessato, noi ci siamo accorti di avere fame: e, ripetendo lo stesso errore, cosí oggi diciamo: «Se non fosse della fame!...»

Ma come si potrebbe pensare di non aver fame? il Lager *è* la fame: noi stessi siamo la fame, fame vivente.

Al di là della strada lavora una draga. La benna, sospesa ai cavi, spalanca le mascelle dentate, si libra un attimo come esitante nella scelta, poi si avventa alla terra argillosa e morbida, e azzanna vorace, mentre dalla cabina di comando sale uno sbuffo soddisfatto di fumo bianco e denso. Poi si rialza, fa un mezzo giro, vomita a tergo il boccone di cui è grave, e ricomincia.

Appoggiati alle nostre pale, noi stiamo a guardare affascinati. A ogni morso della benna, le bocche si socchiudono, i pomi d'Adamo danzano in su e poi in giú, miseramente visibili sotto la pelle floscia. Non riusciamo a svincolarci dallo spettacolo del pasto della draga.

Sigi ha diciassette anni, ed ha piú fame di tutti quantunque riceva ogni sera un po' di zuppa da un suo protettore, verosimilmente non disinteressato. Aveva cominciato col parlare della sua casa di Vienna e di sua madre, ma

poi è scivolato nel tema della cucina, e ora racconta senza
fine di non so che pranzo nuziale, e ricorda, con genuino
rimpianto, di non aver finito il terzo piatto di zuppa di fa-
gioli. E tutti lo fanno tacere, e non passano dieci minuti,
che Béla ci descrive la sua campagna ungherese, e i campi
di granoturco, e una ricetta per fare la polenta dolce, con
la meliga tostata, e il lardo, e le spezie, e... e viene male-
detto, insultato, e comincia un terzo a raccontare...

Come è debole la nostra carne! Io mi rendo conto ap-
pieno di quanto siano vane queste fantasie di fame, ma
non mi posso sottrarre alla legge comune, e mi danza da-
vanti agli occhi la pasta asciutta che avevamo appena cuci-
nata, Vanda, Luciana, Franco ed io, in Italia al campo di
smistamento, quando ci è giunta a un tratto la notizia che
all'indomani saremmo partiti per venire qui; e stava-
mo mangiandola (era cosí buona, gialla, solida) e abbiamo
smesso, noi sciocchi, noi insensati: se avessimo saputo! E
se ci dovesse succedere un'altra volta... Assurdo; se una
cosa è certa al mondo, è bene questa: che non ci succederà
un'altra volta.

Fischer, l'ultimo arrivato, cava di tasca un involto, con-
fezionato con la minuzia degli ungheresi, e dentro c'è mez-
za razione di pane: la metà del pane di stamattina. È ben
noto che solo i Grossi Numeri conservano in tasca il loro
pane; nessuno di noi anziani è in grado di serbare il pane
per un'ora. Varie teorie circolano per giustificare questa
nostra incapacità: il pane mangiato a poco per volta non si
assimila del tutto; la tensione nervosa necessaria per con-
servare il pane, avendo fame, senza intaccarlo, è nociva e
debilitante in alto grado; il pane che diviene raffermo per-
de rapidamente il suo valore alimentare, per cui, quanto
prima viene ingerito, tanto piú risulta nutriente; Alberto
dice che la fame e il pane in tasca sono addendi di segno
contrario, che si elidono automaticamente a vicenda e non
possono coesistere nello stesso individuo; i piú, infine, af-
fermano giustamente che lo stomaco è la cassaforte piú si-
cura contro i furti e le estorsioni. – Moi, on m'a jamais vo-

lé mon pain! – ringhia David battendosi lo stomaco con-
cavo: ma non può distrarre gli occhi da Fischer che masti-
ca lento e metodico, dal «fortunato» che possiede ancora
mezza razione alle dieci del mattino: – ... sacré veinard,
va!

Ma non soltanto a causa del sole oggi è giorno di gioia:
a mezzogiorno una sorpresa ci attende. Oltre al rancio
normale del mattino, troviamo nella baracca una meravi-
gliosa marmitta da cinquanta litri, di quelle della Cucina di
Fabbrica, quasi piena. Templer ci guarda trionfante: que-
sta «organizzazione» è opera sua.

Templer è l'organizzatore ufficiale del nostro Komman-
do: ha per la zuppa dei Civili una sensibilità squisita, come
le api per i fiori. Il nostro Kapo, che non è un cattivo Ka-
po, gli lascia mano libera, e con ragione: Templer parte se-
guendo piste impercettibili, come un segugio, e ritorna con
la preziosa notizia che gli operai polacchi del Metanolo, a
due chilometri di qui, hanno avanzato quaranta litri di
zuppa perché sapeva di rancido, o che un vagone di rape
sta incustodito sul binario morto della Cucina di Fabbrica.

Oggi i litri sono cinquanta, e noi siamo quindici, Kapo
e Vorarbeiter compresi. Sono tre litri a testa; uno lo avre-
mo a mezzogiorno, oltre al rancio normale, e per gli altri
due, andremo a turno nel pomeriggio alla baracca, e ci sa-
ranno eccezionalmente concessi cinque minuti di sospen-
sione del lavoro per fare il pieno.

Che si potrebbe desiderare di piú? Anche il lavoro ci pa-
re leggero, con la prospettiva dei due litri densi e caldi che
ci attendono nella baracca. Periodicamente viene il Kapo
fra noi, e chiama: – Wer hat noch zu fressen?

Questo non già per derisione o per scherno, ma perché
realmente questo nostro mangiare in piedi, furiosamente,
scottandoci la bocca e la gola, senza il tempo di respirare,
è «fressen», il mangiare delle bestie, e non certo «essen»,
il mangiare degli uomini, seduti davanti a un tavolo, reli-

giosamente. «Fressen» è il vocabolo proprio, quello comu-
nemente usato fra noi.

Meister Nogalla assiste, e chiude un occhio sul nostro
assentarci dal lavoro. Anche Meister Nogalla ha l'aria di
aver fame, e se non fosse delle convenienze sociali, forse
non rifiuterebbe un litro della nostra broda calda.

Viene il turno di Templer, a cui, con plebiscitario con-
senso, sono stati destinati cinque litri, prelevati dal fondo
della marmitta. Ché Templer, oltre a essere un buon orga-
nizzatore, è un eccezionale mangiatore di zuppa, e, cosa
unica, è in grado di svuotare l'intestino, volontariamente
e preventivamente, in vista di un pasto voluminoso: il che
contribuisce alla sua capacità gastrica stupefacente.

Di questo suo dono egli va giustamente fiero, e tutti,
anche Meister Nogalla, ne sono a conoscenza. Accompa-
gnato dalla gratitudine di tutti, il benefattore Templer si
chiude pochi istanti nella latrina, esce radioso e pronto, e
si avvia, fra le generale benevolenza, a godere il frutto del-
la sua opera:

– Nu, Templer, hast du Platz genug für die Suppe ge-
macht?

Al tramonto, suona la sirena del Feierabend, della fine
del lavoro; e poiché siamo tutti, almeno per qualche ora,
sazi, cosí non sorgono litigi, ci sentiamo buoni, il Kapo
non si induce a picchiarci, e siamo capaci di pensare alle
nostre madri e alle nostre mogli, il che di solito non acca-
de. Per qualche ora, possiamo essere infelici alla maniera
degli uomini liberi.

Al di qua del bene e del male

Avevamo una incorreggibile tendenza a vedere in ogni avvenimento un simbolo e un segno. Da ormai settanta giorni si faceva attendere il Wäschetauschen, che è la cerimonia del cambio della biancheria, e già circolava insistente la voce che mancava biancheria di ricambio perché, a causa dell'avanzare del fronte, era preclusa ai tedeschi la possibilità di fare affluire ad Auschwitz nuovi trasporti, e «perciò» la liberazione era prossima; e parallelamente, la interpretazione opposta, che il ritardo nel cambio era segno sicuro di una prossima integrale liquidazione del campo. Invece il cambio venne, e, come al solito, la direzione del Lager pose ogni cura perché avvenisse improvvisamente, e ad un tempo in tutte le baracche.

Bisogna sapere infatti che in Lager la stoffa manca, ed è preziosa; e che l'unico modo che noi abbiamo di procurarci uno straccio per nettarci il naso, o una pezza da piedi, è appunto quello di tagliare un lembo di camicia al momento del cambio. Se la camicia ha le maniche lunghe, si tagliano le maniche; se no, ci si accontenta di un rettangolo dal fondo, o si scuce una delle numerose rappezzature. In ogni caso, occorre un certo tempo per procurarsi ago e filo, e per eseguire l'operazione con qualche arte, in modo che il guasto non sia troppo evidente all'atto della consegna. La biancheria sporca e lacera passa alla rinfusa alla Sartoria del campo, dove viene sommariamente rappezzata, indi alla disinfezione a vapore (non al lavaggio!) e viene poi ridistribuita; da ciò, per salvaguardare la biancheria usata dal-

le accennate mutilazioni, la necessità di fare avvenire i cambi nel modo piú improvviso.

Ma, sempre come al solito, non si è potuto evitare che qualche sguardo sagace penetrasse sotto il telone del carro che usciva dalla disinfezione, in modo che in pochi minuti il campo ha saputo dell'imminenza di un Wäschetauschen, e per giunta, che questa volta si trattava di camicie nuove, provenienti da un trasporto di ungheresi arrivato tre giorni fa.

La notizia ha avuto immediata risonanza. Tutti i detentori abusivi di seconde camicie, rubate od organizzate, o magari onestamente comperate con pane per ripararsi dal freddo o per investire capitale in un momento di prosperità, si sono precipitati alla Borsa, sperando di arrivare in tempo a riscambiare con generi di consumo la loro camicia di riserva prima che l'ondata delle camicie nuove, o la certezza del loro arrivo, svalutassero irreparabilmente il prezzo dell'articolo.

La Borsa è attivissima sempre. Benché ogni scambio (anzi, ogni forma di possesso) sia esplicitamente proibito, e benché frequenti rastrellamenti di Kapos o Blockälteste travolgano a intervalli in un'unica fuga mercanti, clienti e curiosi, tuttavia, nell'angolo nord-est del Lager (significativamente, l'angolo piú lontano delle baracche delle SS), non appena le squadre sono rientrate dal lavoro, siede in permanenza un assembramento tumultuoso, all'aperto d'estate, dentro un lavatoio d'inverno.

Qui si aggirano a decine, colle labbra socchiuse e gli occhi rilucenti, i disperati della fame, che un istinto fallace spinge colà dove le mercanzie esibite rendono piú acre il rodimento dello stomaco, e piú assidua la salivazione. Sono muniti, nel migliore dei casi, della misera mezza razione di pane che, con sforzo doloroso, hanno risparmiato fin dal mattino, nella speranza insensata che si presenti l'occasione di un baratto vantaggioso con qualche ingenuo, ignaro delle quotazioni del momento. Alcuni di questi, con selvaggia pazienza, acquistano colla mezza razione un litro di

zuppa, che, appartatisi, sottopongono alla metodica estra-
zione dei pochi pezzi di patata giacenti sul fondo; ciò fat-
to, la riscambiano con pane, e il pane con un nuovo litro
da denaturare, e questo fino a esaurimento dei nervi, o fi-
no a che qualche danneggiato, coltili sul fatto, non infligga
loro una severa lezione, esponendoli alla derisione pubbli-
ca. Alla stessa specie appartengono coloro che vengono in
Borsa a vendere la loro unica camicia; essi ben sanno quel-
lo che accadrà, alla prossima occasione, quando il Kapo
constaterà che sono nudi sotto la giacca. Il Kapo chiederà
loro che cosa hanno fatto della camicia; è una pura doman-
da retorica, una formalità utile soltanto per entrare in ar-
gomento. Loro risponderanno che la camicia è stata rubata
nel lavatoio; anche questa risposta è di prammatica, e non
pretende di essere creduta; infatti anche le pietre del La-
ger sanno che, novantanove volte su cento, chi non ha ca-
micia se la è venduta per fame, e che del resto della propria
camicia si è responsabili, perché essa appartiene al Lager.
Allora il Kapo li percuoterà, verrà loro assegnata un'altra
camicia, e presto o tardi ricominceranno.

Ciascuno nel suo angolo consueto, stazionano in Borsa
i mercanti di professione; primi fra questi i greci, immobili
e silenziosi come sfingi, accovacciati a terra dietro alle
gamelle di zuppa densa, frutto del loro lavoro, delle loro
combinazioni e della loro solidarietà nazionale. I greci so-
no ormai ridotti a pochissimi, ma hanno portato un contri-
buto di prim'ordine alla fisionomia del campo, ed al gergo
internazionale che vi circola. Tutti sanno che «caravana»
è la gamella, e che «la comedera es buena» vuol dire che la
zuppa è buona; il vocabolo che esprime l'idea generica di
furto è «klepsi-klepsi», di evidente origine greca. Questi
pochi superstiti della colonia ebraica di Salonicco, dal du-
plice linguaggio, spagnolo ed ellenico, e dalle molteplici at-
tività, sono i depositari di una concreta, terrena, consape-
vole saggezza in cui confluiscono le tradizioni di tutte le ci-
viltà mediterranee. Che questa saggezza si risolva in cam-
po con la pratica sistematica e scientifica del furto e del-

l'assalto alle cariche, e con il monopolio della Borsa dei baratti, non deve far dimenticare che la loro ripugnanza dalla brutalità gratuita, la loro stupefacente coscienza del sussistere di una almeno potenziale dignità umana, facevano dei greci in Lager il nucleo nazionale piú coerente, e, sotto questi aspetti, piú civile.

Puoi trovare in Borsa gli specializzati in furti alla cucina, con le giacche sollevate da misteriosi rigonfi. Mentre per la zuppa esiste un prezzo pressoché stabile (mezza razione di pane per un litro), la quotazione delle rape, carote, patate è estremamente capricciosa, e dipende fortemente, fra altri fattori, anche dalla diligenza e dalla corruttibilità dei guardiani di turno ai magazzini.

Si vende il Mahorca: il Mahorca è un tabacco di scarto, in forma di schegge legnose, il quale è ufficialmente in vendita alla Kantine, in pacchetti da cinquanta grammi, contro versamento dei «buoni-premio» che la Buna dovrebbe distribuire ai migliori lavoratori. Tale distribuzione avviene irregolarmente, con grande parsimonia e palese iniquità, in modo che la massima parte dei buoni finiscono, direttamente o per abuso di autorità, nelle mani dei Kapos e dei prominenti; tuttavia i buoni-premio della Buna circolano sul mercato del Lager in funzione di moneta, e il loro valore è variabile in stretta obbedienza alle leggi dell'economia classica.

Ci sono stati periodi in cui per il buono-premio si è pagata una razione di pane, poi una e un quarto, anche una e un terzo; un giorno è stato quotato una razione e mezza, ma poi è venuto meno il rifornimento di Mahorca alla Kantine, e allora, mancando la copertura, la moneta è precipitata di colpo a un quarto di razione. È successo un altro periodo di rialzo dovuto a una singolare ragione: il cambio della guardia al Frauenblock, con arrivo di un contingente di robuste ragazze polacche. Infatti, poiché il buono-premio è valido (per i criminali e i politici: non per gli ebrei, i quali d'altronde non soffrono della limitazione) per un ingresso al Frauenblock, gli interessati ne hanno

fatta attiva e rapida incetta: donde la rivalutazione, che per altro non ebbe lunga durata.

Fra i comuni Häftlinge, non sono molti quelli che ricercano il Mahorca per fumarlo personalmente; per lo piú, esso esce dal campo, e finisce ai lavoratori civili della Buna. È questo uno schema di «kombinacja» assai diffuso: lo Häftling, economizzata in qualche modo una razione di pane, la investe in Mahorca; si mette cautamente in contatto con un «amatore» civile, che acquista il Mahorca effettuando il pagamento a contanti, con una dose di pane superiore a quella inizialmente stanziata. Lo Häftling si mangia il margine di guadagno, e rimette in ciclo la razione che avanza. Speculazioni di questo genere stabiliscono un legame fra l'economia interna del Lager e la vita economica del mondo esterno: quando è venuta accidentalmente a mancare la distribuzione del tabacco alla popolazione civile di Cracovia, il fatto, superando la barriera di filo spinato che ci segrega dal consorzio umano, ha avuto immediata ripercussione in campo, provocando un netto rialzo della quotazione del Mahorca, e quindi del buono-premio.

Il caso sopra delineato non è che il piú schematico: un altro già piú complesso è il seguente. Lo Häftling acquista mediante Mahorca o pane, o magari ottiene in dono, da un civile, un qualunque abominevole, lacero, sporco cencio di camicia, il quale sia però tuttora provvisto di tre fori adatti a passarvi bene o male le braccia e il capo. Purché non porti che segni di usura, e non di mutilazioni artificiosamente fatte, un tale oggetto, all'atto del Wäschetauschen, è valido come camicia, e dà diritto al cambio; tutt'al piú colui che lo esibisce potrà ricevere un'adeguata dose di colpi per aver posto cosí poca cura nel conservare gli indumenti di ordinanza.

Perciò, all'interno del Lager, non v'è grande differenza di valore fra una camicia degna di tal nome e uno straccio pieno di toppe; lo Häftling di cui sopra non avrà difficoltà a trovare un compagno in possesso di una camicia in stato commerciabile, e che non possa valorizzarla perché, per

ragioni di ubicazione di lavoro, o di linguaggio, o di intrinseca incapacità, non è in relazione con lavoratori civili. Quest'ultimo si accontenterà di un modesto quantitativo di pane per accettare il cambio; infatti il prossimo Wäschetauschen ristabilirà in certo modo il livellamento, ripartendo biancheria buona o cattiva in maniera perfettamente casuale. Ma il primo Häftling potrà contrabbandare in Buna la camicia buona, e venderla al civile di prima (o ad un altro qualunque) per quattro, sei, fino a dieci razioni di pane. Questo cosí elevato margine di guadagno rispecchia la gravità del rischio di uscire dal campo con piú di una camicia indosso, o di rientrarvi senza camicia.

Molte sono le variazioni su questo tema. C'è chi non esita a farsi estrarre le coperture d'oro dei denti per venderle in Buna contro pane o tabacco; ma è piú comune il caso che tale traffico abbia luogo per interposta persona. Un «grosso numero», vale a dire un nuovo arrivato, giunto da poco ma già a sufficienza abbrutito dalla fame e dalla tensione estrema della vita in campo, viene notato da un «piccolo numero» per qualche sua ricca protesi dentaria; il «piccolo» offre al «grosso» tre o quattro razioni di pane in contanti per sottoporsi all'estrazione. Se il grosso accetta, il piccolo paga, si porta l'oro in Buna, e, se è in contatto con un civile di fiducia, dal quale non ci siano da temere delazioni o raggiri, può realizzare senz'altro un guadagno di dieci fino a venti e piú razioni, che gli vengono corrisposte gradualmente, una o due al giorno. Notiamo a tale proposito che, contrariamente a quanto avviene in Buna, quattro razioni di pane costituiscono l'importo massimo degli affari che si concludono entro il campo, perché quivi sarebbe praticamente impossibile sia stipulare contratti a credito, sia preservare dalla cupidigia altrui e dalla fame propria una quantità superiore di pane.

Il traffico coi civili è un elemento caratteristico dell'Arbeitslager, e, come si è visto, ne determina la vita economica. E d'altronde un reato, esplicitamente contemplato dal regolamento del campo e assimilato ai reati «politici»;

viene perciò punito con particolare severità. Lo Häftling convinto di «Handel mit Zivilisten», se non dispone di appoggi influenti, finisce a Gleiwitz III, a Janina, a Heidebreck alle miniere di carbone; il che significa la morte per esaurimento nel giro di poche settimane. Inoltre, lo stesso lavoratore civile suo complice può venire denunziato alla competente autorità tedesca, e condannato a trascorrere in Vernichtungslager, nelle stesse nostre condizioni, un periodo variabile, a quanto mi consta, dai quindici giorni agli otto mesi. Gli operai a cui viene applicato questo genere di contrappasso, vengono come noi spogliati all'ingresso, ma i loro effetti personali vengono conservati in un apposito magazzino. Non vengono tatuati e conservano i loro capelli, il che li rende facilmente riconoscibili, ma per tutta la durata della punizione sono sottoposti allo stesso nostro lavoro e alla nostra disciplina: escluse beninteso le selezioni.

Lavorano in Kommandos particolari, e non hanno contatti di alcun genere con i comuni Häftlinge. Infatti per loro il Lager costituisce una punizione, ed essi, se non morranno di fatica o di malattia, hanno molte probabilità di ritornare fra gli uomini; se potessero comunicare con noi, ciò costituirebbe una breccia nel muro che ci rende morti al mondo, ed uno spiraglio sul mistero che regna fra gli uomini liberi intorno alla nostra condizione. Per noi invece il Lager non è una punizione; per noi non è previsto un termine, e il Lager altro non è che il genere di esistenza a noi assegnato, senza limiti di tempo, in seno all'organismo sociale germanico.

Una sezione del nostro stesso campo è destinata appunto ai lavoratori civili, di tutte le nazionalità, che devono soggiornarvi per un tempo piú o meno lungo in espiazione dei loro rapporti illeciti con Häftlinge. Tale sezione è separata dal resto del campo mediante un filo spinato, e si chiama E-Lager, ed E-Häftlinge se ne chiamano gli ospiti. «E» è l'iniziale di «Erziehung», che significa «educazione».

Tutte le combinazioni finora delineate sono fondate sul contrabbando di materiale appartenente al Lager. Per que-

sto le SS sono cosí rigorose nel reprimerlo: l'oro stesso dei nostri denti è di loro proprietà, poiché, strappato dalle mascelle dei vivi o dei morti, tutto finisce presto o tardi nelle loro mani. È dunque naturale che esse si adoperino affinché l'oro non esca dal campo.

Ma contro il furto in sé, la direzione del campo non ha alcuna prevenzione. Lo dimostra l'atteggiamento di ampia connivenza, manifestato dalle SS nei riguardi del contrabbando inverso.

Qui le cose generalmente sono piú semplici. Si tratta di rubare o ricettare qualcuno degli svariati attrezzi, utensili, materiali, prodotti ecc., coi quali veniamo quotidianamente in contatto in Buna per ragioni di lavoro; introdurlo in campo la sera, trovare il cliente, ed effettuare il baratto contro pane o zuppa. Questo traffico è intensissimo: per certi articoli, che pure sono necessari alla vita normale del Lager, questa, del furto in Buna, è l'unica e regolare via di approvvigionamento. Tipici i casi delle scope, della vernice, del filo elettrico, del grasso da scarpe. Valga come esempio il traffico di quest'ultima merce.

Come abbiamo altrove accennato, il regolamento del campo prescrive che ogni mattina le scarpe vengano unte e lucidate, e ogni Blockältester è responsabile di fronte alle SS dell'ottemperanza alla disposizione da parte di tutti gli uomini della sua baracca. Si potrebbe quindi pensare che ogni baracca goda di una periodica assegnazione di grasso da scarpe, ma cosí non è: il meccanismo è un altro. Occorre premettere che ogni baracca riceve, a sera, un'assegnazione di zuppa che è alquanto piú alta della somma delle razioni regolamentari; il di piú viene ripartito secondo l'arbitrio del Blockältester, il quale ne ricava, in primo luogo, gli omaggi per i suoi amici e protetti, in secondo, i compensi dovuti agli scopini, alle guardie notturne, ai controllori dei pidocchi e a tutti gli altri funzionari-prominenti della baracca. Quello che ancora avanza (e ogni accorto Blockältester fa sí che sempre ne avanzi) serve precisamente per gli acquisti.

Il resto si intende: quegli Häftlinge a cui capita in Buna l'occasione di riempirsi la gamella di grasso od olio da macchina (o anche altro: qualunque sostanza nerastra e untuosa si considera rispondente allo scopo), giunti alla sera in campo, fanno sistematicamente il giro delle baracche, finché trovano il Blockältester che è sprovvisto dell'articolo o intende farne scorta. Del resto ogni baracca ha per lo più il suo fornitore abituale, col quale è stato pattuito un compenso fisso giornaliero, a condizione che egli fornisca il grasso ogni volta che la riserva stia per esaurirsi.

Tutte le sere, accanto alle porte dei Tagesräume, stazionano pazientemente i capannelli dei fornitori: fermi in piedi per ore e ore sotto la pioggia o la neve, parlano concitatamente sottovoce di questioni relative alle variazioni dei prezzi e del valore del buono-premio. Ogni tanto qualcuno si stacca dal gruppo, fa una breve visita in Borsa, e torna con le ultime notizie.

Oltre a quelli già nominati, innumerevoli sono gli articoli reperibili in Buna che possono essere utili al Block, o graditi al Blockältester, o suscitare l'interesse o la curiosità dei prominenti. Lampadine, spazzole, sapone comune e per barba, lime, pinze, sacchi, chiodi; si smercia l'alcool metilico, buono per farne beveraggi, e la benzina, buona per i rudimentali acciarini, prodigi dell'industria segreta degli artigiani del Lager.

In questa complessa rete di furti e controfurti, alimentati dalla sorda ostilità fra i comandi SS e le autorità civili della Buna, una funzione di prim'ordine è esplicata dal Ka-Be. Il Ka-Be è il luogo di minor resistenza, la valvola da cui più facilmente si possono evadere i regolamenti ed eludere la sorveglianza dei capi. Tutti sanno che sono gli infermieri stessi quelli che rilanciano sul mercato, a basso prezzo, gli indumenti e le scarpe dei morti, e dei selezionati che partono nudi per Birkenau; sono gli infermieri e i medici che esportano in Buna i sulfamidici di assegnazione, vendendoli ai civili contro generi alimentari.

Gli infermieri poi traggono ingente guadagno dal traffi-

co dei cucchiai. Il Lager non fornisce cucchiaio ai nuovi arrivati, benché la zuppa semiliquida non possa venir consumata altrimenti. I cucchiai vengono fabbricati in Buna, di nascosto e nei ritagli di tempo, dagli Häftlinge che lavorano come specializzati in Kommandos di fabbri e lattonieri: si tratta di rozzi e massicci arnesi, ricavati da lamiere lavorate a martello, spesso col manico affilato, in modo che serva in pari tempo da coltello per affettare il pane. I fabbricanti stessi li vendono direttamente ai nuovi arrivati: un cucchiaio semplice vale mezza razione, un cucchiaio-coltello tre quarti di razione di pane. Ora, è legge che in Ka-Be si possa entrare col cucchiaio, non però uscirne. Ai guariti, all'atto del rilascio e prima della vestizione, il cucchiaio viene sequestrato dagli infermieri, e da loro rimesso in vendita sulla Borsa. Aggiungendo ai cucchiai dei guariti quelli dei morti e dei selezionati, gli infermieri vengono a percepire ogni giorno il ricavato della vendita di una cinquantina di cucchiai. Per contro, i degenti rilasciati sono costretti a rientrare al lavoro collo svantaggio iniziale di mezza razione di pane da stanziarsi per l'acquisto di un nuovo cucchiaio.

Infine, il Ka-Be è il principale cliente e ricettatore dei furti consumati in Buna: della zuppa destinata al Ka-Be, ben venti litri ogni giorno sono preventivati come fondo-furti per l'acquisto dagli specialisti degli articoli piú svariati. C'è chi ruba tubo sottile di gomma, che viene utilizzato in Ka-Be per gli enteroclismi e le sonde gastriche; chi viene a offrire matite e inchiostri colorati, richiesti per la complicata contabilità della fureria del Ka-Be; e termometri, e vetreria, e reagenti chimici, che escono dai magazzini della Buna nelle tasche degli Häftlinge e trovano impiego nell'infermeria come materiale sanitario.

E non vorrei peccare di immodestia aggiungendo che è stata nostra, di Alberto e mia, l'idea di rubare i rotoli di carta millimetrata dei termografi del Reparto Essiccazione, e di offrirli al Medico Capo del Ka-Be, suggerendogli

di impiegarli sotto forma di moduli per i diagrammi polso-temperatura.

In conclusione: il furto in Buna, punito dalla Direzione civile, è autorizzato e incoraggiato dalle SS; il furto in campo, represso severamente dalle SS, è considerato dai civili una normale operazione di scambio; il furto fra Häftlinge viene generalmente punito, ma la punizione colpisce con uguale gravità il ladro e il derubato. Vorremmo ora invitare il lettore a riflettere, che cosa potessero significare in Lager le nostre parole «bene» e «male», «giusto» e «ingiusto»; giudichi ognuno, in base al quadro che abbiamo delineato e agli esempi sopra esposti, quanto del nostro comune mondo morale potesse sussistere al di qua del filo spinato.

I sommersi e i salvati

Questa, di cui abbiamo detto e diremo, è la vita ambigua del Lager. In questo modo duro, premuti sul fondo, hanno vissuto molti uomini dei nostri giorni, ma ciascuno per un tempo relativamente breve; per cui ci si potrà forse domandare se proprio metta conto, e se sia bene, che di questa eccezionale condizione umana rimanga una qualche memoria.

A questa domanda ci sentiamo di rispondere affermativamente. Noi siamo infatti persuasi che nessuna umana esperienza sia vuota di senso e indegna di analisi, e che anzi valori fondamentali, anche se non sempre positivi, si possano trarre da questo particolare mondo di cui narriamo. Vorremmo far considerare come il Lager sia stato, anche e notevolmente, una gigantesca esperienza biologica e sociale.

Si rinchiudano tra i fili spinati migliaia di individui diversi per età, condizione, origine, lingua, cultura e costumi, e siano quivi sottoposti a un regime di vita costante, controllabile, identico per tutti e inferiore a tutti i bisogni: è quanto di più rigoroso uno sperimentatore avrebbe potuto istituire per stabilire che cosa sia essenziale e che cosa acquisito nel comportamento dell'animale-uomo di fronte alla lotta per la vita.

Noi non crediamo alla più ovvia e facile deduzione: che l'uomo sia fondamentalmente brutale, egoista e stolto come si comporta quando ogni sovrastruttura civile sia tolta, e che lo «Häftling» non sia dunque che l'uomo senza ini-

bizioni. Noi pensiamo piuttosto che, quanto a questo, null'altro si può concludere, se non che di fronte al bisogno e al disagio fisico assillanti, molte consuetudini e molti istinti sociali sono ridotti al silenzio.

Ci pare invece degno di attenzione questo fatto: viene in luce che esistono fra gli uomini due categorie particolarmente ben distinte: i salvati e i sommersi. Altre coppie di contrari (i buoni e i cattivi, i savi e gli stolti, i vili e i coraggiosi, i disgraziati e i fortunati) sono assai meno nette, sembrano meno congenite, e soprattutto ammettono gradazioni intermedie piú numerose e complesse.

Questa divisione è molto meno evidente nella vita comune; in questa non accade spesso che un uomo si perda, perché normalmente l'uomo non è solo, e, nel suo salire e nel suo discendere, è legato al destino dei suoi vicini; per cui è eccezionale che qualcuno cresca senza limiti in potenza, o discenda con continuità di sconfitta in sconfitta fino alla rovina. Inoltre ognuno possiede di solito riserve tali, spirituali, fisiche e anche pecuniarie, che l'evento di un naufragio, di una insufficienza davanti alla vita, assume una anche minore probabilità. Si aggiunga ancora che una sensibile azione di smorzamento è esercitata dalla legge, e dal senso morale, che è legge interna; viene infatti considerato tanto piú civile un paese, quanto piú savie ed efficienti vi sono quelle leggi che impediscono al misero di essere troppo misero, e al potente di essere troppo potente.

Ma in Lager avviene altrimenti: qui la lotta per sopravvivere è senza remissione, perché ognuno è disperatamente ferocemente solo. Se un qualunque Null Achtzehn vacilla, non troverà chi gli porga una mano; bensí qualcuno che lo abbatterà a lato, perché nessuno ha interesse a che un «mussulmano»[1] di piú si trascini ogni giorno al lavoro; e se qualcuno, con un miracolo di selvaggia pazienza e astuzia, troverà una nuova combinazione per defilarsi dal

[1] Con tale termine, «Muselmann», ignoro per qual ragione, i vecchi del campo designavano i deboli, gli inetti, i votati alla selezione.

lavoro piú duro, una nuova arte che gli frutti qualche grammo di pane, cercherà di tenerne segreto il modo, e di questo sarà stimato e rispettato, e ne trarrà un suo esclusivo personale giovamento; diventerà piú forte, e perciò sarà temuto, e chi è temuto è, ipso facto, un candidato a sopravvivere.

Nella storia e nella vita pare talvolta di discernere una legge feroce, che suona «a chi ha, sarà dato; a chi non ha, a quello sarà tolto». Nel Lager, dove l'uomo è solo e la lotta per la vita si riduce al suo meccanismo primordiale, la legge iniqua è apertamente in vigore, è riconosciuta da tutti. Con gli adatti, con gli individui forti e astuti, i capi stessi mantengono volentieri contatti, talora quasi camerateschi, perché sperano di poterne trarre forse piú tardi qualche utilità. Ma ai mussulmani, agli uomini in dissolvimento, non vale la pena di rivolgere la parola, poiché già si sa che si lamenterebbero, e racconterebbero quello che mangiavano a casa loro. Tanto meno vale la pena di farsene degli amici, perché non hanno in campo conoscenze illustri, non mangiano niente extrarazione, non lavorano in Kommandos vantaggiosi e non conoscono nessun modo segreto di organizzare. E infine, si sa che sono qui di passaggio, e fra qualche settimana non ne rimarrà che un pugno di cenere in qualche campo non lontano, e su un registro un numero di matricola spuntato. Benché inglobati e trascinati senza requie dalla folla innumerevole dei loro consimili, essi soffrono e si trascinano in una opaca intima solitudine, e in solitudine muoiono o scompaiono, senza lasciar traccia nella memoria di nessuno.

Il risultato di questo spietato processo di selezione naturale si sarebbe potuto leggere nelle statistiche del movimento dei Lager. Ad Auschwitz, nell'anno 1944, dei vecchi prigionieri ebrei (degli altri non diremo qui, ché altre erano le loro condizioni), «kleine Nummer», piccoli numeri inferiori al centocinquantamila, poche centinaia sopravvivevano; *nessuno* di questi era un comune Häftling, vegetante nei comuni Kommandos e pago della normale

razione. Restavano solo i medici, i sarti, i ciabattini, i musicisti, i cuochi, i giovani attraenti omosessuali, gli amici o compaesani di qualche autorità del campo; inoltre individui particolarmente spietati, vigorosi e inumani, insediatisi (in seguito a investitura da parte del comando delle SS, che in tale scelta dimostravano di possedere una satanica conoscenza umana) nelle cariche di Kapo, di Blockältester, o altre; e infine coloro che, pur senza rivestire particolari funzioni, per la loro astuzia ed energia fossero sempre riusciti a organizzare con successo, ottenendo cosí, oltre al vantaggio materiale e alla reputazione, anche indulgenza e stima da parte dei potenti del campo. Chi non sa diventare un Organisator, Kombinator, Prominent (truce eloquenza dei termini!) finisce in breve mussulmano. Una terza via esiste nella vita, dove è anzi la norma; non esiste in campo di concentramento.

Soccombere è la cosa piú semplice: basta eseguire tutti gli ordini che si ricevono, non mangiare che la razione, attenersi alla disciplina del lavoro e del campo. L'esperienza ha dimostrato che solo eccezionalmente si può in questo modo durare piú di tre mesi. Tutti i mussulmani che vanno in gas hanno la stessa storia, o, per meglio dire, non hanno storia; hanno seguito il pendio fino al fondo, naturalmente, come i ruscelli che vanno al mare. Entrati in campo, per loro essenziale incapacità, o per sventura, o per un qualsiasi banale incidente, sono stati sopraffatti prima di aver potuto adeguarsi; sono battuti sul tempo, non cominciano a imparare il tedesco e a discernere qualcosa nell'infernale groviglio di leggi e di divieti, che quando il loro corpo è già in sfacelo, e nulla li potrebbe piú salvare dalla selezione o dalla morte per deperimento. La loro vita è breve ma il loro numero è sterminato; sono loro, i Musulmänner, i sommersi, il nerbo del campo; loro, la massa anonima, continuamente rinnovata e sempre identica, dei non-uomini che marciano e faticano in silenzio, spenta in loro la scintilla divina, già troppo vuoti per soffrire veramente. Si esita a chiamarli vivi: si esita a chiamar morte la

loro morte, davanti a cui essi non temono perché sono troppo stanchi per comprenderla.

Essi popolano la mia memoria della loro presenza senza volto, e se potessi racchiudere in una immagine tutto il male del nostro tempo, sceglierei questa immagine, che mi è familiare: un uomo scarno, dalla fronte china e dalle spalle curve, sul cui volto e nei cui occhi non si possa leggere traccia di pensiero.

Se i sommersi non hanno storia, e una sola e ampia è la via della perdizione, le vie della salvazione sono invece molte, aspre ed impensate.

La via maestra, come abbiamo accennato, è la Prominenz. «Prominenten» si chiamano i funzionari del campo, a partire dal direttore-Häftling (Lagerältester) ai Kapos, ai cuochi, agli infermieri, alle guardie notturne, fino agli scopini delle baracche e agli Scheissminister e Bademeister (sovraintendenti alle latrine e alle docce). Piú specialmente interessano qui i prominenti ebrei, poiché, mentre gli altri venivano investiti degli incarichi automaticamente, al loro ingresso in campo, in virtú della loro supremazia naturale, gli ebrei dovevano intrigare e lottare duramente per ottenerli.

I prominenti ebrei costituiscono un triste e notevole fenomeno umano. In loro convergono le sofferenze presenti, passate e ataviche, e la tradizione e l'educazione di ostilità verso lo straniero, per farne mostri di asocialità e di insensibilità.

Essi sono il tipico prodotto della struttura del Lager tedesco: si offra ad alcuni individui in stato di schiavitú una posizione privilegiata, un certo agio e una buona probabilità di sopravvivere, esigendone in cambio il tradimento della naturale solidarietà coi loro compagni, e certamente vi sarà chi accetterà. Costui sarà sottratto alla legge comune, e diverrà intangibile; sarà perciò tanto piú odioso e odiato, quanto maggior potere gli sarà stato concesso. Quando gli venga affidato il comando di un manipolo di sventurati, con diritto di vita o di morte su di essi, sarà

crudele e tirannico, perché capirà che se non lo fosse abbastanza, un altro, giudicato piú idoneo, subentrerebbe al suo posto. Inoltre avverrà che la sua capacità di odio, rimasta inappagata nella direzione degli oppressori, si riverserà, irragionevolmente, sugli oppressi: ed egli si troverà soddisfatto quando avrà scaricato sui suoi sottoposti l'offesa ricevuta dall'alto.

Ci rendiamo conto che tutto questo è lontano dal quadro che ci si usa fare, degli oppressi che si uniscono, se non nel resistere, almeno nel sopportare. Non escludiamo che ciò possa avvenire quando l'oppressione non superi un certo limite, o forse quando l'oppressore, per inesperienza o per magnanimità, lo tolleri o lo favorisca. Ma constatiamo che ai nostri giorni, in tutti i paesi in cui un popolo straniero ha posto piede da invasore, si è stabilita una analoga situazione di rivalità e di odio fra gli assoggettati; e ciò, come molti altri fatti umani, si è potuto cogliere in Lager con particolare cruda evidenza.

Sui prominenti non ebrei c'è meno da dire, benché fossero di gran lunga i piú numerosi (nessuno Häftling «ariano» era privo di una carica, sia pure modesta). Che siano stati stolidi e bestiali è naturale, a chi pensi che per lo piú erano criminali comuni, scelti dalle carceri tedesche in vista appunto del loro impiego come sovrintendenti nei campi per ebrei; e riteniamo che fosse questa una scelta ben accurata, perché ci rifiutiamo di credere che gli squallidi esemplari umani che noi vedemmo all'opera rappresentino un campione medio, non che dei tedeschi in genere, anche soltanto dei detenuti tedeschi in specie. È piú difficile spiegarsi come in Auschwitz i prominenti politici tedeschi, polacchi e russi, rivaleggiassero in brutalità con i rei comuni. Ma è noto che in Germania la qualifica di reato politico si applicava anche ad atti quali il traffico clandestino, i rapporti illeciti con ebree, i furti a danno di funzionari del Partito. I politici «veri» vivevano e morivano in altri campi, dal nome ormai tristemente famoso, in condizioni no-

toriamente durissime, ma sotto molti aspetti diverse da quelle qui descritte.

Ma oltre ai funzionari propriamente detti, vi è una vasta categoria di prigionieri che, non favoriti inizialmente dal destino, lottano con le sole loro forze per sopravvivere. Bisogna risalire la corrente; dare battaglia ogni giorno e ogni ora alla fatica, alla fame, al freddo, e alla inerzia che ne deriva; resistere ai nemici e non aver pietà per i rivali; aguzzare l'ingegno, indurare la pazienza, tendere la volontà. O anche, strozzare ogni dignità e spegnere ogni lume di coscienza, scendere in campo da bruti contro gli altri bruti, lasciarsi guidare dalle insospettate forze sotterranee che sorreggono le stirpi e gli individui nei tempi crudeli. Moltissime sono state le vie da noi escogitate e attuate per non morire: tante quanti sono i caratteri umani. Tutte comportano una lotta estenuante di ciascuno contro tutti, e molte una somma non piccola di aberrazioni e di compromessi. Il sopravvivere senza aver rinunciato a nulla del proprio mondo morale, a meno di potenti e diretti interventi della fortuna, non è stato concesso che a pochissimi individui superiori, della stoffa dei martiri e dei santi.

In quanti modi si possa dunque raggiungere la salvazione, noi cercheremo di dimostrare raccontando le storie di Schepschel, Alfred L., Elias e Henri.

Schepschel vive in Lager da quattro anni. Si è visti morire intorno decine di migliaia di suoi simili, a partire dal pogrom che lo ha cacciato dal suo villaggio in Galizia. Aveva moglie e cinque figli, e un prospero negozio di sellaio, ma da molto tempo si è disabituato dal pensare a sé altrimenti che come a un sacco che deve essere periodicamente riempito. Schepschel non è molto robusto, né molto coraggioso, né molto malvagio; non è neppure particolarmente astuto, e non ha mai trovato una sistemazione che gli conceda un po' di respiro, ma è ridotto agli espedienti spiccioli e saltuari, alle «kombinacje», come qui si chiamano.

Ogni tanto ruba in Buna una scopa e la rivende al Blockältester; quando riesce a mettere da parte un po' di capitale-pane, prende in affitto i ferri dal ciabattino del Block, che è suo compaesano, e lavora qualche ora in proprio; sa fabbricare bretelle con filo elettrico intrecciato; Sigi mi ha detto che nella pausa di mezzogiorno lo ha visto cantare e ballare davanti alla capanna degli operai slovacchi, che lo ricompensano qualche volta con gli avanzi della loro zuppa.

Ciò detto, ci si può sentire portati a pensare a Schepschel con indulgente simpatia, come a un meschino il cui spirito non alberga ormai che umile ed elementare volontà di vita, e che conduce valorosamente la sua piccola lotta per non soccombere. Ma Schepschel non era un'eccezione, e quando l'occasione si presentò, non esitò a far condannare alla fustigazione Moischl, che gli era stato complice in un furto alla cucina, nella speranza, malamente fondata, di acquistarsi merito agli occhi del Blockältester, e di porre la sua candidatura al posto di lavatore delle marmitte.

La storia dell'ingegner Alfred L. dimostra, fra le altre cose, quanto sia vano il mito dell'uguaglianza originale fra gli uomini.

L. dirigeva nel suo paese una importantissima fabbrica di prodotti chimici, e il suo nome era (ed è) noto negli ambienti industriali di tutta Europa. Era un uomo robusto sulla cinquantina; non so come fosse stato arrestato, ma in campo era entrato come tutti entravano: nudo, solo e sconosciuto. Quando io lo conobbi, era molto deperito, ma conservava sul viso i tratti di una energia disciplinata e metodica; in quel tempo, i suoi privilegi si limitavano alla pulitura giornaliera della marmitta degli operai polacchi; questo lavoro, di cui egli aveva ottenuto non so come l'esclusività, gli fruttava mezza gamella di zuppa al giorno. Non bastava certamente questo a soddisfare la sua fame; tuttavia nessuno lo aveva mai udito lamentarsi. Anzi, le

poche parole che lasciava cadere erano tali da far pensare
a grandiose risorse segrete, a una «organizzazione» solida
e fruttuosa.

Il che trovava conferma nel suo aspetto. L. aveva «una
linea»: le mani e il viso sempre perfettamente puliti, aveva
la rarissima abnegazione di lavarsi, ogni quindici giorni,
la camicia, senza aspettare il cambio bimestrale (faccia-
mo qui notare che lavare la camicia vuol dire trovare il sa-
pone, trovare il tempo, trovare lo spazio nel lavatoio so-
vraffollato; adattarsi a sorvegliare attentamente, senza di-
stogliere gli occhi un attimo, la camicia bagnata, e indos-
sarla, naturalmente ancora bagnata, all'ora del silenzio, in
cui si spengono le luci); possedeva un paio di suole di legno
per andare alla doccia, e perfino il suo abito a righe era sin-
golarmente adatto alla sua corporatura, pulito e nuovo. L.
si era procurato in sostanza tutto l'aspetto del prominente
assai prima di diventarlo: poiché solo molto tempo dopo
ho saputo che tutta questa ostentazione di prosperità, L.
se l'era saputa guadagnare con incredibile tenacia, pagan-
do i singoli acquisti e servizi col pane della sua stessa razio-
ne, e astringendosi cosí a un regime di privazioni supple-
mentari.

Il suo piano era di lungo respiro, il che è tanto piú note-
vole, in quanto era stato concepito in un ambiente in cui
dominava la mentalità del provvisorio; e L. lo attuò con ri-
gida disciplina interiore, senza pietà per sé, né, a maggior
ragione, per i compagni che gli traversassero il cammino.
L. sapeva che fra l'essere stimato potente e il divenire ef-
fettivamente tale il passo è breve, e che dovunque, ma par-
ticolarmente frammezzo al generale livellamento del La-
ger, un aspetto rispettabile è la miglior garanzia di esser ri-
spettato. Egli dedicò ogni cura al non essere confuso col
gregge: lavorava con impegno ostentato, esortando anche
all'occasione i compagni pigri, con tono suadente e depre-
catorio; evitava la lotta quotidiana per il posto migliore
nella coda del rancio, e si adattava a ricevere ogni giorno la
prima razione, notoriamente piú liquida, in modo da esse-

re notato dal Blockältester per la sua disciplina. A completare il distacco, nei rapporti con i compagni si comportava sempre con la massima cortesia compatibile con il suo egoismo, che era assoluto.

Quando fu costituito, come diremo, il Kommando Chimico, L. comprese che la sua ora era giunta: non occorreva altro che il suo abito nitido e il suo viso scarno sí, ma rasato, in mezzo alla mandria dei colleghi sordidi e sciatti, per convincere immediatamente Kapo e Arbeitsdienst che quello era un autentico salvato, un prominente potenziale; per cui (a chi ha, sarà dato) fu senz'altro promosso «specializzato», nominato capotecnico del Kommando, e assunto dalla Direzione della Buna come analista nel laboratorio del reparto Stirolo. Fu in seguito incaricato di esaminare via via i nuovi acquisti del Kommando Chimico, per giudicare della loro abilità professionale: il che egli fece sempre con estremo rigore, specialmente nei riguardi di coloro in cui subodorava possibili futuri competitori.

Ignoro il seguito della sua storia; ma ritengo assai probabile che sia sfuggito alla morte, e viva oggi la sua vita fredda di dominatore risoluto e senza gioia.

Elias Lindzin, 141 565, piovve un giorno, inesplicabilmente, nel Kommando Chimico. Era un nano, non piú alto di un metro e mezzo, ma non ho mai visto una muscolatura come la sua. Quando è nudo, si distingue ogni muscolo lavorare sotto la pelle, potente e mobile come un animale a sé stante; ingrandito senza alterarne le proporzioni, il suo corpo sarebbe un buon modello per un Ercole: ma non bisogna guardare la testa.

Sotto il cuoio capelluto, le suture craniche sporgono smisurate. Il cranio è massiccio, e dà l'impressione di essere di metallo o di pietra; si vede il limite nero dei capelli rasi appena un dito sopra le sopracciglia. Il naso, il mento, la fronte, gli zigomi sono duri e compatti, l'intero viso sembra una testa d'ariete, uno strumento adatto a percuote-

re. Dalla sua persona emana un senso di vigore bestiale.

Veder lavorare Elias è uno spettacolo sconcertante; i Meister polacchi, i tedeschi stessi talvolta si soffermano ad ammirare Elias all'opera. Pare che a lui nulla sia impossibile. Mentre noi portiamo a stento un sacco di cemento, Elias ne porta due, poi tre, poi quattro, mantenendoli in equilibrio non si sa come, e mentre cammina fitto fitto sulle gambe corte e tozze, fa smorfie di sotto il carico, ride, impreca, urla e canta senza requie, come se avesse polmoni di bronzo. Elias, nonostante le suole di legno, si arrampica come una scimmia su per le impalcature, e corre sicuro su travi sospese nel vuoto; porta sei mattoni per volta in bilico sul capo; sa farsi un cucchiaio con un pezzo di lamiera, e un coltello con un rottame di acciaio; trova ovunque carta, legna e carbone asciutti e sa accendere in pochi istanti un fuoco anche sotto la pioggia. Sa fare il sarto, il falegname, il ciabattino, il barbiere; sputa a distanze incredibili; canta, con voce di basso non sgradevole, canzoni polacche e yiddisch mai prima sentite; può ingerire sei, otto, dieci litri di zuppa senza vomitare e senza avere diarrea, e riprendere il lavoro subito dopo. Sa farsi uscire fra le spalle una grossa gobba, e va attorno per la baracca sbilenco e contraffatto, strillando e declamando incomprensibile, fra la gioia dei potenti del campo. L'ho visto lottare con un polacco piú alto di lui di tutto il capo, e atterrarlo con un colpo del cranio nello stomaco, potente e preciso come una catapulta. Non l'ho mai visto riposare, non l'ho mai visto zitto o fermo, non l'ho mai saputo ferito o ammalato.

Della sua vita di uomo libero, nessuno sa nulla; del resto, rappresentarsi Elias in veste di uomo libero esige un profondo sforzo della fantasia e dell'induzione. Non parla che polacco, e l'yiddisch torvo e deforme di Varsavia; inoltre, è impossibile indurlo a un discorso coerente. Potrebbe avere venti o quarant'anni; di solito dice di averne trentatre, e di avere procreato diciassette figli: il che non è inverosimile. Parla continuamente, degli argomenti piú disparati; sempre con voce tonante, con accento oratorio, con

una mimica violenta da dissociato. Come se sempre si rivolgesse a un folto pubblico: e, come è naturale, il pubblico non gli manca mai. Quelli che capiscono il suo linguaggio bevono le sue declamazioni torcendosi dalle risa, gli battono le spalle dure entusiasti, lo stimolano a proseguire; mentre lui, feroce e aggrondato, si rigira come una belva entro la cerchia degli ascoltatori, apostrofando ora questo ora quello; a un tratto ghermisce uno per il petto con la sua piccola zampa adunca, lo attrae a sé irresistibile, gli vomita sul viso attonito una incomprensibile invettiva, poi lo scaglia indietro come un fuscello, e, fra gli applausi e le risa, le braccia tese al cielo come un piccolo mostro profetante, prosegue nel suo dire furibondo e dissennato.

La sua fama di lavoratore d'eccezione si diffuse assai presto, e, per l'assurda legge del Lager, da allora smise praticamente di lavorare. La sua opera veniva richiesta direttamente dai Meister, per quei lavori soltanto ove occorressero perizia e vigore particolari. A parte queste prestazioni, sovrintendeva insolente e violento al nostro piatto faticare quotidiano, eclissandosi di frequente per misteriose visite e avventure in chissà quali recessi del cantiere, di dove ritornava con grossi rigonfi nelle tasche e spesso con lo stomaco visibilmente ripieno.

Elias è naturalmente e innocentemente ladro: manifesta in questo l'istintiva astuzia degli animali selvaggi. Non viene mai colto sul fatto, perché non ruba che quando si presenta un'occasione sicura: ma quando questa si presenta, Elias ruba, fatalmente e prevedibilmente, cosí come cade una pietra abbandonata. A parte il fatto che è difficile sorprenderlo, è chiaro che a nulla servirebbe punirlo dei suoi furti: essi rappresentano per lui un atto vitale qualsiasi, come respirare e dormire.

Ci si può ora domandare chi è questo uomo Elias. Se è un pazzo, incomprensibile ed extraumano, finito in Lager per caso. Se è un atavismo, eterogeneo dal nostro mondo moderno, e meglio adatto alle primordiali condizioni di vita del campo. O se non è invece un prodotto del campo,

quello che tutti noi diverremmo, se in campo non morremo, e se il campo stesso non finirà prima.

C'è del vero nelle tre supposizioni. Elias è sopravvissuto alla distruzione dal di fuori, perché è fisicamente indistruttibile; ha resistito all'annientamento dal di dentro, perché è demente. È dunque in primo luogo un superstite: è il piú adatto, l'esemplare umano piú idoneo a questo modo di vivere.

Se Elias riacquisterà la libertà, si troverà confinato in margine del consorzio umano, in un carcere o in un manicomio. Ma qui, in Lager, non vi sono criminali né pazzi: non criminali, perché non v'è legge morale a cui contravvenire, non pazzi, perché siamo determinati, e ogni nostra azione è, a tempo e luogo, sensibilmente l'unica possibile.

In Lager, Elias prospera e trionfa. È un buon lavoratore e un buon organizzatore, e per tale duplice ragione è al sicuro dalle selezioni e rispettato da capi e compagni. Per chi non abbia salde risorse interne, per chi non sappia trarre dalla coscienza di sé la forza necessaria per ancorarsi alla vita, la sola strada di salvezza conduce a Elias: alla demenza e alla bestialità subdola. Tutte le altre strade non hanno sbocco.

Ciò detto, qualcuno sarebbe forse tentato di trarre conclusioni, e magari anche norme, per la nostra vita quotidiana. Non esistono attorno a noi degli Elias, piú o meno realizzati? Non vediamo noi vivere individui ignari di scopo, e negati a ogni forma di autocontrollo e di coscienza? ed essi non già vivono *malgrado* queste loro lacune, ma precisamente, come Elias, in funzione di esse.

La questione è grave, e non sarà ulteriormente svolta, perché queste vogliono essere storie del Lager, e sull'uomo fuori del Lager molto si è già scritto. Ma una cosa ancora vorremmo aggiungere: Elias, per quanto ci è possibile giudicare dal di fuori, e per quanto la frase può avere di significato, Elias era verosimilmente un individuo felice.

Henri è invece eminentemente civile e consapevole, e sui modi di sopravvivere in Lager possiede una teoria completa e organica. Non ha che ventidue anni; è intelligentissimo, parla francese, tedesco, inglese e russo, ha un'ottima cultura scientifica e classica.

Suo fratello è morto in Buna nell'ultimo inverno, e da quel giorno Henri ha reciso ogni vincolo di affetti; si è chiuso in sé come in una corazza, e lotta per vivere senza distrarsi, con tutte le risorse che può trarre dal suo intelletto pronto e dalla sua educazione raffinata. Secondo la teoria di Henri, per sfuggire all'annientamento, tre sono i metodi che l'uomo può applicare rimanendo degno del nome di uomo: l'organizzazione, la pietà e il furto.

Lui stesso li pratica tutti e tre. Nessuno è miglior stratega di Henri nel circuire («coltivare», dice lui) i prigionieri di guerra inglesi. Essi diventano, nelle sue mani, vere galline dalle uova d'oro: si pensi che, dal baratto di una sola sigaretta inglese, in Lager si ricava di che sfamarsi per un giorno. Henri è stato visto una volta in atto di mangiare un autentico uovo sodo.

Il traffico della merce di provenienza inglese è monopolio di Henri, e fin qui si tratta di organizzazione; ma il suo strumento di penetrazione, presso gli inglesi e gli altri, è la pietà. Henri ha il corpo e il viso delicati e sottilmente perversi del San Sebastiano del Sodoma: i suoi occhi sono neri e profondi, non ha ancora barba, si muove con languida naturale eleganza (quantunque all'occorrenza sappia correre e saltare come un gatto, e la capacità del suo stomaco sia appena inferiore a quella di Elias). Di queste sue doti naturali Henri è perfettamente a conoscenza, e le mette a profitto con la fredda competenza di chi manovra uno strumento scientifico: i risultati sono sorprendenti. Si tratta in sostanza di una scoperta: Henri ha scoperto che la pietà, essendo un sentimento primario e irriflesso, alligna assai bene, se abilmente instillata, proprio negli animi primitivi dei bruti che ci comandano, di quelli stessi che non hanno

ritegno ad abbatterci a pugni senza perché, e a calpestarci
una volta a terra, e non gli è sfuggita la grande portata pra-
tica di questa scoperta, sulla quale egli ha inserito la sua in-
dustria personale.

Come l'icneumone paralizza i grossi bruchi pelosi, fe-
rendoli nel loro unico ganglio vulnerabile, cosí Henri valu-
ta con un'occhiata il soggetto, «son type»; gli parla bre-
vemente, a ciascuno con il linguaggio appropriato, e il
«type» è conquistato: ascolta con crescente simpatia, si
commuove sulla sorte del giovane sventurato, e non occor-
re molto tempo perché incominci a rendere.

Non c'è anima cosí indurita su cui Henri non riesca a
far breccia, se ci si mette seriamente. In Lager, e anche in
Buna, i suoi protettori sono numerosissimi: soldati inglesi,
operai civili francesi, ucraini, polacchi; «politici» tedeschi;
almeno quattro Blockälteste, un cuoco, perfino una SS.
Ma il suo campo preferito è il Ka-Be; in Ka-Be Henri ha
ingresso libero, il dottor Citron e il dottor Weiss sono, piú
che suoi protettori, suoi amici, e lo ricoverano quando
vuole, e con la diagnosi che vuole. Ciò avviene specialmen-
te in vista delle selezioni, e nei periodi di lavoro piú gravo-
so: a «svernare», dice lui.

Disponendo di cosí cospicue amicizie, è naturale che ra-
ramente Henri sia ridotto alla terza via, al furto; d'altron-
de, si comprende che su questo argomento non si confidi
volentieri.

È molto gradevole discorrere con Henri, nei momenti
di riposo. È anche utile: non c'è cosa del campo che egli
non conosca, e su cui non abbia ragionato, nella sua ma-
niera serrata e coerente. Delle sue conquiste, parla con
educata modestia, come di prede di poco conto, ma si di-
lunga volentieri a esporre il calcolo che l'ha condotto ad
avvicinare Hans chiedendogli del figlio al fronte, e invece
Otto mostrandogli le cicatrici che ha sugli stinchi.

Parlare con Henri è utile e gradevole; accade anche,
qualche volta, di sentirlo caldo e vicino, pare possibile una
comunicazione, forse perfino un affetto; sembra di perce-

pire il fondo umano, dolente e consapevole della sua non comune personalità. Ma il momento appresso il suo sorriso triste si raggela in una smorfia fredda che pare studiata allo specchio; Henri domanda cortesemente scusa («... j'ai quelque chose à faire», «... j'ai quelqu'un à voir»), ed eccolo di nuovo tutto alla sua caccia e alla sua lotta: duro e lontano, chiuso nella sua corazza, nemico di tutti, inumanamente scaltro e incomprensibile come il Serpente della Genesi.

Da tutti i colloqui con Henri, anche dai piú cordiali, sono sempre uscito con un leggero sapore di sconfitta; col sospetto confuso di essere stato anch'io, in qualche modo inavvertito, non un uomo di fronte a lui, ma uno strumento nelle sue mani.

Oggi so che Henri è vivo. Darei molto per conoscere la sua vita di uomo libero, ma non desidero rivederlo.

Esame di chimica

Il Kommando 98, detto Kommando Chimico, avrebbe dovuto essere un reparto di specialisti.

Il giorno in cui fu dato l'annuncio ufficiale della sua costituzione, uno sparuto gruppo di quindici Häftlinge si radunò intorno al nuovo Kapo, in piazza dell'Appello, nel grigiore dell'alba.

Fu la prima delusione: era ancora un « triangolo verde », un delinquente professionale, l'Arbeitsdienst non aveva giudicato necessario che il Kapo del Kommando Chimico fosse un chimico. Inutile sprecare il fiato a fargli domande, non avrebbe risposto, o risposto a urli e pedate. Peraltro rassicurava il suo aspetto non troppo robusto e la statura inferiore alla media.

Fece un breve discorso in sguaiato tedesco da caserma, e la delusione fu confermata. Quelli erano dunque i chimici: bene, lui era Alex, e se loro pensavano di essere entrati in paradiso sbagliavano. In primo luogo, fino al giorno dell'inizio della produzione, il Kommando 98 non sarebbe stato che un comune Kommando-trasporti addetto al magazzino del Cloruro di Magnesio. Poi, se credevano, per essere degli Intelligenten, degli intellettuali, di farsi gioco di lui, Alex, un Reichsdeutscher, ebbene, Herrgottsacrament, gli avrebbe fatto vedere lui, gli avrebbe... (e, il pugno chiuso e l'indice teso, tagliava l'aria di traverso nel gesto di minaccia dei tedeschi); e finalmente, non dovevano pensare di ingannare nessuno, se qualcuno si era presentato come chimico senza esserlo; un esame, sissignori, in uno

dei prossimi giorni; un esame di chimica, davanti al trium-
virato del Reparto Polimerizzazione: il Doktor Hagen, il
Doktor Probst, il Doktor Ingenieur Pannwitz.

Col che, meine Herren, si era già perso abbastanza tem-
po, i Kommandos 96 e 97 si erano già avviati, avanti
marsch, e, per cominciare, chi non avesse camminato al
passo e allineato avrebbe avuto a che fare con lui.

Era un Kapo come tutti gli altri Kapos.

Uscendo dal Lager, davanti alla banda musicale e al po-
sto di conta delle SS, si marcia per cinque, col berretto in
mano, le braccia immobili lungo i fianchi e il collo rigido,
e non si deve parlare. Poi ci si mette per tre, e allora si può
tentare di scambiare qualche parola attraverso l'acciottolio
delle diecimila paia di zoccoli di legno.

Chi sono questi miei compagni chimici? Vicino a me
cammina Alberto, è studente del terzo anno, anche questa
volta siamo riusciti a non separarci. Il terzo alla mia sini-
stra non l'ho mai visto, sembra molto giovane, è pallido
come la cera, ha il numero degli olandesi. Anche le tre
schiene davanti a me sono nuove. Indietro è pericoloso
voltarsi, potrei perdere il passo o inciampare; pure provo
per un attimo, ho visto la faccia di Iss Clausner.

Finché si cammina non c'è tempo di pensare, bisogna
badare di non togliere gli zoccoli a quello che zoppica da-
vanti e di non farseli togliere da quello che zoppica dietro;
ogni tanto c'è un cavo da scavalcare, una pozzanghera vi-
scida da evitare. So dove siamo, di qui sono già passato col
mio Kommando precedente, è la H-Strasse, la strada dei
magazzini. Lo dico ad Alberto: si va veramente al Cloruro
di Magnesio, almeno questa non è stata una storia.

Siamo arrivati, scendiamo in un vasto interrato umido
e pieno di correnti d'aria; è questa la sede del Kommando,
quella che qui si chiama Bude. Il Kapo ci divide in tre
squadre; quattro a scaricare i sacchi dal vagone, sette a

trasportarli giú, quattro a impilarli nel magazzino. Questi siamo io con Alberto, Iss e l'olandese.

Finalmente si può parlare, e a ciascuno di noi quello che Alex ha detto sembra il sogno di un pazzo.

Con queste nostre facce vuote, con questi crani tosati, con questi abiti di vergogna, fare un esame di chimica. E sarà in tedesco, evidentemente; e dovremo comparire davanti a un qualche biondo Ario Doktor sperando che non dovremo soffiarci il naso, perché forse lui non saprà che noi non possediamo fazzoletto, e non si potrà certo spiegarglielo. E avremo addosso la nostra vecchia compagna fame, e stenteremo a stare immobili sulle ginocchia, e lui sentirà certamente questo nostro odore, a cui ora siamo avvezzi, ma che ci perseguitava i primi giorni: l'odore delle rape e dei cavoli crudi cotti e digeriti.

Cosí è, conferma Clausner. Hanno dunque i tedeschi tanto bisogno di chimici? O è un nuovo trucco, una nuova macchina «pour faire chier les Juifs?» Si rendono conto della prova grottesca e assurda che ci viene richiesta, a noi non piú vivi, noi già per metà dementi nella squallida attesa del niente?

Clausner mi mostra il fondo della sua gamella. Là dove gli altri incidono il loro numero, e Alberto ed io abbiamo inciso il nostro nome, Clausner ha scritto: «Ne pas chercher à comprendre».

Benché noi ci pensiamo non piú di qualche minuto al giorno, e anche allora in uno strano modo staccato ed esterno, noi sappiamo bene che finiremo in selezione. Io so che non sono della stoffa di quelli che resistono, sono troppo civile, penso ancora troppo, mi consumo al lavoro. Ed ora so anche che mi salverò se diventerò Specialista, e diventerò Specialista se supererò un esame di chimica.

Oggi, questo vero oggi in cui io sto seduto a un tavolo e scrivo, io stesso non sono convinto che queste cose sono realmente accadute.

Passarono tre giorni, tre dei soliti immemorabili giorni, cosí lunghi mentre passavano e cosí brevi dopo che erano passati, e già tutti si erano stancati di credere all'esame di chimica.

Il Kommando era ridotto a dodici uomini: tre erano scomparsi nel modo consueto di laggiú, forse nella baracca accanto, forse cancellati dal mondo. Dei dodici, cinque non erano chimici; tutti e cinque avevano subito chiesto ad Alex di ritornare ai loro precedenti Kommandos. Non evitarono le percosse, ma inaspettatamente, e da chissà quale autorità, fu deciso che rimanessero, aggregati come ausiliari al Kommando Chimico.

Venne Alex nella cantina del Clormagnesio e chiamò fuori noi sette, per andare a sostenere l'esame. Ecco noi, come sette goffi pulcini dietro la chioccia, seguire Alex su per la scaletta del Polymerisations-Büro. Siamo sul pianerottolo, una targhetta sulla porta con i tre nomi famosi. Alex bussa rispettosamente, si cava il berretto, entra; si sente una voce pacata; Alex riesce: – Ruhe, jetzt. Warten –. Aspettare in silenzio.

Di questo siamo contenti. Quando si aspetta, il tempo cammina liscio senza che si debba intervenire per cacciarlo avanti, mentre invece quando si lavora ogni minuto ci percorre faticosamente e deve venire laboriosamente espulso. Noi siamo sempre contenti di aspettare, siamo capaci di aspettare per ore con la completa ottusa inerzia dei ragni nelle vecchie tele.

Alex è nervoso, passeggia su e giú, e noi ogni volta ci scostiamo al suo passaggio. Anche noi, ciascuno a suo modo, siamo inquieti; solo Mendi non lo è. Mendi è rabbino; è della Russia Subcarpatica, di quel groviglio di popoli in cui ciascuno parla almeno tre lingue, e Mendi ne parla sette. Sa moltissime cose, oltre che rabbino è sionista militante, glottologo, è stato partigiano ed è dottore in legge; non è chimico ma vuol tentare ugualmente, è un piccolo uomo tenace, coraggioso e acuto.

Bálla ha una matita e tutti gli stanno addosso. Non siamo sicuri se saremo ancora capaci di scrivere, vorremmo provare.

Kohlenwasserstoffe, Massenwirkungsgesetz. Mi affiorano i nomi tedeschi dei composti e delle leggi: provo gratitudine verso il mio cervello, non mi sono piú occupato molto di lui eppure mi serve ancora cosí bene.

Ecco Alex. Io sono un chimico: che ho a che fare con questo Alex? Si pianta sui piedi davanti a me, mi riassetta ruvidamente il colletto della giacca, mi cava il berretto e me lo ricalca in capo, poi fa un passo indietro, squadra il risultato con aria disgustata e volta le spalle bofonchiando: – Was für ein Muselmann Zugang! – che nuovo acquisto scalcinato!

La porta si è aperta. I tre dottori hanno deciso che sei candidati passeranno in mattinata. Il settimo no. Il settimo sono io, ho il numero di matricola piú elevato, mi tocca ritornare al lavoro. Solo nel pomeriggio viene Alex a prelevarmi; che disdetta, non potrò neppure comunicare cogli altri per sapere «che domande fanno».

Questa volta ci siamo proprio. Per le scale, Alex mi guarda torvo, si sente in qualche modo responsabile del mio aspetto miserevole. Mi vuol male perché sono italiano, perché sono ebreo e perché, fra tutti, sono quello che piú si scosta dal suo caporalesco ideale virile. Per analogia, pur senza capirne nulla, e di questa sua incompetenza essendo fiero, ostenta una profonda sfiducia nelle mie probabilità per l'esame.

Siamo entrati. C'è solo il Doktor Pannwitz, Alex, col berretto in mano, gli parla a mezza voce: – ... un italiano, in Lager da tre mesi soltanto, già mezzo kaputt... ... Er sagt er ist Chemiker... – ma lui Alex sembra su questo faccia le sue riserve.

Alex viene brevemente congedato e relegato da parte, ed io mi sento come Edipo davanti alla Sfinge. Le mie idee sono chiare, e mi rendo conto anche in questo momento

che la posta in gioco è grossa; eppure provo un folle impulso a scomparire, a sottrarmi alla prova.

Pannwitz è alto, magro, biondo; ha gli occhi, i capelli e il naso come tutti i tedeschi devono averli, e siede formidabilmente dietro una complicata scrivania. Io, Häftling 174 517, sto in piedi nel suo studio che è un vero studio, lucido pulito e ordinato, e mi pare che lascerei una macchia sporca dovunque dovessi toccare.

Quando ebbe finito di scrivere, alzò gli occhi e mi guardò.

Da quel giorno, io ho pensato al Doktor Pannwitz molte volte e in molti modi. Mi sono domandato quale fosse il suo intimo funzionamento di uomo; come riempisse il suo tempo, all'infuori della Polimerizzazione e della coscienza indogermanica; soprattutto, quando io sono stato di nuovo un uomo libero, ho desiderato di incontrarlo ancora, e non già per vendetta, ma solo per una mia curiosità dell'anima umana.

Perché quello sguardo non corse fra due uomini; e se io sapessi spiegare a fondo la natura di quello sguardo, scambiato come attraverso la parete di vetro di un acquario tra due esseri che abitano mezzi diversi, avrei anche spiegato l'essenza della grande follia della terza Germania.

Quello che tutti noi dei tedeschi pensavamo e dicevamo si percepí in quel momento in modo immediato. Il cervello che sovrintendeva a quegli occhi azzurri e a quelle mani coltivate diceva: «Questo qualcosa davanti a me appartiene a un genere che è ovviamente opportuno sopprimere. Nel caso particolare, occorre prima accertarsi che non contenga qualche elemento utilizzabile». E nel mio capo, come semi in una zucca vuota: «Gli occhi azzurri e i capelli biondi sono essenzialmente malvagi. Nessuna comunicazione possibile. Sono specializzato in chimica mineraria. Sono specializzato in sintesi organiche. Sono specializzato...»

Ed incominciò l'interrogatorio, mentre nel suo angolo sbadigliava e digrignava Alex, terzo esemplare zoologico.

– Wo sind Sie geboren? – mi dà del Sie, del lei: il Doktor Ingenieur Pannwitz non ha il senso dell'umorismo. Che sia maledetto, non fa il minimo sforzo per parlare un tedesco un po' comprensibile.

– Mi sono laureato a Torino nel 1941, summa cum laude, – e, mentre lo dico, ho la precisa sensazione di non esser creduto, a dire il vero non ci credo io stesso, basta guardare le mie mani sporche e piagate, i pantaloni da forzato incrostati di fango. Eppure sono proprio io, il laureato di Torino, anzi, particolarmente in questo momento è impossibile dubitare della mia identità con lui, infatti il serbatoio dei ricordi di chimica organica, pur dopo la lunga inerzia, risponde alla richiesta con inaspettata docilità; e ancora, questa ebrietà lucida, questa esaltazione che mi sento calda per le vene come la riconosco, è la febbre degli esami, la *mia* febbre dei *miei* esami, quella spontanea mobilitazione di tutte le facoltà logiche e di tutte le nozioni che i miei compagni di scuola tanto mi invidiavano.

L'esame sta andando bene. A mano a mano che me ne rendo conto, mi pare di crescere di statura. Ora mi chiede su quale argomento ho fatto la tesi di laurea. Devo fare uno sforzo violento per suscitare queste sequenze di ricordi cosí profondamente lontane: è come se cercassi di ricordare gli avvenimenti di una incarnazione anteriore.

Qualcosa mi protegge. Le mie povere vecchie *Misure di costanti dielettriche* interessano particolarmente questo ariano biondo dalla esistenza sicura: mi chiede se so l'inglese, mi mostra il testo del Gattermann, e anche questo è assurdo e inverosimile, che quaggiú, dall'altra parte del filo spinato, esista un Gattermann in tutto identico a quello su cui studiavo in Italia, in quarto anno, a casa mia.

Adesso è finito: l'eccitazione che mi ha sostenuto lungo tutta la prova cede d'un tratto ed io contemplo istupidito e atono la mano di pelle bionda che, in segni incomprensibili, scrive il mio destino sulla pagina bianca.

– Los, ab! – Alex rientra in scena, io sono di nuovo sotto la sua giurisdizione. Saluta Pannwitz sbattendo i tacchi,

e ne ottiene in cambio un lievissimo cenno delle palpebre. Io brancolo per un attimo nella ricerca di una formula di congedo appropriata: invano, in tedesco so dire mangiare, lavorare, rubare, morire; so anche dire acido solforico, pressione atmosferica e generatore di onde corte, ma non so proprio come si può salutare una persona di riguardo.

Eccoci di nuovo per le scale. Alex vola gli scalini: ha le scarpe di cuoio perché non è ebreo, è leggero sui piedi come i diavoli di Malebolge. Si volge dal basso a guardarmi torvo, mentre io discendo impacciato e rumoroso nei miei zoccoli spaiati ed enormi, aggrappandomi alla ringhiera come un vecchio.

Pare che sia andata bene, ma sarebbe insensato farci conto. Conosco già abbastanza il Lager per sapere che non si devono mai fare previsioni, specie se ottimistiche. Quello che è certo, è che ho passato una giornata senza lavorare, e quindi stanotte avrò un po' meno fame, e questo è un vantaggio concreto e acquisito.

Per rientrare alla Bude, bisogna attraversare uno spiazzo ingombro di travi e di tralicci metallici accatastati. Il cavo d'acciaio di un argano taglia la strada, Alex lo afferra per scavalcarlo, Donnerwetter, ecco si guarda la mano nera di grasso viscido. Frattanto io l'ho raggiunto: senza odio e senza scherno, Alex strofina la mano sulla mia spalla, il palmo e il dorso, per nettarla, e sarebbe assai stupito, l'innocente bruto Alex, se qualcuno gli dicesse che alla stregua di questo suo atto io oggi lo giudico, lui e Pannwitz e gli innumerevoli che furono come lui, grandi e piccoli, in Auschwitz e ovunque.

Il canto di Ulisse

Eravamo sei a raschiare e pulire l'interno di una cisterna interrata; la luce del giorno ci giungeva soltanto attraverso il piccolo portello d'ingresso. Era un lavoro di lusso, perché nessuno ci controllava; però faceva freddo e umido. La polvere di ruggine ci bruciava sotto le palpebre e ci impastava la gola e la bocca con un sapore quasi di sangue.

Oscillò la scaletta di corda che pendeva dal portello: qualcuno veniva. Deutsch spense la sigaretta, Goldner svegliò Sivadjan; tutti ci rimettemmo a raschiare vigorosamente la parete sonora di lamiera.

Non era il Vorarbeiter, era solo Jean, il Pikolo del nostro Kommando. Jean era uno studente alsaziano; benché avesse già ventiquattr'anni, era il piú giovane Häftling del Kommando Chimico. Era perciò toccata a lui la carica di Pikolo, vale a dire di fattorino-scritturale, addetto alla pulizia della baracca, alle consegne degli attrezzi, alla lavatura delle gamelle, alla contabilità delle ore di lavoro del Kommando.

Jean parlava correntemente francese e tedesco: appena si riconobbero le sue scarpe sul gradino piú alto della scaletta, tutti smisero di raschiare:

– Also, Pikolo, was gibt es Neues?

– Qu'est-ce qu'il y a comme soupe aujourd'hui?

... di che umore era il Kapo? E la faccenda delle venticinque frustate a Stern? Che tempo faceva fuori? Aveva letto il giornale? Che odore c'era alla cucina civile? Che ora era?

Jean era molto benvoluto al Kommando. Bisogna sapere che la carica di Pikolo costituisce un gradino già assai elevato nella gerarchia delle Prominenze: il Pikolo (che di solito non ha piú di diciassette anni) non lavora manualmente, ha mano libera sui fondi della marmitta del rancio e può stare tutto il giorno vicino alla stufa: «perciò» ha diritto a mezza razione supplementare, ed ha buone probabilità di divenire amico e confidente del Kapo, dal quale riceve ufficialmente gli abiti e le scarpe smesse. Ora, Jean era un Pikolo eccezionale. Era scaltro e fisicamente robusto, e insieme mite e amichevole: pur conducendo con tenacia e coraggio la sua segreta lotta individuale contro il campo e contro la morte, non trascurava di mantenere rapporti umani coi compagni meno privilegiati; d'altra parte, era stato tanto abile e perseverante da affermarsi nella fiducia di Alex, il Kapo.

Alex aveva mantenuto tutte le sue promesse. Si era dimostrato un bestione violento e infido, corazzato di solida e compatta ignoranza e stupidità, eccezion fatta per il suo fiuto e la sua tecnica di aguzzino esperto e consumato. Non perdeva occasione di proclamarsi fiero del suo sangue puro e del suo triangolo verde, e ostentava un altero disprezzo per i suoi chimici cenciosi e affamati: – Ihr Doktoren! Ihr Intelligenten! – sghignazzava ogni giorno vedendoli accalcarsi colle gamelle tese alla distribuzione del rancio. Nei riguardi dei Meister civili era estremamente arrendevole e servile, e con le SS manteneva vincoli di cordiale amicizia.

Era palesemente intimidito dal registro di Kommando e dal rapportino quotidiano delle prestazioni, e questa era stata la via che Pikolo aveva scelta per renderglisi necessario. Era stata un'opera lenta cauta e sottile, che l'intero Kommando aveva seguita per un mese a fiato sospeso; ma alla fine la difesa dell'istrice fu penetrata, e Pikolo confermato nella carica, con soddisfazione di tutti gli interessati.

Per quanto Jean non abusasse della sua posizione, già avevamo potuto constatare che una sua parola, detta nel

tono giusto e al momento giusto, aveva grande potere; già
piú volte era valsa a salvare qualcuno di noi dalla frusta o
dalla denunzia alle SS. Da una settimana eravamo amici: ci
eravamo scoperti nella eccezionale occasione di un allarme
aereo, ma poi, presi dal ritmo feroce del Lager, non aveva-
mo potuto che salutarci di sfuggita, alle latrine, al lavatoio.

Appeso con una mano alla scala oscillante, mi indicò:
– Aujourd'hui c'est Primo qui viendra avec moi cher-
cher la soupe.
Fino al giorno prima era stato Stern, il transilvano stra-
bico; ora questi era caduto in disgrazia per non so che sto-
ria di scope rubate in magazzino, e Pikolo era riuscito ad
appoggiare la mia candidatura come aiuto nell'«Essenho-
len», nella corvée quotidiana del rancio.
Si arrampicò fuori, ed io lo seguii, sbattendo le ciglia
nello splendore del giorno. Faceva tiepido fuori, il sole sol-
levava dalla terra grassa un leggero odore di vernice e di
catrame che mi ricordava una qualche spiaggia estiva della
mia infanzia. Pikolo mi diede una delle due stanghe, e ci
incamminammo sotto un chiaro cielo di giugno.
Cominciavo a ringraziarlo, ma mi interruppe, non oc-
correva. Si vedevano i Carpazi coperti di neve. Respirai
l'aria fresca, mi sentivo insolitamente leggero.
– Tu es fou de marcher si vite. On a le temps, tu sais –.
Il rancio si ritirava a un chilometro di distanza; bisognava
poi ritornare con la marmitta di cinquanta chili infilata
nelle stanghe. Era un lavoro abbastanza faticoso, però
comportava una gradevole marcia di andata senza carico,
e l'occasione sempre desiderabile di avvicinarsi alle cucine.
Rallentammo il passo. Pikolo era esperto, aveva scelto
accortamente la via in modo che avremmo fatto un lungo
giro, camminando almeno un'ora, senza destare sospetti.
Parlavamo delle nostre case, di Strasburgo e di Torino,
delle nostre letture, dei nostri studi. Delle nostre madri:
come si somigliano tutte le madri! Anche sua madre lo

rimproverava di non saper mai quanto denaro aveva in tasca; anche sua madre si sarebbe stupita se avesse potuto sapere che se l'era cavata, che giorno per giorno se la cavava.

Passò una SS in bicicletta. È Rudi, il Blockführer. Alt, sull'attenti, togliersi il berretto. – Sale brute, celui-là. Ein ganz gemeiner Hund –. Per lui è indifferente parlare francese o tedesco? È indifferente, può pensare in entrambe le lingue. È stato in Liguria un mese, gli piace l'Italia, vorrebbe imparare l'italiano. Io sarei contento di insegnargli l'italiano: non possiamo farlo? Possiamo. Anche subito, una cosa vale l'altra, l'importante è di non perdere tempo, di non sprecare quest'ora.

Passa Limentani, il romano, strascicando i piedi, con una gamella nascosta sotto la giacca. Pikolo sta attento, coglie qualche parola del nostro dialogo e la ripete ridendo: – Zup-pa, cam-po, ac-qua.

Passa Frenkel, la spia. Accelerare il passo, non si sa mai, quello fa il male per il male.

... Il canto di Ulisse. Chissà come e perché mi è venuto in mente: ma non abbiamo tempo di scegliere, quest'ora già non è più un'ora. Se Jean è intelligente capirà. Capirà: oggi mi sento da tanto.

... Chi è Dante. Che cosa è la Commedia. Quale sensazione curiosa di novità si prova, se si cerca di spiegare in breve che cosa è la Divina Commedia. Come è distribuito l'Inferno, cosa è il contrappasso. Virgilio è la Ragione, Beatrice è la Teologia.

Jean è attentissimo, ed io comincio, lento e accurato:

> Lo maggior corno della fiamma antica
> Cominciò a crollarsi mormorando,
> Pur come quella cui vento affatica.
> Indi, la cima in qua e in là menando
> Come fosse la lingua che parlasse
> Mise fuori la voce, e disse: Quando...

Qui mi fermo e cerco di tradurre. Disastroso: povero Dante e povero francese! Tuttavia l'esperienza pare prometta bene: Jean ammira la bizzarra similitudine della lingua, e mi suggerisce il termine appropriato per rendere «antica».

E dopo «Quando»? Il nulla. Un buco nella memoria. «Prima che sí Enea la nominasse». Altro buco. Viene a galla qualche frammento non utilizzabile: «... la piéta Del vecchio padre, né 'l debito amore Che doveva Penelope far lieta...» sarà poi esatto?

... Ma misi me per l'alto mare aperto.

Di questo sí, di questo sono sicuro, sono in grado di spiegare a Pikolo, di distinguere perché «misi me» non è «je me mis», è molto piú forte e piú audace, è un vincolo infranto, è scagliare se stessi al di là di una barriera, noi conosciamo bene questo impulso. L'alto mare aperto: Pikolo ha viaggiato per mare e sa cosa vuol dire, è quando l'orizzonte si chiude su se stesso, libero diritto e semplice, e non c'è ormai che odore di mare: dolci cose ferocemente lontane.

Siamo arrivati al Kraftwerk, dove lavora il Kommando dei posacavi. Ci dev'essere l'ingegner Levi. Eccolo, si vede solo la testa fuori della trincea. Mi fa un cenno colla mano, è un uomo in gamba, non l'ho mai visto giú di morale, non parla mai di mangiare.

«Mare aperto». «Mare aperto». So che rima con «diserto»: «... quella compagna Picciola, dalla qual non fui diserto», ma non rammento piú se viene prima o dopo. E anche il viaggio, il temerario viaggio al di là delle colonne d'Ercole, che tristezza, sono costretto a raccontarlo in prosa: un sacrilegio. Non ho salvato che un verso, ma vale la pena di fermarcisi:

... Acciò che l'uom piú oltre non si metta.

«Si metta»: dovevo venire in Lager per accorgermi che è la stessa espressione di prima, «e misi me». Ma non ne fac-

cio parte a Jean, non sono sicuro che sia una osservazione importante. Quante altre cose ci sarebbero da dire, e il sole è già alto, mezzogiorno è vicino. Ho fretta, una fretta furibonda.

Ecco, attento Pikolo, apri gli orecchi e la mente, ho bisogno che tu capisca:

> Considerate la vostra semenza:
> Fatti non foste a viver come bruti,
> Ma per seguir virtute e conoscenza.

Come se anch'io lo sentissi per la prima volta: come uno squillo di tromba, come la voce di Dio. Per un momento, ho dimenticato chi sono e dove sono.

Pikolo mi prega di ripetere. Come è buono Pikolo, si è accorto che mi sta facendo del bene. O forse è qualcosa di più: forse, nonostante la traduzione scialba e il commento pedestre e frettoloso, ha ricevuto il messaggio, ha sentito che lo riguarda, che riguarda tutti gli uomini in travaglio, e noi in specie; e che riguarda noi due, che osiamo ragionare di queste cose con le stanghe della zuppa sulle spalle.

> Li miei compagni fec'io sí acuti...

... e mi sforzo, ma invano, di spiegare quante cose vuol dire questo «acuti». Qui ancora una lacuna, questa volta irreparabile. «... Lo lume era di sotto della luna» o qualcosa di simile; ma prima?... Nessuna idea, «keine Ahnung» come si dice qui. Che Pikolo mi scusi, ho dimenticato almeno quattro terzine.

– Ça ne fait rien, vas-y tout de même.

> ... Quando mi apparve una montagna, bruna
> Per la distanza, e parvemi alta tanto
> Che mai veduta non ne avevo alcuna.

Sí, sí, «alta tanto», non «molto alta», proposizione consecutiva. E le montagne, quando si vedono di lontano... le montagne... oh Pikolo, Pikolo, di' qualcosa, parla, non lasciarmi pensare alle mie montagne, che comparivano nel

bruno della sera quando tornavo in treno da Milano a To-
rino!

Basta, bisogna proseguire, queste sono cose che si pen-
sano ma non si dicono. Pikolo attende e mi guarda.

Darei la zuppa di oggi per saper saldare «non ne avevo
alcuna» col finale. Mi sforzo di ricostruire per mezzo delle
rime, chiudo gli occhi, mi mordo le dita: ma non serve, il
resto è silenzio. Mi danzano per il capo altri versi: «... la
terra lagrimosa diede vento...» no, è un'altra cosa. È tardi,
è tardi, siamo arrivati alla cucina, bisogna concludere:

> Tre volte il fe' girar con tutte l'àcque,
> Alla quarta levar la poppa in suso
> E la prora ire in giú, come altrui piacque...

Trattengo Pikolo, è assolutamente necessario e urgente
che ascolti, che comprenda questo «come altrui piacque»,
prima che sia troppo tardi, domani lui o io possiamo essere
morti, o non vederci mai piú, devo dirgli, spiegargli del
Medioevo, del cosí umano e necessario e pure inaspettato
anacronismo, e altro ancora, qualcosa di gigantesco che io
stesso ho visto ora soltanto, nell'intuizione di un attimo,
forse il perché del nostro destino, del nostro essere oggi
qui...

Siamo oramai nella fila per la zuppa, in mezzo alla folla
sordida e sbrindellata dei porta-zuppa degli altri Komman-
dos. I nuovi giunti ci si accalcano alle spalle. – Kraut und
Rüben? – Kraut und Rüben –. Si annunzia ufficialmente
che oggi la zuppa è di cavoli e rape: – Choux et navets.
– Kaposzta és répak.

Infin che 'l mar fu sopra noi rinchiuso.

I fatti dell'estate

Durante tutta la primavera erano arrivati trasporti dall'Ungheria; un prigioniero ogni due era ungherese, l'ungherese era diventato, dopo l'yiddisch, la seconda lingua del campo.

Nel mese di agosto 1944, noi, entrati cinque mesi prima, contavamo ormai fra gli anziani. Come tali, noi del Kommando 98 non ci eravamo stupiti che le promesse fatteci e l'esame di chimica superato non avessero portato a conseguenze: né stupiti, né rattristati oltre misura: in fondo, avevamo tutti un certo timore dei cambiamenti: «Quando si cambia, si cambia in peggio», diceva uno dei proverbi del campo. Piú in generale, l'esperienza ci aveva già dimostrato infinite volte la vanità di ogni previsione: a che scopo travagliarsi per prevedere l'avvenire, quando nessun nostro atto, nessuna nostra parola lo avrebbe potuto minimamente influenzare? Eravamo dei vecchi Häftlinge: la nostra saggezza era il «non cercar di capire», non rappresentarsi il futuro, non tormentarsi sul come e sul quando tutto sarebbe finito: non porre e non porsi domande.

Conservavamo i ricordi della nostra vita anteriore, ma velati e lontani, e perciò profondamente dolci e tristi, come sono per ognuno i ricordi della prima infanzia e di tutte le cose finite; mentre per ognuno il momento dell'ingresso al campo stava all'origine di una diversa sequenza di ricordi, vicini e duri questi, continuamente confermati dalla esperienza presente, come ferite ogni giorno riaperte.

Le notizie, apprese in cantiere, dello sbarco alleato in Normandia, dell'offensiva russa e del fallito attentato a Hitler, avevano sollevato ondate di speranza violente ma effimere. Ognuno sentiva, giorno per giorno, le forze fuggire, la volontà di vivere sciogliersi, la mente ottenebrarsi; e la Normandia e la Russia erano cosí lontane, e l'inverno cosí vicino; cosí concrete la fame e la desolazione, e cosí irreale tutto il resto, che non pareva possibile che veramente esistesse un mondo e un tempo, se non il nostro mondo di fango, e il nostro tempo sterile e stagnante a cui eravamo oramai incapaci di immaginare una fine.

Per gli uomini vivi le unità del tempo hanno sempre un valore, il quale è tanto maggiore, quanto piú elevate sono le risorse interne di chi le percorre; ma per noi, ore, giorni e mesi si riversavano torpidi dal futuro nel passato, sempre troppo lenti, materia vile e superflua di cui cercavamo di disfarci al piú presto. Conchiuso il tempo in cui i giorni si inseguivano vivaci, preziosi e irreparabili, il futuro ci stava davanti grigio e inarticolato, come una barriera invincibile. Per noi, la storia si era fermata.

Ma nell'agosto '44 incominciarono i bombardamenti sull'Alta Slesia, e si prolungarono, con pause e riprese irregolari, per tutta l'estate e l'autunno fino alla crisi definitiva.

Il mostruoso concorde travaglio di gestazione della Buna si arrestò bruscamente, e subito degenerò in una attività slegata, frenetica e parossistica. Il giorno in cui la produzione della gomma sintetica avrebbe dovuto incominciare, che nell'agosto pareva imminente, fu via via rimandato, e i tedeschi finirono col non parlarne piú.

Il lavoro costruttivo cessò; la potenza dello sterminato gregge di schiavi fu rivolta altrove, e si fece di giorno in giorno piú riottosa e passivamente nemica. A ogni incursione, c'erano sempre nuovi guasti da riparare; smontare e smobilitare il delicato macchinario da pochi giorni messo

faticosamente in opera; erigere frettolosamente rifugi e protezioni che alla prossima prova si rivelavano ironicamente inconsistenti e vani.

Noi avevamo creduto che ogni cosa sarebbe stata preferibile alla monotonia delle giornate uguali e accanitamente lunghe, allo squallore sistematico e ordinato della Buna in opera; ma abbiamo dovuto mutare pensiero quando la Buna ha cominciato a cadere a pezzi intorno a noi, come colpita da una maledizione in cui noi stessi ci sentivamo coinvolti. Abbiamo dovuto sudare fra la polvere e le macerie roventi, e tremare come bestie, schiacciati a terra sotto la rabbia degli aerei; tornavamo la sera in campo, rotti di fatica e asciugati dalla sete, nelle sere lunghissime e ventose dell'estate polacca, e trovavamo il campo sconvolto, niente acqua per bere e lavarsi, niente zuppa per le vene vuote, niente luce per difendere il pezzo di pane l'uno dalla fame dell'altro, e per ritrovare, al mattino, le scarpe e gli abiti nella bolgia buia e urlante del Block.

Nella Buna imperversavano i civili tedeschi, nel furore dell'uomo sicuro che si desta da un lungo sogno di dominio, e vede la sua rovina e non la sa comprendere. Anche i Reichsdeutsche del Lager, politici compresi, nell'ora del pericolo risentirono il legame del sangue e del suolo. Il fatto nuovo riportò l'intrico degli odii e delle incomprensioni ai suoi termini elementari, e ridivise i due campi: i politici, insieme con i triangoli verdi e le SS vedevano, o credevano di vedere, in ognuno dei nostri visi, lo scherno della rivincita e la trista gioia della vendetta. Essi trovarono concordia in questo, e la loro ferocia raddoppiò.

Nessun tedesco poteva ormai dimenticare che noi eravamo dall'altra parte: dalla parte dei terribili seminatori che solcavano il cielo tedesco da padroni, al di sopra di ogni sbarramento, e torcevano il ferro vivo delle loro opere, portando ogni giorno la strage fin dentro alle loro case, nelle case mai prima violate del popolo tedesco.

Quanto a noi, eravamo troppo distrutti per temere veramente. I pochi che ancora sapessero rettamente giudi-

care e sentire, trassero dai bombardamenti nuova forza e speranza; coloro che la fame non aveva ancora ridotto all'inerzia definitiva, profittarono spesso dei momenti di panico generale per intraprendere spedizioni doppiamente temerarie (poiché, oltre al rischio diretto delle incursioni, il furto consumato in condizioni di emergenza era punito con l'impiccagione) alla cucina di fabbrica e ai magazzini. Ma la maggior parte sopportò il nuovo pericolo e il nuovo disagio con immutata indifferenza: non era rassegnazione cosciente, ma il torpore opaco delle bestie domate con le percosse, a cui non dolgono piú le percosse.

A noi l'accesso ai rifugi corazzati era vietato. Quando la terra cominciava a tremare, ci trascinavamo, storditi e zoppicanti, attraverso i fumi corrosivi dei nebbiogeni, fino alle vaste aree incolte, sordide e sterili, racchiuse nel recinto della Buna; là giacevamo inerti, ammonticchiati gli uni sugli altri come morti, sensibili tuttavia alla momentanea dolcezza delle membra in riposo. Guardavamo con occhi atoni le colonne di fumo e di fuoco prorompere intorno a noi: nei momenti di tregua, pieni del lieve ronzio minaccioso che ogni europeo conosce, sceglievamo dal suolo cento volte calpestato le cicorie e le camomille stente, e le masticavamo a lungo in silenzio.

Ad allarme finito, ritornavamo da ogni parte ai nostri posti, gregge muto innumerevole, assueto all'ira degli uomini e delle cose; e riprendevamo quel nostro lavoro di sempre, odiato come sempre, e inoltre ormai palesemente inutile e insensato.

In questo mondo scosso ogni giorno piú profondamente dai fremiti della fine vicina, fra nuovi terrori e speranze e intervalli di schiavitú esacerbata, mi accadde di incontrare Lorenzo.

La storia della mia relazione con Lorenzo è insieme lunga e breve, piana ed enigmatica; essa è una storia di un tempo e di una condizione ormai cancellati da ogni realtà

presente, e perciò non credo che potrà essere compresa al-
trimenti di come si comprendono oggi i fatti della leggen-
da e della storia piú remota.

In termini concreti, essa si riduce a poca cosa: un ope-
raio civile italiano mi portò un pezzo di pane e gli avanzi
del suo rancio ogni giorno per sei mesi; mi donò una sua
maglia piena di toppe; scrisse per me in Italia una cartoli-
na, e mi fece avere la risposta. Per tutto questo, non chiese
né accettò alcun compenso, perché era buono e semplice,
e non pensava che si dovesse fare il bene per un compenso.

Tutto questo non deve sembrare poco. Il mio caso non
è stato il solo; come già si è detto, altri fra noi avevano rap-
porti di vario genere con civili, e ne traevano di che so-
pravvivere: ma erano rapporti di diversa natura. I nostri
compagni ne parlavano con lo stesso tono ambiguo e pieno
di sottintesi con cui gli uomini di mondo parlano delle loro
relazioni femminili: e cioè come di avventure di cui si può
a buon diritto andare orgogliosi e di cui si desidera essere
invidiati, le quali però, anche per le coscienze piú pagane,
rimangono pur sempre al margine del lecito e dell'onesto;
per cui sarebbe scorretto e sconveniente parlarne con trop-
pa compiacenza. Cosí gli Häftlinge raccontano dei loro
«protettori» e «amici» civili: con ostentata discrezione,
senza far nomi, per non comprometterli e anche soprattut-
to per non crearsi indesiderabili rivali. I piú consumati, i
seduttori di professione come Henri, non ne parlano affat-
to; essi circondano i loro successi di un'aura di equivoco
mistero, e si limitano agli accenni e alle allusioni, calcolate
in modo da suscitare negli ascoltatori la leggenda confusa
e inquietante che essi godano delle buone grazie di civili il-
limitatamente potenti e generosi. Questo in vista di un
preciso scopo: la fama di fortuna, come altrove abbiamo
detto, si dimostra di fondamentale utilità a chi sa circon-
darsene.

La fama di seduttore, di «organizzato», suscita insieme
invidia, scherno, disprezzo e ammirazione. Chi si lascia
vedere in atto di mangiare roba «organizzata» viene giudi-

cato assai severamente; è questa una grave mancanza di pudore e di tatto, oltre che una evidente stoltezza. Altrettanto stolto e impertinente sarebbe domandare «chi te l'ha dato? dove l'hai trovato? come hai fatto?» Solo i Grossi Numeri, sciocchi inutili e indifesi, che nulla sanno delle regole del Lager, fanno di queste domande; a queste domande non si risponde, o si risponde «Verschwinde, Mensch!», «Hau' ab», «Uciekaj», «Schiess' in den Wind», «Va chier»; con uno insomma dei moltissimi equivalenti di «Lévati di torno» di cui è ricco il gergo del campo.

C'è anche chi si specializza in complesse e pazienti campagne di spionaggio, per individuare qual è il civile o il gruppo di civili a cui il tale fa capo, e cerca poi in vari modi di soppiantarlo. Ne nascono interminabili controversie di priorità, rese piú amare per il perdente dal fatto che un civile già «sgrossato» è quasi sempre piú redditizio, e soprattutto piú sicuro, di un civile al suo primo contatto con noi. È un civile che vale molto di piú, per evidenti ragioni sentimentali e tecniche: conosce già i fondamenti dell'«organizzazione», le sue regole e i suoi pericoli, e inoltre ha dimostrato di essere in grado di superare la barriera di casta.

Infatti, noi per i civili siamo gli intoccabili. I civili, piú o meno esplicitamente, e con tutte le sfumature che stanno fra il disprezzo e la commiserazione, pensano che, per essere stati condannati a questa nostra vita, per essere ridotti a questa nostra condizione, noi dobbiamo esserci macchiati di una qualche misteriosa gravissima colpa. Ci odono parlare in molte lingue diverse, che essi non comprendono, e che suonano loro grottesche come voci animali; ci vedono ignobilmente asserviti, senza capelli, senza onore e senza nome, ogni giorno percossi, ogni giorno piú abietti, e mai leggono nei nostri occhi una luce di ribellione, o di pace, o di fede. Ci conoscono ladri e malfidi, fangosi cenciosi e affamati, e, confondendo l'effetto con la causa, ci giudicano degni della nostra abiezione. Chi potrebbe

distinguere i nostri visi? per loro noi siamo «Kazett», neutro singolare.

Naturalmente questo non impedisce a molti di loro di gettarci qualche volta un pezzo di pane o una patata, o di affidarci, dopo la distribuzione della «Zivilsuppe» in cantiere, le loro gamelle da raschiare e restituire lavate. Essi vi si inducono per togliersi di torno qualche importuno sguardo famelico, o per un momentaneo impulso di umanità, o per la semplice curiosità di vederci accorrere da ogni parte a contenderci il boccone l'un l'altro, bestialmente e senza ritegno, finché il piú forte lo ingozza, e allora tutti gli altri se ne vanno scornati e zoppicanti.

Ora, tra me e Lorenzo non avvenne nulla di tutto questo. Per quanto di senso può avere il voler precisare le cause per cui proprio la mia vita, fra migliaia di altre equivalenti, ha potuto reggere alla prova, io credo che proprio a Lorenzo debbo di essere vivo oggi; e non tanto per il suo aiuto materiale, quanto per avermi costantemente rammentato, con la sua presenza, con il suo modo cosí piano e facile di essere buono, che ancora esisteva un mondo giusto al di fuori del nostro, qualcosa e qualcuno di ancora puro e intero, di non corrotto e non selvaggio, estraneo all'odio e alla paura; qualcosa di assai mal definibile, una remota possibilità di bene, per cui tuttavia metteva conto di conservarsi.

I personaggi di queste pagine non sono uomini. La loro umanità è sepolta, o essi stessi l'hanno sepolta, sotto l'offesa subita o inflitta altrui. Le SS malvage e stolide, i Kapos, i politici, i criminali, i prominenti grandi e piccoli, fino agli Häftlinge indifferenziati e schiavi, tutti i gradini della insana gerarchia voluta dai tedeschi, sono paradossalmente accomunati in una unitaria desolazione interna.

Ma Lorenzo era un uomo; la sua umanità era pura e incontaminata, egli era al di fuori di questo mondo di negazione. Grazie a Lorenzo mi è accaduto di non dimenticare di essere io stesso un uomo.

Ottobre 1944

Con tutte le nostre forze abbiamo lottato perché l'inverno non venisse. Ci siamo aggrappati a tutte le ore tiepide, a ogni tramonto abbiamo cercato di trattenere il sole in cielo ancora un poco, ma tutto è stato inutile. Ieri sera il sole si è coricato irrevocabilmente in un intrico di nebbia sporca, di ciminiere e di fili, e stamattina è inverno.

Noi sappiamo che cosa vuol dire, perché eravamo qui l'inverno scorso, e gli altri lo impareranno presto. Vuol dire che, nel corso di questi mesi, dall'ottobre all'aprile, su dieci di noi, sette morranno. Chi non morrà, soffrirà minuto per minuto, per ogni giorno, per tutti i giorni: dal mattino avanti l'alba fino alla distribuzione della zuppa serale dovrà tenere costantemente i muscoli tesi, danzare da un piede all'altro, sbattersi le braccia sotto le ascelle per resistere al freddo. Dovrà spendere pane per procurarsi guanti, e perdere ore di sonno per ripararli quando saranno scuciti. Poiché non si potrà piú mangiare all'aperto, dovremo consumare i nostri pasti nella baracca, in piedi, disponendo ciascuno di un palmo di pavimento, e appoggiarsi sulle cuccette è proibito. A tutti si apriranno ferite sulle mani, e per ottenere un bendaggio bisognerà attendere ogni sera per ore in piedi nella neve e nel vento.

Come questa nostra fame non è la sensazione di chi ha saltato un pasto, cosí il nostro modo di aver freddo esigerebbe un nome particolare. Noi diciamo «fame», diciamo «stanchezza», «paura», e «dolore», diciamo «inverno», e sono altre cose. Sono parole libere, create e usate da uomi-

ni liberi che vivevano, godendo e soffrendo, nelle loro case. Se i Lager fossero durati piú a lungo, un nuovo aspro linguaggio sarebbe nato; e di questo si sente il bisogno per spiegare cosa è faticare l'intera giornata nel vento, sotto zero, con solo indosso camicia, mutande, giacca e brache di tela, e in corpo debolezza e fame e consapevolezza della fine che viene.

In quel modo con cui si vede finire una speranza, cosí stamattina è stato inverno. Ce ne siamo accorti quando siamo usciti dalla baracca per andarci a lavare: non c'erano stelle, l'aria buia e fredda aveva odore di neve. In piazza dell'Appello, nella prima luce, alla adunata per il lavoro, nessuno ha parlato. Quando abbiamo visto i primi fiocchi di neve, abbiamo pensato che, se l'anno scorso a quest'epoca ci avessero detto che avremmo visto ancora un inverno in Lager, saremmo andati a toccare il reticolato elettrico; e che anche adesso ci andremmo, se fossimo logici, se non fosse di questo insensato pazzo residuo di speranza inconfessabile.

Perché «inverno» vuol dire altro ancora.

La primavera scorsa, i tedeschi hanno costruito due enormi tende in uno spiazzo del nostro Lager. Ciascuna per tutta la buona stagione ha ospitato piú di mille uomini; ora le tende sono state smontate, e duemila ospiti in soprannumero affollano le nostre baracche. Noi vecchi prigionieri sappiamo che queste irregolarità non piacciono ai tedeschi, e che presto qualcosa succederà perché il nostro numero venga ridotto.

Le selezioni si sentono arrivare. «Selekcja»: la ibrida parola latina e polacca si sente una volta, due volte, molte volte, intercalata in discorsi stranieri; dapprima non la si individua, poi si impone all'attenzione, infine ci perseguita.

Stamattina i polacchi dicono «Selekcja». I polacchi sono i primi a sapere le notizie, e cercano in genere di non la-

sciarle diffondere, perché sapere qualcosa mentre gli altri non la sanno ancora può sempre essere vantaggioso. Quando tutti sapranno che la selezione è imminente, il pochissimo che qualcuno potrebbe tentare per defilarsi (corrompere con pane o con tabacco qualche medico o qualche prominente; passare dalla baracca in Ka-Be o viceversa, al momento esatto, in modo da incrociare la commissione) sarà già monopolio loro.

Nei giorni che seguono, l'atmosfera del Lager e del cantiere è satura di «Selekcja»: nessuno sa nulla di preciso e tutti ne parlano, perfino gli operai liberi, polacchi, italiani, francesi, che di nascosto vediamo sul lavoro. Non si può dire che ne risulti un'ondata di abbattimento. Il nostro morale collettivo è troppo inarticolato e piatto per essere instabile. La lotta contro la fame, il freddo e il lavoro lascia poco margine per il pensiero, anche se si tratta di questo pensiero. Ciascuno reagisce a suo modo, ma quasi nessuno con quegli atteggiamenti che sembrerebbero piú plausibili perché sono realistici, e cioè con la rassegnazione o con la disperazione.

Chi può provvedere provvede; ma sono i meno, perché sottrarsi alla selezione è molto difficile, i tedeschi fanno queste cose con grande serietà e diligenza.

Chi non può provvedere materialmente cerca difesa altrimenti. Ai gabinetti, al lavatoio, noi ci mostriamo l'un l'altro il torace, le natiche, le cosce, e i compagni ci rassicurano: – Puoi essere tranquillo, non sarà certo la tua volta, ... du bist kein Muselmann... io piuttosto invece... – e a loro volta si calano le brache e sollevano la camicia.

Nessuno nega altrui questa elemosina: nessuno è cosí sicuro della propria sorte da avere animo di condannare altri. Anch'io ho sfacciatamente mentito al vecchio Wertheimer; gli ho detto che, se lo interrogheranno, risponda di avere quarantacinque anni, e che non trascuri di farsi radere la sera prima, anche a costo di rimetterci un quarto di pane; che, a parte ciò, non deve nutrire timori, e che d'altronde non è per nulla certo che si tratti di una sele-

zione per il gas: non ha sentito dal Blockältester che i pre-
scelti andranno a Jaworszno al campo di convalescenza?

È assurdo che Wertheimer speri: dimostra sessant'anni,
ha enormi varici, non sente quasi neppur piú la fame. Ep-
pure se ne va in cuccetta sereno e tranquillo, e, a chi gli fa
domande, risponde con le mie parole; sono la parola d'or-
dine del campo in questi giorni: io stesso le ho ripetute
come, a meno di particolari, me le sono sentite recitare da
Chajim, che è in Lager da tre anni, e siccome è forte e ro-
busto, è mirabilmente sicuro di sé; e io l'ho creduto.

Su questa esigua base anch'io ho attraversato la grande
selezione dell'ottobre 1944 con inconcepibile tranquillità.
Ero tranquillo perché ero riuscito a mentirmi quanto era
bastato. Il fatto che io non sia stato scelto è dipeso soprat-
tutto dal caso e non dimostra che la mia fiducia fosse ben
fondata.

Anche Monsieur Pinkert è, a priori, un condannato: ba-
sta vedere i suoi occhi. Mi chiama con un cenno, e con aria
confidenziale mi racconta che ha saputo, da qual fonte
non mi può dire, che effettivamente questa volta c'è del nuo-
vo: la Santa Sede, per mezzo della Croce Rossa Interna-
zionale... ... infine, garantisce lui personalmente che, sia
per sé che per me, nel modo piú assoluto, è escluso ogni
pericolo: da civile lui era, come è noto, addetto all'amba-
sciata belga di Varsavia.

In vari modi dunque, anche questi giorni di vigilia, che
raccontati sembra dovessero essere tormentosi al di là di
ogni limite umano, passano non molto diversamente dagli
altri giorni.

La disciplina del Lager e della Buna non sono in alcun
modo allentate, il lavoro, il freddo e la fame sono suffi-
cienti a impegnare senza residui le nostre attenzioni.

Oggi è domenica lavorativa, Arbeitssonntag: si lavora
fino alle tredici, poi si ritorna in campo per la doccia, la ra-
satura e il controllo generale della scabbia e dei pidocchi,
e in cantiere, misteriosamente, tutti abbiamo saputo che la
selezione sarà oggi.

La notizia è giunta, come sempre, circondata da un alone di particolari contraddittori e sospetti: stamattina stessa c'è stata selezione in infermeria; la percentuale è stata del sette per cento del totale, del trenta, del cinquanta per cento dei malati. A Birkenau il camino del Crematorio fuma da dieci giorni. Deve essere fatto posto per un enorme trasporto in arrivo dal ghetto di Posen. I giovani dicono ai giovani che saranno scelti tutti i vecchi. I sani dicono ai sani che saranno scelti solo i malati. Saranno esclusi gli specialisti. Saranno esclusi gli ebrei tedeschi. Saranno esclusi i Piccoli Numeri. Sarai scelto tu. Sarò escluso io.

Regolarmente, a partire dalle tredici in punto, il cantiere si svuota e la schiera grigia interminabile sfila per due ore davanti alle due stazioni di controllo, dove come ogni giorno veniamo contati e ricontati, e davanti all'orchestra che, per due ore senza interruzione, suona come ogni giorno le marce sulle quali dobbiamo, all'entrata e all'uscita, sincronizzare i nostri passi.

Sembra che tutto vada come ogni giorno, il camino delle cucine fuma come di consueto, già si comincia la distribuzione della zuppa. Ma poi si è udita la campana, e allora si è capito che ci siamo.

Perché questa campana suona sempre all'alba, e allora è la sveglia, ma quando suona a metà giornata vuol dire «Blocksperre», clausura in baracca, e questo avviene quando c'è selezione, perché nessuno vi si sottragga, e quando i selezionati partono per il gas, perché nessuno li veda partire.

Il nostro Blockältester conosce il suo mestiere. Si è accertato che tutti siano rientrati, ha fatto chiudere la porta a chiave, ha distribuito a ciascuno la scheda che porta la matricola, il nome, la professione, l'età e la nazionalità, e ha dato ordine che ognuno si spogli completamente, conservando solo le scarpe. In questo modo, nudi e con la scheda in mano, attenderemo che la commissione arrivi al-

la nostra baracca. Noi siamo la baracca 48, ma non si può prevedere se si comincerà dalla baracca 1 o dalla 60. In ogni modo, per almeno un'ora possiamo stare tranquilli, e non c'è ragione che non ci mettiamo sotto le coperte delle cuccette per riscaldarci.

Già molti sonnecchiano, quando uno scatenarsi di comandi, di bestemmie e di colpi indica che la commissione è in arrivo. Il Blockältester e i suoi aiutanti, a pugni e a urli, a partire dal fondo del dormitorio, si cacciano davanti la turba dei nudi spaventati, e li stipano dentro il Tagesraum, che è la Direzione-Fureria. Il Tagesraum è una cameretta di sette metri per quattro: quando la caccia è finita, dentro il Tagesraum è compressa una compagine umana calda e compatta, che invade e riempie perfettamente tutti gli angoli ed esercita sulle pareti di legno una pressione tale da farle scricchiolare.

Ora siamo tutti nel Tagesraum, e, oltre che non esserci tempo, non c'è neppure posto per avere paura. La sensazione della carne calda che preme tutto intorno è singolare e non spiacevole. Bisogna aver cura di tener alto il naso per trovare aria, e di non spiegazzare o perdere la scheda che teniamo in mano.

Il Blockältester ha chiuso la porta Tagesraum-dormitorio e ha aperto le altre due che dal Tagesraum e dal dormitorio dànno all'esterno. Qui, davanti alle due porte, sta l'arbitro del nostro destino, che è un sottufficiale delle SS. Ha a destra il Blockältester, a sinistra il furiere della baracca. Ognuno di noi, che esce nudo dal Tagesraum nel freddo dell'aria di ottobre, deve fare di corsa i pochi passi fra le due porte davanti ai tre, consegnare la scheda alla SS e rientrare per la porta del dormitorio. La SS, nella frazione di secondo fra due passaggi successivi, con uno sguardo di faccia e di schiena giudica della sorte di ognuno, e consegna a sua volta la scheda all'uomo alla sua destra o all'uomo alla sua sinistra, e questo è la vita o la morte di ciascu-

no di noi. In tre o quattro minuti una baracca di duecento uomini è «fatta», e nel pomeriggio l'intero campo di dodicimila uomini.

Io confitto nel carnaio del Tagesraum ho sentito gradualmente allentarsi la pressione umana intorno a me, e in breve è stata la mia volta. Come tutti, sono passato con passo energico ed elastico, cercando di tenere la testa alta, il petto in fuori e i muscoli contratti e rilevati. Con la coda dell'occhio ho cercato di vedere alle mie spalle, e mi è parso che la mia scheda sia finita a destra.

A mano a mano che rientriamo nel dormitorio, possiamo rivestirci. Nessuno conosce ancora con sicurezza il proprio destino, bisogna anzitutto stabilire se le schede condannate sono quelle passate a destra o a sinistra. Ormai non è piú il caso di risparmiarsi l'un l'altro e di avere scrupoli superstiziosi. Tutti si accalcano intorno ai piú vecchi, ai piú denutriti, ai piú «mussulmani»; se le loro schede sono andate a sinistra, la sinistra è certamente il lato dei condannati.

Prima ancora che la selezione sia terminata, tutti già sanno che la sinistra è stata effettivamente la «schlechte Seite», il lato infausto. Ci sono naturalmente delle irregolarità: René per esempio, cosí giovane e robusto, è finito a sinistra: forse perché ha gli occhiali, forse perché cammina un po' curvo come i miopi, ma piú probabilmente per una semplice svista: René è passato davanti alla commissione immediatamente prima di me, e potrebbe essere avvenuto uno scambio di schede. Ci ripenso, ne parlo con Alberto, e conveniamo che l'ipotesi è verosimile: non so cosa ne penserò domani e poi; oggi essa non desta in me alcuna emozione precisa.

Parimenti di un errore deve essersi trattato per Sattler, un massiccio contadino transilvano che venti giorni fa era ancora a casa sua; Sattler non capisce il tedesco, non ha compreso nulla di quel che è successo e sta in un angolo a rattopparsi la camicia. Devo andargli a dire che non gli servirà piú la camicia?

Non c'è da stupirsi di queste sviste: l'esame è molto rapido e sommario, e d'altronde, per l'amministrazione del Lager, l'importante non è tanto che vengano eliminati proprio i piú inutili, quanto che si rendano speditamente liberi posti in una certa percentuale prestabilita.

Nella nostra baracca la selezione è ormai finita, però continua nelle altre, per cui siamo ancora sotto clausura. Ma poiché frattanto i bidoni della zuppa sono arrivati, il Blockältester decide di procedere senz'altro alla distribuzione. Ai selezionati verrà distribuita doppia razione. Non ho mai saputo se questa fosse un'iniziativa assurdamente pietosa dei Blockälteste od un'esplicita disposizione delle SS, ma di fatto, nell'intervallo di due o tre giorni (talora anche molto piú lungo) fra la selezione e la partenza, le vittime a Monowitz-Auschwitz godevano di questo privilegio.

Ziegler presenta la gamella, riscuote la normale razione, poi resta lí in attesa. – Che vuoi ancora? – chiede il Blockältester: non gli risulta che a Ziegler spetti il supplemento, lo caccia via con una spinta, ma Ziegler ritorna e insiste umilmente: è stato proprio messo a sinistra, tutti l'hanno visto, vada il Blockältester a consultare le schede: ha diritto alla doppia razione. Quando l'ha ottenuta, se ne va quieto in cuccetta a mangiare.

Adesso ciascuno sta grattando attentamente col cucchiaio il fondo della gamella per ricavarne le ultime briciole di zuppa, e ne nasce un tramestio metallico sonoro il quale vuol dire che la giornata è finita. A poco a poco prevale il silenzio, e allora, dalla mia cuccetta che è al terzo piano, si vede e si sente che il vecchio Kuhn prega, ad alta voce, col berretto in testa e dondolando il busto con violenza. Kuhn ringrazia Dio perché non è stato scelto.

Kuhn è un insensato. Non vede, nella cuccetta accanto,

Beppo il greco che ha vent'anni, e dopodomani andrà in gas, e lo sa, e se ne sta sdraiato e guarda fisso la lampadina senza dire niente e senza pensare piú niente? Non sa Kuhn che la prossima volta sarà la sua volta? Non capisce Kuhn che è accaduto oggi un abominio che nessuna preghiera propiziatoria, nessun perdono, nessuna espiazione dei colpevoli, nulla insomma che sia in potere dell'uomo di fare, potrà risanare mai piú?

Se io fossi Dio, sputerei a terra la preghiera di Kuhn.

Kraus

Quando piove si vorrebbe poter piangere. È novembre, piove già da dieci giorni, e la terra è come il fondo di una palude. Ogni cosa di legno ha odore di funghi.

Se potessi fare dieci passi a sinistra, c'è la tettoia, sarei al riparo; mi basterebbe anche un sacco per coprirmi le spalle, o solamente la speranza di un fuoco dove asciugarmi; o magari un cencio asciutto da mettermi fra la camicia e la schiena. Ci penso, fra un colpo di pala e l'altro, e credo proprio che avere un cencio asciutto sarebbe felicità positiva.

Ormai piú bagnati non si può diventare; solo bisogna cercare di muoversi il meno possibile, e soprattutto di non fare movimenti nuovi, perché non accada che qualche altra porzione di pelle venga senza necessità a contatto con gli abiti zuppi e gelidi.

È fortuna che oggi non tira vento. Strano, in qualche modo si ha sempre l'impressione di essere fortunati, che una qualche circostanza, magari infinitesima, ci trattenga sull'orlo della disperazione e ci conceda di vivere. Piove, ma non tira vento. Oppure, piove e tira vento: ma sai che stasera tocca a te il supplemento di zuppa, e allora anche oggi trovi la forza di tirar sera. O ancora, pioggia, vento, e la fame consueta, e allora pensi che se proprio dovessi, se proprio non ti sentissi piú altro nel cuore che sofferenza e noia, come a volte succede, che pare veramente di giacere sul fondo; ebbene, anche allora noi pensiamo che se vogliamo, in qualunque momento, possiamo pur sempre an-

dare a toccare il reticolato elettrico, o buttarci sotto i treni in manovra, e allora finirebbe di piovere.

Da stamattina stiamo confitti nella melma, a gambe larghe, senza mai muovere i piedi dalle due buche che si sono scavati nel terreno vischioso; oscillando sulle anche a ogni colpo di pala. Io sono a metà dello scavo, Kraus e Clausner sono sul fondo, Gounan sopra di me, a livello del suolo. Solo Gounan può guardarsi intorno, e a monosillabi avvisa ogni tanto Kraus dell'opportunità di accelerare il ritmo, o eventualmente di riposarsi, a seconda di chi passa per la strada. Clausner piccona, Kraus alza la terra a me palata per palata, e io a mano a mano la alzo a Gounan che la ammucchia a lato. Altri fanno la spola con le carriole e portano la terra chissà dove, non ci interessa, oggi il nostro mondo è questa buca di fango.

Kraus ha sbagliato un colpo, un pacchetto di mota vola e mi si spiaccica sulle ginocchia. Non è la prima volta che succede, senza molta fiducia lo ammonisco di fare attenzione: è ungherese, capisce assai male il tedesco, e non sa una parola di francese. È lungo lungo, ha gli occhiali e una curiosa faccia piccola e storta; quando ride sembra un bambino, e ride spesso. Lavora troppo, e troppo vigorosamente: non ha ancora imparato la nostra arte sotterranea di fare economia di tutto, di fiato, di movimenti, perfino di pensiero. Non sa ancora che è meglio farsi picchiare, perché di botte in genere non si muore, ma di fatica sí, e malamente, e quando uno se ne accorge è già troppo tardi. Pensa ancora... oh no, povero Kraus, non è ragionamento il suo, è solo la sua sciocca onestà di piccolo impiegato, se la è portata fin qui dentro, e ora gli pare che sia come fuori, dove lavorare è onesto e logico, e inoltre conveniente, perché, a quanto tutti dicono, quanto piú uno lavora, tanto piú guadagna e mangia.

– Regardez-moi ça!... Pas si vite, idiot! – impreca Gounan dall'alto; poi si ricorda di tradurre in tedesco: – Lang-

sam, du blöder Einer, langsam, verstanden? –; Kraus può anche ammazzarsi di fatica, se crede, ma non oggi, che lavoriamo in catena e il ritmo del nostro lavoro è condizionato dal suo.

Ecco, questa è la sirena del Carburo, adesso i prigionieri inglesi se ne vanno, sono le quattro e mezzo. Poi passeranno le ragazze ucraine, e allora saranno le cinque, potremo raddrizzare la schiena, e ormai solo la marcia di ritorno, l'appello e il controllo dei pidocchi ci divideranno dal riposo.

È l'adunata, «Antreten» da tutte le parti; da tutte le parti strisciano fuori i fantocci di fango, stirano le membra aggranchite, riportano gli attrezzi nelle baracche. Noi estraiamo i piedi dal fosso, cautamente per non lasciarvi succhiati gli zoccoli, e ce ne andiamo, ciondolanti e grondanti, a inquadrarci per la marcia di rientro. «Zu dreien», per tre. Ho cercato di mettermi vicino ad Alberto, oggi abbiamo lavorato separati, abbiamo da chiederci a vicenda come è andata: ma qualcuno mi ha dato una manata sullo stomaco, sono finito dietro, guarda, proprio vicino a Kraus.

Ora partiamo. Il Kapo scandisce il passo con voce dura: – Links, links, links –; dapprima si ha male ai piedi, poi a poco a poco ci si riscalda e i nervi si distendono. Anche oggi, anche questo oggi che stamattina pareva invincibile ed eterno, l'abbiamo perforato attraverso tutti i suoi minuti; adesso giace conchiuso ed è subito dimenticato, già non è più un giorno, non ha lasciato traccia nella memoria di nessuno. Lo sappiamo, che domani sarà come oggi: forse pioverà un po' di più o un po' di meno, o forse invece di scavar terra andremo al Carburo a scaricar mattoni. O domani può anche finire la guerra, o noi essere tutti uccisi, o trasferiti in un altro campo, o capitare qualcuno di quei grandi rinnovamenti che, da che Lager è Lager, vengono infaticabilmente pronosticati imminenti e sicuri. Ma chi mai potrebbe seriamente pensare a domani?

La memoria è uno strumento curioso: finché sono stato

in campo, mi hanno danzato per il capo due versi che ha scritto un mio amico molto tempo fa:

> ... infin che un giorno
> senso non avrà piú dire: domani.

Qui è cosí. Sapete come si dice «mai» nel gergo del campo? «Morgen früh», domani mattina.

Adesso è l'ora di «links, links, links und links», l'ora in cui non bisogna sbagliare passo. Kraus è maldestro, si è già preso un calcio dal Kapo perché non sa camminare allineato: ed ecco, incomincia a gesticolare e a masticare un tedesco miserevole, odi odi, mi vuole chiedere scusa della palata di fango, non ha ancora capito dove siamo, bisogna proprio dire che gli ungheresi sono gente singolare.

Andare al passo e fare un discorso complicato in tedesco, è ben troppo, questa volta sono io che lo avverto che ha il passo sbagliato, e lo ho guardato, e ho visto i suoi occhi, dietro le gocciole di pioggia degli occhiali, e sono stati gli occhi dell'uomo Kraus.

Allora avvenne un fatto importante, e mette conto di raccontarlo adesso, forse per la stessa ragione per cui metteva conto che avvenisse allora. Mi accadde di fare un lungo discorso a Kraus: in cattivo tedesco, ma lento e staccato, sincerandomi, dopo ogni frase, che lui l'avesse capita.

Gli raccontai che avevo sognato di essere a casa mia, nella casa dove ero nato, seduto con la mia famiglia, con le gambe sotto il tavolo, e sopra molta, moltissima roba da mangiare. Ed era d'estate, ed era in Italia: a Napoli? ... ma sí, a Napoli, non è il caso di sottilizzare. Ed ecco, a un tratto suonava il campanello, e io mi alzavo pieno di ansia, e andavo ad aprire, e chi si vedeva? Lui, il qui presente Kraus Páli, coi capelli, pulito e grasso, e vestito da uomo libero, e in mano una pagnotta. Da due chili, ancora calda. Allora «Servus, Páli, wie geht's?» e mi sentivo pieno di gioia, e lo facevo entrare e spiegavo ai miei chi era, e che

veniva da Budapest, e perché era cosí bagnato: perché era bagnato, cosí, come adesso. E gli davo da mangiare e da bere, e poi un buon letto per dormire, ed era notte, ma c'era un meraviglioso tepore per cui in un momento eravamo tutti asciutti (sí, perché anch'io ero molto bagnato).

Che buon ragazzo doveva essere Kraus da borghese: non vivrà a lungo qui dentro, questo si vede al primo sguardo e si dimostra come un teorema. Mi dispiace non sapere l'ungherese, ecco che la sua commozione ha rotto gli argini, ed erompe in una marea di bislacche parole magiare. Non ho potuto capire altro che il mio nome, ma dai gesti solenni si direbbe che giura ed augura.

Povero sciocco Kraus. Se sapesse che non è vero, che non ho sognato proprio niente di lui, che per me anche lui è niente, fuorché in un breve momento, niente come tutto è niente quaggiú, se non la fame dentro, e il freddo e la pioggia intorno.

Die drei Leute vom Labor

Quanti mesi sono passati dal nostro ingresso in campo? Quanti dal giorno in cui sono stato dimesso dal Ka-Be? E dal giorno dell'esame di chimica? E dalla selezione di ottobre?

Alberto ed io ci poniamo spesso queste domande, e molte altre ancora. Eravamo novantasei quando siamo entrati, noi, gli italiani del convoglio centosettantaquattromila; ventinove soltanto fra noi hanno sopravvissuto fino all'ottobre, e di questi, otto sono andati in selezione. Ora siamo ventuno, e l'inverno è appena incominciato. Quanti fra noi giungeranno vivi al nuovo anno? Quanti alla primavera?

Da parecchie settimane ormai le incursioni sono cessate; la pioggia di novembre si è mutata in neve, e la neve ha ricoperto le rovine. I tedeschi e i polacchi vengono al lavoro cogli stivaloni di gomma, i copriorecchi di pelo e le tute imbottite, i prigionieri inglesi con i loro meravigliosi giubbetti di pelliccia. Nel nostro Lager non hanno distribuito cappotti se non a qualche privilegiato; noi siamo un Kommando specializzato, il quale, in teoria, non lavora che al coperto: perciò noi siamo rimasti in tenuta estiva.

Noi siamo i chimici, e perciò lavoriamo ai sacchi di fenilbeta. Abbiamo sgomberato il magazzino dopo le prime incursioni, nel colmo dell'estate: la fenilbeta ci si incollava sotto gli abiti alle membra sudate e ci rodeva come una lebbra; la pelle si staccava dai nostri visi in grosse squame bruciate. Poi le incursioni si sono interrotte, e noi abbia-

mo riportato i sacchi nel magazzino. Poi il magazzino è stato colpito, e noi abbiamo ricoverato i sacchi nella cantina del Reparto Stirolo. Ora il magazzino è stato riparato, e bisogna accatastarvi i sacchi ancora una volta. L'odore acuto della fenilbeta impregna il nostro unico abito, e ci accompagna giorno e notte come la nostra ombra. Finora, i vantaggi di essere nel Kommando Chimico si sono limitati a questi: gli altri hanno ricevuto i cappotti e noi no; gli altri portano sacchi di cinquanta chili di cemento, e noi sacchi di sessanta chili di fenilbeta. Come pensare ancora all'esame di chimica e alle illusioni di allora? Almeno quattro volte, durante l'estate, si è parlato del laboratorio del Doktor Pannwitz nel Bau 939, ed è corsa la voce che sarebbero stati scelti fra noi gli analisti per il reparto Polimerizzazione.

Adesso basta, adesso è finito. È l'ultimo atto: l'inverno è incominciato, e con lui la nostra ultima battaglia. Non è piú dato dubitare che non sia l'ultima. In qualunque momento del giorno ci accada di prestare ascolto alla voce dei nostri corpi, di interrogare le nostre membra, la risposta è una: le forze non ci basteranno. Tutto intorno a noi parla di disfacimento e di fine. Metà del Bau 939 è un ammasso di lamiere contorte e di calcinacci; dalle condutture enormi dove prima ruggiva il vapore surriscaldato, pendono ora fino al suolo deformi ghiaccioli azzurri grossi come pilastri. La Buna è silenziosa adesso, e quando il vento è propizio, se si tende l'orecchio, si sente un continuo sordo fremito sotterraneo, il quale è il fronte che si avvicina. Sono arrivati in Lager trecento prigionieri del ghetto di Lodz, che i tedeschi hanno trasferiti davanti all'avanzata dei russi: hanno portato fino a noi la voce della lotta leggendaria nel ghetto di Varsavia, e ci hanno raccontato di come, già un anno fa, i tedeschi hanno liquidato il campo di Lublino: quattro mitragliatrici agli angoli e le baracche incendiate; il mondo civile non lo saprà mai. A quando la nostra volta?

Stamane il Kapo ha fatto come al solito la divisione del-

le squadre. I dieci del Clormagnesio, al Clormagnesio: e
quelli partono, strascicando i piedi, il piú lentamente pos-
sibile, perché il Clormagnesio è un lavoro durissimo: si sta
tutto il giorno fino alle caviglie nell'acqua salmastra e gela-
ta, che macera le scarpe, gli abiti e la pelle. Il Kapo afferra
un mattone e lo scaglia nel mucchio: quelli si scansano gof-
famente ma non accelerano il passo. È questa quasi una
consuetudine, avviene tutte le mattine, e non sempre sup-
pone nel Kapo un preciso proposito di nuocere.

I quattro del Scheisshaus, al loro lavoro: e partono i
quattro addetti alla costruzione della nuova latrina. Biso-
gna infatti sapere che, da quando, coll'arrivo dei convogli
di Lodz e di Transilvania, noi abbiamo superato l'effettivo
di cinquanta Häftlinge, il misterioso burocrate tedesco che
sovrintende a queste cose ci ha autorizzato alla erezione di
uno «Zweiplatziges Kommandoscheisshaus», vale a dire
di un cesso a due posti riservato al nostro Kommando. Noi
non siamo insensibili a questo segno di distinzione, che fa
del nostro uno dei pochi Kommandos a cui sia vanto l'ap-
partenere: è però evidente che viene cosí a mancare il piú
semplice dei pretesti per assentarsi dal lavoro e per intes-
sere combinazioni coi civili. – Noblesse oblige, – dice
Henri, il quale ha altre corde al suo arco.

I dodici dei mattoni. I cinque di Meister Dahm. I due
delle cisterne. Quanti assenti? Tre assenti. Homolka en-
trato stamane in Ka-Be, il Fabbro morto ieri, François tra-
sferito chissà dove e chissà perché. Il conto torna; il Kapo
registra ed è soddisfatto. Non restiamo ormai che noi di-
ciotto della fenilbeta, oltre ai prominenti del Kommando.
Ed ecco l'imprevedibile.

Il Kapo dice: – Il Doktor Pannwitz ha comunicato al-
l'Arbeitsdienst che tre Häftlinge sono stati scelti per il La-
boratorio. 169 509, Brackier; 175 633, Kandel; 174 517,
Levi –. Per un istante le orecchie mi ronzano e la Buna mi
gira intorno. Siamo tre Levi nel Kommando 98, ma Hun-
dert Vierundsiebzig Fünf Hundert Siebzehn sono io, non
c'è dubbio possibile. Io sono uno dei tre eletti.

Il Kapo ci squadra con un riso astioso. Un belga, un ru-
meno e un italiano: tre «Franzosen», insomma. Possibile
che dovessero proprio essere tre Franzosen gli eletti per il
paradiso del laboratorio?

Molti compagni si congratulano; primo fra tutti Alber-
to, con genuina gioia, senza ombra d'invidia. Alberto non
trova nulla a ridire sulla fortuna che mi è toccata, e ne è
anzi ben lieto, sia per amicizia, sia perché ne trarrà lui pu-
re dei vantaggi: infatti noi due siamo ormai legati da uno
strettissimo patto di alleanza, per cui ogni boccone «orga-
nizzato» viene diviso in due parti rigorosamente uguali.
Non ha motivo di invidiarmi, poiché entrare in Laborato-
rio non rientrava né nelle sue speranze, né pure nei suoi
desideri. Il sangue delle sue vene è troppo libero perché
Alberto, il mio amico non domato, pensi di adagiarsi in un
sistema; il suo istinto lo porta altrove, verso altre solu-
zioni, verso l'imprevisto, l'estemporaneo, il nuovo. A un
buon impiego, Alberto preferisce senza esitare gli incerti e
le battaglie della «libera professione».

Ho in tasca un biglietto dell'Arbeitsdienst, dove è scrit-
to che lo Häftling 174 517, come operaio specializzato, ha
diritto a camicia e mutande nuove, e deve essere sbarbato
ogni mercoledí.

La Buna dilaniata giace sotto la prima neve, silenziosa e
rigida come uno smisurato cadavere; ogni giorno abbaiano
le sirene del Fliegeralarm; i russi sono a ottanta chilometri.
La centrale elettrica è ferma, le colonne del Metanolo non
esistono piú, tre dei quattro gasometri dell'acetilene sono
saltati. Nel nostro Lager affluiscono ogni giorno alla rinfu-
sa i prigionieri «recuperati» da tutti i campi della Polonia
orientale; i meno vanno al lavoro, i piú proseguono sen-
z'altro per Birkenau e per il Camino. La razione è stata an-
cora ridotta. Il Ka-Be rigurgita, gli E-Häftlinge hanno por-
tato in campo la scarlattina, la difterite e il tifo petec-
chiale.

Ma lo Häftling 174 517 è stato promosso specialista, e
ha diritto a camicia e mutande nuove e deve essere raso
ogni mercoledí. Nessuno può vantarsi di comprendere i te-
deschi.

Siamo entrati in laboratorio timidi, sospettosi e diso-
rientati come tre bestie selvagge che si addentrino in una
grande città. Come è liscio e pulito il pavimento! Questo è
un laboratorio sorprendentemente simile a qualunque al-
tro laboratorio. Tre lunghi banchi di lavoro carichi di cen-
tinaia di oggetti familiari. La vetreria in un angolo a sgoc-
ciolare, la bilancia analitica, una stufa Heraeus, un termo-
stato Höppler. L'odore mi fa trasalire come una frustata:
il debole odore aromatico dei laboratori di chimica organi-
ca. Per un attimo, evocata con violenza brutale e subito
svanita, la grande sala semibuia dell'università, il quarto
anno, l'aria mite del maggio in Italia.

Herr Stawinoga ci assegna i posti di lavoro. Stawinoga
è un tedesco-polacco ancor giovane, dal viso energico ma
insieme triste e stanco. È anche lui Doktor: non in chi-
mica, bensí (ne pas chercher à comprendre) in glottolo-
gia; tuttavia è lui il capo-laboratorio. Con noi non parla
volentieri, ma non sembra mal disposto. Ci chiama «Mon-
sieur», il che è ridicolo e sconcertante.

In laboratorio la temperatura è meravigliosa: il termo-
metro segna 24°. Noi pensiamo che ci possano anche met-
tere a lavare la vetreria, o a scopare il pavimento, o a tra-
sportare le bombole di idrogeno, qualunque cosa pur di re-
stare qui dentro, e il problema dell'inverno per noi sarà ri-
solto. E poi, a un secondo esame, anche il problema della
fame non dovrebbe essere difficile a risolversi. Vorranno
proprio perquisirci ogni giorno all'uscita? O quando anche
cosí fosse, ogni volta che domanderemo di andare alla la-
trina? Evidentemente no. E qui c'è sapone, c'è benzina,
c'è alcool. Mi cucirò una tasca segreta nell'interno della
giacca, farò una combinazione con l'inglese che lavora in

officina e commercia in benzina. Vedremo quanto severa sarà la sorveglianza: ma ormai ho un anno di Lager, e so che se uno vuole rubare, e ci si dedica seriamente, non esiste sorveglianza e non esistono perquisizioni che glielo possano impedire.

A quanto pare dunque, la sorte, battendo strade insospettate, ha fatto sí che noi tre, oggetto di invidia per i diecimila condannati, non avremo quest'inverno né freddo né fame. Questo vuol dire forti probabilità di non ammalarsi gravemente, di salvarsi dai congelamenti, di superare le selezioni. In queste condizioni, persone meno esperte di noi delle cose del Lager potrebbero anche essere tentate dalla speranza di sopravvivere e dal pensiero della libertà. Noi no, noi sappiamo come vanno queste faccende; tutto questo è un dono del destino, che come tale va goduto il piú intensamente possibile, e subito: ma del domani non v'è certezza. Al primo vetro che romperò, al primo errore di misura, alla prima disattenzione, ritornerò a consumarmi nella neve e nel vento, fino a che sarò anch'io pronto per il Camino. E inoltre, chi può sapere che cosa accadrà quando i russi verranno?

Perché i russi verranno. Il suolo trema notte e giorno sotto i nostri piedi; nel vuoto silenzio della Buna il fragore sommesso e sordo delle artiglierie risuona ormai ininterrotto. Si respira un'aria tesa, un'aria di risoluzione. I polacchi non lavorano piú, i francesi camminano di nuovo a testa alta. Gli inglesi ci strizzano l'occhio, e ci salutano di nascosto con la «V» dell'indice e del medio; e non sempre di nascosto.

Ma i tedeschi sono sordi e ciechi, chiusi in una corazza di ostinazione e di deliberata sconoscenza. Ancora una volta hanno fissato la data dell'inizio della produzione di gomma sintetica: sarà per il 1° febbraio 1945. Fabbricano rifugi e trincee, riparano i danni, costruiscono, combattono, comandano, organizzano e uccidono. Che altro potrebbero fare? Sono tedeschi: questo loro agire non è meditato e deliberato, ma segue dalla loro natura e dal desti-

no che si sono scelti. Non potrebbero fare altrimenti: se si
ferisce il corpo di un agonizzante, la ferita incomincia tut-
tavia a cicatrizzare, anche se l'intero corpo morrà fra un
giorno.

Adesso, ogni mattina, alla divisione delle squadre, il
Kapo chiama prima di tutti gli altri noi tre del Laborato-
rio, «die drei Leute vom Labor». In campo, alla sera e al
mattino, nulla mi distingue dal gregge, ma di giorno, al la-
voro, io sto al coperto e al caldo, e nessuno mi picchia; ru-
bo e vendo sapone e benzina, senza serio rischio, e forse
avrò un buono per le scarpe di cuoio. Inoltre, si può chia-
mare lavoro questo mio? Lavorare è spingere vagoni, por-
tare travi, spaccare pietre, spalare terra, stringere con le
mani nude il ribrezzo del ferro gelato. Io invece sto seduto
tutto il giorno, ho un quaderno e una matita, e mi hanno
perfino dato un libro per rinfrescarmi la memoria sui me-
todi analitici. Ho un cassetto dove posso riporre berretto
e guanti, e quando voglio uscire basta che avvisi Herr Sta-
winoga, il quale non dice mai di no e se ritardo non fa do-
mande; ha l'aria di soffrire nella sua carne per la rovina
che lo circonda.
I compagni del Kommando mi invidiano, e hanno ra-
gione; non dovrei forse dirmi contento? Ma non appena,
al mattino, io mi sottraggo alla rabbia del vento e varco la
soglia del laboratorio, ecco al mio fianco la compagna di
tutti i momenti di tregua, del Ka-Be e delle domeniche di
riposo: la pena del ricordarsi, il vecchio feroce struggimen-
to di sentirsi uomo, che mi assalta come un cane all'istante
in cui la coscienza esce dal buio. Allora prendo la matita e
il quaderno, e scrivo quello che non saprei dire a nessuno.
Poi ci sono le donne. Da quanti mesi non vedevo una
donna? Non di rado si incontravano in Buna le operaie
ucraine e polacche, in pantaloni e giubba di cuoio, massic-
ce e violente come i loro uomini. Erano sudate e scarmi-
gliate d'estate, imbottite di abiti spessi d'inverno; lavo-

ravano di pala e di piccone, e non si sentivano accanto come donne.

Qui è diverso. Di fronte alle ragazze del laboratorio, noi tre ci sentiamo sprofondare di vergogna e di imbarazzo. Noi sappiamo qual è il nostro aspetto: ci vediamo l'un l'altro, e talora ci accade di specchiarci in un vetro terso. Siamo ridicoli e ripugnanti. Il nostro cranio è calvo il lunedí, e coperto di una corta muffa brunastra il sabato. Abbiamo il viso gonfio e giallo, segnato in permanenza dai tagli del barbiere frettoloso, e spesso da lividure e piaghe torpide; abbiamo il collo lungo e nodoso come polli spennati. I nostri abiti sono incredibilmente sudici, macchiati di fango, sangue e untume; le brache di Kandel gli arrivano a metà polpacci, rivelando le caviglie ossute e pelose; la mia giacca mi spiove dalle spalle come da un attaccapanni di legno. Siamo pieni di pulci, e spesso ci grattiamo spudoratamente; siamo costretti a domandare di andare alla latrina con umiliante frequenza. I nostri zoccoli di legno sono insopportabilmente rumorosi, e incrostati di strati alterni di fango e del grasso regolamentare.

E poi, al nostro odore noi siamo ormai avvezzi, ma le ragazze no, e non perdono occasione per manifestarcelo. Non è l'odore generico di mal lavato, ma l'odore di Häftling, scialbo e dolciastro, che ci ha accolti al nostro arrivo in Lager ed esala tenace dai dormitori, dalle cucine, dai lavatoi e dai cessi del Lager. Lo si acquista subito e non lo si perde piú: «cosí giovane e già puzzi!», cosí si usa accogliere fra noi i nuovi arrivati.

A noi queste ragazze sembrano creature ultraterrene. Sono tre giovani tedesche, piú Fräulein Liczba, polacca, che è la magazziniera, e Frau Mayer che è la segretaria. Hanno la pelle liscia e rosea, begli abiti colorati, puliti e caldi, i capelli biondi, lunghi e ben ravviati; parlano con molta grazia e compostezza, e invece di tenere il laboratorio ordinato e pulito, come dovrebbero, fumano negli angoli, mangiano pubblicamente tartine di pane e marmellata, si limano le unghie, rompono molta vetreria e poi cer-

cano di darne a noi la colpa; quando scopano ci scopano i piedi. Con noi non parlano, e arricciano il naso quando ci vedono trascinarci per il laboratorio, squallidi e sudici, disadatti e malfermi sugli zoccoli. Una volta ho chiesto una informazione a Fräulein Liczba, e lei non mi ha risposto, ma si è volta a Stawinoga con viso infastidito e gli ha parlato rapidamente. Non ho inteso la frase, ma «Stinkjude» l'ho percepito chiaramente, e mi si sono strette le vene. Stawinoga mi ha detto che, per ogni questione di lavoro, ci dobbiamo rivolgere a lui direttamente.

Queste ragazze cantano, come cantano tutte le ragazze di tutti i laboratori del mondo, e questo ci rende profondamente infelici. Discorrono fra loro: parlano del tesseramento, dei loro fidanzati, delle loro case, delle feste prossime...

– Domenica vai a casa? Io no: è cosí scomodo viaggiare!

– Io andrò a Natale. Due settimane soltanto, e poi sarà ancora Natale: non sembra vero, quest'anno è passato cosí presto!

... Quest'anno è passato presto. L'anno scorso a quest'ora io ero un uomo libero: fuori legge ma libero, avevo un nome e una famiglia, possedevo una mente avida e inquieta e un corpo agile e sano. Pensavo a molte lontanissime cose: al mio lavoro, alla fine della guerra, al bene e al male, alla natura delle cose e alle leggi che governano l'agire umano; e inoltre alle montagne, a cantare, all'amore, alla musica, alla poesia. Avevo una enorme, radicata, sciocca fiducia nella benevolenza del destino, e uccidere e morire mi parevano cose estranee e letterarie. I miei giorni erano lieti e tristi, ma tutti li rimpiangevo, tutti erano densi e positivi; l'avvenire mi stava davanti come una grande ricchezza. Della mia vita di allora non mi resta oggi che quanto basta per soffrire la fame e il freddo; non sono piú abbastanza vivo per sapermi sopprimere.

Se parlassi meglio tedesco, potrei provare a spiegare tutto questo a Frau Mayer; ma certo non capirebbe, o se fosse cosí intelligente e cosí buona da capire, non potrebbe so-

stenere la mia vicinanza, e mi fuggirebbe, come si fugge il contatto con un malato incurabile o con un condannato a morte. O forse mi regalerebbe un buono per mezzo litro di zuppa civile.

Quest'anno è passato presto.

L'ultimo

Ormai Natale è vicino. Alberto ed io camminiamo spalla contro spalla nella lunga schiera grigia, curvi in avanti per resistere meglio al vento. È notte e nevica; non è facile mantenersi in piedi, ancora piú difficile mantenere il passo e l'allineamento: ogni tanto qualcuno davanti a noi inciespica e rotola nel fango nero, bisogna stare attenti a evitarlo e a riprendere il nostro posto nella fila.

Da quando io sono in Laboratorio, Alberto ed io lavoriamo separati, e, nella marcia di ritorno, abbiamo sempre molte cose da dirci. Di solito non si tratta di cose molto elevate: del lavoro, dei compagni, del pane, del freddo; ma da una settimana c'è qualcosa di nuovo: Lorenzo ci porta ogni sera tre o quattro litri della zuppa dei lavoratori civili italiani. Per risolvere il problema del trasporto, abbiamo dovuto procurarci ciò che qui si chiama una «menaschka», vale a dire una gamella fuori serie di lamiera zincata, piuttosto un secchio che una gamella. Silberlust, il lattoniere, ce l'ha fabbricata con due pezzi di grondaia, in cambio di tre razioni di pane: è uno splendido recipiente solido e capace, dal caratteristico aspetto di arnese neolitico.

In tutto il campo solo qualche greco possiede una menaschka piú grande della nostra. Questo, oltre ai vantaggi materiali, ha comportato un sensibile miglioramento della nostra condizione sociale. Una menaschka come la nostra è un diploma di nobiltà, è un segno araldico: Henri sta diventando nostro amico e parla con noi da pari a pari; L. ha assunto un tono paterno e condiscendente; quanto a

Elias, ci è perennemente alle costole, e mentre da una parte ci spia con tenacia per scoprire il segreto della nostra «organisacja», dall'altra ci subissa di incomprensibili dichiarazioni di solidarietà e di affetto, e ci introna con una litania di portentose oscenità e bestemmie italiane e francesi che ha imparate chissà dove, e con le quali intende palesemente onorarci.

Quanto all'aspetto morale del nuovo stato di cose, Alberto e io abbiamo dovuto convenire che non c'è di che andare molto fieri; ma è cosí facile trovarsi delle giustificazioni! D'altronde, questo stesso fatto di avere nuove cose di cui parlare, non è un vantaggio trascurabile.

Parliamo del disegno di comperarci una seconda menaschka per fare la rotazione con la prima, in modo che ci basti una sola spedizione al giorno all'angolo remoto del cantiere dove ora lavora Lorenzo. Parliamo di Lorenzo, e del modo di compensarlo; dopo, se ritorneremo, sí, certamente, faremo tutto quanto potremo per lui; ma a che pro parlare di questo? sia lui che noi, sappiamo bene che è difficile che noi torniamo. Bisognerebbe fare qualcosa subito; potremmo provare a fargli riparare le scarpe nella calzoleria del nostro Lager, dove le riparazioni sono gratuite (sembra un paradosso, ma ufficialmente, nei campi di annientamento, è tutto gratuito). Alberto proverà: è amico del ciabattino capo, forse basterà qualche litro di zuppa.

Parliamo di tre nuovissime nostre imprese, e ci troviamo d'accordo nel deplorare che evidenti ragioni di segreto professionale sconsiglino di spiattellarle in giro: peccato, il nostro prestigio personale ne trarrebbe un grande vantaggio.

Della prima, è mia la paternità. Ho saputo che il Blockältester del 44 è a corto di scope, e ne ho rubata una in cantiere: e fin qui non c'è nulla di straordinario. La difficoltà era quella di contrabbandare la scopa in Lager durante la marcia di ritorno, e io l'ho risolta in un modo che credo inedito, smembrando la refurtiva in saggina e manico, segando quest'ultimo in due pezzi, portando in campo i

vari articoli separatamente (i due tronconi di manico legati alle cosce, dentro i pantaloni), e ricostituendo il tutto in Lager, per il che ho dovuto trovare un pezzo di lamiera, martello e chiodi per risaldare i due legni. Il travaso ha richiesto quattro soli giorni.

Contrariamente a quanto temevo, il committente non solo non ha svalutata la mia scopa, ma l'ha mostrata come una curiosità a parecchi suoi amici, i quali mi hanno passato regolare ordinazione per altre due scope «dello stesso modello».

Ma Alberto ha ben altro in pentola. In primo luogo, ha messo a punto l'«operazione lima», e l'ha già eseguita due volte con successo. Alberto si presenta al magazzino attrezzi, chiede una lima, e ne sceglie una piuttosto grossa. Il magazziniere scrive «una lima» accanto al suo numero di matricola, e Alberto se ne va. Va difilato da un civile sicuro (un fior di furfante triestino, che ne sa una piú del diavolo e aiuta Alberto piú per amore dell'arte che per interesse o per filantropia), il quale non ha difficoltà a cambiare sul libero mercato la lima grossa contro due piccole di valore uguale o minore. Alberto rende «una lima» al magazzino e vende l'altra.

E infine, ha coronato in questi giorni il suo capolavoro, una combinazione audace, nuova, e di singolare eleganza. Bisogna sapere che da qualche settimana ad Alberto è stata affidata una mansione speciale: al mattino, in cantiere, gli viene consegnato un secchio con pinze, cacciavite, e parecchie centinaia di targhette di celluloide di colori diversi, le quali egli deve montare mediante appositi supportini per contraddistinguere le numerose e lunghe tubazioni di acqua fredda e calda, vapore, aria compressa, gas, nafta, vuoto ecc. che percorrono in tutti i sensi il Reparto Polimerizzazione. Bisogna sapere inoltre (e sembra che non c'entri affatto: ma l'ingegno non consiste forse nel trovare o creare relazioni fra ordini di idee apparentemente estranei?) che per tutti noi Häftlinge la doccia è una faccenda assai sgradevole per molte ragioni (l'acqua è scarsa e fred-

da, o addirittura bollente, non c'è spogliatoio, non abbiamo asciugamani, non abbiamo sapone, e durante la forzata assenza è facile essere derubati). Poiché la doccia è obbligatoria, occorre ai Blockälteste un sistema di controllo che permetta di applicare sanzioni a chi vi si sottrae: per lo piú, un fiduciario del Block si installa sulla porta, e tasta come Polifemo che esce per sentire se è bagnato; chi lo è, riceve uno scontrino, chi è asciutto riceve cinque nerbate. Solo presentando lo scontrino si può riscuotere il pane al mattino seguente.

L'attenzione di Alberto si è appuntata sugli scontrini. In genere, non sono altro che miseri biglietti di carta, che vengono riconsegnati umidi, spiegazzati e irriconoscibili. Alberto conosce i tedeschi, e i Blockälteste sono tutti tedeschi o di scuola tedesca: amano l'ordine, il sistema, la burocrazia; inoltre, pur essendo dei tangheri maneschi e iracondi, nutrono un amore infantile per gli oggetti luccicanti e variopinti.

Cosí impostato il tema, eccone il brillante svolgimento. Alberto ha sottratto sistematicamente una serie di targhette dello stesso colore; da ognuna, ha ricavato tre dischetti (lo strumento necessario, un foratappi, l'ho organizzato io in Laboratorio): quando sono stati pronti duecento dischetti, sufficienti per un Block, si è presentato al Blockältester, e gli ha offerto la «Spezialität» per la folle quotazione di dieci razioni di pane, a consegna scalare. Il cliente ha accettato con entusiasmo, e ora Alberto dispone di un portentoso articolo di moda da offrire a colpo sicuro in tutte le baracche, un colore per baracca (nessun Blockältester vorrà passare per taccagno o misoneista), e, quel che piú conta, non ha da temere concorrenti, perché lui solo ha accesso alla materia prima. Non è ben studiato?

Di queste cose parliamo, incespicando da una pozzanghera all'altra, fra il nero del cielo e il fango della strada. Parliamo e camminiamo. Io porto le due gamelle vuote,

Alberto il peso della menaschka dolcemente piena. Ancora
una volta la musica della banda, la cerimonia del «Mützen
ab», giú i berretti di scatto davanti alle SS; ancora una vol-
ta Arbeit Macht Frei, e l'annunzio del Kapo: – Komman-
do 98, zwei und sechzig Häftlinge, Stärke stimmt, – ses-
santadue prigionieri, il conto torna. Ma la colonna non si
è sciolta, ci hanno fatto marciare fino in piazza dell'Appel-
lo. Ci sarà appello? Non è l'appello. Abbiamo visto la luce
cruda del faro, e il profilo ben noto della forca.

Ancora per piú di un'ora le squadre hanno continuato a
rientrare, col trepestio duro delle suole di legno sulla neve
gelata. Quando poi tutti i Kommandos sono ritornati,
la banda ha taciuto a un tratto, e una rauca voce tedesca
ha imposto il silenzio. Nell'improvvisa quiete, si è levata
un'altra voce tedesca, e nell'aria buia e nemica ha parlato
a lungo con collera. Infine il condannato è stato introdotto
nel fascio di luce del faro.

Tutto questo apparato, e questo accanito cerimoniale,
non sono nuovi per noi. Da quando io sono in campo, ho
già dovuto assistere a tredici pubbliche impiccagioni; ma le
altre volte si trattava di comuni reati, furti alla cucina, sa-
botaggi, tentativi di fuga. Oggi si tratta di altro.

Il mese scorso, uno dei crematori di Birkenau è stato
fatto saltare. Nessuno di noi sa (e forse nessuno saprà mai)
come esattamente l'impresa sia stata compiuta: si parla del
Sonderkommando, del Kommando Speciale addetto alle
camere a gas e ai forni, che viene esso stesso periodica-
mente sterminato, e che viene tenuto scrupolosamente se-
gregato dal resto del campo. Resta il fatto che a Birkenau
qualche centinaio di uomini, di schiavi inermi e spossati
come noi, hanno trovato in se stessi la forza di agire, di
maturare i frutti del loro odio.

L'uomo che morrà oggi davanti a noi ha preso parte in
qualche modo alla rivolta. Si dice che avesse relazioni co-
gli insorti di Birkenau, che abbia portato armi nel nostro
campo, che stesse tramando un ammutinamento simulta-

neo anche tra noi. Morrà oggi sotto i nostri occhi: e forse
i tedeschi non comprenderanno che la morte solitaria, la
morte di uomo che gli è stata riservata, gli frutterà gloria e
non infamia.

Quando finí il discorso del tedesco, che nessuno poté
intendere, di nuovo si levò la prima voce rauca: – Habt
ihr verstanden? – (Avete capito?)

Chi rispose «Jawohl»? Tutti e nessuno: fu come se la
nostra maledetta rassegnazione prendesse corpo di per sé,
si facesse voce collettivamente al di sopra dei nostri capi.
Ma tutti udirono il grido del morente, esso penetrò le gros-
se antiche barriere di inerzia e di remissione, percosse il
centro vivo dell'uomo in ciascuno di noi:

– Kameraden, ich bin der Letzte! – (Compagni, io so-
no l'ultimo!)

Vorrei poter raccontare che di fra noi, gregge abietto,
una voce si fosse levata, un mormorio, un segno di assen-
so. Ma nulla è avvenuto. Siamo rimasti in piedi, curvi e
grigi, a capo chino, e non ci siamo scoperta la testa che
quando il tedesco ce l'ha ordinato. La botola si è aperta, il
corpo ha guizzato atroce; la banda ha ripreso a suonare, e
noi, nuovamente ordinati in colonna, abbiamo sfilato da-
vanti agli ultimi fremiti del morente.

Ai piedi della forca, le SS ci guardano passare con occhi
indifferenti: la loro opera è compiuta, e ben compiuta. I
russi possono ormai venire: non vi sono piú uomini forti
fra noi, l'ultimo pende ora sopra i nostri capi, e per gli al-
tri, pochi capestri sono bastati. Possono venire i russi: non
troveranno che noi domati, noi spenti, degni ormai della
morte inerme che ci attende.

Distruggere l'uomo è difficile, quasi quanto crearlo:
non è stato agevole, non è stato breve, ma ci siete riusciti,
tedeschi. Eccoci docili sotto i vostri sguardi: da parte no-
stra nulla piú avete a temere: non atti di rivolta, non paro-
le di sfida, neppure uno sguardo giudice.

Alberto ed io siamo rientrati in baracca, e non abbiamo potuto guardarci in viso. Quell'uomo doveva essere duro, doveva essere di un altro metallo del nostro, se questa condizione, da cui noi siamo stati rotti, non ha potuto piegarlo.

Perché, anche noi siamo rotti, vinti: anche se abbiamo saputo adattarci, anche se abbiamo finalmente imparato a trovare il nostro cibo e a reggere alla fatica e al freddo, anche se ritorneremo.

Abbiamo issato la menaschka sulla cuccetta, abbiamo fatto la ripartizione, abbiamo soddisfatto la rabbia quotidiana della fame, e ora ci opprime la vergogna.

Storia di dieci giorni

Già da molti mesi ormai si sentiva a intervalli il rombo dei cannoni russi, quando, l'11 gennaio 1945, mi ammalai di scarlattina e fui nuovamente ricoverato in Ka-Be. «Infektionsabteilung»: vale a dire una cameretta, per verità assai pulita, con dieci cuccette su due piani; un armadio; tre sgabelli, e la seggetta col secchio per i bisogni corporali. Il tutto in tre metri per cinque.

Sulle cuccette superiori era disagevole salire, non c'era scala; perciò quando un malato si aggravava veniva trasferito alle cuccette inferiori.

Quando io entrai, fui il tredicesimo: degli altri dodici, quattro avevano la scarlattina, due francesi «politici» e due ragazzi ebrei ungheresi; c'erano poi tre difterici, due tifosi, e uno affetto da una ributtante risipola facciale. I due rimanenti avevano piú di una malattia ed erano incredibilmente deperiti.

Avevo febbre alta. Ebbi la fortuna di avere una cuccetta tutta per me; mi coricai con sollievo, sapevo di avere diritto a quaranta giorni di isolamento e quindi di riposo, e mi ritenevo abbastanza ben conservato da non dover temere le conseguenze della scarlattina da una parte, e le selezioni dall'altra.

Grazie alla mia ormai lunga esperienza delle cose del campo, ero riuscito a portare con me le mie cose personali: una cintura di fili elettrici intrecciati; il cucchiaio-coltello; un ago con tre gugliate; cinque bottoni; e infine, diciotto pietrine per acciarino che avevo rubato in Laboratorio. Da

ognuna di queste, assottigliandola pazientemente col col-
tello, si potevano ricavare tre pietrine piú piccole, del cali-
bro adatto a un normale accendisigaro. Erano state valuta-
te sei o sette razioni di pane.

Passai quattro giorni tranquilli. Fuori nevicava e faceva
molto freddo, ma la baracca era riscaldata. Ricevevo forti
dosi di sulfamidico, soffrivo di una nausea intensa e sten-
tavo a mangiare; non avevo voglia di attaccare discorso.

I due francesi con la scarlattina erano simpatici. Erano
due provinciali dei Vosgi, entrati in campo da pochi giorni
con un grosso trasporto di civili rastrellati dai tedeschi in
ritirata dalla Lorena. Il piú anziano si chiamava Arthur,
era contadino, piccolo e magro. L'altro, suo compagno di
cuccetta, si chiamava Charles, era maestro di scuola e ave-
va trentadue anni; invece della camicia gli era toccata una
canottiera estiva comicamente corta.

Il quinto giorno venne il barbiere. Era un greco di Salo-
nicco; parlava solo il bello spagnolo della sua gente, ma ca-
piva qualche parola di tutte le lingue che si parlavano in
campo. Si chiamava Askenazi, ed era in campo da quasi
tre anni; non so come avesse potuto ottenere la carica di
«Frisör» del Ka-Be: infatti non parlava tedesco né polacco
e non era eccessivamente brutale. Prima che entrasse, lo
avevo sentito parlare a lungo concitatamente nel corridoio
col medico, che era suo compatriota. Mi parve che avesse
una espressione insolita, ma poiché la mimica dei levantini
non corrisponde alla nostra, non comprendevo se fosse
spaventato, o lieto, o emozionato. Mi conosceva, o almeno
sapeva che io ero italiano.

Quando fu il mio turno, scesi laboriosamente dalla cuc-
cetta. Gli chiesi in italiano se c'era qualcosa di nuovo: egli
interruppe la rasatura, strizzò gli occhi in modo solenne e
allusivo, indicò la finestra col mento, poi fece colla mano
un gesto ampio verso ponente:

– Morgen, alle Kamarad weg.

Mi guardò un momento cogli occhi spalancati come in
attesa del mio stupore, poi aggiunse: – Todos todos, – e

riprese il lavoro. Sapeva delle mie pietrine, perciò mi rase con una certa delicatezza.

La notizia non provocò in me alcuna emozione diretta. Da molti mesi non conoscevo piú il dolore, la gioia, il timore, se non in quel modo staccato e lontano che è caratteristico del Lager, e che si potrebbe chiamare condizionale: se avessi ora – pensavo – la mia sensibilità di prima, questo sarebbe un momento estremamente emozionante.

Avevo le idee perfettamente chiare; da molto tempo Alberto ed io avevamo previsto i pericoli che avrebbero accompagnato il momento della evacuazione del campo e della liberazione. Del resto la notizia portata da Askenazi non era che la conferma di una voce che circolava già da vari giorni: che i russi erano a Czenstochowa, cento chilometri a nord; che erano a Zakopane, cento chilometri a sud; che in Buna i tedeschi già preparavano le mine di sabotaggio.

Guardai uno per uno i visi dei miei compagni di camera: era chiaro che non metteva conto di parlarne con nessuno di loro. Mi avrebbero risposto: «Ebbene?» e tutto sarebbe finito lí. I francesi erano diversi, erano ancora freschi.

– Sapete? – dissi loro: – Domani si evacua il campo.

Mi coprirono di domande: – Verso dove? A piedi?... e anche i malati? quelli che non possono camminare? – Sapevano che ero un vecchio prigioniero e che capivo il tedesco: ne concludevano che sapessi sull'argomento molto di piú di quanto non volessi ammettere.

Non sapevo altro: lo dissi, ma quelli continuarono colle domande. Che seccatura. Ma già, erano in Lager da qualche settimana, non avevano ancora imparato che in Lager non si fanno domande.

Nel pomeriggio venne il medico greco. Disse che, anche fra i malati, tutti quelli che potevano camminare sarebbero stati forniti di scarpe e di abiti, e sarebbero partiti il giorno dopo, con i sani, per una marcia di venti chilometri. Gli

altri sarebbero rimasti in Ka-Be, con personale di assistenza scelto fra i malati meno gravi.

Il medico era insolitamente ilare, sembrava ubriaco. Lo conoscevo, era un uomo colto, intelligente, egoista e calcolatore. Disse ancora che tutti indistintamente avrebbero ricevuto tripla razione di pane, al che i malati si rallegrarono visibilmente. Gli facemmo qualche domanda su che cosa sarebbe stato di noi. Rispose che probabilmente i tedeschi ci avrebbero abbandonati al nostro destino: no, non credeva che ci avrebbero uccisi. Non metteva molto impegno a nascondere che pensava il contrario, la sua stessa allegria era significativa.

Era già equipaggiato per la marcia; appena fu uscito, i due ragazzi ungheresi presero a parlare concitatamente fra di loro. Erano in avanzata convalescenza, ma molto deperiti. Si capiva che avevano paura di restare coi malati, deliberavano di partire coi sani. Non si trattava di un ragionamento: è probabile che anche io, se non mi fossi sentito cosí debole, avrei seguito l'istinto del gregge; il terrore è eminentemente contagioso, e l'individuo atterrito cerca in primo luogo la fuga.

Fuori della baracca si sentiva il campo in insolita agitazione. Uno dei due ungheresi si alzò, uscí e tornò dopo mezz'ora carico di stracci immondi. Doveva averli sottratti al magazzino degli effetti da passare alla disinfezione. Lui e il suo compagno si vestirono febbrilmente, indossando stracci su stracci. Si vedeva che avevano fretta di mettersi davanti al fatto compiuto, prima che la paura stessa li facesse recedere. Era insensato pensare di fare anche solo un'ora di cammino deboli come erano, e per di piú nella neve, e con quelle scarpe rotte trovate all'ultimo momento. Tentai di spiegarlo, ma mi guardarono senza rispondere. Avevano gli occhi come le bestie impaurite.

Solo per un attimo mi passò per il capo che potevano anche aver ragione loro. Uscirono maldestri dalla finestra, li vidi, fagotti informi, barcollare fuori nella notte. Non sono tornati; ho saputo molto piú tardi che, non potendo

proseguire, furono abbattuti dalle SS poche ore dopo l'inizio della marcia.

Anche per me ci voleva un paio di scarpe: era chiaro. Pure ci volle forse un'ora perché riuscissi a vincere la nausea, la febbre e l'inerzia. Ne trovai un paio nel corridoio (i sani avevano saccheggiato il deposito delle scarpe dei ricoverati, e si erano prese le migliori: le piú scadenti, sfondate e spaiate, giacevano in tutti i canti). Proprio là incontrai Kosman, un alsaziano. Era, da civile, corrispondente della «Reuter» a Clermont-Ferrand: anche lui eccitato ed euforico. Disse: – Se dovessi tu ritornare prima di me, scrivi al sindaco di Metz che io sto per rientrare.

Kosman aveva notoriamente conoscenze fra i Prominenti, perciò il suo ottimismo mi parve buon indizio e lo utilizzai per giustificare davanti a me stesso la mia inerzia. Nascosi le scarpe e ritornai a letto.

A tarda notte venne ancora il medico greco, con un sacco sulle spalle e un passamontagna. Gettò sulla mia cuccetta un romanzo francese: – Tieni, leggi, italiano. Me lo renderai quando ci rivedremo –. Ancora oggi lo odio per questa sua frase. Sapeva che noi eravamo condannati.

E venne finalmente Alberto, sfidando il divieto, a salutarmi dalla finestra. Era il mio indivisibile: noi eravamo «i due italiani», e per lo piú i compagni stranieri confondevano i nostri nomi. Da sei mesi dividevamo la cuccetta, e ogni grammo di cibo organizzato extra-razione; ma lui aveva superata la scarlattina da bambino, e io non avevo quindi potuto contagiarlo. Perciò lui partí e io rimasi. Ci salutammo, non occorrevano molte parole, ci eravamo dette tutte le nostre cose già infinite volte. Non credevamo che saremmo rimasti a lungo separati. Aveva trovato grosse scarpe di cuoio, in discreto stato: era uno di quelli che trovano subito tutto ciò di cui hanno bisogno.

Anche lui era allegro e fiducioso, come tutti quelli che partivano. Era comprensibile: stava per accadere qualcosa di grande e di nuovo: si sentiva finalmente intorno una forza che non era quella della Germania, si sentiva mate-

rialmente scricchiolare tutto quel nostro mondo maledetto. O almeno, questo sentivano i sani, che, per quanto stanchi e affamati, avevano modo di muoversi; ma è indiscutibile che chi è troppo debole, o nudo, o scalzo, pensa e sente in un altro modo, e ciò che dominava le nostre menti era la sensazione paralizzante di essere totalmente inermi e in mano alla sorte.

Tutti i sani (tranne qualche ben consigliato che all'ultimo istante si spogliò e si cacciò in qualche cuccetta di infermeria) partirono nella notte sul 18 gennaio 1945. Dovevano essere circa ventimila, provenienti da vari campi. Nella quasi totalità, essi scomparvero durante la marcia di evacuazione: Alberto è fra questi. Qualcuno scriverà forse un giorno la loro storia.

Noi restammo dunque nei nostri giacigli, soli con le nostre malattie, e con la nostra inerzia piú forte della paura.

Nell'intero Ka-Be eravamo forse ottocento. Nella nostra camera eravamo rimasti undici, ciascuno in una cuccetta, tranne Charles e Arthur che dormivano insieme. Spento il ritmo della grande macchina del Lager, incominciarono per noi i dieci giorni fuori del mondo e del tempo.

18 gennaio. Nella notte dell'evacuazione le cucine del campo avevano ancora funzionato, e il mattino seguente fu fatta nell'infermeria l'ultima distribuzione di zuppa. L'impianto centrale di riscaldamento era stato abbandonato; nelle baracche ristagnava ancora un po' di calore, ma a ogni ora che passava, la temperatura si andava abbassando, e si comprendeva che in breve avremmo sofferto il freddo. Fuori ci dovevano essere almeno 20° sotto lo zero; la maggior parte dei malati non aveva che la camicia, e alcuni nemmeno quella.

Nessuno sapeva quale fosse la nostra condizione. Alcune SS erano rimaste, alcune torrette di guardia erano ancora occupate.

Verso mezzogiorno un maresciallo delle SS fece il giro

delle baracche. Nominò in ognuna un capo-baracca sce-
gliendolo fra i non-ebrei rimasti, e dispose che fosse imme-
diatamente fatto un elenco dei malati, distinti in ebrei e
non ebrei. La cosa pareva chiara. Nessuno si stupí che i te-
deschi conservassero fino all'ultimo il loro amore naziona-
le per le classificazioni, e, nessun ebreo pensò piú seria-
mente di vivere fino al giorno successivo.

I due francesi non avevano capito ed erano spaventati.
Tradussi loro di malavoglia il discorso della SS; trovavo ir-
ritante che avessero paura: non avevano ancora un mese di
Lager, non avevano quasi ancora fame, non erano neppure
ebrei, e avevano paura.

Fu fatta ancora una distribuzione di pane. Passai il po-
meriggio a leggere il libro lasciato dal medico: era molto
interessante e lo ricordo con bizzarra precisione. Feci an-
che una visita al reparto accanto, in cerca di coperte: di
là molti malati erano stati messi in uscita, le loro coperte
erano rimaste libere. Ne presi con me alcune abbastanza
calde.

Quando seppe che venivano dal Reparto Dissente-
ria Arthur arricciò il naso: – Y-avait point besoin de le
dire – ; infatti erano macchiate. Io pensavo che in ogni
modo, dato ciò che ci aspettava, sarebbe stato meglio dor-
mire ben coperti.

Fu presto notte, ma la luce elettrica funzionava ancora.
Vedemmo con tranquillo spavento che all'angolo della ba-
racca stava una SS armata. Non avevo voglia di parlare, e
non provavo timore se non nel modo esterno e condiziona-
le che ho detto. Continuai a leggere fino a tarda ora.

Non vi erano orologi, ma dovevano essere le ventitre
quando tutte le luci si spensero, anche quelle dei riflettori
sulle torrette di guardia. Si vedevano lontano i fasci dei fo-
toelettrici. Fiorí in cielo un grappolo di luci intense, che si
mantennero immobili illuminando crudamente il terreno.
Si sentiva il rombo degli apparecchi.

Poi cominciò il bombardamento. Non era cosa nuova,
scesi a terra, infilai i piedi nudi nelle scarpe e attesi.

Sembrava lontano, forse su Auschwitz.

Ma ecco un'esplosione vicina, e, prima di poter formulare un pensiero, una seconda e una terza da sfondare le orecchie. Si sentirono vetri rovinare, la baracca oscillò, cadde a terra il cucchiaio che tenevo infisso in una commessura della parete di legno.

Poi parve finito. Cagnolati, un giovane contadino, egli pure dei Vosgi, non doveva aver mai visto una incursione: era uscito nudo dal letto, si era appiattito in un angolo e urlava.

Dopo pochi minuti fu evidente che il campo era stato colpito. Due baracche bruciavano con violenza, altre due erano state polverizzate, ma erano tutte baracche vuote. Arrivarono decine di malati, nudi e miserabili, da una baracca minacciata dal fuoco: chiedevano ricovero. Impossibile accoglierli. Insistettero, supplicando e minacciando in molte lingue: dovemmo barricare la porta. Si trascinarono altrove, illuminati dalle fiamme, scalzi nella neve in fusione. A molti pendevano dietro i bendaggi disfatti. Per la nostra baracca non pareva ci fosse pericolo, a meno che il vento non girasse.

I tedeschi non c'erano piú. Le torrette erano vuote.

Oggi io penso che, se non altro per il fatto che un Auschwitz è esistito, nessuno dovrebbe ai nostri giorni parlare di Provvidenza: ma è certo che in quell'ora il ricordo dei salvamenti biblici nelle avversità estreme passò come un vento per tutti gli animi.

Non si poteva dormire; un vetro era rotto e faceva molto freddo. Pensavo che avremmo dovuto cercare una stufa da installare, e procurarci carbone, legna e viveri. Sapevo che tutto questo era necessario, ma senza l'appoggio di qualcuno non avrei mai avuto l'energia di metterlo in atto. Ne parlai coi due francesi.

19 gennaio. I francesi furono d'accordo. Ci alzammo all'alba, noi tre. Mi sentivo malato e inerme, avevo freddo e paura.

Gli altri malati ci guardarono con curiosità rispettosa: non sapevamo che ai malati non era permesso uscire dal Ka-Be? E se i tedeschi non erano ancora tutti partiti? Ma non dissero nulla, erano contenti che ci fosse qualcuno per fare la prova.

I francesi non avevano alcuna idea della topografia del Lager, ma Charles era coraggioso e robusto, e Arthur era sagace e aveva un buon senso pratico di contadino. Uscimmo nel vento di una gelida giornata di nebbia, malamente avvolti in coperte.

Quello che vedemmo non assomiglia a nessuno spettacolo che io abbia mai visto né sentito descrivere.

Il Lager, appena morto, appariva già decomposto. Niente piú acqua ed elettricità: finestre e porte sfondate sbattevano nel vento, stridevano le lamiere sconnesse dei tetti, e le ceneri dell'incendio volavano alto e lontano. All'opera delle bombe si aggiungeva l'opera degli uomini: cenciosi, cadenti, scheletrici, i malati in grado di muoversi si trascinavano per ogni dove, come una invasione di vermi, sul terreno indurito dal gelo. Avevano rovistato tutte le baracche vuote in cerca di alimenti e di legna; avevano violato con furia insensata le camere degli odiati Blockälteste, grottescamente adorne, precluse fino al giorno prima ai comuni Häftlinge; non piú padroni dei propri visceri, avevano insozzato dovunque, inquinando la preziosa neve, unica sorgente d'acqua ormai per l'intero campo.

Attorno alle rovine fumanti delle baracche bruciate, gruppi di malati stavano applicati al suolo, per succhiarne l'ultimo calore. Altri avevano trovato patate da qualche parte, e le arrostivano sulle braci dell'incendio, guardandosi intorno con occhi feroci. Pochi avevano avuto la forza di accendersi un vero fuoco, e vi facevano fondere la neve in recipienti di fortuna.

Ci dirigemmo alle cucine piú in fretta che potemmo, ma le patate erano già quasi finite. Ne riempimmo due sacchi, e li lasciammo in custodia ad Arthur. Tra le macerie del Prominenzblock, Charles ed io trovammo finalmente quanto cercavamo: una pesante stufa di ghisa, con tubi ancora utilizzabili: Charles accorse con una carriola e caricammo; poi lasciò a me l'incarico di portarla in baracca e corse ai sacchi. Là trovò Arthur svenuto per il freddo; Charles si caricò entrambi i sacchi e li portò al sicuro, poi si occupò dell'amico.

Intanto io, reggendomi a stento, cercavo di manovrare del mio meglio la pesante carriola. Si udí un fremito di motore, ed ecco, una SS in motocicletta entrò nel campo. Come sempre, quando vedevamo i loro visi duri, mi sentii sommergere di terrore e di odio. Era troppo tardi per scomparire, e non volevo abbandonare la stufa. Il regolamento del Lager prescriveva di mettersi sull'attenti e di scoprirsi il capo. Io non avevo cappello ed ero impacciato dalla coperta. Mi allontanai qualche passo dalla carriola e feci una specie di goffo inchino. Il tedesco passò oltre senza vedermi, svoltò attorno a una baracca e se ne andò. Seppi piú tardi quale pericolo avevo corso.

Raggiunsi finalmente la soglia della nostra baracca, e sbarcai la stufa nelle mani di Charles. Ero senza fiato per lo sforzo, vedevo danzare grandi macchie nere.

Si trattava di metterla in opera. Avevamo tutti e tre le mani paralizzate, e il metallo gelido si incollava alla pelle delle dita, ma era urgente che la stufa funzionasse, per scaldarci e per bollire le patate. Avevamo trovato legna e carbone, e anche brace proveniente dalle baracche bruciate.

Quando fu riparata la finestra sfondata, e la stufa cominciò a diffondere calore, parve che in ognuno qualcosa si distendesse, e allora avvenne che Towarowski (un franco-polacco di ventitre anni, tifoso) propose agli altri malati di offrire ciascuno una fetta di pane a noi tre che lavoravamo, e la cosa fu accettata.

Soltanto un giorno prima un simile avvenimento non sarebbe stato concepibile. La legge del Lager diceva: «mangia il tuo pane, e, se puoi, quello del tuo vicino», e non lasciava posto per la gratitudine. Voleva ben dire che il Lager era morto.

Fu quello il primo gesto umano che avvenne fra noi. Credo che si potrebbe fissare a quel momento l'inizio del processo per cui, noi che non siamo morti, da Häftlinge siamo lentamente ridiventati uomini.

Arthur si era ripreso abbastanza bene, ma da allora evitò sempre di esporsi al freddo; si assunse la manutenzione della stufa, la cottura delle patate, la pulizia della camera e l'assistenza ai malati. Charles ed io ci dividemmo i vari servizi all'esterno. C'era ancora un'ora di luce: una sortita ci fruttò mezzo litro di spirito e un barattolo di lievito di birra, buttato nella neve da chissà chi; facemmo una distribuzione di patate bollite e di un cucchiaio a testa di lievito. Pensavo vagamente che potesse giovare contro l'avitaminosi.

Venne l'oscurità; di tutto il campo la nostra era l'unica camera munita di stufa, del che eravamo assai fieri. Molti malati di altre sezioni si accalcavano alla porta, ma la statura imponente di Charles li teneva a bada. Nessuno, né noi né loro, pensava che la promiscuità inevitabile coi nostri malati rendeva pericolosissimo il soggiorno nella nostra camera, e che ammalarsi di difterite in quelle condizioni era piú sicuramente mortale che saltare da un terzo piano.

Io stesso, che ne ero conscio, non mi soffermavo troppo su questa idea: da troppo tempo mi ero abituato a pensare alla morte per malattia come ad un evento possibile, e in tal caso ineluttabile, e comunque al di fuori di ogni possibile nostro intervento. E neppure mi passava per il capo che avrei potuto stabilirmi in un'altra camera, in un'altra baracca con minor pericolo di contagio; qui era la stufa, opera nostra, che diffondeva un meraviglioso tepore; e qui

avevo un letto; e infine, ormai, un legame ci univa, noi, gli undici malati della Infektionsabteilung.

Si sentiva di rado un fragore vicino e lontano di artiglieria, e a intervalli, un crepitio di fucili automatici. Nell'oscurità rotta solo dal rosseggiare della brace, Charles, Arthur ed io sedevamo fumando sigarette di erbe aromatiche trovate in cucina, e parlando di molte cose passate e future. In mezzo alla sterminata pianura piena di gelo e di guerra, nella cameretta buia pullulante di germi, ci sentivamo in pace con noi e col mondo. Eravamo rotti di fatica, ma ci pareva, dopo tanto tempo, di avere finalmente fatto qualcosa di utile; forse come Dio dopo il primo giorno della creazione.

20 gennaio. Giunse l'alba, ed ero io di turno per l'accensione della stufa. Oltre alla debolezza generale, le articolazioni dolenti mi ricordavano a ogni momento che la mia scarlattina era lungi dall'essere scomparsa. Il pensiero di dovermi tuffare nell'aria gelida in cerca di fuoco per le altre baracche mi faceva tremare di ribrezzo.

Mi rammentai delle pietrine; cosparsi di spirito un foglietto di carta, e con pazienza da una pietrina vi raschiai sopra un mucchietto di polvere nera, poi presi a raschiare piú forte la pietrina col coltello. Ed ecco: dopo qualche scintilla il mucchietto deflagrò, e dalla carta si levò la fiammella pallida dell'alcool.

Arthur discese entusiasta dal letto e fece scaldare tre patate a testa fra quelle bollite il giorno avanti; dopo di che, affamati e pieni di brividi, Charles ed io partimmo nuovamente in perlustrazione per il campo in sfacelo.

Ci restavano viveri (e cioè patate) per due giorni soltanto; per l'acqua eravamo ridotti a fondere la neve, operazione penosa per la mancanza di grandi recipienti, da cui si otteneva un liquido nerastro e torbido che era necessario filtrare.

Il campo era silenzioso. Altri spettri affamati si aggira-

vano come noi in esplorazione: barbe ormai lunghe, occhi incavati, membra scheletrite e giallastre fra i cenci. Malfermi sulle gambe, entravano e uscivano dalle baracche deserte, asportandone gli oggetti piú vari: scuri, secchi, mestoli, chiodi; tutto poteva servire, e i piú lungimiranti già meditavano fruttuosi mercati con i polacchi della campagna circostante.

Nella cucina, due si accapigliavano per le ultime decine di patate putride. Si erano afferrati per gli stracci e si percuotevano con curiosi gesti lenti e incerti, vituperandosi in yiddisch fra le labbra gelate.

Nel cortile del magazzino stavano due grandi mucchi di cavoli e di rape (le grosse rape insipide, base della nostra alimentazione). Erano cosí gelati che non si potevano staccare se non col piccone. Charles ed io ci avvicendammo, tendendo tutte le nostre energie per ogni colpo, e ne estraemmo una cinquantina di chili. Vi fu anche altro: Charles trovò un pacco di sale e («une fameuse trouvaille!») un bidone d'acqua di forse mezzo ettolitro, allo stato di ghiaccio massiccio.

Caricammo ogni cosa su di un carrettino (servivano prima per distribuire il rancio alle baracche: ve n'era un gran numero abbandonati ovunque), e rientrammo spingendolo faticosamente sulla neve.

Per quel giorno ci accontentammo ancora di patate bollite e fette di rapa arrostite sulla stufa, ma per l'indomani Arthur ci promise importanti innovazioni.

Nel pomeriggio andai all'ex ambulatorio, in cerca di qualcosa di utile. Ero stato preceduto: tutto era stato manomesso da saccheggiatori inesperti. Non piú una bottiglia intera, sul pavimento uno strato di stracci, sterco e materiale di medicazione, un cadavere nudo e contorto. Ma ecco qualcosa che ai miei predecessori era sfuggito: una batteria da autocarro. Toccai i poli col coltello: una piccola scintilla. Era carica.

A sera la nostra camera aveva la luce.

Stando a letto, vedevo dalla finestra un lungo tratto di

strada: vi passava a ondate, già da tre giorni, la Wehr-
macht in fuga. Autoblinde, carri «tigre» mimetizzati in
bianco, tedeschi a cavallo, tedeschi in bicicletta, tedeschi
a piedi, armati e disarmati. Si udiva nella notte il fracasso
dei cingoli molto prima che i carri fossero visibili.

Chiedeva Charles: – Ça roule encore?

– Ça roule toujours.

Sembrava non dovesse mai finire.

21 gennaio. Invece finí. Coll'alba del 21 la pianura ci
apparve deserta e rigida, bianca a perdita d'occhio sotto il
volo dei corvi, mortalmente triste.

Avrei quasi preferito vedere ancora qualcosa in movi-
mento. Anche i civili polacchi erano scomparsi, appiattati
chissà dove. Pareva che perfino il vento si fosse arrestato.
Avrei desiderato una cosa soltanto: restare a letto sotto le
coperte, abbandonarmi alla stanchezza totale di muscoli,
nervi e volontà; aspettare che finisse, o che non finisse, era
la stessa cosa, come un morto.

Ma già Charles aveva acceso la stufa, l'uomo Charles
alacre, fiducioso e amico, e mi chiamava al lavoro:

– Vas-y, Primo, descends-toi de là-haut; il y a Jules à
attraper par les oreilles...

«Jules» era il secchio della latrina, che ogni mattina bi-
sognava afferrare per i manici, portare all'esterno e rove-
sciare nel pozzo nero: era questa la prima bisogna della
giornata, e se si pensa che non era possibile lavarsi le mani,
e che tre dei nostri erano ammalati di tifo, si comprende
che non era un lavoro gradevole.

Dovevamo inaugurare i cavoli e le rape. Mentre io an-
davo a cercare legna, e Charles a raccogliere neve da scio-
gliere, Arthur mobilitò i malati che potevano star seduti,
perché collaborassero nella mondatura. Towarowski, Ser-
telet, Alcalai e Schenck risposero all'appello.

Anche Sertelet era un contadino dei Vosgi, di vent'an-
ni; pareva in buone condizioni, ma di giorno in giorno la

sua voce andava assumendo un sinistro timbro nasale, a ricordarci che la difterite raramente perdona.

Alcalai era un vetraio ebreo di Tolosa; era molto tranquillo e assennato, soffriva di risipola al viso.

Schenck era un commerciante slovacco, ebreo: convalescente di tifo, aveva un formidabile appetito. Cosí pure Towarowski, ebreo franco-polacco, sciocco e ciarliero, ma utile alla nostra comunità per il suo comunicativo ottimismo.

Mentre dunque i malati lavoravano di coltello, ciascuno seduto sulla sua cuccetta, Charles ed io ci dedicammo alla ricerca di una sede possibile per le operazioni di cucina.

Una indescrivibile sporcizia aveva invaso ogni reparto del campo. Colmate tutte le latrine, della cui manutenzione naturalmente nessuno piú si curava, i dissenterici (erano piú di un centinaio) avevano insozzato ogni angolo del Ka-Be, riempito tutti i secchi, tutti i bidoni già destinati al rancio, tutte le gamelle. Non si poteva muovere un passo senza sorvegliare il piede; al buio era impossibile spostarsi. Pur soffrendo per il freddo, che si manteneva acuto, pensavamo con raccapriccio a quello che sarebbe accaduto se fosse sopraggiunto il disgelo: le infezioni avrebbero dilagato senza riparo, il fetore si sarebbe fatto soffocante, e inoltre, sciolta la neve, saremmo rimasti definitivamente senz'acqua.

Dopo una lunga ricerca, trovammo infine, in un locale già adibito a lavatoio, pochi palmi di pavimento non eccessivamente imbrattato. Vi accendemmo un fuoco vivo, poi, per risparmiare tempo e complicazioni, ci disinfettammo le mani frizionandole con cloramina mista a neve.

La notizia che una zuppa era in cottura si sparse rapidamente fra la folla dei semivivi; si formò sulla porta un assembramento di visi famelici. Charles, il mestolo levato, tenne loro un vigoroso breve discorso che, pur essendo in francese, non abbisognava di traduzione.

I piú si dispersero, ma uno si fece avanti: era un parigino, sarto di classe (diceva lui), ammalato di polmoni. In

cambio di un litro di zuppa si sarebbe messo a nostra di-
sposizione per tagliarci abiti dalle numerose coperte rima-
ste in campo.

Maxime si dimostrò veramente abile. Il giorno dopo
Charles ed io possedevamo giacca, brache e guantoni di
ruvido tessuto a colori vistosi.

A sera, dopo la prima zuppa distribuita con entusiasmo
e divorata con avidità, il grande silenzio della pianura fu
rotto. Dalle nostre cuccette, troppo stanchi per essere pro-
fondamente inquieti, tendevamo l'orecchio agli scoppi di
misteriose artiglierie, che parevano localizzate in tutti i
punti dell'orizzonte, e ai sibili dei proiettili sui nostri capi.

Io pensavo che la vita fuori era bella, e sarebbe ancora
stata bella, e sarebbe stato veramente un peccato lasciarsi
sommergere adesso. Svegliai quelli tra i malati che sonnec-
chiavano, e quando fui sicuro che tutti ascoltavano, dissi
loro, in francese prima, nel mio migliore tedesco poi, che
tutti dovevano pensare ormai di ritornare a casa, e che, per
quanto dipendeva da noi, alcune cose era necessario fare,
altre necessario evitare. Che ognuno conservasse attenta-
mente la sua propria gamella e il cucchiaio; che nessuno of-
frisse ad altri la zuppa che eventualmente gli fosse avanza-
ta; nessuno scendesse dal letto se non per andare alla latri-
na; chi avesse bisogno di un qualsiasi servizio, non si rivol-
gesse ad altri che a noi tre; Arthur particolarmente era in-
caricato di vigilare sulla disciplina e sull'igiene, e doveva
ricordare che era meglio lasciare gamelle e cucchiai spor-
chi, piuttosto che lavarli col pericolo di scambiare quelli di
un difterico con quelli di un tifoso.

Ebbi l'impressione che i malati fossero ormai troppo in-
differenti a ogni cosa per curarsi di quanto avevo detto;
ma avevo molta fiducia nella diligenza di Arthur.

22 gennaio. Se è coraggioso chi affronta a cuor leggero
un grave pericolo, Charles ed io quel mattino fummo co-
raggiosi. Estendemmo le nostre esplorazioni al campo del-
le SS, subito fuori del reticolato elettrico.

Le guardie del campo dovevano essere partite con molta fretta. Trovammo sui tavoli piatti pieni per metà di minestra ormai congelata, che divorammo con intenso godimento; boccali ancor colmi di birra trasformata in ghiaccio giallastro, una scacchiera con una partita incominciata. Nelle camerate, una quantità di roba preziosa.

Ci caricammo una bottiglia di vodka, medicinali vari, giornali e riviste e quattro ottime coperte imbottite, una delle quali è oggi nella mia casa di Torino. Lieti e incoscienti, riportammo nella cameretta il frutto della sortita, affidandolo all'amministrazione di Arthur. Solo a sera si seppe quanto era successo forse mezz'ora piú tardi.

Alcune SS, forse disperse, ma armate, penetrarono nel campo abbandonato. Trovarono che diciotto francesi si erano stabiliti nel refettorio della SS-Waffe. Li uccisero tutti metodicamente, con un colpo alla nuca, allineando poi i corpi contorti sulla neve della strada; indi se ne andarono. I diciotto cadaveri restarono esposti fino all'arrivo dei russi; nessuno ebbe la forza di dar loro sepoltura.

D'altronde, in tutte le baracche v'erano ormai letti occupati da cadaveri, rigidi come legno, che nessuno si curava piú di rimuovere. La terra era troppo gelata perché vi si potessero scavare fosse; molti cadaveri furono accatastati in una trincea, ma già fin dai primi giorni il mucchio emergeva dallo scavo ed era turpemente visibile dalla nostra finestra.

Solo una parete di legno ci separava dal reparto dei dissenterici. Qui molti erano i moribondi, molti i morti. Il pavimento era ricoperto da uno strato di escrementi congelati. Nessuno aveva piú forza di uscire dalle coperte per cercare cibo, e chi prima lo aveva fatto non era ritornato a soccorrere i compagni. In uno stesso letto, avvinghiati per resistere meglio al freddo, proprio accanto alla parete divisoria, stavano due italiani: li sentivo spesso parlare, ma poiché io invece non parlavo che francese, per molto tempo non si accorsero della mia presenza. Udirono quel gior-

no per caso il mio nome, pronunziato all'italiana da Char-
les, e da allora non smisero di gemere e di implorare.

Naturalmente avrei voluto aiutarli, avendone i mezzi e
la forza; se non altro per far smettere l'ossessione delle lo-
ro grida. A sera, quando tutti i lavori furono finiti, vincen-
do la fatica e il ribrezzo, mi trascinai a tentoni per il corri-
doio lercio e buio, fino al loro reparto, con una gamella
d'acqua e gli avanzi della nostra zuppa del giorno. Il risul-
tato fu che da allora, attraverso la sottile parete, l'intera
sezione diarrea chiamò giorno e notte il mio nome, con le
inflessioni di tutte le lingue d'Europa, accompagnato da
preghiere incomprensibili, senza che io potessi comunque
porvi riparo. Mi sentivo prossimo a piangere, li avrei ma-
ledetti.

La notte riservò brutte sorprese.

Lakmaker, della cuccetta sotto la mia, era uno sciagura-
to rottame umano. Era (od era stato) un ebreo olandese di
diciassette anni, alto, magro e mite. Era in letto da tre me-
si, non so come fosse sfuggito alle selezioni. Aveva avuto
successivamente il tifo e la scarlattina; intanto gli si era pa-
lesato un grave vizio cardiaco, ed era brutto di piaghe da
decubito, tanto che non poteva ormai giacere che sul ven-
tre. Con tutto ciò, un appetito feroce; non parlava che
olandese, nessuno di noi era in grado di comprenderlo.

Forse causa di tutto fu la minestra di cavoli e rape, di
cui Lakmaker aveva voluto due razioni. A metà notte ge-
mette, poi si buttò dal letto. Cercava di raggiungere la la-
trina, ma era troppo debole e cadde a terra, piangendo e
gridando forte.

Charles accese la luce (l'accumulatore si dimostrò prov-
videnziale) e potemmo constatare la gravità dell'incidente.
Il letto del ragazzo e il pavimento erano imbrattati. L'odo-
re nel piccolo ambiente diventava rapidamente insoppor-
tabile. Non avevamo che una minima scorta d'acqua, e
non coperte né pagliericci di ricambio. E il poveretto, tifo-
so, era un terribile focolaio di infezione; né si poteva certo

lasciarlo tutta la notte sul pavimento a gemere e tremare di freddo in mezzo alla lordura.

Charles discese dal letto e si rivestí in silenzio. Mentre io reggevo il lume, ritagliò col coltello dal pagliericcio e dalle coperte tutti i punti sporchi; sollevò da terra Lakmaker colla delicatezza di una madre, lo ripulí alla meglio con paglia estratta dal saccone, e lo ripose di peso nel letto rifatto, nell'unica posizione in cui il disgraziato poteva giacere; raschiò il pavimento con un pezzo di lamiera; stemperò un po' di cloramina, e infine cosparse di disinfettante ogni cosa e anche se stesso.

Io misuravo la sua abnegazione dalla stanchezza che avrei dovuto superare in me per fare quanto lui faceva.

23 gennaio. Le nostre patate erano finite. Circolava da giorni per le baracche la voce che un enorme silo di patate fosse situato da qualche parte, fuori del filo spinato, non lontano dal campo.

Qualche pioniere ignorato deve aver fatto pazienti ricerche, o qualcuno doveva sapere con precisione il luogo: di fatto, il mattino del 23 un tratto di filo spinato era stato abbattuto, e una doppia processione di miserabili usciva ed entrava dall'apertura.

Charles ed io partimmo, nel vento della pianura livida. Fummo oltre la barriera abbattuta.

– Dis donc, Primo, on est dehors!

Era cosí: per la prima volta dal giorno del mio arresto, mi trovavo libero, senza custodi armati, senza reticolati fra me e la mia casa.

A forse quattrocento metri dal campo, giacevano le patate: un tesoro. Due fosse lunghissime, piene di patate, e ricoperte di terra alternata con paglia a difesa dal gelo. Nessuno sarebbe piú morto di fame.

Ma l'estrazione non era lavoro da nulla. A causa del gelo, la superficie del terreno era dura come marmo. Con duro lavoro di piccone si riusciva a perforare la crosta e a

mettere a nudo il deposito; ma i piú preferivano introdursi nei fori abbandonati da altri, spingendosi molto profondi e passando le patate ai compagni che stavano all'esterno.

Un vecchio ungherese era stato sorpreso colà dalla morte. Giaceva irrigidito nell'atto dell'affamato: capo e spalle sotto il cumulo di terra, il ventre nella neve, tendeva le mani alle patate. Chi venne dopo spostò il cadavere di un metro, e riprese il lavoro attraverso l'apertura resasi libera.

Da allora il nostro vitto migliorò. Oltre alle patate bollite e alla zuppa di patate, offrimmo ai nostri malati frittelle di patate, su ricetta di Arthur: si raschiavano patate crude con altre bollite e disfatte; la miscela si arrostisce su di una lamiera rovente. Avevano sapore di fuliggine.

Ma non ne poté godere Sertelet, il cui male progrediva. Oltre a parlare con timbro sempre piú nasale, quel giorno non riuscí piú a inghiottire a dovere alcun alimento: qualcosa gli si era guastato in gola, ogni boccone minacciava di soffocarlo.

Andai a cercare un medico ungherese rimasto come malato nella baracca di fronte. Come udí parlare di difterite, fece tre passi indietro e mi ingiunse di uscire.

Per pure ragioni di propaganda, feci a tutti instillazioni nasali di olio canforato. Assicurai Sertelet che ne avrebbe tratto giovamento; io stesso cercavo di convincermene.

24 gennaio. Libertà. La breccia nel filo spinato ce ne dava l'immagine concreta. A porvi mente con attenzione voleva dire non piú tedeschi, non piú selezioni, non lavoro, non botte, non appelli, e forse, piú tardi, il ritorno.

Ma ci voleva sforzo per convincersene e nessuno aveva tempo di goderne. Intorno tutto era distruzione e morte.

Il mucchio di cadaveri, di fronte alla nostra finestra, rovinava ormai fuori della fossa. Nonostante le patate, la debolezza di tutti era estrema: nel campo nessun ammalato guariva, molti invece si ammalavano di polmonite e diarrea; quelli che non erano stati in grado di muoversi, o non

avevano avuto l'energia di farlo, giacevano torpidi nelle cuccette, rigidi dal freddo, e nessuno si accorgeva di quando morivano.

Gli altri erano tutti spaventosamente stanchi: dopo mesi e anni di Lager, non sono le patate che possono rimettere in forza un uomo. Quando, a cottura ultimata, Charles ed io avevamo trascinato i venticinque litri di zuppa quotidiana dal lavatoio alla camera, dovevamo poi gettarci ansanti sulla cuccetta, mentre Arthur, diligente e domestico, faceva la ripartizione, curando che avanzassero le tre razioni di «rabiot pour les travailleurs» e un po' di fondo «pour les italiens d'à côté».

Nella seconda camera di Infettivi, anche essa attigua alla nostra e abitata in maggioranza da tubercolotici, la situazione era ben diversa. Tutti quelli che lo avevano potuto, erano andati a stabilirsi in altre baracche. I compagni piú gravi e piú deboli si spegnevano a uno a uno in solitudine.

Vi ero entrato un mattino per cercare in prestito un ago. Un malato rantolava in una delle cuccette superiori. Mi udí, si sollevò a sedere, poi si spenzolò a capofitto oltre la sponda, verso di me, col busto e le braccia rigidi e gli occhi bianchi. Quello della cuccetta di sotto, automaticamente, tese in alto le braccia per sostenere quel corpo, si accorse allora che era morto. Cedette lentamente sotto il peso, l'altro scivolò a terra e vi rimase. Nessuno sapeva il suo nome.

Ma nella baracca 14 era successo qualcosa di nuovo. Vi erano ricoverati gli operati, alcuni dei quali in discrete condizioni. Essi organizzarono una spedizione al campo degli inglesi prigionieri di guerra, che si presumeva fosse stato evacuato. Fu una fruttuosa impresa. Ritornarono vestiti in kaki, con un carretto pieno di meraviglie mai viste: margarina, polveri per budino, lardo, farina di soia, acquavite.

A sera, nella baracca 14 si cantava.

Nessuno di noi si sentiva la forza di fare i due chilo-

metri di strada al campo inglese e ritornare col carico. Ma, indirettamente, la fortunata spedizione ritornò di vantaggio a molti. La ineguale ripartizione dei beni provocò un rifiorire di industria e di commercio. Nella nostra cameretta dall'atmosfera mortale, nacque una fabbrica di candele con stoppino imbevuto di acido borico, colate in forme di cartone. I ricchi della baracca 14 assorbivano l'intera nostra produzione pagandoci in lardo e farina.

Io stesso avevo trovato il blocco di cera vergine nell'Elektromagazin; ricordo l'espressione di disappunto di coloro che me lo videro portar via, e il dialogo che ne seguí.

– Che te ne vuoi fare?

Non era il caso di svelare un segreto di fabbricazione; sentii me stesso rispondere con le parole che avevo spesso udite dai vecchi del campo, e che contengono il loro vanto preferito: di essere «buoni prigionieri», gente adatta, che se la sa sempre cavare; – Ich verstehe verschiedene Sachen... – (Me ne intendo di varie cose...)

25 gennaio. Fu la volta di Sómogyi. Era un chimico ungherese sulla cinquantina, magro, alto e taciturno. Come l'olandese, era convalescente di tifo e di scarlattina; ma sopravvenne qualcosa di nuovo. Fu preso da una febbre intensa. Da forse cinque giorni non aveva detto parola: aprí bocca quel giorno e disse con voce ferma:

– Ho una razione di pane sotto il saccone. Dividetela voi tre. Io non mangerò piú.

Non trovammo nulla da dire, ma per allora non toccammo il pane. Gli si era gonfiata una metà del viso. Finché conservò coscienza, rimase chiuso in un silenzio aspro.

Ma a sera, e per tutta la notte, e per due giorni senza interruzione, il silenzio fu sciolto dal delirio. Seguendo un ultimo interminabile sogno di remissione e di schiavitú, prese a mormorare «Jawohl» ad ogni emissione di respiro; regolare e costante come una macchina, «Jawohl» ad ogni abbassarsi della povera rastrelliera delle costole, migliaia di

volte, tanto da far venire voglia di scuoterlo, di soffocarlo, o che almeno cambiasse parola.

Non ho mai capito come allora quanto sia laboriosa la morte di un uomo.

Fuori ancora il grande silenzio. Il numero dei corvi era molto aumentato, e tutti sapevano perché. Solo a lunghi intervalli si risvegliava il dialogo dell'artiglieria.

Tutti si dicevano a vicenda che i russi presto, subito, sarebbero arrivati; tutti lo proclamavano, tutti ne erano certi, ma nessuno riusciva a farsene serenamente capace. Perché nei Lager si perde l'abitudine di sperare, e anche la fiducia nella propria ragione. In Lager pensare è inutile, perché gli eventi si svolgono per lo piú in modo imprevedibile; ed è dannoso, perché mantiene viva una sensibilità che è fonte di dolore, e che qualche provvida legge naturale ottunde quando le sofferenze sorpassano un certo limite.

Come della gioia, della paura, del dolore medesimo, cosí anche dell'attesa ci si stanca. Arrivati al 25 gennaio, rotti da otto giorni i rapporti con quel feroce mondo che pure era un mondo, i piú fra noi erano troppo esausti perfino per attendere.

A sera, intorno alla stufa, ancora una volta Charles, Arthur ed io ci sentimmo ridiventare uomini. Potevamo parlare di tutto. Mi appassionava il discorso di Arthur sul modo come si passano le domeniche a Provenchères nei Vosgi, e Charles piangeva quasi quando io gli raccontai dell'armistizio in Italia, dell'inizio torbido e disperato della resistenza partigiana, dell'uomo che ci aveva traditi e della nostra cattura sulle montagne.

Nel buio, dietro e sopra di noi, gli otto malati non perdevano una sillaba, anche quelli che non capivano il francese. Soltanto Sómogyi si accaniva a confermare alla morte la sua dedizione.

26 gennaio. Noi giacevamo in un mondo di morti e di larve. L'ultima traccia di civiltà era sparita intorno a noi

e dentro di noi. L'opera di bestializzazione, intrapresa dai tedeschi trionfanti, era stata portata a compimento dai tedeschi disfatti.

È uomo chi uccide, è uomo chi fa o subisce ingiustizia; non è uomo chi, perso ogni ritegno, divide il letto con un cadavere. Chi ha atteso che il suo vicino finisse di morire per togliergli un quarto di pane, è, pur senza sua colpa, piú lontano dal modello dell'uomo pensante, che il piú rozzo pigmeo e il sadico piú atroce.

Parte del nostro esistere ha sede nelle anime di chi ci accosta: ecco perché è non-umana l'esperienza di chi ha vissuto giorni in cui l'uomo è stato una cosa agli occhi dell'uomo. Noi tre ne fummo in gran parte immuni, e ce ne dobbiamo mutua gratitudine; perciò la mia amicizia con Charles resisterà al tempo.

Ma a migliaia di metri sopra di noi, negli squarci fra le nuvole grige, si svolgevano i complicati miracoli dei duelli aerei. Sopra noi, nudi impotenti inermi, uomini del nostro tempo cercavano la reciproca morte coi piú raffinati strumenti. Un loro gesto del dito poteva provocare la distruzione del campo intero, annientare migliaia di uomini; mentre la somma di tutte le nostre energie e volontà non sarebbe bastata a prolungare di un minuto la vita di uno solo di noi.

La sarabanda cessò a notte, e la camera fu di nuovo piena del monologo di Sómogyi.

In piena oscurità mi trovai sveglio di soprassalto. «L'pauv' vieux» taceva: aveva finito. Con l'ultimo sussulto di vita si era buttato a terra dalla cuccetta: ho udito l'urto delle ginocchia, delle anche, delle spalle e del capo.

– La mort l'a chassé de son lit, – definí Arthur.

Non potevamo certo portarlo fuori nella notte. Non ci restava che riaddormentarci.

27 gennaio. L'alba. Sul pavimento, l'infame tumulto di membra stecchite, la cosa Sómogyi.

Ci sono lavori piú urgenti: non ci si può lavare, non possiamo toccarlo che dopo di aver cucinato e mangiato. E inoltre, «... rien de si dégoûtant que les débordements», dice giustamente Charles; bisogna vuotare la latrina. I vivi sono piú esigenti; i morti possono attendere. Ci mettemmo al lavoro come ogni giorno.

I russi arrivarono mentre Charles ed io portavamo Sómogyi poco lontano. Era molto leggero. Rovesciammo la barella sulla neve grigia.

Charles si tolse il berretto. A me dispiacque di non avere berretto.

Degli undici della Infektionsabteilung, fu Sómogyi il solo che morí nei dieci giorni. Sertelet, Cagnolati, Towarowski, Lakmaker e Dorget (di quest'ultimo non ho finora parlato; era un industriale francese che, dopo operato di peritonite, si era ammalato di difterite nasale), sono morti qualche settimana piú tardi, nell'infermeria russa provvisoria di Auschwitz. Ho incontrato a Katowice, in aprile, Schenck e Alcalai in buona salute. Arthur ha raggiunto felicemente la sua famiglia, e Charles ha ripreso la sua professione di maestro; ci siamo scambiati lunghe lettere e spero di poterlo ritrovare un giorno.

Avigliana-Torino, dicembre 1945 - gennaio 1947.

Appendice

Ho scritto questa appendice nel 1976 per l'edizione scolastica di *Se questo è un uomo*, per rispondere alle domande che costantemente mi vengono rivolte dai lettori studenti. Tuttavia, poiché esse coincidono ampiamente con le domande che ricevo dai lettori adulti, mi è sembrato opportuno riportare integralmente le mie risposte anche su questa edizione.

Qualcuno, molto tempo fa, ha scritto che anche i libri, come gli esseri umani, hanno un loro destino, imprevedibile, diverso da quello che per loro si desiderava e si attendeva. Anche questo libro ha avuto uno strano destino. Il suo atto di nascita è lontano: lo potete trovare in una delle sue pagine, la p. 146 di questa edizione, là dove si legge che «scrivo quello che non saprei dire a nessuno»: era talmente forte in noi il bisogno di raccontare, che il libro avevo incominciato a scriverlo là, in quel laboratorio tedesco pieno di gelo, di guerra e di sguardi indiscreti, benché sapessi che non avrei potuto in alcun modo conservare quegli appunti scarabocchiati alla meglio, che avrei dovuto buttarli via subito, perché se mi fossero stati trovati addosso mi sarebbero costati la vita.

Ma ho scritto il libro appena sono tornato, nel giro di pochi mesi: tanto quei ricordi mi bruciavano dentro. Rifiutato da alcuni grossi editori, il manoscritto è stato accettato nel 1947 da una piccola casa editrice, diretta da Franco Antonicelli: si stamparono 2500 copie, poi la casa editrice si sciolse e il libro cadde nell'oblio, anche perché, in quel tempo di aspro dopoguerra, la gente non aveva molto desiderio di ritornare con la memoria agli anni dolorosi appena terminati. Ha trovato nuova vita solo nel 1958, quando è stato ristampato dall'editore Einaudi, e da allora l'interesse del pubblico non è piú mancato. È stato tradotto in sei lingue, ridotto per la radio e per il teatro.

È stato accettato dagli studenti e dagli insegnanti con un favore che ha superato di molto le aspettative dell'editore e mie. Centinaia di scolaresche, in tutte le regioni d'Italia, mi

hanno invitato a commentare il libro, per iscritto o possibilmente di persona: nei limiti dei miei impegni, ho soddisfatto tutte queste richieste, tanto che ai miei due mestieri ne ho volentieri aggiunto un terzo, quello di presentatore e commentatore di me stesso, o meglio di quel lontano me stesso che aveva vissuto l'avventura di Auschwitz e l'aveva raccontata. Nel corso di questi numerosi incontri coi miei lettori studenti mi è accaduto di dover rispondere a molte domande: ingenue o consapevoli, commosse o provocatorie, superficiali o fondamentali. Mi sono accorto presto che alcune di queste domande ricorrevano con costanza, non mancavano mai: dovevano dunque scaturire da una curiosità motivata e ragionata, a cui in qualche modo il testo del libro non dava una risposta soddisfacente. A queste domande mi sono proposto di rispondere qui.

1 . *Nel Suo libro non si trovano espressioni di odio nei confronti dei tedeschi, né rancore, né desiderio di vendetta. Li ha perdonati?*

Come mia indole personale, non sono facile all'odio. Lo ritengo un sentimento animalesco e rozzo, e preferisco che invece le mie azioni e i miei pensieri, nel limite del possibile, nascano dalla ragione; per questo motivo, non ho mai coltivato entro me stesso l'odio come desiderio primitivo di rivalsa, di sofferenza inflitta al mio nemico vero o presunto, di vendetta privata. Devo aggiungere che, a quanto mi pare di vedere, l'odio è personale, è rivolto contro una persona, un nome, un viso: ora, i nostri persecutori di allora non avevano viso né nome, lo si ricava da queste stesse pagine: erano lontani, invisibili, inaccessibili. Prudentemente, il sistema nazista faceva sí che i contatti diretti fra gli schiavi e i signori fossero ridotti al minimo. Avrete notato che, in questo libro, si descrive un solo incontro dell'autore-protagonista con una SS (p. 166), e non per caso esso ha luogo solo negli ultimi giorni, nel Lager in disfacimento, quando il sistema è saltato.

Del resto, nei mesi in cui questo libro è stato scritto, e cioè nel 1946, il nazismo e il fascismo sembravano veramente sen-

za volto: sembravano ritornati al nulla, svaniti come un sogno mostruoso, giustamente e meritatamente, cosí come spariscono i fantasmi al canto del gallo. Come avrei potuto coltivare rancore, volere vendetta, contro una schiera di fantasmi?

Non molti anni dopo, l'Europa e l'Italia si sono accorti che questa era una ingenua illusione: il fascismo era ben lontano dall'essere morto, era soltanto nascosto, incistato; stava facendo la sua muta, per ricomparire poi in una veste nuova, un po' meno riconoscibile, un po' piú rispettabile, piú adatta al nuovo mondo che era uscito dalla catastrofe della seconda guerra mondiale che il fascismo stesso aveva provocata. Devo confessare che davanti a certi visi non nuovi, a certe vecchie bugie, a certe figure in cerca di rispettabilità, a certe indulgenze, a certe connivenze, la tentazione dell'odio la provo, ed anche con una certa violenza: ma io non sono un fascista, io credo nella ragione e nella discussione come supremi strumenti di progresso, e perciò all'odio antepongo la giustizia. Proprio per questo motivo, nello scrivere questo libro, ho assunto deliberatamente il linguaggio pacato e sobrio del testimone, non quello lamentevole della vittima né quello irato del vendicatore: pensavo che la mia parola sarebbe stata tanto piú credibile ed utile quanto piú apparisse obiettiva e quanto meno suonasse appassionata; solo cosí il testimone in giudizio adempie alla sua funzione, che è quella di preparare il terreno al giudice. I giudici siete voi.

Non vorrei tuttavia che questo mio astenermi dal giudizio esplicito fosse confuso con un perdono indiscriminato. No, non ho perdonato nessuno dei colpevoli, né sono disposto ora o in avvenire a perdonarne alcuno, a meno che non abbia dimostrato (coi fatti: non con le parole, e non troppo tardi) di essere diventato consapevole delle colpe e degli errori del fascismo nostrano e straniero, e deciso a condannarli, a sradicarli dalla sua coscienza e da quella degli altri. In questo caso sí, io non cristiano sono disposto a seguire il precetto ebraico e cristiano di perdonare il mio nemico; ma un nemico che si ravvede ha cessato di essere un nemico.

2 . *I tedeschi sapevano? Gli Alleati sapevano? Come è possi-*
bile che il genocidio, lo sterminio di milioni di esseri
umani, abbia potuto compiersi nel cuore dell'Europa sen-
za che nessuno sapesse nulla?

Il mondo in cui noi occidentali oggi viviamo presenta mol-
ti e gravissimi difetti e pericoli, ma rispetto al mondo di ieri
gode di un gigantesco vantaggio: tutti possono sapere subito
tutto su tutto. L'informazione è oggi «il quarto potere»: alme-
no in teoria, il cronista e il giornalista hanno via libera dapper-
tutto, nessuno può fermarli né allontanarli né farli tacere.
È tutto facile: se vuoi, senti la radio del tuo paese o di qualun-
que altro paese; vai in edicola e scegli il giornale che preferisci,
italiano di qualunque tendenza, o americano, o sovietico, en-
tro un vasto ventaglio di alternative; compri e leggi i libri che
vuoi, senza pericolo di venire incriminato di «attività antiita-
liane» o di tirarti in casa una perquisizione della polizia politi-
ca. Certo non è agevole sottrarsi a *tutti* i condizionamenti, ma
si può almeno scegliere il condizionamento che si preferisce.
In uno Stato autoritario non è cosí. La Verità è una sola,
proclamata dall'alto; i giornali sono tutti uguali, tutti ripetono
questa stessa unica verità; cosí pure fanno le radiotrasmitten-
ti, e non puoi ascoltare quelle degli altri paesi, perché in pri-
mo luogo, essendo questo un reato, rischi di finire in prigio-
ne; in secondo luogo, le trasmittenti del tuo paese emettono
sulle lunghezze d'onda appropriate un segnale di disturbo che
si sovrappone ai messaggi stranieri e ne impedisce l'ascolto.
Quanto ai libri, vengono pubblicati e tradotti solo quelli gra-
diti allo Stato: gli altri, devi andarteli a cercare all'estero, e in-
trodurli nel tuo paese a tuo rischio, perché sono considerati
piú pericolosi della droga e dell'esplosivo, e se te li trovano al-
la frontiera ti vengono sequestrati e tu vieni punito. Dei libri
non graditi, o non piú graditi, di epoche precedenti si fanno
pubblici falò sulle piazze. Cosí era in Italia fra il 1924 e il
1945; cosí nella Germania nazionalsocialista; cosí è tuttora in
molti paesi, fra cui duole dover annoverare l'Unione Sovieti-
ca, che pure contro il fascismo ha eroicamente combattuto. In
uno Stato autoritario viene considerato lecito alterare la ve-
rità, riscrivere retrospettivamente la Storia, distorcere le no-

tizie, sopprimerne di vere, aggiungerne di false: all'informazione si sostituisce la propaganda. Infatti, in tale paese tu non sei un cittadino, detentore di diritti, bensí un suddito, e come tale sei debitore allo Stato (ed al dittatore che lo impersona) di lealtà fanatica e di obbedienza supina.

È chiaro che in queste condizioni diventa possibile (anche se non sempre facile: non è mai agevole violentare a fondo la natura umana) cancellare frammenti anche grossi della realtà. Nell'Italia fascista riuscí abbastanza bene l'operazione di assassinare il deputato socialista Matteotti, e di mettere l'impresa a tacere dopo pochi mesi; Hitler, e il suo ministro della propaganda Joseph Goebbels, si mostrarono di gran lunga superiori a Mussolini in quest'opera di controllo e di mascheramento della verità.

Tuttavia, nascondere al popolo tedesco l'esistenza dell'enorme apparato dei campi di concentramento non era possibile, ed inoltre non era (dal punto di vista nazista) neppure desiderabile. Creare ed intrattenere nel paese un'atmosfera di terrore indefinito faceva parte degli scopi del nazismo: era bene che il popolo sapesse che opporsi a Hitler era estremamente pericoloso. Infatti, centinaia di migliaia di tedeschi furono rinchiusi nei Lager fin dai primi mesi del nazismo: comunisti, socialdemocratici, liberali, ebrei, protestanti, cattolici, e tutto il paese lo sapeva, e sapeva che in Lager si soffriva e si moriva.

Ciò non ostante, è vero che la gran massa dei tedeschi ignorò sempre i particolari piú atroci di quanto avvenne piú tardi nei Lager: lo sterminio metodico e industrializzato sulla scala dei milioni, le camere a gas tossico, i forni crematori, l'abietto sfruttamento dei cadaveri, tutto questo non si doveva sapere, ed in effetti pochi lo seppero, fino alla fine della guerra. Per mantenere il segreto, fra le altre precauzioni, nel linguaggio ufficiale si usavano soltanto cauti e cinici eufemismi: non si scriveva «sterminio» ma «soluzione definitiva», non «deportazione» ma «trasferimento», non «uccisione col gas» ma «trattamento speciale», e cosí via. Non senza ragione, Hitler temeva che queste orrende notizie, se si fossero divulgate, avrebbero compromesso la fede cieca che il paese gli tributava ed il morale delle truppe combattenti; inoltre, sarebbero venute a conoscenza degli Alleati e sfruttate come argomen-

to propagandistico: il che, del resto, avvenne, ma per la loro
stessa enormità gli orrori dei Lager, descritti piú volte dalle
radio degli Alleati, non furono generalmente creduti.

Il riassunto piú convincente della situazione tedesca di al-
lora l'ho trovato nel libro *Der SS Staat* (*Lo Stato delle SS*) di
Eugen Kogon, già prigioniero a Buchenwald, poi professore
di Scienze Politiche all'Università di Monaco:

Che cosa sapevano i tedeschi dei campi di concentramento?
Oltre alla loro concreta esistenza, quasi niente, ed anche oggi ne
sanno poco. Indubbiamente, il metodo di mantenere rigorosa-
mente segreti i particolari del sistema terroristico, rendendo cosí
l'angoscia indeterminata, e quindi tanto piú profonda, si è rivelato
efficace. Come ho detto altrove, perfino molti funzionari della
Gestapo ignoravano cosa avveniva all'interno dei Lager, in cui pu-
re essi inviavano i loro prigionieri; la maggior parte degli stessi pri-
gionieri avevano un'idea assai imprecisa del funzionamento del lo-
ro campo e dei metodi che vi venivano impiegati. Come avrebbe
potuto conoscerli il popolo tedesco? Chi ci entrava si trovava da-
vanti ad un universo abissale, per lui totalmente nuovo: è questa
la miglior dimostrazione della potenza e dell'efficacia della segre-
tezza.

Eppure... eppure, non c'era neanche un tedesco che non sapes-
se dell'esistenza dei campi, o che li ritenesse dei sanatori. Erano
pochi i tedeschi che non avessero un parente o un conoscente in
campo, o almeno che non sapessero che il tale o il tal altro ci era
stato mandato. Tutti i tedeschi erano stati testimoni della multi-
forme barbarie antisemitica: milioni fra di loro avevano assistito,
con indifferenza, o con curiosità, o con sdegno, o magari con gioia
maligna, all'incendio delle sinagoghe o all'umiliazione di ebrei ed
ebree costretti ad inginocchiarsi nel fango delle strade. Molti te-
deschi avevano saputo qualcosa dalle radio straniere, e parecchi
erano venuti a contatto con prigionieri che lavoravano all'esterno
dei Lager. A non pochi tedeschi era accaduto di incontrare, nelle
strade o nelle stazioni ferroviarie, schiere miserabili di detenuti:
in una circolare datata 9 novembre 1941, e indirizzata dal capo
della Polizia e dei Servizi di Sicurezza a tutti [...] gli uffici di Po-
lizia e ai comandanti dei Lager, si legge: «In particolare, si è do-
vuto constatare che durante i trasferimenti a piedi, per esempio
dalla stazione al campo, un numero non trascurabile di prigionieri
cadono per via morti o svenuti per esaurimento... È impossibile
impedire che la popolazione prenda conoscenza di simili avveni-
menti». Neppure un tedesco poteva ignorare che le prigioni erano
strapiene, e che in tutto il paese avevano luogo di continuo esecu-
zioni capitali; si contavano a migliaia i magistrati e i funzionari di

polizia, gli avvocati, i sacerdoti e gli assistenti sociali che sapevano genericamente che la situazione era assai grave. Erano molti gli uomini d'affari che avevano rapporti di fornitura con le SS dei Lager, gli industriali che porgevano domanda d'assunzione di lavoratori-schiavi agli uffici amministrativi ed economici delle SS, e gli impiegati degli uffici di assunzione che [...] erano al corrente del fatto che molte grandi Società sfruttavano mano d'opera schiava. Non erano pochi i lavoratori che svolgevano la loro attività in prossimità dei campi di concentramento, o addirittura entro di essi. Vari professori universitari collaboravano coi centri di ricerche mediche istituiti da Himmler, e vari medici dello Stato e di Istituti privati collaboravano con gli assassini di professione. Un buon numero di membri dell'aviazione militare erano stati trasferiti alle dipendenze delle SS, e dovevano pure essere al corrente di quanto ivi si svolgeva. Erano molti gli alti ufficiali dell'esercito che sapevano dei massacri in massa dei prigionieri di guerra russi nei Lager, e moltissimi i soldati e i membri della Polizia Militare che dovevano sapere con precisione quali spaventosi orrori venivano commessi nei campi, nei ghetti, nelle città e nelle campagne dei territori orientali occupati. È forse falsa una sola di queste affermazioni?

A mio parere, nessuna di queste affermazioni è falsa, ma un'altra dev'essere aggiunta a completare il quadro: a dispetto delle varie possibilità d'informazione, la maggior parte dei tedeschi non sapevano perché non volevano sapere, anzi, perché volevano non sapere. È certamente vero che il terrorismo di Stato è un'arma fortissima, a cui è ben difficile resistere; ma è anche vero che il popolo tedesco, nel suo complesso, di resistere non ha neppure tentato. Nella Germania di Hitler era diffuso un galateo particolare: chi sapeva non parlava, chi non sapeva non faceva domande, a chi faceva domande non si rispondeva. In questo modo il cittadino tedesco tipico conquistava e difendeva la sua ignoranza, che gli appariva una giustificazione sufficiente della sua adesione al nazismo: chiudendosi la bocca, gli occhi e le orecchie, egli si costruiva l'illusione di non essere a conoscenza, e quindi di non essere complice, di quanto avveniva davanti alla sua porta.

Sapere, e far sapere, era un modo (in fondo non poi tanto pericoloso) di prendere le distanze dal nazismo; penso che il popolo tedesco, nel suo complesso, non vi abbia fatto ricorso, e di questa deliberata omissione lo ritengo pienamente colpevole.

3 . *C'erano prigionieri che fuggivano dai Lager? Come mai non sono avvenute ribellioni in massa?*

Queste sono fra le domande che mi vengono rivolte piú di frequente, e perciò esse devono nascere da qualche curiosità o esigenza particolarmente importante. La mia interpretazione è ottimistica: i giovani di oggi sentono la libertà come un bene a cui non si può *in alcun caso* rinunciare, e perciò, per loro, l'idea della prigionia è legata immediatamente all'idea della fuga o della rivolta. Del resto, è vero che secondo i codici militari di molti paesi il prigioniero di guerra è tenuto a cercare di liberarsi in qualsiasi modo, per riprendere il suo posto di combattente, e che secondo la Convenzione dell'Aia il tentativo di fuga non deve essere punito. Il concetto dell'evasione come obbligo morale è continuamente ribadito dalla letteratura romantica (ricordate il conte di Montecristo?), dalla letteratura popolare e dal cinematografo, in cui l'eroe, ingiustamente (o magari giustamente) incarcerato, tenta sempre l'evasione, anche nelle circostanze meno verosimili, e questa è invariabilmente coronata dal successo.

Forse è bene che la condizione del prigioniero, la non-libertà, venga sentita come indebita, anormale: come una malattia, insomma, che deve essere guarita con la fuga o la ribellione. Però, purtroppo, questo quadro assomiglia assai poco a quello vero dei campi di concentramento.

I prigionieri che tentarono la fuga, per esempio, da Auschwitz, furono poche centinaia, e quelli a cui la fuga riuscí qualche decina. L'evasione era difficile ed estremamente pericolosa: i prigionieri erano indeboliti, oltre che demoralizzati, dalla fame e dai maltrattamenti, avevano i capelli rasi, abiti a strisce subito riconoscibili, scarpe di legno che impedivano un passo rapido e silenzioso; non avevano denaro, e in generale non parlavano il polacco, che era la lingua locale, né avevano contatti nella zona, che del resto neppure conoscevano geograficamente. Inoltre, a reprimere le fughe, si adottavano rappresaglie feroci: chi veniva ripreso era impiccato pubblicamente sulla piazza dell'Appello, spesso dopo torture crudeli; quando veniva scoperta una fuga, gli amici dell'evaso venivano considerati suoi complici e fatti morire di fame nelle celle

della prigione, l'intera baracca veniva fatta stare in piedi per ventiquattro ore, e talvolta venivano arrestati e deportati nel Lager i genitori del «colpevole».

Ai militi delle SS che uccidevano un prigioniero nel corso di un tentativo di fuga veniva concessa una licenza premio: perciò accadeva sovente che una SS sparasse ad un prigioniero che non aveva alcuna intenzione di fuggire, solo allo scopo di conseguire il premio. Questo fatto aumenta artificiosamente il numero ufficiale dei casi di fuga registrati nelle statistiche; come ho accennato, il numero effettivo era invece molto piccolo. Essendo questa la situazione, dai campi di Auschwitz evasero con successo solo alcuni prigionieri polacchi «ariani» (cioè non ebrei, nella terminologia di allora), che abitavano poco lontano dal Lager, e che quindi avevano una meta verso cui dirigersi e la sicurezza di essere protetti dalla popolazione. Negli altri campi le cose si svolsero analogamente.

Per quanto riguarda la mancata ribellione, il discorso è un po' diverso. Prima di tutto occorre ricordare che in alcuni Lager delle insurrezioni si sono effettivamente verificate: a Treblinka, a Sobibor, ed anche a Birkenau, uno dei campi dipendenti da Auschwitz. Non ebbero molto peso numerico: come l'analoga insurrezione del ghetto di Varsavia, rappresentano piuttosto esempi di straordinaria forza morale. In tutti i casi, esse furono disegnate e guidate da prigionieri in qualche modo privilegiati, e perciò in condizioni fisiche e spirituali migliori di quelle dei prigionieri comuni. Questo non deve stupire: solo a prima vista può apparire paradossale che si ribelli chi soffre meno. Anche fuori dei Lager le lotte raramente vengono condotte dai sottoproletari. Gli «stracci» non si ribellano.

Nei campi per prigionieri politici, o dove i politici prevalevano, l'esperienza cospirativa di questi si dimostrò preziosa, e si giunse spesso, piú che a rivolte aperte, ad attività di difesa abbastanza efficienti. A seconda dei Lager e dei tempi, si riuscí ad esempio a ricattare o corrompere le SS, raffrenandone i poteri indiscriminati; a sabotare il lavoro per le industrie di guerra tedesche; ad organizzare evasioni; a comunicare via radio con gli Alleati, fornendo loro notizie sulle orrende condizioni dei campi; a migliorare il trattamento dei malati, sostituendo medici prigionieri ai medici SS; a «pilotare» le sele-

zioni, mandando a morte le spie o i traditori e salvando prigionieri la cui sopravvivenza avesse per qualsiasi motivo importanza particolare; a prepararsi, anche militarmente, a resistere nel caso che, con l'avvicinarsi del fronte, i nazisti decidessero (come infatti spesso decisero) di liquidare totalmente i Lager.

Nei campi con prevalenza di ebrei, come quelli della zona di Auschwitz, una difesa attiva o passiva era particolarmente difficile. Qui i prigionieri, in generale, erano privi di qualsiasi esperienza organizzativa o militare; provenivano da tutti i paesi d'Europa, parlavano lingue diverse, e perciò non si capivano fra loro; soprattutto, erano piú affamati, piú deboli e piú stanchi degli altri, perché le loro condizioni di vita erano piú dure, e perché spesso avevano già alle spalle una lunga carriera di fame, persecuzione e umiliazione nei ghetti. Come ulteriore conseguenza, la durata del loro soggiorno in Lager era tragicamente breve, erano insomma una popolazione fluttuante, continuamente diradata dalla morte, e rinnovata dagli incessanti arrivi di nuovi convogli. È comprensibile che in un tessuto umano cosí deteriorato e cosí instabile non attecchisse facilmente il germe della rivolta.

Ci si può domandare perché non si ribellassero i prigionieri appena scesi dai treni, che attendevano per ore (talvolta per giorni!) di entrare nelle camere a gas. Oltre a quanto ho detto, devo aggiungere qui che i tedeschi avevano perfezionato per questa impresa di morte collettiva una strategia diabolicamente astuta e versatile. Nella maggior parte dei casi, i nuovi arrivi non sapevano a cosa andavano incontro: venivano accolti con fredda efficienza ma senza brutalità, invitati a spogliarsi «per la doccia», talvolta veniva loro dato asciugamano e sapone, e promesso un caffè caldo dopo il bagno. Le camere a gas, infatti, erano camuffate come sale di docce, con tubazioni, rubinetti, spogliatoi, attaccapanni, panchine eccetera. Quando invece i prigionieri davano anche il piú piccolo segno di sapere o sospettare il loro destino imminente, le SS e i loro collaboratori agivano di sorpresa, intervenendo con estrema brutalità, con urla, minacce, calci, spari, e aizzando contro quella gente perplessa e disperata, macerata da cinque o dieci giorni di viaggio in vagoni sigillati, i loro cani addestrati a sbranare uomini.

Stando cosí le cose, appare assurda ed offensiva l'affermazione che talvolta è stata formulata, che gli ebrei non si siano ribellati per codardia. Nessuno si ribellava. Basti ricordare che le camere a gas di Auschwitz furono collaudate su un gruppo di trecento prigionieri di guerra russi, giovani, allenati militarmente, politicamente preparati, e non impediti dalla presenza di donne e bambini; e neppure loro si ribellarono.

Vorrei infine aggiungere una considerazione. La coscienza radicata che all'oppressione non si deve acconsentire, bensí resistere, non era molto diffusa nell'Europa fascista, ed era particolarmente debole in Italia. Era patrimonio di una cerchia ristretta di uomini politicamente attivi, ma il fascismo e il nazismo li avevano isolati, espulsi, terrorizzati o addirittura distrutti: non bisogna dimenticare che le prime vittime dei Lager tedeschi, in numero di centinaia di migliaia, furono appunto i quadri dei partiti politici antinazisti. Essendo venuto a mancare il loro apporto, la volontà popolare di resistere, di organizzarsi per resistere, è risorta molto piú tardi, grazie soprattutto al contributo dei partiti comunisti europei, che si gettarono nella lotta contro il nazismo dopo che la Germania, nel giugno 1941, aveva aggredito improvvisamente l'Unione Sovietica rompendo l'accordo Ribbentrop-Molotov del settembre 1939. In conclusione, rimproverare ai prigionieri la mancata ribellione rappresenta oltre a tutto un errore di prospettiva storica: significa pretendere da loro una coscienza politica che oggi è patrimonio pressoché comune, ma allora apparteneva solo ad una élite.

4. È ritornato ad Auschwitz dopo la liberazione?

Sono ritornato ad Auschwitz nel 1965, in occasione di una cerimonia commemorativa della liberazione dei campi. Come ho accennato nei miei libri, l'impero concentrazionario di Auschwitz non era costituito da un solo Lager, bensí da una quarantina: il campo di Auschwitz propriamente detto era costruito alla periferia della cittadina dello stesso nome (Oświęcim in polacco), aveva una capacità di circa ventimila prigionieri, ed era per cosí dire la capitale amministrativa del complesso; c'era poi il Lager (o piú precisamente il gruppo di

Lager: da tre a cinque, a seconda dei momenti) di Birkenau, che giunse a contenere sessantamila prigionieri, di cui circa quarantamila donne, ed in cui erano in funzione le camere a gas ed i forni crematori; ed infine, un numero continuamente variabile di campi di lavoro, lontani anche centinaia di chilometri dalla «capitale»: il mio campo, chiamato Mònowitz, era il piú grande di questi, essendo giunto a contenere circa dodicimila prigionieri. Era situato a circa sette chilometri ad est di Auschwitz. L'intera zona si trova attualmente in territorio polacco.

Non ho provato grande impressione nel visitare il Campo Centrale: il governo polacco l'ha trasformato in una specie di monumento nazionale, le baracche sono state ripulite e verniciate, sono stati piantati alberi, disegnate aiuole. C'è un museo in cui sono esposti cimeli miserandi: tonnellate di capelli umani, centinaia di migliaia di occhiali, pettini, pennelli da barba, bambole, scarpe da bambini; ma è pur sempre un museo, qualcosa di statico, riordinato, manomesso. Tutto il campo mi è sembrato un museo. Quanto al mio Lager, non esiste piú; la fabbrica di gomma a cui era annesso, ora in mani polacche, si è talmente ingrandita che ne ha completamente occupato il territorio.

Ho provato invece un'impressione di angoscia violenta entrando nel Lager di Birkenau, che non avevo mai visto da prigioniero. Qui niente è cambiato: c'era fango, e c'è ancora fango, o polvere soffocante d'estate; le baracche (quelle che non sono bruciate durante il passaggio del fronte) sono rimaste com'erano, basse, sporche, di tavole sconnesse, col pavimento di terra battuta; non ci sono cuccette ma tavolacci di legno nudo, fino al soffitto. Qui niente è stato abbellito. Era con me una mia amica, Giuliana Tedeschi, superstite di Birkenau. Mi ha fatto vedere che su ogni tavolaccio di m 1,80 per 2 dormivano fino a nove donne. Mi ha fatto notare che dalla finestrella si vedono le rovine del crematorio; a quel tempo, si vedeva la fiamma in cima alla ciminiera. Lei aveva chiesto alle anziane: «Che cosa è quel fuoco?», e le avevano risposto: «Siamo noi che bruciamo».

Di fronte al triste potere evocativo di quei luoghi, ognuno di noi reduci si comporta in un modo diverso, ma si possono delineare due categorie tipiche. Appartengono alla prima ca-

tegoria quelli che rifiutano di ritornarvi, o addirittura di parlare di questo argomento; quelli che vorrebbero dimenticare, ma non ci riescono, e sono tormentati da incubi; quelli che invece hanno dimenticato, hanno rimosso tutto, ed hanno ricominciato a vivere da zero. Ho notato che in generale tutti questi sono individui che sono finiti in Lager «per disgrazia», cioè senza un impegno politico preciso; per loro la sofferenza è stata una esperienza traumatica ma priva di significato e di insegnamento, come un infortunio o una malattia: il ricordo è per loro un qualcosa di estraneo, un corpo doloroso intruso nella loro vita, ed hanno cercato (o ancora cercano) di eliminarlo. La seconda categoria è invece costituita dagli ex prigionieri «politici», o comunque in possesso di una preparazione politica, o di una convinzione religiosa, o di una forte coscienza morale. Per questi reduci, ricordare è un dovere: essi non vogliono dimenticare, e soprattutto non vogliono che il mondo dimentichi, perché hanno capito che la loro esperienza non è stata priva di senso, e che i Lager non sono stati un incidente, un imprevisto della Storia.

I Lager nazisti sono stati l'apice, il coronamento del fascismo in Europa, la sua manifestazione piú mostruosa; ma il fascismo c'era prima di Hitler e di Mussolini, ed è sopravvissuto, in forme palesi o mascherate, alla sconfitta della seconda guerra mondiale. In tutte le parti del mondo, là dove si comincia col negare le libertà fondamentali dell'Uomo, e l'uguaglianza fra gli uomini, si va verso il sistema concentrazionario, ed è questa una strada su cui è difficile fermarsi. Conosco molti ex prigionieri che hanno capito bene quale terribile lezione è contenuta nella loro esperienza, e che ogni anno ritornano nel «loro» campo guidando pellegrinaggi di giovani: io stesso lo farei volentieri se il tempo me lo concedesse, e se non sapessi che raggiungo lo stesso scopo scrivendo libri, ed accettando di commentarli agli studenti.

5. *Perché Lei parla soltanto dei Lager tedeschi, e non anche di quelli russi?*

Come ho scritto nel rispondere alla prima domanda, alla parte del giudice preferisco quella del testimone: ho da porta-

re una testimonianza, quella delle cose che ho subíte e viste. I miei libri non sono libri di storia: nello scriverli mi sono rigorosamente limitato a riportare i fatti di cui avevo esperienza diretta, escludendo quelli che ho appreso piú tardi da libri o giornali. Ad esempio, noterete che non ho citato le cifre del massacro di Auschwitz, e neppure ho descritto i dettagli delle camere a gas e dei crematori: infatti non conoscevo questi dati quando ero in Lager, e li ho appresi soltanto dopo, quando tutto il mondo li ha appresi.

Per questo stesso motivo non parlo generalmente dei Lager russi: per mia fortuna non ci sono stato, e non potrei che ripetere le cose che ho letto, cioè quelle che sanno tutti coloro che a questo argomento si sono interessati. È chiaro che tuttavia con questo non voglio né posso sottrarmi al dovere, che ha ogni uomo, di farsi un giudizio e di formulare un'opinione. Accanto ad evidenti somiglianze, fra i Lager sovietici e i Lager nazisti mi pare di poter osservare sostanziali differenze.

La principale differenza consiste nella finalità. I Lager tedeschi costituiscono qualcosa di unico nella pur sanguinosa storia dell'umanità: all'antico scopo di eliminare o terrificare gli avversari politici, affiancavano uno scopo moderno e mostruoso, quello di cancellare dal mondo interi popoli e culture. A partire press'a poco dal 1941, essi diventano gigantesche macchine di morte: camere a gas e crematori erano stati deliberatamente progettati per distruggere vite e corpi umani sulla scala dei milioni; l'orrendo primato spetta ad Auschwitz, con 24 000 morti in un solo giorno, nell'agosto 1944. I campi sovietici non erano e non sono certo luoghi in cui il soggiorno sia gradevole, ma in essi, neppure negli anni piú oscuri dello stalinismo, la morte dei prigionieri non veniva espressamente ricercata: era un incidente assai frequente, e tollerato con brutale indifferenza, ma sostanzialmente non voluto; insomma, un sottoprodotto dovuto alla fame, al freddo, alle infezioni, alla fatica. In questo lugubre confronto fra due modelli di inferno bisogna ancora aggiungere che nei Lager tedeschi, in generale, si entrava per non uscirne: non era previsto alcun termine altro che la morte. Per contro, nei campi sovietici un termine è sempre esistito: al tempo di Stalin i «colpevoli» venivano talvolta condannati a pene lunghissime (anche quin-

dici o venti anni) con spaventosa leggerezza, ma una sia pur lieve speranza di libertà sussisteva.

Da questa fondamentale differenza scaturiscono le altre. I rapporti fra guardiani e prigionieri, in Unione Sovietica, sono meno disumani: appartengono tutti allo stesso popolo, parlano la stessa lingua, non sono «superuomini» e «sottouomini» come sotto il nazismo. I malati, magari male, vengono curati; davanti a un lavoro troppo duro è pensabile una protesta, individuale o collettiva; le punizioni corporali sono rare e non troppo crudeli; è possibile ricevere da casa lettere e pacchi con viveri; la personalità umana, insomma, non viene denegata e non va totalmente perduta. Per contro, almeno per quanto riguardava gli ebrei e gli zingari, nei Lager tedeschi la strage era pressoché totale: non si fermava neppure davanti ai bambini, che furono uccisi nelle camere a gas a centinaia di migliaia, cosa unica fra tutte le atrocità della storia umana. Come conseguenza generale, le quote di mortalità sono assai diverse per i due sistemi. In Unione Sovietica pare che nei periodi piú duri la mortalità si aggirasse sul 30 per cento, riferito a tutti gli ingressi, e questo è certamente un dato intollerabilmente alto; ma nei Lager tedeschi la mortalità era del 90-98 per cento.

Mi pare molto grave la recente innovazione sovietica secondo cui alcuni intellettuali dissenzienti vengono sbrigativamente dichiarati pazzi, rinchiusi in istituti psichiatrici, e sottoposti a «cure» che non solo provocano crudeli sofferenze, ma distorcono ed indeboliscono le funzioni mentali. Ciò dimostra che il dissenso viene temuto: non è piú punito, ma si cerca di demolirlo con i farmaci (o con la paura dei farmaci). Forse questa tecnica non è molto diffusa (pare che questi ricoverati politici, nel 1975, non superassero il centinaio), ma è odiosa, perché comporta un uso abietto della scienza, ed una prostituzione imperdonabile da parte dei medici che si prestano cosí servilmente ad assecondare i voleri dell'autorità. Essa mette in luce un estremo disprezzo per il confronto democratico e le libertà civili.

Per contro, e per quanto riguarda appunto l'aspetto quantitativo, resta da notare che, in Unione Sovietica, il fenomeno Lager appare attualmente in declino. Sembra che intorno al 1950 i prigionieri politici fossero milioni; secondo i dati di «Amnesty International» (un'associazione apolitica che si

prefigge di soccorrere tutti i prigionieri politici, in tutti i paesi e indipendentemente dalle loro opinioni) essi sarebbero oggi (1976) circa diecimila.

In conclusione, i campi sovietici rimangono pur sempre una manifestazione deplorevole di illegalità e di disumanità. Essi non hanno nulla a che vedere col socialismo, ed anzi, sul socialismo sovietico spiccano come una brutta macchia; sono piuttosto da considerarsi una barbarica eredità dell'assolutismo zarista, di cui i governi sovietici non hanno saputo o voluto liberarsi. Chi legge le *Memorie di una casa morta*, scritte da Dostoevskij nel 1862, non stenta a riconoscervi gli stessi lineamenti carcerari descritti da Solženicyn cento anni dopo. Ma è possibile, anzi facile, rappresentarsi un socialismo senza Lager: in molte parti del mondo è stato realizzato. Un nazismo senza Lager invece non è pensabile.

6. *Fra i personaggi di* Se questo è un uomo, *quali ha rivisto dopo la liberazione?*

La maggior parte dei personaggi che compaiono in queste pagine sono purtroppo da ritenere scomparsi già nei giorni di Lager o durante la tremenda marcia di evacuazione di cui si parla a p. 162; altri sono morti piú tardi per malattie contratte durante la prigionia, e di altri ancora non sono riuscito a ritrovare le tracce. Alcuni pochi sopravvivono, ed ho potuto conservare o ristabilire il contatto con loro.

È vivo, e sta bene, Jean, il «Pikolo» del *Canto di Ulisse*: la sua famiglia era stata distrutta, ma si è sposato dopo il ritorno, ed ora ha due figli, e conduce una vita molto tranquilla come farmacista in una cittadina della provincia francese. Ci incontriamo talvolta in Italia, dove viene per le vacanze; altre volte sono andato io a trovarlo. Stranamente, ha dimenticato molto del suo anno di Monowitz: in lui prevalgono i ricordi atroci del viaggio di evacuazione, nel corso del quale ha visto morire di estenuazione tutti i suoi amici (fra questi era Alberto).

Vedo anche abbastanza sovente il personaggio che ho chiamato Piero Sonnino (p. 50), e che è lo stesso che compare come «Cesare» in *La tregua*. Anche lui, dopo un difficile pe-

riodo di riinserimento, ha trovato un lavoro e si è fatta una
famiglia. Vive a Roma. Racconta volentieri, e con grande vi-
vacità, le traversie che ha subíte in campo e durante il lungo
viaggio di ritorno, ma nelle sue narrazioni, che spesso diven-
tano quasi monologhi teatrali, tende a mettere in evidenza i
fatti avventurosi di cui è stato protagonista piuttosto che
quelli tragici a cui ha assistito passivamente.

Ho rivisto anche Charles. Era stato preso prigioniero sulle
colline dei Vosgi, presso la sua casa, dove era partigiano, solo
nel novembre 1944, ed era stato in Lager soltanto per un me-
se; ma questo mese di sofferenza, ed i fatti feroci a cui aveva
assistito, lo avevano segnato profondamente, togliendogli la
gioia di vivere e la volontà di costruirsi un avvenire. Rimpa-
triato dopo un viaggio non molto diverso da quello che io ho
raccontato in *La tregua*, ha ripreso il suo mestiere di maestro
elementare nella minuscola scuola del suo villaggio, in cui in-
segnava ai bambini anche ad allevare le api e a coltivare un vi-
vaio di abeti e pini. Da pochi anni è in pensione; ha sposato di
recente una sua collega non giovane, ed insieme si sono co-
struiti una casa nuova, piccola ma comoda e graziosa. Sono
andato a trovarlo due volte, nel 1951 e nel 1974. In quest'ul-
tima occasione mi ha detto di Arthur, che abita in un villag-
gio non molto lontano: è vecchio e ammalato, e non desidera
ricevere visite che possano ridestare in lui antiche angosce.

Drammatico, imprevisto, e pieno di gioia per entrambi, è
stato il ritrovamento di Mendi, il «rabbino modernista» a cui
si accenna in poche righe alle pp. 67 e 107. Ha riconosciuto se
stesso leggendo casualmente nel 1965 la traduzione tedesca di
questo libro: si ricordava di me, e mi ha scritto una lunga let-
tera indirizzandola presso la Comunità Israelitica di Torino.
Ci siamo scritti a lungo, informandoci a vicenda dei destini
dei nostri amici comuni. Nel 1967 sono andato a trovarlo a
Dortmund, in Germania Federale, dove allora era rabbino: è
rimasto com'era, «tenace, coraggioso e acuto», ed inoltre
straordinariamente colto. Ha sposato una reduce da Ausch-
witz, ed hanno tre figli ormai grandi; l'intera famiglia ha in-
tenzione di trasferirsi in Israele.

Non ho piú rivisto il Doktor Pannwitz, il chimico che mi
aveva sottoposto ad un gelido «esame di Stato», ma ho avuto
sue notizie da quel Doktor Müller a cui ho dedicato il capitolo

Vanadio del mio ultimo libro *Il sistema periodico*. Nell'imminenza dell'arrivo dell'Armata Rossa nella fabbrica di Buna, si è comportato con prepotenza e viltà: ha ordinato ai suoi collaboratori civili di resistere a oltranza, ha vietato loro di salire sull'ultimo treno in partenza per le retrovie, ma ci è salito lui all'ultimo momento approfittando della confusione. È morto nel 1946 di un tumore al cervello.

7. *Come si spiega l'odio fanatico dei nazisti contro gli ebrei?*

L'avversione contro gli ebrei, impropriamente detta antisemitismo, è un caso particolare di un fenomeno piú vasto, e cioè dell'avversione contro chi è diverso da noi. È indubbio che si tratti, in origine, di un fatto zoologico: gli animali di una stessa specie, ma appartenenti a gruppi diversi, manifestano fra di loro fenomeni di intolleranza. Questo avviene anche fra gli animali domestici: è noto che una gallina di un certo pollaio, se viene introdotta in un altro, è respinta a beccate per vari giorni. Lo stesso avviene fra i topi e le api, e in genere in tutte le specie di animali sociali. Ora, l'uomo è certamente un animale sociale (lo aveva già affermato Aristotele): ma guai se tutte le spinte zoologiche che sopravvivono nell'uomo dovessero essere tollerate! Le leggi umane servono appunto a questo: a limitare gli impulsi animaleschi.

L'antisemitismo è un tipico fenomeno d'intolleranza. Perché una intolleranza insorga, occorre che fra i due gruppi a contatto esista una differenza percettibile: questa può essere una differenza fisica (i neri e i bianchi, i bruni e i biondi), ma la nostra complicata civiltà ci ha resi sensibili a differenze piú sottili, quali la lingua, o il dialetto, o addirittura l'accento (lo sanno bene i nostri meridionali costretti ad emigrare al Nord); la religione, con tutte le sue manifestazioni esteriori e la sua profonda influenza sul modo di vivere; il modo di vestire o gesticolare; le abitudini pubbliche e private. La tormentata storia del popolo ebreo ha fatto sí che quasi ovunque gli ebrei manifestassero una o piú di queste differenze.

Nell'intrico, estremamente complesso, dei popoli e delle nazioni in urto fra loro, la storia di questo popolo si presenta con caratteristiche particolari. Esso era (ed in parte è tuttora)

depositario di un legame interno molto forte, di natura religiosa e tradizionale; di conseguenza, a dispetto della sua inferiorità numerica e militare, si oppose con disperato valore alla conquista da parte dei romani, e fu sconfitto, deportato e disperso, ma quel legame sopravvisse. Le colonie ebraiche che si andarono formando, su tutte le coste del Mediterraneo dapprima, e successivamente in Medio Oriente, in Spagna, in Renania, nella Russia meridionale, in Polonia, in Boemia ed altrove, rimasero sempre ostinatamente fedeli a questo legame, che si era andato consolidando sotto la forma di un immenso corpo di leggi e tradizioni scritte, di una religione minuziosamente codificata, e di un rituale peculiare e vistoso, che pervadeva tutti gli atti della giornata. Gli ebrei, in minoranza in tutti i loro stanziamenti, erano dunque diversi, riconoscibili come diversi, e spesso orgogliosi (a ragione o a torto) della loro diversità: tutto questo li rendeva molto vulnerabili, ed infatti furono duramente perseguitati, in quasi tutti i paesi ed in quasi tutti i secoli; alle persecuzioni gli ebrei reagirono in piccola parte assimilandosi, ossia fondendosi con la popolazione circostante; in maggior parte, emigrando nuovamente verso paesi piú ospitali. In tal modo si rinnovava però la loro «diversità», che li esponeva a nuove restrizioni e persecuzioni.

Sebbene nella sua essenza profonda l'antisemitismo sia un fenomeno irrazionale di intolleranza, esso, in tutti i paesi cristiani, ed a partire da quando il cristianesimo si andò consolidando come religione di Stato, assunse una veste prevalentemente religiosa, anzi teologica. Secondo l'affermazione di sant'Agostino, gli ebrei sono condannati alla dispersione da Dio stesso, e ciò per due motivi: perché in tal modo essi vengono puniti per non aver riconosciuto in Cristo il Messia, e perché la loro presenza in tutti i paesi è necessaria alla Chiesa cattolica, che essa pure è dappertutto, affinché dappertutto sia visibile ai fedeli la meritata infelicità degli ebrei. Perciò la dispersione e separazione degli ebrei non dovrà mai avere fine: essi, con le loro pene, devono testimoniare in eterno del loro errore, e di conseguenza della verità della fede cristiana. Dunque, poiché la loro presenza è necessaria, essi devono essere perseguitati, ma non uccisi.

Tuttavia, non sempre la Chiesa si mostrò cosí moderata:

fin dai primi secoli del cristianesimo fu mossa agli ebrei un'accusa ben piú grave, quella di essere, collettivamente ed eternamente, responsabili della crocifissione di Cristo, di essere insomma il «popolo deicida». Questa formulazione, che compare nella liturgia pasquale in tempi remoti, ed è stata soppressa solo dal Concilio Vaticano II (1962-65), sta all'origine di varie funeste e sempre rinnovate credenze popolari: che gli ebrei avvelenano i pozzi propagando la peste; che profanano abitualmente l'Ostia consacrata; che a Pasqua rapiscono bambini cristiani, col cui sangue impastano il pane azzimo. Queste credenze hanno offerto il pretesto per numerosi e sanguinosi massacri, e tra l'altro, per l'espulsione in massa degli ebrei dapprima dalla Francia e dall'Inghilterra, poi (1492-98) dalla Spagna e dal Portogallo.

Attraverso una serie mai interrotta di stragi e di migrazioni, si arriva al secolo XIX, contrassegnato dal risveglio generale delle coscienze nazionali e dal riconoscimento dei diritti delle minoranze: ad eccezione della Russia zarista, in tutta l'Europa cadono le restrizioni legali ai danni degli ebrei, che erano state invocate dalle Chiese cristiane (a seconda dei luoghi e dei tempi, l'obbligo di risiedere in ghetti o in zone particolari, l'obbligo di portare sugli abiti un contrassegno, il divieto di accedere a determinati mestieri o professioni, il divieto dei matrimoni misti, ecc.). Sopravvive però l'antisemitismo, vivace soprattutto nei paesi dove una rozza religiosità continuava ad additare negli ebrei gli uccisori di Cristo (in Polonia e in Russia), e dove le rivendicazioni nazionali avevano lasciato uno strascico di generica avversione contro i confinanti e gli stranieri (in Germania; ma anche in Francia, ed alla fine del XIX secolo, i clericali, i nazionalisti ed i militari si trovano concordi nello scatenare una violenta ondata di antisemitismo, in occasione della falsa accusa di alto tradimento mossa contro Alfred Dreyfus, ufficiale ebreo dell'esercito francese).

In Germania, in specie, per tutto il secolo scorso una serie ininterrotta di filosofi e di politici avevano insistito in una teorizzazione fanatica, secondo cui il popolo tedesco, per troppo tempo diviso ed umiliato, era depositario del primato in Europa e forse nel mondo, era erede di remote e nobilissime tradizioni e civiltà, ed era costituito da individui sostan-

zialmente omogenei per sangue e per razza. I popoli tedeschi avrebbero dovuto costituirsi in uno Stato forte e guerriero, egemone in Europa, rivestito di una maestà quasi divina.

Questa idea della missione della Nazione Tedesca sopravvive alla disfatta della prima guerra mondiale, ed esce anzi rafforzata dall'umiliazione del trattato di pace di Versailles. Se ne impadronisce uno dei personaggi piú sinistri ed infausti della Storia, l'agitatore politico Adolf Hitler. I borghesi e gli industriali tedeschi porgono orecchio alle sue orazioni infiammate: Hitler promette bene, riuscirà a deviare sugli ebrei l'avversione che il proletariato tedesco tributa alle classi che l'hanno condotto alla sconfitta ed al disastro economico. Nel giro di pochi anni, a partire dal 1933, egli riesce a trarre partito dalla collera di un paese umiliato e dall'orgoglio nazionalistico suscitato dai profeti che l'hanno preceduto, Lutero, Fichte, Hegel, Wagner, Gobineau, Chamberlain, Nietzsche: il suo pensiero ossessivo è quello di una Germania dominatrice, non nel lontano futuro ma subito; non attraverso una missione di civiltà, ma con le armi. Tutto ciò che non è germanico gli appare inferiore, anzi detestabile, ed i primi nemici della Germania sono gli ebrei, per molti motivi che Hitler enunciava con furore dogmatico: perché hanno «sangue diverso»; perché sono imparentati con altri ebrei in Inghilterra, in Russia, in America; perché sono eredi di una cultura in cui si ragiona e si discute prima di obbedire, ed in cui è vietato inchinarsi agli idoli, mentre lui stesso aspira ad essere venerato come un idolo, e non esita a proclamare che «dobbiamo diffidare dell'intelligenza e della coscienza, e riporre tutta la nostra fede negli istinti». Infine, molti fra gli ebrei tedeschi hanno raggiunto posizioni chiave nell'economia, nella finanza, nelle arti, nella scienza, nella letteratura: Hitler, pittore mancato, architetto fallito, riversa sugli ebrei il suo risentimento e la sua invidia di frustrato.

Questo seme d'intolleranza, cadendo su di un terreno già predisposto, vi attecchisce con incredibile vigore ma in forme nuove. L'antisemitismo di stampo fascista, quello che il Verbo bandito da Hitler risveglia nel popolo tedesco, è piú barbarico di tutti i precedenti: vi convergono dottrine biologiche artificiosamente distorte, secondo cui le razze deboli devono cedere davanti alle forti; le assurde credenze popolari che il

buon senso aveva sepolte da secoli; una propaganda senza so-
ste. Si toccano estremi mai sentiti prima. L'ebraismo non è
una religione da cui ci si può allontanare col battesimo, né
una tradizione culturale che si può abbandonare per un'altra:
è una sottospecie umana, una razza diversa ed inferiore a tut-
te le altre. Gli ebrei sono solo apparentemente esseri umani:
in realtà sono qualcosa di diverso: di abominevole e indefini-
bile, «più lontani dai tedeschi che le scimmie dagli uomini»;
sono colpevoli di tutto, del rapace capitalismo americano e del
bolscevismo sovietico, della sconfitta del 1918, dell'inflazione
del 1923; liberalismo, democrazia, socialismo e comunismo
sono sataniche invenzioni ebraiche, che minacciano la solidità
monolitica dello Stato nazista.

Il passaggio dalla predicazione teorica all'attuazione prati-
ca è stato rapido e brutale. Nel 1933, solo due mesi dopo che
Hitler ha conquistato il potere, nasce Dachau, il primo Lager.
Nel maggio dello stesso anno si accende il primo rogo di libri
di autori ebrei o nemici del nazismo (ma più di cento anni pri-
ma Heine, poeta ebreo tedesco, aveva scritto: «Chi brucia i
libri finisce presto o tardi col bruciare uomini»). Nel 1935
l'antisemitismo viene codificato in una monumentale e minu-
ziosissima legislazione, le Leggi di Norimberga. Nel 1938, in
una sola notte di disordini pilotati dall'alto, vengono incen-
diate 191 sinagoghe e distrutti migliaia di negozi di ebrei. Nel
1939 gli ebrei della Polonia testé occupata vengono rinchiusi
nei ghetti. Nel 1940 viene aperto il Lager di Auschwitz. Nel
1941-42 la macchina dello sterminio è in piena azione: le vit-
time saliranno a milioni nel 1944.

Nella pratica quotidiana dei campi di sterminio trovano la
loro realizzazione l'odio e il disprezzo diffusi dalla propagan-
da nazista. Qui non c'era solo la morte, ma una folla di detta-
gli maniaci e simbolici, tutti tesi a dimostrare e confermare
che gli ebrei, e gli zingari, e gli slavi, sono bestiame, strame,
immondezza. Si ricordi il tatuaggio di Auschwitz, che impo-
neva agli uomini il marchio che si usa per i buoi; il viaggio in
vagoni bestiame, mai aperti, in modo da costringere i depor-
tati (uomini, donne e bambini!) a giacere per giorni nelle pro-
prie lordure; il numero di matricola in sostituzione del nome;
la mancata distribuzione di cucchiai (eppure i magazzini di
Auschwitz, alla liberazione, ne contenevano quintali), per cui

i prigionieri avrebbero dovuto lambire la zuppa come cani; l'empio sfruttamento dei cadaveri, trattati come una qualsiasi anonima materia prima, da cui si ricavavano l'oro dei denti, i capelli come materiale tessile, le ceneri come fertilizzanti agricoli; gli uomini e le donne degradati a cavie, su cui sperimentare medicinali per poi sopprimerli.

Lo stesso modo che fu scelto (dopo minuziosi esperimenti) per lo sterminio era apertamente simbolico. Si doveva usare, e fu usato, quello stesso gas velenoso che si impiegava per disinfestare le stive delle navi, ed i locali invasi da cimici o pidocchi. Sono state escogitate nei secoli morti piú tormentose, ma nessuna era cosí gravida di dileggio e di disprezzo.

Come è noto, l'opera di sterminio fu condotta molto avanti. I nazisti, che pure erano impegnati in una durissima guerra, ormai difensiva, vi manifestarono una fretta inesplicabile: i convogli delle vittime da portare al gas, o da trasferire dal Lager prossimi al fronte, avevano la precedenza sulle tradotte militari. Non fu condotta a termine solo perché la Germania fu disfatta, ma il testamento politico che Hitler dettò poche ore prima di uccidersi, coi russi a pochi metri, si concludeva cosí: «Soprattutto, ordino al governo e al popolo tedesco di mantenere in pieno vigore le leggi razziali, e di combattere inesorabilmente l'avvelenatore di tutte le nazioni, l'ebraismo internazionale».

Riassumendo, si può dunque affermare che l'antisemitismo è un caso particolare dell'intolleranza; che per secoli ha avuto carattere prevalentemente religioso; che, nel III Reich, esso è stato esacerbato dalla predisposizione nazionalistica e militaristica del popolo tedesco, e dalla peculiare «diversità» del popolo ebreo; che esso fu facilmente disseminato in tutta la Germania, e in buona parte dell'Europa, grazie all'efficienza della propaganda fascista e nazista, a cui occorreva un capro espiatorio su cui convogliare tutte le colpe e tutti i risentimenti; e che il fenomeno fu condotto al parossismo da Hitler, dittatore maniaco.

Tuttavia devo ammettere che queste spiegazioni, che sono quelle comunemente accettate, non mi soddisfano: sono diminutive, non commisurate, non proporzionali ai fatti da spiegare. Nel rileggere le cronache del nazismo, dai suoi torbidi

inizi alla sua fine convulsa, non riesco a sottrarmi all'impressione di una generale atmosfera di follia incontrollata che mi pare unica nella storia. Questa follia collettiva, questo sbandamento, viene di solito spiegato postulando la combinazione di molti fattori diversi, insufficienti se presi singolarmente, e il maggiore di questi fattori sarebbe la personalità stessa di Hitler, e la sua profonda interazione col popolo tedesco. È certo che le sue personali ossessioni, la sua capacità d'odio, la sua predicazione di violenza, trovavano sfrenata risonanza nella frustrazione del popolo tedesco, e da questo ritornavano a lui moltiplicate, confermandolo nella sua convinzione delirante di essere lui stesso l'Eroe profetizzato da Nietzsche, il Superuomo redentore della Germania.

Sull'origine del suo odio contro gli ebrei si è scritto molto. Si è detto che Hitler riversava sugli ebrei il suo odio contro l'intero genere umano; che riconosceva negli ebrei alcuni suoi stessi difetti, e che odiando gli ebrei odiava se stesso; che la violenza della sua avversione proveniva dal timore di poter avere «sangue ebreo» nelle vene.

Ancora una volta: non mi sembrano spiegazioni adeguate. Non mi sembra lecito spiegare un fenomeno storico riversando tutta la colpa su un individuo (gli esecutori di ordini orrendi *non sono* innocenti!), ed inoltre è sempre arduo interpretare le motivazioni profonde di un individuo. Le ipotesi che vengono proposte giustificano i fatti solo in misura parziale, ne spiegano la qualità ma non la quantità. Devo ammettere che preferisco l'umiltà con cui alcuni storici fra i piú seri (Bullock, Schramm, Bracher) confessano di *non comprendere* l'antisemitismo furibondo di Hitler e della Germania dietro di lui.

Forse, quanto è avvenuto non si può comprendere, anzi, *non si deve* comprendere, perché comprendere è quasi giustificare. Mi spiego: «comprendere» un proponimento o un comportamento umano significa (anche etimologicamente) contenerlo, contenerne l'autore, mettersi al suo posto, identificarsi con lui. Ora, nessun uomo normale potrà mai identificarsi con Hitler, Himmler, Goebbels, Eichmann e infiniti altri. Questo ci sgomenta, ed insieme ci porta sollievo: perché forse è desiderabile che le loro parole (ed anche, purtroppo, le loro opere) non ci riescano piú comprensibili. Sono parole ed

opere non umane, anzi, contro-umane, senza precedenti storici, a stento paragonabili alle vicende piú crudeli della lotta biologica per l'esistenza. A questa lotta può essere ricondotta la guerra: ma Auschwitz non ha nulla a che vedere con la guerra, non ne è un episodio, non ne è una forma estrema. La guerra è un terribile fatto di sempre: è deprecabile ma è in noi, ha una sua razionalità, la «comprendiamo».

Ma nell'odio nazista non c'è razionalità: è un odio che non è in noi, è fuori dell'uomo, è un frutto velenoso nato dal tronco funesto del fascismo, ma è fuori ed oltre il fascismo stesso. Non possiamo capirlo; ma possiamo e dobbiamo capire di dove nasce, e stare in guardia. Se comprendere è impossibile, conoscere è necessario, perché ciò che è accaduto può ritornare, le coscienze possono nuovamente essere sedotte ed oscurate: anche le nostre.

Per questo, meditare su quanto è avvenuto è un dovere di tutti. Tutti devono sapere, o ricordare, che Hitler e Mussolini, quando parlavano pubblicamente, venivano creduti, applauditi, ammirati, adorati come dèi. Erano «capi carismatici», possedevano un segreto potere di seduzione che non procedeva dalla credibilità o dalla giustezza delle cose che dicevano, ma dal modo suggestivo con cui le dicevano, dalla loro eloquenza, dalla loro arte istrionica, forse istintiva, forse pazientemente esercitata e appresa. Le idee che proclamavano non erano sempre le stesse, e in generale erano aberranti, o sciocche, o crudeli; eppure vennero osannati, e seguiti fino alla loro morte da milioni di fedeli. Bisogna ricordare che questi fedeli, e fra questi anche i diligenti esecutori di ordini disumani, non erano aguzzini nati, non erano (salve poche eccezioni) dei mostri: erano uomini qualunque. I mostri esistono, ma sono troppo pochi per essere veramente pericolosi; sono piú pericolosi gli uomini comuni, i funzionari pronti a credere e ad obbedire senza discutere, come Eichmann, come Höss comandante di Auschwitz, come Stangl comandante di Treblinka, come i militari francesi di vent'anni dopo, massacratori in Algeria, come i militari americani di trent'anni dopo, massacratori in Vietnam.

Occorre dunque essere diffidenti con chi cerca di convincerci con strumenti diversi dalla ragione, ossia con i capi carismatici: dobbiamo essere cauti nel delegare ad altri il nostro

giudizio e la nostra volontà. Poiché è difficile distinguere i profeti veri dai falsi, è bene avere in sospetto tutti i profeti; è meglio rinunciare alle verità rivelate, anche se ci esaltano per la loro semplicità e il loro splendore, anche se le troviamo comode perché si acquistano gratis. È meglio accontentarsi di altre verità piú modeste e meno entusiasmanti, quelle che si conquistano faticosamente, a poco a poco e senza scorciatoie, con lo studio, la discussione e il ragionamento, e che possono essere verificate e dimostrate.

È chiaro che questa ricetta è troppo semplice per bastare in tutti i casi: un nuovo fascismo, col suo strascico di intolleranza, di sopraffazione e di servitú, può nascere fuori del nostro paese ed esservi importato, magari in punta di piedi e facendosi chiamare con altri nomi; oppure può scatenarsi dall'interno con una violenza tale da sbaragliare tutti i ripari. Allora i consigli di saggezza non servono piú, e bisogna trovare la forza di resistere: anche in questo, la memoria di quanto è avvenuto nel cuore dell'Europa, e non molto tempo addietro, può essere di sostegno e di ammonimento.

8. *Che cosa sarebbe Lei oggi, se non fosse stato prigioniero in Lager? Che cosa prova nel ricordare quel tempo? A quali fattori attribuisce il fatto di essere sopravvissuto?*

Parlando rigorosamente, non so e non posso sapere che cosa sarei oggi se non fossi stato in Lager: nessun uomo conosce il suo futuro, e qui si tratterebbe appunto di descrivere un futuro che non c'è stato. Ha un certo significato tentare previsioni (del resto sempre grossolane) sul comportamento di una popolazione, ed invece è difficilissimo, o impossibile, prevedere il comportamento di un singolo, anche sulla scala dei giorni. Allo stesso modo, il fisico sa pronosticare con grande esattezza il tempo che impiegherà un grammo di radio a dimezzare la sua attività, ma non sa assolutamente quando si disintegrerà un singolo atomo di quel radio. Se un uomo si avvia verso un bivio, e non infila la strada di sinistra, è ovvio che infilerà quella di destra; ma quasi mai le nostre scelte sono fra due sole alternative: poi, ad ogni scelta ne seguono altre, tutte multiple, e cosí all'infinito; e infine, il nostro futuro di-

pende fortemente anche da fattori esterni, in tutto estranei alle nostre scelte deliberate, ed anche da fattori interni, di cui però non siamo coscienti. Per questi notori motivi non si conosce il proprio avvenire né quello del nostro prossimo; per gli stessi motivi nessuno può dire quale sarebbe stato il suo passato «se».

Una certa affermazione posso però formularla, ed è questa: se non avessi vissuto la stagione di Auschwitz, probabilmente non avrei mai scritto nulla. Non avrei avuto motivo, incentivo, per scrivere: ero stato uno studente mediocre in italiano e scadente in storia, mi interessavano di più la fisica e la chimica, ed avevo poi scelto un mestiere, quello del chimico, che non aveva niente in comune col mondo della parola scritta. È stata l'esperienza del Lager a costringermi a scrivere: non ho avuto da combattere con la pigrizia, i problemi di stile mi sembravano ridicoli, ho trovato miracolosamente il tempo di scrivere pur senza mai sottrarre neppure un'ora al mio mestiere quotidiano: mi pareva, questo libro, di averlo già in testa tutto pronto, di doverlo solo lasciare uscire e scendere sulla carta.

Adesso sono passati molti anni: il libro ha avuto molte vicende, e si è curiosamente interposto, come una memoria artificiale, ma anche come una barriera difensiva, fra il mio normalissimo presente e il feroce passato di Auschwitz. Lo dico con esitazione, perché non vorrei passare per un cinico: nel ricordare il Lager oggi non provo più alcuna emozione violenta o dolorosa. Al contrario: alla mia esperienza breve e tragica di deportato si è sovrapposta quella molto più lunga e complessa di scrittore-testimone e la somma è nettamente positiva; nella sua globalità, questo passato mi ha reso più ricco e più sicuro. Una mia amica, che era stata deportata giovanissima al Lager femminile di Ravensbrück, dice che il campo è stata la sua Università: io credo di poter dire altrettanto, e cioè che vivendo e poi scrivendo e meditando quegli avvenimenti, ho imparato molte cose sugli uomini e sul mondo.

Devo però affrettarmi a precisare che questo esito positivo è stata una fortuna toccata a pochissimi: dei deportati italiani, ad esempio, solo circa il 5 per cento hanno fatto ritorno, e fra questi, molti hanno perduto la famiglia, gli amici, gli averi, la salute, l'equilibrio, la giovinezza. Il fatto che io sia sopravvis-

suto, e sia ritornato indenne, secondo me è dovuto principalmente alla fortuna. Solo in piccola misura hanno giocato fattori preesistenti, quali il mio allenamento alla vita di montagna, ed il mio mestiere di chimico, che mi ha concesso qualche privilegio negli ultimi mesi di prigionia. Forse mi ha aiutato anche il mio interesse, mai venuto meno, per l'animo umano, e la volontà non soltanto di sopravvivere (che era comune a molti), ma di sopravvivere allo scopo preciso di raccontare le cose a cui avevamo assistito e che avevamo sopportate. E forse ha giocato infine anche la volontà, che ho tenacemente conservata, di riconoscere sempre, anche nei giorni piú scuri, nei miei compagni e in me stesso, degli uomini e non delle cose, e di sottrarmi cosí a quella totale umiliazione e demoralizzazione che conduceva molti al naufragio spirituale.

PRIMO LEVI

Novembre 1976.

La tregua

Sognavamo nelle notti feroci
Sogni densi e violenti
Sognati con anima e corpo:
Tornare; mangiare; raccontare.
Finché suonava breve sommesso
Il comando dell'alba:
 «Wstawać»;
E si spezzava in petto il cuore.

Ora abbiamo ritrovato la casa,
Il nostro ventre è sazio,
Abbiamo finito di raccontare.
È tempo. Presto udremo ancora
Il comando straniero:
 «Wstawać».

 11 gennaio 1946.

Il disgelo

Nei primi giorni del gennaio 1945, sotto la spinta dell'Armata Rossa ormai vicina, i tedeschi avevano evacuato in tutta fretta il bacino minerario slesiano. Mentre altrove, in analoghe condizioni, non avevano esitato a distruggere col fuoco o con le armi i Lager insieme con i loro occupanti, nel distretto di Auschwitz agirono diversamente: ordini superiori (a quanto pare dettati personalmente da Hitler) imponevano di «recuperare», a qualunque costo, ogni uomo abile al lavoro. Perciò tutti i prigionieri sani furono evacuati, in condizioni spaventose, su Buchenwald e su Mauthausen, mentre i malati furono abbandonati a loro stessi. Da vari indizi è lecito dedurre la originaria intenzione tedesca di non lasciare nei campi di concentramento nessun uomo vivo; ma un violento attacco aereo notturno, e la rapidità dell'avanzata russa, indussero i tedeschi a mutare pensiero, e a prendere la fuga lasciando incompiuto il loro dovere e la loro opera.

Nell'infermeria del Lager di Buna-Monowitz eravamo rimasti in ottocento. Di questi, circa cinquecento morirono delle loro malattie, di freddo e di fame prima che arrivassero i russi, ed altri duecento, malgrado i soccorsi, nei giorni immediatamente successivi.

La prima pattuglia russa giunse in vista del campo verso il mezzogiorno del 27 gennaio 1945. Fummo Charles ed io i primi a scorgerla: stavamo trasportando alla fossa comune il corpo di Sómogyi, il primo dei morti fra i nostri compagni di camera. Rovesciammo la barella sulla neve

corrotta, ché la fossa era ormai piena, ed altra sepoltura non si dava: Charles si tolse il berretto, a salutare i vivi e i morti.

Erano quattro giovani soldati a cavallo, che procedevano guardinghi, coi mitragliatori imbracciati, lungo la strada che limitava il campo. Quando giunsero ai reticolati, sostarono a guardare, scambiandosi parole brevi e timide, e volgendo sguardi legati da uno strano imbarazzo sui cadaveri scomposti, sulle baracche sconquassate, e su noi pochi vivi.

A noi parevano mirabilmente corporei e reali, sospesi (la strada era piú alta del campo) sui loro enormi cavalli, fra il grigio della neve e il grigio del cielo, immobili sotto le folate di vento umido minaccioso di disgelo.

Ci pareva, e cosí era, che il nulla pieno di morte in cui da dieci giorni ci aggiravamo come astri spenti avesse trovato un suo centro solido, un nucleo di condensazione: quattro uomini armati, ma non armati contro di noi; quattro messaggeri di pace, dai visi rozzi e puerili sotto i pesanti caschi di pelo.

Non salutavano, non sorridevano; apparivano oppressi, oltre che da pietà, da un confuso ritegno, che sigillava le loro bocche, e avvinceva i loro occhi allo scenario funereo. Era la stessa vergogna a noi ben nota, quella che ci sommergeva dopo le selezioni, ed ogni volta che ci toccava assistere o sottostare a un oltraggio: la vergogna che i tedeschi non conobbero, quella che il giusto prova davanti alla colpa commessa da altrui, e gli rimorde che esista, che sia stata introdotta irrevocabilmente nel mondo delle cose che esistono, e che la sua volontà buona sia stata nulla o scarsa, e non abbia valso a difesa.

Cosí per noi anche l'ora della libertà suonò grave e chiusa, e ci riempí gli animi, ad un tempo, di gioia e di un doloroso senso di pudore, per cui avremmo voluto lavare le nostre coscienze e le nostre memorie della bruttura che vi giaceva: e di pena, perché sentivamo che questo non poteva avvenire, che nulla mai piú sarebbe potuto avvenire di

cosí buono e puro da cancellare il nostro passato, e che i segni dell'offesa sarebbero rimasti in noi per sempre, e nei ricordi di chi vi ha assistito, e nei luoghi ove avvenne, e nei racconti che ne avremmo fatti. Poiché, ed è questo il tremendo privilegio della nostra generazione e del mio popolo, nessuno mai ha potuto meglio di noi cogliere la natura insanabile dell'offesa, che dilaga come un contagio. È stolto pensare che la giustizia umana la estingua. Essa è una inesauribile fonte di male: spezza il corpo e l'anima dei sommersi, li spegne e li rende abietti; risale come infamia sugli oppressori, si perpetua come odio nei superstiti, e pullula in mille modi, contro la stessa volontà di tutti, come sete di vendetta, come cedimento morale, come negazione, come stanchezza, come rinuncia.

Queste cose, allora mal distinte, e avvertite dai piú solo come una improvvisa ondata di fatica mortale, accompagnarono per noi la gioia della liberazione. Perciò pochi fra noi corsero incontro ai salvatori, pochi caddero in preghiera. Charles ed io sostammo in piedi presso la buca ricolma di membra livide, mentre altri abbattevano il reticolato; poi rientrammo con la barella vuota, a portare la notizia ai compagni.

Per tutto il resto della giornata non avvenne nulla, cosa che non ci sorprese, ed a cui eravamo da molto tempo avvezzi. Nella nostra camera la cuccetta del morto Sómogyi fu subito occupata dal vecchio Thylle, con visibile ribrezzo dei miei due compagni francesi.

Thylle, per quanto io ne sapevo allora, era un «triangolo rosso», un prigioniero politico tedesco, ed era uno degli anziani del Lager; come tale, aveva appartenuto di diritto alla aristocrazia del campo, non aveva lavorato manualmente (almeno negli ultimi anni), ed aveva ricevuto alimenti e vestiti da casa. Per queste stesse ragioni i «politici» tedeschi erano assai raramente ospiti dell'infermeria, in cui d'altronde godevano di vari privilegi: primo fra tutti, quello di sfuggire alle selezioni. Poiché, al momento della liberazione, era lui l'unico, dalle SS in fuga era stato

investito della carica di capobaracca del Block 20, di cui facevano parte, oltre alla nostra camerata di malati altamente infettivi, anche la sezione tbc e la sezione dissenteria.

Essendo tedesco, aveva preso molto sul serio questa precaria nomina. Durante i dieci giorni che separarono la partenza delle SS dall'arrivo dei russi, mentre ognuno combatteva la sua ultima battaglia contro la fame, il gelo e la malattia, Thylle aveva fatto diligenti ispezioni del suo nuovissimo feudo, controllando lo stato dei pavimenti e delle gamelle e il numero delle coperte (una per ogni ospite, vivo o morto che fosse). In una delle sue visite alla nostra camera aveva perfino encomiato Arthur per l'ordine e la pulizia che aveva saputo mantenere; Arthur, che non capiva il tedesco, e tanto meno il dialetto sassone di Thylle, gli aveva risposto «vieux dégoûtant» e «putain de boche»; ciononostante Thylle, da quel giorno in poi, con evidente abuso di autorità, aveva preso l'abitudine di venire ogni sera nella nostra camera per servirsi del confortevole bugliolo che vi era installato: in tutto il campo, l'unico alla cui manutenzione si provvedesse regolarmente, e l'unico situato nelle vicinanze di una stufa.

Fino a quel giorno, il vecchio Thylle era dunque stato per me un estraneo, e perciò un nemico; inoltre un potente, e perciò un nemico pericoloso. Per la gente come me, vale a dire per la generalità del Lager, altre sfumature non c'erano: durante tutto il lunghissimo anno trascorso in Lager, io non avevo avuto mai né la curiosità né l'occasione di indagare le complesse strutture della gerarchia del campo. Il tenebroso edificio di potenze malvage giaceva tutto al sopra di noi, e il nostro sguardo era rivolto al suolo. Eppure fu questo Thylle, vecchio militante indurito da cento lotte per il suo partito ed entro il suo partito, e pietrificato da dieci anni di vita feroce ed ambigua in Lager, il compagno e il confidente della mia prima notte di libertà.

Per tutto il giorno, avevamo avuto troppo da fare per aver tempo di commentare l'avvenimento, che pure senti-

vamo segnare il punto cruciale della nostra intera esisten-
za; e forse, inconsciamente, l'avevamo cercato, il da fare,
proprio allo scopo di non aver tempo, perché di fronte alla
libertà ci sentivamo smarriti, svuotati, atrofizzati, disadat-
ti alla nostra parte.

Ma venne la notte, i compagni ammalati si addormenta-
rono, si addormentarono anche Charles e Arthur del son-
no dell'innocenza, poiché erano in Lager da un solo mese,
e ancora non ne avevano assorbito il veleno: io solo, ben-
ché esausto, non trovavo sonno, a causa della fatica stessa
e della malattia. Avevo tutte le membra indolenzite, il san-
gue mi pulsava convulsamente nel cranio, e mi sentivo in-
vadere dalla febbre. Ma non era solo questo: come se un
argine fosse franato, proprio in quell'ora in cui ogni minac-
cia sembrava venire meno, in cui la speranza di un ritorno
alla vita cessava di essere pazzesca, ero sopraffatto da un
dolore nuovo e piú vasto, prima sepolto e relegato ai mar-
gini della coscienza da altri piú urgenti dolori: il dolore
dell'esilio, della casa lontana, della solitudine, degli amici
perduti, della giovinezza perduta, e dello stuolo di cadave-
ri intorno.

Nel mio anno di Buna avevo visto sparire i quattro
quinti dei miei compagni, ma non avevo mai subito la pre-
senza concreta, l'assedio della morte, il suo fiato sordido a
un passo, fuori della finestra, nella cuccetta accanto, nelle
mie stesse vene. Giacevo perciò in un dormiveglia malato
e pieno di pensieri funesti.

Ma mi accorsi ben presto che qualcun altro vegliava. Ai
respiri pesanti dei dormienti si sovrapponeva a tratti un
ansito rauco e irregolare, interrotto da colpi di tosse e da
gemiti e sospiri soffocati. Thylle piangeva, di un faticoso
ed inverecondo pianto di vecchio, insostenibile come una
nudità senile. Si avvide forse, nel buio, di un qualche mio
movimento; e la solitudine, che fino a quel giorno entram-
bi, per diversi motivi, avevamo cercato, doveva pesargli
quanto a me, poiché a metà della notte mi chiese «Sei sve-
glio?», e senza attendere la risposta si arrampicò a gran

fatica fino alla mia cuccetta, e d'autorità mi sedette accanto.

Non era facile intendersi con lui; non solo per ragioni di linguaggio, ma anche perché i pensieri che ci sedevano in petto in quella lunga notte erano smisurati, meravigliosi e terribili, ma soprattutto confusi. Gli dissi che soffrivo di nostalgia; e lui, che aveva smesso di piangere, «dieci anni, – mi disse, – dieci anni!»: e dopo dieci anni di silenzio, con un filo di voce stridula, grottesco e solenne ad un tempo, prese a cantare l'*Internazionale*, lasciandomi turbato, diffidente e commosso.

Il mattino ci portò i primi segni di libertà. Giunsero (evidentemente precettati dai russi) una ventina di civili polacchi, uomini e donne, che con pochissimo entusiasmo si diedero ad armeggiare per mettere ordine e pulizia fra le baracche e sgomberare i cadaveri. Verso mezzogiorno arrivò un bambino spaurito, che trascinava una mucca per la cavezza; ci fece capire che era per noi, e che la mandavano i russi, indi abbandonò la bestia e fuggí come un baleno. Non saprei dire come, il povero animale venne macellato in pochi minuti, sventrato, squartato, e le sue spoglie si dispersero per tutti i recessi del campo dove si annidavano i superstiti.

A partire dal giorno successivo, vedemmo aggirarsi per il campo altre ragazze polacche, pallide di pietà e di ribrezzo: ripulivano i malati e ne curavano alla meglio le piaghe. Accesero anche in mezzo al campo un enorme fuoco, che alimentavano con i rottami delle baracche sfondate, e sul quale cucinavano la zuppa in recipienti di fortuna. Finalmente, al terzo giorno, si vide entrare in campo un carretto a quattro ruote, guidato festosamente da Yankel, uno Häftling: era un giovane ebreo russo, forse l'unico russo fra i superstiti, ed in quanto tale si era trovato naturalmente a rivestire la funzione di interprete e di ufficiale di collegamento coi comandi sovietici. Tra sonori schiocchi di

frusta, annunziò che aveva incarico di portare al Lager
centrale di Auschwitz, ormai trasformato in un gigantesco
lazzaretto, tutti i vivi fra noi, a piccoli gruppi di trenta o
quaranta al giorno, e a cominciare dai malati piú gravi.

Era intanto sopravvenuto il disgelo, che da tanti giorni
temevamo, ed a misura che la neve andava scomparendo,
il campo si mutava in uno squallido acquitrino. I cadaveri
e le immondizie rendevano irrespirabile l'aria nebbiosa e
molle. Né la morte aveva cessato di mietere: morivano a
decine i malati nelle loro cuccette fredde, e morivano qua
e là per le strade fangose, come fulminati, i superstiti piú
ingordi, i quali, seguendo ciecamente il comando imperio-
so della nostra antica fame, si erano rimpinzati delle razio-
ni di carne che i russi, tuttora impegnati in combattimenti
sul fronte non lontano, facevano irregolarmente pervenire
al campo: talora poco, talora nulla, talora in folle abbon-
danza.

Ma di tutto quanto avveniva intorno a me io non mi
rendevo conto che in modo saltuario e indistinto. Pareva
che la stanchezza e la malattia, come bestie feroci e vili,
avessero atteso in agguato il momento in cui mi spogliavo
di ogni difesa per assaltarmi alle spalle. Giacevo in un tor-
pore febbrile, cosciente solo a mezzo, assistito fraterna-
mente da Charles, e tormentato dalla sete e da acuti dolori
alle articolazioni. Non c'erano medici né medicine. Avevo
anche male alla gola, e metà della faccia mi era gonfiata: la
pelle si era fatta rossa e ruvida, e mi bruciava come per una
ustione; forse soffrivo di piú malattie ad un tempo. Quan-
do venne il mio turno di salire sul carretto di Yankel, non
ero piú in grado di reggermi in piedi.

Fui issato sul carro da Charles e da Arthur, insieme con
un carico di moribondi da cui non mi sentivo molto dissi-
mile. Piovigginava, e il cielo era basso e fosco. Mentre il
lento passo dei cavalli di Yankel mi trascinava verso la lon-
tanissima libertà, sfilarono per l'ultima volta sotto i miei
occhi le baracche dove avevo sofferto e mi ero maturato, la
piazza dell'appello su cui ancora si ergevano, fianco a fian-

co, la forca e un gigantesco albero di Natale, e la porta della schiavitú, su cui, vane ormai, ancora si leggevano le tre parole della derisione: «*Arbeit Macht Frei*», «Il lavoro rende liberi».

Il Campo Grande

A Buna non si sapeva molto del «Campo Grande», di Auschwitz propriamente detto: gli Häftlinge trasferiti da campo a campo erano pochi, non loquaci (nessuno Häftling lo era), né facilmente creduti.

Quando il carro di Yankel varcò la soglia famosa, rimanemmo sbalorditi. Buna-Monowitz, coi suoi dodicimila abitanti, era un villaggio al confronto: quella in cui entravamo era una sterminata metropoli. Non «Blocks» di legno a un piano, ma innumerevoli tetri edifici quadrati di mattoni nudi, a tre piani, tutti eguali fra loro; fra questi correvano strade lastricate, rettilinee e perpendicolari, a perdita d'occhio. Il tutto era deserto, silenzioso, schiacciato sotto il cielo basso, pieno di fango e di pioggia e di abbandono.

Anche qui, come ad ogni svolta del nostro cosí lungo itinerario, fummo sorpresi di essere accolti con un bagno, quando di tante altre cose avevamo bisogno. Ma non fu quello un bagno di umiliazione, un bagno grottesco-demoniaco-sacrale, un bagno da messa nera come l'altro che aveva segnato la nostra discesa nell'universo concentrazionario, e neppure un bagno funzionale, antisettico, altamente tecnicizzato, come quello del nostro passaggio, molti mesi piú tardi, in mano americana: bensí un bagno alla maniera russa, a misura umana, estemporaneo ed approssimativo.

Non intendo già mettere in dubbio che un bagno, per noi in quelle condizioni, fosse opportuno: era anzi necessa-

rio, e non sgradito. Ma in esso, ed in ciascuno di quei tre memorabili lavacri, era agevole ravvisare, dietro all'aspetto concreto e letterale, una grande ombra simbolica, il desiderio inconsapevole, da parte della nuova autorità che volta a volta ci assorbiva nella sua sfera, di spogliarci delle vestigia della nostra vita di prima, di fare di noi degli uomini nuovi, conformi ai loro modelli, di imporci il loro marchio.

Ci deposero dal carro le braccia robuste di due infermiere sovietiche: «Po malu, po malu!» («adagio, adagio!»); furono le prime parole russe che udii. Erano due ragazze energiche ed esperte. Ci condussero in uno degli impianti del Lager che era stato sommariamente rimesso in efficienza, ci spogliarono, ci fecero cenno di coricarci sui tralicci di legno che coprivano il pavimento, e con mani pietose, ma senza tanti complimenti, ci insaponarono, strofinarono, massaggiarono e asciugarono dalla testa ai piedi.

L'operazione andò liscia e spedita con tutti noi, a meno di qualche protesta moralistico-giacobina di Arthur, che si proclamava «libre citoyen», e nel cui subconscio il contatto di quelle mani femminili sulla pelle nuda veniva a conflitto con tabú ancestrali. Ma trovò un grave intoppo quando venne il turno dell'ultimo del gruppo.

Nessuno di noi sapeva chi fosse costui, perché non era in grado di parlare. Era una larva, un ometto calvo, nodoso come una vite, scheletrico, accartocciato da una orribile contrattura di tutti i muscoli: lo avevano deposto dal carro di peso, come un blocco inanimato, e ora giaceva a terra su un fianco, acciambellato e rigido, in una disperata posizione di difesa, con le ginocchia premute fin contro la fronte, i gomiti serrati ai fianchi, e le mani a cuneo con le dita puntate contro le spalle. Le sorelle russe, perplesse, cercarono invano di distenderlo sul dorso, al che egli emise strida acute da topo: del resto, era fatica inutile, le sue membra cedevano elasticamente sotto lo sforzo, ma appena abbandonate scattavano indietro alla loro posizione iniziale.

Allora presero partito, e lo portarono sotto la doccia cosí com'era; e poiché avevano ordini precisi, lo lavarono ugualmente del loro meglio, forzando spugna e sapone nel groviglio legnoso di quel corpo; alla fine, lo sciacquarono, coscienziosamente, versandogli sopra un paio di secchi d'acqua tiepida.

Charles e io, nudi e fumanti, assistevamo alla scena con pietà e orrore. Mentre una delle braccia era distesa, si vide per un istante il numero tatuato: era un 200 000, uno dei Vosgi. – Bon Dieu, c'est un français! – fece Charles, e si volse in silenzio contro il muro.

Ci assegnarono camicia e mutande, e ci condussero dal barbiere russo affinché, per l'ultima volta della nostra carriera, ci fossero rasi i capelli a zero. Il barbiere era un gigante bruno, dagli occhi selvaggi e spiritati: esercitava la sua arte con inconsulta violenza, e per ragioni a me ignote portava un mitragliatore a tracolla. «Italiano Mussolini», mi disse bieco, e ai due francesi: «Fransé Laval»; dove si vede quanto poco soccorrano le idee generali alla comprensione dei casi singoli.

Qui ci separammo: Charles e Arthur, guariti e relativamente ben portanti, si ricongiunsero al gruppo dei francesi, e sparirono dal mio orizzonte. Io, malato, fui introdotto nell'infermeria, visitato sommariamente, e relegato d'urgenza in un nuovo «Reparto Infettivi».

Questa infermeria era tale nelle intenzioni, e inoltre perché effettivamente rigurgitava di infermi (infatti i tedeschi in fuga avevano lasciato a Monowitz, Auschwitz e Birkenau solo i malati piú gravi, e questi erano stati tutti radunati dai russi nel Campo Grande): non era, né poteva essere, un luogo di cura perché i medici, per lo piú malati essi stessi, erano poche decine, le medicine e il materiale sanitario mancavano del tutto, mentre avevano bisogno di cure i tre quarti almeno dei cinquemila ospiti del campo.

Il locale a cui venni assegnato era una camerata enorme

e buia, piena fino al soffitto di sofferenze e di lamenti. Per forse ottocento malati, non vi era che un medico di guardia, e nessun infermiere: erano i malati stessi che dovevano provvedere alle loro necessità piú urgenti, e a quelle dei loro compagni piú gravi. Vi trascorsi una sola notte, che ricordo come un incubo; al mattino, i cadaveri nelle cuccette, o abbandonati scomposti sul pavimento, si contavano a dozzine.

Il giorno seguente fui trasferito in un locale piú piccolo, che conteneva solo venti cuccette: in una di queste giacqui per tre o quattro giorni, oppresso da una febbre altissima, cosciente solo ad intervalli, incapace di mangiare, e tormentato da una sete atroce.

Al quinto giorno la febbre era sparita: mi sentivo leggero come una nuvola, affamato e gelato, ma la mia testa era sgombra, gli occhi e gli orecchi come affinati dalla forzata vacanza, ed ero in grado di riprendere contatto col mondo.

Nel corso di quei pochi giorni, intorno a me si era verificato un mutamento vistoso. Era stato l'ultimo grande colpo di falce, la chiusura dei conti: i moribondi erano morti, in tutti gli altri la vita ricominciava a scorrere tumultuosamente. Fuori dai vetri, benché nevicasse fitto, le funeste strade del campo non erano piú deserte, anzi brulicavano di un viavai alacre, confuso e rumoroso, che sembrava fine a se stesso. Fino a tarda sera si sentivano risuonare grida allegre o iraconde, richiami, canzoni. Ciononostante la mia attenzione, e quella dei miei vicini di letto, raramente riusciva ad eludere la presenza ossessiva, la mortale forza di affermazione del piú piccolo ed inerme fra noi, del piú innocente, di un bambino, di Hurbinek.

Hurbinek era un nulla, un figlio della morte, un figlio di Auschwitz. Dimostrava tre anni circa, nessuno sapeva niente di lui, non sapeva parlare e non aveva nome: quel curioso nome, Hurbinek, gli era stato assegnato da noi, forse da una delle donne, che aveva interpretato con quelle sillabe una delle voci inarticolate che il piccolo ogni tanto emetteva. Era paralizzato dalle reni in giú, ed aveva le

gambe atrofiche, sottili come stecchi; ma i suoi occhi, persi nel viso triangolare e smunto saettavano terribilmente vivi, pieni di richiesta, di asserzione, della volontà di scatenarsi, di rompere la tomba del mutismo. La parola che gli mancava, che nessuno si era curato di insegnargli, il bisogno della parola, premeva nel suo sguardo con urgenza esplosiva: era uno sguardo selvaggio e umano ad un tempo, anzi maturo e giudice, che nessuno fra noi sapeva sostenere, tanto era carico di forza e di pena.

Nessuno, salvo Henek: era il mio vicino di letto, un robusto e florido ragazzo ungherese di quindici anni. Henek passava accanto alla cuccia di Hurbinek metà delle sue giornate. Era materno piú che paterno: è assai probabile che, se quella nostra precaria convivenza si fosse protratta al di là di un mese, da Henek Hurbinek avrebbe imparato a parlare; certo meglio che dalle ragazze polacche, troppo tenere e troppo vane, che lo ubriacavano di carezze e di baci, ma fuggivano la sua intimità.

Henek invece, tranquillo e testardo, sedeva accanto alla piccola sfinge, immune alla potenza triste che ne emanava; gli portava da mangiare, gli rassettava le coperte, lo ripuliva con mani abili, prive di ripugnanza; e gli parlava, naturalmente in ungherese, con voce lenta e paziente. Dopo una settimana, Henek annunciò con serietà, ma senza ombra di presunzione, che Hurbinek «diceva una parola». Quale parola? Non sapeva, una parola difficile, non ungherese: qualcosa come «mass-klo», «matiskло». Nella notte tendemmo l'orecchio: era vero, dall'angolo di Hurbinek veniva ogni tanto un suono, una parola. Non sempre esattamente la stessa, per verità, ma era certamente una parola articolata: o meglio, parole articolate leggermente diverse, variazioni sperimentali attorno a un tema, a una radice, forse a un nome.

Hurbinek continuò finché ebbe vita nei suoi esperimenti ostinati. Nei giorni seguenti, tutti lo ascoltavamo in silenzio, ansiosi di capire, e c'erano fra noi parlatori di tutte le lingue d'Europa: ma la parola di Hurbinek rimase segre-

ta. No, non era certo un messaggio, non una rivelazione: forse era il suo nome, se pure ne aveva avuto uno in sorte; forse (secondo una delle nostre ipotesi) voleva dire «mangiare», o «pane»; o forse «carne» in boemo, come sosteneva con buoni argomenti uno di noi, che conosceva questa lingua.

Hurbinek, che aveva tre anni e forse era nato in Auschwitz e non aveva mai visto un albero; Hurbinek, che aveva combattuto come un uomo, fino all'ultimo respiro, per conquistarsi l'entrata nel mondo degli uomini, da cui una potenza bestiale lo aveva bandito; Hurbinek, il senzanome, il cui minuscolo avambraccio era pure stato segnato col tatuaggio di Auschwitz; Hurbinek morí ai primi giorni del marzo 1945, libero ma non redento. Nulla resta di lui: egli testimonia attraverso queste mie parole.

Henek era un buon compagno, ed una perpetua fonte di sorpresa. Anche il suo nome, come quello di Hurbinek, era convenzionale: il suo nome vero, che era König, era stato alterato in Henek, diminutivo polacco di Enrico, dalle due ragazze polacche, le quali, benché piú anziane di lui di dieci anni almeno, provavano per Henek una simpatia ambigua che presto divenne desiderio aperto.

Henek-König, solo del nostro microcosmo di afflizione, non era né malato né convalescente, anzi, godeva di una splendida sanità di corpo e di spirito. Era di piccola statura e di aspetto mite, ma aveva una muscolatura da atleta; affettuoso e servizievole con Hurbinek e con noi, albergava tuttavia istinti pacatamente sanguinari. Il Lager, trappola mortale, «mulino da ossa» per gli altri, era stato per lui una buona scuola: in pochi mesi aveva fatto di lui un giovane carnivoro pronto, sagace, feroce e prudente.

Nelle lunghe ore che trascorremmo insieme, mi narrò l'essenziale della sua breve vita. Era nato ed abitava in una fattoria, in Transilvania, in mezzo al bosco, vicino al confine rumeno. Andava spesso col padre per il bosco, alla

domenica, entrambi col fucile. Perché col fucile? per cacciare? Sí, anche per cacciare; ma anche per sparare ai rumeni. E perché sparare ai rumeni? Perché sono rumeni, mi spiegò Henek con semplicità disarmante. Anche loro, ogni tanto, sparavano a noi.

Era stato catturato, e deportato ad Auschwitz con tutta la famiglia. Gli altri erano stati uccisi subito: lui aveva dichiarato alle SS di avere diciotto anni e di essere muratore, mentre ne aveva quattordici ed era studente. Cosí era entrato a Birkenau: ma a Birkenau aveva invece insistito sulla sua età vera, era stato assegnato al Block dei bambini, ed essendo il piú anziano e il piú robusto era divenuto il loro Kapo. I bambini erano a Birkenau come uccelli di passo: dopo pochi giorni, erano trasferiti al Block delle esperienze, o direttamente alle camere a gas. Henek aveva subito capito la situazione, e da buon Kapo si era «organizzato», aveva stabilito solide relazioni con un influente Häftling ungherese, ed era rimasto fino alla liberazione. Quando c'erano selezioni al Block dei bambini, era lui che sceglieva. Non provava rimorso? No: perché avrebbe dovuto? esisteva forse un altro modo per sopravvivere?

Alla evacuazione del Lager, saviamente, si era nascosto: dal suo nascondiglio, attraverso la finestrella di una cantina, aveva visto i tedeschi sgomberare in gran fretta i favolosi magazzini di Auschwitz, e aveva notato come, nel trambusto della partenza, avessero sparso sulla strada una buona quantità di alimenti in scatola. Non si erano attardati a recuperarli, ma avevano cercato di distruggerli passandoci sopra con i cingoli dei loro mezzi corazzati. Molte scatole si erano confitte nel fango e nella neve senza sfasciarsi: a notte, Henek era uscito con un sacco, e aveva radunato un fantastico tesoro di scatole, deformate, appiattite, ma ancora piene: carne, lardo, pesce, frutta, vitamine. Non lo aveva detto a nessuno, naturalmente: lo diceva a me, perché ero suo vicino di letto, e potevo essergli utile come sorvegliante. In effetti, poiché Henek passava molte ore in giro per il Lager, in misteriose faccende, mentre io

ero nella impossibilità di muovermi, la mia opera di custodia gli fu abbastanza utile. In me aveva fiducia: sistemò il sacco sotto il mio letto, e nei giorni seguenti mi corrispose una giusta mercede in natura, autorizzandomi a prelevare quelle razioni di conforto che riteneva adatte, come qualità e quantità, alla mia condizione di malato e alla misura dei miei servizi.

Non era Hurbinek il solo bambino. Ce n'erano altri, in condizioni di salute relativamente buone: avevano costituito un loro piccolo «club», molto chiuso e riservato, in cui l'intrusione degli adulti era visibilmente sgradita. Erano animaletti selvaggi e giudiziosi, che si intrattenevano fra di loro in lingue che non comprendevo. Il piú autorevole membro del clan non aveva piú di cinque anni, e si chiamava Peter Pavel.

Peter Pavel non parlava con nessuno e non aveva bisogno di nessuno. Era un bel bambino biondo e robusto, dal viso intelligente e impassibile. Al mattino scendeva dalla sua cuccetta, che era al terzo piano, con movimenti lenti ma sicuri, andava alle docce a riempire d'acqua la sua gamella, e si lavava meticolosamente. Spariva poi per tutta la giornata, facendo solo una breve comparsa a mezzogiorno per riscuotere la zuppa in quella stessa sua gamella. Tornava infine per la cena; mangiava, usciva nuovamente, rientrava poco dopo con un vaso da notte, lo collocava nell'angolo dietro la stufa, vi sedeva per qualche minuto, ripartiva col vaso, tornava senza, si arrampicava piano piano al suo posto, sistemava puntigliosamente le coperte e il cuscino, e dormiva fino al mattino senza mutare posizione.

Pochi giorni dopo il mio arrivo, vidi con disagio apparire un viso noto; la sagoma patetica e sgradevole del Kleine Kiepura, la mascotte di Buna-Monowitz. Tutti lo conoscevano a Buna: era il piú giovane dei prigionieri, non aveva che dodici anni. Tutto era irregolare in lui, a partire dalla sua stessa presenza in Lager, dove di norma i bambini non

entravano vivi: nessuno sapeva come e perché vi fosse sta-
to ammesso, e ad un tempo tutti lo sapevano fin troppo.
Irregolare era la sua condizione, poiché non marciava al la-
voro, ma risiedeva in semiclausura nel Block dei funziona-
ri; vistosamente irregolare, infine, il suo aspetto.

Era cresciuto troppo e male: dal busto tozzo e corto
sporgevano braccia e gambe lunghissime, da ragno; e di
sotto il viso pallido, dai tratti non privi di grazia infantile,
balzava in avanti una enorme mandibola, piú prominente
del naso. Il Kleine Kiepura era l'attendente e il protetto
del Lager-Kapo, il Kapo di tutti i Kapos.

Nessuno lo amava, salvo il suo protettore. All'ombra
dell'autorità, ben nutrito e vestito, esente dal lavoro, ave-
va condotto fino all'ultimo giorno un'esistenza ambigua e
frivola di favorito, intessuta di pettegolezzi, di delazioni e
di affetti distorti: il suo nome, a torto, come spero, veniva
sempre sussurrato nei casi piú clamorosi di denunzie ano-
nime alla Sezione politica e alle SS. Perciò tutti lo temeva-
no e lo fuggivano.

Ora il Lager-Kapo, destituito di ogni potere, era in mar-
cia verso occidente, e il Kleine Kiepura, convalescente di
una leggera malattia, aveva seguito il nostro destino. Ebbe
un letto e una scodella, e si inserí nel nostro limbo. Henek
ed io gli rivolgemmo poche e caute parole, poiché provava-
mo verso di lui diffidenza e una pietà ostile; ma quasi non
ci rispose. Tacque per due giorni: se ne stava in cuccetta
tutto raggomitolato, con lo sguardo fisso nel vuoto e i pu-
gni serrati sul petto. Poi prese ad un tratto a parlare, e rim-
piangemmo il suo silenzio. Il Kleine Kiepura parlava da so-
lo, come in sogno: e il suo sogno era di avere fatto carriera,
di essere diventato un Kapo. Non si capiva se fosse follia o
un gioco puerile e sinistro: senza tregua, dall'alto della sua
cuccetta vicino al soffitto, il ragazzo cantava e fischiava le
marce di Buna, i ritmi brutali che scandivano i nostri passi
stanchi ogni mattina e ogni sera; e vociferava in tedesco
imperiosi comandi ad uno stuolo di schiavi inesistenti.

– Alzarsi, porci, avete capito? Rifare i letti, ma presto:

pulirsi le scarpe. Tutti adunata, controllo dei pidocchi, controllo dei piedi. Mostrare i piedi, carogne! Di nuovo sporco, tu, sacco di m...: fai attenzione, io non scherzo. Ancora una volta che ti pesco, e te ne vai in crematorio –. Poi, urlando alla maniera dei militari tedeschi: – In fila, coperti, allineati. Giú il colletto: al passo, seguire la musica. Le mani sulla cucitura dei pantaloni –. E poi ancora, dopo una pausa, con voce arrogante e stridula: – Questo non è un sanatorio. Questo è un Lager tedesco, si chiama Auschwitz, e non se ne esce che per il Camino. Se ti piace è cosí: se non ti piace, non hai che da andare a toccare il filo elettrico.

Il Kleine Kiepura sparí dopo pochi giorni, con sollievo di tutti. In mezzo a noi, deboli e malati, ma pieni della letizia timida e trepida della libertà ritrovata, la sua presenza offendeva come quella di un cadavere, e la compassione che egli suscitava in noi era commista ad orrore. Tentammo invano di strapparlo al suo delirio: l'infezione del Lager aveva fatto in lui troppa strada.

Le due ragazze polacche, che svolgevano (in realtà assai male) le mansioni di infermiere, si chiamavano Hanka e Jadzia. Hanka era una ex Kapo, come si poteva dedurre dalla sua chioma non rasata, e anche piú sicuramente dai suoi modi protervi. Non doveva avere piú di ventiquattro anni: era di media statura, di carnagione olivastra e di lineamenti duri e volgari. In quella atmosfera di purgatorio, piena di sofferenze passate e presenti, di speranze e di pietà, passava le giornate davanti allo specchio, o a limarsi le unghie delle mani e dei piedi, o a pavoneggiarsi all'indifferente e ironico Henek.

Era, o si considerava, piú elevata in grado di Jadzia; ma in verità bastava ben poco per superare in autorità una creatura cosí dimessa. Jadzia era una ragazza piccola e timida, dal colorito roseo malato; ma il suo involucro di carne anemica era tormentato, lacerato dall'interno, sconvol-

to da una segreta continua tempesta. Aveva voglia, bisogno, necessità impellente di un uomo, di un uomo qualsiasi, subito, di tutti gli uomini. Ogni maschio che passasse nel suo campo la attirava: la attirava materialmente, pesantemente, come la calamita attira il ferro. Jadzia lo fissava con occhi incantati e attoniti, si alzava dal suo angolo, avanzava verso di lui con passo incerto da sonnambula, ne cercava il contatto; se l'uomo si allontanava, lo seguiva a distanza, in silenzio, per qualche metro, poi, con gli occhi bassi, ritornava alla sua inerzia; se l'uomo la attendeva, Jadzia lo avvolgeva, lo incorporava, ne prendeva possesso, con i movimenti ciechi, muti, tremuli, lenti, ma sicuri, che le amebe manifestano sotto il microscopio.

Il suo obiettivo primo e principale era naturalmente Henek: ma Henek non la voleva, la scherniva, la insultava. Tuttavia, da quel ragazzo pratico che era, non si era disinteressato del caso, e ne aveva fatto cenno a Noah, suo grande amico.

Noah non abitava nella nostra camerata, anzi, non abitava in nessun luogo e in tutti. Era un uomo nomade e libero, lieto dell'aria che respirava e della terra che calcava. Era lo Scheissminister di Auschwitz libera, il Ministro delle latrine e pozzi neri: ma nonostante questo suo incarico da monatto (che d'altronde egli aveva assunto volontariamente) non c'era nulla di turpe in lui, o se qualcosa c'era, era sopraffatto e cancellato dall'impeto del suo vigore vitale. Noah era un giovanissimo pantagruele, forte come un cavallo, vorace e salace. Come Jadzia voleva tutti gli uomini, cosí Noah voleva tutte le donne: ma mentre la tenue Jadzia si limitava a tendere intorno a sé le sue reti inconsistenti, come un mollusco di scoglio, Noah, uccello d'alto volo, incrociava dall'alba a notte per tutte le strade del campo, a cassetta del suo carro ripugnante, schioccando la frusta e cantando a gola spiegata: il carro sostava davanti all'ingresso di ogni Block, e mentre i suoi gregari, lerci e fetidi, sbrigavano imprecando la loro immonda bisogna, Noah si aggirava per le camerate femminili come un prin-

cipe d'Oriente, vestito di una giubba arabescata e variopinta, piena di toppe e di alamari. I suoi convegni d'amore sembravano uragani. Era l'amico di tutti gli uomini e l'amante di tutte le donne. Il diluvio era finito: nel cielo nero di Auschwitz Noah vedeva splendere l'arcobaleno, e il mondo era suo, da ripopolare.

Frau Vitta, anzi Frau Vita, come tutti la chiamavano, amava invece tutti gli esseri umani di un amore semplice e fraterno. Frau Vita, dal corpo disfatto e dal dolce viso chiaro, era una giovane vedova di Trieste, mezza ebrea, reduce da Birkenau. Passava molte ore accanto al mio letto, parlandomi di mille cose a un tempo con volubilità triestina, ridendo e piangendo: era in buona salute, ma ferita profondamente, ulcerata da quanto aveva subìto e visto in un anno di Lager, e in quegli ultimi orribili giorni. Infatti era stata «comandata» al trasporto dei cadaveri, di pezzi di cadaveri, di miserande anonime spoglie, e quelle ultime immagini le pesavano addosso come una montagna: cercava di esorcizzarle, di lavarsene, buttandosi a capofitto in una attività tumultuosa. Era lei la sola che si occupasse dei malati e dei bambini; lo faceva con pietà frenetica, e quando le avanzava tempo lavava i pavimenti e i vetri con furia selvaggia, sciacquava fragorosamente le gamelle e i bicchieri, correva per le camerate a portare messaggi veri o fittizi; tornava poi trafelata, e sedeva ansante sulla mia cuccetta, con gli occhi umidi, affamata di parole, di confidenza, di calore umano. Alla sera, quando tutte le opere del giorno erano finite, incapace di resistere alla solitudine, balzava a un tratto dal suo giaciglio, e danzava da sola fra letto e letto, al suono delle sue stesse canzoni, stringendo affettuosamente al petto un uomo immaginario.

Fu Frau Vita a chiudere gli occhi a André e ad Antoine. Erano due giovani contadini dei Vosgi, entrambi miei compagni dei dieci giorni di interregno, entrambi ammalati di difterite. Mi sembrava di conoscerli da secoli. Con strano parallelismo, furono colpiti simultaneamente da una forma dissenterica, che presto si rivelò gravissima, di

origine tubercolare; e in pochi giorni la bilancia del loro destino diede il tracollo. Erano in due letti vicini, non si lamentavano, sopportavano le coliche atroci a denti stretti, senza comprenderne la natura mortale; parlavano solo fra di loro, timidamente, e non chiedevano soccorso a nessuno. André fu il primo a partire, mentre parlava, a metà di una frase, come si spegne una candela. Per due giorni nessuno venne a rimuoverlo: i bambini lo venivano a guardare con curiosità smarrita, poi continuavano a giocare nel loro angolo.

Antoine rimase silenzioso e solo, tutto chiuso in una attesa che lo trasfigurava. Il suo stato di nutrizione era discreto, ma in due giorni subí una metamorfosi struggente, come risucchiato dal vicino. Insieme con Frau Vita riuscimmo, dopo molti tentativi vani, a far venire un dottore: gli chiesi, in tedesco, se c'era qualcosa da fare, se c'erano speranze, e gli raccomandai di non rispondere in francese. Mi rispose in yiddish, con una frase breve che non compresi: allora tradusse in tedesco: «Sein Kamerad ruft ihn», il suo compagno lo chiama. Antoine obbedí al richiamo quella sera stessa. Non avevano ancora vent'anni, ed erano stati in Lager un solo mese.

E venne finalmente Olga, in una notte piena di silenzio, a portarmi la notizia funesta del campo di Birkenau, e del destino delle donne del mio trasporto. La attendevo da molti giorni: non la conoscevo di persona, ma Frau Vita, che malgrado i divieti sanitari frequentava anche i malati degli altri reparti, in cerca di pene da alleviare e di colloqui appassionati, ci aveva informati delle rispettive presenze, e aveva organizzato l'illecito incontro, a notte fonda, mentre tutti dormivano.

Olga era una partigiana ebrea croata, che nel 1942 si era rifugiata nell'astigiano con la sua famiglia, e qui era stata internata; apparteneva quindi a quella ondata di varie migliaia di ebrei stranieri che avevano trovato ospitalità, e breve pace, nella paradossale Italia di quegli anni, ufficialmente antisemita. Era una donna di grande intelligenza e

cultura, forte, bella e consapevole; deportata a Birkenau, vi aveva sopravvissuto, sola della sua famiglia.

Parlava l'italiano perfettamente; per gratitudine e per temperamento, si era trovata presto amica delle italiane del campo, e piú precisamente di quelle che erano state deportate col mio convoglio. Mi raccontò la loro storia con gli occhi rivolti a terra, a lume di candela. La luce furtiva sottraeva alle tenebre solo il suo viso, accentuandone le rughe precoci, e mutandolo in una maschera tragica. Un fazzoletto le copriva il capo: lo snodò a un tratto, e la maschera si fece macabra come un teschio. Il cranio di Olga era nudo: lo copriva solo una breve peluria grigia.

Erano morti tutti. Tutti i bambini e tutti i vecchi, subito. Delle cinquecentocinquanta persone di cui avevo perso notizia all'ingresso in Lager, solo ventinove donne erano state ammesse al campo di Birkenau: di queste, cinque sole erano sopravvissute. Vanda era andata in gas, in piena coscienza, nel mese di ottobre: lei stessa, Olga, le aveva procurato due pastiglie di sonnifero, ma non erano bastate.

Il greco

Verso la fine di febbraio, dopo un mese di letto, mi sentivo non già guarito, ma stazionario. Avevo l'impressione netta che, finché non mi fossi rimesso (magari con sforzo) in posizione verticale, e non mi fossi messo scarpe ai piedi, non avrei ritrovato la salute e le forze. Perciò, in uno dei rari giorni di visita, chiesi al medico di essere messo in uscita. Il medico mi visitò, o fece mostra di visitarmi; constatò che la desquamazione della scarlattina era terminata; mi disse che per conto suo potevo andare; mi raccomandò risibilmente di non espormi alla fatica e al freddo, e mi augurò buona fortuna.

Allora mi ritagliai un paio di pedule da una coperta, arraffai quante piú giacche e calzoni di tela potei trovare in giro (poiché altri indumenti non si trovavano), mi congedai da Frau Vita e da Henek, e me ne andai.

Stavo in piedi piuttosto male. Appena fuori della porta, c'era un ufficiale sovietico: mi fotografò e mi regalò cinque sigarette. Poco oltre, non mi riuscí di evitare un tale in borghese, che stava cercando uomini per sgomberare la neve; mi catturò, sordo alle mie proteste, mi consegnò una pala e mi aggregò a una squadra di spalatori.

Gli offrsi le cinque sigarette, ma le respinse con stizza. Era un ex Kapo, e naturalmente era rimasto in servizio: chi altro infatti sarebbe riuscito a fare spalare neve a gente come noi? Provai a spalare, ma mi era materialmente impossibile. Se fossi riuscito a girare l'angolo, nessuno mi avrebbe piú visto, ma era essenziale liberarsi dalla pala:

venderla sarebbe stato interessante, ma non sapevo a chi,
e portarmela dietro, anche per pochi passi, era pericoloso.
Non c'era abbastanza neve per seppellirla. La lasciai cade-
re infine nella finestrella di una cantina, e mi ritrovai li-
bero.

Mi infilai dentro un Block: c'era un guardiano, un un-
gherese anziano, che non mi voleva lasciare entrare, ma le
sigarette lo convinsero. Dentro era caldo, pieno di fumo e
di fracasso e di facce sconosciute; ma a sera la zuppa la die-
dero anche a me. Speravo in qualche giorno di riposo e di
allenamento graduale alla vita attiva, ma non sapevo di es-
sere caduto male. Non piú tardi del mattino seguente, in-
cappai in un trasporto russo verso un misterioso campo di
sosta.

Non posso dire di ricordare esattamente come e quando
il mio greco scaturí dal nulla. In quei giorni e in quei luo-
ghi, poco dopo il passaggio del fronte, un vento alto spira-
va sulla faccia della terra: il mondo intorno a noi sembrava
ritornato al Caos primigenio, e brulicava di esemplari uma-
ni scaleni, difettivi, abnormi; e ciascuno di essi si agitava,
in moti ciechi o deliberati, in ricerca affannosa della pro-
pria sede, della propria sfera, come poeticamente si narra
delle particelle dei quattro elementi nelle cosmogonie degli
antichi.

Travolto anch'io dal turbine, in una gelida notte, dopo
una copiosa nevicata, molte ore prima dell'alba, mi trovai
dunque caricato su di una carretta militare a cavalli, insie-
me con una decina di compagni che non conoscevo. Il
freddo era intenso; il cielo, fittamente stellato, si andava
schiarendo a levante, a promessa di una di quelle meravi-
gliose aurore di pianura a cui, al tempo della nostra schia-
vitú, assistevamo interminabilmente dalla piazza dell'ap-
pello del Lager.

Nostra guida e scorta era un soldato russo. Sedeva a
cassetta cantando alle stelle con voce spiegata, e rivolgen-

dosi ogni tanto ai cavalli in quel loro modo stranamente af-
fettuoso, con inflessioni gentili e lunghe frasi modulate.
Lo avevamo interrogato sulla nostra destinazione, natural-
mente, ma senza cavarne nulla di comprensibile, salvo che,
a quanto pareva da certi suoi sbuffi ritmici e dal movimen-
to dei gomiti piegati a stantuffo, il suo compito doveva li-
mitarsi a condurci fino ad una ferrovia.

Cosí infatti avvenne. Al sorgere del sole, la carretta si
arrestò al piede di una scarpata: sopra correvano i binari,
interrotti e sconvolti per una cinquantina di metri da un
recente bombardamento. Il soldato ci indicò uno dei due
tronconi, ci aiutò a scendere dal carro (ed era necessario: il
viaggio era durato quasi due ore, il carro era piccolo, e
molti di noi, per la posizione incomoda e il freddo pene-
trante, erano talmente intorpiditi da non potersi muove-
re), ci salutò con gioviali parole incomprensibili, voltò i ca-
valli e se ne andò cantando dolcemente.

Il sole, appena sorto, era scomparso dietro un velo di ca-
ligine; dall'alto della scarpata ferroviaria non si vedeva che
una sterminata campagna piatta e deserta, sepolta nella ne-
ve, senza un tetto, senza un albero. Passarono altre ore:
nessuno di noi aveva un orologio.

Come ho detto, eravamo una decina. C'era un «Reichs-
deutscher» che, come molti altri tedeschi «ariani», dopo
la liberazione aveva assunto modi relativamente cortesi e
francamente ambigui (era questa una divertente metamor-
fosi, che già in altri avevo visto avvenire: talora progressi-
vamente, talora in pochi minuti, al primo apparire dei
nuovi padroni dalla stella rossa, sui cui larghi visi era facile
leggere la tendenza a non andare troppo per il sottile). C'e-
rano due alti e magri fratelli, ebrei viennesi sulla cinquan-
tina, silenziosi e cauti come tutti i vecchi Häftlinge; un uf-
ficiale dell'esercito regolare jugoslavo, che pareva non fos-
se ancora riuscito a scuotersi di dosso la remissione e l'i-
nerzia del Lager, e ci guardava con occhi vuoti. C'era una
specie di rottame umano, dall'età indefinibile, che parlava
senza tregua da solo in yiddish: uno dei molti che la vita

feroce del campo aveva distrutti a mezzo, lasciandoli poi sopravvivere involti (e forse protetti) da una spessa corazza di insensibilità o di aperta follia. E c'era finalmente il greco, con cui il destino doveva congiungermi per una indimenticabile settimana randagia.

Si chiamava Mordo Nahum, e a prima vista non presentava nulla di notevole, salvo le scarpe (di cuoio, quasi nuove, di modello elegante: un vero portento, dato il tempo e il luogo), e il sacco che portava sul dorso, che era di mole cospicua e di peso corrispondente, come io stesso avrei dovuto constatare nei giorni che seguirono. Oltre alla sua lingua, parlava spagnolo (come tutti gli ebrei di Salonicco), francese, un italiano stentato ma di buon accento, e, seppi poi, il turco, il bulgaro e un po' di albanese. Aveva quarant'anni: era di statura piuttosto alta, ma camminava curvo, con la testa in avanti come i miopi. Rosso di pelo e di pelle, aveva grossi occhi scialbi ed acquosi e un gran naso ricurvo; il che conferiva all'intera sua persona un aspetto insieme rapace ed impedito, quasi di uccello notturno sorpreso dalla luce, o di pesce da preda fuori del suo naturale elemento.

Era convalescente di una malattia imprecisata, che gli aveva provocato accessi di febbre altissima, sfibrante; anche allora, nelle prime notti di viaggio, cadeva talvolta in uno stato di prostrazione, con brividi e delirio. Pur senza sentirci particolarmente attirati l'uno dall'altro, eravamo avvicinati dalle due lingue in comune, e dal fatto, assai sensibile in quelle circostanze, di essere i soli due mediterranei del piccolo gruppo.

L'attesa era interminabile; avevamo fame e freddo, ed eravamo costretti a stare in piedi o a sdraiarci nella neve, perché a perdita d'occhio non si vedeva un tetto né un riparo. Doveva essere press'a poco mezzogiorno quando, annunciata di lontano dall'ansito e dal fumo, si tese caritatevolmente verso di noi la mano della civiltà, sotto forma di uno striminzito convoglio di tre o quattro carri merci trainati da una piccola locomotiva, di quelle che in tempi

normali servono a manovrare i vagoni all'interno delle stazioni.

Il convoglio si arrestò davanti a noi, al limite del tratto interrotto. Ne scesero alcuni contadini polacchi, da cui non riuscimmo a cavare alcuna informazione sensata: ci guardavano con facce chiuse, e ci evitavano come se fossimo stati appestati. In realtà lo eravamo, probabilmente anche in senso proprio, e comunque il nostro aspetto non doveva essere gradevole: ma dai primi «civili» che incontravamo dopo la nostra liberazione, ci eravamo illusi di ricevere un'accoglienza piú cordiale. Salimmo tutti su uno dei vagoni, e il trenino ripartí quasi subito a ritroso, sospinto e non piú trainato dalla locomotiva-giocattolo. Alla fermata successiva salirono due contadine, dalle quali, superata la prima diffidenza e la difficoltà del linguaggio, apprendemmo alcuni importanti dati geografici, e una notizia che, se vera, ai nostri orecchi suonava poco meno che disastrosa.

L'interruzione dei binari era poco lontana da una località denominata Neu Berun, a cui a suo tempo faceva capo una diramazione per Auschwitz, allora distrutta. I due tronconi che si dipartivano dall'interruzione conducevano l'uno a Katowice (a ponente), l'altro a Cracovia (a levante). Entrambe queste località distavano da Neu Berun sessanta chilometri circa, il che, nelle condizioni spaventose in cui la guerra aveva lasciato la linea, significava almeno due giorni di viaggio, con un numero imprecisato di tappe e di trasbordi. Il convoglio su cui ci trovavamo era in viaggio verso Cracovia: su Cracovia i russi avevano smistato fino a pochi giorni prima un numero enorme di ex prigionieri, ed ora tutte le caserme, le scuole, gli ospedali, i conventi traboccavano di gente in stato di bisogno acuto. Le stesse strade di Cracovia, a detta delle nostre informatrici, brulicavano di uomini e donne di tutte le razze, che in batter d'occhio si erano trasformati in contrabbandieri, in mercanti clandestini, o addirittura in ladri e banditi.

Da vari giorni ormai, gli ex prigionieri venivano con-

centrati in altri campi, nei dintorni di Katowice: le due donne erano molto stupite di trovarci in viaggio verso Cracovia, dove, dicevano, la stessa guarnigione russa soffriva la carestia. Ascoltato il nostro racconto, si consultarono brevemente, indi si dichiararono persuase che doveva semplicemente trattarsi di un errore del nostro accompagnatore, il carrettiere russo, il quale, poco pratico del paese, ci aveva indirizzati al troncone est invece che a quello ovest.

La notizia ci precipitò in un intrico di dubbi e di angosce. Avevamo sperato in un viaggio breve e sicuro, verso un campo attrezzato per accoglierci, verso un surrogato accettabile delle nostre case; e questa speranza faceva parte di una ben piú grande speranza, quella in un mondo diritto e giusto, miracolosamente ristabilito sulle sue naturali fondamenta dopo una eternità di stravolgimenti, di errori e di stragi, dopo il tempo della nostra lunga pazienza. Era una speranza ingenua, come tutte quelle che riposano su tagli troppo netti fra il male e il bene, fra il passato e il futuro: ma noi ne vivevamo. Quella prima incrinatura, e le molte altre inevitabili, piccole e grandi, che seguirono, furono per molti di noi occasione di dolore, tanto piú sensibile quanto meno previsto: poiché non si sogna per anni, per decenni, un mondo migliore, senza raffigurarlo perfetto.

Invece no: era avvenuto qualcosa che solo pochissimi savi tra noi avevano previsto. La libertà, l'improbabile, impossibile libertà, cosí lontana da Auschwitz che solo nei sogni osavamo sperarla, era giunta: ma non ci aveva portati alla Terra Promessa. Era intorno a noi, ma sotto forma di una spietata pianura deserta. Ci aspettavano altre prove, altre fatiche, altre fami, altri geli, altre paure.

Io ero digiuno ormai da ventiquattro ore. Sedevamo sul pavimento di legno del vagone, addossati l'uno contro l'altro per proteggerci dal freddo; i binari erano sconnessi, e ad ogni sobbalzo le nostre teste, malferme sui colli, urtavano contro le tavole della parete. Mi sentivo stremato, non solo corporalmente: come un atleta che abbia corso per

ore, spendendo tutte le proprie risorse, quelle di natura prima, e poi quelle che si spremono, che si creano dal nulla nei momenti di bisogno estremo; e che arrivi alla meta; e che nell'atto in cui si abbandona esausto al suolo, venga rimesso brutalmente in piedi, e costretto a ripartire di corsa, nel buio, verso un altro traguardo non si sa quanto lontano. Meditavo pensieri amari: che la natura concede raramente indennizzi, e cosí il consorzio umano, in quanto è timido e tardo nello scostarsi dai grossi schemi della natura; e quale conquista rappresenti, nella storia del pensiero umano, il giungere a vedere nella natura non piú un modello da seguire, ma un blocco informe da scolpire, o un nemico a cui opporsi.

Il treno viaggiava lentamente. Comparvero a sera villaggi bui, apparentemente deserti; poi scese una notte totale, atrocemente gelida, senza luci in cielo né in terra. Solo i sobbalzi del vagone ci impedivano di scivolare in un sonno che il freddo avrebbe reso mortale. Dopo interminabili ore di viaggio, forse verso le tre di notte, ci arrestammo finalmente in una stazioncina sconvolta e oscura. Il greco delirava: degli altri, quale per paura, quale per pura inerzia, quale nella speranza che il treno ripartisse presto, nessuno volle scendere dal vagone. Io scesi, e mi aggirai nel buio col mio bagaglio ridicolo finché vidi una finestrella illuminata. Era la cabina del telegrafo, gremita di gente: c'era una stufa accesa. Entrai, guardingo come un cane randagio, pronto a sparire al primo gesto di minaccia, ma nessuno badò a me. Mi buttai sul pavimento e mi addormentai all'istante, come si impara a fare in Lager.

Mi svegliai qualche ora dopo, all'alba. La cabina era vuota. Il telegrafista mi vide alzare il capo, e mi pose accanto, a terra, una gigantesca fetta di pane e formaggio. Ero sbalordito (oltre che mezzo paralizzato dal freddo e dal sonno) e temo di non averlo ringraziato. Mi infilai il cibo nello stomaco e uscii all'aperto: il treno non si era mos-

so. Nel vagone, i compagni giacevano inebetiti; al vedermi si riscossero, tutti salvo il jugoslavo, che cercò invano di muoversi. Il gelo e la immobilità gli avevano paralizzato le gambe: a toccarlo urlava e gemeva. Dovemmo massaggiarlo a lungo, e poi smuovergli cautamente le membra, come si sblocca un meccanismo rugginoso.

Era stata per tutti una notte terribile, forse la peggiore dell'intero nostro esilio. Ne parlai col greco: ci trovammo d'accordo nella decisione di stringere sodalizio allo scopo di evitare con ogni mezzo un'altra notte di gelo, a cui sentivamo che non avremmo sopravvissuto.

Penso che il greco, grazie alla mia sortita notturna, abbia in qualche modo sopravvalutato le mie qualità di «débrouillard et démerdard», come elegantemente allora si soleva dire. Quanto a me, confesso di aver tenuto conto principalmente del suo grosso sacco, e della sua qualità di salonichiota, che, come ognuno ad Auschwitz sapeva, equivaleva ad una garanzia di raffinate abilità mercantili, e di sapersela cavare in tutte le circostanze. La simpatia, bilaterale, e la stima, unilaterale, vennero dopo.

Il treno ripartí, e con tragitto tortuoso e vago ci condusse in un luogo chiamato Szczakowa. Qui la Croce Rossa polacca aveva istituito un meraviglioso servizio di cucina calda: si distribuiva una zuppa abbastanza sostanziosa, a tutte le ore del giorno e della notte, e a chiunque indistintamente si presentasse. Un miracolo che nessuno di noi avrebbe osato sognare nei suo sogni piú audaci: in certo modo, il Lager a rovescio. Non ricordo il comportamento dei miei compagni: io mi dimostrai talmente vorace che le sorelle polacche, pure avvezze alla famelica clientela del luogo, si facevano il segno della croce.

Ripartimmo nel pomeriggio. C'era il sole. Il nostro povero treno si fermò al tramonto, in avaria: rosseggiavano lontani i campanili di Cracovia. Il greco ed io scendemmo dal vagone, e andammo a interrogare il macchinista, che stava in mezzo alla neve tutto indaffarato e sporco, combattendo con lunghi getti di vapore che scaturivano da

non so che tubo spaccato. – Maschína kaputt, – ci rispose
lapidariamente. Non eravamo piú servi, non eravamo piú
protetti, eravamo usciti di tutela. Per noi suonava l'ora
della prova.

Il greco, ristorato dalla zuppa calda di Szczakowa, si
sentiva abbastanza in forze. – On y va? – On y va –. Cosí
lasciammo il treno e i compagni perplessi, che non avrem-
mo piú dovuto rivedere, e ce ne partimmo a piedi alla ri-
cerca problematica del Consorzio Civile.

Dietro sua perentoria richiesta, io mi ero caricato il fa-
moso fardello. – Ma è roba tua! – avevo cercato invano di
protestare. – Appunto perché è mia. Io la ho organizzata e
tu la porti. È la divisione del lavoro. Piú tardi ne profitte-
rai anche tu –. Cosí ci incamminammo, lui primo ed io se-
condo, sulla neve compatta di una strada di periferia; il so-
le era tramontato.

Ho già detto delle scarpe del greco; quanto a me, calza-
vo un paio di curiose calzature quali in Italia ho visto por-
tare solo dai preti: di cuoio delicatissimo, alte fin sopra il
malleolo, senza legacci, con due grosse fibbie, e due pezze
laterali di tessuto elastico che avrebbero dovuto assicurare
la chiusura e l'aderenza. Indossavo inoltre ben quattro
paia sovrapposte di pantaloni di tela da Häftling, una ca-
micia di cotone, una giacca pure a righe, e basta. Il mio ba-
gaglio consisteva di una coperta e di una scatola di cartone
in cui avevo prima conservato qualche pezzo di pane, ma
che era ormai vuota: tutte cose che il greco sogguardava
con non celato disprezzo e dispetto.

Ci eravamo ingannati grossolanamente sulla distanza da
Cracovia: avremmo dovuto percorrere almeno sette chilo-
metri. Dopo venti minuti di cammino, le mie scarpe erano
andate: la suola di una si era staccata, e l'altra stava scu-
cendosi. Il greco aveva conservato fino allora un silenzio
pregnante: quando mi vide deporre il fardello, e sedere su
di un paracarro per constatare il disastro, mi domandò:

– Quanti anni hai?

– Venticinque, – risposi.

– Qual è il tuo mestiere?

– Sono chimico.

– Allora sei uno sciocco, – mi disse tranquillamente. –
Chi non ha scarpe è uno sciocco.

Era un grande greco. Poche volte nella mia vita, prima
e dopo, mi sono sentito incombere sul capo una saggezza
cosí concreta. C'era ben poco da replicare. La validità del-
l'argomento era palpabile, evidente: i due rottami informi
ai miei piedi, e le due meraviglie lucenti ai suoi. Non c'era
giustificazione. Non ero piú uno schiavo: ma dopo i primi
passi sulla via della libertà, eccomi seduto su un paracarro,
coi piedi in mano, goffo e inutile come la locomotiva in
avaria che da poco avevamo lasciata. Meritavo dunque la
libertà? il greco sembrava dubitarne.

– ... ma avevo la scarlattina, la febbre, stavo all'infer-
meria: il magazzino delle scarpe era molto lontano, era
proibito avvicinarsi, e poi si diceva che fosse stato saccheg-
giato dai polacchi. E non avevo il diritto di credere che i
russi avrebbero provveduto?

– Parole, – disse il greco. – Parole tutti sanno dirne. Io
avevo la febbre a quaranta, e non capivo se era giorno o
notte: ma una cosa capivo, che mi occorrevano scarpe e al-
tro; allora mi sono alzato, e sono andato fino al magazzino
per studiare la situazione. E c'era un russo col mitra da-
vanti alla porta: ma io volevo le scarpe, e ho girato dietro,
ho sfondato una finestrella e sono entrato. Cosí ho avuto
le scarpe, e anche il sacco e tutto quello che sta nel sacco,
che verrà utile piú avanti. Questa è previdenza; la tua è
stupidità, è non tenere conto della realtà delle cose.

– Sei tu ora che fai parole, – dissi io. – Avrò sbagliato,
ma adesso si tratta di arrivare a Cracovia prima che sia
notte, con le scarpe o senza –; e cosí dicendo mi andavo
arrabattando con le dita intorpidite, e con certi pezzi di fil
di ferro che avevo trovato per strada, per legare almeno
provvisoriamente le suole alle tomaie.

– Lascia stare, cosí non concludi niente –. Mi porse due pezzi di tela robusta che aveva cavati dal fagotto, e mi mostrò il modo di impacchettare scarpe e piedi, tanto da poter camminare alla meglio. Poi proseguimmo in silenzio.

La periferia di Cracovia era anonima e squallida. Le strade erano rigorosamente deserte: le vetrine delle botteghe erano vuote, tutte le porte e le finestre erano sbarrate o sfondate. Giungemmo al capo di una linea tranviaria; io esitavo, poiché non avremmo avuto di che pagare la corsa, ma il greco disse: – Saliamo, poi si vedrà –. La carrozza era vuota; dopo un quarto d'ora arrivò il manovratore, e non il bigliettario (dal che si vide che ancora una volta il greco aveva ragione; e come si vedrà, avrebbe avuto ragione in tutte le successive vicende, salvo una); partimmo, e durante il percorso scoprimmo con gioia che uno dei passeggeri saliti nel frattempo era un militare francese. Ci spiegò che era ospitato in un antico convento, davanti al quale il nostro tram sarebbe passato fra poco; alla fermata successiva, avremmo trovato una caserma requisita dai russi e piena di militari italiani. Il mio cuore esultava: avevo trovato una casa.

In realtà, non tutto fu poi cosí piano. La sentinella polacca di guardia alla caserma ci invitò dapprima seccamente ad andarcene. – Dove? – Che mi importa? Via di qui, in qualunque altro luogo –. Dopo molte insistenze e preghiere, si indusse infine ad andare a chiamare un maresciallo italiano, da cui dipendevano evidentemente le decisioni sull'ammissione di altri ospiti. Non era semplice, ci spiegò questi: la caserma era già piena zeppa, le razioni erano misurate; che io fossi un italiano, poteva ammetterlo, ma non ero un militare; quanto al mio compagno, era greco, ed era impossibile introdurlo fra ex combattenti di Grecia e di Albania: ne sarebbero nati certamente disordini e zuffe. Io ribattei con la mia migliore eloquenza, e con genuine lacrime agli occhi: garantii che ci saremmo trattenuti una notte sola (e pensavo fra me: una volta dentro...), e che il greco parlava bene italiano e comunque avrebbe

aperto bocca il meno possibile. I miei argomenti erano deboli, e io lo sapevo: ma il greco conosceva il funzionamento di tutte le naje del mondo, e mentre io parlavo andava frugando nel sacco appeso alle mie spalle. Ad un tratto mi spinse da parte, e in silenzio pose sotto il naso del cerbero una abbagliante scatola di «Pork», adorna di una etichetta multicolore, e di futili istruzioni in sei lingue sul giusto modo di manipolare il contenuto. Cosí ci conquistammo un tetto e un letto a Cracovia.

Era ormai notte. Contrariamente a quanto il maresciallo aveva voluto farci credere, all'interno della caserma regnava la piú suntuosa abbondanza: c'erano stufe accese, candele e lampade a carburo, da mangiare e da bere, e paglia per dormire. Gli italiani erano sistemati in dieci-dodici per camerata, ma noi a Monowitz eravamo in due per metro cubo. Avevano indosso buoni indumenti militari, giacche imbottite, molti portavano l'orologio al polso, tutti avevano i capelli lucidi di brillantina; erano chiassosi, allegri e gentili, e ci colmarono di cortesie. Quanto al greco, per poco non fu portato in trionfo. Un greco! è arrivato un greco! La voce corse di camerata in camerata, e in breve intorno al mio arcigno socio si radunò una folla festante. Parlavano greco, alcuni con disinvoltura, questi reduci dalla piú misericorde occupazione militare che la storia ricordi: rievocavano con colorita simpatia luoghi e fatti, in un cavalleresco tacito riconoscimento del disperato valore del paese invaso. Ma c'era qualcosa di piú, che apriva loro la strada: il mio non era un greco qualunque, era visibilmente un maestro, un'autorità, un supergreco. In pochi minuti di conversazione, aveva compiuto un miracolo, aveva creato un'atmosfera.

Possedeva l'adatta attrezzatura: sapeva parlare italiano, e (ciò che piú importa, e manca a molti italiani stessi) sapeva di che cosa si parla in italiano. Mi sbalordí: si dimostrò esperto di ragazze e di tagliatelle, di Juventus e di musica

lirica, di guerra e di blenorragia, di vino e di borsa nera, di motociclette e di espedienti. Mordo Nahum, con me tanto laconico, divenne in breve il centro della serata. Percepivo che la sua eloquenza, il suo fortunato sforzo di «captatio benevolentiae», non muovevano soltanto da considerazioni di opportunità. Aveva fatto anche lui la campagna di Grecia, col grado di sergente: dall'altra parte del fronte, s'intende, ma questo particolare in quel momento sembrava trascurabile a tutti. Era stato a Tepeleni, anche molti italiani c'erano stati, aveva sofferto come loro il freddo, la fame, il fango e i bombardamenti, e alla fine, come loro, era stato catturato dai tedeschi. Era un collega, un commilitone.

Raccontava curiose storie di guerra; di quando, dopo lo sfondamento del fronte da parte dei tedeschi, si era trovato con sei suoi soldati a rovistare il primo piano di una villa bombardata e abbandonata, in cerca di vettovaglie; e aveva sentito rumori sospetti al piano di sotto, era sceso cautamente per le scale col mitra all'anca, e si era incontrato con un sergente italiano che con sei soldati stava facendo il suo stesso mestiere al piano terreno. L'italiano aveva spianato a sua volta il mitra, ma lui gli aveva fatto notare che in quelle condizioni una sparatoria sarebbe stata particolarmente insulsa, che si trovavano entrambi, greci e italiani, nel medesimo brodo, e che non vedeva perché non avrebbero potuto concludere una piccola pace separata locale e continuare le ricerche nei rispettivi territori di occupazione: alla quale proposta l'italiano aveva prontamente accondisceso.

Anche per me fu una rivelazione. Sapevo che non era altro se non un mercante un po' furfante, esperto nel raggiro e privo di scrupoli, egoista e freddo: eppure sentivo fiorire in lui, favorito dalla simpatia dell'uditorio, un calore nuovo, una umanità insospettata, singolare ma genuina, ricca di promesse.

A notte alta, saltò fuori non so di dove nulla meno che un fiasco di vino. Fu il colpo di grazia: per me tutto nau-

fragò celestialmente in una calda nebbia purpurea, e riuscii
a stento a trascinarmi carponi fino alla lettiera di paglia
che gli italiani, con cura materna, avevano preparato in un
angolo per il greco e per me.

Spuntava appena il giorno quando il greco mi svegliò.
Ahi disinganno! dove era sparito il gioviale convitato della
sera avanti? Il greco che mi stava davanti era duro, segre-
to, taciturno. – Alzati, – mi disse con tono che non am-
metteva replica, – mettiti le scarpe, prendi il sacco e an-
diamo.

– Andiamo dove?

– Al lavoro. Al mercato. Ti pare bello farci mantenere?

A questo argomento mi sentivo del tutto refrattario. Mi
sembrava, oltre che comodo, estremamente naturale che
qualcuno mi mantenesse, ed anche bello: avevo trovata
bella, esaltante, la esplosione di solidarietà nazionale, anzi,
di spontanea umanità della sera prima. Inoltre, pieno com-
m'ero di autocommiserazione, mi appariva giusto, buono,
che il mondo provasse infine pietà di me. D'altronde, non
avevo scarpe, ero malato, avevo freddo, ero stanco; e infi-
ne, in nome del cielo, che cosa mai avrei potuto fare al
mercato?

Gli esposi queste considerazioni, per me ovvie. Ma
«c'est pas des raisons d'homme», mi rispose secco: dovetti
rendermi conto che avevo leso un suo importante princi-
pio morale, che era seriamente scandalizzato, che su quel
punto non era disposto a transigere né a discutere. I codici
morali, tutti, sono rigidi per definizione: non ammettono
sfumature, né compromessi, né contaminazioni recipro-
che. Vanno accolti o rifiutati in blocco. È questa una delle
principali ragioni per cui l'uomo è gregario, e ricerca piú o
meno consapevolmente la vicinanza non già del suo pros-
simo generico, ma solo di chi condivide le sue convinzioni
profonde (o la sua mancanza di tali convinzioni). Mi do-
vetti accorgere, con disappunto e stupore, che tale appun-
to era Mordo Nahum: un uomo dalle convinzioni profon-
de, e per di piú molto lontane dalle mie. Ora, ognuno sa

quanto sia malagevole avere rapporti in affari, anzi convivere, con un avversario ideologico.

Fondamento della sua etica era il lavoro, che egli sentiva come sacro dovere, ma che intendeva in senso molto ampio. Era lavoro tutto e solo ciò che porta a guadagno senza limitare la libertà. Il concetto di lavoro comprendeva quindi, oltre ad alcune attività lecite, anche ad esempio il contrabbando, il furto, la truffa (non la rapina: non era un violento). Considerava invece riprovevoli, perché umilianti, tutte le attività che non comportano iniziativa né rischio, o che presuppongono una disciplina e una gerarchia: qualunque rapporto di impiego, qualunque prestazione d'opera, che egli, anche se ben retribuita, assimilava in blocco al «lavoro servile». Ma non era lavoro servile arare il proprio campo, o vendere false antichità in porto ai turisti.

Quanto alle attività piú elevate dello spirito, al lavoro creativo, non tardai a comprendere che il greco era diviso. Si trattava di giudizi delicati, da dare caso per caso: lecito ad esempio perseguire il successo in sé, anche spacciando falsa pittura o sottoletteratura, o comunque nuocendo al prossimo; riprovevole ostinarsi a inseguire un ideale non redditizio; peccaminoso ritirarsi dal mondo in contemplazione; lecita invece, anzi commendevole, la via di chi si dedichi a meditare e ad acquistare saggezza, purché non ritenga di dover ricevere gratis il proprio pane dal consorzio civile: anche la saggezza è una merce, e può e deve essere scambiata.

Poiché Mordo Nahum non era uno sciocco, si rendeva conto chiaramente che questi suoi princípi potevano non essere condivisi da individui di altra provenienza e formazione, e nella fattispecie da me; ne era peraltro fermamente persuaso, ed era sua ambizione tradurli in atto, per dimostrarmene la validità generale.

In conclusione, il mio proponimento di starmene tranquillo ad aspettare il pane dei russi non poteva che apparirgli detestabile: perché era «pane non guadagnato»; perché

comportava un rapporto di sudditanza; e perché ogni forma di ordinamento, di struttura, era per lui sospetta, sia che portasse a una pagnotta al giorno, sia ad una busta paga al mese.

Cosí seguii il greco al mercato; non tanto perché convinto dai suoi argomenti, quanto per inerzia e per curiosità. La sera prima, mentre io già navigavo in un mare di vapori vinosi, lui si era diligentemente informato sulla ubicazione, usanze, tariffe, domande e offerte del libero mercato di Cracovia, e il dovere lo chiamava.

Partimmo, lui col sacco (che portavo io), io dentro le mie scarpe fatiscenti, in virtú delle quali ogni singolo passo diventava un problema. Il mercato di Cracovia era fiorito spontaneo, subito dopo il passaggio del fronte, e in pochi giorni aveva invaso un intero quartiere. Vi si vendeva e comperava di tutto, e tutta la città vi faceva capo: borghesi vendevano mobili, libri, quadri, abiti e argenteria; contadine imbottite come materassi offrivano carne, polli, uova, formaggio; bambini e bambine, naso e gote rubicondi per il vento gelato, cercavano amatori per le razioni di tabacco che l'amministrazione militare sovietica distribuiva con stravagante munificenza (trecento grammi al mese a tutti, anche ai lattanti).

Incontrai con gioia un gruppetto di connazionali: gente esperta, tre soldati e una ragazza, gioviali e spendaccioni, che in quei giorni facevano ottimi affari con certe loro frittelle calde, confezionate con strani ingredienti sotto un portone poco lontano.

Dopo un primo giro d'orizzonte, il greco decise per le camicie. Eravamo soci? Ebbene, lui avrebbe contribuito col capitale e con l'esperienza mercantile; io, con la mia (tenue) conoscenza del tedesco e col lavoro materiale.
– Vai, – mi disse, – gira tutti i banchetti dove vendono camicie, chiedi quanto costano, rispondi che è troppo caro, poi torni e mi riferisci. Non farti notare troppo –. Mi ac-

cinsi di mala voglia a svolgere questa inchiesta di mercato:
albergavo in me fame vecchia e freddo, e inerzia, ed insie-
me curiosità, spensieratezza, e una nuova e saporita voglia
di attaccare discorsi, di intavolare rapporti umani, di fare
pompa e spreco della mia smisurata libertà. Ma il greco, al-
le spalle dei miei interlocutori, mi seguiva con occhio seve-
ro: presto, perbacco, il tempo è moneta, e gli affari sono
affari.

Ritornai dal mio giro con alcuni prezzi di riferimento,
di cui il greco prese nota mentalmente; e con un buon nu-
mero di nozioni filologiche sgangherate: che camicia si di-
ce qualcosa come «kosciúla»; che i numerali polacchi ri-
cordano quelli greci; che «quanto costa» e «che ora è» si
dice su per giú «ile kostúie» e «ktura gogína»; una desi-
nenza del genitivo in «-ego» che mi rese chiaro il senso di
alcune imprecazioni polacche spesso udite in Lager; e altri
brandelli di informazione che mi riempivano di una gioia
insulsa e puerile.

Il greco calcolava fra sé. Una camicia, si poteva vendere
da cinquanta a cento zloty; un uovo costava cinque o sei
zloty; con dieci zloty, secondo informazioni degli italiani
delle frittelle, si poteva mangiare minestra e pietanza alla
mensa dei poveri, dietro la cattedrale. Il greco decise di
vendere una sola delle tre camicie che aveva, e di mangiare
a questa mensa; il di piú sarebbe stato investito in uova.
Poi avremmo visto il da farsi.

Mi consegnò dunque la camicia, e mi prescrisse di met-
terla in mostra, e di gridare: «Camicia, signori, camicia».
Per «camicia», già ero documentato; quanto a «signori»,
ritenni che la forma corretta fosse «Panowie», voce che
avevo sentito usare pochi minuti prima dai miei concor-
renti, e che interpretai come vocativo plurale di «Pan», si-
gnore. Su quest'ultimo termine, poi, non avevo dubbi: si
trova in un importante dialogo dei *Fratelli Karamàzov*. Do-
veva proprio essere il vocabolo corretto, perché vari clienti
si rivolsero a me in polacco, facendomi domande incom-
prensibili circa la camicia. Ero in imbarazzo: il greco inter-

venne d'autorità, mi spinse da parte e condusse direttamente la contrattazione, che fu lunga e laboriosa ma si concluse felicemente. Su invito dell'acquirente, il passaggio di proprietà ebbe luogo non sulla pubblica piazza, bensí sotto un portone.

Settanta zloty, pari a sette pasti o a una dozzina di uova. Non so il greco: io, da quattordici mesi non disponevo di una tale somma di generi alimentari, tutti in una volta. Ma ne disponevo veramente? C'era da dubitarne: il greco aveva intascato la somma in silenzio, e con tutto il suo atteggiamento dava a capire che l'amministrazione dei proventi intendeva tenersela per sé.

Girammo ancora per i banchetti delle venditrici di uova, dove apprendemmo che, allo stesso prezzo, se ne potevano acquistare di sode e di crude. Ne comperammo sei, con cui cenare: il greco procedette all'acquisto con estrema diligenza, scegliendo le piú grosse dopo minuziosi confronti e dopo molte perplessità e pentimenti, totalmente insensibile allo sguardo critico della venditrice.

La mensa dei poveri era dunque dietro alla cattedrale: restava da stabilire quale, fra le molte e belle chiese di Cracovia, fosse la cattedrale. A chi chiedere, e come? Passava un prete: avrei chiesto al prete. Ora quel prete, giovane e di aspetto benigno, non intendeva né il francese né il tedesco; di conseguenza, per la prima e unica volta nella mia carriera postscolastica, trassi frutto dagli anni di studi classici intavolando in latino la piú stravagante ed arruffata delle conversazioni. Dalla iniziale richiesta di informazioni («Pater optime, ubi est mensa pauperorum?») venimmo confusamente a parlare di tutto, dell'essere io ebreo, del Lager («castra»? Meglio Lager, purtroppo inteso da chiunque), dell'Italia, della inopportunità di parlare tedesco in pubblico (che meglio avrei compreso poco dopo, per esperienza diretta), e di innumerevoli altre cose, a cui l'inusitata veste della lingua dava un curioso sapore di trapassato remoto.

Avevo del tutto dimenticato la fame e il freddo, tanto è

vero che il bisogno di contatti umani è da annoverarsi fra
i bisogni primordiali. Avevo dimenticato anche il greco;
ma questi non aveva dimenticato me, e si fece vivo brutal-
mente dopo pochi minuti, interrompendo senza pietà la
conversazione. Non già che ai contatti umani fosse negato,
e non ne intendesse la bontà (lo si era visto la sera prima in
caserma): ma erano cose fuori orario, festive, accessorie,
da non mescolare con quel negozio serio e strenuo che è il
lavoro quotidiano. Alle mie deboli proteste, non rispose
che con uno sguardo torvo. Ci incamminammo; il greco
tacque a lungo, poi, a giudizio conclusivo sulla mia collabo-
razione, mi disse in tono pensieroso: – Je n'ai pas encore
compris si tu es idiot ou fainéant.

Sulla scorta delle preziose indicazioni del prete, giun-
gemmo alla cucina dei poveri, luogo assai deprimente, ma
riscaldato e pieno di odori voluttuosi. Il greco ordinò due
minestre e una sola razione di fagioli col lardo: era la puni-
zione per il modo sconveniente e fatuo con cui mi ero
comportato nella mattinata. Era in collera; ma dopo tran-
gugiata la minestra si ammorbidí sensibilmente, tanto da
lasciarmi un buon quarto dei suoi fagioli. Fuori aveva co-
minciato a nevicare, e soffiava un vento selvaggio. Fosse
pietà per il mio abito a strisce, o incuria del regolamento,
il personale della cucina ci lasciò in pace per buona parte
del pomeriggio, a meditare e a fare piani per l'avvenire. Il
greco sembrava aver cambiato luna: forse gli era tornata la
febbre, o forse, dopo i discreti affari della mattina, si sen-
tiva in vacanza. Si sentiva anzi in vena benevolmente pe-
dagogica; a mano a mano che passavano le ore, il tono del
suo discorso andava insensibilmente intiepidendosi, e in
parallelo andava mutando il rapporto che ci univa: da
padrone-schiavo a mezzogiorno, a titolare-salariato alla
una, a maestro-discepolo alle due, a fratello maggiore-
fratello minore alle tre. Il discorso tornò sulle mie scarpe,
che nessuno dei due, per ragioni diverse, poteva dimenti-
care. Mi spiegò che essere senza scarpe è una colpa molto
grave. Quando c'è la guerra, a due cose bisogna pensare

prima di tutto: in primo luogo alle scarpe, in secondo alla
roba da mangiare; e non viceversa, come ritiene il volgo:
perché chi ha le scarpe può andare in giro a trovar da man-
giare, mentre non vale l'inverso. – Ma la guerra è finita, –
obiettai: e la pensavo finita, come molti in quei mesi di
tregua, in un senso molto piú universale di quanto si osi
pensare oggi. – Guerra è sempre, – rispose memorabil-
mente Mordo Nahum.

È noto che nessuno nasce con un decalogo in corpo, e
ciascuno si costruisce invece il proprio per strada o a cose
fatte, sulla scorta delle esperienze proprie, o altrui assimi-
labili alle proprie; per cui l'universo morale di ognuno, op-
portunamente interpretato, viene a identificarsi con la
somma delle sue esperienze precedenti, e rappresenta
quindi una forma compendiaria della sua biografia. La bio-
grafia del mio greco era lineare: quella di un uomo forte e
freddo, solitario e loico, che si era mosso fin dall'infanzia
per entro le maglie rigide di una società mercantile. Era (o
era stato) accessibile anche ad altre istanze: non era indif-
ferente al cielo e al mare del suo paese, ai piaceri della casa
e della famiglia, agli incontri dialettici; ma era stato condi-
zionato a ricacciare tutto questo ai margini della sua gior-
nata e della sua vita, affinché non turbasse quello che lui
chiamava il «travail d'homme». La sua vita era stata di
guerra, e considerava vile e cieco chi rifiutasse questo suo
universo di ferro. Era venuto il Lager per entrambi: io lo
avevo percepito come un mostruoso stravolgimento, una
anomalia laida della mia storia e della storia del mondo;
lui, come una triste conferma di cose notorie. «Guerra è
sempre», l'uomo è lupo all'uomo: vecchia storia. Dei suoi
due anni di Auschwitz non mi parlò mai.

Mi parlò invece, con eloquenza, delle sue molteplici at-
tività in Salonicco, delle partite di merce comprate, ven-
dute, contrabbandate per mare, o di notte attraverso la
frontiera bulgara; delle frodi vergognosamente subite e di
quelle gloriosamente perpetrate; e finalmente, delle ore
liete e serene trascorse in riva al suo golfo, dopo la giornata

di lavoro, con i colleghi mercanti, in certi caffè su palafitte
che mi descrisse con inconsueto abbandono, e dei lunghi
discorsi che quivi si tenevano. Quali discorsi? Di moneta,
di dogane, di noli, naturalmente; ma di altro ancora. Cosa
abbia ad intendersi per «conoscere», per «spirito», per
«giustizia», per «verità». Di quale natura sia il tenue lega-
me che vincola l'anima al corpo, come esso si instauri col
nascere, e si sciolga col morire. Cosa sia libertà, e come si
concilii il conflitto fra la libertà dello spirito e il destino.
Cosa segua la morte, anche: ed altre grandi cose greche.
Ma tutto questo a sera, beninteso, a traffici ultimati, da-
vanti al caffè o al vino o alle olive, lucido gioco di intellet-
to fra uomini attivi anche nell'ozio: senza passione.

Perché il greco raccontasse queste cose a me, perché si
confessasse a me, non è chiaro. Forse, davanti a me cosí
diverso, cosí straniero, si sentiva ancora solo, e il suo di-
scorso era un monologo.

Uscimmo dalla mensa a sera, e ritornammo alla caserma
degli italiani: dopo molte insistenze, avevamo ottenuto dal
colonnello italiano capocampo il permesso di pernottare in
caserma ancora una volta, una sola. Rancio niente, e che
non ci facessimo troppo notare, non voleva avere seccatu-
re coi russi. Al mattino dopo, avremmo dovuto andarcene.
Cenammo con due uova a testa di quelle acquistate la mat-
tina, serbando le ultime due per la prima colazione. Dopo
i fatti della giornata, mi sentivo molto «minore» nei con-
fronti del greco. Quando si venne alle uova, gli chiesi se
sapeva distinguere dal di fuori fra un uovo crudo e uno so-
do (si fa girare rapidamente l'uovo, per esempio su un ta-
volo; se è sodo gira a lungo, se è crudo si ferma quasi subi-
to): era una piccola arte di cui andavo fiero, speravo che il
greco non la conoscesse, e quindi di potermi riabilitare ai
suoi occhi, sia pure in piccola misura.

Ma il greco mi guardò coi suoi freddi occhi di savio ser-
pente: – Per chi mi prendi? Mi credi nato ieri? Pensi che
io non abbia mai commerciato in uova? Su, dimmi qualche
articolo in cui io non abbia mai commerciato!

Dovetti battere in ritirata. L'episodio, in sé trascurabile, mi doveva ritornare a mente molti mesi dopo, in piena estate, nel cuore della Russia Bianca, in occasione di quello che fu il mio terzo ed ultimo incontro con Mordo Nahum.

Partimmo al mattino seguente, all'alba (questo è un racconto intessuto di albe gelide), con Katowice per meta: ci era stato confermato che là veramente esistevano vari centri di raccolta per dispersi italiani, francesi, greci eccetera. Katowice non dista da Cracovia che un'ottantina di chilometri: poco piú di un'ora di treno in tempi normali. Ma in quei giorni non c'erano venti chilometri di binario senza un trasbordo, molti ponti erano saltati, e per il pessimo stato della linea i treni procedevano di giorno con estrema lentezza, e di notte non viaggiavano affatto. Fu un viaggio labirintico, che durò tre giorni, con soste notturne in luoghi assurdamente lontani dalla congiungente fra i due estremi: un viaggio di gelo e di fame, che ci condusse il primo giorno in un luogo detto Trzebinia. Qui il treno si arrestò, ed io scesi sulla banchina per sgranchirmi le gambe intorpidite dal freddo. Forse ero fra i primi vestiti da «zebra» a comparire in quel luogo detto Trzebinia: mi trovai subito al centro di un fitto cerchio di curiosi, che mi interrogavano volubilmente in polacco. Risposi del mio meglio in tedesco; e di mezzo al gruppetto di operai e contadini si fece avanti un borghese, in cappello di feltro, con occhiali e una busta di cuoio in mano: un avvocato.

Era polacco, parlava bene francese e tedesco, era una persona molto cortese e benevola: insomma, possedeva tutti i requisiti perché io finalmente, dopo il lunghissimo anno di schiavitú e di silenzio, ravvisassi in lui il messaggero, il portavoce del mondo civile: il primo che incontrassi.

Avevo una valanga di cose urgenti da raccontare al mondo civile: cose mie ma di tutti, cose di sangue, cose che, mi pareva, avrebbero dovuto scuotere ogni coscienza sulle sue fondamenta. In realtà, l'avvocato era cortese e

benevolo: mi interrogava, ed io parlavo vertiginosamente di quelle mie cosí recenti esperienze, di Auschwitz vicina, eppure, pareva, a tutti sconosciuta, dell'ecatombe a cui io solo ero sfuggito, tutto. L'avvocato traduceva in polacco a favore del pubblico. Ora io non conosco il polacco, ma so come si dice «ebreo» e come si dice «politico»: e mi accorsi ben presto che la traduzione del mio resoconto, benché partecipe, non era fedele. L'avvocato mi descriveva al pubblico non come un ebreo italiano, ma come un prigioniero politico italiano.

Gliene chiesi conto, stupito e quasi offeso. Mi rispose imbarazzato: – C'est mieux pour vous. La guerre n'est pas finie –. Le parole del greco.

Sentii l'onda calda del sentirsi libero, del sentirsi uomo fra uomini, del sentirsi vivo, rifluire lontano da me. Mi trovai a un tratto vecchio, esangue, stanco al di là di ogni misura umana: la guerra non è finita, guerra è sempre. I miei ascoltatori se ne andavano alla spicciolata: dovevano aver capito. Qualcosa del genere avevo sognato, tutti avevamo sognato, nelle notti di Auschwitz: di parlare e di non essere ascoltati, di ritrovare la libertà e di restare soli. In breve, rimasi solo con l'avvocato; dopo pochi minuti, anche lui mi lasciò scusandosi urbanamente. Mi raccomandò, come già il prete, di evitare di parlare tedesco; alle mie richieste di spiegazioni rispose vagamente: – La Polonia è un triste paese –. Mi augurò buona fortuna, mi offerse del denaro che rifiutai: mi pareva commosso.

La locomotiva fischiava per ripartire. Risalii sul vagone-merci, dove mi aspettava il greco, ma non gli raccontai l'episodio.

Non fu l'unica sosta: altre seguirono, e in una di queste, a sera, ci rendemmo conto che Szczakowa, il luogo della zuppa calda per tutti, non era lontano. Era bensí a nord, e noi dovevamo andare verso ovest, ma poiché a Szczakowa c'era zuppa calda per tutti, e noi non avevamo altro programma che quello di sfamarci, perché non puntare su Szczakowa? Cosí scendemmo, aspettammo che passasse

un treno adatto, e ci ripresentammo piú e piú volte al bancone della Croce Rossa; credo che le sorelle polacche mi abbiano riconosciuto agevolmente, e mi ricordino tuttora.

Come scese la notte, ci disponemmo a dormire per terra, nel bel mezzo della sala d'aspetto, poiché tutti i posti perimetrali erano già occupati. Forse impietosito o incuriosito dal mio abito, arrivò dopo qualche ora un gendarme polacco, baffuto, rubicondo e corpulento; mi interrogò invano nella sua lingua; risposi con la prima frase che si impara di ogni lingua sconosciuta, e cioè «nie rozumiem po polsku», non capisco il polacco. Aggiunsi, in tedesco, che ero italiano, e che parlavo un poco il tedesco. Al che, miracolo! il gendarme prese a parlare italiano.

Parlava un pessimo italiano, gutturale ed aspirato, trapunto di nuovissime bestemmie. Lo aveva imparato, e questo spiega tutto, in una valle del bergamasco, dove aveva lavorato qualche anno come minatore. Anche lui, ed era il terzo, mi raccomandò di non parlare tedesco. Gli chiesi perché: mi rispose con un gesto eloquente, passandosi l'indice e il medio, di coltello, fra il mento e la laringe, e aggiungendo tutto allegro: – Stanotte tutti tedeschi kaputt.

Si trattava certamente di una esagerazione, e comunque di una opinione-speranza: ma in effetti incrociammo il giorno dopo un lungo treno di vagoni merci, chiusi dall'esterno; era diretto verso levante, e dalle feritoie si vedevano molti visi umani in cerca d'aria. Questo spettacolo, fortemente evocatore, suscitò in me un groviglio di sentimenti confusi e contrastanti, che ancora oggi stenterei a districare.

Il gendarme, molto gentilmente, propose a me e al greco di passare il resto della notte al caldo, in camera di sicurezza; accettammo di buon grado, e ci risvegliammo nell'insolito ambiente solo a tardo mattino, dopo un sonno ristoratore.

Partimmo da Szczakowa il giorno dopo, per l'ultima tappa del viaggio. Giungemmo senza incidenti a Katowice, dove realmente esisteva un campo di raccolta per gli

italiani, e un altro per i greci. Ci separammo senza molte
parole: ma nel momento del congedo, in modo fugace ep-
pure distinto, sentii muovere da me verso lui una solitaria
onda di amicizia, venata di tenue gratitudine, di disprez-
zo, di rispetto, di animosità, di curiosità, e del rimpianto
di non doverlo piú vedere.

Lo vidi ancora, invece: due volte. Lo vidi in maggio, nei
giorni gloriosi e turbolenti della fine della guerra, quando
tutti i greci di Katowice, un centinaio, uomini e donne,
sfilarono cantando davanti al nostro campo, diretti alla
stazione: partivano per la patria, per la casa. In testa alla
colonna era lui, Mordo Nahum, signore fra i greci, e regge-
va il vessillo bianco-celeste: ma lo depose quando mi vide,
uscí dalla schiera per salutarmi (un po' ironicamente, ché
lui partiva e io rimanevo: ma era giusto, mi spiegò, perché
la Grecia apparteneva alle Nazioni Unite), e con gesto in-
consueto estrasse dal famoso sacco un dono: un paio di
pantaloni, del tipo usato in Auschwitz negli ultimi mesi, e
cioè con una grossa «finestra» sull'anca sinistra, chiusa da
una toppa di tela a strisce. Poi scomparve.

Ma doveva ricomparire un'altra volta, molti mesi piú
tardi, sul piú improbabile dei fondali e nella piú inaspetta-
ta delle incarnazioni.

Katowice

Il campo di sosta di Katowice, che mi accolse affamato e stanco dopo la settimana di peregrinazioni col greco, era situato su di una piccola altura, in un sobborgo della città denominato Bogucice. A suo tempo, era stato un minuscolo Lager tedesco, ed aveva albergato i minatori-schiavi addetti ad una miniera di carbone che si apriva nelle vicinanze. Era costituito da una dozzina di baracche in muratura, di dimensioni ridotte, a un solo piano: esisteva ancora il duplice recinto di filo spinato, ormai puramente simbolico. La porta era sorvegliata da un solo soldato sovietico, dall'aria sonnolenta e neghittosa; sul lato opposto si apriva nel reticolato un grosso buco, da cui si poteva uscire senza neppure curvarsi; il comando russo pareva non preoccuparsene minimamente. Le cucine, la mensa, l'infermeria, i lavatoi erano esterni al recinto, per cui la porta era sede di un andirivieni continuo.

La sentinella era un mongolo gigantesco sulla cinquantina, armato di mitra e baionetta, dalle enormi mani nodose, dai grigi baffi spioventi alla Stalin e dagli occhi di fuoco: ma il suo aspetto feroce e barbarico era assolutamente incongruente con le sue innocue mansioni. Non veniva mai avvicendato, e perciò moriva di noia. Il suo comportamento nei confronti di chi entrava e usciva era imprevedibile: a volte pretendeva il «propusk», vale a dire il lasciapassare, altre volte chiedeva solo il nome; altre ancora, un po' di tabacco, o anche nulla. Certi altri giorni, invece, respingeva ferocemente tutti, ma non trovava nulla da obiet-

tare se li vedeva poi uscire dal buco nel fondo, che pure era visibilissimo. Quando faceva freddo, piantava tranquillamente il suo posto di guardia, si infilava in una delle camerate su cui vedeva fumare bene un camino, buttava il mitra su una branda, accendeva la pipa, e offriva vodka se ne aveva, o se non ne aveva la chiedeva in giro, e bestemmiava sconsolato se non gliene davano. Qualche volta consegnava addirittura il mitra al primo fra noi che gli capitava sotto mano, e a gesti e urlacci gli faceva capire di andarlo a sostituire al posto di guardia; poi si appisolava vicino alla stufa.

Quando vi giunsi con Mordo Nahum, il campo era occupato da una popolazione fortemente promiscua, di quattrocento persone circa. Vi erano francesi, italiani, olandesi, greci, cèchi, ungheresi ed altri: alcuni erano stati operai civili della Organizzazione Todt, altri internati militari, altri ancora ex Häftlinge. C'era anche un centinaio di donne.

Di fatto, l'organizzazione del campo era largamente affidata alle iniziative singole o di gruppo: ma nominalmente il campo sottostava ad una Kommandantur sovietica, che era il piú pittoresco esemplare di accampamento zingaro che si possa immaginare. C'era un capitano, Ivan Antonovič Egorov, un ometto non piú giovane, dall'aria rustica e scostante; tre «tenenti anziani»; un sergente, atletico e gioviale; una dozzina di territoriali (fra cui la sentinella baffuta sopra descritta); un furiere; una «doktorka»; un medico, Pjotr Grigorjevič Dancenko, giovanissimo, gran bevitore, fumatore, amatore e pococurante; una infermiera, Marja Fjodorovna Prima, che divenne presto mia amica; ed un nugolo indefinito di ragazze solide come querce, non si capiva se militari o militarizzate o ausiliarie o civili o dilettanti. Queste avevano mansioni varie e vaghe: lavandaie, cuoche, dattilografe, segretarie, cameriere, amorose pro tempore di questo e di quello, fidanzate intermittenti, mogli, figlie.

L'intera carovana viveva in buona armonia, senza ora-

rio né regole, nelle adiacenze del campo, accampata nei locali di una scuola elementare abbandonata. L'unico che si curasse di noi era il furiere, che pareva essere il piú elevato in autorità, se non in grado, dell'intero comando. D'altronde, tutti i loro rapporti gerarchici erano indecifrabili: si intrattenevano fra di loro per lo piú con semplicità amichevole, come una grossa famiglia provvisoria, senza formalismi militareschi; scoppiavano talvolta litigi furibondi e pugilati, anche fra ufficiali e soldati, ma si concludevano rapidamente senza conseguenze disciplinari e senza rancori, come se nulla fosse stato.

La guerra stava per finire, la lunghissima guerra che aveva devastato il loro paese; per loro era già finita. Era la grande tregua: poiché non era ancora cominciata l'altra dura stagione che doveva seguire, né ancora era stato pronunciato il nome nefasto della guerra fredda. Erano allegri, tristi e stanchi, e si compiacevano del cibo e del vino, come i compagni di Ulisse dopo tirate in secco le navi. E tuttavia, sotto le apparenze sciatte ed anarchiche, era agevole ravvisare in loro, in ciascuno di quei visi rudi e aperti, i buoni soldati dell'Armata Rossa, gli uomini valenti della Russia vecchia e nuova, miti in pace e atroci in guerra, forti di una disciplina interiore nata dalla concordia, dall'amore reciproco e dall'amore di patria; una disciplina piú forte, appunto perché interiore, della disciplina meccanica e servile dei tedeschi. Era agevole intendere, vivendo fra loro, perché quella, e non questa, avesse da ultimo prevalso.

Uno dei capannoni del campo era abitato solo da italiani, quasi tutti operai civili, che si erano trasferiti in Germania piú o meno volontariamente. Erano muratori e minatori, non piú giovani, gente tranquilla, sobria, laboriosa, e di animo gentile.

Il capocampo degli italiani, a cui venni indirizzato per essere «preso in forza», era invece molto diverso. Il ragio-

nier Rovi era diventato capocampo non per elezione dal
basso, né per investitura russa, ma per autonomina: infat-
ti, pur essendo un individuo di qualità intellettuali e mora-
li piuttosto povere, possedeva in misura assai spiccata la
virtú che, sotto ogni cielo, è la piú necessaria per la conqui-
sta del potere, e cioè l'amore per il potere medesimo.

L'assistere al comportamento dell'uomo che agisce non
secondo ragione, ma secondo i propri impulsi profondi, è
uno spettacolo di estremo interesse, simile a quello di cui
gode il naturalista che studia le attività di un animale dagli
istinti complessi. Rovi aveva conquistato la sua carica
agendo con la stessa atavica spontaneità con cui il ragno
costruisce la sua tela; poiché come il ragno senza tela, cosí
Rovi senza carica non sapeva vivere. Aveva subito inco-
minciato a tessere: era fondamentalmente sciocco, e non
sapeva una parola di tedesco né di russo, ma fin dal primo
giorno si era assicurati i servizi di un interprete, e si era
presentato cerimoniosamente al comando sovietico in qua-
lità di plenipotenziario per gli interessi italiani. Aveva or-
ganizzato una scrivania, con moduli (scritti a mano, in bel-
la scrittura con svolazzi), timbri, matite di vari colori e li-
bro mastro; pur non essendo colonnello, anzi, neppure mi-
litare, aveva appeso fuori della porta un vistoso cartello
«Comando Italiano – Colonnello Rovi»; si era circondato
di una piccola corte di sguatteri, scritturali, sagrestani,
spie, messaggeri e bravacci, che egli rimunerava in natura,
con viveri sottratti alle razioni della comunità, ed esentan-
doli da tutti i lavori di comune interesse. I suoi cortigiani,
che come sempre avviene erano molto peggiori di lui, cura-
vano (anche con la forza, il che di rado era necessario) che
i suoi ordini fossero eseguiti, lo servivano, raccoglievano
per lui informazioni, e lo adulavano intensamente.

Con chiaroveggenza sorprendente, che è come dire con
un procedimento mentale altamente complesso e misterio-
so, aveva capito l'importanza, anzi la necessità, di posse-
dere una uniforme, dal momento che doveva trattare con
gente in uniforme. Se ne era combinata una non priva di

fantasia, abbastanza teatrale, con un paio di stivaloni so-
vietici, un berretto da ferroviere polacco, e giacca e panta-
loni trovati non so dove, che sembravano di orbace, e for-
se lo erano: si era fatto cucire mostrine al bavero, filetti
dorati sul berretto, greche e gradi sulle maniche, ed aveva
il petto pieno di medaglie.

Peraltro, non era un tiranno, e neppure un cattivo am-
ministratore. Aveva il buon senso di contenere vessazioni,
concussioni e soprusi entro limiti modesti, e possedeva per
le scartoffie una vocazione innegabile. Ora, poiché quei
russi erano curiosamente sensibili al fascino delle scartof-
fie (delle quali tuttavia sfuggiva loro l'eventuale significato
razionale), e sembrava amassero la burocrazia di quell'a-
more platonico e spirituale che non giunge al possesso e
non lo desidera, Rovi era benevolmente tollerato, se non
proprio stimato, nell'ambiente della Kommandantur. Inol-
tre, era legato al capitano Egorov da un paradossale, im-
possibile vincolo di simpatia fra misantropi: poiché sia l'u-
no che l'altro erano individui tristi, compunti, stomacati e
dispeptici, e nell'euforia generale cercavano l'isolamento.

Nel campo di Bogucice trovai Leonardo, già accreditato
come medico, e assediato da una clientela poco redditizia
ma molto numerosa: veniva come me da Buna, ed era arri-
vato a Katowice già da qualche settimana, seguendo vie
meno intricate delle mie. Fra gli Häftlinge di Buna i medi-
ci erano in soprannumero, e ben pochi (praticamente, solo
quelli padroni della lingua tedesca, o abilissimi nell'arte
del sopravvivere) erano riusciti a farsi riconoscere come ta-
li dal medico capo delle SS. Perciò Leonardo non aveva
fruito di alcun privilegio: era stato sottoposto ai lavori ma-
nuali piú duri, e aveva vissuto il suo anno di Lager in mo-
do estremamente precario. Sopportava male la fatica e il
gelo, ed era stato ricoverato in infermeria infinite volte,
per edemi ai piedi, ferite infettate e deperimento genera-
le. Per tre volte, in tre selezioni di infermeria, era stato
scelto per la morte in gas, e per tre volte la solidarietà dei
suoi colleghi in carica lo aveva sottratto fortunosamente al

suo destino. Possedeva però anche, oltre alla fortuna, un'altra virtú essenziale in quei luoghi: una illimitata capacità di sopportazione, un coraggio silenzioso, non nativo, non religioso, non trascendente, ma deliberato e voluto ora per ora, una pazienza virile, che lo sosteneva miracolosamente al limite del collasso.

L'infermeria di Bogucice era sistemata nella stessa scuola che albergava il Comando russo, in due camerette abbastanza pulite. Era stata creata dal nulla da Marja Fjodorovna: Marja era una infermiera militare sulla quarantina, simile a un gatto di bosco per gli occhi obliqui e selvatici, il naso breve dalle narici frontali, e le movenze agili e silenziose. Del resto, dai boschi veniva: era nata nel cuore della Siberia.

Marja era una donna energica, brusca, arruffona e sbrigativa. Si procurava i medicinali, parte per normali vie amministrative, prelevandoli da depositi militari sovietici, parte attraverso i molteplici canali della borsa nera, parte ancora (ed era la parte maggiore) cooperando attivamente al saccheggio dei magazzini degli ex Lager tedeschi e delle infermerie e farmacie tedesche abbandonate; le cui scorte, a loro volta, erano frutto di precedenti saccheggi condotti dai tedeschi in tutte le nazioni d'Europa. Perciò, ogni giorno l'infermeria di Bogucice riceveva rifornimenti senza piano né metodo: centinaia di scatole di specialità farmaceutiche, recanti etichette e istruzioni d'uso in tutte le lingue, che dovevano essere smistate e catalogate per un possibile impiego.

Fra le cose che avevo imparato in Auschwitz, una delle piú importanti era, che bisogna sempre evitare di essere «qualunque». Tutte le vie sono chiuse a chi appare inutile, tutte sono aperte a chi esercita una funzione, anche la piú insulsa. Perciò, dopo essermi consigliato con Leonardo, mi presentai a Marja, e proposi i miei servizi come farmacista-poliglotta.

Marja Fjodorovna mi investigò con occhio esperto nel pesare un maschio. Ero «doktor»? Sí, lo ero, sostenni,

aiutato nell'equivoco dal forte attrito linguistico: la sibe-
riana infatti non parlava il tedesco, ma (pur non essendo
ebrea) conosceva un po' di yiddish, imparato chissà dove.
Non avevo un aspetto molto professionale né molto at-
traente, ma per stare in un retrobottega forse potevo anda-
re: Marja trasse di tasca un pezzo di carta tutto spiegazza-
to, e mi chiese come mi chiamavo.

Quando a «Levi» aggiunsi «Primo», i suoi occhi verdi
si illuminarono, dapprima sospettosi, poi interrogativi, in-
fine benevoli. Ma allora eravamo quasi parenti, mi spiegò:
Io «Primo» e lei «Prima»: «Prima» era il suo cognome, la
sua «família», Marja Fjodorovna Prima. Benissimo, pote-
vo prendere servizio. Scarpe e vestiti? Mah, non era un af-
fare semplice, ne avrebbe parlato con Egorov e con certe
sue conoscenze, forse piú tardi qualcosa si sarebbe potuto
trovare. Si scarabocchiò il mio nome sul pezzo di carta, e il
giorno seguente mi consegnò solennemente il «propusk»,
un lasciapassare dall'aspetto assai casalingo, che mi auto-
rizzava a entrare e uscire dal campo a qualsiasi ora del
giorno e della notte.

Abitavo in una camera con otto operai italiani, e tutte le
mattine mi recavo all'infermeria per servizio. Marja Fjodo-
rovna mi consegnava centinaia di scatolette variopinte da
classificare, e mi faceva piccoli regali amichevoli: scatole di
glucosio (graditissime); pasticche di liquirizia e di menta;
stringhe da scarpe; qualche volta un pacchetto di sale o di
polvere per budini. Mi invitò una sera a prendere il tè nel-
la sua camera, e notai che alla parete sopra il suo letto era-
no appese sette od otto fotografie di uomini in divisa: era-
no quasi tutti ritratti di visi noti, e cioè di soldati e ufficiali
della Kommandantur. Marja li chiamava tutti famigliar-
mente per nome, e parlava di loro con semplicità affettuo-
sa: li conosceva da tanti anni ormai, e avevano fatto tutta
la guerra insieme.

Dopo qualche giorno, poiché il lavoro di farmacista mi

lasciava molto tempo libero, Leonardo mi chiamò ad aiutarlo in ambulatorio. Nelle intenzioni dei russi, quest'ultimo avrebbe dovuto fare servizio solo per gli ospiti del campo di Bogucice: in realtà, poiché le cure erano gratuite e prive di qualsiasi formalità, vi si presentavano a chiedere visita o medicazioni anche militari russi, civili di Katowice, gente di passaggio, mendicanti, e figure dubbie che non volevano avere a che fare con le autorità.

Sia Marja sia il dottor Dancenko non trovavano nulla a ridire su questo stato di cose (già Dancenko non trovava mai a ridire su nulla, non si occupava di nulla se non di corteggiare le ragazze con divertenti maniere da granduca di operetta, e al mattino di buonora, quando veniva da noi in rapida ispezione, era già ubriaco e pieno di letizia): tuttavia, qualche settimana piú tardi, Marja mi convocò, e con aria molto officiosa mi comunicò che, «per ordine di Mosca», era necessario che l'attività dell'ambulatorio fosse sottoposta a un minuzioso controllo. Perciò avrei dovuto tenere un registro, e annotarvi ogni sera il nome e l'età dei pazienti, la loro malattia, e la qualità e la quantità dei medicamenti somministrati o prescritti.

In sé, la cosa non sembrava insensata; ma era necessario definire alcuni particolari pratici, che discussi con Marja. Ad esempio: come ci saremmo accertati della identità dei pazienti? Ma Marja ritenne trascurabile l'obiezione: che scrivessi le generalità dichiarate, «Mosca» si sarebbe certamente accontentata. Emerse però una difficoltà piú grave: in che lingua tenere la registrazione? Non in italiano né in francese né in tedesco, che né Marja né Dancenko conoscevano. In russo allora? No, il russo non lo conoscevo io. Marja meditò perplessa, poi si illuminò, ed esclamò: – Galina! – Galina avrebbe risolto la situazione.

Galina era una delle ragazze aggregate alla Kommandantur: conosceva il tedesco, cosí avrei potuto dettarle i verbali in tedesco, e lei li avrebbe tradotti in russo seduta stante. Marja mandò immediatamente a chiamare Galina (l'autorità di Marja, benché di natura mal definita, appa-

riva grande), e cosí ebbe inizio la nostra collaborazione.

Galina aveva diciott'anni, ed era di Kazàtin, in Ucraina. Era bruna, allegra e graziosa: aveva un viso intelligente dai tratti sensibili e minuti, e fra tutte le sue colleghe era la sola che vestisse con una certa eleganza, e che avesse spalle, mani e piedi di dimensioni accettabili. Parlava il tedesco discretamente: col suo ausilio i famosi verbali venivano faticosamente confezionati sera per sera, con un mozzicone di matita, su un fascicolo di carta grigiastra che Marja mi aveva consegnato come una reliquia. Come si dice «asma» in tedesco? e «caviglia»? e «slogatura»? e quali sono i termini russi corrispondenti? Ad ogni scoglio lessicale eravamo costretti ad arrestarci in preda al dubbio, e a ricorrere a complicate gesticolazioni, che finivano in squillanti risate da parte di Galina.

Molto piú raramente da parte mia. Di fronte a Galina mi sentivo debole, malato e sporco; ero dolorosamente conscio del mio aspetto miserevole, della mia barba mal rasa, dei miei abiti di Auschwitz; ero acutamente conscio dello sguardo di Galina, ancora quasi infantile, in cui una pietà incerta si accompagnava con una definita repulsione.

Tuttavia, dopo qualche settimana di lavoro comune, si era stabilita fra noi una atmosfera di tenue confidenza reciproca. Galina mi fece capire che la faccenda dei verbali non era poi tanto seria, che Marja Fjodorovna era «vecchia e matta» e le bastava che i fogli le venissero riconsegnati comunque coperti di scrittura, e che il dottor Dancenko era affaccendato in tutt'altre faccende (note a Galina con strabiliante copia di particolari) con la Anna, con la Tanja, con la Vassilissa, e che i verbali gli interessavano «come la neve dell'anno scorso». Cosí il tempo dedicato ai malinconici dèi burocratici si andò assottigliando, e Galina approfittò degli intervalli per raccontarmi la sua storia, sfumacchiando, a pezzi e a bocconi.

In piena guerra, due anni prima, sotto il Caucaso dove si era rifugiata con la famiglia, era stata reclutata da quella stessa Kommandantur; reclutata nel modo piú semplice,

vale a dire fermata per strada, e condotta al Comando per scrivere a macchina alcune lettere. C'era andata e c'era rimasta; non era piú riuscita a sganciarsi (o piú probabilmente, pensavo io, non aveva neppure tentato). La Kommandantur era diventata la sua vera famiglia: la aveva seguita per decine di migliaia di chilometri, per le retrovie sconvolte e lungo il fronte sterminato, dalla Crimea alla Finlandia. Non aveva una divisa, e neppure una qualifica né un grado: ma era utile ai suoi compagni combattenti, era loro amica, e perciò li seguiva, perché c'era la guerra, e ognuno doveva fare il suo dovere; il mondo poi era grande e vario, ed è bello girarlo quando si è giovani e senza preoccupazioni.

Preoccupazioni Galina non ne aveva, neppure l'ombra. La si incontrava al mattino che andava al lavatoio, con un sacco di biancheria in bilico sul capo, e cantava come un'allodola; o negli uffici del Comando, scalza, che tempestava sulla macchina per scrivere; o alla domenica a spasso sui bastioni, a braccetto con un soldato, mai lo stesso; o di sera al balcone, romanticamente rapita, mentre uno spasimante belga, tutto sbrindellato, le faceva la serenata sulla chitarra. Era una ragazza di campagna, sveglia, ingenua, un po' civetta, molto vivace, non particolarmente colta, non particolarmente seria; eppure si sentiva operante in lei la stessa virtú, la stessa dignità dei suoi compagni amicifidanzati, la dignità di chi lavora e sa perché, di chi combatte e sa di aver ragione, di chi ha la vita davanti.

A metà maggio, pochi giorni dopo la fine della guerra, venne a salutarmi. Partiva: le avevano detto che poteva tornare a casa. Aveva il foglio di via? aveva i soldi per il treno? – No, – rispose ridendo, – «njé nada», non ce n'è bisogno, per queste cose ci si arrangia sempre –; e scomparve, risucchiata dalla vacuità dello spazio russo, per i cammini del suo paese sconfinato, lasciando dietro di sé un profumo aspro di terra, di giovinezza e di gioia.

Avevo anche altre incombenze: aiutare Leonardo in ambulatorio, naturalmente; e aiutare Leonardo nel controllo quotidiano dei pidocchi.

Quest'ultimo servizio era necessario in quei paesi e in quei tempi, in cui il tifo petecchiale serpeggiava endemico e mortale. L'incarico era poco attraente: dovevamo girare tutte le baracche, e invitare ciascuno a spogliarsi fino alla cintura e a presentarci la camicia, nelle cui pieghe e cuciture i pidocchi sogliono nidificare e appendere le uova. Quel tipo di pidocchi hanno una macchiolina rossa sul dorso: secondo una piacevolezza che veniva ripetuta instancabilmente dai nostri clienti, essa, osservata con adeguato ingrandimento, si rivelerebbe costituita da una minuscola falce e martello. Si chiamano anche «la fanteria», laddove le pulci sono l'artiglieria, le zanzare l'aviazione, le cimici i paracadutisti, e le piattole gli zappatori. In russo si chiamano «vši»: lo appresi da Marja, che mi aveva consegnato un secondo fascicolo, su cui avrei dovuto segnare il numero e il nome dei pidocchiosi del giorno, e sottolineati in rosso i recidivi.

I recidivi erano rari, con la sola notevole eccezione del Ferrari. Il Ferrari, al cui cognome si addice l'articolo perché era milanese, era un portento di inerzia. Faceva parte di un gruppetto di criminali comuni, già detenuti a San Vittore, a cui nel 1944 i tedeschi avevano proposto la scelta fra le prigioni italiane e il servizio del lavoro in Germania, e avevano optato per quest'ultimo. Erano circa quaranta, quasi tutti ladri o ricettatori: costituivano un microcosmo chiuso, variopinto e turbolento, fonte perpetua di grane per il Comando russo e per il ragionier Rovi.

Ma il Ferrari era trattato dai suoi colleghi con palese disprezzo, e si trovava quindi relegato in una solitudine forzata. Era un ometto sulla quarantina, magro e giallo, quasi calvo, dall'espressione assente. Passava le sue giornate sdraiato sulla branda, ed era un lettore infaticabile. Leggeva tutto quanto gli capitava sotto mano: giornali e libri

italiani, francesi, tedeschi, polacchi. Ogni due o tre giorni, all'atto del controllo, mi diceva: – Quel libro l'ho finito. Ne hai un altro da imprestarmi? Ma non in russo: sai che il russo non lo capisco bene –. Non era già un poliglotta: anzi, era praticamente analfabeta. Ma «leggeva» ugualmente ogni libro, dal primo rigo all'ultimo, identificando con soddisfazione le singole lettere, pronunciandole a fior di labbra, e ricostruendo faticosamente le parole, del cui significato non si curava. A lui bastava: come, a differenti livelli, altri provano diletto nel risolvere parole incrociate, o integrare equazioni differenziali, o calcolare le orbite degli asteroidi.

Era dunque un individuo singolare: e me lo confermò la sua storia, che molto volentieri mi raccontò, e che qui riporto.

– Ho seguito per molti anni la scuola dei ladri di Loreto. C'era il manichino coi campanelli e il portafogli in tasca: bisognava sfilarlo senza che i campanelli suonassero, e io non ci sono mai riuscito. Cosí non mi hanno mai autorizzato a rubare: mi mettevano a fare il palo. Ho fatto il palo per due anni. Si guadagna poco e si rischia: non è un bel lavorare.

– Pensa e ripensa, un bel giorno ho pensato che, licenza o mica licenza, se volevo guadagnarmi il pane bisognava che mi mettessi in proprio.

– C'era la guerra, lo sfollamento, la borsa nera, un mucchio di gente sui tranvai. Era sul 2, a Porta Lodovica, perché da quelle parti nessuno mi conosceva. Vicino a me c'era una con una gran borsa; in tasca del cappotto, si sentiva al tasto, c'era il portafoglio. Ho tirato fuori il saccagno, piano piano...

Devo aprire una breve parentesi tecnica. Il saccagno, mi spiegò il Ferrari, è uno strumento di precisione che si ottiene spezzando in due la lama di un comune rasoio a mano libera. Serve a tagliare le borse e le tasche, perciò deve essere affilatissimo. Occasionalmente, serve anche a sfre-

giare, nelle questioni d'onore; ed è per questo che gli sfregiati sono anche detti «saccagnati».

– ... piano piano, e ho cominciato a tagliare la tasca. Avevo quasi finito, quando una donna, mica quella della tasca, capisci, ma un'altra, si mette a gridare «Al ladro, al ladro». A lei non le facevo niente, non mi conosceva, e non conosceva neppure quella della tasca. Non era neanche della polizia, era una che non c'entrava per niente. Sta di fatto che il tram si è fermato, mi hanno pescato, sono finito a San Vittore, di lí in Germania, e di Germania qui. Vedi? ecco cosa può capitare a prendersi certe iniziative.

Da allora, il Ferrari iniziative non ne aveva piú prese. Era il piú remissivo e il piú docile dei miei clienti: si spogliava subito senza protestare, presentava la camicia con gli immancabili pidocchi, e il mattino dopo si sottoponeva alla disinfestazione senza assumere arie da principe offeso. Ma l'indomani i pidocchi, chissà come, c'erano di nuovo. Era cosí: non prendeva piú iniziative, non opponeva piú resistenza; neppure ai pidocchi.

La mia attività professionale comportava almeno due vantaggi: il «propusk» e una migliore alimentazione.

La cucina del campo di Bogucice, per verità, non era scarsa: ci veniva assegnata la razione militare russa, che consisteva in un chilo di pane, due minestre al giorno, una «kaša» (vale a dire una pietanza con carne, lardo, miglio o altri vegetali), e un tè all'uso russo, diluito, abbondante e zuccherato. Ma Leonardo e io avevamo da riparare i guasti provocati da un anno di Lager: eravamo tuttora in preda ad una fame incontrollata, in buona parte psicologica, e la razione non ci bastava.

Marja ci aveva autorizzati a consumare il pasto di mezzogiorno all'infermeria. La cucina dell'infermeria era gestita da due «maquisardes» parigine, operaie non piú giovani, reduci dal Lager anche loro, dove avevano perso i mariti; erano donne taciturne e dolorose, sui cui visi pre-

cocemente invecchiati le sofferenze passate e recenti appa-
rivano dominate e contenute dalla energica coscienza mo-
rale dei combattenti politici.

Una, Simone, serviva alla nostra mensa. Scodellava la
minestra una volta, e una seconda. Poi mi guardava, quasi
con apprensione: – Vous répétez, jeune homme? – io ac-
cennavo timidamente di sí, vergognoso di quella mia vora-
cità animalesca. Sotto lo sguardo severo di Simone, rara-
mente osavo «répéter» una quarta volta.

Quanto al «propusk», esso costituiva piuttosto un se-
gno di distinzione sociale che un vantaggio specifico: infat-
ti chiunque poteva benissimo uscire attraverso il buco nei
reticolati, e andarsene in città libero come un uccello del
cielo. Cosí facevano ad esempio molti fra i ladri, per anda-
re a esercitare la loro arte a Katowice o anche piú lontano:
non facevano piú ritorno, oppure rientravano in campo
dopo vari giorni, spesso dichiarando altre generalità, fra
l'indifferenza generale.

Tuttavia, il «propusk» permetteva di puntare su Kato-
wice evitando il lungo giro attraverso il fango che circon-
dava il campo. Col ritornare delle forze e della buona sta-
gione, sentivo anch'io sempre piú viva la tentazione di
partire in crociera per la città sconosciuta: a che serviva es-
sere stati liberati, se poi passavamo ancora i nostri giorni
in una cornice di filo spinato? D'altronde la popolazione di
Katowice ci guardava con simpatia, e ci era concesso in-
gresso libero sui tram e nei cinematografi.

Ne parlai una sera con Cesare, e decidemmo per i giorni
successivi un programma di massima, in cui avremmo uni-
to l'utile al dilettevole, vale a dire gli affari al vagabon-
daggio.

Cesare

Avevo conosciuto Cesare negli ultimi giorni di Lager, ma era un altro Cesare. Nel campo di Buna abbandonato dai tedeschi la camera degli infettivi, in cui i due francesi e io eravamo riusciti a sopravvivere e ad instaurare una parvenza di civiltà, rappresentava un'isola di relativo benessere: nel reparto contiguo, il reparto dei dissenterici, la morte dominava incontrastata.

Attraverso la parete di legno, a pochi centimetri dalla mia testa, sentivo parlare in italiano. Una sera, mobilitando le poche energie che mi restavano, mi ero deciso ad andare a vedere chi viveva ancora là dietro. Avevo percorso il corridoio buio e gelato, avevo aperto la porta, e mi ero trovato precipitato nel regno dell'orrore.

Erano un centinaio di cuccette: la metà almeno erano occupate da cadaveri irrigiditi dal freddo. Solo due o tre candele rompevano l'oscurità: le pareti e il soffitto si perdevano nelle tenebre, talché sembrava di penetrare in una enorme spelonca. Non vi era alcun riscaldamento, ad eccezione degli aliti infetti dei cinquanta malati ancora vivi. Malgrado il gelo, il tanfo di feci e di morte era cosí intenso che mozzava il fiato, e bisognava fare violenza ai propri polmoni per costringerli ad attingere quell'aria corrotta.

Pure cinquanta vivevano ancora. Stavano raggomitolati sotto le coperte; alcuni gemevano o urlavano, altri scendevano con pena dalle cuccette per evacuare sul pavimento. Chiamavano nomi, pregavano, imprecavano, imploravano aiuto in tutte le lingue d'Europa.

Mi trascinai a tastoni lungo una delle corsie fra le cuccette a tre piani, incespicando e barcollando nel buio sullo strato di escrementi gelati. Udendo il mio passo, le grida raddoppiarono: mani adunche uscivano di sotto le coperte, mi trattenevano per gli abiti, mi toccavano fredde il viso, tentavano di sbarrarmi la strada. Giunsi infine alla parete divisoria, in fondo alla corsia, e trovai chi cercavo. Erano due italiani in una sola cuccetta, stretti fra loro in un viluppo per difendersi dal gelo: Cesare e Marcello.

Conoscevo bene Marcello: veniva da Cannaregio, l'antichissimo ghetto di Venezia, era stato a Fossoli con me, e aveva passato il Brennero nel vagone attiguo al mio. Era sano e forte, e fino alle ultime settimane di Lager aveva tenuto duro, sopportando valorosamente la fame e la fatica: ma il freddo dell'inverno lo aveva piegato. Non parlava più, ed io, al lume del fiammifero che accesi, stentai a riconoscerlo: un viso giallo e nero di barba, tutto naso e denti; gli occhi lucidi e dilatati dal delirio, fissi nel vuoto. Per lui c'era poco da fare.

Cesare, invece, lo conoscevo appena, poiché era arrivato a Buna da Birkenau pochi mesi prima. Mi chiese acqua, prima che cibo: acqua, perché da quattro giorni non beveva, e lo bruciava la febbre, e la dissenteria lo svuotava. Gliene portai, insieme con gli avanzi della nostra minestra: e non sapevo di porre cosí le basi di una lunga e singolare amicizia.

Le sue capacità di ripresa dovevano essere straordinarie, poiché lo ritrovai nel campo di Bogucice due mesi dopo, non solo ristabilito, ma poco meno che florido, e vispo come un grillo; eppure era reduce da una avventura addizionale che aveva messo a estrema prova le naturali qualità del suo ingegno, consolidate alla dura scuola del Lager.

Dopo l'arrivo dei russi, era stato ricoverato anche lui in Auschwitz fra i malati, e siccome la sua malattia non era grave, e la sua fibra robusta, era guarito presto; anzi, un po' troppo presto. Verso la metà di marzo, le armate tedesche in rotta si erano concentrate attorno a Breslavia, e

avevano tentato una ultima disperata controffensiva in direzione del bacino minerario slesiano. I russi erano stati colti di sorpresa: forse sopravvalutando l'iniziativa avversaria, si erano affrettati ad approntare una linea difensiva. Occorreva una lunga trincea anticarro, che sbarrasse la valle dell'Oder fra Oppeln e Gleiwitz: le braccia erano scarse, l'opera colossale, la necessità urgente, e i russi provvidero secondo le loro consuetudini, in modo estremamente sbrigativo e sommario.

Un mattino, verso le nove, armati russi avevano improvvisamente bloccato alcune strade centrali di Katowice. A Katowice, e in tutta la Polonia, mancavano gli uomini: la popolazione maschile in età di lavoro era sparita, prigioniera in Germania e in Russia, dispersa nelle bande partigiane, massacrata in battaglia, nei bombardamenti, nelle rappresaglie, nei Lager, nei ghetti. La Polonia era un paese in lutto, un paese di vecchi e di vedove. Alle nove di mattina non c'erano che donne in strada: massaie con la borsa o il carrettino, in cerca di viveri e di carbone per le botteghe e i mercati. I russi le avevano messe in fila per quattro con la borsa e tutto, le avevano condotte alla stazione e spedite a Gleiwitz.

Simultaneamente, e ciò cinque o sei giorni prima che io vi arrivassi col greco, avevano circondato a un tratto il campo di Bogucice: urlavano come cannibali, e sparavano colpi in aria per intimorire chi tentasse di svignarsela. Avevano messo a tacere senza molti complimenti i colleghi tranquilli della Kommandantur, che avevano cercato timidamente di interporsi, erano penetrati nel campo coi mitra all'anca, e avevano fatto uscire tutti dalle baracche.

Sullo spiazzo centrale del campo si era quindi svolta una sorta di versione caricaturale delle selezioni tedesche. Una versione assai meno sanguinosa, poiché si trattava di andare al lavoro e non alla morte; in compenso, molto piú caotica ed estemporanea.

Mentre alcuni soldati andavano per le baracche a snidare i renitenti, e li inseguivano poi in corsa pazza come in

un gran gioco di rimpiattino, altri si erano messi sulla porta, ed esaminavano uno per uno gli uomini e le donne che a mano a mano venivano loro presentati dai cacciatori, o si presentavano spontaneamente. Il giudizio se «bolnoj» o «zdorovyj» (ammalato o sano) veniva pronunziato collegialmente, per acclamazione, non senza dispute rumorose nei casi controversi. I «bolnoj» venivano rimandati in baracca; gli «zdorovyj» messi in fila davanti al reticolato.

Cesare era stato fra i primi a capire la situazione («a svagare il movimento», diceva lui), si era condotto con lodevole perspicacia, e per un pelo non era riuscito a farla franca: si era nascosto nella legnaia, un posto a cui nessuno aveva pensato, e ci era rimasto fino alla fine della caccia, ben zitto e fermo sotto i tronchetti, una spalliera dei quali si era fatta crollare addosso. Ed ecco, uno schiappino qualsiasi, in cerca di rifugio, era venuto a cacciarsi là dentro tirandosi dietro un russo che lo inseguiva. Cesare era stato pescato, e dichiarato sano: per pura rappresaglia, perché era uscito di fra la legna che sembrava un Cristo in croce, anzi, uno storpio deficiente, e avrebbe commosso un sasso: tremolava tutto, si era fatto venire la bava alla bocca, e camminava tutto sbilenco, arrancando, trascinando una gamba, con gli occhi strabici e spiritati. Lo avevano ugualmente aggregato alla fila dei sani: dopo qualche secondo, con una fulminea inversione di tattica, aveva tentato di darsela a gambe, e di rientrare nel campo per il buco nel fondo. Ma era stato raggiunto, aveva rimediato una sventola e un calcio negli stinchi, e si era rassegnato alla sconfitta.

I russi li avevano portati fino oltre Gleiwitz a piedi, piú di trenta chilometri; laggiú li avevano sistemati alla meglio in stalle e fienili, e gli avevano fatto fare una vita da cani. Mangiare poco, e sedici ore al giorno di picco e pala, pioggia o sole che fosse, col russo sempre lí col mitra puntato: gli uomini alla trincea, e le donne (quelle del campo e le polacche trovate in strada) a pelare patate, fare cucina e le pulizie.

Era dura; ma a Cesare piú che il lavoro e la fame cuoceva lo smacco. Farsi castigare cosí, come un pivetto, lui che aveva tenuto banco a Porta Portese! Tutto Trastevere ne avrebbe riso. Bisognava che si riabilitasse.

Lavorò tre giorni; il quarto, barattò la pagnotta contro due sigari. Uno lo mangiò; l'altro, lo fece macerare nell'acqua e se lo tenne tutta notte sotto l'ascella. Il giorno dopo era pronto per marcare visita: aveva tutto quanto occorreva, una febbre da cavallo, coliche orrende, vertigini, vomito. Lo misero a letto, ci stette fino a che l'intossicazione fu smaltita, poi di notte se ne andò liscio come l'olio, e se ne tornò a Bogucice a piccole tappe, con la coscienza tranquilla. Trovai modo di farlo sistemare nella mia camera, e non ci separammo piú fino al viaggio di ritorno.

– Qui ci risiamo, – disse Cesare infilandosi le brache, cupo in viso, quando, pochi giorni dopo il suo ritorno, la quiete notturna del campo fu drammaticamente rotta. Era un finimondo, una esplosione: soldati russi correvano su e giú per i corridoi, battevano contro le porte delle camerate col calcio dei mitra, urlando comandi concitati e incomprensibili; poco dopo arrivò lo stato maggiore, Marja in cernecchi, Egorov e Dancenko vestiti a mezzo, seguiti dal ragionier Rovi, smarrito e insonnolito ma in alta uniforme. Bisognava alzarsi e vestirsi, subito. Perché? Erano tornati i tedeschi? Ci trasferivano? Nessuno sapeva niente.

Riuscimmo infine a catturare Marja. No, i tedeschi non avevano sfondato il fronte, ma la situazione era ugualmente molto grave. «Inspektsija»: quel mattino stesso arrivava un generale, da Mosca, a ispezionare il campo. L'intera Kommandantur era in preda al panico e alla disperazione, in uno stato d'animo da dies irae.

L'interprete di Rovi galoppava di camerata in camerata, vociferando ordini e contrordini. Comparvero scope, stracci, secchi; tutti erano mobilitati, bisognava pulire i vetri, fare sparire i cumuli di immondizia, spazzare i pavi-

menti, lucidare le maniglie, togliere le ragnatele. Tutti si
misero al lavoro, sbadigliando e imprecando. Passarono le
due, le tre, le quattro.

Verso l'alba, si cominciò a sentire parlare di «uborna-
ja»: la latrina del campo rappresentava infatti un brutto
problema.

Era un edificio in muratura, situato nel bel mezzo del
campo, ampio, vistoso, impossibile a nascondere o a ma-
scherare. Da mesi nessuno provvedeva alla pulizia e alla
manutenzione: all'interno, il pavimento era sommerso da
un palmo di lordura stagnante, tanto che vi avevamo con-
fitto grossi sassi e mattoni, e per entrare si doveva saltella-
re dall'uno all'altro in equilibrio precario. Dalle porte e
dalle crepe dei muri il liquame traboccava all'esterno, at-
traversava il campo sotto forma di rigagnolo fetido, e si
perdeva a valle in mezzo ai prati.

Il capitano Egorov, che sudava sangue e aveva perduto
compiutamente la testa, scelse fra noi una corvée di dieci
uomini, e li fece mandare sul posto con scope e secchi di
cloro, con l'incarico di fare pulizia. Ma era chiaro a un
bambino che dieci uomini, anche se muniti di strumenti
adatti, e non solo di scope, ci avrebbero impiegato almeno
una settimana; e quanto al cloro, tutti i profumi d'Arabia
non sarebbero bastati a bonificare il luogo.

Non è infrequente che dall'urto fra due necessità scatu-
riscano decisioni insensate, là dove sarebbe piú savio la-
sciare che il dilemma si sciolga per virtú propria. Un'ora
piú tardi (e l'intero campo ronzava come un alveare distur-
bato) la corvée venne richiamata, e si videro arrivare tut-
ti e dodici i territoriali del comando, con legname, chiodi,
martelli, e rotoli di filo spinato. In un batter d'occhio tutte
le porte e le finestre della scandalosa latrina furono chiuse,
sbarrate, sigillate con tavole di abete spesse tre dita, e tut-
te le pareti, fino al tetto, furono coperte da un groviglio
inestricabile di filo spinato. La decenza era salva: il piú di-
ligente degli ispettori degli ispettori non avrebbe potuto
materialmente mettervi piede.

Venne mezzogiorno, venne sera, e del generale nessuna traccia. Il mattino dopo se ne parlava già un po' meno; il terzo giorno non se ne parlava piú affatto, i russi della Kommandantur erano ritornati alla loro abituale e benefica incuria e sciatteria, due tavole erano state schiodate dalla porta di dietro della latrina, e tutto era rientrato nell'ordine.

Un ispettore venne, tuttavia, qualche settimana piú tardi; venne a controllare l'andamento del campo, e piú precisamente le cucine, e non era un generale, ma un capitano che portava un bracciale con la sigla NKVD, di fama lievemente sinistra. Venne, e dovette trovare particolarmente gradevoli le sue mansioni, o le ragazze della Kommandantur, o l'aria dell'Alta Slesia, o la vicinanza dei cuochi italiani: perché non se ne andò piú, e restò a ispezionare la cucina tutti i giorni fino a giugno, quando partimmo, senza esercitare visibilmente alcun'altra attività utile.

La cucina, gestita da un barbarico cuoco bergamasco e da un numero imprecisato di assistenti volontari grassi e lustri, era situata subito fuori della recinzione, ed era costituita da un capannone riempito quasi per intero dalle due grosse marmitte di cottura, che riposavano su fornelli di cemento. Vi si entrava salendo due scalini, e non c'era porta.

L'ispettore fece la sua prima ispezione con molta dignità e serietà, prendendo appunti su un libretto. Era un ebreo sulla trentina, lunghissimo e dinoccolato, con un bel volto ascetico da Don Chisciotte. Ma il secondo giorno aveva scovato chissà dove una motocicletta, e fu folgorato da un cosí ardente amore, che da allora in poi non furono piú visti disgiunti mai.

La cerimonia della ispezione divenne un pubblico spettacolo, a cui assistevano sempre piú numerosi i borghesi di Katowice. L'ispettore arrivava verso le undici come una tromba d'aria: frenava di colpo con stridore orribile, e facendo perno sulla ruota anteriore faceva sbandare quella posteriore di un quarto di cerchio. Senza arrestarsi, pun-

tava verso la cucina a testa bassa, come un toro che carichi; superava i due gradini con paurosi sobbalzi; descriveva due 8 frettolosi, con tutto lo scappamento aperto, intorno alle marmitte; volava nuovamente gli scalini all'ingiú, salutava militarmente il pubblico con un sorriso radioso, si curvava sul manubrio, e spariva in una nuvola di fumo glauco e di fracasso.

Il gioco andò liscio per varie settimane; poi, un giorno non si vide né motocicletta né capitano. Questo stava in ospedale, con una gamba rotta; quella era nelle mani amorevoli di un cenacolo di aficionados italiani. Ma furono rivisti ben presto in circolazione: il capitano aveva fatto adattare una mensolina al telaio, e vi teneva appoggiata la gamba ingessata, in posizione orizzontale. Il suo viso dal nobile pallore era atteggiato a felicità estatica; cosí combinato, riprese con impeto appena ridotto le sue quotidiane ispezioni.

Solo quando venne aprile, le ultime nevi si furono sciolte, e il mite sole ebbe prosciugato il fango polacco, incominciammo a sentirci veramente liberi. Cesare era già stato in città varie volte, e insisteva perché lo seguissi nelle sue spedizioni: mi decisi infine a superare l'inerzia, e partimmo insieme in una splendida giornata primaverile.

Su richiesta di Cesare, a cui interessava l'esperimento, non uscimmo dal buco nel reticolato. Uscii io per primo dalla porta grande; la sentinella mi domandò come mi chiamavo, poi mi chiese il lasciapassare ed io lo presentai. Controllò: il nome corrispondeva. Io girai l'angolo, e attraverso il filo spinato passai il rettangolino di cartone a Cesare. La sentinella domandò a Cesare come si chiamava; Cesare rispose «Primo Levi». Gli chiese il lasciapassare: il nome corrispondeva nuovamente, e Cesare uscí in piena legalità. Non che Cesare tenga molto ad agire legalmente: ma gli piacciono le eleganze, i virtuosismi, mettere il prossimo nel sacco senza farlo soffrire.

Eravamo entrati in Katowice allegri come scolari in vacanza, ma il nostro umore spensierato urtava ad ogni passo con lo scenario in cui ci addentravamo. Ad ogni passo ci imbattevamo nelle vestigia della tragedia immane che ci aveva sfiorati e miracolosamente risparmiati. Tombe ad ogni quadrivio, tombe mute e frettolose, senza croce ma sormontate dalla stella rossa, di militari sovietici morti in combattimento. Uno sterminato cimitero di guerra in un parco della città, croci e stelle commiste, e quasi tutte recavano la stessa data: la data della battaglia per le vie, o forse dell'ultimo sterminio tedesco. In mezzo alla via principale, tre, quattro carri armati tedeschi, apparentemente intatti, trasformati in trofei e in monumenti; il prolungamento ideale del cannone di uno fra questi faceva capo a un enorme foro, a metà altezza della casa di fronte: il mostro era morto distruggendo. Ovunque rovine, scheletri di cemento, travi di legno carbonizzate, baracche di lamiera, gente in stracci, dall'aria selvaggia e famelica. Ai crocicchi importanti, segnalazioni stradali infisse a cura dei russi, e curiosamente contrastanti con il nitore e la precisione prefabbricata delle analoghe insegne tedesche, viste prima, e di quelle americane che avremmo viste dopo: rozze tavole di legno greggio, con su scarabocchiati i nomi a mano, col catrame, in caratteri cirillici ineguali; Gleiwitz, Cracovia, Czenstochowa: anzi, poiché il nome era troppo lungo, «Czenstoch» su una tavola, e poi «owa» su di un'altra tavola piú piccola, inchiodata sotto.

Eppure la città viveva, dopo gli anni di incubo della occupazione nazista e l'uragano del passaggio del fronte. Molte botteghe e caffè erano aperti; addirittura proliferante il mercato libero; in funzione i tram, i pozzi di carbone, le scuole, i cinematografi. Per quel primo giorno, poiché fra tutti e due non avevamo un soldo, ci accontentammo di un giro di ricognizione. Dopo qualche ora di marcia in quell'aria frizzante, la nostra fame cronica si era riacutizzata: – Vieni con me, – disse Cesare, – andiamo a fare colazione.

Mi condusse al mercato, nell'ala dove stavano le bancarelle della frutta. Sotto gli occhi malevoli della fruttivendola, colse dal primo banco una fragola, una sola, ma ben grossa, la masticò piano piano, con aria di intenditore, poi scosse il capo: – Nié ddobre, – disse severamente. (– È in polacco, – mi spiegò; – vuol dire che non sono buone –). Passò al banco successivo, e ripeté la scena; e cosí con tutti fino all'ultimo. – Beh? Che aspetti? – mi disse poi con cinica fierezza: – Se hai fame, non hai che da fare come me.

Certo, non era con la tecnica delle fragole che ci saremmo messi a posto: Cesare aveva capito la situazione, e cioè che quello era il momento di dedicarsi seriamente al commercio.

Mi spiegò il suo sentimento: con me era amico, e non mi chiedeva niente, se volevo potevo andare sul mercato con lui, magari dargli anche una mano e imparare il mestiere, ma era indispensabile che lui si trovasse un vero socio, che disponesse di un piccolo capitale iniziale e di una certa esperienza. Anzi, per verità lo aveva già trovato, un certo Giacomantonio dalla faccia da galera, suo vecchio conoscente di San Lorenzo. La forma della società era estremamente semplice: Giacomantonio avrebbe comperato, lui avrebbe venduto, e si sarebbero divisi gli utili in parti uguali.

Comperato che cosa? Di tutto, mi disse: qualunque cosa capitava. Cesare, benché avesse poco piú di vent'anni, vantava una preparazione merceologica sorprendente, paragonabile a quella del greco. Ma, superate le analogie superficiali, mi resi conto ben presto che fra il greco e lui correva un abisso. Cesare era pieno di calore umano, sempre, in tutte le ore della sua vita, e non solo fuori orario come Mordo Nahum. Per Cesare il «lavoro» era volta a volta una sgradevole necessità, o una divertente occasione di incontri, e non una gelida ossessione, né una luciferesca affermazione di se stesso. L'uno era libero, l'altro schiavo di sé; l'uno avaro e ragionevole, l'altro prodigo ed estroso. Il greco era un lupo solitario, in eterna guerra contro tutti,

vecchio anzitempo, chiuso nel cerchio della sua ambizione trista; Cesare era un figlio del sole, un amico di tutto il mondo, non conosceva l'odio né il disprezzo, era vario come il cielo, festoso, furbo e ingenuo, temerario e cauto, molto ignorante, molto innocente e molto civile.

Nella combinazione con Giacomantonio io non volli entrare, ma accettai di buon grado l'invito di Cesare ad accompagnarlo qualche volta al mercato, come apprendista, interprete e portatore. Lo accettai, non solo per amicizia, e per fuggire la noia del campo, ma soprattutto perché assistere alle imprese di Cesare, anche alle piú modeste e triviali, costituiva una esperienza unica, uno spettacolo vivo e corroborante, che mi riconciliava col mondo, e riaccendeva in me la gioia di vivere che Auschwitz aveva spenta.

Una virtú quale quella di Cesare è buona in sé, in senso assoluto; è sufficiente a conferire nobiltà a un uomo, a riscattarne molti eventuali difetti, a salvarne l'anima. Ma in pari tempo, e su di un piano piú pratico, essa costituisce una scorta preziosa per chi intenda esercitare il commercio sulle pubbliche piazze: infatti al fascino di Cesare non era insensibile nessuno, né i russi del comando, né i compagni assortiti del campo, né i cittadini di Katowice che frequentavano il mercato. Ora, è chiaro altresí che, per le dure leggi del commercio, quanto è di vantaggio a chi vende è svantaggioso a chi compra, e viceversa.

Aprile volgeva al fine, e il sole era già caldo e franco, quando Cesare venne ad aspettarmi dopo la chiusura dell'ambulatorio. Il suo socio patibolare aveva fatto una serie di colpi brillanti: aveva comperato per cinquanta zloty complessivi una penna stilografica che non scriveva, un contasecondi, e una camicia di lana in discrete condizioni. Questo Giacomantonio, dal fiuto esperto di ricettatore, aveva avuto la eccellente idea di mettersi di piantone alla stazione di Katowice, in attesa dei convogli russi che rientravano dalla Germania: quei soldati, ormai smobilitati e sulla strada di casa, erano i contraenti piú faciloni che si possano immaginare. Erano pieni di allegria, di noncuran-

za e di preda, non conoscevano le quotazioni locali, e avevano bisogno di soldi.

D'altronde, metteva conto di passare qualche ora alla stazione anche al di fuori di ogni fine utilitario, ma solo per assistere allo straordinario spettacolo dell'Armata Rossa in rimpatrio: spettacolo ad un tempo corale e solenne come una migrazione biblica, e ramingo e variopinto come una trasferta di saltimbanchi. Sostavano a Katowice lunghissimi convogli di carri merci adibiti a tradotta: erano attrezzati per viaggiare mesi, forse fino al Pacifico, ed ospitavano alla rinfusa, a migliaia, militari e civili, uomini e donne, ex prigionieri, tedeschi a loro volta prigionieri; e inoltre merci, mobilia, bestiame, impianti industriali smobilitati, viveri, materiale bellico, rottami. Erano villaggi ambulanti: alcuni carri contenevano quanto appariva un nucleo familiare, una o due paia di letti matrimoniali, un armadio a specchi, una stufa, una radio, sedie e tavoli. Fra un vagone e l'altro erano tesi fili elettrici di fortuna, provenienti dal primo vagone che conteneva un generatore; servivano per l'illuminazione, e in pari tempo a stendervi la biancheria ad asciugare (e a sporcarsi di fuliggine). Quando al mattino si aprivano le porte scorrevoli, sullo sfondo di quegli interni domestici apparivano uomini e donne vestiti a mezzo, dalle larghe faccie assonnate: si guardavano intorno frastornati, senza saper bene in quale punto del mondo si trovavano, poi scendevano a lavarsi all'acqua gelida degli idranti, e offrivano in giro tabacco e fogli della «Pravda» per arrotolare sigarette.

Partii dunque per il mercato con Cesare, che si proponeva di rivendere (magari ai russi stessi) i tre oggetti sopra descritti. Il mercato aveva ormai perso il suo primitivo carattere di fiera delle miserie umane. Il razionamento era stato abolito, o piuttosto era caduto in disuso; dalla ricca campagna circostante arrivavano i carri dei contadini con quintali di lardo e di formaggio, con uova, polli, zucchero, frutta, burro: giardino di tentazioni, sfida crudele alla

nostra fame ossessiva e alla nostra mancanza di quattrini, incitamento imperioso a procurarcene.

Cesare vendette la penna al primo colpo, per venti zloty, senza contrattazione. Non aveva assolutamente bisogno di interprete: parlava soltanto italiano, anzi romanesco, anzi ancora, il gergo del ghetto di Roma, costellato di vocaboli ebraici storpiati. Certo non aveva altra scelta, perché altre lingue non conosceva: ma, a sua insaputa, questa ignoranza giocava fortemente a suo vantaggio. Cesare «giocava nel suo campo», per dirla in termini sportivi: per contro, i suoi clienti, tesi a interpretare la sua parlata incomprensibile e i suoi gesti mai visti, erano distolti dalla necessaria concentrazione; se facevano controfferte, Cesare non le comprendeva, o fingeva testardamente di non comprenderle.

L'arte del ciarlatano non è cosí diffusa come io pensavo: il pubblico polacco pareva la ignorasse, e ne era affascinato. Cesare poi era un mimo di gran classe: sventolava la camicia nel sole, tenendola ben stretta per il colletto (sotto il colletto c'era un buco, ma Cesare la teneva in mano proprio nel punto dove c'era il buco), e ne proclamava le lodi con eloquenza torrenziale, con inserti e divagazioni inedite ed insulse, apostrofando a tratti questo o quello fra il pubblico con nomignoli osceni che si inventava sul momento.

Si interruppe bruscamente (conosceva per istinto il valore oratorio delle pause), baciò la camicia con affetto, e poi, con voce risoluta e insieme commossa, come se gli piangesse il cuore a separarsene, e vi si inducesse solo per amore del suo prossimo, – Tu, panzone, – disse: – quanto mi daresti per 'sta cosciuletta?

Il panzone rimase interdetto. Guardava la «cosciuletta» con desiderio, e con la coda dell'occhio si sbirciava ai fianchi, mezzo sperando e mezzo temendo che qualcun altro facesse la prima offerta. Poi avanzò esitando, tese una mano incerta e borbottò qualcosa come «pingísci». Cesare ritirò la camicia al seno come se avesse visto un aspide.

– Che ha detto, quello? – mi chiese, come se sospettasse di aver ricevuto una offesa mortale; ma era una domanda retorica, poiché riconosceva (o indovinava) i numerali polacchi molto piú prontamente di me.

– Tu sei matto, – disse poi perentorio, puntandosi un indice alla tempia e girandolo come un trapano. Il pubblico rumoreggiava e rideva, parteggiando visibilmente per lo straniero fantastico, venuto dai confini del mondo a far portenti sulle loro piazze. Il panzone se ne stava a bocca aperta, dondolandosi come un orso da un piede all'altro. – Du ferík, – riprese Cesare spietato (intendeva dire «verrückt»); indi, a maggior chiarimento, aggiunse: – Du meschuge –. Esplose un uragano di risa selvagge: questo l'avevano capito tutti. «Meschuge» è un termine ebraico che sopravvive nel yiddish, e pertanto è universalmente compreso in tutta l'Europa centrale e orientale: vale «matto», ma contiene l'idea accessoria di follia vuota, melanconica, ebete e lunare.

Il panzone si grattava la testa e si tirava su i pantaloni, pieno di imbarazzo. – Sto, – disse poi, cercando pace: – Sto zlotych, cento zloty.

L'offerta era interessante. Cesare, alquanto mansuefatto, si rivolse al panzone da uomo a uomo, con voce suadente, come a convincerlo di una qualche sua involontaria ma pur grossolana trasgressione. Gli parlò a lungo, a cuore aperto, con calore e confidenza, dicendogli: – Vedi? capisci? non sei d'accordo?

– Sto zlotych, – ripeté quello, testardo.

– Questo è de Capurzio! – mi disse Cesare. Poi, come colto da improvvisa stanchezza, e in un estremo tentativo di accordo, gli mise una mano sulla spalla e gli disse maternamente: – Senti. Senti, compare. Tu non mi hai capito bene. Facciamo cosí, mettiamoci d'accordo. Te me dài tanto cosí – (e gli disegnò 150 col dito sul ventre), – te me dài Sto Pingisciu, e io te la mollo sulla groppa. Va bene?

Il panzone bofonchiava e faceva di no col capo, con gli occhi rivolti in giú; ma l'occhio clinico di Cesare aveva col-

to il segno della capitolazione: un movimento impercetti-
bile della mano verso la tasca posteriore dei pantaloni.

– E dài! Caccia 'ste pignonze! – incalzò Cesare, batten-
do il ferro finché era caldo. Le pignonze (il termine polac-
co, dall'ostica grafia ma dall'assonanza cosí curiosamente
nostrana, affascinava Cesare e me) furono infine cacciate,
e la camicia mollata; ma subito Cesare mi strappò energi-
camente alla mia ammirazione estatica.

– A compà: famo resciutte, sennò questi svagano er bú-
cio –. Cosí, per timore che il cliente si accorgesse prema-
turamente del buco, facemmo resciutte (ossia prendemmo
congedo), rinunciando a piazzare l'invendibile contasecon-
di. Camminammo con dignitosa lentezza fino alla cantona-
ta piú vicina, poi svicolammo con la maggior rapidità che
le gambe ci permettevano, e ritornammo al campo per vie
traverse.

Victory Day

La vita nel campo di Bogucice, ambulatorio e mercato, relazioni umane rudimentali con russi, polacchi e altri, rapide alternanze di fame e di ventre pieno, di speranze di ritorno e di delusioni, attesa e incertezza, caserma ed espedienti, quasi una forma frusta di vita militare in un ambiente provvisorio e straniero, suscitava in me disagio, nostalgia, e principalmente noia. Era invece consona alle abitudini, al carattere e alle aspirazioni di Cesare.

A Bogucice, Cesare rifioriva, visibilmente, di giorno in giorno, come un albero in cui monta la linfa di primavera. Aveva ormai al mercato un posto fisso e una clientela affezionata, da lui stesso evocata dal nulla: la Baffona, la Pelleossi, Repiscitto, ben tre Chiappone, Fojjo de Via, Franchestein, una ragazza giunonica che lui chiamava Er Tribunale, e vari altri. In campo, godeva di un prestigio indiscusso: con Giacomantonio aveva fatto questione, ma molti altri gli affidavano merce da vendere, senza contratto, sulla pura fiducia, in modo che il danaro non gli mancava.

Una sera sparí: non si presentò al campo per la cena, e neppure in camerata a dormire. Naturalmente, non denunciammo nulla al Rovi, e tanto meno ai russi, per non creare complicazioni; tuttavia, quando l'assenza si fu prolungata per tre giorni e tre notti, anch'io, che per natura non sono molto apprensivo, e molto meno lo ero nei confronti di Cesare, incominciai a provare una leggera inquietudine.

Cesare tornò all'alba del quarto giorno, malconcio e ispido come un gatto reduce da una tregenda sui tetti. Aveva gli occhi pesti, in fondo ai quali balenava tuttavia una luce fiera. – Lasciatemi perdere, – disse appena entrato, benché nessuno gli avesse chiesto niente, e la maggior parte russassero ancora. Si buttò sulla branda, ostentando una spossatezza estrema; ma dopo pochi minuti, non resistendo alla pressione della grande novità che gli rodeva dentro, venne da me, che mi ero appena svegliato. Rauco e torvo, come se per tre notti avesse danzato con le streghe, mi disse: – Ci siamo. Mi sono messo a posto. Mi sono fatto una pagninca.

A me la notizia non suonò particolarmente entusiasmante. Non era certo lui il primo: già diversi altri italiani, specie fra i militari, si erano fatta la ragazza in città: poiché «pagninca» è l'esatto analogo di «segnorina», e altrettanto deformato nel suono.

Non era una impresa molto ardua, perché gli uomini erano scarsi in Polonia, e molti erano gli italiani che si erano «sistemati», spinti non solo dal mito amatorio nazionale, ma anche da un piú profondo e serio bisogno, dalla nostalgia di una casa e di un affetto. Come conseguenza, in alcuni casi il coniuge defunto o lontano era stato sostituito non solo nel cuore e nel letto della donna, ma in tutte le sue mansioni, e si vedevano italiani scendere coi polacchi nei pozzi di carbone per portare «a casa» la busta paga, servire al banco in bottega, e strane famiglie alla domenica, decorosamente a spasso per i bastioni, l'italiano con la polacca a braccetto, e un bambino troppo biondo per mano.

Ma, mi precisò Cesare, il caso suo era diverso (tutti sono sempre diversi, pensavo io sbadigliando). La sua pagninca era bellissima, nubile, elegante, pulita, innamorata di lui, e quindi anche economica. Era pure molto navigata; aveva solo il difetto di parlare polacco. Perciò, se gli ero amico, dovevo aiutarlo.

Non ero in grado di aiutarlo molto, gli spiegai stanca-

mente. In primo luogo, non sapevo piú di trenta parole di polacco; in secondo, della terminologia sentimentale che gli occorreva ero assolutamente digiuno; in terzo, non mi trovavo nella disposizione d'animo adatta a seguirlo. Ma Cesare non disarmò: forse la ragazza capiva il tedesco. Lui aveva in mente un programma ben preciso; perciò, che gli facessi il santo piacere di non fare dell'ostruzionismo, e di spiegargli bene come si dice in tedesco questo e questo e quest'altro.

Cesare sopravvalutava le mie conoscenze linguistiche. Le cose che voleva sapere da me non si insegnano in alcun corso di tedesco, e tanto meno avevo avuto occasione di impararle in Auschwitz; d'altronde, erano questioni sottili e peculiari, tanto che sussiste in me il sospetto che esse non esistano in alcun'altra lingua oltre all'italiano e al francese.

Gli esposi questi miei dubbi, ma Cesare mi guardò impermalito. Facevo del sabotaggio, era chiaro: era tutta invidia. Si rimise le scarpe e se ne andò brontolando i morti. Tornò dopo mezzogiorno, e mi buttò davanti un bel vocabolario tascabile italiano-tedesco, comperato per venti zloty al mercato. – Qui c'è tutto, – mi disse, con l'aria di chi non ammette altre discussioni e cavilli. Non c'era tutto, purtroppo: mancava anzi proprio l'essenziale, quello che una misteriosa convenzione espunge dall'universo della carta stampata; quattrini sprecati. Cesare se ne andò nuovamente, deluso della cultura, dell'amicizia, e della carta stampata medesima.

Da allora, non fece che rare ricomparse al campo: la pagninca provvedeva generosamente a tutte le sue necessità. Alla fine di aprile scomparve per una settimana filata. Ora quella non era una fine di aprile qualunque: era quella memorabile dell'anno 1945.

Non eravamo purtroppo in grado di intendere i giornali polacchi: ma il corpo dei titoli che cresceva di giorno in giorno, i nomi che vi si leggevano, la stessa aria che si respirava nelle strade e alla Kommandantur, ci facevano

comprendere che la vittoria era vicina. Leggemmo «Vienna», «Coblenza», «Reno»; poi «Bologna»; poi, con entusiasmo commosso, «Torino» e «Milano». Infine, «Mussolini» in caratteri cubitali, seguito da uno spaventoso e indecifrabile participio passato; e da ultimo, in inchiostro rosso e su mezza pagina, l'annunzio definitivo, criptico ed esultante: «BERLIN UPADL!»

Al 30 di aprile Leonardo, io e i pochi altri detentori di un lasciapassare fummo chiamati dal capitano Egorov: con una curiosa aria sorniona ed imbarazzata che non gli conoscevamo, ci fece dire dall'interprete che avremmo dovuto riconsegnare il «propusk»: il giorno dopo ne avremmo ricevuto uno nuovo. Naturalmente non gli credemmo, ma dovemmo ugualmente restituire il tesserino. Il provvedimento ci sembrò assurdo e lievemente vessatorio, e accrebbe in noi l'ansia e l'attesa; ma il giorno seguente ne comprendemmo la ragione.

Il giorno seguente era il 1° maggio; il 3 maggio ricorreva non so quale importante solennità polacca; l'8 maggio la guerra finí. La notizia, per quanto attesa, esplose come un uragano: per otto giorni, il campo, la Kommandantur, Bogucice, Katowice, l'intera Polonia e l'intera Armata Rossa si scatenarono in un parossismo di entusiasmo delirante. L'Unione Sovietica è un gigantesco paese, e alberga nel suo cuore fermenti giganteschi: fra questi, una omerica capacità di gioia e di abbandono, una vitalità primordiale, un talento pagano, incontaminato, per le manifestazioni, le sagre, le baldorie corali.

L'atmosfera intorno a noi si fece torrida in poche ore. C'erano russi dappertutto, usciti come formiche da un formicaio: si abbracciavano come se tutti si conoscessero fra loro, cantavano, urlavano; benché in buona parte malfermi sulle gambe, ballavano fra loro, e travolgevano nei loro abbracci tutti quelli che incontravano per strada. Sparavano in aria, qualche volta anche non in aria: ci fu portato in infermeria un soldatino ancora imberbe, un «parašjutist», trapassato da un colpo di moschetto dall'addome alla

schiena. Il colpo, miracolosamente, non aveva leso organi vitali: il soldato-bambino stette a letto tre giorni, e subí le medicazioni con tranquillità, guardandoci con occhi vergini come il mare; poi, una sera, mentre in strada passava una torma di commilitoni in festa, balzò fuori dalle coperte vestito di tutto punto, con l'uniforme e gli stivali, e da buon paracadutista, sotto gli occhi degli altri malati, si gettò semplicemente in strada dalla finestra del primo piano.

Le già tenui vestigia di disciplina militare svanirono. Davanti alla porta del campo la sentinella, alla sera del 1° maggio, russava ubriaca e sdraiata per terra, col mitra a tracolla; poi non si vide piú. Era inutile rivolgersi alla Kommandantur per qualsiasi urgente necessità: la persona incaricata non c'era, o era a letto a smaltire una sbornia, o occupata in misteriosi febbrili preparativi nella palestra della scuola. Era grande fortuna che la cucina e l'infermeria fossero in mani italiane.

Di quale natura fossero quei preparativi, si seppe ben presto. Stavano organizzando una gran festa per il giorno della fine della guerra: una rappresentazione teatrale con cori, danze e recitazione, offerta dai russi a noi, ospiti del campo. A noi italiani: poiché nel frattempo, in seguito a complicati spostamenti delle altre nazionalità, eravamo rimasti a Bogucice in forte maggioranza, anzi, quasi soli con pochi francesi e greci.

Cesare ritornò fra noi in uno di quei giorni tumultuosi. Era in condizioni assai peggiori della prima volta: infangato fino ai capelli, stracciato, stravolto, e afflitto da un torcicollo mostruoso. Aveva in mano una bottiglia di vodka, nuova e piena, e come prima preoccupazione si diede d'attorno finché non ebbe trovato un'altra bottiglia vuota; indi, fosco e funereo, costruí un ingegnoso imbuto con un pezzo di cartone, travasò la vodka, poi ne ruppe la bottiglia in piccoli pezzi, radunò i cocci in un involto, e in gran segreto andò a seppellirlo in una buca in fondo al campo.

Gli era successa una disgrazia. Una sera che tornava dal mercato in casa della ragazza, ci aveva trovato un russo:

aveva visto nell'anticamera il cappotto militare, col cinturone e la fondina, e una bottiglia. Aveva preso la bottiglia, a titolo di parziale indennizzo, e saviamente se ne era andato: ma il russo, pare, gli era venuto dietro, forse per via della bottiglia, o forse spinto da gelosia retroattiva.

Qui il suo rendiconto si faceva piú oscuro e meno credibile. Aveva cercato invano di sfuggirgli, e in breve si era convinto che tutta l'Armata Rossa era sulle sue tracce. Era finito al Luna Park, ma anche lí la caccia era continuata, per tutta la notte. Le ultime ore le aveva passate agguattato sotto l'impiantito del ballo pubblico, mentre tutta la Polonia gli ballava sulla testa: ma la bottiglia non l'aveva lasciata, perché rappresentava tutto quanto gli era rimasto di una settimana di amore. Aveva distrutto il recipiente originale per prudenza, ed insistette perché il contenuto fosse immediatamente consumato fra noi suoi intimi. Fu una bevuta malinconica e taciturna.

Venne l'8 maggio: giorno di esultanza per i russi, di diffidente vigilia per i polacchi, per noi di gioia venata di nostalgia profonda. Da quel giorno, infatti, le nostre case non erano piú proibite, nessun fronte di guerra piú ce ne separava, nessun ostacolo concreto, solo carte e uffici; sentivamo che il rimpatrio ci era ormai dovuto, e ogni ora passata in esilio ci pesava come piombo; anche di piú ci pesava l'assoluta mancanza di notizie dall'Italia. Ci recammo tuttavia in massa ad assistere alla rappresentazione dei russi, e facemmo bene.

Il teatro era stato improvvisato nella palestra della scuola; del resto, tutto era stato improvvisato, gli attori, le sedie, il coro, il programma, le luci, il sipario. Vistosamente improvvisata era la marsina che indossava il presentatore, il capitano Egorov in persona.

Egorov comparve alla ribalta ubriaco fradicio, infilato in smisurati pantaloni la cui cintura gli arrivava alle ascelle, mentre la coda di rondine spazzava il pavimento. Era in

preda ad una sconsolata tristezza alcoolica, e annunciava con voce sepolcrale i vari numeri comici o patriottici del programma, fra sonori singulti e scoppi di pianto. Il suo equilibrio era dubbio: nei momenti cruciali si afferrava al microfono, e allora il clamore del pubblico si sospendeva a un tratto, come quando un acrobata salta nel vuoto dal trapezio.

Tutti comparvero sul palcoscenico: l'intera Kommandantur. Marja come direttrice del coro, che era ottimo come tutti i cori russi, e cantò *Moskvà mojà* («La mia Mosca») con meraviglioso slancio ed armonia, e palese buona fede. Galina si esibí da sola, in costume circasso e stivaloni, in una vertiginosa danza nella quale rivelò doti atletiche fantastiche ed insospettate: fu subissata di applausi, e ringraziò commossa il pubblico con innumerevoli riverenze settecentesche, rossa in viso come un pomodoro e con gli occhi scintillanti di lagrime. Non furono da meno il dottor Dancenko e il mongolo dai mustacchi, che, pur pieni di vodka, eseguirono in coppia una di quelle indemoniate danze russe in cui si salta per aria, ci si accovaccia, si scalcia e si piroetta come trottole sui talloni.

Seguí una singolare imitazione della *Titina* di Charlie Chaplin, impersonato da una delle floride fanciulle della Kommandantur, dal seno e dalla groppa esuberanti, ma puntigliosamente fedele al prototipo quanto a bombetta, baffi, scarpacce e bastoncino. E finalmente, annunciato da Egorov con voce lagrimosa, e salutato da tutti i russi con un selvaggio urlo di consenso, comparve sulla scena Vanka Vstanka.

Chi sia Vanka Vstanka, non saprei dire con precisione: forse una nota maschera popolare russa. Nella fattispecie, era un pastorello timido, balordo e innamorato, che vorrebbe dichiararsi alla sua bella e non osa. La bella era la gigantesca Vassilissa, la valchiria responsabile del servizio mensa, corvina e membruta, capace di stendere con un manrovescio un commensale turbolento o un cascamorto importuno (e piú di un italiano ne aveva fatto la prova):

ma sulla scena chi l'avrebbe riconosciuta? Era trasfigurata
dalla sua parte: il candido Vanka Vstanka (al secolo, uno
dei tenenti anziani), dal viso impiastricciato di cipria bian-
ca e rosea, la corteggiava alla lontana, arcadicamente, per
venti melodiose strofe a noi purtroppo incomprensibili, e
tendeva verso l'amata mani supplici ed esitanti, che ella re-
spingeva con grazia ridente ma risoluta, gorgheggiando al-
trettante repliche gentili e beffarde. Ma a poco a poco le
distanze diminuivano, mentre il fragore degli applausi cre-
sceva in proporzione; dopo molte schermaglie i due pastori
si scambiavano baci verecondi sulle guance, e finivano con
lo strofinarsi vigorosamente e voluttuosamente schiena
contro schiena, con incontenibile entusiasmo del pubblico.

Uscimmo dal teatro leggermente intronati, ma quasi
commossi. Lo spettacolo ci aveva soddisfatti nell'intimo:
era stato improvvisato in pochi giorni, e si vedeva; era sta-
to uno spettacolo casalingo, senza pretese, puritano, spes-
so puerile. Ma presupponeva qualcosa di non improvvisa-
to, anzi antico e robusto: una giovanile, nativa, intensa ca-
pacità di gioia e di espressione, una amorevole ed amiche-
vole famigliarità con la scena e col pubblico, lontana dalla
esibizione vuota e dalla astrazione cerebrale, dalla conven-
zione e dalla pigra ripetizione di modelli. Perciò era stato,
nei suoi limiti, uno spettacolo caldo, vivo, non volgare,
non qualunque, ricco di libertà e di asserzione.

Il giorno dopo, tutto era rientrato nell'ordine, e i russi,
a meno di alcune lievi ombre intorno agli occhi, avevano
ripreso le loro facce abituali. Incontrai Marja all'infermer-
ria, e le dissi che mi ero molto divertito, e che tutti noi ita-
liani avevamo molto ammirato le virtú sceniche sue e dei
suoi colleghi: il che era pura verità. Marja era, per solito e
per natura, una donna poco metodica ma molto concreta,
saldamente attestata entro il contorno tangibile del giro
dell'orologio e delle pareti domestiche, amica degli uomini
di carne e avversa al fumo delle teorie. Ma quante sono le
menti umane capaci di resistere alla lenta, feroce, inces-

sante, impercettibile forza di penetrazione dei luoghi comuni?

Mi rispose con serietà didascalica. Mi ringraziò offiziosamente delle lodi, e mi assicurò che ne avrebbe fatto parte a tutto il comando; poi mi notificò con molto sussiego che la danza e il canto sono in Unione Sovietica materie di insegnamento scolastico, e cosí pure la recitazione; che è del buon cittadino cercare di perfezionarsi in ogni sua abilità o talento naturale; che il teatro è uno degli strumenti piú preziosi di educazione collettiva; ed altre piattitudini pedagogiche, le quali suonavano assurde e vagamente irritanti al mio orecchio, ancor pieno del gran vento di vitalità e di forza comica della sera avanti.

D'altronde Marja stessa («vecchia e matta», secondo il giudizio della diciottenne Galina) sembrava possedesse una seconda personalità, ben distinta da quella ufficiale: poiché era stata vista la sera prima, dopo il teatro, bere come una voragine, e ballare come una baccante fino a tarda notte, stancando innumerevoli ballerini, come un cavaliere furibondo che schianta sotto di sé cavallo dopo cavallo.

La vittoria e la pace furono festeggiate anche in altro modo, che per poco, indirettamente, non mi doveva costare assai caro. A metà maggio ebbe luogo un incontro di calcio fra la squadra di Katowice ed una rappresentativa di noi italiani.

Si trattava in realtà di una rivincita: una prima partita era stata disputata senza particolare solennità due o tre settimane prima, ed era stata vinta di larga misura dagli italiani contro una squadra anonima e raccogliticcia di minatori polacchi dei sobborghi.

Ma per la rivincita i polacchi sfoderarono una squadra di prim'ordine: corse voce che alcuni giocatori, e fra questi il portiere, fossero stati fatti arrivare per l'occasione niente meno che da Varsavia, mentre gli italiani, ahimè, non erano in grado di fare altrettanto.

Questo portiere era un portiere da incubo. Era uno spilungone biondo, dal viso emaciato, dal petto concavo e

dalle movenze indolenti da apache. Non possedeva affatto lo scatto, la contrazione enfatica e la nevrotica trepidazione professionale: stava in porta con degnazione insolente, appoggiato a un montante come se al gioco assistesse soltanto, con aria insieme oltraggiata e oltraggiosa. Eppure, le poche volte che la palla veniva calciata in porta dagli italiani, lui era sempre sulla traiettoria, come per caso, pur senza mai fare un movimento brusco: stendeva un lunghissimo braccio, uno solo, che sembrava gli uscisse dal corpo come le corna di una chiocciola, e possedesse la stessa qualità invertebrata e appiccicosa. Ed ecco, la palla vi aderiva solidamente, perdendo tutta la sua forza viva: gli scivolava sul petto, poi giú lungo il corpo e la gamba, fino a terra. L'altra mano non la adoperò mai: la tenne ostentatamente in tasca per tutto l'incontro.

La partita si svolgeva su di un campo di periferia piuttosto lontano da Bogucice, e i russi, per l'occasione, avevano concesso libera uscita all'intero campo. Fu accanitamente disputata non solo fra le due squadre contendenti, ma fra entrambe queste e l'arbitro: poiché arbitro, ospite d'onore, titolare del palco delle Autorità, direttore di gara e segnalinee a un tempo era il capitano della NKVD, l'inconcreto ispettore delle cucine. Ormai guarito alla perfezione della frattura, sembrava seguisse il gioco con interesse intenso, ma non di natura sportiva: con un interesse di natura misteriosa, forse estetico, forse metafisico. Il suo comportamento era irritante, anzi estenuante, se giudicato col metro dei molti competenti presenti fra il pubblico; per altro verso, esilarante, e degno di un comico di gran scuola.

Interrompeva il gioco continuamente, a casaccio, con sibili prepotenti, e con una sadica predilezione per i momenti in cui erano in corso azioni sotto porta; se i giocatori non gli davano retta (e smisero ben presto di dargli retta, perché le interruzioni erano troppo frequenti), scavalcava il parapetto del palco con le sue lunghe gambe stivalate, si cacciava nella mischia fischiando come un treno, e tanto faceva finché non riusciva a impadronirsi del pallone. Al-

lora, a volte lo prendeva in mano, rigirandolo da tutte le parti con aria sospettosa, come se fosse stato una bomba inesplosa; altre volte, con gesti imperiosi, lo faceva mettere a terra in un determinato punto del terreno, poi si avvicinava poco soddisfatto, lo spostava di qualche centimetro, gli girava intorno a lungo meditabondo, e infine, come convinto di chissà che, faceva cenno di riprendere il gioco. Altre volte ancora, quando gli riusciva di avere il pallone fra i piedi, faceva allontanare tutti, e lo calciava in porta con tutta la forza che aveva: poi si volgeva radioso al pubblico che mugghiava di rabbia, e salutava a lungo stringendosi le mani al di sopra del capo come un pugile vittorioso. Era peraltro rigorosamente imparziale.

In queste condizioni, la partita (che fu meritatamente vinta dai polacchi) si trascinò per oltre due ore, fin verso le sei di sera; e si sarebbe protratta probabilmente fino a notte se fosse dipeso solo dal capitano, che non si preoccupava minimamente dell'orario, si comportava sul campo come il Padrone dopo Dio, e da quella sua malintesa funzione di direttore di gioco sembrava ricavare un divertimento folle e inesauribile. Ma verso il tramonto il cielo si oscurò rapidamente, e quando caddero le prime gocce di pioggia fu fischiata la fine.

La pioggia divenne in breve un diluvio: Bogucice era lontana, ripari per via non ce n'erano, e ritornammo in baracca fradici. Il giorno dopo stavo male, di un male che rimase a lungo misterioso.

Non riuscivo piú a respirare liberamente. Sembrava che nella corsa dei miei polmoni ci fosse un arresto, un dolore acutissimo, una puntura profonda, localizzata da qualche parte sopra lo stomaco, ma dietro, vicino alla schiena; e mi impediva di attingere aria oltre un certo segno. E questo segno scendeva, di giorno in giorno, di ora in ora; la razione d'aria che mi era concessa si riduceva con una progressione lenta e costante che mi atterriva. Il terzo giorno non potevo piú fare alcun movimento; il quarto, giacevo sulla branda supino, immobile, col respiro brevissimo e frequente come quello dei cani accaldati.

I sognatori

[...]

Leonardo cercava di nascondermelo, ma non ci vedeva chiaro, ed era seriamente preoccupato del mio male. Che cosa fosse esattamente, sembrava difficile stabilire, poiché tutto il suo armamentario professionale si riduceva a uno stetoscopio, e ottenere dai russi il mio ricovero presso l'ospedale civile di Katowice sembrava, oltre che assai difficile, anche poco consigliabile; dal dottor Dancenko, poi, non c'era molto aiuto da sperare.

Cosí rimasi per vari giorni sdraiato e immobile, trangugiando solo qualche sorsata di brodo, poiché ad ogni movimento che cercassi di fare, e ad ogni boccone solido che cercassi di inghiottire, il dolore si risvegliava rabbioso e mi mozzava il respiro. Dopo una settimana di tormentosa immobilità, Leonardo, a furia di tamburellarmi la schiena e il petto, riuscí a distinguere un segno: era una pleurite secca, annidata insidiosamente fra i due polmoni, a carico del mediastino e del diaframma.

Fece allora molto piú di quello che normalmente ci si aspetta da un medico. Si mutò in mercante clandestino e in contrabbandiere di medicinali, validamente aiutato da Cesare, e percorse a piedi decine di chilometri in città, da un indirizzo all'altro, in caccia di sulfamidici e di calcio endovenoso. In fatto di medicamenti non ebbe gran successo, perché i sulfamidici erano scarsissimi, e non si trovavano che in borsa nera a prezzi per noi inaccessibili; ma trovò qualcosa di meglio. Scovò in Katowice un misterioso confratello, che disponeva di uno studio non molto legale

ma bene attrezzato, di un armadietto farmaceutico, di molti quattrini e tempo libero, e che infine era italiano o quasi.

Per verità, tutto quanto riguardava il dottor Gottlieb era involto in una fitta nube di mistero. Parlava perfettamente l'italiano, ma altrettanto bene il tedesco, il polacco, l'ungherese e il russo. Veniva da Fiume, da Vienna, da Zagabria e da Auschwitz. Ad Auschwitz era stato, ma in che qualità e condizione non disse mai, né era uomo a cui fosse facile porre domande. Né era facile capire come in Auschwitz fosse sopravvissuto, poiché aveva un braccio anchilosato; ed ancora meno facile immaginare per quali segrete vie, e con quali fantastiche arti, fosse riuscito a rimanere sempre insieme con un fratello e con un altrettanto misterioso cognato, e a diventare in pochi mesi, partendo dal Lager, e in barba ai russi e alle leggi, un uomo facoltoso e il medico piú stimato di Katowice.

Era un personaggio mirabilmente armato. Emanava intelligenza e astuzia come il radio emana energia: con la stessa silenziosa e penetrante continuità, senza sforzo, senza sosta, senza segni di esaurimento, in tutte le direzioni a un tempo. Che fosse un medico abile, era evidente al primo contatto. Se poi questa sua eccellenza professionale fosse solo un aspetto, una faccetta della sua altezza di ingegno, o se fosse questo propriamente il suo strumento di penetrazione, la sua arma segreta per farsi amici e nemici, per vanificare i divieti, per mutare i no in sí, non potei mai stabilire: anche questo faceva parte della nuvola che lo avvolgeva e che si spostava con lui. Era una nuvola quasi visibile, che rendeva mal decifrabili il suo sguardo e i lineamenti del suo viso, e faceva sospettare, sotto ogni sua azione, ogni sua frase, ogni suo silenzio, una tattica e una tecnica, il perseguimento di finalità impercettibili, un continuo scaltro lavorio di esplorazione, di elaborazione, di inserimento e di possesso.

Ma l'ingegno del dottor Gottlieb, tutto teso a fini pratici, non era tuttavia disumano. Era cosí abbondante in lui

la sicurezza, l'abitudine alla vittoria, la fiducia in se stesso, che ne avanzava una grossa razione da stanziare in aiuto del suo prossimo meno dotato; e in specie in aiuto nostro, di noi sfuggiti come lui alla trappola mortale del Lager, circostanza alla quale egli si mostrava stranamente sensibile.

Gottlieb mi portò la salute come un taumaturgo. Venne una prima volta a studiare il caso, poi varie altre munito di fiale e siringhe, e un'ultima volta, in cui mi disse: – Alzati e cammina –. Il dolore era scomparso, il mio respiro era libero; ero molto debole e avevo fame, ma mi alzai, e potevo camminare.

Tuttavia, per una ventina di giorni ancora non uscii dalla camerata. Passavo le interminabili giornate coricato, leggendo avidamente i pochi libri scompagnati che riuscivo a catturare: una grammatica inglese in polacco, *Marie Walewska, le tendre amour de Napoléon*, un manuale di trigonometria elementare, *Rouletabille alla riscossa*, *I forzati della Cajenna*, e un curioso romanzo di propaganda nazista, *Die Grosse Heimkehr* («Il Grande Rimpatrio»), che rappresentava il tragico destino di un villaggio galiziano di pura razza tedesca, angariato, saccheggiato, e infine distrutto, dalla feroce Polonia del maresciallo Beck.

Era triste stare fra quattro muri, mentre fuori l'aria era piena di primavera e di vittoria, e dai boschi non lontani il vento portava odori stimolanti, di muschio, di erba nuova, di funghi; ed era umiliante dover dipendere dai compagni anche per le necessità piú elementari, per ritirare il cibo alla mensa, per avere acqua, nei primi giorni perfino per cambiare posizione nel letto.

I miei compagni di camerata erano una ventina, fra cui Leonardo e Cesare; ma il personaggio di maggior formato, il piú notevole, era il decano fra loro, il Moro di Verona. Doveva discendere da una stirpe tenacemente legata alla terra, poiché il suo vero nome era Avesani, ed era di Avesa, il sobborgo dei lavandai di Verona celebrato da Berto Barbarani. Aveva piú di settant'anni, e li dimostrava tutti: era un gran vecchio scabro dall'ossatura da dinosauro, alto

e ben dritto sulle reni, forte ancora come un cavallo, benché l'età e la fatica avessero tolto ogni scioltezza alle sue giunture nodose. Il suo cranio calvo, nobilmente convesso, era circondato alla base da una corona di capelli candidi: ma la faccia scarna e rugosa era di un olivastro itterico, e violentemente gialli e venati di sangue lampeggiavano gli occhi, infossati sotto enormi archi ciliari come cani feroci in fondo alle loro tane.

Nel petto del Moro, scheletrico eppure poderoso, ribolliva senza tregua una collera gigantesca ma indeterminata: una collera insensata contro tutti e tutto, contro i russi e i tedeschi, contro l'Italia e gli italiani, contro Dio e gli uomini, contro se stesso e contro noi, contro il giorno quando era giorno e contro la notte quando era notte, contro il suo destino e tutti i destini, contro il suo mestiere che pure aveva nel sangue. Era muratore: aveva posato mattoni per cinquant'anni, in Italia, in America, in Francia, poi di nuovo in Italia, infine in Germania, e ogni suo mattone era stato cementato con bestemmie. Bestemmiava in continuazione, ma non macchinalmente; bestemmiava con metodo e con studio, acrimoniosamente, interrompendosi per cercare la parola giusta, correggendosi spesso, e arrovellandosi quando la parola giusta non si trovava: allora bestemmiava contro la bestemmia che non veniva.

Che fosse cinto da una disperata demenza senile, non v'era dubbio: ma c'era grandezza in questa sua demenza, e anche forza, e una barbarica dignità, la dignità calpestata delle belve in gabbia, la stessa che redime Capaneo e Calibano.

Il Moro non si alzava quasi mai dalla branda. Vi stava sdraiato tutto il giorno, con gli enormi piedi gialli e ossuti che sporgevano di due spanne fino in mezzo alla camerata; accanto gli giaceva a terra un grosso fagotto informe, che nessuno di noi mai avrebbe osato toccare. Conteneva, pare, tutti i suoi averi su questa terra; all'esterno dell'involto stava appesa una pesante scure da boscaiolo. Il Moro, per solito, fissava il vuoto con occhi insanguinati e taceva; ma

bastava il minimo stimolo, un rumore nel corridoio, una domanda che gli venisse rivolta, un incauto contatto contro i suoi piedi ingombranti, una fitta di reumatismo, e il suo petto profondo si sollevava come il mare quando gonfia in tempesta, e il meccanismo del vituperio si rimetteva in movimento.

Fra noi era rispettato, e temuto di un timore vagamente superstizioso. Solo Cesare lo avvicinava, con la famigliarità impertinente degli uccelli che razzolano sulla groppa rocciosa dei rinoceronti, e si divertiva a provocarne la collera con domande insulse e indecenti.

Accanto al Moro abitava l'inetto Ferrari dei pidocchi, l'ultimo della classe alla scuola di Loreto. Ma nella nostra camerata non era lui il solo membro della confraternita di San Vittore: essa era rappresentata notabilmente anche dal Trovati e da Cravero.

Il Trovati, Ambrogio Trovati detto Tramonto, non aveva piú di trent'anni; era di piccola statura, ma muscoloso e agilissimo. «Tramonto», ci aveva spiegato, era un nome d'arte: ne andava fiero, e gli si attagliava a pennello, perché era un uomo ottenebrato, che viveva di fantasiosi espedienti in uno stato d'animo di perpetua ribellione frustrata. Aveva trascorso adolescenza e giovinezza fra la prigione e il palcoscenico, e sembrava che le due istituzioni non fossero nettamente divise nella sua mente confusa. La prigionia in Germania, poi, doveva avergli dato il colpo di grazia.

Nei suoi discorsi, il vero, il possibile e il fantastico erano intrecciati in un groviglio vario e inestricabile. Raccontava della prigione e del tribunale come di un teatro, in cui nessuno è veramente se stesso, ma gioca, dimostra la sua abilità, entra nella pelle di un altro, recita una parte; e il teatro, a sua volta, era un gran simbolo oscuro, uno strumento tenebroso di perdizione, la manifestazione esterna di una setta sotterranea, malvagia e onnipresente, che impera a danno di tutti, e che viene a casa tua, ti prende, ti mette una maschera, ti fa diventare quello che non sei e

fare quello che non vuoi. Questa setta è la Società: il gran nemico, contro cui lui Tramonto aveva combattuto da sempre, e sempre era stato sopraffatto, ma ogni volta era eroicamente risorto.

Era la Società che era discesa a cercarlo, a sfidarlo. Lui viveva nell'innocenza, nel paradiso terrestre: era barbiere, padrone di bottega, ed era stato visitato. Erano venuti due messaggeri a tentarlo, a fargli la satanica proposta di vendere la bottega e darsi all'arte. Conoscevano bene il suo punto debole: lo avevano adulato, avevano lodato le forme del suo corpo, la sua voce, l'espressione e la mobilità del suo viso. Lui aveva resistito due, tre volte, poi aveva ceduto, e con in mano l'indirizzo del teatro di posa si era messo a girare per Milano. Ma l'indirizzo era falso, da ogni porta lo rimandavano a un'altra porta; finché si era accorto della congiura. I due messaggeri, nell'ombra, lo avevano seguito con la macchina da presa puntata, avevano rubato tutte le sue parole e i suoi gesti di disappunto, e cosí lo avevano fatto diventare attore a sua insaputa. Gli avevano rubato l'immagine, l'ombra, l'anima. Erano stati loro a farlo tramontare, e a battezzarlo «Tramonto».

Cosí era finita per lui: era nelle loro mani. Il negozio venduto, contratti niente, soldi pochi, qualche particina ogni tanto, qualche furto per tirare avanti. Fino alla sua grande epopea, l'omicidio polposo. Aveva incontrato per strada uno dei suoi seduttori, e lo aveva accoltellato: si era reso reo di omicidio polposo, e per questo suo delitto era stato trascinato in tribunale. Ma non aveva voluto avvocati, perché il mondo intero, fino all'ultimo uomo, era contro di lui, e lui lo sapeva. E tuttavia era stato cosí eloquente, e aveva esposto cosí bene le sue ragioni, che la Corte lo aveva assolto su due piedi con una grande ovazione, e tutti piangevano.

Questo leggendario processo stava al centro della nebulosa memoria del Trovati; lo riviveva in ogni istante della giornata, non parlava d'altro, e spesso, a sera dopo cena, costringeva noi tutti ad assecondarlo, e a ripetere il suo

processo in una sorta di sacra rappresentazione. Assegnava
a ciascuno la sua parte: tu il presidente, tu il pubblico mi-
nistero, voi i giurati, tu il cancelliere, voi altri il pubblico,
e a ciascuno assegnava perentoriamente la sua parte. Ma
l'imputato, e ad un tempo l'avvocato difensore, era sem-
pre e solo lui, e quando ad ogni replica giungeva l'ora della
sua torrenziale arringa, spiegava prima, in un rapido «a
parte», che l'omicidio polposo è quando uno pianta il col-
tello non nel petto, o nella pancia, ma qui, fra il cuore e l'a-
scella, nella polpa; ed è meno grave.

Parlava senza interrompersi, appassionatamente, per
un'ora filata, tergendosi dalla fronte sudore autentico; poi,
gettandosi con ampio gesto sulla spalla sinistra una toga
inesistente, concludeva: – Andate, andate, o serpi, a de-
positare il vostro veleno!

Il terzo di San Vittore, il torinese Cravero, era invece
un furfante compiuto, incontaminato, senza sfumature, di
quelli che è raro trovare, e in cui sembrano prendere corpo
e figura umana le astratte ipotesi criminose del codice pe-
nale. Conosceva bene tutte le galere d'Italia, e in Italia
aveva vissuto (lo ammetteva senza ritegno, anzi con vanto)
di furti, rapine e sfruttamento. Con queste arti in mano,
non aveva trovato alcuna difficoltà a sistemarsi in Germa-
nia: con la Organizzazione Todt aveva lavorato soltanto
un mese, a Berlino, poi era sparito, mimetizzandosi age-
volmente sul fondo buio della malavita locale.

Dopo due o tre tentativi, aveva trovato una vedova che
andava bene. Lui la aiutava con la sua esperienza, le procu-
rava clienti, e si occupava della parte finanziaria nei casi
controversi, fino alla coltellata compresa; lei lo ospitava.
In quella casa, malgrado le difficoltà della lingua, e certe
curiose abitudini della sua protetta, si trovava perfetta-
mente a suo agio.

Quando i russi furono alle porte di Berlino, Cravero,
che non amava i tumulti, aveva levato le ancore, piantan-
do in asso la donna che si scioglieva in lagrime. Ma era sta-
to ugualmente raggiunto dalla rapida avanzata, e di campo

in campo era finito a Katowice; tuttavia non vi rimase a lungo. Fu infatti lui il primo fra gli italiani che si decise a tentare il rimpatrio coi propri mezzi. Avvezzo com'era a vivere al di fuori di ogni legge, l'ostacolo delle molte frontiere da attraversare senza documenti, e del migliaio e mezzo di chilometri da percorrere senza soldi, non lo preoccupava troppo.

Poiché si dirigeva a Torino, si offerse molto cortesemente di portare una lettera a casa mia. Accettai, con una certa leggerezza, come si vide in seguito; accettai perché ero malato, perché posseggo una grande fiducia innata nel mio prossimo, perché la posta polacca non funzionava, e perché Marja Fjodorovna, quando le avevo proposto di scrivere una lettera per mio conto nei paesi d'occidente, era impallidita e aveva cambiato discorso.

Cravero, partito da Katowice a metà maggio, arrivò a Torino nel tempo-primato di un mese, sgusciando come un'anguilla attraverso innumerevoli posti di blocco. Rintracciò mia madre, le consegnò la lettera (e fu l'unico mio segno di vita che in nove mesi giunse a destinazione), e le descrisse confidenzialmente come io mi trovassi in condizioni di salute estremamente preoccupanti: naturalmente non lo avevo messo nella lettera, ma ero solo, ammalato, abbandonato, senza soldi, in urgente bisogno di aiuto; secondo la sua opinione, era indispensabile provvedere immediatamente. Certo l'impresa non era facile: ma lui Cravero, mio amico fraterno, era lí a disposizione. Se mia madre gli avesse consegnato duecentomila lire, in due o tre settimane mi avrebbe riportato a casa a salvamento. Anzi, se la signorina (mia sorella, che assisteva al colloquio) avesse voluto accompagnarlo…

Va ascritto a lode di mia madre e di mia sorella di non aver concesso immediata fiducia al messaggero. Lo rimandarono, pregandolo di ripassare di lí a qualche giorno, perché la somma non era disponibile. Cravero scese le scale, rubò la bicicletta di mia sorella che stava sotto il portone,

e scomparve. Mi scrisse dopo due anni, a Natale, una af-
fettuosa cartolina di auguri dalle Carceri Nuove.

Nelle sere in cui Tramonto ci esentava dalla ripetizione
del processo, era spesso di scena il Signor Unverdorben.
Rispondeva a questo nome strano e bello un mite, anziano
e ombroso ometto di Trieste. Il Signor Unverdorben, che
non rispondeva a chi non lo chiamava «signore», e preten-
deva di essere trattato con il «lei», aveva trascorso una
lunga duplice esistenza avventurosa, e come il Moro e Tra-
monto era prigioniero di un sogno, anzi di due.

Era inesplicabilmente sopravvissuto al Lager di Birke-
nau, e ne aveva riportato un orrendo flemmone a un pie-
de; perciò non poteva camminare, ed era il piú assiduo e il
piú ossequioso fra coloro che mi offrivano compagnia e as-
sistenza durante la mia malattia. Era anche molto loquace,
e se non si fosse spesso ripetuto, secondo il costume dei
vecchi, le sue confidenze potrebbero costituire un roman-
zo a sé stante. Era musicista, un grande musicista incom-
preso, compositore e direttore d'orchestra: aveva compo-
sto un'opera lirica, *La regina di Navarra*, che era stata loda-
ta da Toscanini; ma il manoscritto giaceva inedito in un
cassetto, perché i suoi nemici tanto avevano scrutato nelle
sue carte, con immonda pazienza, che infine avevano sco-
perto come quattro battute consecutive dello spartito si ri-
trovassero identiche nei *Pagliacci*. La sua buona fede era
ovvia, lampante, ma su queste cose la legge non scherza.
Tre battute sí, quattro no. Quattro battute sono un plagio.
Il Signor Unverdorben era troppo signore per sporcarsi le
mani con gli avvocati e le querele: aveva virilmente dato
l'addio all'arte, e si era fatta una esistenza nuova come
cuoco di bordo sui transatlantici di linea.

Cosí aveva molto viaggiato, e aveva visto cose che nes-
sun altro ha visto. Principalmente, aveva visto animali e
piante straordinari, e molti segreti della natura. Aveva vi-
sto i coccodrilli del Gange, che hanno un solo osso rigido
che va dalla punta del naso alla coda, sono ferocissimi e
corrono come il vento; ma, appunto per questa loro singo-

lare struttura, non possono spostarsi che in avanti e indietro, come un treno sui binari, e perciò basta collocarsi di fianco, al di fuori anche di poco della linea retta che costituisce il loro prolungamento, per essere al sicuro. Aveva visto gli sciacalli del Nilo, che bevono correndo per non essere addentati dai pesci: di notte i loro occhi brillano come lanterne, e cantano con rauche voci umane. Aveva anche visto i cappucci della Malesia, che sono fatti come i cavoli nostrani, ma molto piú grossi: e basta toccare le loro foglie con un dito, che non si riesce piú a districarsene, la mano e poi il braccio e poi l'intera persona dell'incauto vengono attirati, lentamente ma irresistibilmente, nel mostruoso cuore appiccicoso della pianta carnivora, e digeriti a poco a poco. L'unico rimedio, che quasi nessuno conosce, è il fuoco, ma bisogna agire prontamente: basta la fiammella di un fiammifero sotto la foglia che ha ghermito la preda, e il vigore della pianta si scioglie. In questo modo, grazie alla sua prontezza e alle sue conoscenze di storia naturale, il Signor Unverdorben aveva salvato da sicura morte il capitano della sua nave. Ci sono poi certi serpentelli neri che dimorano confitti nelle squallide sabbie d'Australia, e che si avventano all'uomo di lontano, per l'aria, come palle di fucile: un loro morso basta a fare cadere riverso un toro. Ma tutto in natura si ricollega, non vi è offesa contro cui non ci sia difesa, ogni veleno ha il suo antidoto: basta conoscerlo. La morsicatura di questi rettili guarisce prontamente se viene trattata con saliva umana; non però quella della persona aggredita. Perciò, in quelle terre, nessuno viaggia mai solo.

Nelle lunghissime sere polacche, l'aria della camerata, greve di tabacco e di odori umani, si saturava di sogni insensati. È questo il frutto piú immediato dell'esilio, dello sradicamento: il prevalere dell'irreale sul reale. Tutti sognavano sogni passati e futuri, di schiavitú e di redenzione, di paradisi inverosimili, di altrettanto mitici e inverosimili nemici: nemici cosmici, perversi e sottili, che tutto

pervadono come l'aria. Tutti, ad eccezione forse di Crave-
ro, e certamente di D'Agata.

D'Agata non aveva tempo di sognare, perché era osses-
sionato dal terrore delle cimici. Queste incomode compa-
gne non piacevano a nessuno, naturalmente; ma tutti ave-
vamo finito col farci l'abitudine. Non erano poche e spar-
se, ma un esercito compatto, che col sopraggiungere della
primavera aveva invaso tutti i nostri giacigli: stavano anni-
date di giorno nelle fenditure dei muri e delle cuccette di
legno, e partivano in scorreria non appena cessava il tra-
mestio del giorno. A cedere loro una piccola porzione del
nostro sangue, ci saremmo rassegnati di buon grado: era
meno facile abituarsi a sentirle correre furtive sul viso e sul
corpo, sotto gli abiti. Potevano dormire tranquilli solo
quelli che avevano la fortuna di godere di un sonno pesan-
te, e che riuscivano a cadere nell'incoscienza prima che
quelle altre si risvegliassero.

D'Agata, che era un minuscolo, sobrio, riservato e puli-
tissimo muratore siciliano, si era ridotto a dormire di gior-
no, e passava le notti appollaiato sul letto, guardandosi in-
torno con occhi dilatati dall'orrore, dalla veglia e dall'at-
tenzione spasmodica. Teneva stretto in mano un aggeggio
rudimentale, che si era costruito con un bastoncello e un
pezzo di rete metallica, e il muro accanto a lui era coperto
di una lurida costellazione di macchie sanguigne.

In principio queste sue abitudini erano state derise: ave-
va forse la pelle più fina di noi altri? Ma poi la pietà aveva
prevalso, commista con una traccia di invidia; perché, fra
tutti noi, D'Agata era il solo il cui nemico fosse concreto,
presente, tangibile, suscettibile di essere combattuto, per-
cosso, schiacciato contro il muro.

Verso sud

Avevo camminato per ore nell'aria meravigliosa del mattino, aspirandola come una medicina fino in fondo ai miei polmoni malconci. Non ero molto solido sulle gambe, ma sentivo un bisogno imperioso di riprendere possesso del mio corpo, di ristabilire il contatto, rotto da ormai quasi due anni, con gli alberi e con l'erba, con la terra pesante e bruna in cui si sentivano fremere i semi, con l'oceano d'aria che convogliava il polline degli abeti, onda su onda, dai Carpazi fino alle vie nere della città mineraria.

Cosí facevo da una settimana, esplorando i dintorni di Katowice. Mi correva nelle vene la dolce debolezza della convalescenza. Mi correvano nelle vene, in quei giorni, anche energiche dosi di insulina, che mi era stata prescritta, trovata, comperata e iniettata per le cure concordi di Leonardo e di Gottlieb. Mentre camminavo, l'insulina compiva in silenzio il suo ufficio prodigioso: girava col sangue in caccia di zucchero, e ne curava la diligente combustione e conversione in energia, distogliendolo da altri meno propri destini. Ma lo zucchero che trovava non era molto: a un tratto, drammaticamente, press'a poco sempre alla stessa ora, le scorte si esaurivano: allora le gambe mi si piegavano sotto, vedevo tutto farsi nero, ed ero costretto a sedermi a terra dove mi trovavo, gelato e sopraffatto da un attacco di fame furiosa. Qui soccorrevano le opere e i doni della mia terza protettrice, Marja Fjodorovna Prima: cavavo di tasca un pacchetto di glucosio e lo tranguiavo con ingordigia. Dopo pochi minuti, la luce ritornava,

il sole si rifaceva caldo, e potevo riprendere il cammino.

Ritornando quel mattino al campo, vi trovai una scena inconsueta. In mezzo al piazzale stava il capitano Egorov, circondato da una densa folla di italiani. Teneva in mano una grossa pistola a tamburo, che però gli serviva soltanto a sottolineare con ampi gesti i passaggi salienti del discorso che stava facendo. Del suo discorso si capiva assai poco. Essenzialmente due parole, perché le ripeteva sovente, ma queste due parole erano messaggi celestiali: «ripatriatsija» e «Odjessa».

Il rimpatrio via Odessa, dunque; il ritorno. L'intero campo perse istantaneamente la testa. Il capitano Egorov fu sollevato dal suolo con la pistola e tutto, e portato precariamente in trionfo. Gente ruggiva: – A casa! a casa! – per i corridoi, altri facevano su i bagagli producendo quanto piú fracasso potevano, e sbattendo fuori dalle finestre stracci, cartaccia, scarpe rotte e ogni genere di ciarpame. In poche ore tutto il campo si svuotò, sotto gli occhi olimpici dei russi: chi andava in città a congedarsi dalla ragazza, chi in pura e semplice bordata di baldoria, chi a spendere gli ultimi zloty in provviste per il viaggio o in altri piú futili modi.

Con quest'ultimo programma scendemmo a Katowice anche Cesare ed io, portando nelle tasche i risparmi nostri e di cinque o sei compagni. Infatti, che cosa avremmo trovato alla frontiera? Non si sapeva, ma da quanto avevamo visto fino allora dei russi e dei loro modi di procedere, non ci sembrava probabile che al confine ci aspettassero dei cambiavalute. Perciò il buon senso, e insieme il nostro felice stato d'animo, ci consigliavano di spendere fino all'ultimo zloty la non grande somma di cui disponevamo: di farla fuori, ad esempio, organizzando un gran pranzo all'italiana, a base di spaghetti al burro, di cui eravamo digiuni da tempo immemorabile.

Entrammo in un negozio di alimentari, mettemmo sul banco tutti i nostri averi, e spiegammo del nostro meglio alla bottegaia le nostre intenzioni. Io le dissi, come d'abi-

tudine, che parlavo tedesco ma non ero tedesco; che eravamo italiani in partenza, e che volevamo comperare spaghetti, burro, sale, uova, fragole e zucchero nelle proporzioni piú opportune e per un ammontare di sessantatre zloty, non uno di piú né uno di meno.

La bottegaia era una vecchietta grinzosa, dall'aria bisbetica e diffidente. Ci guardò attentamente attraverso gli occhiali di tartaruga, poi ci disse chiaro e tondo, in ottimo tedesco, che secondo lei non eravamo italiani proprio niente. Prima di tutto parlavamo tedesco, anche se piuttosto male; poi, e principalmente, gli italiani hanno i capelli neri e gli occhi appassionati, e noi né gli uni né gli altri. Tutt'al piú, poteva concederci di essere croati: anzi, ora che ci pensava, aveva proprio incontrato dei croati che ci somigliavano. Eravamo croati, la cosa era fuori discussione.

Ero abbastanza seccato, e le dissi bruscamente che italiani eravamo, le piacesse o no; ebrei italiani, uno di Roma e uno di Torino, che venivamo da Auschwitz e andavamo a casa, e volevamo comperare e pagare, e non perdere tempo in fandonie.

Ebrei di Auschwitz? Lo sguardo della vecchia si ammorbidí, perfino le rughe sembrarono distendersi. Allora era un'altra faccenda. Ci fece passare nel retrobottega, ci fece sedere, ci offerse due bicchieri di birra autentica, e senza por tempo in mezzo ci raccontò con orgoglio la sua storia favolosa: la sua epopea, vicina nel tempo ma già ampiamente trasfigurata in canzone di gesta, affinata e polita da innumerevoli ripetizioni.

Era consapevole di Auschwitz, e tutto quanto riguardava Auschwitz la interessava, perché aveva rischiato di andarci. Non era polacca, era tedesca: a suo tempo, teneva bottega a Berlino, con suo marito. A loro, Hitler non era mai piaciuto, e forse erano stati troppo incauti nel lasciar trapelare fra il vicinato queste loro opinioni singolari: nel 1935 suo marito era stato portato via dalla Gestapo, e non ne aveva mai piú saputo niente. Era stato un grande dolo-

re, ma mangiare bisogna, e lei aveva continuato nel suo commercio fino al '38, quando Hitler, «der Lump», aveva fatto alla radio il famoso discorso in cui dichiarava che voleva fare la guerra.

Allora lei si era indignata e gli aveva scritto. Gli aveva scritto personalmente, «Al Signor Adolf Hitler, Cancelliere del Reich, Berlino», mandandogli una lunga lettera in cui gli consigliava fermamente di non fare la guerra perché troppe persone sarebbero morte, e inoltre gli dimostrava che se l'avesse fatta l'avrebbe perduta, perché la Germania non poteva vincere contro tutto il mondo, e anche un bambino l'avrebbe capito. Aveva firmato con nome, cognome e indirizzato: poi si era messa ad aspettare.

Cinque giorni dopo erano venute le camicie brune, e col pretesto di fare una perquisizione le avevano saccheggiato e sconquassato casa e bottega. Cosa avevano trovato? Nulla, lei non faceva della politica: soltanto la minuta della lettera. Due settimane dopo l'avevano chiamata alla Gestapo. Pensava che l'avrebbero picchiata e spedita in Lager: invece l'avevano trattata con disprezzo sguaiato, le avevano detto che avrebbero dovuto impiccarla, ma si erano convinti che lei era solo «eine alte blöde Ziege», una vecchia stupida capra, e che per lei la corda sarebbe stata sprecata. Però le avevano ritirata la licenza di commercio e l'avevano espulsa da Berlino.

Aveva vivacchiato in Slesia di borsa nera e di espedienti, finché, secondo le sue previsioni, i tedeschi non avevano perso la guerra. Allora, poiché tutto il vicinato sapeva quello che lei aveva fatto, le autorità polacche non avevano tardato a concederle la licenza per un negozio di commestibili. Cosí ora viveva in pace, fortificata dal pensiero di quanto migliore sarebbe stato il mondo se i grandi della terra avessero seguito i suoi consigli.

Alla vigilia della partenza, Leonardo ed io riconsegnammo le chiavi dell'ambulatorio e prendemmo congedo da

Marja Fjodorovna e dal dottor Dancenko. Marja appariva silenziosa e triste; le chiesi perché non venisse in Italia con noi, al che arrossí come se le avessi rivolto una proposta disonesta. Intervenne Dancenko: portava una bottiglia d'alcool e due fogli di carta. Pensammo dapprima che l'alcool fosse un suo contributo personale alla dotazione di medicinali per il viaggio: ma no, era per i brindisi di addio, che vennero doverosamente scambiati.

E i fogli? Apprendemmo stupefatti che il Comando attendeva da noi due dichiarazioni di ringraziamento per l'umanità e la correttezza con cui a Katowice eravamo stati trattati; Dancenko ci pregò inoltre di menzionare esplicitamente la sua persona e la sua opera, e di firmare aggiungendo al nostro nome la qualifica «Dottore in medicina». Questo, Leonardo poteva farlo e lo fece; ma nel mio caso si trattava di un falso. Ero perplesso, e cercai di farlo intendere a Dancenko; ma questi si stupí del mio formalismo, e picchiando col dito sul foglio mi disse stizzosamente di non fare storie. Firmai come desiderava: perché privarlo di un piccolo aiuto alla sua carriera?

Ma la cerimonia non era ancora finita. A sua volta, Dancenko trasse due attestati, scritti a mano in bella calligrafia su due pezzi di carta a righe, evidentemente strappati a un quaderno di scuola. In quello a me destinato, si dichiara con disinvolta generosità che «Il Medico dottor Primo Levi, di Torino, ha prestato per quattro mesi la sua opera abile e solerte presso l'Infermeria di questo Comando, ed in tal modo ha meritato la gratitudine di tutti i lavoratori del mondo».

Il giorno dopo, il nostro sogno di sempre si era fatto realtà. Alla stazione di Katowice ci aspettava il treno: un lungo treno di vagoni merci, di cui noi italiani (eravamo circa ottocento) prendemmo possesso con fragorosa allegria. Odessa; e poi un fantastico viaggio per mare attraverso le porte dell'Oriente; e poi l'Italia.

La prospettiva di percorrere molte centinaia di chilometri su quei vagoni sconnessi, dormendo sul pavimento nudo, non ci preoccupava affatto, e neppure ci preoccupavano le risibili scorte alimentari assegnateci dai russi: un po' di pane, e una scatola di margarina di soia per ogni vagone. Era una margarina di origine americana, fortemente salata e dura come il formaggio parmigiano: evidentemente destinata a climi tropicali, e finita nelle nostre mani attraverso non immaginabili traversie. Il resto, ci assicurarono i russi con l'abituale noncuranza, ci sarebbe stato distribuito durante il viaggio.

Partí alla metà del giugno 1945 quel treno carico di speranza. Non c'era alcuna scorta, nessun russo a bordo: responsabile del convoglio era il dottor Gottlieb, che si era spontaneamente aggregato a noi, e cumulava nella sua persona le mansioni di interprete, di medico e di console della comunità itinerante. Ci sentivamo in buone mani, lontani da ogni dubbio o incertezza: a Odessa ci aspettava la nave.

Il viaggio durò sei giorni, e se nel corso di esso non fummo spinti dalla fame alla mendicità o al banditismo, ed anzi giungemmo al termine in buone condizioni di nutrizione, il merito ne va esclusivamente al dottor Gottlieb. Immediatamente dopo la partenza era apparso chiaro che i russi di Katowice ci avevano messi in viaggio allo sbaraglio, senza prendere alcun provvedimento né alcun accordo con i loro colleghi di Odessa e delle tappe intermedie. Quando il nostro convoglio si arrestava in una stazione (e si arrestava sovente e a lungo, perché il traffico di linea e i trasporti militari avevano la precedenza), nessuno sapeva cosa fare di noi. I capistazione e i comandanti di tappa ci guardavano arrivare con occhio attonito e desolato, ansiosi a loro volta soltanto di liberarsi della nostra incomoda presenza.

Ma Gottlieb era là, acuto come una spada; non c'era viluppo burocratico, non barriera di negligenza, non ostinazione di funzionario che egli non riuscisse a sgominare, in pochi minuti, ogni volta in modo diverso. Ogni diffi-

coltà si sfaceva in nebbia davanti alla sua sfrontatezza, alla sua alta fantasia, alla sua prontezza di spadaccino. Da ogni suo incontro col mostro dai mille volti, che dimora ovunque si accumulano moduli e circolari, ritornava a noi radioso di vittoria come un san Giorgio dopo il duello col drago, e ce ne raccontava le rapide vicende, troppo conscio della sua superiorità per gloriarsene.

Il capotappa, ad esempio, aveva preteso il nostro foglio di via, che notoriamente non esisteva; e lui aveva detto che andava a prenderlo ed era entrato nel botteghino del telegrafo lí accanto e ne aveva fabbricato uno in pochi istanti, compilato nel piú verosimile dei gerghi d'ufficio, su un foglio di carta qualunque che aveva talmente rimpinzato di timbri, bolli e firme illeggibili da renderlo santo e venerando come una autentica emanazione del Potere. Oppure ancora, si era presentato alla fureria di una Kommandantur, e aveva rispettosamente notificato che in stazione soggiornavano ottocento italiani che non avevano da mangiare. Il furiere aveva risposto «nicevò», che il suo magazzino era vuoto, che ci voleva l'autorizzazione, che avrebbe provveduto l'indomani, e aveva cercato goffamente di metterlo alla porta come un qualunque postulante increscioso; ma lui aveva sorriso, e gli aveva detto: – Compagno, tu non hai capito bene. Questi italiani *devono* ricevere da mangiare, e oggi stesso: poiché è Stalin che lo vuole –; e i viveri erano arrivati in un baleno.

Ma per me quel viaggio riuscí tormentoso oltre misura. Della pleurite dovevo essere guarito, ma il mio corpo era in aperta ribellione, e sembrava deliberato a farsi gioco dei medici e delle medicine. Tutte le notti, durante il sonno, furtivamente mi invadeva la febbre: una febbre intensa, di natura sconosciuta, che toccava il suo massimo verso il mattino. Mi svegliavo prostrato, cosciente solo a mezzo, e con un polso, o un gomito, o un ginocchio, inchiodati da dolori lancinanti. Giacevo cosí, sul pavimento del vagone o sul cemento delle banchine, in preda al delirio e al dolore, fin verso mezzogiorno: poi, entro poche ore, tutto rien-

trava nell'ordine, e verso sera mi sentivo in condizioni pressoché normali. Leonardo e Gottlieb mi guardavano perplessi e impotenti.

Il treno percorreva pianure coltivate, città e villaggi foschi, foreste dense e selvagge che credevo scomparse da millenni dal cuore dell'Europa: conifere e betulle talmente fitte che, per attingere la luce del sole, dalla reciproca concorrenza erano costrette a spingersi disperatamente all'insú, in una verticalità opprimente. Il treno si faceva strada come in galleria, in una penombra verde-nera, frammezzo ai tronchi nudi e lisci, sotto la volta altissima e continua dei rami fittamente intralciati. Rzeszów, Przemyśl dalle truci fortificazioni, Leopoli.

A Leopoli, città-scheletro, sconvolta dai bombardamenti e dalla guerra, il treno sostò per tutta una notte di diluvio. Il tetto del nostro vagone non era stagno: dovemmo scendere, e cercare riparo. Con pochi altri, non trovammo di meglio che il sottopassaggio di servizio: buio, due dita di fango, e feroci correnti d'aria. Ma a metà notte giunse puntuale la febbre, come una pietosa mazzata sul capo, a portarmi il beneficio ambiguo dell'incoscienza.

Ternopol, Proskurov. A Proskurov il treno giunse al tramonto, la locomotiva fu staccata, e Gottlieb ci assicurò che fino al mattino non saremmo ripartiti. Ci disponemmo pertanto a pernottare in stazione. La sala d'aspetto era molto ampia: Cesare, Leonardo, Daniele ed io prendemmo possesso di un angolo, Cesare partí per il paese in qualità di addetto alla sussistenza, e tornò poco dopo con uova, insalata e un pacchetto di tè.

Accendemmo un fuoco sul pavimento (non eravamo i soli, né i primi: la sala era cosparsa degli avanzi di innumerevoli bivacchi di gente che ci aveva preceduti, e il soffitto e i muri erano affumicati come quelli di una vecchia cucina). Cesare fece cuocere le uova, e preparò un tè abbondante e bene zuccherato.

Ora, o quel tè era ben piú gagliardo di quello nostrano, o Cesare doveva aver sbagliato le dosi: poiché in breve

ogni traccia di sonno e di stanchezza fuggí da noi, e ci sentimmo invece vivificati da uno stato d'animo inconsueto, alacre, ilare, teso, lucido, sensibile. Perciò, ogni fatto e ogni parola di quella notte è rimasto impresso nella mia memoria, e ne posso raccontare come di cose di ieri.

La luce del giorno svaniva con estrema lentezza prima rosea, poi viola, poi grigia; seguí lo splendore argenteo di un tiepido plenilunio. Accanto a noi, che fumavamo e discorrevamo vivacemente, sedevano su una cassetta di legno due ragazze vestite di nero, molto giovani. Parlavano fra loro: non in russo, bensí in yiddish.

– Capisci cosa dicono? – chiese Cesare.

– Qualche parola.

– Dài, allora: attacca. Vedi se ci stanno.

Quella notte tutto mi sembrava facile, perfino capire il yiddish. Con audacia inconsueta, mi rivolsi alle ragazze, le salutai, e sforzandomi di imitarne la pronunzia chiesi loro in tedesco se erano ebree, e dichiarai che anche noi quattro lo eravamo. Le ragazze (avevano forse sedici o diciott'anni) scoppiarono a ridere. – Ihr sprecht keyn Jiddisch: ihr seyd ja keyne Jiden! –: «Voi non parlate yiddish: dunque non siete ebrei!» Nel loro linguaggio, la frase equivaleva ad un rigoroso ragionamento.

Eppure eravamo proprio ebrei, spiegai. Ebrei italiani: gli ebrei, in Italia e in tutta l'Europa occidentale, non parlano yiddish.

Questa, per loro, era una grande novità, una curiosità comica, come se qualcuno affermasse che esistono francesi che non parlano francese. Mi provai a recitare loro l'inizio dello *Shemà*, la preghiera fondamentale israelita: la loro incredulità si attenuò, ma crebbe la loro allegria. Chi aveva mai sentito pronunciare l'ebraico in un modo tanto ridicolo?

La maggiore si chiamava Sore: aveva un piccolo viso arguto e malizioso, pieno di rotondità e di fossette asimmetriche; sembrava che quel nostro zoppicante e faticosis-

simo colloquio le procurasse un divertimento pungente, e
la stimolasse come un solletico.

Ma allora, se noi eravamo ebrei, lo erano anche tutti
quegli altri, mi disse, accennando con gesto circolare agli
ottocento italiani che ingombravano la sala. Che differen-
za c'era fra noi e loro? La stessa lingua, le stesse facce, gli
stessi vestiti. No, le spiegai; quelli erano cristiani, veniva-
no da Genova, da Napoli, dalla Sicilia: forse alcuni di loro
avevano sangue arabo nelle vene. Sore si guardava intorno
perplessa: questa era una grande confusione. Al suo paese
le cose erano molto piú chiare: un ebreo è un ebreo, e un
russo un russo, non ci sono dubbi né ambiguità.

Loro erano due sfollate, mi raccontò. Erano di Minsk,
in Russia Bianca; quando i tedeschi erano stati vicini, la
loro famiglia aveva chiesto di essere trasferita nell'interno
dell'Unione Sovietica, per sfuggire alle stragi degli Ein-
satzkommandos di Eichmann. La domanda era stata ac-
colta alla lettera: tutti quanti erano stati spediti a quattro-
mila chilometri dal loro paese, a Samarcanda, nell'Usbeki-
stan, alle porte del Tetto del Mondo, in vista di montagne
alte settemila metri. Lei e la sorella erano ancora bambine:
poi la mamma era morta, e il padre era stato mobilitato per
non so quale servizio di frontiera. Loro due avevano impa-
rato l'usbeco, e molte altre cose fondamentali: a prendere
la vita giorno per giorno, a viaggiare per continenti con
una valigetta in due, a vivere insomma come gli uccelli del
cielo, che non filano e non tessono e non si curano dell'in-
domani.

Tali erano, Sore e la sua silenziosa sorella. Erano, come
noi, sulla strada del ritorno. Avevano lasciato Samarcanda
in marzo, e si erano messe in via come una piuma si abban-
dona al vento. Avevano percorso, parte in autocarro e par-
te a piedi, il Kara-kum, il Deserto delle Sabbie Nere: era-
no arrivate in treno a Krasnovodsk sul Caspio, e qui ave-
vano aspettato finché un peschereccio le aveva traghettate
a Baku. Da Baku avevano proseguito, sempre con mezzi di
fortuna, poiché soldi non ne avevano, ma in cambio una

sconfinata fiducia nell'avvenire e nel loro prossimo, e un
nativo e intatto amore per la vita.

Tutti intorno dormivano: Cesare assisteva irrequieto al
colloquio, chiedendomi ogni tanto se i preliminari erano
finiti e se si veniva al sodo; poi, deluso, se ne andò all'aria
aperta in cerca di avventure piú concrete.

La pace della sala d'aspetto, e il racconto delle due so-
relle, furono interrotti bruscamente verso mezzanotte. Si
spalancò brutalmente, come per un colpo di vento, una
porta che attraverso un breve corridoio metteva in comu-
nicazione la sala grande con un'altra piú piccola, riservata
ai militari di passaggio. Sulla soglia apparve un soldato rus-
so, giovanissimo, ubriaco: si guardò intorno con occhi va-
ghi, poi partí davanti a sé a testa bassa, con paurose borda-
te, come se a un tratto il pavimento si fosse fortemente in-
clinato sotto di lui. Nel corridoio stavano in piedi tre uffi-
ciali sovietici, assorti in colloquio. Il soldatino, giunto alla
loro altezza, frenò, si irrigidí sull'attenti, salutò militar-
mente, e i tre risposero dignitosamente al saluto. Poi ripar-
tí a semicerchi come un pattinatore, infilò di precisione la
porta che dava all'esterno, e lo si udí vomitare e singultare
rumorosamente sulla banchina. Rientrò con passo un po'
meno incerto, salutò di nuovo i tre ufficiali impassibili, e
sparí. Dopo un quarto d'ora, la scena si ripeté identica, co-
me in un incubo: ingresso drammatico, pausa, saluto, fret-
toloso percorso sghembo fra le gambe dei dormienti verso
l'aria aperta, scarico, ritorno, saluto; e cosí di seguito per
infinite volte, a intervalli regolari, senza che mai i tre gli
dedicassero altro che una distratta occhiata e un corretto
saluto colla mano alla visiera.

Cosí trascorse quella notte memorabile, finché la febbre
non mi vinse: allora mi sdraiai a terra, pieno di brividi.
Venne Gottlieb, e portava con sé un farmaco inconsueto:
mezzo litro di vodka selvaggia, un distillato clandestino
che aveva comperato dai contadini dei dintorni: sapeva di
muffa, di aceto e di fuoco. – Bevi, – mi disse, – bevila tut-

ta. Ti farà bene, e d'altronde non abbiamo altro, qui, per il tuo male.

Bevvi non senza sforzo il filtro infernale, scottandomi fauci e gola, e in breve piombai nel nulla. Quando mi svegliai il mattino dopo, mi sentivo oppresso da un gran peso: ma non era la febbre, né un cattivo sogno. Giacevo sepolto sotto uno strato di altri dormienti, in una specie di incubatrice umana: gente arrivata durante la notte che non aveva trovato altro posto se non al di sopra di quelli che già stavano coricati sul pavimento.

Avevo sete: grazie all'azione combinata della vodka e del calore animale, dovevo aver perduto molti litri di sudore. La cura singolare aveva avuto pieno successo: la febbre e i dolori erano spariti definitivamente, e non ricomparvero piú.

Il treno ripartí, e in poche ore giungemmo a Žmerinka, nodo ferroviario a 350 chilometri da Odessa. Qui ci attendeva una grossa sorpresa e una feroce delusione. Gottlieb, che aveva conferito con il comando militare del luogo, fece il giro del convoglio, vagone per vagone, e ci comunicò che tutti dovevamo scendere: il treno non proseguiva.

Non proseguiva perché? E come e quando saremmo arrivati a Odessa? – Non lo so, – rispose Gottlieb con imbarazzo: – non lo sa nessuno. So solo che dobbiamo scendere dal treno, sistemarci in qualche modo sui marciapiedi, e aspettare ordini –. Era pallidissimo e visibilmente turbato.

Scendemmo, e pernottammo in stazione: la sconfitta di Gottlieb, la prima, ci sembrava di pessimo auspicio. Il mattino dopo, la nostra guida, insieme con gli inseparabili fratello e cognato, era scomparsa. Erano spariti nel nulla, con tutto il loro vistoso bagaglio: qualcuno disse di averli visti confabulare con ferrovieri russi, e montare nella notte su un treno militare che risaliva da Odessa verso il confine polacco.

Restammo a Žmerinka tre giorni, oppressi da inquietudine, frustrazione o terrore, a seconda dei temperamenti e

dei brandelli di informazione che riuscivamo a estorcere dai russi del luogo. Questi non manifestavano alcuno stupore per la nostra sorte e per la nostra sosta forzata, e rispondevano alle nostre domande nei modi piú sconcertanti. Un russo ci disse che sí, da Odessa erano partite diverse navi con militari inglesi e americani che rimpatriavano, e anche noi, presto o tardi, ci saremmo imbarcati: da mangiare ne avevamo, Hitler non c'era piú, perché lamentarsi? Un altro ci disse che la settimana prima un convoglio di francesi, in viaggio per Odessa, era stato fermato a Žmerinka e dirottato verso nord «perché i binari erano interrotti». Un terzo ci informò che aveva visto con i suoi occhi un trasporto di prigionieri tedeschi in viaggio verso l'Estremo Oriente: secondo lui la faccenda era chiara, non eravamo forse alleati dei tedeschi? ebbene, mandavano anche noi a scavare trincee sul fronte giapponese.

A complicare le cose, il terzo giorno arrivò a Žmerinka, proveniente dalla Romania, un altro convoglio di italiani. Questi avevano un aspetto molto diverso dal nostro: erano circa seicento, uomini e donne, ben vestiti, con valigie e bauli, alcuni con la macchina fotografica a tracolla: quasi dei turisti. Ci guardavano dall'alto in basso, come parenti poveri: loro avevano viaggiato fin lí in un regolare treno di carrozze-passeggeri, pagando il biglietto, ed erano in ordine con passaporto, quattrini, documenti di viaggio, ruolino, e foglio di via collettivo per l'Italia via Odessa. Se solo avessimo ottenuto dai russi di aggregarci a loro, allora anche noi a Odessa ci saremmo arrivati.

Con molta degnazione, ci fecero capire che loro, infatti, erano gente di riguardo: erano funzionari civili e militari della Legazione Italiana di Bucarest, e inoltre gente varia che, dopo lo scioglimento dell'ARMIR, era rimasta in Romania con diverse mansioni, o a pescare nel torbido. C'erano fra loro interi nuclei famigliari, mariti con mogli rumene autentiche, e numerosi bambini.

Ma i russi, a differenza dei tedeschi, non posseggono che in minima misura il talento per le distinzioni e per le

classificazioni. Pochi giorni dopo eravamo tutti in viaggio verso il nord, verso una meta imprecisata, comunque verso un nuovo esilio. Italiani-rumeni e italiani-italiani, tutti sugli stessi carri merci, tutti col cuore stretto, tutti in balìa della indecifrabile burocrazia sovietica, oscura e gigantesca potenza, non malevola verso di noi, ma sospettosa, negligente, insipiente, contraddittoria, e negli effetti cieca come una forza della natura.

Verso nord

Nei pochi giorni che trascorremmo a Žmerinka ci riducemmo alla mendicità; il che, in quelle condizioni, non aveva in sé nulla di particolarmente tragico, di fronte alla molto più grave prospettiva della partenza imminente per una destinazione sconosciuta. Privi come eravamo del talento estemporaneo di Gottlieb, avevamo subito in pieno l'urto della potenza economica superiore dei «rumeni»: questi potevano pagare qualunque merce il quintuplo, il decuplo di noi, e lo facevano, perché anche loro avevano esaurito le scorte alimentari, e anche loro intuivano che si partiva per un luogo in cui il denaro avrebbe contato poco, e sarebbe stato difficile conservarlo.

Ci eravamo accampati alla stazione, e ci inoltravamo spesso nell'abitato. Case basse, ineguali, costruite con curioso e divertente sprezzo della geometria e della norma: facciate quasi allineate, muri quasi verticali, angoli quasi retti; ma qua e là qualche lesena che arieggiava una colonna, con pretenzioso capitello a volute. Spessi tetti di paglia, interni affumicati e bui, in cui si intravvedeva l'enorme stufa centrale con su i paglicci per dormirci, e le icone nere in un angolo. A un quadrivio cantava un cantastorie, gigantesco e canuto, scalzo: fissava il cielo con occhi spenti, e a intervalli chinava il capo e si segnava croci col pollice sulla fronte.

Nella via principale, inchiodata su due paletti infissi nel suolo fangoso, era una tavola di legno su cui era dipinta l'Europa, ormai sbiadita per i soli e le piogge di molte

estati. Doveva aver servito per seguirvi i bollettini di guerra, ma era stata dipinta a memoria, come vista da una lontananza estrema: la Francia era decisamente una caffettiera, la penisola iberica una testa di profilo, col naso che sporgeva dal Portogallo, e l'Italia un autentico stivale, appena appena un po' obliquo, con la suola e il tacco ben lisci e allineati. Nell'Italia erano indicate solo quattro città: Roma, Venezia, Napoli e Dronero.

Žmerinka era un grosso villaggio agricolo, in altri tempi luogo di mercato, come si poteva dedurre dalla vasta piazza centrale, in terra battuta, con numerose file parallele di barre di ferro atte a legarvi il bestiame per la cavezza. Ora era rigorosamente vuota: solo, in un angolo, all'ombra di una quercia, era accampata una tribú di nomadi, visione scaturita da millenni lontani.

Uomini e donne, erano coperti di pelli di capra, serrate contro le membra da corregge di cuoio: portavano ai piedi calzari di scorza di betulla. Erano piú famiglie, una ventina di persone, e la loro casa era un carro enorme, massiccio come una macchina da guerra, fatto di travi appena squadrate e commesse a incastro, poggiato su poderose ruote di legno piene: dovevano aver pena a trainarlo i quattro cavalloni pelosi che si vedevano pascolare poco oltre. Chi erano, donde venivano e dove andavano? Non sapevamo: ma in quei giorni li sentivamo singolarmente vicini a noi, come noi trascinati dal vento, come noi affidati alla mutabilità di un arbitrio lontano e sconosciuto, che trovava simbolo nelle ruote che trasportavano noi e loro, nella stupida perfezione del cerchio senza principio e senza fine.

Non lontano dalla piazza, lungo la ferrovia, ci imbattemmo in un'altra apparizione piena di destino. Un deposito di tronchi, pesanti e grezzi come ogni cosa di quel paese in cui non ha luogo il sottile e il rifinito: fra i tronchi, sdraiati al sole proni, cotti dal sole, stavano una dozzina di prigionieri tedeschi, bradi. Nessuno li sorvegliava, nessuno li comandava né si prendeva cura di loro: secondo ogni

apparenza, erano stati dimenticati, abbandonati puramente alla loro sorte.

Erano vestiti di stracci scoloriti, in cui si riconoscevano tuttavia le orgogliose uniformi della Wehrmacht. Avevano visi smunti, abbacinati, selvaggi: avvezzi a vivere, a operare, a combattere entro gli schemi ferrei dell'Autorità, loro sostegno e loro alimento, al cessare dell'autorità stessa si erano trovati impotenti, esanimi. Quei buoni sudditi, buoni esecutori di tutti gli ordini, buoni strumenti del potere, non possedevano in proprio neppure una parcella di potere. Erano svuotati e inerti, come le foglie morte che il vento ammucchia negli angoli riposti: non avevano cercato salute nella fuga.

Ci videro, e alcuni fra loro mossero verso noi con passi incerti da automi. Ci chiesero pane: non nella loro lingua, bensì in russo. Rifiutammo, poiché il nostro pane era prezioso. Ma Daniele non rifiutò: Daniele, a cui i tedeschi avevano spento la moglie forte, il fratello, i genitori, e non meno di trenta parenti; Daniele, che della razzia nel ghetto di Venezia era il solo superstite, e che dal giorno della liberazione si nutriva di dolore, trasse un pane, e lo mostrò a quelle larve, e lo depose a terra. Ma pretese che venissero a prenderlo strisciando a terra carponi: il che essi fecero docilmente.

Che gruppi di ex prigionieri alleati si fossero imbarcati a Odessa mesi prima, come alcuni russi ci avevano detto, doveva pure essere vero, poiché la stazione di Žmerinka, nostra temporanea e poco intima residenza, ancora ne portava i segni: un arco di trionfo fatto di frasche, ormai appassite, che reggeva la scritta «Viva le Nazioni Unite»; ed enormi orribili ritratti di Stalin, Roosevelt e Churchill, con motti inneggianti alla vittoria contro il comune nemico. Ma la breve stagione della concordia fra i tre grandi alleati doveva ormai volgere al termine, poiché i ritratti erano stinti e dilavati dalle intemperie, e furono deposti durante il nostro soggiorno. Sopraggiunse un imbianchino: eresse una impalcatura lungo la facciata della stazione, e

fece sparire sotto uno strato di intonaco la scritta «Prole-
tari di tutto il mondo, unitevi! »; in luogo della quale, con
un sottile senso di gelo, lettera dopo lettera ne vedemmo
nascere un'altra ben diversa: «Vperëd na Zapàd», «Avan-
ti verso l'Occidente».

Il rimpatrio dei militari alleati era ormai finito, ma altri
convogli arrivavano e partivano verso sud sotto i nostri oc-
chi. Erano tradotte russe anche queste, ma ben distinte
dalla tradotte militari, gloriose e casalinghe, che avevamo
visto transitare per Katowice. Erano le tradotte delle don-
ne ucraine che ritornavano dalla Germania: donne soltan-
to, poiché gli uomini erano andati soldati o partigiani, op-
pure i tedeschi li avevano uccisi.

Il loro esilio era stato diverso dal nostro, e da quello dei
prigionieri di guerra. Non tutte, ma in gran parte, avevano
abbandonato «volontariamente» il loro paese. Una volon-
tà coartata, ricattata, distorta dalla menzogna e dalla pro-
paganda nazista sottile e pesante, che minacciava e blandi-
va dai manifesti, dai giornali, dalla radio: tuttavia una vo-
lontà, un assenso. Donne dai sedici ai quarant'anni, centi-
naia di migliaia, contadine, studentesse, operaie, avevano
lasciato i campi devastati, le scuole chiuse, le officine di-
strutte, per il pane degli invasori. Non poche erano madri,
e per il pane avevano lasciato i figli. In Germania avevano
trovato il pane, il filo spinato, un duro lavoro, l'ordine te-
desco, la servitú e la vergogna: e sotto il peso della vergo-
gna ora rimpatriavano, senza gioia e senza speranza.

La Russia vincitrice non aveva indulgenze per loro.
Tornavano a casa in carri merci, spesso scoperti, divisi
orizzontalmente da un tavolato affinché fosse meglio
sfruttato lo spazio: sessanta, ottanta donne per carro. Non
avevano bagaglio: solo le vesti logore e stinte che portava-
no indosso. Corpi giovanili, ancora solidi e sani, ma visi
chiusi ed acri, occhi fuggitivi, una conturbante, animalesca
umiliazione e rassegnazione; nessuna voce usciva da quei
viluppi di membra, che si scioglievano pigramente quando
i convogli fermavano in stazione. Nessuno le aspettava,

nessuno sembrava accorgersi di loro. Di animali umiliati e
domati erano la loro inerzia, il loro appartarsi, la loro do-
lente mancanza di pudore. Noi soli assistevamo con pietà
e tristezza al loro passaggio, nuova testimonianza e nuovo
aspetto della pestilenza che aveva prostrato l'Europa.

Partimmo da Žmerinka alla fine di giugno, oppressi da
una greve angoscia che era nata dalla delusione e dalla in-
certezza del nostro destino, e aveva trovato una oscura ri-
sonanza e conferma nelle scene cui a Žmerinka avevamo
assistito.

Compresi i «rumeni», eravamo millequattrocento ita-
liani. Fummo caricati su una trentina di carri merci, che
vennero agganciati ad un convoglio diretto a nord. Nessu-
no, a Žmerinka, seppe o volle precisarci la nostra destina-
zione: ma andavamo a nord, via dal mare, via dall'Italia,
verso la prigionia, la solitudine, il buio, l'inverno. Malgra-
do tutto, stimammo buon segno che non ci fossero state
distribuite scorte per il viaggio: forse questo non sarebbe
stato lungo.

Viaggiammo infatti per soli due giorni e una notte, con
pochissime fermate, attraverso uno scenario maestoso e
monotono di steppe deserte, di foreste, di villaggi sperdu-
ti, di lente e larghe fiumane. Pigiati nei vagoni merci, si
stava scomodi: alla prima sera, approfittando di una fer-
mata, Cesare e io scendemmo a terra, per sgranchirci le
gambe e trovare una migliore sistemazione. Notammo che
in testa erano vari vagoni passeggeri, e un vagone inferme-
ria: sembrava vuoto. – Perché non ci saliamo? – propose
Cesare. – È proibito, – risposi io insulsamente. Perché in-
fatti doveva essere proibito, e da chi? Del resto, avevamo
già potuto constatare in varie occasioni che la religione oc-
cidentale (e tedesca in specie) del divieto differenziale non
ha radici profonde in Russia.

Il vagone infermeria non solo era vuoto, ma offriva raf-
finatezze da sibariti. Lavatoi efficienti, con acqua e sa-

pone; sospensioni dolcissime che attutivano le scosse delle ruote; meravigliosi lettini appesi a molle regolabili, completi di lenzuola candide e coperte calde. Al capezzale del letto che avevo scelto, dono supererogatorio del destino, trovai addirittura un libro in italiano: *I ragazzi della via Paal*, che non avevo mai letto da bambino. Mentre i compagni già ci dichiaravano dispersi, trascorremmo una notte di sogno.

Il treno varcò la Beresina alla fine del secondo giorno di viaggio, mentre il sole, rosso come un granato, calando obliquo fra i tronchi con incantata lentezza, vestiva di luce sanguinosa le acque, i boschi e la pianura epica, cosparsa tuttavia di rottami d'armi e di carriaggi. Il viaggio terminò poche ore dopo, in piena notte, nel culmine di un violento temporale. Fummo fatti scendere sotto il diluvio, in una oscurità assoluta, rotta a tratti dai lampi. Camminammo per mezz'ora in fila indiana, nell'erba e nella melma, ciascuno aggrappato come un cieco all'uomo che lo precedeva, e non so chi guidasse il capofila; approdammo infine, bagnati fino alle ossa, in un enorme edificio buio, semidistrutto dai bombardamenti. Continuava a piovere, il pavimento era fangoso e fradicio, e altra acqua cadeva dalle lacune del tetto: attendemmo il giorno in un dormiveglia faticoso e passivo.

Sorse un giorno splendido. Uscimmo all'aperto, e solo allora ci accorgemmo di avere pernottato nella platea di un teatro, e di trovarci in un esteso complesso di caserme sovietiche danneggiate e abbandonate. Tutti gli edifici, inoltre, erano stati sottoposti a una devastazione e spoliazione tedescamente meticolosa: le armate germaniche in fuga avevano asportato tutto quanto era asportabile: i serramenti, le inferriate, le ringhiere, gli interi impianti di illuminazione e di riscaldamento, le tubazioni dell'acqua, perfino i paletti del recinto. Dalle pareti era stato estratto fin l'ultimo chiodo. Da un raccordo ferroviario adiacente erano stati divelti i binari e le traversine: con una macchina apposita, ci dissero i russi.

Piú di un saccheggio, insomma: il genio della distruzione, della controcreazione, qui come ad Auschwitz; la mistica del vuoto, al di là di ogni esigenza di guerra o impeto di preda.

Ma non avevano potuto asportare gli indimenticabili affreschi che ricoprivano le pareti interne: opere di qualche anonimo poeta-soldato, ingenue, forti e grezze. Tre cavalieri giganti, armati di spade, elmi e mazze, fermi su un'altura, in atto di spingere lo sguardo per uno sterminato orizzonte di terre vergini da conquistare. Stalin, Lenin, Molotov, riprodotti con affetto reverente nelle intenzioni, con audacia sacrilega negli effetti, e riconoscibili precipuamente e rispettivamente per i baffoni, la barbetta e gli occhiali. Un ragno immondo, al centro di una ragnatela grande come la parete: ha un ciuffo nero di traverso fra gli occhi, una svastica sulla groppa, e sotto sta scritto: «Morte agli invasori hitleriani». Un soldato sovietico in catene, alto e biondo, che leva una mano ammanettata a giudicare i suoi giudici: e questi, a centinaia, tutti contro uno, seduti sugli scanni di un tribunale-anfiteatro, sono degli schifosi uomini-insetti, dalle facce gialle e grige, adunche, travolte, macabre come teschi, e si ritraggono l'uno contro l'altro, come lemuri che fuggano la luce, respinti nel nulla dal gesto profetico dell'eroe prigioniero.

In queste caserme spettrali, e in parte accampati a cielo aperto nei vasti cortili invasi dall'erba, bivaccavano migliaia di stranieri in transito come noi, appartenenti a tutte le nazioni d'Europa.

Il calore benefico del sole incominciava a penetrare la terra umida, e ogni cosa intorno a noi fumava. Mi allontanai dal teatro di qualche centinaio di metri, inoltrandomi in un prato folto dove intendevo spogliarmi e asciugarmi al sole: e nel bel mezzo del prato, quasi mi attendesse, chi vidi se non lui, Mordo Nahum, il mio greco, quasi irriconoscibile per la suntuosa pinguedine e per l'approssimativa uniforme sovietica che indossava: e mi guardava dagli

scialbi occhi di gufo, persi nel viso roseo, circolare, rosso-barbuto.

Mi accolse con cordialità fraterna, lasciando cadere nel vuoto una mia maligna domanda circa le Nazioni Unite che cosí mal governo avevan fatto di loro greci. Mi chiese come stavo: avevo bisogno di qualcosa? di cibo? di abiti? Sí, non potevo negarlo, avevo bisogno di molte cose. – Si provvederà, – mi rispose misterioso e magnanimo: – io qui conto per qualche cosa –. Fece una breve pausa, e soggiunse: – Hai bisogno di una donna?

Lo guardai interdetto: temevo di non aver capito bene. Ma il greco, in ampio gesto, percorse colla mano tre quarti di orizzonte: e allora mi avvidi che in mezzo all'erba alta, sdraiate al sole, vicine e lontane, giacevano sparse una ventina di vaste fanciulle sonnacchiose. Erano creature bionde e rosee, dalle schiene poderose, dall'ossatura massiccia e dal placido viso bovino, vestite in varie foggie rudimentali e incongrue. – Vengono dalla Bessarabia, – mi spiegò il greco: – sono tutte alle mie dipendenze. Ai russi piacciono cosí, bianche e spesse. Era una gran *pagaille* qui prima; ma da quando me ne occupo io, tutto va a meraviglia: pulizia, assortimento, discrezione, e nessuna questione per i quattrini. È un buon affare, anche: e qualche volta, *moi aussi j'y prends mon plaisir*.

Mi ritornò a mente, sotto nuova luce, l'episodio dell'uovo sodo, e la sfida sdegnosa del greco: – Su, dimmi qualche articolo in cui io non abbia mai commerciato! – No, non avevo bisogno di una donna, o per lo meno non in quel senso. Ci separammo dopo un cordiale colloquio; e dopo di allora, essendosi posato il turbine che aveva sconvolto questa vecchia Europa, trascinandola in una contraddanza selvaggia di separazioni e di incontri, non ho piú rivisto il mio maestro greco, né ho piú sentito parlare di lui.

Una curizetta

Il campo di raccolta in cui avevo cosí fortunosamente ritrovato Mordo Nahum si chiamava Sluzk. Chi cercasse in una buona carta dell'Unione Sovietica il paesino che porta questo nome, con un poco di pazienza potrebbe anche trovarlo, in Russia Bianca, un centinaio di chilometri a sud di Minsk. Ma su nessuna carta geografica è segnato il villaggio che si chiama Staryje Doroghi, nostra ultima destinazione.

A Sluzk, nel luglio 1945, sostavano diecimila persone; dico persone, perché ogni termine piú restrittivo sarebbe improprio. C'erano uomini, ed anche un buon numero di donne e di bambini. C'erano cattolici, ebrei, ortodossi e mussulmani; c'erano bianchi e gialli e diversi negri in divisa americana; tedeschi, polacchi, francesi, greci, olandesi, italiani ed altri; ed inoltre, tedeschi che si pretendevano austriaci, austriaci che si dichiaravano svizzeri, russi che si dichiaravano italiani, una donna travestita da uomo, e perfino, cospicuo in mezzo alla folla cenciosa, un generale magiaro in alta uniforme, litigioso e variopinto e stupido come un gallo.

A Sluzk si stava bene. Faceva caldo, anche troppo; si dormiva per terra, ma non c'era da lavorare e c'era da mangiare per tutti. Anzi, il servizio mensa era meraviglioso: veniva affidato dai russi, a rotazione, per una settimana a ciascuna delle principali nazionalità rappresentate nel campo. Si mangiava in un vasto locale, luminoso e pulito; ogni tavolo aveva otto coperti, bastava arrivare all'ora

giusta e sedersi, senza controlli né turni né code, e subito arrivava la processione dei cucinieri volontari, con vivande sorprendenti, pane e tè. Durante il nostro breve soggiorno erano al potere gli ungheresi: cucinavano degli spezzatini infuocati, e delle enormi razioni di spaghetti col prezzemolo, stracotti e pazzamente zuccherati. Inoltre, fedeli ai loro idoli nazionali, avevano istituito una orchestrina zigana: sei musicanti di paese, in brache di velluto e farsetti di cuoio ricamato, maestosi e sudati, che attaccavano con l'inno nazionale sovietico, quello ungherese e la Hatikvà (in onore del forte nucleo di ungheresi ebrei), e proseguivano poi con frivole csarde interminabili, finché l'ultimo commensale non aveva deposto le posate.

Il campo non era cintato. Era costituito da edifici cadenti, a uno o due piani, allineati ai quattro lati di un vasto spiazzo erboso, probabilmente l'antica piazza d'armi. Sotto il sole ardente della calda estate russa, questo appariva costellato di dormienti, di gente intenta a spidocchiarsi, a rammendarsi gli abiti, a cucinare su fuochi di fortuna; e animato da gruppi piú vitali, che giocavano al pallone o ai birilli. Al centro, dominava una enorme baracca di legno, bassa, quadrata, con tre ingressi tutti sullo stesso lato. Sui tre architravi, in grossi caratteri cirillici tracciati col minio da mano incerta, stavano scritte tre parole: «Mužskaja», «Ženskaja», «Ofitserskaja», vale a dire «Per uomini», «Per donne», «Per ufficiali». Era la latrina del campo, ed insieme la sua caratteristica piú saliente. All'interno, c'era solo un piancito di tavole sconnesse, e cento buchi quadrati, dieci per dieci, come una gigantesca e rabelaisiana tavola pitagorica. Non esistevano suddivisioni fra gli scompartimenti destinati ai tre sessi: o se ce n'erano state, erano scomparse.

L'amministrazione russa non si curava assolutamente del campo, tanto da far dubitare che esistesse: ma doveva pure esistere, dal momento che si mangiava tutti i giorni. In altri termini, era una buona amministrazione.

Passammo a Sluzk una diecina di giorni. Erano giorni

vuoti, senza incontri, senza avvenimenti a cui ancorare la memoria. Provammo un giorno a uscire dal rettangolo delle caserme, e ad inoltrarci nella pianura a raccogliere erbe mangerecce: ma dopo mezz'ora di cammino ci trovammo come in mezzo al mare, al centro dell'orizzonte, senza un albero, un'altura, una casa da scegliere come meta. A noi italiani, abituati alle quinte di montagne e colline, e alla pianura gremita di presenze umane, lo spazio russo immenso, eroico, dava la vertigine, e ci appesantiva il cuore di ricordi dolorosi. Tentammo poi di cuocere le erbe che avevamo raccolte, ma ne cavammo poco utile.

Io avevo trovato in un sottotetto un trattato di ostetricia, in tedesco, bene illustrato a colori, in due pesanti volumi: e poiché la carta stampata è per me un vizio, e da piú di un anno ne ero digiuno, passavo le mie ore leggendo senza metodo; oppure dormendo al sole in mezzo all'erba selvaggia.

Un mattino, con velocità misteriosa e fulminea, si propagò fra noi la notizia che avremmo dovuto lasciare Sluzk, a piedi, per essere sistemati a Staryje Doroghi, a settanta chilometri di distanza, in un campo di soli italiani. I tedeschi, in analoghe circostanze, avrebbero cosparso i muri di manifesti bilingui, nitidamente stampati, con specificata l'ora della partenza, l'equipaggiamento prescritto, la tabella di marcia, e la pena di morte per i renitenti. I russi invece lasciarono che l'ordinanza si propagasse da sé, e che la marcia di trasferimento si organizzasse da sé.

La notizia provocò un certo subbuglio. In dieci giorni, piú o meno bene, a Sluzk ci eravamo ambientati, e soprattutto temevamo di lasciare la stravagante abbondanza delle cucine di Sluzk contro chissà quale altra miserabile condizione. Inoltre, settanta chilometri sono tanti; nessuno fra noi era allenato per una marcia cosí lunga, e pochi disponevano di calzature adatte. Tentammo invano di avere notizie piú precise dal Comando russo: tutto quello che ne potemmo ricavare, fu che si doveva partire al mattino del

20 luglio, e che un Comando russo vero e proprio pareva che non esistesse.

Al mattino del 20 luglio ci trovammo radunati nella piazza centrale, come una immensa carovana di zingari. All'ultimo momento, si era venuto a sapere che fra Sluzk e Staryje Doroghi esisteva un raccordo ferroviario: tuttavia il viaggio in treno fu concesso solo alle donne e ai bambini, e inoltre ai soliti raccomandati, ed ai non meno soliti furbi. D'altronde, per aggirare la tenue burocrazia che reggeva le nostre sorti non occorreva un'astuzia eccezionale: ma tant'è, non molti a quell'epoca se ne erano accorti.

Fu dato verso le dieci l'ordine di partenza, e subito dopo un contrordine. A questa seguirono numerose altre false partenze, cosicché ci muovemmo solo verso mezzogiorno, senza avere mangiato.

Per Sluzk e Staryje Doroghi passa una grande autostrada, la stessa che collega Varsavia con Mosca. A quel tempo era in completo abbandono: era costituita da due carreggiate laterali, in terra nuda, destinate ai cavalli, e da una centrale, già asfaltata ma allora sconvolta dalle esplosioni e dai cingoli dei mezzi corazzati, e quindi poco diversa dalle altre due. Percorre una sterminata pianura, quasi priva di centri abitati, e perciò è costituita da lunghissimi tronconi rettilinei: fra Sluzk e Staryje Doroghi c'era una sola curva appena accennata.

Eravamo partiti con una certa baldanza: il tempo era splendido, eravamo abbastanza ben nutriti, e l'idea di una lunga camminata nel cuore di quel leggendario paese, le paludi del Pripet, aveva in sé un certo fascino. Ma mutammo opinione ben presto.

In nessuna altra parte d'Europa, credo, può accadere di camminare per dieci ore, e di trovarsi sempre allo stesso posto, come in un incubo: di avere sempre davanti a sé la strada diritta fino all'orizzonte, sempre ai due lati steppa e foresta, e sempre alle spalle altra strada fino all'orizzonte opposto, come la scia di una nave; e non villaggi, non case, non un fumo, non una pietra miliare che in qualche modo

segnali che un po' di spazio è pure stato conquistato; e non incontrare anima viva, se non voli di cornacchie, e qualche falco che incrocia pigramente nel vento.

Dopo qualche ora di marcia, la nostra colonna, inizialmente compatta, si snodava ormai per due o tre chilometri. In coda procedeva una carretta militare russa, tirata da due cavalli e guidata da un sottufficiale corrucciato e mostruoso: aveva perso in battaglia le due labbra, e dal naso al mento il suo viso era un teschio terrificante. Avrebbe dovuto, penso, raccogliere gli esausti: si occupava invece diligentemente di recuperare i bagagli che a mano a mano venivano abbandonati sulla pista da gente che per la stanchezza rinunciava a portarli oltre. Per un poco ci illudemmo che li avrebbe restituiti all'arrivo: ma il primo che provò ad arrestarsi e ad attendere la carretta fu accolto con urla, schiocchi di frusta e minacce inarticolate. In questo modo finirono i due volumi di ostetricia, che costituivano di gran lunga la parte piú pesante del mio bagaglio personale.

Al tramonto, il nostro gruppo procedeva ormai isolato. Camminavano accanto a me il mite e paziente Leonardo; Daniele, zoppicante ed inferocito dalla sete e dalla stanchezza; il signor Unverdorben, con un suo amico triestino; e Cesare, naturalmente.

Ci arrestammo a prendere fiato all'unica curva che interrompeva la fiera monotonia della strada; c'era una capanna scoperchiata, forse l'unico resto visibile di un villaggio spazzato dalla guerra. Dietro, scoprimmo un pozzo, a cui ci dissetammo con voluttà. Eravamo stanchi e avevamo i piedi gonfi e piagati. Io avevo perso da tempo le mie scarpe da arcivescovo, ed avevo ereditato da chissà chi un paio di scarpette da ciclista, leggere come piume; ma mi andavano strette, ed ero costretto a toglierle ad intervalli e a camminare scalzo.

Tenemmo un breve consiglio: e se quello ci faceva camminare tutta la notte? Non ci sarebbe stato da stupirsene: una volta a Katowice i russi ci avevano fatto scaricare sti-

vali da un treno per ventiquattr'ore filate, e anche loro la-
voravano con noi. Perché non imboscarci? A Staryje Do-
roghi saremmo arrivati con tutta calma il giorno dopo, il
russo ruolini per fare un appello non ne aveva sicuro, la
notte si annunciava tiepida, acqua ce n'era, e qualcosa per
cena, fra tutti e sei, non molto, ne avevamo. La capanna
era in rovina, ma un po' di tetto per ripararci dalla rugiada
c'era ancora.

– Benissimo, – disse Cesare. – Io ci sto. Per stasera, io
mi voglio fare una gallinella arrostita.

Cosí ci nascondemmo nel bosco finché la carretta con lo
scheletro non fu passata, aspettammo che gli ultimi ritar-
datari se ne fossero andati dal pozzo, e prendemmo posses-
so del nostro luogo di bivacco. Stendemmo a terra le co-
perte, aprimmo i sacchi, accendemmo un fuoco, e comin-
ciammo a preparare la cena, con pane, «kaša» di miglio e
una scatola di piselli.

– Ma quale cena, – disse Cesare; – ma quali piselli. Voi
non avete capito bene. Io stasera voglio fare festa, e mi vo-
glio fare una gallinella arrostita.

Cesare è un uomo indomabile: già me n'ero potuto con-
vincere girando con lui i mercati di Katowice. Fu inutile
rappresentargli che trovare un pollo di notte, in mezzo alle
paludi del Pripet, senza sapere il russo e senza soldi per pa-
garlo, era un proposito insensato. Fu vano offrirgli doppia
razione di «kaša» purché stesse quieto. – Voi statevene
con la vostra cascetta: io la gallina me la vado a cercare da
solo, ma poi non mi vedete piú. Saluto voi e i russi e la ba-
racca, e me ne vado, e torno in Italia da solo. Magari pas-
sando per il Giappone.

Fu allora che mi offrii di accompagnarlo. Non tanto per
la gallina o per le minacce: ma voglio bene a Cesare, e mi
piace vederlo al lavoro.

– Bravo, Lapé, – mi disse Cesare. Lapé sono io: cosí mi
ha battezzato Cesare in tempi remoti, e cosí tuttora mi
chiama, per la ragione seguente. Come è noto, in Lager
avevamo i capelli rasati; alla liberazione, dopo un anno di

rasatura, a tutti, e a me in specie, i capelli erano ricresciuti curiosamente lisci e morbidi: a quel tempo i miei erano ancora molto corti, e Cesare sosteneva che gli ricordavano la pelliccia di coniglio. Ora «coniglio, – anzi, – pelle di coniglio», nel gergo merceologico di cui Cesare è esperto, si dice appunto Lapé. Daniele invece, il barbuto e ispido e aggrondato Daniele, assetato di vendetta e di giustizia come un antico profeta, si chiamava Corallí: perché, diceva Cesare, se piovono coralline (perline di vetro) te le infili tutte.

– Bravo, Lapé, – mi disse: e mi spiegò il suo piano. Cesare è infatti un uomo dai folli propositi, ma li persegue poi con molto senso pratico. La gallina non se l'era sognata: dalla capanna, in direzione nord, aveva svagato un sentiero ben battuto, e quindi recente. Era probabile che conducesse a un villaggio: ora, se c'era un villaggio, c'erano anche le galline. Uscimmo all'aperto: era ormai quasi buio, e Cesare aveva ragione. Sul ciglio di una appena percettibile ondulazione del terreno, a forse due chilometri di distanza, fra tronco e tronco, si vedeva brillare un lumino. Cosí partimmo, inciampando in mezzo agli sterpi, inseguiti da sciami di voraci zanzare; portavamo con noi la sola merce di scambio di cui il nostro gruppo fosse risultato disposto a separarsi: i nostri sei piatti, comuni piatti di terraglia che i russi avevano a suo tempo distribuiti come casermaggio.

Camminavamo nel buio, attenti a non perdere il sentiero, e gridavamo a intervalli. Dal villaggio non rispondeva nessuno. Quando fummo a un centinaio di metri, Cesare si fermò, prese fiato, e gridò: – Ahò; a russacchiotti. Siamo amici. Italianski. Ce l'avreste una gallinella da vendere? – Questa volta la risposta venne: un lampo nel buio, un colpo secco, e il miagolio di una pallottola, qualche metro sopra alle nostre teste. Io mi coricai a terra, pianino per non rompere i piatti; ma Cesare era inferocito, e restò in piedi: – A li morté: ve l'ho detto che siamo amici. Figli di una buona donna, e fateci parlare. Una gallinella, voglia-

mo. Mica siamo banditi, mica siamo dòicce: italianski siamo!

Non ci furono altre fucilate, e già si intravvedevano profili umani sul ciglio dell'altura. Ci avvicinammo cautamente, Cesare avanti, che continuava il suo discorso persuasivo, e io dietro, pronto a buttarmi per terra un'altra volta.

Arrivammo finalmente al villaggio. Non erano piú di cinque o sei case di legno intorno a una minuscola piazza, e su questa, ad attenderci, stava l'intera popolazione, una trentina di persone, in maggioranza contadine anziane, poi bimbi, cani, tutti in visibile allarme. Emergeva fra la piccola folla un gran vecchio barbuto, quello della fucilata: teneva ancora il moschetto a bilanc'arm.

Cesare considerava ormai esaurita la sua parte, che era quella strategica, e mi richiamò ai miei doveri. – Tocca a te, adesso. Cosa aspetti? Dài, spiegagli che siamo italiani, che non vogliamo far male a nessuno, e che vogliamo comperare una gallina da fare arrostire.

Quella gente ci considerava con curiosità diffidente. Sembrava si fossero persuasi che, quantunque vestiti come due evasi, non dovevamo essere pericolosi. Le vecchiette avevano smesso di schiamazzare, ed anche i cani si erano acquietati. Il vecchio col fucile ci rivolgeva delle domande che non capivamo: io di russo non so che un centinaio di parole, e nessuna di esse si attagliava alla situazione, ad eccezione di «italianski». Cosí ripetei «italianski» diverse volte, finché il vecchio non cominciò a sua volta a dire «italianski» a beneficio dei circostanti.

Intanto Cesare, piú concreto, aveva cavato i piatti dal sacco, ne aveva disposto cinque bene in vista a terra come al mercato, e teneva il sesto in mano, dandogli stecche sull'orlo con l'unghia per far sentire che suonava giusto. Le contadine guardavano, divertite e incuriosite. – Tarelki, – disse una. – Tarelki, da! – risposi io, lieto di avere appreso il nome della merce che offrivamo: al che una di loro tese

una mano esitante verso il piatto che Cesare andava mostrando.

– Eh, che ti credi? – disse questi, ritirandolo vivamente: – Mica li regaliamo –. E si rivolse a me inviperito: insomma, cosa aspettavo a chiedere la gallina in cambio? A cosa servivano i miei studi?

Ero molto imbarazzato. Il russo, dicono, è una lingua indoeuropea, e i polli dovevano essere noti ai nostri comuni progenitori in epoca certamente anteriore alla loro suddivisione nelle varie famiglie etniche moderne. «His fretus», vale a dire su questi bei fondamenti, provai a dire «pollo» e «uccello» in tutti i modi a me noti, ma non ottenni alcun risultato visibile.

Anche Cesare era perplesso. Cesare, nel suo intimo, non si era mai fatto pienamente capace che i tedeschi parlassero il tedesco, e i russi il russo, altro che per una stravagante malignità; era poi persuaso in cuor suo che solo per un raffinamento di questa stessa malignità essi pretendessero di non comprendere l'italiano. Malignità, o estrema e scandalosa ignoranza: aperta barbarie. Altre possibilità non c'erano. Perciò la sua perplessità andava rapidamente volgendosi in rabbia.

Borbottava e bestemmiava. Possibile che fosse tanto difficile capire cosa è una gallina, e che volevamo barattarla contro sei piatti? Una gallina, di quelle che vanno in giro beccando, razzolando e facendo «coccodé»: e senza molta fiducia, torvo e ingrugnato, si esibì in una pessima imitazione delle abitudini dei polli, accovacciandosi per terra, raspando con un piede e poi con l'altro, e beccando qua e là con la mano a cuneo. Tra una imprecazione e l'altra, faceva anche «coccodé»: ma, come è noto, questa interpretazione del verso gallinesco è altamente convenzionale; circola esclusivamente in Italia, e non ha corso altrove.

Perciò il risultato fu nullo. Ci guardavano con occhi attoniti, e certamente ci prendevano per matti. Perché, per quale scopo, eravamo arrivati dai confini della terra a fare misteriose buffonate sulla loro piazza? Ormai furibondo,

Cesare si sforzò perfino di fare l'uovo, e intanto li insulta-
va in modi fantasiosi, rendendo cosí anche piú oscuro il
senso della sua rappresentazione. Allo spettacolo impro-
prio, il chiacchiericcio delle comari salí di un'ottava, e si
trasformò in un brusio di vespaio disturbato.

Quando vidi che una delle vecchiette si avvicinava al
barbone, e gli parlava nervosamente guardando dalla no-
stra parte, mi resi conto che la situazione era compromes-
sa. Feci rialzare Cesare dalle sue innaturali positure, lo cal-
mai, e con lui mi avvicinai all'uomo. Gli dissi: – Prego,
per favore, – e lo condussi vicino a una finestra, da cui la
luce di una lanterna illuminava abbastanza bene un rettan-
golo di terreno. Qui, penosamente conscio di molti sguardi
sospettosi, disegnai per terra una gallina, completa di tutti
i suoi attributi, compreso un uovo a tergo per eccesso di
specificazione. Poi mi rialzai e dissi: – Voi piatti. Noi
mangiare.

Seguí una breve consultazione; poi scaturí dal capannel-
lo una vecchia dagli occhi scintillanti di gioia e di arguzia:
fece due passi avanti, e con voce squillante pronunziò:
– Kura! Kúritsa!

Era molto fiera e contenta di essere stata lei a risolvere
l'enigma. Da tutte le parti esplosero risate e applausi, e vo-
ci «kúritsa, kúritsa!»: e anche noi battemmo le mani, presi
dal gioco e dall'entusiasmo generale. La vecchina si inchi-
nò, come una attrice al termine della sua parte; sparí e ri-
comparve dopo pochi minuti con una gallina in mano, già
spennata. La fece dondolare burlescamente sotto il naso di
Cesare, come controprova; e come vide che questi reagiva
positivamente, allentò la presa, raccolse i piatti e se li por-
tò via.

Cesare, che se ne intende perché a suo tempo teneva
banchetto a Porta Portese, mi assicurò che la curizetta era
abbastanza grassa, e valeva i nostri sei piatti; la riportam-
mo in baracca, svegliammo i compagni che già si erano ad-
dormentati, riaccendemmo il fuoco, cucinammo il pollo e lo
mangiammo in mano, perché i piatti non li avevamo piú.

Vecchie strade

La gallina, e la notte passata all'addiaccio, ci fecero bene come medicine. Dopo un buon sonno, che ci ristorò quantunque avessimo dormito sulla nuda terra, ci svegliammo al mattino in ottimo umore e salute. Eravamo contenti perché c'era il sole, perché ci sentivamo liberi, per il buon odore che veniva dalla terra, e anche un poco perché a due chilometri c'era gente non malevola, anzi arguta e disposta al riso, che ci avevano bensí sparato, ma poi ci avevano accolti bene e ci avevano perfino venduto un pollo. Eravamo contenti perché quel giorno (domani non sapevamo: ma non sempre ha importanza ciò che può accadere l'indomani) potevamo fare cose che da troppo tempo non facevamo: bere l'acqua di un pozzo, stendersi al sole in mezzo all'erba alta e vigorosa, odorare l'aria dell'estate, accendere un fuoco e cucinare, andare nel bosco per fragole e funghi, fumare una sigaretta guardando un alto cielo pulito dal vento.

Potevamo farle, e le facemmo, con gioia puerile. Ma le nostre riserve volgevano al termine: di fragole e di funghi non si vive, e nessuno di noi (neppure Cesare, inurbato e cittadino romano «fin dal tempo di Nerone») era moralmente e tecnicamente attrezzato per la vita precaria del vagabondaggio e del furto agricolo. La scelta era netta: o il rientro immediato nel consorzio civile, o il digiuno. Dal consorzio civile, e cioè dal misterioso campo di Staryje Doroghi, ci separavano però trenta chilometri di vertiginosa strada in rettilineo: avremmo dovuto farli d'un fiato, e

forse saremmo arrivati in tempo per il rancio della sera;
oppure bivaccare ancora una volta per strada, in libertà,
ma a stomaco vuoto.

Fu fatto un rapido censimento dei nostri averi. Non era
molto: otto rubli fra tutti. Era difficile stabilire quale fosse
il loro potere d'acquisto, in quel momento e in quel luogo:
le nostre precedenti esperienze monetarie coi russi erano
state incoerenti e assurde. Alcuni fra loro accettavano sen-
za difficoltà valuta di qualsiasi paese, anche tedesca o po-
lacca; altri erano sospettosi, temevano inganni, e accetta-
vano soltanto scambi in natura o monete metalliche. Di
queste ultime, circolavano le piú impensate: monete del
tempo zarista, uscite da atavici nascondigli familiari; ster-
line, corone scandinave, perfino vecchie monete dell'Im-
pero austro-ungarico. Per contro, avevamo visto a Žmerin-
ka una delle latrine della stazione con le pareti costellate di
marchi tedeschi, puntigliosamente appiccicati al muro a
uno a uno con materiale innominabile.

In ogni modo, otto rubli non erano molti: il valore di
uno o due uova. Fu deciso collegialmente che Cesare e io,
ormai accreditati come ambasciatori, risalissimo al villag-
gio, e vedessimo sul posto che cosa si poteva comperare
per il meglio con otto rubli.

Ci avviammo, e strada facendo ci venne un'idea: non
merce, ma servizi. Il miglior investimento sarebbe stato
quello di chiedere in affitto ai nostri amici un cavallo e un
carretto fino a Staryje Doroghi. Forse il danaro era poco,
ma avremmo potuto provare a offrire qualche capo di ve-
stiario: tanto faceva molto caldo. Cosí ci presentammo sul-
l'aia, accolti con saluti affettuosi e risatine d'intesa dalle
vecchiette, e da un furioso abbaiare di cani. Quando il si-
lenzio si fu ristabilito, forte del mio Michele Strogoff e di
altre lontane letture, dissi: – Telega. Staryje Doroghi, – e
mostrai gli otto rubli.

Seguí un mormorio confuso: strano a dirsi, nessuno ave-
va capito. Tuttavia, il mio compito si annunciava meno ar-
duo di quello della sera precedente: in un angolo dell'aia,

sotto una tettoia, avevo scorto un carro agricolo a quattro ruote, lungo e stretto, con le sponde a «V»; insomma, una telega. La toccai, un po' spazientito per la ottusità di quella gente: non era forse una telega?

– Tjeljega! – mi corresse il barbone, con severità paterna, scandalizzato dalla mia pronuncia barbarica.

– Da. Tjeljega na Staryje Doroghi. Noi pagare. Otto rubli.

L'offerta era irrisoria: l'equivalente di due uova per trenta più trenta chilometri di strada, dodici ore di cammino. Invece, il barbone intascò i rubli, sparí nella stalla, tornò con un mulo, lo attaccò fra le stanghe, ci fece segno di montare, caricò qualche sacco sempre in silenzio, e partimmo verso la strada principale. Cesare andò a chiamare gli altri, di fronte ai quali non perdemmo l'occasione di darci un mucchio d'importanza. Avremmo fatto un comodissimo viaggio in telega, anzi in tjeljega, e un ingresso trionfale a Staryje Doroghi, il tutto per otto rubli: ecco che cosa voleva dire la conoscenza delle lingue e l'abilità diplomatica.

In realtà, ci accorgemmo poi (e purtroppo se ne accorsero anche i compagni) che gli otto rubli erano stati pressoché sprecati: il barbone doveva andare a Staryje Doroghi comunque, per non so quali suoi affari, e forse ci avrebbe caricati anche gratis.

Ci mettemmo in strada verso mezzogiorno, sdraiati sui non troppo morbidi sacchi del barbone. Era comunque molto meglio che viaggiare a piedi: potevamo fra l'altro godere a nostro agio del paesaggio.

Questo era per noi insolito, e stupendo. La pianura, che il giorno prima ci aveva oppressi con la sua solenne vacuità, non era piú rigorosamente piatta. Era increspata in lievissime, appena percettibili ondulazioni, forse antiche dune, non piú alte di qualche metro, tuttavia quanto bastava per rompere la monotonia, riposare l'occhio, e creare un ritmo, una misura. Fra l'una e l'altra ondulazione si estendevano stagni e paludi, grandi e piccole. Il terreno scoper-

to era sabbioso, e irto qua e là di selvagge macchie di arbusti: altrove erano alberi alti, ma rari e isolati. Ai due lati della strada giacevano informi relitti rugginosi, artiglieria, carri, filo spinato, elmetti, bidoni: i resti dei due eserciti che per tanti mesi si erano affrontati in quei luoghi. Eravamo entrati nella regione delle paludi del Pripet.

La strada e la terra erano deserte, ma poco prima del tramonto notammo che qualcuno ci inseguiva: un uomo, nero sul bianco della polvere, che camminava con vigore alla nostra volta. Guadagnava terreno lentamente ma continuamente: presto fu a portata di voce, e riconoscemmo in lui il Moro, Avesani di Avesa, il gran vecchio. Aveva anche lui pernottato in qualche nascondiglio, e ora marciava su Staryje Doroghi con passo di tempesta, i capelli bianchi al vento, gli occhi sanguigni fissi davanti a sé. Procedeva regolare e potente come una macchina a vapore: aveva legato sul dorso il famoso e pesantissimo involto, e appesa a questo lampeggiava la scure, come la falce di Kronos.

Si accingeva a sorpassarci come se non ci vedesse o non ci riconoscesse. Cesare lo chiamò e lo invitò a salire con noi. – Il disonor del mondo. Brutti porchi disumani, – rispose prontamente il Moro, dando voce alla litania blasfema che perpetua gli occupava la mente. Ci superò, e proseguí la sua mitica marcia verso l'orizzonte opposto a quello da cui era sorto.

Il Signor Unverdorben sapeva sul Moro assai piú cose di noi: apprendemmo in quella occasione che il Moro non era (o non era soltanto) un vecchio lunatico. L'involto aveva un perché, e cosí pure lo aveva la vita errante del vecchio. Vedovo da molti anni, aveva una figlia, una sola, ormai quasi cinquantenne, e questa era a letto paralizzata: non sarebbe guarita mai. Per questa figlia il Moro viveva: le scriveva ogni settimana lettere destinate a non pervenirle; per lei sola aveva lavorato tutta la vita, ed era diventato moro come il legno di noce e duro come la pietra. Per lei sola, in giro per il mondo da emigrante, il Moro insaccava tutto quanto gli capitava a tiro, qualunque oggetto che

presentasse anche solo la minima possibilità di essere goduto o scambiato.

Non incontrammo altri viventi fino a Staryje Doroghi.

Staryje Doroghi fu una sorpresa. Non era un villaggio; o meglio, un minuscolo villaggio esisteva, in mezzo al bosco, poco discosto dalla strada: ma lo apprendemmo piú tardi, e cosí pure apprendemmo che il suo nome significa «Vecchie Strade». Invece, l'acquartieramento a noi destinato, a tutti noi millequattrocento italiani, era un unico gigantesco edificio, isolato ai margini della strada in mezzo a campi incolti e a propaggini della foresta. Si chiamava «Krasnyj Dom», la Casa Rossa, e in effetti era rossa senza economie, di dentro e di fuori.

Era una costruzione veramente singolare, cresciuta senz'ordine in tutte le direzioni come una colata vulcanica: non si capiva se opera di molti architetti fra loro discordi, o di uno solo ma matto. Il nucleo piú antico, ormai sopraffatto e soffocato da ali e corpi fabbricati confusamente piú tardi, consisteva di un blocco di tre piani, suddivisi in camerette forse già adibite a uffici militari o amministrativi. Ma intorno a questo si trovava di tutto: una sala per conferenze o riunioni, una serie di aule scolastiche, cucine, lavatoi, un teatro con almeno mille posti, una infermeria, una palestra; accanto alla porta principale, uno sgabuzzino con misteriosi supporti, che interpretammo come un deposito per sci. Ma anche qui, come a Sluzk, nulla o quasi nulla era rimasto del mobilio e dell'attrezzatura; non solo mancava l'acqua, ma perfino le tubazioni erano state asportate, e cosí pure i fornelli delle cucine, le sedie del teatro, i banchi delle aule, le ringhiere delle scale.

Della Casa Rossa le scale costituivano l'elemento piú ossessivo. Se ne trovavano in abbondanza, nello sterminato edificio: scale enfatiche e prolisse che conducevano ad assurdi stambugi pieni di polvere e di ciarpame: altre strette e irregolari, interrotte a metà da una colonna tirata su alla

brava per puntellare un soffitto pericolante; frammenti di scale sbilenchi, biforcuti, anomali, che raccordavano piani sfalsati di corpi adiacenti. Memorabile fra tutte, lungo una delle facciate, uno scalone ciclopico, che saliva per quindici metri da un cortile invaso dall'erba, con scalini ampi tre metri, e non conduceva in nessun luogo.

Intorno alla Casa Rossa non v'era alcuna recinzione, sia pure solo simbolica come a Katowice. Non vi era neppure un servizio di sorveglianza vero e proprio: davanti all'ingresso soggiornava sovente un soldato russo, per lo piú giovanissimo, ma non aveva alcuna consegna nei riguardi degli italiani. Il suo compito era solo quello di impedire che altri russi venissero di notte a molestare le donne italiane nelle loro camerate.

I russi, ufficiali e soldati, abitavano in una baracca di legno poco lontana, e altri, di passaggio lungo la strada, vi facevano tappa saltuariamente: ma di rado si occupavano di noi. Chi si occupava di noi era un gruppetto di ufficiali italiani, ex prigionieri di guerra, piuttosto altezzosi e sgarbati; erano pesantemente consci della loro condizione di militari, ostentavano disprezzo e indifferenza nei confronti di noi borghesi, e, cosa che non mancò di stupirci, mantenevano ottimi rapporti coi pari-grado sovietici della baracca accanto. Anzi, godevano di una situazione privilegiata non soltanto rispetto a noi, ma anche rispetto alla truppa sovietica stessa: mangiavano alla mensa-ufficiali russa, indossavano uniformi sovietiche nuove (senza gradi) e buoni stivali militari, e dormivano in lettini da campo con lenzuola e coperte.

Neanche da parte nostra, tuttavia, c'era ragione di lamentarsi. Eravamo trattati esattamente come i soldati russi quanto a vitto e ad alloggio, e non eravamo tenuti ad alcuna particolare obbedienza o disciplina. Solo pochi italiani lavoravano, quelli che si erano offerti spontaneamente per il servizio di cucina, dei bagni e del gruppo elettrogeno: inoltre Leonardo come medico, ed io come infermiere; ma oramai, con la buona stagione, i malati erano pochissimi, e il nostro incarico era una sinecura.

Chi voleva, se ne poteva andare. Parecchi lo fecero, alcuni per pura noia o spirito di avventura, altri tentando di passare i confini e tornare in Italia; ma ritornarono tutti, dopo qualche settimana o mese di vagabondaggi: poiché, se il campo non era né sorvegliato né cintato, lo erano invece, e fortemente, le lontane frontiere.

Non vi era da parte russa alcuna velleità di pressione ideologica, anzi, nessun tentativo di discriminazione fra noi. La nostra comunità era troppo complicata: ex militari dell'ARMIR, ex partigiani, ex Häftlinge di Auschwitz, ex lavoratori della Todt, ex rei comuni e prostitute di San Vittore, comunisti o monarchici o fascisti che noi fossimo, nei nostri confronti vigeva da parte dei russi la piú imparziale indifferenza. Eravamo italiani, e tanto bastava: il resto era «vsjò ravnò», tutto uguale.

Dormivamo su tavolati di legno coperti con sacconi di paglia: sessanta centimetri per uomo. Da principio protestammo, perché ci sembrava poco: ma il comando russo ci fece cortesemente osservare che il nostro reclamo era infondato. Sulla testata del tavolato si potevano ancora leggere, scarabocchiati a matita, i nomi dei soldati sovietici che avevano occupato quei posti prima di noi: che giudicassimo noi stessi, c'era un nome ogni cinquanta centimetri.

Lo stesso si poteva dire, e ci fu detto, a proposito del vitto. Ricevevamo un chilo di pane al giorno: pane di segala, poco lievitato, umido e acido: ma era molto, ed era il loro pane. E la «kaša» quotidiana era la loro «kaša»: un blocchetto compatto di lardo, miglio, fagioli, carne e spezie, nutriente ma ferocemente indigesto, che solo dopo vari giorni di esperimenti imparammo a rendere commestibile facendolo bollire per varie ore.

Tre o quattro volte alla settimana, poi, veniva distribuito il pesce, «ryba». Era pesce di fiume, di dubbia freschezza, pieno di spine, grosso, crudo, non salato. Che farne? Pochi fra noi si adattarono a mangiarlo cosí com'era (cosí facevano molti russi): per cuocerlo, ci mancavano i reci-

pienti, il condimento, il sale e l'arte. Presto ci convincemmo che la miglior cosa era rivenderlo ai russi medesimi, ai contadini del villaggio o ai soldati che passavano per la strada: un nuovo mestiere per Cesare, che in breve lo portò ad un alto grado di perfezione tecnica.

Al mattino dei giorni di pesce, Cesare faceva il giro delle camerate, munito di un pezzo di filo di ferro. Incettava la «ribba», la infilava da occhio a occhio nel filo di ferro, si infilava a tracolla la ghirlanda graveolente, e spariva. Tornava dopo molte ore, a volte a sera, e distribuiva equamente fra i suoi mandanti rubli, formaggio, quarti di pollo e uova, con vantaggio di tutti e principalmente suo.

Con i primi utili del suo commercio si comperò una stadera, per il che il suo prestigio professionale si accrebbe notevolmente. Ma per realizzare compiutamente un certo suo disegno gli occorreva un altro strumento, di utilità meno ovvia: una siringa. Non c'era da sperare di trovarne una al villaggio russo, e perciò venne da me in infermeria, a chiedermi se gliene potevo imprestare una.

– Cosa te ne vuoi fare? – gli chiesi.

– Che ti frega. Una siringa. Qui ne avete tante.

– Di che misura?

– La piú grossa che tenete. Anche se è un po' malandata, non fa niente.

Ce n'era una infatti, da venti centimetri cubi, scheggiata e praticamente inservibile. Cesare la esaminò con cura, e dichiarò che faceva al caso suo.

– Ma a che ti serve? – domandai ancora una volta. Cesare mi guardò torvo, urtato dalla mia mancanza di tatto. Mi disse che erano cavoli suoi, una sua pensata, un esperimento, e che poteva finire bene o male, e che in ogni modo io ero un bel tipo a volermi incaricare a tutti i costi delle sue faccende private. Incartò accuratamente la siringa e se ne andò come un principe offeso.

Tuttavia il segreto della siringa non durò a lungo: la vita a Staryje Doroghi era troppo oziosa perché non vi proliferassero il pettegolezzo e l'interferenza negli affari altrui.

Nei giorni successivi, Cesare fu visto dalla sora Letizia andare per acqua con un secchio e portarlo nel bosco; fu visto dalla Stellina nel bosco stesso, seduto per terra col secchio in mezzo a una corona di pesci, ai quali «sembrava che desse da mangiare»; e finalmente fu incontrato nel villaggio dal Rovati, suo concorrente: era senza secchio e vendeva pesci, ma erano pesci stranissimi, grassi, duri e rotondi, e non piatti e flosci come quelli della razione.

Come avviene per molte scoperte scientifiche, la pensata della siringa era scaturita da un insuccesso e da una osservazione fortuita. Pochi giorni prima, Cesare aveva barattato pesce al villaggio contro una gallina viva. Era tornato alla Casa Rossa persuaso di avere fatto un ottimo affare: per soli due pesci gli avevano dato una bella pollastra, non piú giovane e con un'aria un po' malinconica, ma straordinariamente grassa e grossa. Senonché, dopo di averla ammazzata e spennata, si era accorto che qualcosa non andava; la gallina era dissimmetrica, aveva la pancia tutta da una parte sola, e offriva alla palpazione qualcosa di duro, mobile ed elastico. Non era l'uovo: era una grossa cisti acquosa.

Cesare, naturalmente, era corso ai ripari, ed era riuscito a rivendere subito l'animale nientemeno che al ragionier Rovi, guadagnandoci ancora sopra: ma poi, come un eroe stendhaliano, ci aveva pensato su. Perché non imitare la natura? Perché non provare coi pesci?

Da principio aveva tentato di riempirli d'acqua con una cannuccia, dalla parte della bocca, ma l'acqua tornava tutta fuori. Allora aveva pensato alla siringa. Colla siringa si notava in molti casi un certo progresso, che però dipendeva dal punto in cui si praticava l'iniezione: a seconda di questo, l'acqua usciva nuovamente, subito o poco dopo, oppure restava dentro indefinitamente. Allora Cesare aveva dissecato diversi pesci con un coltellino, e aveva potuto stabilire che l'iniezione, per avere effetto permanente, doveva essere fatta nella vescica natatoria.

In questo modo i pesci, che Cesare vendeva a peso, ren-

devano dal 20 al 30% di piú di quelli normali, e inoltre avevano un aspetto molto piú attraente. Certo, la «ribba» cosí trattata non si poteva vendere due volte allo stesso cliente; ma la si poteva vendere benissimo ai soldati russi smobilitati che passavano sulla strada diretti a oriente, e che avrebbero potuto accorgersi della faccenda dell'acqua solo a molti chilometri di distanza.

Ma un giorno ritornò nero in viso; era senza pesce, senza soldi e senza merce: – Mi sono fatto incastrare –. Per due giorni non ci fu modo di rivolgergli la parola, se ne stava raggomitolato sul padiglione, ispido come un porcospino, e scendeva solo per i pasti. Gli era successa un'avventura diversa dalle solite.

Me la raccontò piú tardi, in una lunghissima sera tiepida, raccomandandomi di non riferirla in giro, poiché, se si fosse risaputa, la sua onorabilità commerciale ne avrebbe sofferto. Infatti, il pesce non gli era stato strappato con la violenza da un russo ferocissimo, come in un primo tempo aveva cercato di lasciare intendere: la verità era un'altra. Il pesce lo aveva regalato, mi confessò, pieno di vergogna.

Era andato al villaggio, e, per evitare clienti già bruciati in precedenza, non si era fatto vedere nella strada principale, ma aveva preso un sentiero che si inoltrava nel bosco; dopo qualche centinaio di metri aveva visto una casetta isolata, anzi, una baracca di mattoni a secco e lamiera. Fuori c'era una donna magra vestita di nero, e tre bambini pallidi seduti sulla soglia. Si era avvicinato e le aveva offerto il pesce: e quella gli aveva fatto capire che il pesce lo avrebbe voluto sí, ma non aveva niente da dargli in cambio, e che lei e i bambini non mangiavano da due giorni. Lo aveva anche fatto entrare nella baracca, e nella baracca non c'era niente, solo delle cucce di paglia come in un canile.

A questo punto i bambini lo avevano guardato con degli occhi tali, che Cesare aveva buttato giú il pesce ed era scappato come un ladro.

Il bosco e la via

Rimanemmo a Staryje Doroghi, in quella Casa Rossa piena di misteri e di trabocchetti come un castello di fate, per due lunghi mesi: dal 15 luglio al 15 settembre del 1945.

Furono mesi d'ozio e di relativo benessere, e perciò pieni di nostalgia penetrante. La nostalgia è una sofferenza fragile e gentile, essenzialmente diversa, più intima, più umana delle altre pene che avevamo sostenuto fino a quel tempo: percosse, freddo, fame, terrore, destituzione, malattia. È un dolore limpido e pulito, ma urgente: pervade tutti i minuti della giornata, non concede altri pensieri, e spinge alle evasioni.

Forse per questo, la foresta intorno al campo esercitava su di noi un'attrazione profonda. Forse perché offriva, a ognuno che lo ricercasse, il dono inestimabile della solitudine: e da quanto tempo ne eravamo privi! Forse perché ci ricordava altri boschi, altre solitudini della nostra esistenza precedente; o forse invece, al contrario, perché era solenne e austera e intatta come nessun altro scenario a noi noto.

A nord della Casa Rossa, oltre la strada, si estendeva un terreno misto, di macchie, radure e pinete, inframmezzato da paludi e da lingue di fine sabbia candida; si incontrava qualche sentiero tortuoso e appena segnato, che conduceva a casolari lontani. Ma verso sud, a poche centinaia di passi dalla Casa Rossa, ogni traccia umana spariva. Anche ogni traccia di vita animale, se si eccettui l'occasionale

balenare fulvo di uno scoiattolo, o il sinistro occhio fermo
di una biscia d'acqua, avvolta intorno a un tronco marcito.
Non c'erano sentieri, non tracce di boscaioli, nulla: solo si-
lenzio, abbandono, e tronchi in tutte le direzioni, tronchi
pallidi di betulle, rosso-bruni di conifere, slanciati vertical-
mente verso il cielo invisibile; e altrettanto invisibile era il
suolo, coperto da uno spesso strato di foglie morte e di
aghi, e da cespi di sottobosco selvaggio alto fino alla cin-
tura.

La prima volta che vi penetrai, imparai a mie spese, con
sorpresa e spavento, che il rischio di «perdersi nel bosco»
non esiste solo nelle fiabe. Avevo camminato per circa
un'ora, orientandomi alla meglio col sole, visibile qua e là
dove i rami erano meno fitti; ma poi il cielo si coprí minac-
ciando pioggia, e quando volli tornare mi resi conto di ave-
re perduto il nord. Muschio sui tronchi? ce n'era da ogni
lato. Mi avviai nella direzione che piú mi pareva giusta:
ma dopo un lungo e penoso cammino fra i rovi e gli sterpi
mi trovavo in un punto altrettanto indefinito quanto quel-
lo da cui mi ero mosso.

Camminai ancora per ore, sempre piú stanco e inquieto,
fin quasi al tramonto: e già pensavo che se anche i compa-
gni fossero venuti a cercarmi, non mi avrebbero trovato, o
solo dopo giorni, stremato dalla fame, forse già morto.
Quando la luce del giorno cominciò a impallidire, si leva-
rono sciami di grosse zanzare affamate, e di altri insetti
che non saprei definire, grossi e duri come pallottole da fu-
cile, che saettavano fra tronco e tronco alla cieca picchian-
domi in faccia. Allora decisi di partire davanti a me, all'in-
grosso verso nord (e cioè lasciandomi sulla sinistra un trat-
to di cielo leggermente piú luminoso, che doveva corri-
spondere al ponente), e di marciare senza piú fermarmi
finché non avessi incontrato la grande strada, o comunque
un sentiero o una traccia. Procedetti cosí nel lunghissimo
crepuscolo della estate settentrionale, fin quasi al buio
completo, ormai in preda a un orgasmo panico, alla paura
antichissima delle tenebre, del bosco e del vuoto. Malgra-

do la stanchezza, provavo un impulso violento a buttarmi in corsa davanti a me, in una direzione qualsiasi, e di correre finché avessi forza e fiato.

Udii ad un tratto il fischio di un treno: avevo dunque la ferrovia sulla mia destra, mentre, secondo la rappresentazione che mi ero fatta, avrebbe dovuto essere molto lontana sulla sinistra. Stavo dunque andando dalla parte sbagliata. Seguendo il fragore del treno, raggiunsi la strada ferrata prima di notte, e seguendo i binari luccicanti in direzione dell'Orsa Minore ricomparsa fra le nuvole, arrivai a salvamento prima a Staryje Doroghi, indi alla Casa Rossa.

Ma c'era chi nella foresta si era trasferito, e vi abitava: il primo era stato Cantarella, uno dei «rumeni», che si era scoperta la vocazione dell'eremita. Cantarella era un marinaio calabrese di altissima statura e di magrezza ascetica, taciturno e misantropo. Si era costruita una capanna di tronchi e di frasche a mezz'ora dal campo, e qui viveva in solitudine selvaggia, vestito soltanto di un perizoma. Era un contemplativo, ma non un ozioso: esercitava una curiosa attività sacerdotale.

Possedeva un martello e una specie di rozza incudine, che aveva ricavato da un residuato di guerra e incastrato in un ceppo: con questi strumenti, e con vecchie latte di conserva, fabbricava pentole e padelle con grande abilità e diligenza religiosa.

Le fabbricava su commissione, per le nuove convivenze. Quando, nella nostra variegata comunità, un uomo e una donna risolvevano di fare vita comune, e sentivano quindi il bisogno di un minimo di suppellettile per mettere su casa, andavano da Cantarella, tenendosi per mano. Lui, senza fare domande, si metteva al lavoro, e in poco piú di un'ora, con sapienti colpi di martello, piegava e ribatteva lamiere nelle forme che i coniugi desideravano. Non chiedeva compenso, ma accettava doni in natura, pane, formaggio, uova; cosí il matrimonio era celebrato, e cosí Cantarella viveva.

C'erano anche altri abitatori del bosco: me ne accorsi un giorno, seguendo a caso un sentiero che si addentrava verso ponente, rettilineo e ben segnato, e che non avevo notato fino allora. Portava in una regione del bosco particolarmente fitta, si infilava in una vecchia trincea e finiva alla porta di una casamatta di tronchi, quasi totalmente interrata: sporgevano dal suolo solo il tetto e un camino. Spinsi la porta, che cedette: dentro non c'era nessuno, ma il luogo era evidentemente abitato. Sul pavimento di terra nuda (ma spazzato e pulito) c'era una stufetta, dei piatti, una gavetta militare; in un angolo, un giaciglio di fieno; appesi alle pareti, abiti femminili e fotografie di uomini.

Ritornai al campo, e scopersi di essere il solo a non saperlo: nella casamatta, notoriamente, vivevano due donne tedesche. Erano due ausiliarie della Wehrmacht, che non erano riuscite a seguire i tedeschi in rotta ed erano rimaste isolate negli spazi russi. Dei russi avevano paura, e non si erano consegnate: avevano vissuto per mesi precariamente, di piccoli furti, di erbe, di prostituzione saltuaria e furtiva a favore degli inglesi e dei francesi che prima di noi avevano occupato la Casa Rossa; finché lo stanziamento italiano aveva portato loro prosperità e sicurezza.

Le donne, nella nostra colonia, erano poche, non piú di duecento, e quasi tutte avevano presto trovato una sistemazione stabile: non erano piú disponibili. Perciò, per un numero imprecisato di italiani, andare «dalle ragazze del bosco» era diventata una consuetudine, e l'unica alternativa al celibato. Una alternativa ricca di un fascino complesso: perché la faccenda era segreta e vagamente pericolosa (assai piú per le donne che per loro, in verità); perché le ragazze erano straniere e mezze inselvatichite; perché erano in stato di bisogno, e quindi si aveva l'impressione esaltante di «proteggerle»; e per lo scenario fiabesco-esotico di quegli incontri.

Non solo Cantarella, ma anche il Velletrano nel bosco aveva ritrovato se stesso. L'esperimento di trapiantare nella civiltà un «uomo selvatico» è stato tentato piú volte,

spesso con ottimo esito, a dimostrare la fondamentale unità della specie umana; nel Velletrano si realizzava l'esperienza inversa, poiché, originario delle vie sovraffollate di Trastevere, si era ritrasformato in uomo selvaggio con mirabile facilità.

In realtà, molto civile non doveva essere stato mai. Il Velletrano era un ebreo sulla trentina, reduce da Auschwitz. Doveva avere costituito un problema per il funzionario del Lager addetto ai tatuaggi, perché entrambi i suoi avambracci muscolosi erano fittamente coperti da tatuaggi preesistenti: i nomi delle sue donne, come mi spiegò Cesare, che lo conosceva da un pezzo, e che mi precisò che il Velletrano non si chiamava Velletrano, e neppure era nato a Velletri, ma ci era stato a balia.

Non pernottava quasi mai alla Casa Rossa: viveva nella foresta, scalzo e seminudo. Viveva come i nostri lontani progenitori: tendeva trappole alle lepri e alle volpi, si arrampicava sugli alberi per nidi, abbatteva le tortore a sassate, e non disdegnava i pollai dei casolari piú lontani; raccoglieva funghi, e bacche tenute generalmente per incommestibili, e a sera non era raro incontrarlo nelle vicinanze del campo, accovacciato sui talloni davanti a un gran fuoco, su cui, cantando rozzamente, arrostiva la preda della giornata. Dormiva poi sulla nuda terra, coricato accanto alle braci. Ma, poiché era figlio d'uomo tuttavia, perseguiva a suo modo la virtú e la conoscenza, e perfezionava di giorno in giorno le sue arti e i suoi strumenti: si fabbricò un coltello, poi una zagaglia e un'ascia, e se ne avesse avuto il tempo, non dubito che avrebbe riscoperto l'agricoltura e la pastorizia.

Quando la giornata era stata buona, si faceva socievole e conviviale: attraverso Cesare, che si prestava volentieri a presentarlo come un fenomeno da fiera, e a raccontarne le leggendarie avventure precedenti, invitava tutti quanti a omerici festini di carni abbrustolite, e se qualcuno ricusava diventava cattivo e tirava fuori il coltello.

Dopo alcuni giorni di pioggia, e altri di sole e di vento,

nel bosco i funghi e i mirtilli crebbero con tale abbondanza da diventare interessanti non piú sotto l'aspetto puramente georgico e sportivo, ma sotto quello utilitario. Tutti, prese le opportune precauzioni per non smarrire la via del ritorno, passavamo intere giornate alla raccolta: I mirtilli, in arbusti molto piú alti di quelli nostrani, erano grossi quasi come nocciole, e saporiti: ne portavamo al campo a chili, e tentammo perfino (ma invano) di farne fermentare il succo in vino. Quanto ai funghi, se ne trovavano di due varietà: alcuni erano normali porcini, gustosi e sicuramente commestibili; gli altri erano simili a questi come forma e come odore, ma piú grossi e legnosi e di colori alquanto diversi.

Nessuno di noi era certo che questi fossero mangerecci; d'altra parte, si poteva forse lasciarli marcire nel bosco? Non si poteva: eravamo tutti mal nutriti, e inoltre era ancora troppo recente in noi la memoria della fame di Auschwitz, e si era mutata in un violento stimolo mentale, che ci obbligava a riempirci lo stomaco a oltranza e ci vietava imperiosamente di rinunciare a qualsiasi occasione di mangiare. Cesare ne raccolse una buona quantità, e li fece bollire secondo prescrizioni e cautele a me ignote, aggiungendo all'intingolo vodka e aglio comperati al villaggio, che «ammazzano tutti i veleni». Poi, lui stesso ne mangiò, ma poco, e ne offrí un pochino a molta gente, in modo da limitare il rischio e da disporre di una abbondante casistica per il giorno dopo. Il giorno dopo fece il giro delle camerate, e non era mai stato tanto cerimonioso e sollecito: – Come sta, sora Elvira? Come va, don Vincenzo? Avete dormito bene? Avete passato una buona nottata? – e intanto li guardava in faccia con occhio clinico. Stavano tutti benissimo, i funghi strani si potevano mangiare.

Per i piú pigri e i piú ricchi, non era necessario andare nel bosco per trovare «extra» alimentari. Presto i contatti commerciali fra il villaggio di Staryje Doroghi e noi ospiti della Casa Rossa si fecero intensi. Ogni mattina arrivavano contadine con ceste e secchi; sedevano a terra, e stava-

no immobili per ore in attesa dei clienti. Se veniva uno scroscio di pioggia, non si muovevano dal luogo, ma soltanto si ribattevano le sottane sopra il capo. I russi fecero due o tre tentativi di cacciarle via, affissero due o tre manifesti bilingui che minacciavano ai contraenti pene di insensata severità, poi, come d'abitudine, si disinteressarono della questione, e i baratti continuarono indisturbati.

Erano contadine vecchie e giovani: quelle, abbigliate al modo tradizionale, con giacche e gonne trapunte e imbottite e il fazzoletto legato sul capo; queste, in leggere vesti di cotone, per lo piú scalze, franche, ardite e pronte al riso, ma non sfrontate. Oltre ai funghi, ai mirtilli e ai lamponi, vendevano latte, formaggio, uova, polli, verdura e frutta, e accettavano in cambio pesce, pane, tabacco, e qualsiasi capo di vestiario o pezzo di tessuto, anche il piú lacero e logoro; anche rubli, naturalmente, da chi ancora ne aveva.

Cesare in breve le conobbe tutte, specialmente le giovani. Andavo spesso con lui dalle russe, per assistere alle loro interessanti contrattazioni. Non intendo già negare l'utilità che in un rapporto di affari si parli la stessa lingua, ma, per esperienza, posso affermare che questa condizione non è strettamente necessaria: ognuno dei due sa bene che cosa l'altro desidera, non conosce inizialmente l'intensità di tale desiderio, rispettivamente di comperare e di vendere, ma la deduce con ottima approssimazione dalla espressione del viso dell'altro, dai suoi gesti e dal numero delle sue repliche.

Ecco Cesare, che di buon mattino si presenta al mercato con un pesce. Cerca e trova la Irina, sua coetanea ed amica, le cui simpatie si è conquistato tempo addietro battezzandola «Greta Garbo» e regalandole una matita: Irina ha una mucca e vende latte, «molokò»; anzi, spesso, alla sera, tornando dal pascolo, si ferma davanti alla Casa Rossa e munge il latte direttamente nei recipienti della sua clientela. Questa mattina si tratta di concordare quanto latte valga il pesce di Cesare: Cesare mostra una pentola da due litri (è di quelle di Cantarella, e Cesare la ha rilevata da un «ménage» scioltosi per incompatibilità), e fa se-

gno colla mano tesa, palmo all'ingiú, che la intende piena.
Irina ride, e risponde con parole vivaci e armoniose, pro-
babilmente contumelie; allontana con uno schiaffo la ma-
no di Cesare, e segna con due dita la parete della pentola a
metà altezza.

Ora tocca a Cesare indignarsi: brandisce il pesce (non
manomesso), lo libra in aria per la coda con enorme sforzo,
come se pesasse venti chili, dice: – Questa è una ribbona!
– poi lo fa scorrere sotto il naso di Irina per tutta la sua
lunghezza, e cosí facendo chiude gli occhi e inspira lunga-
mente aria, come inebriato dal profumo. Profittando del-
l'attimo in cui Cesare ha gli occhi chiusi, rapida come un
gatto Irina gli strappa il pesce, ne stacca netta la testa coi
denti candidi, e sbatte il corpo flaccido e mutilato in faccia
a Cesare, con tutta la notevole forza di cui dispone. Poi,
per non rovinare l'amicizia e la trattativa, tocca la pentola
a tre quarti di altezza: un litro e mezzo. Cesare, mezzo
stordito dal colpo, brontola con voce cavernosa: – Séeee:
e come te metti? – e aggiunge altre galanterie oscene ido-
nee a restaurare il suo onore virile; poi però accetta l'ulti-
ma offerta di Irina, e le lascia il pesce, che quella divora se-
duta stante.

Dovevamo ritrovare la vorace Irina piú tardi, a diverse
riprese, in un contesto piuttosto imbarazzante per noi la-
tini, in tutto normale per lei.

In una radura del bosco, a metà distanza fra il villaggio
e il campo, era il bagno pubblico, che non manca in alcun
villaggio russo, e che a Staryje Doroghi funzionava a giorni
alterni per i russi e per noi. Era un capannone di legno,
con dentro due lunghe panche di pietra, e sparse ovunque
tinozze di zinco di varia misura. Alla parete, rubinetti con
acqua fredda e calda a volontà. Non era invece a volontà il
sapone, che veniva distribuito con molta parsimonia nello
spogliatoio. Il funzionario addetto alla distribuzione del
sapone era Irina.

Stava a un tavolino con sopra un panetto di sapone gri-
giastro e puzzolente, e teneva in mano un coltello. Ci si

spogliava, si affidavano gli abiti alla disinfezione, e ci si metteva in fila completamente nudi davanti al tavolo di Irina. In queste sue mansioni di pubblico ufficiale, la ragazza era serissima e incorruttibile: colla fronte aggrottata per l'attenzione e la lingua infantilmente stretta fra i denti, tagliava una fettina di sapone per ogni aspirante al bagno: un po' piú sottile per i magri, un po' piú spessa per i grassi, non so se a ciò comandata, o se mossa da una inconscia esigenza di giustizia distributiva. Neppure un muscolo del suo viso trasaliva alle impertinenze dei clienti piú sguaiati.

Dopo il bagno, bisognava ricuperare i propri abiti nella camera di disinfezione: e questa era un'altra sorpresa del regime di Staryje Doroghi. La camera era scaldata a 120°: quando ci dissero per la prima volta che occorreva entrarvi personalmente a ritirare i panni, ci guardammo perplessi: i russi sono fatti di bronzo, lo avevamo visto in piú occasioni, ma noi no, e saremmo andati arrosto. Poi qualcuno provò, e si vide che l'impresa non era terribile come sembrava, purché si adottassero le seguenti precauzioni: entrare ben bagnati; sapere già in precedenza il numero del proprio attaccapanni; prendere fiato abbondante prima di passare la porta, e poi non respirare piú; non toccare alcun oggetto metallico; e soprattutto fare in fretta.

Gli abiti disinfettati presentavano interessanti fenomeni: cadaveri di pidocchi esplosi, stranamente deformati; penne stilografiche di ebanite, dimenticate nel taschino da qualche benestante, contorte e col cappuccio saldato; mozziconi di candela fusi e imbevuti nel tessuto; un uovo, lasciato in una tasca a scopo sperimentale, screpolato ed essiccato in una massa cornea, tuttavia ancora commestibile. Ma i due bagnini russi entravano e uscivano dalla fornace con indifferenza, come le salamandre della leggenda.

I giorni di Staryje Doroghi passavano cosí, in una interminabile indolenza, sonnolenta e benefica come una lunga

vacanza, rotta solo a intervalli dal pensiero doloroso della
casa lontana, e dall'incanto della natura ritrovata. Era va-
no rivolgersi ai russi del Comando per sapere perché non
ritornavamo, quando saremmo ritornati, per che via, quale
avvenire ci attendeva: non ne sapevano piú di noi, oppure,
con candore cortese, ci elargivano risposte fantasiose o ter-
rificanti o insensate. Che non c'erano treni; o che stava
per scoppiare la guerra con l'America; o che presto ci man-
davano a lavorare in kolchoz; o che aspettavano di scam-
biarci con prigionieri russi in Italia. Ci annunciavano que-
ste o altre enormità senza odio né derisione, anzi, con sol-
lecitudine quasi affettuosa, come si parla ai bambini che
fanno troppe domande, per farli stare tranquilli. In realtà,
non comprendevano quella nostra fretta di tornare a casa:
non avevamo da mangiare e da dormire? Che cosa ci man-
cava, a Staryje Doroghi? Non avevamo neppure da lavora-
re; e forse che loro, soldati dell'Armata Rossa, che aveva-
no fatto quattro anni di guerra, e l'avevano vinta, si la-
mentavano di non essere ancora tornati a casa?

Tornavano infatti a casa alla spicciolata, lentamente, e,
secondo le apparenze, in un disordine estremo. Lo spetta-
colo della smobilitazione russa, che già avevamo ammirato
alla stazione di Katowice, proseguiva ora in altra forma
sotto i nostri occhi, giorno per giorno; non piú per ferro-
via, ma lungo la strada davanti alla Casa Rossa, passavano
brandelli dell'esercito vincitore, da ovest verso est, in
drappelli chiusi o sparsi, a tutte le ore del giorno e della
notte. Passavano uomini a piedi, spesso scalzi e con le scar-
pe in spalla per risparmiare le suole, perché il cammino era
lungo: in divisa o no, armati o disarmati, alcuni cantando
baldanzosamente, altri terrei e sfiniti. Alcuni portavano a
spalle sacchi o valige; altri, gli arnesi piú disparati, una se-
dia imbottita, una lampada a piede, pentole di rame, una
radio, un orologio a pendolo.

Altri passavano su carretti, o a cavallo; altri ancora, in
motocicletta, a stormi, ebbri di velocità, con fragore infer-
nale. Passavano autocarri Dodge di fabbricazione ameri-

cana, gremiti di uomini fin sul cofano e sui parafanghi; alcuni trascinavano un rimorchio altrettanto gremito. Vedemmo uno di questi rimorchi viaggiare su tre ruote: al posto della quarta era stato assicurato alla meglio un pino, in posizione obliqua, in modo che una estremità appoggiasse sul suolo strisciandovi. A mano a mano che questa si consumava per l'attrito, il tronco veniva spinto piú in basso, cosí da mantenere il veicolo in equilibrio. Quasi davanti alla Casa Rossa, una delle tre gomme superstiti si afflosciò; gli occupanti, una ventina, scesero, ribaltarono il rimorchio fuori di strada, e si cacciarono a loro volta sull'autocarro già zeppo, che ripartí in un nugolo di polvere mentre tutti gridavano «Hurrà».

Passavano anche, tutti sovraccarichi, altri insoliti veicoli: trattori agricoli, furgoni postali, autobus tedeschi già addetti alle linee urbane, che ancora portavano le targhe coi nomi dei capilinea di Berlino: alcuni già in avaria, e trainati da altri automezzi o da cavalli.

Verso i primi di agosto, questa migrazione molteplice prese a mutare insensibilmente natura. A poco a poco, sui veicoli cominciarono a prevalere i cavalli: dopo una settimana, non si vide piú altro che questi, la strada apparteneva a loro. Dovevano essere tutti i cavalli della Germania occupata, a decine di migliaia al giorno: passavano interminabilmente, in una nuvola di mosche e di tafani e di acuto odore ferino, stanchi, sudati, affamati; erano sospinti e incitati con grida e colpi di frusta da ragazze, una ogni cento e piú animali, esse pure a cavallo, senza sella, a gambe nude, accaldate e scarmigliate. A sera, spingevano i cavalli nelle praterie e nei boschi ai lati della strada, perché pascolassero in libertà e si riposassero fino all'alba. C'erano cavalli da tiro, cavalli da corsa, muli, giumente col puledro alla poppa, vecchi ronzini anchilosati, somari; ci accorgemmo presto non solo che non erano contati, ma che le mandriane non si curavano per nulla delle bestie che uscivano di strada perché stanche o ammalate o azzoppate, né di quelle che si smarrivano durante la notte. I cavalli

erano tanti e poi tanti: che importanza poteva avere che ne arrivasse a destinazione uno di piú o uno di meno?

Ma per noi, pressoché digiuni di carne da diciotto mesi, un cavallo di piú o uno di meno aveva una enorme importanza. Chi aprí la caccia fu, naturalmente, il Velletrano: venne a svegliarci un mattino, insanguinato da capo a piedi, e teneva ancora in mano l'arma primordiale di cui si era servito, una scheggia di granata legata con cinghie di cuoio in cima a un randello biforcuto.

Dal sopraluogo che facemmo (poiché il Velletrano non era molto bravo a spiegarsi a parole) risultò che egli aveva dato il colpo di grazia a un cavallo probabilmente già in agonia: il povero animale aveva un aspetto sommamente equivoco, la pancia gonfia che suonava come un tamburo, la bava alla bocca; e doveva avere scalciato tutta la notte, in preda a chissà quali tormenti, poiché, sdraiato su un fianco, aveva scavato con gli zoccoli nell'erba due profondi semicerchi di terra bruna. Ma lo mangiammo ugualmente.

In seguito, si costituirono diverse coppie di cacciatori-beccai specializzati, che non si accontentavano piú di abbattere i cavalli malati o dispersi, ma sceglievano i piú grassi, li facevano deliberatamente uscire dalla mandria e li uccidevano poi nel bosco. Agivano di preferenza alle prime luci dell'alba: uno copriva con un panno gli occhi dell'animale, e l'altro gli vibrava il colpo mortale (ma non sempre) sulla cervice.

Fu un periodo di assurda abbondanza: c'era carne di cavallo per tutti, senza alcuna limitazione, gratis; tutt'al piú, i cacciatori chiedevano per un cavallo morto due o tre razioni di tabacco. In tutti gli angoli del bosco, e quando pioveva anche nei corridoi e nei sottoscala della Casa Rossa, si vedevano uomini e donne affaccendati a cuocere enormi bistecche di cavallo coi funghi: senza le quali, noi reduci da Auschwitz avremmo tardato ancora molti mesi a riacquistare le nostre forze.

Neppure di questo saccheggio i russi del Comando si

diedero il minimo pensiero. Vi fu un solo intervento russo, e una sola punizione: verso la fine del passaggio, quando già la carne di cavallo scarseggiava e il prezzo tendeva a salire, uno della congrega di San Vittore ebbe l'improntitudine di aprire una macelleria vera e propria, in uno dei molti stambugi della Casa Rossa. Questa iniziativa ai russi non piacque, non fu chiaro se per ragioni igieniche o morali: il colpevole venne pubblicamente redarguito, dichiarato «čort (diavolo), parazít, spjekulànt», e cacciato in cella.

Non era una punizione molto severa: alla cella, per oscure ragioni, forse per burocratico atavismo di un tempo in cui i prigionieri dovevano essere stati a lungo in numero di tre, spettavano tre razioni alimentari al giorno. Che i detenuti fossero nove, o uno, o nessuno, non importava: le razioni erano sempre tre. Cosí il macellaio abusivo uscí di cella allo scadere della pena, dopo dieci giorni di sovralimentazione, grasso come un maiale e pieno di gioia di vivere.

Vacanza

Come sempre avviene, la fine della fame mise allo scoperto e rese percettibile in noi una fame piú profonda. Non solo il desiderio della casa, in certo modo scontato e proiettato nel futuro: ma un bisogno piú immediato e urgente di contatti umani, di lavoro mentale e fisico, di novità e di varietà.

La vita di Staryje Doroghi, che sarebbe stata poco meno che perfetta se intesa come parentesi di vacanza in una esistenza operosa, incominciava a pesarci per lo stesso ozio integrale a cui ci costringeva. In queste condizioni, parecchi se ne andarono, per cercare vita e avventure altrove. Sarebbe improprio parlare di fuga, poiché il campo non era cintato né sorvegliato, e i russi non ci contavano, o non ci contavano bene: semplicemente, salutarono gli amici e presero la via dei campi. Ebbero quello che cercavano: videro paesi e genti, si spinsero lontanissimo, alcuni fino a Odessa e a Mosca, altri fino ai confini; conobbero le camere di sicurezza di sperduti villaggi, l'ospitalità biblica dei contadini, amori vaghi, interrogatori doverosamente insulsi della polizia, nuova fame e solitudine. Ritornarono a Staryje Doroghi quasi tutti, poiché, se intorno alla Casa Rossa non c'era ombra di filo spinato, avevano trovato invece ferreamente chiuso il leggendario confine verso occidente che tentavano di forzare.

Ritornarono, e si rassegnarono a quel regime di limbo. I giorni della estate nordica erano lunghissimi: albeggiava già alle tre del mattino, e il tramonto si trascinava instan-

cabile, fino alle nove, alle dieci di sera. Le escursioni nel bosco, i pasti, il sonno, i bagni rischiosi nella palude, le conversazioni sempre ripetute, i propositi per l'avvenire, non bastavano ad abbreviare il tempo di quell'attesa, e ad alleviarne il peso che cresceva di giorno in giorno.

Tentammo con scarso successo di avvicinare i russi. Verso di noi, i piú evoluti (che parlavano tedesco o inglese) si mostravano cortesi ma diffidenti, e spesso interrompevano bruscamente un colloquio, come se si sentissero in colpa o sorvegliati. Coi piú semplici, coi soldati diciassettenni del Comando e coi contadini dei dintorni, le difficoltà di linguaggio ci obbligavano a rapporti monchi e primordiali.

Sono le sei di mattina, ma da un pezzo la luce del giorno ha messo il sonno in fuga. Con una pentola di patate organizzate da Cesare, mi sto dirigendo verso un boschetto dove scorre un rigagnolo: poiché qui c'è acqua e legna, è il nostro luogo preferito per le operazioni di cucina e oggi ho io l'incarico della lavatura del vasellame e della successiva cottura. Accendo il fuoco fra tre sassi: ed ecco, c'è un russo poco lontano, piccolo ma nerboruto, dalla spessa maschera asiatica, intento in preparativi simili ai miei. Non ha fiammiferi: mi si accosta, e a quanto pare mi chiede del fuoco. È a torso nudo, con solo indosso i pantaloni militari, e non ha un'aria molto rassicurante. Porta la baionetta alla cintura.

Gli porgo uno stecco acceso: il russo lo prende, e resta lí a guardarmi con curiosità sospettosa. Pensa che le mie patate siano rubate? O medita invece di portarmele via lui? O mi ha scambiato per qualcuno che non gli va?

Ma no: quello che lo turba è altro. Si è accorto che io non parlo russo, e questo lo contraria. Il fatto che un uomo, adulto e normale, non parli russo, e cioè non parli, gli sembra un atteggiamento di insolente protervia, come se io rifiutassi apertamente di rispondergli. Non è male intenzionato, anzi, è disposto a darmi una mano, a sollevarmi dalla mia colpevole condizione di ignoranza: il russo è

così facile, lo parlano tutti, perfino i bambini che non camminano ancora. Si siede vicino a me; io continuo a temere per le patate, e lo tengo d'occhio: ma lui, secondo ogni apparenza, non ha altro in animo se non di aiutarmi a recuperare il tempo perduto. Non capisce, non ammette la mia posizione di rifiuto: mi vuole insegnare la sua lingua.

Purtroppo, come maestro non vale gran che: gli mancano il metodo e la pazienza, e inoltre si fonda sul presupposto errato che io possa seguire le sue spiegazioni e i suoi commenti. Finché si tratta di vocaboli, va ancora abbastanza bene, e in fondo il gioco non mi dispiace. Mi indica una patata, e dice: – Kartòfel –; poi mi afferra per la spalla con la sua zampa poderosa, mi caccia l'indice sotto il naso, tende un orecchio e rimane in attesa. Io ripeto: – Kartòfel –. Lui fa una faccia nauseata; la mia pronuncia non va: neppure la pronuncia! Tenta ancora due o tre volte, poi si stufa e cambia vocabolo. – Ogòn, – dice, indicando il fuoco: qui va meglio, pare che la mia ripetizione lo soddisfi. Si guarda intorno in cerca di altri oggetti pedagogici, poi mi fissa con intensità, si alza lentamente in piedi sempre fissandomi, come se mi volesse ipnotizzare, e a un tratto, fulmineo, estrae la baionetta dalla guaina e la brandisce a mezz'aria.

Io salto in piedi e scappo via, dalla parte della Casa Rossa: tanto peggio per le patate. Ma dopo pochi passi sento risuonare dietro le mie spalle una risata da orco: lo scherzo gli è riuscito bene.

– Britva, – mi dice, facendo luccicare la lama al sole; ed io ripeto, non molto a mio agio. Lui, con un fendente da paladino, taglia netto un ramo da un albero: me lo mostra, e mi dice: – Dèrevo –. Io ripeto: – Dèrevo.

– Ja rússkij soldàt –. Io ripeto, del mio meglio: – Ja rússkij soldàt –. Un'altra risata, che mi suona sprezzante: *lui* è un soldato russo, io no, e fa una bella differenza. Me lo spiega confusamente, con un mare di parole, indicando ora il mio petto, ora il suo, e facendo sí e no col capo. Deve giudicarmi un pessimo allievo, un caso disperato di ottusi-

tà; con mio sollievo, se ne torna al suo fuoco e mi abbandona alla mia barbarie.

Un altro giorno, ma alla stessa ora e nello stesso luogo, mi imbatto in uno spettacolo inconsueto. C'è un capannello di italiani attorno a un marinaio russo, giovanissimo, alto, dalle movenze rapide e pronte. Sta «raccontando» un episodio di guerra; e poiché sa che la sua lingua non è compresa, si esprime come può, in un modo che gli è evidentemente spontaneo quanto e piú della parola: si esprime con tutti i muscoli, con le rughe precoci che gli segnano il viso, col lampo degli occhi e dei denti, coi balzi e coi gesti, e ne nasce una danza solitaria piena di fascino e di impeto.

È notte, «noč»: gira intorno a sé piano piano le mani col palmo rivolto in giú. Tutto è silenzio: pronuncia un lungo «sst» coll'indice parallelo al naso. Strizza gli occhi e indica l'orizzonte: laggiú, lontano lontano, sono i tedeschi, «niemtzy». Quanti? Cinque, fa segno con le dita; «finef», aggiunge poi in yiddish a maggior chiarimento. Scava colla mano una piccola fossa rotonda nella sabbia, e vi pone cinque stecchi coricati, sono i tedeschi; e poi un sesto stecco piantato obliquo, è la «masína», la mitragliatrice. Cosa fanno i tedeschi? Qui i suoi occhi si accendono di allegria selvaggia: «spats», dormono (e russa quieto lui stesso per un attimo); dormono, gli insensati, e non sanno cosa li aspetta.

Che ha fatto? Ecco che ha fatto: si è avvicinato, cauto, sottovento, come un leopardo. Poi, di scatto, è balzato dentro il nido estraendo il coltello: e ripete, ormai tutto perduto nella estasi scenica, i suoi atti di allora. L'agguato, e la mischia fulminea e atroce, eccole ripetersi sotto i nostri occhi: l'uomo, dal volto trasfigurato da un riso teso e sinistro, si tramuta in un turbine: salta avanti e indietro, colpisce davanti a sé, ai fianchi, alto, basso, in una esplosione di energia mortifera; ma è un furore lucido, la sua arma (che esiste, un lungo coltello che ha cavato dallo stivale) penetra, fende, squarcia con ferocia e insieme con tremenda perizia, un metro davanti alle nostre facce.

A un tratto il marinaio si ferma, si raddrizza lentamente, il coltello gli cade di mano: il suo petto ansima, il suo sguardo si è spento. Guarda a terra, come stupito di non scorgervi i cadaveri e il sangue; si guarda intorno smarrito, svuotato; si accorge di noi, e ci rivolge un timido sorriso infantile. – Koniečno, – dice: è finito; e si allontana con passo lento.

Assai diverso, e misterioso allora come adesso, era il caso del Tenente. Il Tenente (mai, e forse non a caso, ne potemmo conoscere il nome) era un giovane russo smilzo e olivastro, perennemente aggrondato. Parlava italiano perfettamente, con un accento russo talmente lieve da potersi confondere con qualche intonazione dialettale italiana: ma nei nostri riguardi, a differenza da tutti gli altri russi del Comando, manifestava scarsa cordialità e simpatia. Era lui il solo a cui potessimo rivolgere domande: come mai parlava italiano? perché era fra noi? perché ci trattenevano in Russia quattro mesi dopo la fine della guerra? eravamo ostaggi? eravamo stati dimenticati? perché non potevamo scrivere in Italia? quando saremmo ritornati?... Ma a tutte queste domande, pesanti come il piombo, il Tenente rispondeva in modo tagliente ed elusivo, con una sicurezza e una autorità che male si accordavano col suo grado gerarchico non molto elevato. Notammo che anche i suoi superiori lo trattavano con strana deferenza, come se lo temessero.

Manteneva sia coi russi sia con noi uno scontroso distacco. Non rideva mai, non beveva, non accettava inviti, e neppure sigarette: parlava poco, con parole caute che sembrava pesasse a una a una. Alle sue prime apparizioni, ci era sembrato naturale pensare a lui come al nostro interprete e delegato presso il Comando russo, ma si vide ben presto che i suoi incarichi (se pure ne aveva, e se il suo comportamento non era solo un complicato modo di darsi importanza) dovevano essere altri, e preferimmo tacere in sua presenza. Da alcune sue frasi reticenti ci accorgemmo che conosceva bene la topografia di Torino e di Milano.

Era stato in Italia? – No, – ci rispose asciutto, e non diede altre spiegazioni.

La salute pubblica era eccellente, e i clienti della infermeria erano pochi e sempre gli stessi: qualcuno coi foruncoli, i soliti malati immaginari, qualche scabbia, qualche colite. Si presentò un giorno una donna, che accusava disturbi vaghi: nausea, mal di schiena, vertigini, vampe di calore. Leonardo la visitò: aveva lividi un po' dappertutto, ma disse di non farci caso, era rotolata per le scale. Coi mezzi a disposizione non era facile una diagnosi molto approfondita, ma, per esclusione, e dati anche i numerosi precedenti fra le nostre donne, Leonardo dichiarò alla paziente che si trattava molto probabilmente di una gravidanza al terzo mese. La donna non manifestò gioia né angoscia né sorpresa né indignazione: accettò, ringraziò, ma non se ne andò. Tornò a sedere sulla panchina nel corridoio, zitta e tranquilla, come se aspettasse qualcuno.

Era una ragazza piccola e bruna, sui venticinque anni, dall'aria casalinga, sottomessa e trasognata: il suo viso, non molto attraente né molto espressivo, non mi riusciva nuovo, e cosí pure la sua parlata, dalle gentili inflessioni toscane.

Certamente dovevo già averla incontrata, ma non a Staryje Doroghi. Provavo la evanescente sensazione di uno sfasamento, di una trasposizione, di una importante inversione di rapporti, che peraltro non riuscivo a definire. In modo vago eppure insistente, a quella immagine femminile ricollegavo un nodo di sentimenti intensi: di ammirazione umile e lontana, di riconoscenza, di frustrazione, di paura, perfino di astratto desiderio, ma principalmente di angoscia profonda e indeterminata.

Poiché continuava a rimanere sulla panchina, quieta e ferma, senza alcun segno di impazienza, le chiesi se le occorresse qualcosa, se avesse ancora bisogno di noi: l'ambulatorio era finito, altri pazienti non c'erano, era ora di

chiudere. – No, no, – rispose: – non ho bisogno di niente. Adesso me ne vado.

Flora! La reminiscenza nebulosa prese corpo bruscamente, si coagulò in un quadro preciso, definito, ricco di particolari di tempo e luogo, di colori, di stati d'animo retrospettivi, di atmosfera, di odori. Era Flora, quella: l'italiana delle cantine di Buna, la donna del Lager, oggetto dei sogni miei e di Alberto per piú di un mese, simbolo inconsapevole della libertà perduta e non piú sperata. Flora, incontrata un anno prima, e sembravano cento.

Flora era una prostituta di provincia, finita in Germania con l'Organizzazione Todt. Non sapeva il tedesco e non conosceva alcun mestiere, cosí era stata messa a spazzare i pavimenti della fabbrica di Buna. Spazzava tutto il giorno, straccamente, senza scambiare parola con nessuno, senza sollevar gli occhi dalla ramazza e dal suo lavoro senza fine. Sembrava che nessuno si curasse di lei, e lei, quasi temesse la luce del giorno, saliva il meno possibile ai piani superiori: spazzava interminabilmente le cantine, da cima a fondo, e poi ricominciava, come una sonnambula.

Era la sola donna che vedessimo da mesi, e parlava la nostra lingua, ma a noi Häftlinge era proibito rivolgerle la parola. Ad Alberto e a me sembrava bellissima, misteriosa, immateriale. Malgrado il divieto, che in qualche modo moltiplicava l'incanto dei nostri incontri aggiungendovi il sapore pungente dell'illecito, scambiammo con Flora qualche frase furtiva: ci facemmo riconoscere come italiani, e le chiedemmo del pane. Lo chiedemmo un po' a malincuore, consci di avvilire noi stessi e la qualità di quel delicato contatto umano: ma la fame, con cui è difficile transigere, ci imponeva di non sprecare l'occasione.

Flora ci portò il pane, a piú riprese, e ce lo consegnava con aria smarrita, negli angoli bui del sotterraneo, tirando su le lagrime dal naso. Aveva pietà di noi, e avrebbe voluto aiutarci anche in altri modi, ma non sapeva come ed aveva paura. Paura di tutto, come un animale indifeso: forse anche di noi, non direttamente, ma in quanto personaggi di

quel mondo straniero e incomprensibile che l'aveva strappata dal suo paese, le aveva cacciato una scopa in mano, e l'aveva relegata sotto terra, a spazzare pavimenti già cento volte spazzati.

Noi due eravamo sconvolti, riconoscenti e pieni di vergogna. Eravamo divenuti improvvisamente consapevoli del nostro aspetto miserabile, e ne soffrivamo. Alberto, che sapeva trovare le cose piú strane perché girava tutto il giorno con gli occhi al suolo come un segugio, trovò chissà dove un pettine, e lo regalammo solennemente a Flora, che aveva i capelli: dopo di che ci sentimmo legati a lei da un legame soave e pulito, e la sognavamo di notte. Perciò provammo un disagio acuto, un assurdo e impotente impasto di gelosia e di disinganno, quando l'evidenza ci costrinse a sapere, ad ammettere a noi stessi, che Flora aveva convegni con altri uomini. Dove e come, e con chi? Nel luogo e nei modi meno adorni: poco lontano, sul fieno, in una conigliera clandestina, organizzata in un sottoscala da una cooperativa di Kapos tedeschi e polacchi. Bastava poco: una strizzata d'occhio, un cenno imperioso del capo, e Flora deponeva la scopa e seguiva docilmente l'uomo del momento. Ritornava sola, dopo pochi minuti; si riassettava le vesti e riprendeva a spazzare senza guardarci in viso. Dopo la squallida scoperta, il pane di Flora ci seppe di sale; ma non per questo smettemmo di accettarlo e mangiarlo.

Non mi feci riconoscere da Flora, per carità verso di lei e verso me stesso. Di fronte a quei fantasmi, al me stesso di Buna, alla donna del ricordo ed alla sua reincarnazione, mi sentivo cambiato, intensamente «altro», come una farfalla davanti a un bruco. Nel limbo di Staryje Doroghi mi sentivo sporco, stracciato, stanco, greve, estenuato dall'attesa, eppure giovane e pieno di potenze e rivolto verso l'avvenire: Flora, invece, non era cambiata. Viveva ora con un ciabattino bergamasco, non coniugalmente, ma come una schiava. Lavava e cucinava per lui, e lo seguiva guardandolo con occhi umili e sottomessi; l'uomo, taurino e scimmiesco, sorvegliava ogni suo passo, e la picchiava

selvaggiamente ad ogni ombra di sospetto. Di qui i lividi
di cui era coperta: era venuta in infermeria di nascosto, e
ora esitava a uscire incontro alla collera del suo padrone.

A Staryje Doroghi nessuno esigeva nulla da noi, nulla ci
sollecitava, su di noi non agiva alcuna forza, non ci dove-
vamo difendere da niente: ci sentivamo inerti e assestati
come il sedimento di una alluvione. In questa nostra vita
torpida e senza fatti, l'arrivo del camioncino del cinemato-
grafo militare sovietico segnò una data memorabile. Dove-
va essere una unità itinerante, già in servizio presso le
truppe al fronte o in retrovia, ora essa pure sulla via del
rimpatrio; comprendeva un proiettore, un gruppo elettro-
geno, una scorta di pellicole, e il personale di servizio. Si
fermò a Staryje Doroghi per tre giorni, e diede spettacolo
ogni sera.

Le proiezioni si svolgevano nella sala del teatro: era
molto spaziosa, e le sedie asportate dai tedeschi erano sta-
te sostituite con rustiche panche, in equilibrio instabile sul
pavimento in salita dallo schermo verso la galleria. La gal-
leria, essa pure in pendenza, era ridotta a una stretta stri-
scia; la parte piú alta, per una levata d'ingegno dei miste-
riosi ed estrosi architetti della Casa Rossa, era stata tra-
mezzata e suddivisa in una serie di camerette senz'aria né
luce, le cui porte si aprivano verso il palcoscenico. Vi abi-
tavano le donne sole della nostra colonia.

La prima sera fu proiettata una vecchia pellicola austria-
ca, in sé mediocre, e di scarso interesse per i russi, ma ricca
di emozioni per noi italiani. Era un film di guerra e di
spionaggio, muto e con didascalie in tedesco; piú precisa-
mente, un episodio della prima guerra mondiale sul fronte
italiano. Vi appariva lo stesso candore e lo stesso arma-
mentario retorico degli analoghi film di produzione allea-
ta: onore militare, sacri confini, combattenti eroici ma
pronti al pianto come vergini, attacchi alla baionetta con-
dotti con improbabile entusiasmo. Soltanto, era tutto ca-

povolto: gli austro-ungheresi, ufficiali e soldati, erano nobili ed aitanti personaggi, valorosi e cavallereschi; visi spirituali e sensibili di guerrieri stoici, visi rudi e onesti di contadini, spiranti simpatia al primo sguardo. Gli italiani, tutti quanti, erano una caterva di volgari gaglioffi, tutti segnati da vistosi e risibili difetti corporei: strabici, obesi, colle spalle a bottiglia, colle gambe ercoline, con la fronte bassa e sfuggente. Erano vili e feroci, brutali e loschi: gli ufficiali, con facce da rammolliti viziosi, schiacciate sotto la mole incongrua del berretto a paiolo a noi familiare nei ritratti di Cadorna e di Diaz; i soldati, con grinte porcine o scimmiesche, messe in risalto dall'elmetto dei nostri padri, calcato di sghimbescio o tirato sugli occhi a nascondere sinistramente lo sguardo.

Il fellone dei felloni, spia italiana a Vienna, era una stramba chimera, mezzo D'Annunzio e mezzo Vittorio Emanuele: di statura assurdamente piccola, tanto che era costretto a guardare tutti dal basso in alto, portava il monocolo e la cravatta a farfalla, e si muoveva su e giú per lo schermo con arroganti scatti da galletto. Rientrato nelle linee italiane, sovraintendeva con abominevole freddezza alla fucilazione di dieci civili tirolesi innocenti.

Noi italiani, cosí poco avvezzi a vedere noi stessi nei panni del «nemico», odioso per definizione; cosí costernati dall'idea di essere odiati da chicchessia; ricavammo dalla visione della pellicola un piacere complesso, non privo di turbamento, e fonte di salutari meditazioni.

Per la seconda sera, fu annunciato un film sovietico, e l'ambiente cominciò a scaldarsi: fra noi italiani, perché era il primo che vedevamo; fra i russi, perché il titolo prometteva un episodio di guerra, pieno di movimento e di sparatorie. La voce si era sparsa: inaspettatamente, arrivarono soldati russi da guarnigioni vicine e lontane, e fecero ressa davanti alle porte del teatro. Quando le porte si aprirono, irruppero dentro come un fiume in piena, scavalcando rumorosamente le panche e accalcandosi a gran gomitate e spintoni.

Il film era ingenuo e lineare. Un aereo militare sovietico era costretto ad atterrare per avaria in un non precisato territorio montagnoso di frontiera; era un piccolo apparecchio biposto, con a bordo solo il pilota. Riparato il guasto, sul punto di decollare, si faceva avanti un notabile del luogo, uno sceicco inturbantato dall'aria straordinariamente sospetta, e con melliflue riverenze e genuflessioni turchesche supplicava di essere accolto a bordo. Anche un idiota avrebbe capito che quello era un pericoloso furfante, probabilmente un contrabbandiere, un capo dissidente o un agente straniero: ma tant'è, il pilota, con dissennata longanimità, aderiva alle sue prolisse preghiere, e lo accoglieva nel seggiolino posteriore dell'apparecchio.

Si assisteva al decollo, e ad alcune ottime riprese dall'alto di catene montuose scintillanti di ghiacciai (penso si trattasse del Caucaso): indi lo sceicco, con segrete mosse viperine, cavava di tra le pieghe del mantello un pistolone a tamburo, lo puntava alla schiena del pilota e gli intimava di mutare rotta. Il pilota, senza neppure voltarsi indietro, reagiva con fulminea decisione: impennava l'apparecchio, ed eseguiva un brusco giro della morte. Lo sceicco si accasciava sul seggiolino, in preda alla paura e alla nausea; il pilota, invece di metterlo fuori combattimento, proseguiva tranquillamente la rotta verso la meta prefissa. Dopo pochi minuti, ed altre mirabili scene di alta montagna, il bandito si riprendeva; strisciava verso il pilota, alzava nuovamente la pistola, e ripeteva il tentativo. Questa volta l'aereo si metteva in picchiata, e precipitava per migliaia di metri a naso in giú, verso un inferno di picchi scoscesi e di abissi; lo sceicco sveniva e l'aereo riprendeva quota. Cosí procedeva il volo per piú di un'ora, con sempre ripetute aggressioni da parte del mussulmano, e sempre nuove acrobazie da parte del pilota; finché, dopo un'ultima intimazione dello sceicco, che sembrava avere nove vite come i gatti, l'aereo entrava in vite, nuvole monti e ghiacciai gli turbinavano intorno fieramente, e scendeva infine a salvamento sul campo di atterraggio prestabilito. Lo sceicco esani-

me veniva ammanettato; il pilota, fresco come un fiore, invece di andare sotto inchiesta riceveva strette di mano da contegnosi superiori, la promozione sul campo, e un verecondo bacio da una ragazza che pareva lo aspettasse da tempo.

I soldati russi del pubblico avevano seguito con fragorosa passione la vicenda goffa, applaudendo l'eroe e insultando il traditore; ma non fu nulla in confronto di quanto avvenne la terza sera.

La terza sera fu annunciato *Uragano* (*Hurricane*), un discreto film americano degli anni trenta. Un marinaio polinesiano, moderna versione del «buon selvaggio», uomo semplice, forte e mite, viene volgarmente provocato in una taverna da un gruppo di bianchi ubriachi, e ne ferisce lievemente uno. La ragione è ovviamente dalla sua parte, ma nessuno testimonia in suo favore; viene arrestato, processato, e, con sua patetica incomprensione, condannato a un mese di reclusione. Non resiste che pochi giorni: non solo per un suo quasi animalesco bisogno di libertà e insofferenza di vincoli, ma principalmente perché sente, sa, che non lui ma i bianchi hanno violato la giustizia; se questa è la legge dei bianchi, allora la legge è ingiusta. Abbatte un guardiano ed evade fra una pioggia di pallottole.

Adesso, il mite marinaio è diventato un criminale compiuto. Gli si dà la caccia in tutto l'arcipelago, ma è inutile cercarlo lontano: è ritornato tranquillamente al suo villaggio. Viene ripreso, e relegato in un'isola remota, in una casa di pena: lavoro e frustate. Fugge nuovamente, si getta a mare da un dirupo vertiginoso, ruba un canotto e veleggia per giorni verso la sua terra, senza mangiare né bere: vi approda esausto mentre sta incombendo l'uragano promesso dal titolo. Subito l'uragano si scatena furibondo, e l'uomo, da buon eroe americano, lotta da solo contro gli elementi, e salva non solo la sua donna, ma la chiesa, il pastore, e i fedeli che nella chiesa si erano illusi di trovare riparo. Così riabilitato, con la fanciulla al fianco si avvia verso un felice avvenire, sotto il sole che appare fra le ultime nubi in fuga.

Questa vicenda, tipicamente individualistica, elementare, e non male raccontata, scatenò fra i russi un entusiasmo sismico. Già un'ora prima dell'inizio, una folla tumultuante (attratta dal cartellone, che riportava l'immagine della ragazza polinesiana, splendida e pochissimo vestita) premeva contro le porte; erano quasi tutti soldati molto giovani, armati. Era chiaro che nel pur grande «salone pendente» non c'era posto per tutti, nemmeno in piedi; appunto per questo essi lottavano accanitamente, a gomitate, per conquistarsi l'ingresso. Uno cadde, fu calpestato, e venne il giorno dopo in infermeria; credevamo di trovarlo fracassato, ma non aveva che qualche contusione: gente di ossa solide. In breve, le porte furono sfondate, fatte a pezzi e i rottami impugnati come clave: la folla che si pigiava in piedi all'interno del teatro era già fin dal principio altamente eccitata e bellicosa.

Era per loro come se i personaggi del film, anziché ombre, fossero amici o nemici in carne ed ossa, a portata di mano. Il marinaio era acclamato ad ogni sua impresa, salutato con urrà fragorosi e con i mitra pericolosamente branditi al di sopra delle teste. I poliziotti e i carcerieri venivano insultati sanguinosamente, accolti con grida di «vattene», «a morte», «abbasso», «lascialo stare». Quando, dopo la prima evasione, il fuggiasco esausto e ferito viene nuovamente incatenato, e per di piú schernito e deriso dalla maschera sardonica e asimmetrica di John Carradine, si scatenò un pandemonio. Il pubblico insorse urlando, in generosa difesa dell'innocente: una ondata di vendicatori mosse minacciosa verso lo schermo, a sua volta insultata e trattenuta da elementi meno accesi o piú desiderosi di vedere come andava a finire. Volarono contro il telone sassi, zolle di terra, schegge delle porte demolite, perfino uno scarpone d'ordinanza, scagliato con furiosa precisione fra i due occhi odiosi del gran nemico, campeggiante in un enorme primo piano.

Quando si giunse alla lunga e vigorosa sequenza dell'uragano, il tumulto volse al sabba. Si udirono strida acute

delle poche donne rimaste intrappolate fra la ressa; fece la sua comparsa un palo, poi un altro, passati di mano in mano al di sopra delle teste, fra clamori assordanti. In principio non si comprese a cosa dovessero servire, poi il piano fu chiaro: un piano probabilmente premeditato fra gli esclusi che tumultuavano all'esterno. Si tentava la scalata al loggione-gineceo.

I pali furono drizzati e appoggiati alla balconata, e vari energumeni, toltisi gli stivali, cominciarono ad arrampicarsi come si fa alle fiere di villaggio sugli alberi di cuccagna. A partire da questo momento, lo spettacolo della scalata tolse ogni interesse all'altro che proseguiva sullo schermo. Non appena uno dei pretendenti riusciva a salire al di sopra della marea di teste, veniva tirato per i piedi e ricondotto a terra da dieci o venti mani. Si formarono gruppi di sostenitori e avversari: un audace poté svincolarsi dalla folla e salire a grandi bracciate, un altro lo seguí lungo lo stesso palo. Quasi a livello della balconata lottarono fra loro per alcuni minuti, quello di sotto afferrando i calcagni dell'altro, questo difendendosi con pedate sferrate alla cieca. In pari tempo, si videro affacciate alla balconata le teste di un drappello di italiani, saliti a precipizio per le scale tortuose della Casa Rossa a proteggere le donne assediate; il palo, respinto dai difensori, oscillò, rimase librato per un lungo istante in posizione verticale, poi rovinò fra la folla come un pino abbattuto dai boscaioli, coi due uomini abbarbicati. A questo punto, non saprei dire se per caso o se per un savio intervento dall'alto, la lampada del proiettore si spense, tutto piombò nell'oscurità, il clamore della platea toccò una intensità paurosa, e tutti sfollarono all'aperto, al chiaro di luna, fra urla, bestemmie ed acclamazioni.

Con rimpianto di tutti, la carovana del cinema partí il mattino seguente. La sera successiva si verificò un rinnovato e temerario tentativo russo di invasione dei quartieri femminili, questa volta attraverso i tetti e le grondaie; in seguito al quale, venne istituito un servizio di sorveglianza

notturna, a cura di volontari italiani. Inoltre, per maggior
cautela, le donne della galleria sloggiarono, e si ricongiun-
sero col grosso della popolazione femminile, in una came-
rata collettiva: sistemazione meno intima ma piú sicura.

Teatro

Un terreno di contatto coi russi, verso la metà di agosto, fu tuttavia trovato. Malgrado il segreto di cantiere, tutto il campo venne a sapere che i «rumeni», col consenso e l'appoggio delle autorità, stavano organizzando una rivista: le prove si svolgevano nel «Salone Pendente», le cui porte erano state restaurate alla meglio, ed erano sorvegliate da picchetti che vietavano l'ingresso a tutti gli estranei. Fra i numeri della rivista, era una danza di tacco e punta: lo specialista, un marinaio molto coscienzioso, provava tutte le sere, in una piccola cerchia di conoscitori e consulenti. Ora, questo esercizio è per sua natura rumoroso: passò da quelle parti il Tenente, udí lo strepito ritmico, forzò il posto di blocco con chiaro abuso di potere, ed entrò. Assistette a due o tre sedute, con disagio degli astanti, senza uscire dal suo abituale riserbo e senza ammorbidire la sua grinta ermetica; poi, inaspettatamente, rese noto al comitato organizzatore che nelle sue ore libere egli era un appassionato cultore di danza, e che da tempo era suo desiderio imparare a ballare precisamente di tacco e punta; che quindi il ballerino era invitato, anzi precettato, a impartirgli una serie di lezioni.

Lo spettacolo di queste lezioni mi interessava talmente, che trovai modo di assistervi, infilandomi per gli strani meandri della Casa Rossa e appiattandomi in un angolo scuro. Il Tenente era il miglior allievo che si possa immaginare: serissimo, volonteroso, tenace, e fisicamente ben dotato. Danzava in divisa, cogli stivali: per un'ora d'orologio

al giorno, senza concedere un attimo di sosta al maestro né
a se stesso. Faceva progressi molto rapidi.

Quando la rivista andò in scena, una settimana dopo, il
numero del «tacco e punta» fu una sorpresa per tutti: bal-
larono maestro e allievo, irreprensibilmente, in impeccabi-
le parallelismo e sincronia; il maestro, ammiccando e sor-
ridendo, con indosso un fantasioso costume gitano arran-
giato dalle donne; il Tenente, col naso in aria e gli occhi
fissi al suolo, funereo, come se eseguisse una danza sacrifi-
cale. In divisa, naturalmente, e con le medaglie sul petto e
la fondina al fianco che danzavano con lui.

Furono applauditi; altrettanto furono applauditi diversi
altri numeri non molto originali (qualche canzone napo-
letana del repertorio classico; *I pompieri di Viggiú*; uno
sketch in cui un innamorato conquista il cuore della fan-
ciulla con un mazzo non di fiori, ma di «ryba», il nostro
puzzolente pesce quotidiano; la *Montanara* cantata in coro,
istruttore del coro il Signor Unverdorben). Ma ebbero suc-
cesso entusiastico, e meritato, due numeri meno comuni.

Entrava in scena, con passo impacciato, a gambe larghe,
un grasso e grosso personaggio, mascherato, imbacuccato
e infagottato, simile al celebre «Bibendum» dei pneumati-
ci Michelin. Salutava il pubblico alla maniera degli atleti,
colle mani congiunte sopra il capo; frattanto due valletti
facevano rotolare accanto a lui, a gran fatica, un enorme
attrezzo fatto di una barra e due ruote, di quelli usati dai
sollevatori di pesi.

Si curvava, afferrava la barra, tendeva tutti i muscoli:
niente, la barra non si muoveva. Allora si toglieva il man-
tello, lo piegava meticolosamente, lo stendeva per terra, e
si accingeva ad un nuovo tentativo. Poiché anche questa
volta il peso non si alzava dal suolo, si toglieva un secondo
mantello, deponendolo accanto al primo; e cosí via per va-
ri mantelli, mantelli civili e militari, impermeabili, tona-
che, tabarri. L'atleta diminuiva di volume a vista d'occhio,
il palcoscenico si riempiva di indumenti, e il peso sembra-
va avesse messo radici in terra.

Finiti i mantelli, incominciava a togliersi giacche di tutti i generi (fra cui una rigata da Häftling, in omaggio alla nostra minoranza), poi camicie in abbondanza, e sempre, dopo ogni capo che deponeva, tentava con puntigliosa solennità di sollevare l'arnese, e vi rinunciava senza il minimo segno di impazienza o di sorpresa. Però, mentre si toglieva la quarta o la quinta camicia, si arrestava ad un tratto. Guardava la camicia con attenzione, prima a lunghezza di braccio, poi da vicino; ne frugava il colletto e le cuciture con agili movenze scimmiesche, ed ecco, ne estraeva col pollice e l'indice un immaginario pidocchio. Lo esaminava con occhi dilatati dall'orrore, lo appoggiava con delicatezza sul pavimento, vi tracciava intorno un cerchietto col gesso, si volgeva indietro, strappava da terra con una sola mano l'attrezzo, che per l'occasione era diventato leggero come un giunco, e acciaccava il pidocchio con un secco e preciso colpetto.

Poi, dopo la rapidissima parentesi, riprendeva a togliersi camicie, pantaloni, calze e ventriere con gravità e compostezza, e a cercare invano di sollevare il peso. Alla fine, rimaneva in mutande, in mezzo a montagne di capi di vestiario: si toglieva la maschera, e il pubblico ravvisava in lui il simpatico e popolarissimo cuciniere Gridacucco, piccolo, secco, saltellante e indaffarato, acconciamente soprannominato Scannagrillo da Cesare. Scrosciavano gli applausi: Scannagrillo si guardava attorno smarrito, poi come colto da improvviso spavento davanti al pubblico, raccattava il peso, che probabilmente era fatto di cartone, se lo cacciava sotto un'ascella e scappava a gambe levate.

L'altro grande successo fu la canzone del *Cappello a tre punte*. È questa una canzone rigorosamente priva di senso, che consiste di un'unica quartina sempre ripetuta («Il mio cappello ha tre punte – Ha tre punte il mio cappel – Se non avesse tre punte – Non sarebbe il mio cappel»), e si canta su di un motivo talmente trito e logorato dalla consuetudine che nessuno ne conosce piú l'origine. Ha però la caratteristica che, ad ogni ripetizione, una delle pa-

role della quartina si tace, e viene sostituita con un gesto: la mano concava sul capo per «cappello», un colpo del pugno sul petto per «mio», le dita che si restringono salendo, e seguono la superficie di un cono, per «punte»: e cosí via, finché, a eliminazione ultimata, la strofe si riduce a un monco balbettio di articoli e congiunzioni non piú esprimibili a segni, o secondo un'altra versione, al silenzio totale scandito da gesti ritmici.

Nel gruppo eterogeneo dei «rumeni» doveva trovarsi qualcuno che aveva il teatro nel sangue: nella loro interpretazione, questa bizzarria infantile si volse in una pantomima sinistra, oscuramente allegorica, piena di risonanze simboliche ed inquietanti.

Una piccola orchestra, a cui gli strumenti erano stati forniti dai russi, attaccava lo stracco motivetto su toni bassi e sordi. Beccheggiando lentamente sul ritmo, entravano in scena tre personaggi da mala notte: avvolti in mantelli neri, con cappucci neri sul capo, e dai cappucci emergevano tre volti di un pallore cadaverico e decrepito, segnati da profonde rughe livide. Entravano con esitante passo di danza, reggendo in mano tre lunghi ceri spenti. Giunti al centro della ribalta, sempre seguendo il ritmo, si inchinavano verso il pubblico con senile difficoltà, piegandosi adagio adagio sulle reni anchilosate, a piccoli strappi estenuati: per curvarsi e rialzarsi impiegavano due buoni minuti, che erano di angoscia per tutti gli spettatori. Riacquistata penosamente la posizione eretta, l'orchestra taceva, e le tre larve cominciavano a cantare la strofe insulsa, con voce tremula e rotta. Cantavano: e ad ogni ripetizione, con l'accumularsi dei buchi sostituiti dai gesti malcerti, sembrava che la vita, insieme con la voce, fuggisse da loro. Scandita dalla pulsazione ipnotica di un solo tamburo in sordina, la paralisi progrediva lenta e irreparabile. L'ultima ripetizione, nel silenzio assoluto dell'orchestra, dei cantori e del pubblico, era una straziante agonia, un conato moribondo.

Terminata la canzone, l'orchestra riprendeva lugubre-

mente: le tre figure, con uno sforzo estremo, tremando in ogni membro, ripetevano l'inchino. Riuscivano incredibilmente a rialzarsi, e col cero tentennante, con orrenda e macabra esitazione, ma sempre seguendo il ritmo, scomparivano per sempre dietro alle quinte.

Il numero del *Cappello a tre punte* toglieva il respiro, e veniva accolto ogni sera con un silenzio piú eloquente degli applausi. Perché? Forse perché vi si percepiva, sotto l'apparato grottesco, il fiato pesante di un sogno collettivo, del sogno che vapora dall'esilio e dall'ozio, quando cessano il lavoro e la pena, e nulla pone riparo fra l'uomo e se stesso; forse perché vi si ravvisava l'impotenza e la nullità della nostra vita e della vita, e il profilo gobbo e sghembo dei mostri generati dal sonno della ragione.

Piú innocua, anzi puerile e maccheronica, era l'allegoria dello spettacolo che fu organizzato in seguito. Era ovvia già nel titolo, *Il Naufragio degli Abulici*: gli abulici eravamo noi, gli italiani smarriti sulla via del rimpatrio, e assuefatti a una esistenza di inerzia e di noia; l'isola deserta era Staryje Doroghi; e i cannibali erano vistosamente loro, i buoni russi del Comando. Cannibali senza risparmio: comparivano in scena nudi e tatuati, blateravano in un gergo primitivo e inintelligibile, si cibavano di carne umana cruda e sanguinante. Il loro capo abitava in una capanna di frasche, aveva per sgabello uno schiavo bianco permanentemente carponi, e teneva appesa sul petto una grossa sveglia, che consultava non per sapere l'ora, ma per trarne auspici nelle decisioni di governo. Il Compagno Colonnello, responsabile del nostro campo, doveva essere un uomo di spirito, o estremamente longanime, o tonto, per avere autorizzato una cosí acerba caricatura della sua persona e della sua carica: o forse, si trattava ancora una volta della benefica secolare incuria russa, della negligenza oblomoviana, che affiorava a tutti i livelli in quel momento felice della loro storia.

In realtà, almeno una volta ci colse il sospetto che al Comando non avessero digerito la satira, o si fossero pentiti. Dopo la prima del *Naufragio*, in piena notte, nella Casa Rossa si scatenò un finimondo: urla per le camerate, calci alle porte, comandi in russo, in italiano e in cattivo tedesco. Noi che venivamo da Katowice, e già avevamo assistito a una tregenda analoga, ci spaventammo solo per metà: gli altri persero la testa (i «rumeni» in specie, che erano i responsabili del copione), si sparse subito la voce di una rappresaglia dei russi, e i piú apprensivi già pensavano alla Siberia.

I russi, per l'intermediario del Tenente, che in quella circostanza sembrava piú gramo e sdegnoso del solito, ci fecero alzare e vestire tutti quanti in fretta e furia, e ci misero in fila in uno dei meandri del fabbricato. Passò mezz'ora, un'ora, e non capitava niente: la coda, di cui io occupavo uno degli ultimi posti, non si capiva dove facesse capo, e non avanzava di un passo. Oltre a quella della rappresaglia per gli «Abulici», correvano di bocca in bocca le ipotesi piú avventate: i russi si erano decisi a cercare i fascisti; cercavano le due ragazze del bosco; ci facevano passare la visita per la blenorragia; reclutavano gente per lavorare in kolchoz; cercavano specialisti come i tedeschi. Poi si vide passare un italiano, tutto allegro. Diceva: – Dànno soldi! – e agitava in mano un mazzetto di rubli. Nessuno gli credette: ma ne passò un secondo, poi un terzo, e tutti confermarono la notizia. La faccenda non fu mai capita bene (ma d'altronde, chi comprese mai appieno perché fossimo a Staryje Doroghi, e cosa ci stessimo a fare?): secondo la interpretazione piú savia, è da ritenersi che, per almeno alcuni uffici sovietici, noi fossimo equiparati e prigionieri di guerra, e quindi ci spettasse un compenso per le giornate di lavoro prestate. Ma con quale criterio queste giornate venissero computate (quasi nessuno di noi aveva mai lavorato per i russi, né a Staryje Doroghi né prima); perché si retribuissero anche i bambini; e principalmente,

perché la cerimonia dovesse avvenire cosí tumultuosamente fra le due e le sei del mattino, tutto questo è destinato a rimanere oscuro.

I russi distribuirono compensi varianti dai trenta agli ottanta rubli a testa, secondo criteri imperscrutabili, o a caso. Non erano enormi somme, ma fecero piacere a tutti: equivalevano a generi di conforto per qualche giorno. Ce ne tornammo a letto all'alba, commentando variamente l'accaduto; e nessuno comprese che si trattava di un fausto presagio, del preludio al rimpatrio.

Ma da quel giorno, pur senza un annuncio ufficiale, i segni si andarono moltiplicando. Segni tenui, incerti, timidi; ma bastarono a diffondere la sensazione che qualcosa finalmente si muovesse, qualcosa stesse per accadere. Arrivò una pattuglia di soldatini russi, imberbi e spaesati: ci raccontarono che venivano dall'Austria, e che avrebbero dovuto ripartire presto scortando un convoglio di stranieri: ma non sapevano verso dove. Dal Comando, dopo mesi di inutili petizioni, furono distribuite scarpe a tutti quelli che ne avevano bisogno. Infine, il Tenente sparí, come se assunto in cielo.

Era tutto estremamente vago, e non poco ambiguo. Anche ammesso che una partenza fosse imminente, chi ci assicurava che si trattasse del rimpatrio, e non di un nuovo trasferimento chissà dove? La ormai lunga esperienza che avevamo acquistata dei modi dei russi ci consigliava di temperare la nostra speranza con un salutare coefficiente di dubbio. Anche la stagione contribuiva alla nostra inquietudine: nella prima decade di settembre il sole e il cielo si offuscarono, l'aria si fece fredda e umida, e caddero le prime piogge, a rammentarci la precarietà della nostra condizione.

Strada, prati e campi si mutarono in un desolato acquitrino. Dai tetti della Casa Rossa filtrava acqua in abbondanza, che gocciolava senza pietà di notte sulle cuccette; altra acqua entrava dalle finestre senza vetri. Nessuno di noi aveva abiti pesanti. Al villaggio, si videro i contadini

rientrare dal bosco con carri di fascine e di legna; altri rin-
toppavano le loro abitazioni, assestavano i tetti di paglia;
tutti, anche le donne, calzarono stivali. Il vento portava
dalle case un odore nuovo, allarmante: il fumo aspro della
legna umida che brucia, l'odore dell'inverno che viene. Un
altro inverno, il terzo: e quale inverno!

Ma l'annuncio venne, infine: l'annuncio del ritorno,
della salvazione, della conclusione dei nostri lunghissimi
errori. Venne in due modi nuovi e insoliti, da due parti, e
fu convincente e aperto e dissipò ogni ansia. Venne in tea-
tro e attraverso il teatro, e venne lungo la strada fangosa,
portato da un messaggero illustre e strano.

Era notte, pioveva, e nel «Salone pendente» gremito
(che altro si poteva fare alla sera, prima di infilarsi fra le
coperte umide?) si stava replicando *Il Naufragio degli Abu-
lici*, forse per la nona o la decima volta. Questo *Naufragio*
era un polpettone informe ma estroso, vivo per le argute e
bonarie allusioni alla nostra vita di tutti i giorni; vi aveva-
mo assistito tutti, per tutte le sue repliche, e ormai lo co-
noscevamo abbondantemente a memoria, e ad ogni repli-
ca, sempre meno ci faceva ridere la scena in cui un Canta-
rella ancora piú selvatico dell'originale costruiva una enor-
me pentola di latta su commissione dei russi-antropofagi,
che intendevano cuocervi i principali notabili abulici; e
sempre piú ci stringeva il cuore la scena finale, in cui arri-
vava la nave.

Poiché c'era, come è evidente che ci dovesse essere, una
scena in cui compariva una vela all'orizzonte, e tutti i nau-
fraghi, ridendo e piangendo, accorrevano sulla spiaggia
inospitale. Ora, proprio mentre il decano fra loro, canuto
e curvo ormai per l'interminabile attesa, tendeva il dito
verso il mare e gridava: – Una nave! – e mentre tutti noi,
con un nodo alla gola, ci preparavamo al lieto fine di ma-
niera dell'ultima scena, e a ritirarci ancora una volta nei
nostri covili, si sentí uno schianto subitaneo, e si vide il ca-
pocannibale, vero Deus ex machina, piombare vertical-
mente sul palcoscenico, come se cadesse dal cielo. Si strap-

pò la sveglia dal collo, l'anello dal naso e il casco di penne dal capo, e gridò con voce di tuono: – Domani si parte!

Fummo colti di sorpresa, e dapprima non comprendemmo. Forse era uno scherzo? Ma il selvaggio incalzò: – Dico davvero, non è piú teatro, questa è la volta buona! È arrivato il telegramma, domani andiamo tutti a casa! – Quella volta fummo noi italiani, attori, spettatori e comparse, a travolgere in un attimo i russi esterrefatti, che nulla avevano compreso di quella scena non prevista dal copione. Uscimmo all'aperto in disordine, e fu dapprima un incrociarsi affannoso di domande senza risposta: ma poi vedemmo il colonnello, in mezzo a un cerchio di italiani, fare di sí col capo, e allora si capí che l'ora era venuta. Accendemmo fuochi nel bosco, e nessuno dormí: passammo il resto della notte cantando e ballando, raccontandoci a vicenda le avventure passate, e ricordando i compagni perduti: poiché non è dato all'uomo di godere gioie incontaminate.

Il mattino seguente, mentre già la Casa Rossa ronzava e brulicava come un alveare in cui si prepari lo sciame, vedemmo avanzare lungo la carrozzabile una piccola automobile. Ne passavano pochissime, perciò il fatto ci incuriosí: tanto piú in quanto non era una macchina militare. Rallentò davanti al campo, sterzò ed entrò sobbalzando sul gerbido che si estendeva davanti alla bizzarra facciata. Allora si vide che quello era un veicolo familiare a noi tutti, una Fiat 500 A, una «Topolino» rugginosa e malconcia, dalle balestre pietosamente deformate.

Si fermò davanti all'ingresso, e subito fu circondata da una folla di curiosi. Ne uscí, con grande stento, una straordinaria figura. Non finiva piú di uscire; era un uomo altissimo, corpulento, rubicondo, in una uniforme che non avevamo mai visto prima: un generale sovietico, un generalissimo, un maresciallo. Quando fu tutto fuori dalla portiera, la minuscola carrozzeria si sollevò di un buon palmo, e le balestre sembrarono respirare. L'uomo era letteralmente piú grosso della macchina, e non si capiva come

avesse potuto starci dentro. Queste sue dimensioni cospicue furono ulteriormente accresciute e messe in rilievo: trasse dalla macchina un oggetto nero, e lo svolse. Era un mantello che pendeva fino a terra da due lunghe spalline rigide, di legno: con gesto disinvolto, che attestava una grande familiarità con quella acconciatura, se lo fece volteggiare a tergo e se lo adattò sul dorso, per il che il suo contorno, da tondeggiante, divenne angoloso. Visto da dietro, l'uomo era un monumentale rettangolo nero di un metro per due, che incedeva con maestosa simmetria alla volta della Casa Rossa, fra due ali di gente perplessa che egli soverchiava di tutto il capo. Come sarebbe passato per la porta, largo com'era? Ma ripiegò all'indietro le due spalline, come due ali, ed entrò.

Questo messaggero celeste, che viaggiava da solo in mezzo al fango su di una utilitaria sgretolata e vetusta, era il maresciallo Timošenko in persona, Semjòn Konstantínovič Timošenko, l'eroe della rivoluzione bolscevica, della Carelia e di Stalingrado. Dopo il ricevimento da parte dei russi locali, che d'altronde fu singolarmente sobrio e non durò che pochi minuti, egli uscí nuovamente dall'edificio e si intrattenne alla buona con noi italiani, simile al rozzo Kutuzov di *Guerra e pace*, sul prato, in mezzo alle pentole col pesce in cottura e alla biancheria stesa ad asciugare. Parlava correntemente rumeno coi «rumeni» (poiché era, anzi è, originario della Bessarabia), e conosceva perfino un poco di italiano. Il vento umido agitava la sua chioma grigia, che contrastava con la sua complessione sanguigna ed abbronzata di soldato, mangiatore e bevitore; ci disse che sí, era proprio vero: saremmo partiti presto, prestissimo; «guerra finita, tutti a casa»; la scorta era già pronta, i viveri per il viaggio anche, le carte in ordine. Entro pochi giorni il treno ci avrebbe aspettati alla stazione di Staryje Doroghi.

Da Staryje Doroghi a Iasi

Che la partenza non fosse da attendersi «domani» in senso stretto, come aveva detto il selvaggio a teatro, in fondo non stupí nessuno. Già in varie occasioni avevamo potuto constatare che il termine russo corrispondente, per uno di quegli slittamenti semantici che non sono mai senza perché, viene a dire qualcosa di assai meno definito e perentorio del nostro «domani», e, in armonia con le abitudini russe, vale piuttosto «un giorno fra i prossimi», «una volta o l'altra», «in un tempo non lontano»: insomma, il rigore della determinazione temporale vi è dolcemente sfumato. Non ci stupí, e neppure ci addolorò oltre misura. Quando la partenza fu certa, ci accorgemmo, con nostra stessa meraviglia, che quella terra sterminata, quei campi e quei boschi che avevano visto la battaglia a cui dovevamo la salvezza, quegli orizzonti intatti e primordiali, quella gente vigorosa e amante della vita, ci stavano nel cuore, erano penetrati in noi, e vi sarebbero rimasti a lungo, immagini gloriose e vive di una stagione unica nella nostra esistenza.

Non dunque «domani», ma pochi giorni dopo l'annuncio, il 15 settembre 1945, lasciammo in carovana la Casa Rossa e raggiungemmo in gran festa la stazione di Staryje Doroghi. Il treno c'era, ci aspettava, non era una illusione dei nostri sensi; il carbone c'era, l'acqua anche, e la locomotiva, enorme e maestosa come un monumento di se stessa, stava dalla parte giusta. Ci affrettammo a tastarne il fianco: ahimè, era freddo. I vagoni erano sessanta: va-

goni merci, piuttosto sgangherati, in sosta sul binario morto. Li invademmo con furia giubilante, e senza controversie; eravamo millequattrocento, vale a dire da venti a venticinque uomini per vagone, il che, alla luce delle nostre molte esperienze ferroviarie precedenti, voleva dire un viaggiare comodo e riposante.

Il treno non partí subito, anzi, non partí che il giorno dopo; e risultò inutile fare domande al capo della minuscola stazione, che non sapeva nulla. Non passarono in questo intervallo che due o tre convogli, e nessuno fermò, anzi, neppure rallentò. Quando uno di questi si avvicinava, il capostazione lo attendeva sulla banchina, tendendo in alto una corona fatta di frasche a cui era appeso un sacchetto; dalla locomotiva in corsa si sporgeva il macchinista, col braccio destro piegato a uncino. Agganciava a volo la corona, e subito dopo ne gettava a terra un'altra uguale, essa pure con sacchetto: era questo il servizio postale, l'unico contatto di Staryje Doroghi col resto del mondo.

Tutto il resto era immobilità e quiete. Intorno alla stazione, lievemente sopraelevata, si estendevano praterie interminabili, limitate solo a ponente dalla linea nera del bosco, e tagliate dal nastro vertiginoso dei binari. Vi pascolavano armenti, radi, lontanissimi l'uno dall'altro, soli a rompere l'uniformità della piana. Nella lunga sera di vigilia, si udivano tenui e modulati i canti dei pastori: intonava uno, un secondo gli rispondeva da chilometri di distanza, poi un altro e un altro ancora, da tutti i punti dell'orizzonte, ed era come se la stessa terra cantasse.

Ci preparammo per la notte. Dopo tanti mesi e trasferimenti, noi costituivamo oramai una comunità organizzata: perciò non ci eravamo distribuiti a caso nei vagoni, bensí secondo nuclei spontanei di convivenza. I «rumeni» occupavano una decina di carri; tre erano di pertinenza dei ladri di San Vittore, che non volevano nessuno e che nessuno voleva; altri tre erano per donne sole; quattro o cinque contenevano le coppie, legittime o no; due, divisi in due piani da una tramezza orizzontale, e cospicui per la bian-

cheria stesa ad asciugare, appartenevano alle famiglie con bambini. Vistoso fra tutti era il vagone-orchestra: vi risiedeva, al completo, la compagnia teatrale del «Salone Pendente», con tutti i loro strumenti (compreso un pianoforte), graziosamente donati dai russi al momento della partenza. Il nostro, per iniziativa di Leonardo, era stato dichiarato vagone-infermeria: denominazione presuntuosa e velleitaria, poiché Leonardo non disponeva che di una siringa e uno stetoscopio, e il pavimento non era di legno meno duro che gli altri vagoni; ma d'altro canto in tutto il convoglio non c'era neanche un ammalato, né alcun cliente si presentò per tutto il viaggio. Vi abitavamo in una ventina, fra cui, naturalmente, Cesare e Daniele, e, meno naturalmente, il Moro, il Signor Unverdorben, Giacomantonio e il Velletrano: inoltre, una quindicina di ex prigionieri militari.

Passammo la notte sonnecchiando inquieti sul pavimento nudo del carro. Venne giorno: la locomotiva fumava, il macchinista era al suo posto, e aspettava con calma olimpica che la caldaia andasse in pressione. A metà mattina, la macchina ruggí, con una profonda e meravigliosa voce metallica, si scrollò, vomitò fumo nero, i tiranti si tesero, e le ruote cominciarono a girare. Ci guardammo a vicenda, quasi smarriti. Avevamo resistito, dopo tutto: avevamo vinto. Dopo l'anno di Lager, di pena e di pazienza; dopo l'ondata di morte seguita alla liberazione; dopo il gelo e la fame e il disprezzo e la fiera compagnia del greco; dopo le malattie e la miseria di Katowice; dopo i trasferimenti insensati, per cui ci eravamo sentiti dannati a gravitare in eterno attraverso gli spazi russi, come inutili astri spenti; dopo l'ozio e la nostalgia acerba di Staryje Doroghi, eravamo in risalita, dunque, in viaggio all'in su, in cammino verso casa. Il tempo, dopo due anni di paralisi, aveva riacquistato vigore e valore, lavorava nuovamente per noi, e questo poneva fine al torpore della lunga estate, alla minaccia dell'inverno prossimo, e ci rendeva impazienti, avidi di giorni e di chilometri.

Ma ben presto, fin dalle prime ore di viaggio, ci dovemmo rendere conto che l'ora dell'impazienza non era ancora suonata: quell'itinerario felice si profilava lungo e laborioso e non privo di sorprese: una piccola odissea ferroviaria entro la nostra maggiore odissea. Occorreva ancora pazienza, in dose imprevedibile: altra pazienza.

Il nostro treno era lungo piú di mezzo chilometro; i vagoni erano in cattivo stato, i binari anche, la velocità irrisoria, non superiore ai quaranta o cinquanta chilometri orari. La linea era a binario unico; le stazioni che disponessero di un binario morto lungo tanto da permettere la sosta erano poche, spesso il convoglio doveva essere spezzato in due o tre tronconi, e spinto su binari di sosta con manovre complicate e lentissime, al fine di permettere il passaggio di altri treni.

Non esistevano autorità a bordo, ad eccezione del macchinista e della scorta, costituita dai sette soldati diciottenni che erano venuti fin dall'Austria per prelevarci. Questi, benché armati fino ai denti, erano creature candide e bennate, di animo ingenuo e mite, vispi e spensierati come scolari in vacanza, ed assolutamente privi di autorità e di senso pratico. Ad ogni fermata del treno, li vedevamo passeggiare su e giú per la banchina, col parabellum a tracolla e l'aria fiera e ufficiosa. Si davano molta importanza, come se scortassero un trasporto di pericolosi banditi, ma era tutta apparenza: presto ci accorgemmo che le loro ispezioni si accentravano sempre piú sui due vagoni delle famiglie, a metà convoglio. Non erano attratti dalle giovani mogli, ma dall'atmosfera vagamente domestica che spirava da quelle zingaresche dimore ambulanti, e che forse gli ricordava la casa lontana e l'infanzia appena terminata; ma principalmente, erano affascinati dai bambini, tanto che, dopo le prime tappe, elessero il loro domicilio diurno nei vagoni delle famiglie, e si ritiravano in quello a loro riservato solo per passarvi la notte. Erano cortesi e serviziévoli;

aiutavano volentieri le madri, andavano a prendere acqua
e spaccavano la legna per le stufe. Coi ragazzini italiani
strinsero una curiosa e dissimmetrica amicizia. Impararo-
no da loro vari giochi, fra cui quello del circuito: è questo
un gioco che si fa con le biglie, spingendole lungo un com-
plicato percorso. In Italia, è inteso come rappresentazione
allegorica del Giro: ci riuscí perciò strano l'entusiasmo con
cui fu assimilato dai giovani russi, nei cui paesi le biciclette
sono rare, e le gare ciclistiche non esistono. Comunque sia,
fu per loro una scoperta: alla prima fermata del mattino,
non era raro vedere i sette russi scendere dal loro vagone-
giaciglio, correre ai vagoni delle famiglie, aprirne le porte
d'autorità, e depositare a terra i bambini ancora tutti as-
sonnati. Poi si davano a scavare alacremente il circuito in
terra con le baionette, e si immergevano nel gioco in fretta
e furia, carponi a terra e col parabellum sulla schiena, an-
siosi di non perdere neppure un minuto prima che la loco-
motiva fischiasse la partenza.

Arrivammo la sera del 16 a Bobruisk, la sera del 17 a
Ovruč; e ci accorgemmo che stavamo ripetendo a ritroso le
tappe del nostro ultimo viaggio verso nord, che ci aveva
portati da Žmerinka a Sluzk e a Staryje Doroghi. Passava-
mo le interminabili giornate in parte dormendo, in parte
chiacchierando o assistendo al dipanarsi della steppa mae-
stosa e deserta. Fin dalle prime giornate, il nostro ottimi-
smo perse un poco del suo splendore: quel nostro viaggio,
che secondo ogni apparenza faceva bene sperare di essere
l'ultimo, era stato organizzato dai russi nel modo piú vago
e schiappino che si possa immaginare: o meglio, sembrava
non essere stato organizzato affatto, bensí deciso da chissà
chi, chissà dove, con un semplice tratto di penna. In tutto
il convoglio non esistevano che due o tre carte geografi-
che, senza tregua disputate, su cui andavamo ritrovando
con fatica i nostri problematici progressi: che si viaggiasse
verso sud, era indubbio, ma con una lentezza e irregolarità
esasperanti, con deviazioni e fermate incomprensibili, per-
correndo talora solo qualche decina di chilometri nelle

ventiquattr'ore. Andavamo spesso a interrogare il macchi-
nista (della scorta non è il caso di parlare: sembravano fe-
lici per il solo fatto di viaggiare in treno, e non gli importa-
va affatto di sapere dove si era e dove si andava); ma il
macchinista, che emergeva come un dio infero dal suo abi-
tacolo arroventato, apriva le braccia, si stringeva nelle
spalle, spazzava con la mano un semicerchio da est a ovest,
e rispondeva ogni volta: – Dove andiamo domani? Non lo
so, carissimi, non lo so. Andiamo dalla parte dove trovia-
mo binari.

Chi fra noi sopportava peggio l'incertezza e l'ozio forza-
to era Cesare. Sedeva in un angolo del carro, ipocondriaco
e irto, come un animale malato, e non degnava di uno
sguardo il paesaggio fuori, e noi dentro il vagone. Ma era
inerzia apparente: chi ha bisogno di attività trova ovunque
occasioni. Mentre percorrevamo un distretto disseminato
di piccoli villaggi, fra Ovruč e Žitomir, la sua attenzione
fu attirata da un anellino di ottone al dito di Giacomanto-
nio, il suo poco raccomandabile ex socio sulla piazza di Ka-
towice.

– Me lo vendi? – gli chiese.

– No, – rispose netto Giacomantonio, ad ogni buon
fine.

– Ti do due rubli.

– Ne voglio otto.

Il negozio continuò a lungo; appariva chiaro che en-
trambi vi trovavano un diversivo e una gradevole ginnasti-
ca mentale, e che l'anellino non era che un pretesto, uno
spunto per la sorta di partita amichevole, per una contrat-
tazione di allenamento, tanto per non perdere l'esercizio.
Invece non era cosí: Cesare, come al solito, aveva concepi-
to un piano ben preciso.

Con stupore di noi tutti, cedette abbastanza presto, e
acquistò l'anello, a cui pareva tenesse moltissimo, per
quattro rubli, somma grossolanamente sproporzionata al
valore dell'oggetto. Poi si ritirò nel suo angolo, e si dedicò
per tutto il pomeriggio a misteriose pratiche, cacciando via

con ringhi rabbiosi tutti i curiosi che gli facevano doman-
de (e il piú insistente era Giacomantonio). Aveva tratto
dalle saccocce pezze di panno di diversa qualità, e lisciava
accuratamente l'anello, dentro e fuori, alitandovi sopra
ogni tanto. Poi tirò fuori un pacchetto di cartine da siga-
retta, e continuò minuziosamente il lavoro con quelle, con
estrema delicatezza, senza piú toccare il metallo con le di-
ta: a tratti, sollevava l'anello alla luce del finestrino, e lo
osservava rigirandolo piano piano come se fosse stato un
diamante.

Finalmente accadde quanto Cesare attendeva: il treno
rallentò, e si arrestò alla stazione di un villaggio, non trop-
po grosso e non troppo piccolo; la fermata prometteva di
essere breve, perché il convoglio era rimasto indiviso sul
binario di transito. Cesare scese, e prese a passeggiare su e
giú per la banchina. Teneva l'anello seminascosto sul pet-
to, sotto la giacca; con aria da cospiratore, avvicinava ad
uno per volta i contadini russi che aspettavano, lo mostra-
va a mezzo, e sussurrava nervosamente: – Tovarišč, zòlo-
to, zòloto! – («oro»).

Da principio, i russi non gli davano ascolto. Poi un vec-
chietto osservò l'anello da vicino, e chiese un'offerta; Ce-
sare, senza esitare, disse: – Sto, – («cento»): un prezzo as-
sai modesto per un anello d'oro, criminoso per uno d'otto-
ne. Il vecchio contropropose quaranta, Cesare fece l'indi-
gnato e si rivolse a un altro. Provò cosí con diversi clienti,
tirando in lungo e cercando quello che offriva di piú: e in-
tanto, tendeva l'orecchio al fischio della locomotiva, per
concludere l'affare e saltare sul treno in corsa subito dopo.

Mentre Cesare mostrava l'anello a questo e a quello, si
vedevano gli altri confabulare a gruppetti, sospettosi ed
eccitati. In quella, la locomotiva fischiò; Cesare allentò l'a-
nello all'ultimo offerente, intascò una cinquantina di rubli,
e risalí svelto sul treno che già stava muovendosi. Il treno
percorse un metro, due, dieci metri; poi rallentò nuova-
mente, e si fermò con un gran stridore di freni.

Cesare aveva richiuso le porte scorrevoli, e sbirciava fuori dalla fenditura, prima trionfante, poi inquieto, infine terrificato. L'uomo dell'anello stava mostrando l'acquisto ai compaesani: questi se lo passavano di mano in mano, lo giravano da tutte le parti, e crollavano il capo con aria di dubbio e disapprovazione. Poi si vide l'incauto compratore, evidentemente pentito, alzare la testa e mettersi risolutamente in cammino lungo il convoglio, alla ricerca del rifugio di Cesare: ricerca ben facile, perché il nostro era il solo vagone con le porte chiuse.

La faccenda si metteva decisamente male: il russo, che non doveva essere un'aquila, forse non sarebbe riuscito da solo a identificare il vagone, ma già due o tre suoi colleghi gli stavano indicando con energia la direzione giusta. Cesare si ritirò di scatto dallo spiraglio, e ricorse ai rimedi estremi: si acquattò in un angolo del carro, e si fece ricoprire in gran furia con tutte le coperte disponibili. In breve scomparve sotto un enorme ammasso di coperte, trapunte, sacchi, giacche; dal quale, tendendo l'orecchio, mi parve di sentir salire, fievoli e attutite, e blasfeme in quel contesto, parole di preghiera.

Già si udivano i russi vociare sotto il vagone, e battere coi pugni contro la parete, quando il treno si mise in moto con un violento strattone. Cesare riemerse, pallido come un morto, ma si rinfrancò immediatamente: – Ora mi possono pure cercare!

Il mattino seguente, sotto un sole radioso, il treno si fermò a Kazàtin. Questo nome non mi suonava nuovo: dove lo avevo letto o inteso? Forse nei bollettini di guerra? Eppure avevo l'impressione di una memoria piú vicina e piú attuale, come se qualcuno me ne avesse parlato diffusamente in tempo recente: dopo, e non prima, della cesura di Auschwitz, che spaccava in due la catena dei miei ricordi.

Ed ecco, in piedi sulla banchina, proprio sotto il nostro vagone, il ricordo nebuloso fatto persona: Galina, la ragazza di Katowice, la traduttrice-danzatrice-dattilografa della Kommandantur, Galina di Kazàtin. Scesi a salutarla, pie-

no di gioia e di meraviglia per l'improbabile incontro: ritrovare la sola amica russa in quel paese sterminato!

Non la vidi molto cambiata: era un po' meglio vestita, e si riparava dal sole sotto un pretenzioso ombrellino. Neppure io ero cambiato molto, almeno esteriormente: un po' meno denutrito e meschino di allora, e altrettanto cencioso; ma ricco di una nuova ricchezza, il treno alle mie spalle, la locomotiva lenta ma sicura, l'Italia ogni giorno piú vicina. Mi augurò un buon ritorno: scambiammo poche frasi frettolose e imbarazzate, nella lingua non sua né mia, nella lingua fredda dell'invasore, e subito ci separammo, poiché il treno ripartiva. Nel vagone, che correva sobbalzando verso i confini, sedevo odorando nella mia mano il profumo di poco prezzo che mi era stato contagiato dalla sua, lieto di averla rivista, triste al ricordo delle ore passate con lei, delle cose non dette, delle occasioni non colte.

Passammo nuovamente per Žmerinka con sospetto, memori dei giorni di angoscia che vi avevamo trascorsi pochi mesi prima: ma il treno proseguí senza intralci, e la sera del 19 settembre, attraversata speditamente la Bessarabia, eravamo sul Prut, alla linea di confine. Nel buio fitto, a mo' di congedo, la polizia confinaria sovietica eseguí una tumultuosa e disordinata ispezione del convoglio, alla ricerca (ci dissero) di rubli, che era proibito esportare; d'altronde, li avevamo spesi tutti. Passato il ponte, dormimmo sull'altra sponda, nel treno fermo, ansiosi che la luce del giorno ci rivelasse la terra rumena.

Fu infatti una drammatica rivelazione. Quando al primo mattino spalancammo le porte, si aprí ai nostri sguardi uno scenario sorprendentemente domestico: non piú steppa deserta, geologica, ma le colline verdeggianti della Moldavia, con case coloniche, pagliai, filari di viti; non piú enigmatiche iscrizioni cirilliche, ma, proprio di fronte al nostro vagone, una casupola sbilenca, celeste di verderame, con su scritto ben chiaro: «Paine, Lapte, Vin, Carnaciuri de Purcel». E infatti, davanti alla casupola stava una donna, e traeva a bracciate da un canestro ai suoi piedi una

lunghissima salsiccia, misurandola a tese come si misura lo spago.

Si vedevano contadini come i nostri, dal viso adusto e dalla fronte pallida, vestiti di nero, colla giacca e il panciotto e la catena dell'orologio sul ventre; ragazze a piedi o in bicicletta, vestite quasi come da noi, che si sarebbero potute scambiare per venete o abruzzesi. Capre, pecore, vacche, maiali, galline: ma, freno ad ogni precoce illusione casalinga, ecco fermo a un passaggio a livello un cammello, a ricacciarci nell'altrove: un cammello consunto, grigio, lanoso, carico di sacchi, spirante alterigia e solennità sciocca dal preistorico muso leporino. Altrettanto duplice suonava ai nostri orecchi il linguaggio del luogo: radici e desinenze note, ma aggrovigliate e contaminate, in millenario concrescimento, con altre di suono straniero e selvaggio: un parlare familiare nella musica, ermetico nel senso.

Alla frontiera ebbe luogo la complicata e penosa cerimonia del trasloco dagli sconnessi vagoni con scartamento sovietico ad altri, altrettanto sconnessi, con scartamento occidentale; e poco dopo entravamo nella stazione di Iasi, dove il convoglio fu faticosamente spezzato in tre tronconi: segno che la tappa sarebbe durata molte ore.

A Iasi avvennero due fatti notevoli: ricomparvero dal nulla le due tedesche del bosco, e sparirono tutti i «rumeni» coniugati. Il contrabbando delle due tedesche attraverso il confine sovietico doveva essere stato organizzato con grande audacia e abilità da un gruppo di militari italiani: i particolari non si seppero mai con precisione, ma corse voce che le due ragazze avessero trascorso la notte critica del passaggio di frontiera nascoste sotto il pavimento del vagone, appiattate fra i tiranti e le balestre. Le vedemmo passeggiare sulla banchina il mattino seguente, disinvolte e proterve, infagottate in panni militari sovietici e tutte sporche di fango e di grasso. Ormai si sentivano al sicuro.

Simultaneamente, nei vagoni dei «rumeni» si videro esplodere violenti conflitti familiari. Molti di questi, già

appartenenti al corpo diplomatico, e smobilitati o auto-
smobilitati dall'ARMIR, si erano sistemati in Romania e
avevano sposato donne rumene. Alla fine della guerra,
quasi tutti avevano optato per il rimpatrio, e per loro i rus-
si avevano organizzato un treno che li avrebbe dovuti por-
tare a Odessa, per esservi imbarcati; ma a Žmerinka erano
stati aggregati alla nostra miserabile tradotta, e avevano
seguito il nostro destino, né mai si seppe se ciò fosse avve-
nuto per disegno o per disordine. Le mogli rumene erano
furiose contro i mariti italiani: ne avevano abbastanza di
sorprese e di avventure e di tradotte e di bivacchi. Ora
erano rientrate in territorio rumeno, erano a casa loro, vo-
levano rimanerci e non intendevano ragione: alcune discu-
tevano e piangevano, altre tentavano di trascinare a terra
i mariti, le piú scatenate scaraventavano giú dai vagoni ba-
gagli e masserizie, mentre i bambini, spaventati, correvano
strillando tutto intorno. I russi della scorta erano accorsi,
ma non capivano e stavano a guardare inerti e indecisi.

Poiché la sosta a Iasi minacciava di protrarsi per tutta la
giornata, uscimmo dalla stazione e ce ne andammo a zonzo
per le vie deserte, fra basse case color del fango. Un unico
tram minuscolo ed arcaico faceva la spola da un capo all'al-
tro della città; ad un capolinea stava il bigliettario, parlava
yiddish, era ebreo. Con qualche sforzo riuscimmo a capir-
ci. Mi informò che per Iasi già altri convogli di reduci era-
no passati, di tutte le razze, francesi, inglesi, greci, italiani,
olandesi, americani. In molti fra questi erano anche ebrei
bisognosi di aiuto: perciò la comunità ebraica locale aveva
costituito un centro di assistenza. Se avevamo un'ora o
due di tempo, ci consigliava di recarci in delegazione a
questo centro: avremmo ricevuto consigli e aiuti. Anzi,
poiché il suo tram stava per partire, che montassimo, ci
avrebbe fatti scendere alla fermata giusta, e al biglietto ci
avrebbe pensato lui.

Andammo Leonardo, il Signor Unverdorben e io: attra-
verso la città spenta giungemmo a un edificio squallido, ca-
dente, con porte e finestre sostituite da tavolati provviso-

ri. In un ufficio buio e polveroso ci ricevettero due anziani patriarchi, dall'aspetto poco piú opulento e florido del nostro: ma erano pieni di affettuose premure e di buone intenzioni, ci fecero sedere sulle tre sole sedie disponibili, ci colmarono di attenzioni e ci raccontarono a precipizio, in yiddish e in francese, le prove tremende a cui, loro e pochi altri, erano sopravvissuti. Erano pronti alle lagrime e al riso: al momento del congedo, ci invitarono perentoriamente a un brindisi di terribile alcool rettificato, e ci consegnarono un canestro d'uva da distribuire fra gli ebrei del convoglio. Raggranellarono anche, svuotando tutti i cassetti e le loro stesse tasche, una somma in «lei» che lí per lí ci parve astronomica; ma, a ripartizione avvenuta, e a conti fatti con l'inflazione, ci accorgemmo poi che il suo valore era principalmente simbolico.

Da Iasi alla Linea

Attraverso campagne ancora estive, attraverso cittadine e villaggi dai barbarici nomi sonanti (Ciurea, Scantea, Vaslui, Piscu, Braila, Pogoanele) procedemmo ancora per vari giorni verso sud, a minuscole tappe: vedemmo sfolgorare, la notte del 23 settembre, i fuochi dei pozzi petroliferi di Ploesti; dopo di che il nostro misterioso pilota prese per ponente, e il giorno dopo, dalla posizione del sole, ci accorgemmo che la nostra rotta si era invertita: stavamo navigando nuovamente verso nord. Ammirammo, senza riconoscerli, i castelli di Sinaia, residenza regale.

Nel nostro vagone avevamo ormai esaurito il danaro liquido, e venduto o scambiato tutto ciò che poteva avere un potere commerciale, anche infimo. Perciò, a meno di saltuari colpi di fortuna o azioni bandistiche, non si mangiava che quanto i russi ci davano: la situazione non era drammatica, ma confusa e snervante.

Non fu mai chiaro chi sovraintendesse agli approvvigionamenti: molto probabilmente i russi stessi della scorta, i quali prelevavano a casaccio, da ogni deposito militare o civile che capitasse a tiro, i generi alimentari piú disparati, o forse i soli disponibili. Quando il treno fermava e veniva sdoppiato, ogni vagone inviava due delegati al carro dei russi, che si era a poco a poco trasformato in un caotico bazar ambulante a questi, i russi distribuivano, al di fuori di ogni regola, i viveri per i rispettivi vagoni. Era un gioco d'azzardo quotidiano: quanto alla quantità, le razioni erano talvolta scarse, talvolta ciclopiche, talvolta nulle; e

quanto alla qualità, imprevedibili come ogni cosa russa. Ricevemmo carote, e poi carote, e poi ancora carote, per giorni di fila; poi le carote sparirono, e sopravvennero i fagioli. Erano fagioli secchi, duri come ghiaia: per poterli cucinare, dovevamo tenerli in molle per ore in recipienti di fortuna, gavette, latte, barattoli appesi al cielo del vagone: di notte, quando il treno frenava bruscamente, quella selva sospesa entrava in oscillazioni violente, acqua e fagioli piovevano sui dormienti, e ne seguivano risse, risate e baraonde nel buio. Vennero patate, poi «kaša», poi cetrioli, ma senza olio; poi olio, mezza gavetta a testa, quando i cetrioli erano finiti; poi semi di girasole, esercizio di pazienza. Ricevemmo un giorno pane e salsiccia in abbondanza, e tutti respirarono: poi, grano per una settimana di fila, come se fossimo galline.

Soltanto i vagoni-famiglia avevano stufe a bordo: in tutti gli altri, ci si arrangiava a cucinare a terra, su fuochi di bivacco, accesi in gran fretta appena il treno fermava, e smobilitati a metà cottura, fra litigi e imprecazioni, quando il treno ripartiva. Si cucinava a testa bassa, furiosamente, l'orecchio teso al fischio della locomotiva, l'occhio ai vagabondi affamati, che subito convergevano a frotte dalla campagna, attirati dal fumo come segugi dall'usta. Si cucinava come i nostri proavi, su tre sassi: e poiché spesso mancavano, ogni vagone finì coll'avere la sua propria dotazione. Comparvero spiedi e ingegnosi sostegni; ricomparvero le pentole di Cantarella.

Si poneva imperioso il problema della legna e dell'acqua. La necessità semplifica: furono saccheggiate fulmineamente le legnaie private; rubate le barriere antineve, che in quei paesi vengono accatastate nei mesi estivi a fianco dei binari; demoliti steccati, traversine, una volta (in mancanza d'altro) un intero carro merci sinistrato: e fu provvidenziale, nel nostro vagone, la presenza del Moro e della sua celebre scure. Per l'acqua, occorrevano in primo luogo recipienti adatti, e ogni vagone si dovette procurare un secchio, mediante baratto, furto o acquisto. Il nostro

secchio, regolarmente comperato, si rivelò bucato al primo esperimento: lo riparammo col cerotto dell'infermeria, e sostenne miracolosamente la cottura fino al Brennero, dove si sfasciò.

Era generalmente impossibile fare scorta d'acqua alle stazioni: davanti alla fontanella (quando c'era) si costituiva in pochi secondi una fila sterminata, e solo qualche secchio poteva essere riempito. Alcuni strisciavano di soppiatto fino al «tender» che conteneva la scorta destinata alla locomotiva: ma se il macchinista se ne accorgeva, andava su tutte le furie, e bombardava i temerari con bestemmie e carboni incandescenti. Ciononostante, ci riuscí qualche volta di spillare acqua calda dal ventre della locomotiva stessa: era acqua viscida e rugginosa, inadatta per cucinare ma discreta per lavarsi.

La migliore risorsa erano i pozzi di campagna. Spesso il treno fermava fra i campi, davanti a un semaforo rosso: per pochi secondi o per ore, era impossibile prevederlo. Allora tutti si sfilavano rapidamente le cinture dei pantaloni, con le quali, affibbiate insieme, si faceva una lunga fune; dopo di che il piú svelto del vagone partiva di corsa, con la fune e col secchio, in cerca di un pozzo. Il piú svelto del mio vagone ero io, e riuscii sovente nell'impresa; ma una volta corsi il rischio grave di perdere la tradotta. Avevo già calato il secchio e lo stavo sollevando faticosamente, quando udii la locomotiva fischiare. Se avessi abbandonato secchio e cinture, preziosa proprietà comune, mi sarei disonorato per sempre: tirai con quanta forza avevo, afferrai il secchio, rovesciai l'acqua a terra, e via di corsa, impacciato dalle cintole aggrovigliate, verso il treno che già si muoveva. Un secondo di ritardo poteva essere un mese di ritardo: corsi senza risparmio, per la vita, scavalcai due siepi e lo steccato, e mi avventai sui ciottoli mobili della massicciata mentre il treno mi sfilava davanti. Il mio vagone era già passato: mani pietose si tesero verso di me dagli altri, agganciarono le cinture e il secchio, altre mani mi avvinghiarono per i capelli, le spalle, gli abiti, e mi issarono

di peso sul pavimento dell'ultimo carro, dove giacqui semi-svenuto per mezz'ora.

Il treno continuava a procedere verso nord: si inoltrava in una valle sempre piú stretta, passò le Alpi Transilvane per il valico di Predeal il 24 settembre, in mezzo a severe montagne brulle, in un freddo pungente, e ridiscese a Brasov. Qui la locomotiva venne staccata, garanzia di tregua, e cominciò a svolgersi il cerimoniale consueto: gente dall'aria furtiva e feroce, con le accette in mano, in giro per la stazione e fuori; altri coi secchi, a disputarsi la poca acqua; altri ancora a rubare paglia dai pagliai, o a fare commerci coi locali; bambini sparsi intorno in cerca di guai o di saccheggi minori; donne a lavare o a lavarsi pubblicamente, a scambiarsi visite e notizie da vagone a vagone, a rinfocolare le liti rimuginate durante la tappa, e ad accenderne di nuove. Subito furono accesi i fuochi, e si cominciò a cucinare.

Accanto al nostro convoglio stazionava un trasporto militare sovietico, carico di camionette, mezzi corazzati e fusti di carburante. Era sorvegliato da due robuste soldatesse, in stivali ed elmetto, moschetto a spalla e baionetta in canna: erano di età indefinibile e di aspetto legnoso e scostante. Come videro accendere fuochi proprio sotto i fusti di benzina, si indignarono giustamente per la nostra incoscienza, e gridando «nelzjà nelzjà» imposero di spegnerli immediatamente.

Tutti obbedirono, sacramentando; ad eccezione di un gruppetto di alpini, gente coriacea, reduci dalla campagna di Russia, che avevano organizzato un'oca e la stavano arrostendo. Si consultarono con sobrie parole, mentre le due donne imperversavano alle loro spalle; poi due di loro, designati a maggioranza, si levarono in piedi, col viso severo e risoluto di chi si sacrifica coscientemente per il bene comune. Affrontarono le soldatesse e parlarono loro sottovoce. La trattativa fu sorprendentemente breve: le donne deposero l'elmetto e le armi, indi i quattro, seri e composti, si allontanarono dalla stazione, si inoltrarono in un viotto-

lo e sparirono ai nostri sguardi. Ritornarono un quarto d'ora piú tardi, le donne avanti, un po' meno legnose e lievemente congestionate, gli uomini dietro, fieri e sereni. La cottura era a buon punto: i quattro si accovacciarono a terra con gli altri, l'oca fu scalcata e ripartita in buona pace, poi, dopo la breve tregua, le russe ripresero le armi e la sorveglianza.

Da Brasov la direzione di marcia volse nuovamente ad ovest, verso il confine ungherese. Venne la pioggia a peggiorare la situazione: difficile accendere i fuochi, un solo vestito bagnato addosso, fango dovunque. Il tetto del vagone non era stagno: solo pochi metri quadrati di pavimento restavano abitabili, sugli altri grondava acqua senza misericordia. Ne nascevano contese e alterchi senza fine al momento di coricarsi per dormire.

È antica osservazione che in ogni gruppo umano esiste una vittima predestinata: uno che porta pena, che tutti deridono, su cui nascono dicerie insulse e malevole, su cui, con misteriosa concordia, tutti scaricano i loro mali umori e il loro desiderio di nuocere. La vittima del nostro vagone era il Carabiniere. Sarebbe arduo stabilirne il perché, se pure un perché esisteva: il Carabiniere era un giovane carabiniere abruzzese, gentile, mite, servizievole e di bell'aspetto. Non era neppure particolarmente ottuso, era anzi piuttosto permaloso e sensibile, e perciò soffriva acutamente della persecuzione a cui era sottoposto dagli altri militari del vagone. Ma appunto, era carabiniere: ed è noto che fra l'Arma (come si chiama per antonomasia) e le altre forze armate non corre buon sangue. Si rimprovera ai carabinieri, perversamente, la loro eccessiva disciplina, serietà, castità, onestà; la loro mancanza di umorismo; la loro obbedienza indiscriminata; i loro costumi; la loro divisa. Corrono sul loro conto leggende fantastiche, grottesche e scempie, che si tramandano nelle caserme di generazione in generazione: la leggenda del martello, la leggenda del giuramento. Tacerò dell'una, troppo nota e infame; secondo l'altra, a quanto appresi, la giovane recluta dell'Ar-

ma è tenuta a prestare un segreto e abominevole giuramento infero, in cui, tra l'altro, si impegna solennemente «a uccidere suo padre e sua madre»: e ogni carabiniere, o li ha uccisi, o li ucciderà, se no non passa appuntato. Il giovane infelice non poteva aprire bocca: – Fai silenzio tu, che hai ammazzato papà e mamma –. Ma non si ribellò mai: incassava questo e cento altri vituperi con la pazienza adamantina di un santo. Un giorno mi prese da parte, come neutrale, e mi assicurò «che la faccenda del giuramento non era vera».

In mezzo alla pioggia, che ci rendeva collerici e tristi, viaggiammo quasi senza soste per tre giorni, fermando solo per poche ore in un paese pieno di fango, dal nome glorioso di Alba Iulia. La sera del 26 settembre, dopo di aver percorso piú di ottocento chilometri in terra rumena, eravamo alla frontiera ungherese, presso Arad, in un villaggio chiamato Curtici.

Sono sicuro che gli abitanti di Curtici ancora ricordano il flagello del nostro passaggio: è da credersi anzi che questo sia entrato a far parte delle tradizioni locali, e che se ne parlerà per generazioni, accanto al fuoco, come altrove ancora si parla di Attila e di Tamerlano. Anche questo particolare del nostro viaggio è destinato a rimanere oscuro: secondo ogni evidenza, le autorità militari o ferroviarie rumene non ci volevano piú, o ci avevano già «scaricati», mentre quelle ungheresi non ci volevano accettare, e non ci avevano «presi in carico»: negli effetti, rimanemmo inchiodati a Curtici, noi e il treno e la scorta, per sette giorni estenuanti, e devastammo il paese.

Curtici era un villaggio agricolo di forse mille abitanti, e disponeva di ben poco; noi eravamo millequattrocento, e avevamo bisogno di tutto. In sette giorni, vuotammo tutti i pozzi; esaurimmo le scorte di legna, e arrecammo gravi ingiurie a tutto quanto la stazione conteneva di combustibile; delle latrine della stazione stessa è meglio non parlare. Provocammo un pauroso aumento nei prezzi del latte, del pane, del granturco, del pollame; dopo di che,

essendo ridotto a zero il nostro potere di acquisto, si verificarono furti di notte e poi anche di giorno. Le oche, che a quanto pareva costituivano la principale risorsa locale, e inizialmente circolavano libere per i viottoli fangosi in solenni squadriglie bene ordinate, sparirono affatto, in parte catturate, in parte richiuse nelle stie.

Ogni mattina aprivamo le porte, nella speranza assurda che il treno si fosse mosso inavvertitamente, durante il nostro sonno: ma nulla era cambiato, il cielo era sempre nero e piovoso, le case di fango sempre davanti ai nostri occhi, il treno inerte e impotente come una nave in secca; e le ruote, quelle ruote che ci dovevano portare a casa, ci curvavamo ad esaminarle: no, non si erano mosse di un millimetro, sembravano saldate ai binari, e la pioggia le arrugginiva. Avevamo freddo e fame, e ci sentivamo abbandonati e dimenticati.

Il sesto giorno, snervato e inferocito piú di tutti gli altri, Cesare ci piantò. Dichiarò che ne aveva abbastanza di Curtici, dei russi, del treno e di noi; che non voleva diventare matto, e neanche morire di fame o essere accoppato dai curticesi; che uno, quando è in gamba, se la cava meglio da solo. Disse che, se eravamo disposti, potevamo anche seguirlo: ma patti chiari, lui era stufo di fare della miseria, era pronto a correre dei rischi, ma voleva tagliare corto, far su quattrini alla svelta, e tornare a Roma in aeroplano. Nessuno di noi si sentí di seguirlo, e Cesare se ne andò: prese un treno per Bucarest, ebbe molte avventure, e riuscí nel suo proposito, tornò cioè a Roma in aereo, sebbene piú tardi di noi; ma questa è un'altra storia, una storia «de haulte graisse», che non racconterò, o racconterò in altra sede solo se e quando Cesare me ne darà il permesso.

Se in Romania avevo provato un delicato piacere filologico nel gustare nomi quali Galati, Alba Iulia, Turnu Severin, al primo ingresso in Ungheria ci imbattemmo invece in Békéscsaba, cui fecero seguito Hódmezövásárhely e Kiskunfélegyháza. La pianura magiara era intrisa d'acqua, il

cielo era plumbeo, ma sopra ogni cosa ci attristava la mancanza di Cesare. Aveva lasciato fra noi un vuoto doloroso: in sua assenza, nessuno sapeva di cosa parlare, nessuno piú riusciva a vincere la noia del viaggio interminabile, la fatica dei diciannove giorni di tradotta che ormai ci pesavano sulle spalle. Ci guardavamo l'un l'altro con un vago senso di colpa: perché lo avevamo lasciato partire? Ma in Ungheria, malgrado i nomi impossibili, ci sentivamo ormai in Europa, sotto l'ala di una civiltà che era la nostra, al riparo da allarmanti apparizioni quali quella del cammello in Moldavia. Il treno puntava verso Budapest, ma non vi penetrò: sostò a piú riprese a Ujpest e in altri scali periferici il 6 di ottobre, concedendoci visioni spettrali di ruderi, di baracche provvisorie e di strade deserte; poi si inoltrò nuovamente nella pianura, fra scrosci di pioggia e veli di nebbia autunnale.

Fermò a Szób, ed era giorno di mercato: scendemmo tutti, per sgranchirci le gambe e spendere i pochi soldi che avevamo. Io non avevo piú nulla: ma ero affamato, e barattai la giacca di Auschwitz, che avevo gelosamente conservato fino allora, contro un nobile impasto di formaggio fermentato e cipolle, il cui aroma acuto mi aveva avvinto. Quando la macchina fischiò, e risalimmo sul vagone, ci contammo, ed eravamo due in piú.

Uno era Vincenzo, e nessuno se ne stupí. Vincenzo era un ragazzo difficile: un pastore calabrese di sedici anni, finito in Germania chissà come. Era selvaggio quanto il Velletrano, ma di natura diversa: timido, chiuso e contemplativo quanto quello era violento e sanguigno. Aveva mirabili occhi celesti, quasi femminei, e un viso fine, mobile, lunare: non parlava quasi mai. Era nomade nell'anima, inquieto, attratto a Staryje Doroghi dal bosco come da demoni invisibili: e anche sul treno, non aveva residenza stabile in un vagone, ma li girava tutti. Subito comprendemmo il perché della sua instabilità: appena il treno partí da Szób, Vincenzo piombò a terra, con gli occhi bianchi e la mascella serrata come di sasso. Ruggiva come una belva,

e si dibatteva, piú forte dei quattro alpini che lo trattenevano: una crisi epilettica. Certamente ne aveva avute altre, a Staryje Doroghi e prima: ma ogni volta, quando ne avvertiva i segni premonitori, Vincenzo, spinto da una sua selvatica fierezza, si era rifugiato nella foresta perché nessuno sapesse del suo male; o forse, davanti al male fuggiva, come gli uccelli davanti alla tempesta. Nel lungo viaggio, non potendo restare a terra, quando sentiva arrivare l'attacco cambiava vagone. Stette con noi pochi giorni, poi sparí: lo ritrovammo appollaiato sul tetto di un altro vagone. Perché? Rispose che di lassú si vedeva meglio la campagna.

Anche l'altro nuovo ospite, per diverse ragioni, si rivelò un caso difficile. Nessuno lo conosceva: era un ragazzotto robusto, scalzo, vestito con giacca e pantaloni dell'Armata Rossa. Parlava solo ungherese, e nessuno di noi riusciva a capirlo. Il Carabiniere ci raccontò che, mentre a terra stava mangiando pane, il ragazzo gli si era avvicinato e aveva teso la mano; lui gli aveva ceduto metà del suo cibo, e da allora non era piú riuscito a staccarlo: mentre tutti risalivamo in fretta sul vagone, doveva averlo seguito senza che nessuno ci badasse.

Fu accolto bene: una bocca in piú da sfamare non preoccupava. Era un ragazzo intelligente e allegro: appena il treno fu in moto, si presentò con grande dignità. Si chiamava Pista e aveva quattordici anni. Padre e madre? Qui era piú difficile farsi intendere: trovai un mozzicone di matita e un pezzo di carta, e disegnai un uomo, una donna, e un bambino in mezzo; indicai il bambino dicendo «Pista», poi rimasi in attesa. Pista si fece serio, poi fece un disegno di terribile evidenza: una casa, un aereo, una bomba che stava cadendo. Poi cancellò la casa, e disegnò accanto un grosso cumulo fumante.

Ma non era in vena di cose tristi: appallottolò quel foglio, ne chiese un altro, e disegnò una botte, con singolare precisione. Il fondo, in prospettiva, e tutte le doghe visibili, a una a una; poi la cerchiatura, e il foro con lo spinotto.

Ci guardammo interdetti: quale era il senso del messaggio? Pista rideva, felice: poi disegnò se stesso accanto, col martello in una mano e la sega nell'altra. Non avevamo ancora capito? era il suo mestiere, era bottaio.

Tutti gli vollero subito bene; d'altronde, teneva a rendersi utile, spazzava il pavimento tutte le mattine, lavava con entusiasmo le gavette, andava a prendere l'acqua, ed era felice quando lo mandavamo a «fare la spesa» presso i suoi compatrioti delle varie fermate. Al Brennero, si faceva già intendere in italiano: cantava belle canzoni del suo paese, che nessuno capiva, poi cercava di spiegarcele a gesti, facendo ridere tutti e ridendo di gran cuore lui per primo. Era affezionato come un fratello minore al Carabiniere, e ne lavò a poco a poco il peccato originale: aveva bensí ucciso padre e madre, ma in fondo doveva essere un buon figlio, dal momento che Pista lo aveva seguito. Riempí il vuoto lasciato da Cesare. Gli chiedemmo perché era venuto con noi, che cosa veniva a cercare in Italia: ma non riuscimmo a saperlo, in parte per la difficoltà di intenderci, ma principalmente perché lui stesso sembrava lo ignorasse. Da mesi vagabondava per le stazioni come un cane randagio: aveva seguito la prima creatura umana che lo avesse guardato con misericordia.

Speravamo di passare dall'Ungheria all'Austria senza complicazioni di confine, ma non fu cosí: il mattino del 7 ottobre, ventiduesimo giorno di tradotta, eravamo a Bratislava, in Slovacchia, in vista dei Beschidi, degli stessi monti che sbarravano il lugubre orizzonte di Auschwitz. Altra lingua, altra moneta, altra via: avremmo chiuso l'anello? Katowice era a duecento chilometri: avremmo ricominciato un altro vano, estenuante circuito per l'Europa? Ma a sera entrammo in terra tedesca: il giorno 8 eravamo incagliati nello scalo merci di Leopoldau, una stazione periferica di Vienna, e ci sentivamo quasi a casa.

La periferia di Vienna era brutta e casuale come quelle a noi familiari di Milano e di Torino, e come quelle, nelle ultime visioni che ne ricordavamo, macinata e sconvolta

dai bombardamenti. I passanti erano pochi: donne, bambini, vecchi, nessun uomo. Familiare, paradossalmente, mi suonava anche il loro linguaggio: alcuni comprendevano perfino l'italiano. Cambiammo a caso il danaro che avevamo con moneta locale, ma fu inutile: come a Cracovia in marzo, tutti i negozi erano chiusi, o vendevano solo generi razionati. – Ma che cosa si può comperare a Vienna senza tessera? – chiesi ad una ragazzina, non piú che dodicenne. Era vestita di stracci, ma portava scarpe coi tacchi alti ed era vistosamente truccata: – Überhaupt nichts, – mi rispose con scherno.

Ritornammo alla tradotta per passarvi la notte; durante la quale, con molte scosse e stridori, percorremmo pochi chilometri e ci trovammo trasferiti in un altro scalo, Vienna-Jedlersdorf. Accanto a noi emerse dalla nebbia un altro convoglio, anzi, il cadavere tormentato di un convoglio: la locomotiva stava verticale, assurda, col muso puntato al cielo come se volesse salirvi; tutti i vagoni erano carbonizzati. Ci accostammo, spinti dall'istinto del saccheggio e da una curiosità irridente: ci ripromettevamo una soddisfazione maligna nel mettere le mani sulle rovine di quelle cose tedesche. Ma alla irrisione rispose irrisione: un vagone conteneva vaghi rottami metallici che dovevano avere fatto parte di strumenti musicali bruciati, e centinaia di ocarine di coccio, sole superstiti; un altro, pistole di ordinanza, fuse e arruginite; il terzo, un intrico di sciabole ricurve, che il fuoco e la pioggia avevano saldato entro i foderi per tutti i secoli avvenire: vanità delle vanità, e il sapore freddo della perdizione.

Ci allontanammo, e vagando alla ventura ci trovammo sull'argine del Danubio. Il fiume era in piena, torbido, giallo e gonfio di minaccia: in quel punto il suo corso è pressoché rettilineo, e si vedevano, uno dietro l'altro, in una brumosa prospettiva da incubo, sette ponti, tutti spezzati esattamente al centro, tutti coi monconi immersi nell'acqua vorticosa. Mentre ritornavamo alla nostra dimora ambulante, fummo riscossi dallo sferragliare di un tram,

sola cosa viva. Correva all'impazzata sui binari malconci, lungo i viali deserti, senza arrestarsi alle fermate. Intravvedemmo il manovratore al suo posto, pallido come uno spettro; dietro a lui, deliranti di entusiasmo, stavano i sette russi della nostra scorta, e nessun altro passeggero: era il primo tram della loro vita. Mentre gli uni si spenzolavano fuori dei finestrini, gridando «hurrà, hurrà», gli altri incitavano e minacciavano il guidatore perché andasse piú in fretta.

Su una grande piazza si teneva mercato; ancora una volta un mercato spontaneo e illegale, ma assai piú misero e furtivo di quelli polacchi, che avevo frequentato col greco e con Cesare: ricordava invece da vicino un altro scenario, la Borsa del Lager, indelebile nelle nostre memorie. Non banchetti, ma gente in piedi, freddolosa, inquieta, a piccoli crocchi, pronta alla fuga, con borse e valigie in mano e le tasche gonfie; e si scambiavano minuscole cianfrusaglie, patate, fette di pane, sigarette sciolte, spicciolo e logoro ciarpame casalingo.

Risalimmo sui vagoni col cuore gonfio. Non avevamo provato alcuna gioia nel vedere Vienna sfatta e i tedeschi piegati: anzi, pena; non compassione, ma una pena piú ampia, che si confondeva con la nostra stessa miseria, con la sensazione greve, incombente, di un male irreparabile e definitivo, presente ovunque, annidato come una cancrena nei visceri dell'Europa e del mondo, seme di danno futuro.

Sembrava che il treno non potesse staccarsi da Vienna: dopo tre giorni di soste e di manovre, il 10 ottobre eravamo a Nussdorf, un altro sobborgo, affamati, bagnati e tristi. Ma il mattino dell'11, quasi avesse ritrovato ad un tratto una traccia perduta, il treno puntò decisamente verso ponente: con inconsueta rapidità attraversò St. Pölten, Loosdorf e Amstetten, e a sera, lungo la strada che correva parallelamente alla ferrovia, apparve un segno, portentoso ai nostri sguardi come gli uccelli che annunciano ai naviganti la terra vicina. Era un veicolo nuovo per noi: un'auto militare tozza e sgraziata, piatta come una scatola, che

portava dipinta sulla fiancata una stella bianca e non rossa: una jeep, insomma. Un negro la guidava; uno degli occupanti si sbracciava verso di noi, e urlava in napoletano:
– Si va a casa, guaglioni!

La linea di demarcazione era dunque vicina: la raggiungemmo a St. Valentin, a pochi chilometri da Linz. Qui fummo fatti scendere, salutammo i giovani barbari della scorta e il macchinista benemerito, e passammo in forza agli americani.

I campi di transito sono tanto peggio organizzati quanto piú breve è la durata media del soggiorno: a St. Valentin non ci si fermava che poche ore, un giorno al massimo, ed era perciò un campo molto sporco e primitivo. Non c'era luce né riscaldamento né letti: si dormiva sul nudo pavimento di legno, in baracche paurosamente labili, in mezzo al fango alto una spanna. La sola attrezzatura efficiente era quella dei bagni e della disinfezione: sotto questa specie, di purificazione e di esorcismo, l'Occidente prese possesso di noi.

Al compito sacerdotale erano addetti alcuni G. I. giganteschi e taciturni, disarmati, ma adorni di una miriade di aggeggi di cui ci sfuggiva il significato e l'impiego. Per il bagno, tutto andò liscio: erano una ventina di cabine di legno, con doccia tiepida e accappatoi, lusso mai piú visto. Dopo il bagno, ci introdussero in un vasto locale in muratura, tagliato in due da un cavo da cui pendevano dieci curiosi attrezzi, vagamente simili a martelli pneumatici: si sentiva fuori pulsare un compressore. Tutti e millequattrocento, quanti eravamo, fummo stipati da un lato della divisione, uomini e donne insieme: ed ecco entrare in scena dieci funzionari dall'aspetto poco terrestre, avvolti in tute bianche, con casco e maschera antigas. Agguantarono i primi del gregge, e senza complimenti infilarono loro le cannucce degli arnesi pendenti, via via, in tutte le aperture degli abiti: nel colletto, nella cintura, nelle tasche, su per i pantaloni, sotto le sottane. Erano specie di soffietti pneumatici, che insufflavano insetticida: e l'insetticida era il

DDT, novità assoluta per noi, come le jeep, la penicillina e la bomba atomica, di cui avemmo notizia poco dopo.

Imprecando o ridendo per il solletico, tutti si adattarono al trattamento, finché venne il turno di un ufficiale di marina e della sua bellissima fidanzata. Quando gli incappucciati misero le mani, caste ma rudi, su costei, l'ufficiale si pose energicamente di mezzo. Era un giovane robusto e risoluto: guai a chi osasse toccare la sua donna.

Il perfetto meccanismo si arrestò netto: gli incappucciati si consultarono brevemente, con inarticolati suoni nasali, poi uno di loro si tolse maschera e tuta e si piantò davanti all'ufficiale coi pugni serrati, in posizione di guardia. Gli altri fecero cerchio ordinatamente, ed ebbe inizio un regolare incontro di pugilato. Dopo pochi minuti di combattimento silenzioso e cavalleresco, l'ufficiale cadde a terra col naso sanguinante; la ragazza, stravolta e pallida, venne infarinata da tutte le parti secondo le prescrizioni, ma senza collera né volontà di rappresaglia, e tutto rientrò nell'ordine americano.

Il risveglio

L'Austria confina con l'Italia, e St. Valentin non dista da Tarvisio piú di trecento chilometri; eppure il 15 ottobre, trentunesimo giorno di viaggio, attraversavamo una nuova frontiera ed entravamo a Monaco, in preda ad una sconsolata stanchezza ferroviaria, ad una nausea definitiva di binari, di precari sonni su tavolati di legno, di sobbalzi, di stazioni; per cui gli odori familiari, comuni a tutte le ferrovie del mondo, l'odore acuto delle traversine impregnate, dei freni caldi, del carbone combusto, ci affliggevano di un disgusto profondo. Eravamo stanchi di ogni cosa, stanchi in specie di perforare inutili confini.

Ma, per un altro verso, il fatto di sentire per la prima volta, sotto i nostri piedi, un lembo di Germania: non di Alta Sesia o di Austria, ma di Germania propria, sovrapponeva alla nostra stanchezza uno stato d'animo complesso, fatto di insofferenza, di frustrazione e di tensione. Ci sembrava di avere qualcosa da dire, enormi cose da dire, ad ogni singolo tedesco, e che ogni tedesco avesse da dirne a noi: sentivamo l'urgenza di tirare le somme, di domandare, spiegare e commentare, come i giocatori di scacchi al termine della partita. Sapevano, «loro», di Auschwitz, della strage silenziosa e quotidiana, a un passo dalle loro porte? Se sí, come potevano andare per via, tornare a casa e guardare i loro figli, varcare le soglie di una chiesa? Se no, dovevano, dovevano sacramente, udire, imparare da noi, da me, tutto e subito: sentivo il numero tatuato sul braccio stridere come una piaga.

Errando per le vie di Monaco piene di macerie, intorno
alla stazione dove ancora una volta il nostro treno giaceva
incagliato, mi sembrava di aggirarmi fra torme di debitori
insolventi, come se ognuno mi dovesse qualcosa, e rifiutas-
se di pagare. Ero fra loro, nel campo di Agramante, fra il
popolo dei Signori: ma gli uomini erano pochi, molti muti-
lati, molti vestiti di stracci come noi. Mi sembrava che
ognuno avrebbe dovuto interrogarci, leggerci in viso chi
eravamo, e ascoltare in umiltà il nostro racconto. Ma nes-
suno ci guardava negli occhi, nessuno accettò la contesa:
erano sordi, ciechi e muti, asserragliati fra le loro rovine
come in un fortilizio di sconoscenza voluta, ancora forti,
ancora capaci di odio e di disprezzo, ancora prigionieri del-
l'antico nodo di superbia e di colpa.

Mi sorpresi a cercare fra loro, fra quella folla anonima
di visi sigillati, altri visi, ben definiti, molti corredati da un
nome: di chi non poteva non sapere, non ricordare, non ri-
spondere; di chi aveva comandato e obbedito, ucciso, umi-
liato, corrotto. Tentativo vano e stolto: ché non loro, ma
altri, i pochi giusti, avrebbero risposto in loro vece.

Se a Zzób avevamo imbarcato un ospite, dopo Monaco
ci accorgemmo di averne imbarcato una intera nidiata: i
nostri vagoni non erano piú sessanta, bensí sessantuno. In
coda al treno viaggiava con noi verso l'Italia un vagone
nuovo, stipato di giovani ebrei, ragazzi e ragazze, prove-
nienti da tutti i paesi dell'Europa orientale. Nessuno di lo-
ro dimostrava piú di vent'anni, ma erano gente estrema-
mente sicura e risoluta: erano giovani sionisti, andavano in
Israele, passando dove potevano e aprendosi la strada co-
me potevano. Una nave li attendeva a Bari: il vagone l'a-
vevano acquistato, e per agganciarlo al nostro treno, era
stata la cosa piú semplice del mondo, non avevano chiesto
il permesso a nessuno; l'avevano agganciato e basta. Me ne
stupii, ma risero del mio stupore: – Forse che Hitler non è

morto? – mi disse il loro capo, dall'intenso sguardo di falco. Si sentivano immensamente liberi e forti, padroni del mondo e del loro destino.

Per Garmisch-Partenkirchen giungemmo la sera al campo di sosta di Mittenwald, fra i monti, sul confine austriaco, in un favoloso disordine. Vi pernottammo, e fu l'ultima nostra notte di gelo. Il giorno seguente il treno discese su Innsbruck, e qui si riempí di contrabbandieri italiani, i quali, nella carenza delle autorità costituite, ci portarono il saluto della patria, e distribuirono generosamente cioccolato, grappa e tabacco.

Nella salita verso il confine italiano il treno, piú stanco di noi, si strappò in due come una fune troppo tesa: vi furono diversi feriti, e questa fu l'ultima avventura. A notte fatta passammo il Brennero, che avevamo varcato verso l'esilio venti mesi prima: i compagni meno provati, in allegro tumulto; Leonardo ed io, in un silenzio gremito di memoria. Di seicentocinquanta, quanti eravamo partiti, ritornavamo in tre. E quanto avevamo perduto, in quei venti mesi? Che cosa avremmo ritrovato a casa? Quanto di noi stessi era stato eroso, spento? Ritornavamo piú ricchi o piú poveri, piú forti o piú vuoti? Non lo sapevamo: ma sapevamo che sulle soglie delle nostre case, per il bene o per il male, ci attendeva una prova, e la anticipavamo con timore. Sentivamo fluirci per le vene, insieme col sangue estenuato, il veleno di Auschwitz: dove avremmo attinto la forza per riprendere a vivere, per abbattere le barriere, le siepi che crescono spontanee durante tutte le assenze, intorno ad ogni casa deserta, ad ogni covile vuoto? Presto, domani stesso, avremmo dovuto dare battaglia, contro nemici ancora ignoti, dentro e fuori di noi: con quali armi, con quali energie, con quale volontà? Ci sentivamo vecchi di secoli, oppressi da un anno di ricordi feroci, svuotati e inermi. I mesi or ora trascorsi, pur duri, di vagabondaggio ai margini della civiltà, ci apparivano adesso come una tregua, una parentesi di illimitata disponibilità, un dono provvidenziale ma irripetibile del destino.

Volgendo questi pensieri, che ci vietavano il sonno, passammo la prima notte in Italia, mentre il treno discendeva lentamente la val d'Adige deserta e buia. Il 17 di ottobre ci accolse il campo di Pescantina, presso Verona, e qui ci sciogliemmo, ognuno verso la sua sorte: ma solo alla sera del giorno seguente partí un treno in direzione di Torino. Nel vortice confuso di migliaia di profughi e reduci, intravvedemmo Pista, che già aveva trovato la sua strada: portava il bracciale bianco e giallo della Pontificia Opera di Assistenza, e collaborava alacre e lieto alla vita del campo. Ed ecco, di tutto il capo piú alto della folla, avanzare verso di noi una figura, un viso noto, il Moro di Verona. Veniva a salutarci, Leonardo e me: era arrivato a casa, primo fra tutti, poiché Avesa, il suo paese, era a pochi chilometri. E ci benedisse, il vecchio bestemmiatore: levò due dita enormi e nodose, e ci benedisse col gesto solenne dei pontefici, augurandoci un buon ritorno e ogni bene. L'augurio ci fu grato, poiché ne sentivamo il bisogno.

Giunsi a Torino il 19 di ottobre, dopo trentacinque giorni di viaggio: la casa era in piedi, tutti i familiari vivi, nessuno mi aspettava. Ero gonfio, barbuto e lacero, e stentai a farmi riconoscere. Ritrovai gli amici pieni di vita, il calore della mensa sicura, la concretezza del lavoro quotidiano, la gioia liberatrice del raccontare. Ritrovai un letto largo e pulito, che a sera (attimo di terrore) cedette morbido sotto il mio peso. Ma solo dopo molti mesi svaní in me l'abitudine di camminare con lo sguardo fisso al suolo, come per cercarvi qualcosa da mangiare o da intascare presto e vendere per pane; e non ha cessato di visitarmi, ad intervalli ora fitti, ora radi, un sogno pieno di spavento.

È un sogno entro un altro sogno, vario nei particolari, unico nella sostanza. Sono a tavola con la famiglia, o con amici, o al lavoro, o in una campagna verde: in un ambiente insomma placido e disteso, apparentemente privo di tensione e di pena; eppure provo un'angoscia sottile e pro-

fonda, la sensazione definita di una minaccia che incombe. E infatti, al procedere del sogno, a poco a poco o brutalmente, ogni volta in modo diverso, tutto cade e si disfa intorno a me, lo scenario, le pareti, le persone, e l'angoscia si fa piú intensa e piú precisa. Tutto è ora volto in caos: sono solo al centro di un nulla grigio e torbido, ed ecco, io *so* che cosa questo significa, ed anche so di averlo sempre saputo: sono di nuovo in Lager, e nulla era vero all'infuori del Lager. Il resto era breve vacanza, o inganno dei sensi, sogno: la famiglia, la natura in fiore, la casa. Ora questo sogno interno, il sogno di pace, è finito, e nel sogno esterno, che prosegue gelido, odo risuonare una voce, ben nota; una sola parola, non imperiosa, anzi breve e sommessa. È il comando dell'alba in Auschwitz, una parola straniera, temuta e attesa: alzarsi, «Wstawać».

Torino, dicembre 1961 - novembre 1962.

Il sistema periodico

Ibergekumene tsores iz gut tsu dertseyln.
(È bello raccontare i guai passati).

Argon[*]

Ci sono, nell'aria che respiriamo, i cosiddetti gas inerti. Portano curiosi nomi greci di derivazione dotta, che significano «il Nuovo», «il Nascosto», «l'Inoperoso», «lo Straniero». Sono, appunto, talmente inerti, talmente paghi della loro condizione, che non interferiscono in alcuna reazione chimica, non si combinano con alcun altro elemento, e proprio per questo motivo sono passati inosservati per secoli: solo nel 1962 un chimico di buona volontà, dopo lunghi ed ingegnosi sforzi, è riuscito a costringere lo Straniero (lo xenon) a combinarsi fugacemente con l'avidissimo, vivacissimo fluoro, e l'impresa è apparsa talmente straordinaria che gli è stato conferito il Premio Nobel. Si chiamano anche gas nobili, e qui ci sarebbe da discutere se veramente tutti i nobili siano inerti e tutti gli inerti siano nobili; si chiamano infine anche gas rari, benché uno di loro, l'argon, l'Inoperoso, sia presente nell'aria nella rispettabile proporzione dell'1 per cento: cioè venti o trenta volte piú abbondante dell'anidride carbonica, senza la quale non ci sarebbe traccia di vita su questo pianeta.

Il poco che so dei miei antenati li avvicina a questi gas. Non tutti erano materialmente inerti, perché ciò non era loro concesso: erano anzi, o dovevano essere, abbastanza attivi, per guadagnarsi da vivere e per una certa moralità dominante per cui «chi non lavora non mangia»; ma inerti erano senza dubbio nel loro intimo, portati alla speculazio-

* Cfr. *Nota sulla grafia* a pag. 446.

ne disinteressata, al discorso arguto, alla discussione elegante, sofistica e gratuita. Non deve essere un caso se le vicende che loro vengono attribuite, per quanto assai varie, hanno in comune un qualcosa di statico, un atteggiamento di dignitosa astensione, di volontaria (o accettata) relegazione al margine del gran fiume della vita. Nobili, inerti e rari: la loro storia è assai povera rispetto a quella di altre illustri comunità ebraiche dell'Italia e dell'Europa. Pare siano giunti in Piemonte verso il 1500, dalla Spagna attraverso la Provenza, come sembrano dimostrare alcuni caratteristici cognomi-toponimi, quali Bedarida-Bédarrides, Momigliano-Montmélian, Segre (è un affluente dell'Ebro che bagna Lérida, nella Spagna nord-orientale), Foà-Foix, Cavaglion-Cavaillon, Migliau-Millau; il nome della cittadina di Lunel, presso le Bocche del Rodano, fra Montpellier e Nîmes, è stato tradotto nell'ebraico Jaréakh (= luna), e di qui è derivato il cognome ebreo-piemontese Jarach.

Respinti o male accetti a Torino, si erano stanziati in varie località agricole del Piemonte meridionale, introducendovi la tecnologia della seta, e senza mai superare, anche nei periodi piú floridi, la condizione di una minoranza estremamente esigua. Non furono mai molto amati né molto odiati; non sono state tramandate notizie di loro notevoli persecuzioni; tuttavia, una parete di sospetto, di indefinita ostilità, di irrisione, deve averli tenuti sostanzialmente separati dal resto della popolazione fino a parecchi decenni dopo l'emancipazione del 1848 ed il conseguente inurbamento, se è vero quanto mio padre mi raccontava della sua infanzia a Bene Vagienna: e cioè che i suoi coetanei, all'uscita dalla scuola, usavano schernirlo (benevolmente) salutandolo col lembo della giacchetta stretto nel pugno a mo' di orecchio d'asino, e cantando: «Ôrije 'd crin, ôrije d'asô, a ji ebreô ai piasô»: «orecchie di porco, orecchie d'asino, piacciono agli ebrei». L'allusione alle orecchie è arbitraria, ed il gesto era in origine la parodia sacrilega del saluto che gli ebrei pii si scambiano in sinago-

ga, quando sono chiamati alla lettura della Bibbia, mostrandosi a vicenda il lembo del manto di preghiera, i cui fiocchi, minuziosamente prescritti dal rituale come numero, lunghezza e forma, sono carichi di significato mistico e religioso: ma del loro gesto quei ragazzini ignoravano ormai la radice. Ricordo qui per inciso che il vilipendio del manto di preghiera è antico come l'antisemitismo: con questi manti, sequestrati ai deportati, le SS facevano confezionare mutande, che venivano poi distribuite agli ebrei prigionieri nei Lager.

Come sempre avviene, il rifiuto era reciproco: da parte della minoranza, una barriera simmetrica era stata eretta contro l'intera cristianità («gôjím», «ñarelím»: le «genti», i «non-circoncisi»), riproducendo, su scala provinciale e su di uno sfondo pacificamente bucolico, la situazione epica e biblica del popolo eletto. Di questo fondamentale sfasamento si alimentava l'arguzia bonaria dei nostri zii («barba») e delle nostre zie («magne»): savi patriarchi tabaccosi e domestiche regine della casa, che pure si autodefinivano orgogliosamente «'l pòpôl d'Israél».

Per quanto riguarda questo termine «zio», è bene avvertire subito che esso deve essere inteso in senso assai ampio. Fra di noi, è usanza chiamare zio qualunque parente anziano, anche se lontanissimo: e poiché tutte o quasi le persone anziane della comunità, alla lunga, sono nostre parenti, ne segue che il numero dei nostri zii è grande. Nel caso poi degli zii che raggiungono un'età avanzata (evento frequente: siamo gente longeva, fino da Noè), l'attributo di «barba», o rispettivamente di «magna», tende a fondersi lentamente col nome, e col concorso di ingegnosi diminutivi, e di una insospettata analogia fonetica tra l'ebraico e il piemontese, si irrigidisce in appellativi complessi di strano suono, che si tramandano poi invariati di generazione in generazione insieme con le vicende, le memorie e i detti di chi li ha a lungo portati. Sono nati cosí i Barbaiòtô (zio Elia), Barbasachín (zio Isacco), Magnaiéta (zia Maria), Barbamôisín (zio Mosè, di cui si tramanda che si

fosse fatto cavare dal ciarlatano i due incisivi inferiori per poter reggere piú comodamente il cannello della pipa), Barbasmelín (zio Samuele), Magnavigàia (zia Abigaille, che da sposa era entrata in Saluzzo a cavallo d'una mula bianca, risalendo da Carmagnola il Po gelato), Magnafôriña (zia Zefora, dall'ebraico Tzipporà che vale «Uccella»: splendido nome). Ad un'epoca anche piú remota doveva appartenere Nònô Sacòb, che era stato in Inghilterra a comperare stoffe, e perciò portava «'na vestimenta a quàder»: suo fratello, Barbapartín (zio Bonaparte: nome tuttora comune fra gli ebrei, a ricordo della prima effimera emancipazione elargita da Napoleone), era decaduto dalla sua qualità di zio perché il Signore, benedetto sia Egli, gli aveva donato una moglie cosí insopportabile che lui si era battezzato, fatto frate, e partito missionario in Cina, per essere il piú possibile lontano da lei.

Nona Bimba era bellissima, portava un boa di struzzo ed era baronessa. Lei e tutta la sua famiglia li aveva fatti baroni Napoleone, perché loro «l'aviô prestaie 'd mañòd», gli avevano imprestato dei soldi.

Barbarônín era alto, robusto e di idee radicali: era scappato da Fossano a Torino e aveva fatto molti mestieri. Lo avevano scritturato al Teatro Carignano come comparsa per il *Don Carlos*, e lui aveva scritto ai suoi che venissero ad assistere alla prima. Erano venuti lo zio Natàn e la zia Allegra, in loggione; quando il sipario si alzò, e la zia vide il figlio tutto armato come un filisteo, gridò con quanta voce aveva: «Rônín, co 't fai! Posa côl sàber!»: «Aronne, che fai! Posa quella sciabola!»

Barbamiclín era un semplice; in Acqui veniva rispettato e protetto, perché i semplici sono figli di Dio e non dirai loro «raca». Però lo chiamavano Piantabibini, da quando un rashàn (un empio) si era preso gioco di lui facendogli credere che i tacchini («bibini») si seminano come i peschi, piantandone le penne nei solchi, e crescono poi sui rami. Del resto, il tacchino aveva un posto curiosamente importante in questo mondo famigliare arguto, mite ed as-

sestato: forse perché, essendo presuntuoso, goffo e colleri-
co, esprime le qualità opposte e si presta a divenire uno
zimbello; o forse, piú semplicemente, perché a sua spese si
confezionava a Pasqua una celebre semi-rituale quaiëtta 'd
pitô (polpetta di tacchino). Per esempio, anche lo zio Paci-
fico allevava una tacchina e le si era affezionato. Davanti
a lui abitava il Signor Lattes che era musicista. La tacchina
chiocciava e disturbava il Signor Lattes; questi pregò lo zio
Pacifico di far tacere la sua tacchina. Lo zio rispose; «Sa-
rà fàita la soâ cômissiôn. Sôra pita, c'a staga ciútô»: «Sarà
fatta la sua commissione. Signora tacchina, stia zitta».

Lo zio Gabriele era rabbino, e perciò era noto come
«Barba Morénô», «zio Nostro Maestro». Vecchio e quasi
cieco, se ne tornava a piedi, sotto il sole rovente, da Ver-
zuolo a Saluzzo. Vide arrivare un carro, lo fermò e chiese
di salire; ma poi, parlando col conducente, a poco a poco si
rese conto che quello era un carro funebre, che portava
una morta cristiana al cimitero: cosa abominevole, perché,
come sta scritto in *Ezechiele* 44.25, un sacerdote che toc-
chi un morto, o anche solo entri nella camera dove giace
un morto, è contaminato e impuro per sette giorni. Balzò
in piedi e gridò: «I eu viagià côn 'na pegartà! Viturín fer-
mé!»: «Ho viaggiato con una morta! Vetturino fermate!»

Il Gnôr Grassiadiô e il Gnôr Côlômbô erano due amici-
nemici che, secondo la leggenda, abitarono per tempo im-
memorabile a fronte a fronte, sui due lati di uno stretto vi-
colo della città di Moncalvo. Il Gnôr Grassiadiô era mas-
sone e ricchissimo: si vergognava un poco di essere ebreo,
ed aveva sposato una gôià, e cioè una cristiana, dai capelli
biondi lunghi fino al suolo, che gli metteva le corna. Que-
sta gôià, benché appunto gôià, si chiamava Magna Ausilia,
il che indica un certo grado di accettazione da parte degli
epigoni; era figlia di un capitano di mare, che aveva rega-
lato al Gnôr Grassiadiô un grosso pappagallo di tutti i co-
lori che veniva dalle Guyane, e diceva in latino «Conosci
te stesso». Il Gnôr Côlômbô era povero e mazziniano:

quando arrivò il pappagallo, si era comperata una cornac-
chia tutta spelacchiata e le aveva insegnato a parlare.
Quando il pappagallo diceva «Nosce te ipsum» la cornac-
chia rispondeva «Fate furb», «fatti furbo».

Ma a proposito della pegartà dello zio Davide, della
gôià del Gnôr Grassiadiô, dei mañòd di Nona Bimba, e
della havertà di cui diremo in seguito, si rende necessaria
una spiegazione. «Havertà» è voce ebraica storpiata, sia
nella forma sia nel significato, e fortemente pregnan-
te. Propriamente, è un'arbitraria forma femminile di
Havèr = Compagno, e vale «domestica», ma contiene l'i-
dea accessoria della donna di bassa estrazione, e di creden-
ze e costumi diversi, che si è costretti ad albergare sotto il
nostro tetto; la havertà è tendenzialmente poco pulita e
scostumata, e per definizione malevolmente curiosa delle
usanze e dei discorsi dei padroni di casa, tanto da obbliga-
re questi a servirsi in sua presenza di un gergo particolare,
di cui evidentemente fa parte il termine «havertà» mede-
simo, oltre agli altri sopra citati. Questo gergo è ora quasi
scomparso; un paio di generazioni addietro, era ancora ric-
co di qualche centinaio di vocaboli e di locuzioni, consi-
stenti per lo piú di radici ebraiche con desinenze e flessioni
piemontesi. Un suo esame anche sommario ne denuncia la
funzione dissimulativa e sotterranea, di linguaggio furbe-
sco destinato ad essere impiegato parlando dei gôjím in
presenza dei gôjím; o anche, per rispondere arditamente,
con ingiurie e maledizioni da non comprendersi, al regime
di clausura e di oppressione da essi instaurato.

Il suo interesse storico è esiguo, perché non fu mai par-
lato da piú di qualche migliaio di persone: ma è grande il
suo interesse umano, come lo è quello di tutti i linguaggi di
confine e di transizione. Esso contiene infatti una mirabile
forza comica, che scaturisce dal contrasto fra il tessuto del
discorso, che è il dialetto piemontese scabro, sobrio e laco-
nico, mai scritto se non per scommessa, e l'incastro ebrai-
co, carpito alla remota lingua dei padri, sacra e solenne,
geologica, levigata dai millenni come l'alveo dei ghiacciai.

Ma questo contrasto ne rispecchia un altro, quello essenziale dell'ebraismo della Diaspora, disperso fra «le genti» (i «gôjím», appunto), teso fra la vocazione divina e la miseria quotidiana dell'esilio; e un altro ancora, ben piú generale, quello insito nella condizione umana, poiché l'uomo è centauro, groviglio di carne e di mente, di alito divino e di polvere. Il popolo ebreo, dopo la dispersione, ha vissuto a lungo e dolorosamente questo conflitto, e ne ha tratto, accanto alla sua saggezza, il suo riso, che infatti manca nella Bibbia e nei Profeti. Ne è pervaso l'yiddisch, e, nei suoi modesti limiti, lo era anche la bizzarra parlata dei nostri padri di questa terra, che voglio ricordare qui prima che sparisca: parlata scettica e bonaria, che solo ad un esame distratto potrebbe apparire blasfema, mentre è ricca invece di affettuosa e dignitosa confidenza con Dio, Nôssgnôr, Adonai Eloénô, Cadòss Barôkhú.

La sua radice umiliata è evidente: vi mancano ad esempio, in quanto inutili, i termini per «sole», «uomo», «giorno», «città», mentre vi sono rappresentati i termini per «notte», «nascondere», «quattrini», «prigione», «sogno» (ma usato quasi esclusivamente nella locuzione «bahalòm», «in sogno», da aggiungere burlescamente ad un'affermazione affinché venga intesa dal partner, e solo da lui, come il suo contrario), «rubare», «impiccare» e simili; esiste inoltre un buon numero di dispregiativi, usati talvolta per giudicare persone, ma impiegati piú tipicamente, ad esempio, fra moglie e marito fermi davanti al banco del bottegaio cristiano ed incerti sull'acquisto. Citiamo: «'n saròd», plurale maiestatico, non piú inteso come tale, dell'ebraico «tzarà» = sventura, ed usato per descrivere una merce od una persona di scarso valore; ne esiste anche il grazioso diminutivo «sarôdín», e non vorrei andasse dimenticato il feroce nesso «saròd e senssa mañòd», usato dal sensale di matrimoni a proposito di fanciulle brutte e senza dote; «hasirúd», astratto collettivo da «hasír» = maiale, e quindi equivalente press'a poco a «porcheria, maialume». Si noti che il suono «u» (francese) non esiste in

ebraico; esiste bensí la desinenza «út» (con «u» italiana), che serve a coniare termini astratti (ad esempio «malkhút», regno, da «mélekh», re), ma essa manca della connotazione fortemente spregiativa che aveva nell'impiego gergale. Altro uso, tipico ed ovvio, di queste e simili voci era in bottega, fra il padrone ed i commessi e contro gli avventori: nel Piemonte del secolo scorso il commercio delle stoffe era sovente in mani ebraiche, e ne è nato un sottogergo specialistico che, trasmesso dai commessi divenuti a loro volta padroni, e non necessariamente ebrei, si è diffuso a molte botteghe del ramo e vive tuttora, parlato da gente che rimane assai stupita quando viene casualmente a sapere che usa parole ebraiche. Qualcuno, ad esempio, impiega ancora l'espressione «'na vesta a kiním» per indicare «un vestito a puntini»: ora i «kiním» sono i pidocchi, la terza delle dieci piaghe d'Egitto, enumerate e cantate nel rituale della Pasqua ebraica.

Vi è poi un discreto assortimento di vocaboli poco decenti, da impiegarsi non solo in senso proprio davanti ai bambini, ma anche in luogo d'improperi: nel qual caso, in confronto coi termini corrispondenti italiani o piemontesi, essi presentano, oltre al già menzionato vantaggio di non essere compresi, anche quello di alleviare il cuore senza scorticare la bocca.

Certamente piú interessanti per lo studioso del costume sono alcuni pochi termini che alludono a cose di pertinenza della fede cattolica. In questo caso la forma originariamente ebraica è corrotta molto piú profondamente, e ciò per due ragioni: in primo luogo, la segretezza era qui strettamente necessaria, perché la loro comprensione da parte dei gentili avrebbe potuto comportare il pericolo di una incriminazione per sacrilegio; in secondo luogo, la storpiatura acquista in questo caso il preciso scopo di negare, di obliterare il contenuto magico-sacrale della parola, e quindi di sottrarle ogni virtú soprannaturale: per lo stesso motivo, in tutte le lingue il Diavolo viene designato con moltissimi appellativi a carattere allusivo ed eufemistico, che

permettono di indicarlo senza proferirne il nome. La chiesa (cattolica) era detta «tônevà», vocabolo di cui non sono riuscito a ricostruire l'origine, e che probabilmente di ebraico non ha che il suono; mentre la sinagoga, con orgogliosa modestia, veniva detta semplicemente «scòla», il luogo dove si impara e si viene educati, e, parallelamente, il rabbino non veniva designato col termine proprio «rabbi» o «rabbénu» (nostro rabbi), ma come Morénô (nostro maestro), o Khakhàm (il Sapiente). A scòla, infatti, non si è feriti dall'odioso Khaltrúm dei gentili: Khaltrúm, o Khantrúm, è il rito e la bigotteria dei cattolici, intollerabile perché politeistica e soprattutto perché gremita d'immagini («Non avrai altri dèi che me; non ti farai scultura né immagine... e non la adorerai», *Esodo* 20.3) e quindi idolatrica. Anche di questo termine, carico d'esecrazione, l'origine è oscura, quasi certamente non ebraica: ma in altri gerghi giudeo-italiani esiste l'aggettivo «khalto», nel senso appunto di «bigotto», ed usato principalmente a descrivere il cristiano adoratore d'immagini.

A-issà è la Madonna (vale semplicemente «la donna»); del tutto criptico ed indecifrabile, ed era da prevedersi, è il termine «Odò», con cui, quando proprio non se ne poteva fare a meno, si alludeva al Cristo, abbassando la voce e guardandosi attorno con circospezione: di Cristo è bene parlare il meno possibile, perché il mito del Popolo Deicida è duro a morire.

Altri numerosi termini erano tratti tali e quali dal rituale e dai libri sacri, che gli ebrei nati nel secolo scorso leggevano piú o meno speditamente nell'originale ebraico, e spesso comprendevano in buona parte: ma, nell'uso gergale, tendevano a deformarne o ad allargarne arbitrariamente l'area semantica. Dalla radice «shafòkh», che vale «spandere» e compare nel Salmo 79 («Spandi la Tua ira sulle genti che non Ti riconoscono, e sopra i regni che non invocano il Tuo Nome»), le nostre antiche madri avevano tratto la domestica espressione «fé sefòkh», fare sefòkh, con cui si descriveva con delicatezza il vomito infantile.

Da «rúakh», plurale «rukhòd», che vali «alito», illustre
vocabolo che si legge nel tenebroso e mirabile secondo ver-
setto della Genesi («Il vento del Signore alitava sopra la
faccia delle acque»), si era tratto «tiré 'n ruàkh», «tirare
un vento», nei suoi diversi significati fisiologici: dove si
ravvisa la biblica dimestichezza del Popolo Eletto col suo
Creatore. Come esempio di applicazione pratica, si tra-
manda il detto della zia Regina, seduta con lo zio Davide
al Caffè Fiorio in via Po: «Davidín, bat la cana, c'as sentô
nèn le rôkhòd!»: che attesta un rapporto coniugale di inti-
mità affettuosa. Quanto alla canna, poi, era a quel tempo
un simbolo di condizione sociale, come potrebbe essere
oggi il viaggiatore in 1ª classe in ferrovia: mio padre, ad
esempio, ne possedeva due, una di bambú per i giorni feria-
li, e l'altra di malacca col manico placcato d'argento per la
domenica. La canna non gli serviva per appoggiarsi (non
ne aveva bisogno), bensí per rotearla giovialmente in aria,
e per allontanare dal suo cammino i cani troppo insolenti;
come uno scettro, insomma, per distinguersi dal volgo.

«Berakhà» è la benedizione: un ebreo pio è tenuto a
pronunziarne piú centinaia al giorno, e lo fa con gioia pro-
fonda, poiché intrattiene cosí il millenario dialogo con l'E-
terno, che in ogni berakhà viene lodato e ringraziato per i
Suoi doni. Nonô Leônín era il mio bisnonno, abitava a Ca-
sale Monferrato ed aveva i piedi piatti; il vicolo davanti al-
la sua casa era acciottolato, e lui soffriva a percorrerlo. Un
mattino uscí di casa e trovò il vicolo lastricato, ed esclamò
dal profondo del cuore: «'N abrakhà a côi gôím c'a l'an
fàit i lòsi!»: una benedizione a quegli infedeli che hanno
fatto le lastre. In funzione di maledizione veniva invece
usato il curioso nesso «medà meshônà», letteralmente
«morte strana», ma in effetti calco del piemontese «assi-
dènt». Allo stesso Nonô Leônín si attribuisce l'impreca-
zione inesplicabile «c'ai takèissa 'na medà meshônà fàita a
paraqua», gli prendesse un accidenti fatto a parapioggia.

Né potrei dimenticare Barbaricô, piú vicino nel tempo e nello spazio, tanto che poco è mancato (una sola generazione) a che egli fosse mio zio nell'accezione ristretta del termine. Di lui conservo un ricordo personale, e quindi articolato e complesso, non «figé dans un'attitude» come quello dei mitici personaggi che finora ho ricordato. A Barbaricô si addice a pennello la similitudine dei gas inerti con cui incominciano queste pagine.

Aveva studiato medicina ed era diventato un buon medico, ma non gli piaceva il mondo. Gli piacevano cioè gli uomini, e particolarmente le donne, i prati, il cielo: ma non la fatica, il fracasso dei carri, le mene per la carriera, le brighe per il pane quotidiano, gli impegni, gli orari e le scadenze; nulla insomma di quello che caratterizzava la vita affannosa della città di Casale Monferrato nel 1890. Avrebbe voluto evadere, ma era troppo pigro per farlo. Gli amici ed una donna, che lo amava e che lui sopportava con distratta benevolenza, lo convinsero a concorrere per il posto di medico a bordo di un transatlantico di linea; vinse agevolmente il concorso, fece un solo viaggio da Genova a Nuova York, ed al ritorno a Genova rassegnò le dimissioni, perché in America «a j'era trop bôrdél», c'era troppo fracasso.

Dopo di allora prese stanza a Torino. Ebbe diverse donne, che tutte lo volevano redimere e sposare, ma lui riteneva troppo impegnativi sia il matrimonio, sia uno studio attrezzato e l'esercizio regolare della professione. Verso il 1930 era un vecchietto timido, rattrappito e trasandato, paurosamente miope; conviveva con una grossa gôià volgare, da cui tentava saltuariamente e debolmente di liberarsi, e che lui definiva volta a volta come «'na sôtià», «'na hamôrtà», «'na gran beemà» (una matta, un'asina, una gran bestia), ma senza acrimonia, ed anzi con una striatura di inesplicabile tenerezza. Questa gôià «a vôría fiña félô samdé», voleva perfino farlo battezzare (letteralmente: distruggere); cosa che lui aveva sempre rifiutato, non per

convinzione religiosa, ma per mancanza d'iniziativa e per indifferenza.

Barbaricô aveva non meno di dodici fratelli e sorelle, che designavano la sua compagna col nome ironico e crudele di «Magna Môrfina»: ironico perché la donna, poveretta, in quanto gôià ed in quanto priva di prole, non poteva essere una magna se non in senso estremamente limitato, e da intendersi anzi come il suo contrario, di «nonmagna», di esclusa e recisa dalla famiglia; crudele, perché conteneva un'allusione probabilmente falsa, e comunque impietosa, ad un certo suo sfruttamento del ricettario di Barbaricô.

I due vivevano in una soffitta di Borgo Vanchiglia, sudicia e caotica. Lo zio era un ottimo medico, pieno di umana saggezza e d'intuito diagnostico, ma stava tutto il giorno sdraiato sulla sua cuccia a leggere libri e giornali vecchi: era un lettore attento, memore, eclettico ed infaticabile, benché la miopia lo costringesse a tenere gli stampati a tre dita dagli occhiali, che aveva spessi come fondi di bicchiere. Si alzava solo quando un cliente lo mandava a cercare, il che accadeva spesso, perché lui non si faceva pagare quasi mai; i suoi ammalati erano povera gente della borgata, da cui accettava come ricompensa mezza dozzina d'uova, o insalata dell'orto, o magari un paio di scarpe fruste. Dai clienti andava a piedi, perché non aveva i soldi per il tram; quando in strada intravvedeva, nella nebbia della miopia, una ragazza, le si avvicinava, e con sua sorpresa la esaminava accuratamente, girandole intorno ad un palmo di distanza. Non mangiava quasi niente, e piú in generale non aveva bisogni; morí piú che novantenne, con discrezione e dignità.

Simile a Barbaricô nel suo rifiuto del mondo era Nona Fina, una di quattro sorelle che tutte si chiamavano Fina: questa singolarità anagrafica era dovuta al fatto che le quattro bambine erano state mandate successivamente a Bra dalla stessa balia, che si chiamava Delfina, e che chiamava cosí tutti i suoi «bailotti». Nona Fina abitava a Car-

magnola, in un alloggio al primo piano, e faceva splendidi ricami all'uncinetto. A sessantott'anni ebbe un lieve malore, una caôdaña, come allora usavano le signore, ed oggi misteriosamente non usano piú: da allora, per vent'anni e cioè fino alla sua morte, non uscí piú dalla sua camera; al sabato, dal balconcino pieno di gerani, fragile ed esangue salutava con la mano la gente che usciva da «scòla». Ma doveva essere stata ben diversa nella sua giovinezza, se è vero quanto di lei si narra: che cioè, avendole suo marito condotto a casa come ospite il Rabbino di Moncalvo, uomo dotto ed illustre, lei gli avesse fatto mangiare a sua insaputa 'na côtlëtta 'd hasír, una costoletta di maiale, perché non c'era altro in dispensa. Suo fratello Barbaraflín (Raffaele), che prima della promozione a Barba era noto come 'l fieul 'd Môisé 'd Celín, ormai già in età matura e ricchissimo per i mañòd guadagnati con le forniture militari, si era innamorato di una bellissima Dolce Valabrega di Gàssino; non osava dichiararsi, le scriveva lettere d'amore che non spediva, e scriveva a se stesso appassionate risposte.

Anche Marchín, ex-barba, ebbe un'infelice storia d'amore. Si era innamorato di Susanna (vale «giglio» in ebraico), donna alacre e pia, depositaria di una secolare ricetta per la confezione dei salami d'oca: questi salami si fanno utilizzando come involucro il collo stesso del volatile, e ne è seguito che nel Lassòn Acòdesh (nella «lingua santa», e cioè nel gergo di cui ci stiamo occupando) ben tre sinonimi per «collo» sono sopravvissuti. Il primo, mahané, è neutro e d'uso tecnico e generico; il secondo, savàr, si usa solo in metafore quali «a rôta 'd savàr», a rotta di collo: il terzo, khanèc, estremamente pregnante, allude al collo come percorso vitale, che può venire ostruito, occluso o reciso, e si usa in imprecazioni quali «c'at resta ant 'l khanèc», ti si possa fermare nel gozzo; «khanichésse» vale «impiccarsi». Di Susanna, dunque, Marchín era commesso ed aiutante, sia nella misteriosa cucina-officina, sia nella bottega di vendita, nei cui scaffali erano disposti promi-

scuamente salami, arredi sacri, amuleti e libri di preghiere. Susanna lo rifiutò, e Marchín si vendicò abominevolmente vendendo a un gòi la ricetta dei salami. È da pensare che questo gòi non ne abbia apprezzato il valore, dal momento che dopo la morte di Susanna (avvenuta in epoca storica) non è piú stato possibile trovare in commercio salame d'oca degno del nome e della tradizione. Per questa sua spregevole ritorsione lo zio Marchín perdette il diritto ad essere chiamato zio.

Remoto fra tutti, portentosamente inerte, avvolto in uno spesso sudario di leggenda e d'incredibilità, e fossilizzato per ogni fibra nella sua qualità di zio, era Barbabramín di Chieri, zio della mia nonna materna. Ancor giovane era già molto ricco, avendo acquistato dai nobili del luogo numerose cascine da Chieri fino all'Astigiano; facendo conto sulla sua eredità, i suoi parenti sperperarono tutti i loro averi in banchetti, balli e viaggi a Parigi. Ora avvenne che sua madre, la zia Milca («Regina»), si ammalò, e dopo molto contendere col marito si indusse ad accettare di assumere una havertà, ossia una domestica, cosa che aveva recisamente rifiutata fino a quel tempo: infatti, presaga, non voleva donne per casa. Puntualmente, Barbabramín fu colto d'amore per questa havertà, probabilmente la prima femmina meno che santa che gli fosse stato dato di avvicinare.

Di costei non è stato tramandato il nome, bensí alcuni attributi. Era florida e bella, e possedeva splendide khalaviòd (seni: il termine è sconosciuto all'ebraico classico, dove tuttavia «khalàv» vale «latte»). Era naturalmente una gôià, era insolente e non sapeva leggere né scrivere; era invece un'abilissima cuoca. Era una contadina, «'na pônaltà», e andava scalza per casa. Proprio di tutto questo si innamorò lo zio: delle sue caviglie, della sua libertà di linguaggio, e dei mangiari che lei cucinava. Non disse niente alla ragazza, ma dichiarò a padre e madre che intendeva sposarla; i genitori andarono su tutte le furie, e lo zio si mise a letto. Ci rimase per ventidue anni.

Su quanto abbia fatto Barbabramín durante questi anni, le versioni divergono. Non c'è dubbio che li abbia in buona parte dormiti e giocati: si sa con certezza che andò in rovina economicamente, perché «non tagliava i cupòn» dei buoni del Tesoro, e perché aveva affidato l'amministrazione delle cascine ad un mamsér («bastardo») che le aveva vendute per un boccone di pane ad un suo uomo di paglia; secondo i presagi della zia Milca, lo zio trascinò così nella sua rovina l'intero parentado, ed ancora oggi se ne lamentano le conseguenze.

Si narra anche che abbia letto e studiato, e che, ritenuto infine sapiente e giusto, ricevesse dal suo letto delegazioni dei notabili di Chieri e dirimesse controversie; si narra ancora che, di questo medesimo letto, la via non fosse ignota a quella medesima havertà, e che almeno nei primi anni la volontaria clausura dello zio fosse interrotta da sortite notturne per andare a giocare a bigliardo nel caffè di sotto. Ma insomma a letto rimase, per quasi un quarto di secolo, e quando la zia Milca e lo zio Salomone morirono, sposò la havertà e se la portò nel letto definitivamente, perché era ormai talmente indebolito che le gambe non lo reggevano più. Morí povero, ma ricco d'anni e di fama, e in pace di spirito, nel 1883.

La Susanna dei salami d'oca era cugina di Nona Màlia, mia nonna paterna, che sopravvive in figura di agghindata minuscola ammaliatrice in alcune pose di studio eseguite verso il 1870, e come una vecchietta grinzosa, stizzosa, sciatta e favolosamente sorda nei miei ricordi d'infanzia più lontani. Ancor oggi, inspiegabilmente, i piani più alti degli armadi restituiscono suoi preziosi cimeli: scialli di trina nera trapunti di pagliette iridate, nobili ricami di seta, un manicotto di martora straziato dalle tignole di quattro generazioni, posate d'argento massiccio segnate con le sue iniziali: come se, dopo quasi cinquant'anni, il suo spirito inquieto ancora visitasse la nostra casa.

Ai suoi bei giorni era nota come «la Strassacœur», la stracciacuori: rimase vedova molto presto, e corse voce

che mio nonno si fosse ucciso disperato per le sue infedel-
tà. Allevò spartanamente tre figli e li fece studiare: ma in
età avanzata si lasciò sposare da un vecchio medico cristia-
no, maestoso barbuto e taciturno, e da allora andò incli-
nando verso l'avarizia e la stranezza, quantunque in gio-
ventú fosse stata regalmente prodiga, come sogliono essere
le donne belle e molto amate. Col passare degli anni si
estraniò totalmente dagli affetti famigliari (che del resto
non doveva aver mai sentiti con profondità). Abitava col
Dottore in via Po, in un alloggio fosco e cieco, intiepidito
d'inverno solo da una stufetta Franklin, e non buttava via
piú niente, perché tutto poteva venire a taglio: neppure le
croste del formaggio, né le stagnole dei cioccolatini, con
cui confezionava palle argentate da mandare alle Missioni
«per liberare un moretto». Forse per timore di sbagliare
nella scelta definitiva, frequentava a giorni alterni la «Scò-
la» di via Pio V e la parrocchia di Sant'Ottavio, e pare che
andasse addirittura sacrilegamente a confessarsi. Morí piú
che ottantenne nel 1928, assistita da un coro di vicine di
casa scarmigliate, nerovestite e indementite come lei, con-
dotte da una megera che si chiamava Madama Scílimberg:
fra i tormenti del blocco renale, la nonna sorvegliò la Scí-
limberg fino al suo ultimo respiro, per timore che trovasse
il maftèkh (la chiave) nascosto sotto il materasso, e le por-
tasse via i mañòd e i hafassím (i gioielli, che peraltro risul-
tarono poi tutti falsi).

Alla sua morte, i figli e le nuore si dedicarono per setti-
mane, con sgomento e ribrezzo, a scegliere la montagna di
relitti domestici da cui l'alloggio era invaso: Nona Màlia
aveva conservato, indiscriminatamente, robe raffinate e
pattume rivoltante. Dai severi armadi di noce intagliato
uscirono eserciti di cimici abbagliate dalla luce, e poi len-
zuola di lino mai usate, ed altre rattoppate e lise, logorate
fino alla trasparenza; tendaggi e coperte di damasco «dou-
ble face»; una collezione di colibrí impagliati, che appena
toccati si sfecero in polvere; in cantina giacevano centinaia

di bottiglie di vino prezioso girato in aceto. Si ritrovarono otto mantelli del Dottore, nuovi di zecca, imbottiti di naftalina, e l'unico che lei gli avesse mai concesso di usare, tutto toppe e rammendi, col bavero lucido d'untume, ed in tasca uno scudetto massonico.

Non ricordo quasi nulla di lei, che mio padre chiamava Maman (anche in terza persona), ed amava descrivere con un suo ghiotto gusto del bizzarro, appena temperato da un velo di pietà filiale. Mio padre, ogni domenica mattina, mi conduceva a piedi in visita a Nona Màlia: percorrevamo lentamente via Po, e lui si fermava ad accarezzare tutti i gatti, ad annusare tutti i tartufi ed a sfogliare tutti i libri usati. Mio padre era l'Ingegné, dalle tasche sempre gonfie di libri, noto a tutti i salumai perché verificava con il regolo logaritmico la moltiplica del conto del prosciutto. Non che comprasse quest'ultimo a cuor leggero: piuttosto superstizioso che religioso, provava disagio nell'infrangere le regole del Kasherút, ma il prosciutto gli piaceva talmente che, davanti alla tentazione delle vetrine, cedeva ogni volta, sospirando, imprecando sotto voce, e guardandomi di sottecchi, come se temesse un mio giudizio o sperasse in una mia complicità.

Quando arrivavamo sul pianerottolo tenebroso dell'alloggio di via Po, mio padre suonava il campanello, ed alla nonna che veniva ad aprire gridava in un orecchio: «A l'è 'l prim 'd la scòla!», è il primo della classe. La nonna ci faceva entrare con visibile riluttanza, e ci guidava attraverso una filza di camere polverose e disabitate, una delle quali, costellata di strumenti sinistri, era lo studio semiabbandonato del Dottore. Il Dottore non si vedeva quasi mai, né io certo desideravo vederlo, dal giorno in cui avevo sorpreso mio padre raccontare a mia madre che, quando gli portavano in cura i bambini balbuzienti, lui gli tagliava con le forbici il filetto sotto la lingua. Arrivati nel salotto buono, mia nonna cavava da un recesso la scatola dei cioccolatini, sempre la stessa, e me ne offriva uno. Il cioccolatino era tarlato, ed io lo facevo sparire in tasca pieno d'imbarazzo.

Nota sulla grafia.

Poiché il gergo descritto è ibrido, ibrida è anche la grafia a cui ho dovuto ricorrere. Si legga:

eu, œu: come in francesce «peu»

ë: e indistinta o semimuta

h: leggera aspirazione, come in inglese «home»

kh: forte aspirazione, come in tedesco «flach»

ñ: n nasale, come in «fango» e nel piemontese «smaña»

ô: come la u italiana

u: come la u francese, per esempio in «plume»

Le altre lettere, come in italiano.

Idrogeno

Era gennaio. Enrico mi venne a chiamare subito dopo pranzo: suo fratello era andato in montagna e gli aveva lasciato le chiavi del laboratorio. Mi vestii in un attimo e lo raggiunsi in strada.

Durante il cammino, appresi che suo fratello non gli aveva propriamente lasciato le chiavi: era questa una formulazione compendiaria, un eufemismo, di quelli che si dicono a chi è pronto a capire. Il fratello, contrariamente al solito, non aveva nascosto le chiavi, e neppure se le era portate dietro; inoltre, aveva dimenticato di rinnovare ad Enrico la proibizione di impadronirsi delle chiavi medesime, e le minacce nel caso che Enrico avesse contravvenuto. Infine ed insomma: le chiavi c'erano, dopo mesi di attesa; Enrico ed io eravamo ben decisi a non perdere l'occasione.

Avevamo sedici anni, ed io era affascinato da Enrico. Non era molto attivo, e il suo rendimento scolastico era scarso, ma aveva virtú che lo distinguevano da tutti gli altri della classe, e faceva cose che nessun altro faceva. Possedeva un coraggio tranquillo e testardo, una capacità precoce di sentire il proprio avvenire e di dargli peso e figura. Rifiutava (ma senza scherno) le nostre interminabili discussioni, volta a volta platoniche, darwiniane, bergsoniane piú tardi; non era volgare, non si vantava delle sue capacità sportive e virili, non mentiva mai. Era consapevole dei suoi limiti, ma non accadeva mai di sentirgli dire (come tutti ci dicevamo l'un l'altro, allo scopo di trovare conforto

o di sfogare un malumore): «Sai, credo proprio d'essere un idiota».

Era di fantasia pedestre e lenta: viveva di sogni come tutti noi, ma i suoi sogni erano saggi, erano ottusi, possibili, contigui alla realtà, non romantici, non cosmici. Non conosceva il mio tormentoso oscillare dal cielo (di un successo scolastico o sportivo, di una nuova amicizia, di un amore rudimentale e fugace) all'inferno (di un quattro, di un rimorso, di una brutale rivelazione d'inferiorità che pareva ogni volta eterna, definitiva). Le sue mete erano sempre raggiungibili. Sognava la promozione, e studiava con pazienza cose che non lo interessavano. Voleva un microscopio, e vendette la bicicletta da corsa per averlo. Voleva essere un saltatore con l'asta, e frequentò la palestra per un anno tutte le sere, senza darsi importanza né slogarsi articolazioni, finché arrivò ai metri 3,50 che si era prefissi, e poi smise. Piú tardi, volle una certa donna, e la ebbe; volle il danaro per vivere tranquillo, e lo ottenne dopo dieci anni di lavoro noioso e prosaico.

Non avevamo dubbi: saremmo stati chimici, ma le nostre aspettazioni e speranze erano diverse. Enrico chiedeva alla chimica, ragionevolmente, gli strumenti per il guadagno e per una vita sicura. Io chiedevo tutt'altro: per me la chimica rappresentava una nuvola indefinita di potenze future, che avvolgeva il mio avvenire in nere volute lacerate da bagliori di fuoco, simile a quella che occultava il monte Sinai. Come Mosè, da quella nuvola attendevo la mia legge, l'ordine in me, attorno a me e nel mondo. Ero sazio di libri, che pure continuavo a ingoiare con voracità indiscreta, e cercavo un'altra chiave per i sommi veri: una chiave ci doveva pur essere, ed ero sicuro che, per una qualche mostruosa congiura ai danni miei e del mondo, non l'avrei avuta dalla scuola. A scuola mi somministravano tonnellate di nozioni che digerivo con diligenza, ma che non mi riscaldavano le vene. Guardavo gonfiare le gemme in primavera, luccicare la mica nel granito, le mie stesse mani, e dicevo dentro di me: «Capirò anche questo, capirò

tutto, ma non come *loro* vogliono. Troverò una scorcia-
toia, mi farò un grimaldello, forzerò le porte». Era sner-
vante, nauseante, ascoltare discorsi sul problema dell'esse-
re e del conoscere, quando tutto intorno a noi era mistero
che premeva per svelarsi: il legno vetusto dei banchi, la
sfera del sole di là dai vetri e dai tetti, il volo vano dei pap-
pi nell'aria di giugno. Ecco: tutti i filosofi e tutti gli eser-
cizi del mondo sarebbero stati capaci di costruire questo
moscerino? No, e neppure di comprenderlo: questa era
una vergogna e un abominio, bisognava trovare un'altra
strada.

Saremmo stati chimici, Enrico ed io. Avremmo dragato
il ventre del mistero con le nostre forze, col nostro inge-
gno: avremmo stretto Proteo alla gola, avremmo troncato
le sue metamorfosi inconcludenti, da Platone ad Agostino,
da Agostino a Tommaso, da Tommaso a Hegel, da Hegel
a Croce. Lo avremmo costretto a parlare.

Questo essendo il nostro programma, non ci potevamo
permettere di sprecare occasioni. Il fratello di Enrico, mi-
sterioso e collerico personaggio di cui Enrico non parlava
volentieri, era studente in chimica, e aveva installato un
laboratorio in fondo a un cortile, in un curioso vicolo stret-
to e storto che si diparte da piazza della Crocetta, e spicca
nella ossessiva geometria torinese come un organo rudi-
mentale intrappolato nella struttura evoluta di un mammi-
fero. Anche il laboratorio era rudimentale: non nel senso
di residuo atavico, bensí in quello di estrema povertà. C'e-
ra un bancone piastrellato, poca vetreria, una ventina di
bocce con reattivi, molta polvere, molte ragnatele, poca lu-
ce e un gran freddo. Lungo tutta la strada avevamo discus-
so su quello che avremmo fatto, ora che saremmo «entrati
in laboratorio», ma avevamo idee confuse.

Ci sembrava «embarras de richesse», ed era invece un
altro imbarazzo, piú profondo ed essenziale: un imbarazzo
legato ad un'antica atrofia, nostra, delle nostre famiglie,
della nostra casta. Cosa sapevamo fare con le nostre mani?
Niente, o quasi. Le donne sí: le nostre madri e nonne ave-

vano mani vive ed agili, sapevano cucire e cucinare, alcune anche suonare il piano, dipingere con gli acquerelli, ricamare, intrecciarsi i capelli. Ma noi, e i nostri padri?

Le nostre mani erano rozze e deboli ad un tempo, regredite, insensibili: la parte meno educata dei nostri corpi. Compiute le prime fondamentali esperienze del gioco, avevano imparato a scrivere e null'altro. Conoscevano la stretta convulsa intorno ai rami degli alberi, su cui amavamo arrampicarci per voglia naturale ed insieme (Enrico ed io) per confuso omaggio e ritorno all'origine della specie; ma ignoravano il peso solenne e bilanciato del martello, la forza concentrata delle lame, troppo prudentemente proibite, la tessitura sapiente del legno, la cedevolezza simile e diversa del ferro, del piombo e del rame. Se l'uomo è artefice, non eravamo uomini: lo sapevamo e ne soffrivamo.

Il vetro del laboratorio ci incantava e ci intimidiva. Il vetro, per noi, era ciò che non si deve toccare perché si rompe, e invece, ad un contatto piú intimo, si rivelava una materia diversa da tutte, di suo genere, piena di mistero e di capriccio. È simile in questo all'acqua, che pure non ha congeneri: ma l'acqua è legata all'uomo, anzi alla vita, da una consuetudine di sempre, da un rapporto di necessità molteplice, per cui la sua unicità si nasconde sotto la veste dell'abitudine. Il vetro, invece, è opera dell'uomo ed ha storia piú recente. Fu la prima nostra vittima, o meglio il primo nostro avversario. Nel laboratorio della Crocetta c'era tubo di vetro da lavoro, di vari diametri, in mozziconi lunghi e corti, tutti coperti di polvere: accendemmo un becco Bunsen e ci mettemmo a lavorare.

Piegare il tubo era facile. Bastava tenere fermo uno spezzone sulla fiamma: dopo un certo tempo la fiamma diventava gialla, e simultaneamente il vetro si faceva debolmente luminoso. A questo punto il tubo si poteva piegare: la curva che si otteneva era ben lontana dalla perfezione, ma in sostanza qualcosa avveniva, si poteva creare una forma nuova, arbitraria; una potenza diventava atto, non era questo che intendeva Aristotele?

Ora, anche un tubo di rame o di piombo si può piegare, ma ci accorgemmo presto che il tubo di vetro arroventato possedeva una virtú unica: quando era diventato cedevole si poteva, allontanando rapidamente i due tronconi freddi, tirarlo in filamenti molto sottili, anzi, sottili oltre ogni limite, tali da essere trascinati verso l'alto dalla corrente d'aria calda che saliva dalla fiamma. Sottili e flessibili, come la seta. Ma allora, dove era scomparsa la rigidità spietata del vetro massiccio? Allora, anche la seta, anche il cotone, se si potessero ottenere in forma massiccia, sarebbero inflessibili come il vetro? Enrico mi raccontò che al paese di suo nonno i pescatori usano prendere i bachi da seta, quando sono già grossi, e, desiderosi di imbozzolarsi, si sforzano ciechi e goffi di inerpicarsi su per i rami; li prendono, li spezzano in due con le dita, e tirando i tronconi ottengono un filo di seta, grosso e rozzo, resistentissimo, che usano poi come lenza. Il fatto, a cui non esitai a credere, mi appariva ad un tempo abominevole ed affascinante: abominevole per il modo crudele di quella morte, e per il futile uso di un portento naturale; affascinante per lo spregiudicato e audace atto d'ingegno che esso presupponeva da parte del suo mitico inventore.

Il tubo di vetro si poteva anche soffiare: questo però era molto meno facile. Si riusciva a chiudere l'estremità di un tubetto: soffiando poi con forza dall'altra estremità si formava una bolla, assai bella a vedersi e quasi perfettamente sferica, ma dalle pareti assurdamente sottili. Per poco che si eccedesse nel soffiare, le pareti assumevano l'iridescenza delle bolle di sapone, e questo era un segno sicuro di morte: la bolla scoppiava con un colpetto secco, e i frammenti si disperdevano a terra con un tenue brusio di cocci d'uovo. In qualche modo, era una giusta punizione; il vetro è vetro, e non avrebbe dovuto simulare il comportamento dell'acqua saponata. Forzando un po' i termini, si poteva ravvisare nella vicenda un apologo esopiano.

Dopo un'ora di lotta col vetro, eravamo stanchi ed umiliati. Avevamo entrambi gli occhi infiammati ed aridi per

il troppo guardare il vetro rovente, i piedi gelati e le dita piene di scottature. D'altronde, lavorare il vetro non è chimica: noi eravamo in laboratorio con un altro scopo. Il nostro scopo era quello di vedere coi nostri occhi, di provocare con le nostre mani, almeno uno dei fenomeni che si trovavano descritti con tanta disinvoltura sul nostro testo di chimica. Si poteva, per esempio, preparare l'ossidulo d'azoto, che sul *Sestini e Funaro* era ancora descritto col termine poco proprio e poco serio di gas esilarante. Sarebbe proprio stato esilarante?

L'ossidulo d'azoto si prepara riscaldando cautamente il nitrato d'ammonio. Quest'ultimo, nel laboratorio, non esisteva: esistevano bensí ammoniaca ed acido nitrico. Li miscelammo, incapaci di fare calcoli preventivi, fino a reazione neutra al tornasole, per il che la miscela si riscaldò fortemente ed emise abbondanti fumi bianchi; poi decidemmo di farla bollire per eliminare l'acqua. Il laboratorio si riempí in breve di una nebbia irrespirabile, che non era esilarante per nulla; interrompemmo il tentativo, per nostra fortuna, perché non sapevamo che cosa può accadere a scaldare questo sale esplosivo meno che cautamente.

Non era né semplice, né troppo divertente. Mi guardai intorno, e vidi in un angolo una comune pila a secco. Ecco quanto avremmo fatto: l'elettrolisi dell'acqua. Era un'esperienza di esito sicuro, che avevo già eseguito varie volte a casa: Enrico non sarebbe stato deluso.

Presi acqua in un becher, vi sciolsi un pizzico di sale, capovolsi nel becher due barattoli da marmellata vuoti, trovai due fili di rame ricoperti di gomma, li legai ai poli della pila, e introdussi le estremità nei barattoli. Dai capi saliva una minuscola processione di bollicine: guardando bene, anzi, si vedeva che dal catodo si liberava su per giú il doppio di gas che dall'anodo. Scrissi sulla lavagna l'equazione ben nota, e spiegai ad Enrico che stava proprio succedendo quello che stava scritto lí. Enrico non sembrava tanto convinto, ma era ormai buio, e noi mezzo assiderati; ci lavammo le mani, comperammo un po' di castagnaccio e ce

ne andammo a casa, lasciando che l'elettrolisi continuasse per proprio conto.

Il giorno dopo trovammo ancora via libera. In dolce ossequio alla teoria, il barattolo del catodo era quasi pieno di gas, quello dell'anodo era pieno per metà: lo feci notare ad Enrico, dandomi piú importanza che potevo, e cercando di fargli balenare il sospetto che, non dico l'elettrolisi, ma la sua applicazione come conferma alla legge delle proporzioni definite, fosse una mia invenzione, frutto di pazienti esperimenti condotti nel segreto della mia camera. Ma Enrico era di cattivo umore, e metteva tutto in dubbio. – Chi ti dice poi che sia proprio idrogeno e ossigeno? – mi disse con malgarbo. – E se ci fosse del cloro? Non ci hai messo del sale?

L'obiezione mi giunse offensiva: come si permetteva Enrico di dubitare di una mia affermazione? Io ero il teorico, solo io: lui, benché titolare (in certa misura, e poi solo per «transfert») del laboratorio, anzi, appunto perché non era in condizione di vantare altri numeri, avrebbe dovuto astenersi dalle critiche. – Ora vedremo, – dissi: sollevai con cura il barattolo del catodo, e tenendolo con la bocca in giú accesi un fiammifero e lo avvicinai. Ci fu una esplosione, piccola ma secca e rabbiosa, il barattolo andò in schegge (per fortuna lo reggevo all'altezza del petto, e non piú in su), e mi rimase in mano, come un simbolo sarcastico, l'anello di vetro del fondo.

Ce ne andammo, ragionando sull'accaduto. A me tremavano un po' le gambe; provavo paura retrospettiva, e insieme una certa sciocca fierezza, per aver confermato un'ipotesi, e per aver scatenato una forza della natura. Era proprio idrogeno, dunque: lo stesso che brucia nel sole e nelle stelle, e dalla cui condensazione si formano in eterno silenzio gli universi.

Zinco

Avevamo assistito per cinque mesi, pigiati come sardine e reverenti, alle lezioni di Chimica Generale ed Inorganica del Professor P., riportandone sensazioni varie, ma tutte eccitanti e nuove. No, la chimica di P. non era il motore dell'Universo né la chiave del Vero: P. era un vecchio scettico ed ironico, nemico di tutte le retoriche (per questo, e solo per questo, era anche antifascista), intelligente, ostinato, ed arguto di una sua arguzia trista.

Di lui si tramandavano episodi di esami condotti con fredda ferocia e con ostentato pregiudizio: sue vittime predilette erano le donne in genere, e poi le suore, i preti, e tutti quelli che gli si presentavano «vestiti da soldato». Si mormoravano sul suo conto le leggende assai sospette di spilorceria maniaca nella conduzione dell'Istituto Chimico e del suo laboratorio personale: che conservasse in cantina casse e casse di fiammiferi usati, che proibiva ai bidelli di buttare via; che i misteriosi minareti dell'Istituto stesso, che tuttora conferiscono a quel tratto di Corso Massimo d'Azeglio una melensa impronta di falso esotismo, li avesse fatti costruire lui, nella remota sua giovinezza, per celebrarvi ogni anno una immonda segreta orgia di ricuperi, in cui si bruciavano tutti gli stracci e le carte da filtro dell'annata, e le ceneri le analizzava lui personalmente, con pazienza pitocca, per estrarne tutti gli elementi pregiati (e forse anche i meno pregiati) in una sorta di palingenesi rituale a cui solo Caselli, il suo tecnico-bidello fedelissimo, era autorizzato ad assistere. Di lui si narrava inoltre che

avesse speso l'intera sua carriera accademica per demolire una certa teoria di stereochimica, non con esperimenti, ma con pubblicazioni. Gli esperimenti li faceva un altro, il suo grande rivale, in non si sa quale parte del mondo: li pubblicava via via sugli Helvetica Chimica Acta, e lui li faceva a pezzi uno per uno.

Non potrei giurare sull'autenticità di queste dicerie: ma veramente, quando entrava nel laboratorio di Preparazioni, nessun becco Bunsen era basso abbastanza, e perciò era prudenza spegnerli addirittura; veramente, faceva preparare il nitrato d'argento dagli studenti con le cinque lire dall'aquila tratte dalle loro tasche, e il cloruro di nichel dai venti centesimi con la signora nuda che volava; e veramente, la sola volta che fui ammesso nel suo studio, trovai scritto in bella scrittura sulla lavagna: «Non voglio funerali né da vivo né da morto».

A me P. era simpatico. Mi piaceva il rigore sobrio delle sue lezioni; mi divertiva la sdegnosa ostentazione con cui esibiva agli esami, in luogo della camicia fascista prescritta, un buffo bavaglino nero, grande un palmo, che ad ognuno dei suoi movimenti bruschi gli usciva fuori dei risvolti della giacca. Apprezzavo i suoi due testi, chiari fino all'ossessione, stringati, pregni del suo arcigno disprezzo per l'umanità in generale e per gli studenti pigri e sciocchi in particolare: perché tutti gli studenti, per definizione, erano pigri e sciocchi; chi, per somma ventura, riusciva a dimostrargli di non esserlo, diventava un suo pari, e veniva onorato con una laconica e preziosa frase d'encomio.

Ora i cinque mesi di attesa inquieta erano passati: fra di noi ottanta matricole erano stati scelti i venti meno pigri e meno sciocchi, quattordici maschi e sei ragazze, ed a noi era stato dischiuso il laboratorio di Preparazioni. Di che cosa esattamente si trattasse, nessuno di noi aveva un'idea precisa: mi pare che fosse una sua invenzione, una versione moderna e tecnica dei rituali selvaggi di iniziazione, in cui ogni suo suddito veniva bruscamente strappato al libro ed al banco, e trapiantato in mezzo ai fumi che bruciano

gli occhi, agli acidi che bruciano le mani, e agli eventi pratici che non quadrano con le teorie. Non voglio certo contestare l'utilità, anzi la necessità, di questa iniziazione: ma nella brutalità con cui essa veniva posta in atto era facile ravvisare il talento dispettoso di P., la sua vocazione per le distanze gerarchiche e per il vilipendio di noi suo gregge. Insomma: non una parola, pronunciata o scritta, fu da lui spesa come viatico, per incoraggiarci sulla via che avevamo scelta, per indicarcene i pericoli e le insidie, e per trasmetterci le malizie. Ho spesso pensato che P. fosse nel suo profondo un selvaggio, un cacciatore; chi va in caccia non ha che da prendere il fucile, anzi meglio la zagaglia e l'arco, e mettersi per il bosco: il successo e l'insuccesso dipendono solo da lui. Prendi e parti, quando il momento è giunto gli aruspici e gli àuguri non hanno luogo, la teoria è futile e si impara per strada, le esperienze degli altri non servono, l'essenziale è misurarsi. Chi vale vince, chi ha occhi o braccia o fiuto deboli ritorna e cambia mestiere: degli ottanta che ho detto, trenta cambiarono mestiere al second'anno, e altri venti piú tardi.

Quel laboratorio era ordinato e pulito. Ci si stava cinque ore al giorno, dalle 14 alle 19: all'ingresso, un assistente assegnava ad ognuno una preparazione, poi ognuno si recava allo «spaccio», dove l'irsuto Caselli consegnava la materia prima, esotica o domestica: un pezzeto di marmo a questo, dieci grammi di bromo a quello, un po' d'acido borico a quell'altro, una manciata d'argilla a quell'altro ancora. Queste reliquie, Caselli ce le affida con una non dissimulata aria di sospetto: era il pane della scienza, pane di P., e finalmente era anche roba sua, roba che amministrava lui; chissà noi profani ed inesperti quale uso improprio ne avremmo fatto.

Caselli amava P. di un amore acre e polemico. Pare che gli fosse stato fedele per quarant'anni; era la sua ombra, la sua incarnazione terrena, e, come tutti coloro che esercitano funzioni vicarie, era un interessante esemplare umano: come coloro, voglio dire, che rappresentano l'Autorità

senza possederla in proprio, quali ad esempio i sagrestani, i ciceroni dei musei, i bidelli, gli infermieri, i «giovani» degli avvocati e dei notai, i rappresentanti di commercio. Costoro, in maggiore o minor misura, tendono a trasfondere la sostanza umana del loro Principale nel loro proprio stampo, come avviene per i cristalli pseudomorfici: talvolta ne soffrono, spesso ne godono, e posseggono due distinti schemi di comportamento, a seconda che agiscano in proprio o «nell'esercizio delle loro funzioni». Accade sovente che la personalità del Principale li invada cosí a fondo da disturbare i loro normali contatti umani, e che perciò essi restino celibi: il celibato è infatti prescritto ed accettato nella condizione monastica, che comporta appunto la vicinanza e la sudditanza alla maggiore delle autorità. Caselli era un uomo dimesso, taciturno, nei cui sguardi tristi eppure fieri si poteva leggere:

– lui è un grande scienziato, e come suo «famulus» sono un po' grande anch'io;

– io, benché umile, so cose che lui non sa;

– lo conosco meglio di quanto lui si conosca; prevedo i suoi atti;

– ho potere su di lui, lo difendo e lo proteggo;

– io ne posso dire male, perché lo amo: a voi questo non è concesso;

– i suoi principî sono giusti, ma lui li applica con rilassatezza, ed «una volta non andava cosí». Se non ci fossi io…

… ed infatti, Caselli gestiva l'Istituto con parsimonia e misoneismo anche superiori a quelli di P. stesso.

A me, il primo giorno, toccò in sorte la preparazione del solfato di zinco: non doveva essere troppo difficile, si trattava di fare un elementare calcolo stechiometrico, e di attaccare lo zinco in granuli con acido solforico previamente diluito; concentrare, cristallizzare, asciugare alla pompa, lavare e ricristallizzare. Zinco, zinc, Zinck: ci si fanno i mastelli per la biancheria, non è un elemento che dica molto all'immaginazione, è grigio e i suoi sali sono incolori,

non è tossico, non dà reazioni cromatiche vistose, insomma, è un metallo noioso. È noto all'umanità da due o tre secoli, non è dunque un veterano carico di gloria come il rame, e neppure uno di quegli elementini freschi freschi che portano ancora addosso il clamore della loro scoperta.

Caselli mi consegnò il mio zinco, tornai al banco e mi accinsi al lavoro: mi sentivo curioso, «genato» e vagamente scocciato, come quando hai tredici anni e devi andare al Tempio a recitare in ebraico la preghiera del Bar-Mitzvà davanti al rabbino; il momento, desiderato e un po' temuto, era giunto. Era scoccata l'ora dell'appuntamento con la Materia, la grande antagonista dello Spirito: la Hyle, che curiosamente si ritrova imbalsamata nelle desinenze dei radicali alchilici: metile, butile eccetera.

L'altra materia prima, il partner dello zinco, e cioè l'acido solforico, non occorreva farselo dare da Caselli: ce n'era in abbondanza in tutti gli angoli. Concentrato, naturalmente: e devi diluirlo con acqua; ma attenzione, c'è scritto in tutti i trattati, bisogna operare alla rovescia, e cioè versare l'acido nell'acqua e non viceversa, altrimenti quell'olio dall'aspetto così innocuo va soggetto a collere furibonde: questo lo sanno perfino i ragazzi del liceo. Poi si mette lo zinco nell'acido diluito.

Sulle dispense stava scritto un dettaglio che alla prima lettura mi era sfuggito, e cioè che il così tenero e delicato zinco, così arrendevole davanti agli acidi, che se ne fanno un solo boccone, si comporta invece in modo assai diverso quando è molto puro: allora resiste ostinatamente all'attacco. Se ne potevano trarre due conseguenze filosofiche tra loro contrastanti: l'elogio della purezza, che protegge dal male come un usbergo; l'elogio dell'impurezza, che dà adito ai mutamenti, cioè alla vita. Scartai la prima, disgustosamente moralistica, e mi attardai a considerare la seconda, che mi era più congeniale. Perché la ruota giri, perché la vita viva, ci vogliono le impurezze, e le impurezze delle impurezze: anche nel terreno, come è noto, se ha da essere fertile. Ci vuole il dissenso, il diverso, il grano di sale e di

senape: il fascismo non li vuole, li vieta, e per questo tu non sei fascista; vuole tutti uguali e tu non sei uguale. Ma neppure la virtú immacolata esiste, o se esiste è detestabile. Prendi dunque la soluzione di solfato di rame che è nel reagentario, aggiungine una goccia al tuo acido solforico, e vedi che la reazione si avvia: lo zinco si risveglia, si ricopre di una bianca pelliccia di bollicine d'idrogeno, ci siamo, l'incantesimo è avvenuto, lo puoi abbandonare al suo destino e fare quattro passi per il laboratorio a vedere che c'è di nuovo e cosa fanno gli altri.

Gli altri facevano cose varie: alcuni lavoravano intenti, magari fischiettando per darsi un'aria disinvolta, ciascuno dietro alla sua particola di Hyle; altri girellavano o guardavano fuori dalle finestre il Valentino ormai tutto verde, altri ancora fumavano e chiacchieravano negli angoli.

In un angolo c'era una cappa, e davanti alla cappa sedeva Rita. Mi avvicinai, e mi accorsi con fugace piacere che stava cucinando la mia stessa pietanza: con piacere, perché era un pezzo che giravo intorno a Rita, preparavo mentalmente brillanti attacchi di discorso, e poi al momento decisivo non osavo enunciarli e rimandavo al giorno dopo. Non osavo per una mia radicata timidezza e sfiducia, ed anche perché Rita scoraggiava i contatti, non si capiva perché. Era molto magra, pallida, triste e sicura di sé: superava gli esami con buoni voti, ma senza il genuino appetito, che io sentivo, per le cose che le toccava studiare. Non era amica di nessuno, nessuno sapeva niente di lei, parlava poco, e per tutti questi motivi mi attraeva, cercavo di sederle accanto a lezione, e lei non mi accettava nella sua confidenza, ed io mi sentivo frustrato e sfidato. Mi sentivo disperato, anzi, e non certo per la prima volta: infatti, in quel tempo mi credevo condannato ad una perpetua solitudine mascolina, negato per sempre al sorriso di una donna, di cui pure avevo bisogno come dell'aria.

Era ben chiaro che quel giorno mi si stava presentando un'occasione che non poteva andare sprecata: fra Rita e me esisteva in quel momento un ponte, un ponticello di

zinco, esile ma praticabile; orsú, muovi il primo passo.

Ronzando intorno a Rita mi accorsi di una seconda circostanza fortunata: dalla borsa della ragazza sporgeva una copertina ben nota, giallastra col bordo rosso, e sul frontispizio stava un corvo con un libro nel becco. Il titolo? Si leggeva soltanto «AGNA» e «TATA», ma tanto bastava: era il mio viatico di quei mesi, la storia senza tempo di Giovanni Castorp in magico esilio sulla Montagna Incantata. Ne chiesi conto a Rita, pieno d'ansia per il suo giudizio, quasi che il libro lo avessi scritto io: e mi dovetti presto convincere che lei, quel romanzo, lo stava leggendo in tutt'altro modo. Come un romanzo, appunto: le interessava molto sapere fino a che punto Giovanni si sarebbe spinto con la Signora Chauchat, e saltava senza misericordia le affascinanti (per me) discussioni politiche, teologiche e metafisiche dell'umanista Settembrini col gesuita-ebreo Naphtha.

Non importa: anzi, c'è un terreno di dibattito. Potrebbe addirittura diventare una discussione essenziale e fondamentale, perché ebreo sono anch'io, e lei no: sono io l'impurezza che fa reagire lo zinco, sono il granello di sale e di senape. L'impurezza, certo: poiché proprio in quei mesi iniziava la pubblicazione di «La Difesa della Razza», e di purezza si faceva un gran parlare, ed io cominciavo ad essere fiero di essere impuro. Per vero, fino appunto a quei mesi non mi era importato molto di essere ebreo: dentro di me, e nei contatti coi miei amici cristiani avevo sempre considerato la mia origine come un fatto pressoché trascurabile ma curioso, una piccola anomalia allegra, come chi abbia il naso storto o le lentiggini; un ebreo è uno che a Natale non fa l'albero, che non dovrebbe mangiare il salame ma lo mangia lo stesso, che ha imparato un po' di ebraico a tredici anni e poi lo ha dimenticato. Secondo la rivista sopra citata, un ebreo è avaro ed astuto: ma io non ero particolarmente avaro né astuto, e neppure mio padre lo era stato.

C'era dunque in abbondanza di che discutere con Rita,

ma il discorso a cui io tendevo non si innescava. Mi accorsi presto che Rita era diversa da me, non era un grano di senape. Era figlia di un negoziante povero e malato. L'università, per lei, non era affatto il tempio del Sapere: era un sentiero spinoso e faticoso, che portava al titolo, al lavoro e al guadagno. Lei stessa aveva lavorato, fin da bambina: aveva aiutato il padre, era stata commessa in una bottega di villaggio, ed anche allora viaggiava in bicicletta per Torino a fare consegne e a ritirare pagamenti. Tutto questo non mi allontanava da lei, anzi, lo trovavo ammirevole, come tutto quello che la riguardava: le sue mani poco curate, il vestire dimesso, il suo sguardo fermo, la sua tristezza concreta, la riserva con cui accettava i miei discorsi.

Cosí il mio solfato di zinco finí malamente di concentrarsi, e si ridusse ad una polverina bianca che esalò in nuvole soffocanti tutto o quasi il suo acido solforico. Lo abbandonai al suo destino, e proposi a Rita di accompagnarla a casa. Era buio, e la casa non era vicina. Lo scopo che mi ero proposto era obiettivamente modesto, ma a me pareva di un'audacia senza pari: esitai per metà del percorso, e mi sentivo sui carboni ardenti, ed ubriacavo me stesso e lei con discorsi trafelati e sconnessi. Infine, tremando per l'emozione, infilai il mio braccio sotto il suo. Rita non si sottrasse, e neppure ricambiò la stretta: ma io regolai il mio passo sul suo, e mi sentivo ilare e vittorioso. Mi pareva di aver vinto una battaglia, piccola ma decisiva contro il buio, il vuoto, e gli anni nemici che sopravvenivano.

Ferro

Fuori delle mura dell'Istituto Chimico era notte, la notte dell'Europa: Chamberlain era ritornato giocato da Monaco, Hitler era entrato a Praga senza sparare un colpo, Franco aveva piegato Barcellona e sedeva a Madrid. L'Italia fascista, pirata minore, aveva occupato l'Albania, e la premonizione della catastrofe imminente si condensava come una rugiada viscida per le case e nelle strade, nei discorsi cauti e nelle coscienze assopite.

Ma dentro quelle spesse mura la notte non penetrava; la stessa censura fascista, capolavoro del regime, ci teneva separati dal mondo, in un bianco limbo di anestesia. Una trentina di noi avevano superato il severo sbarramento dei primi esami, ed erano stati ammessi al laboratorio di Analisi Qualitativa del II anno. Eravamo entrati nella vasta sala affumicata e buia come chi, entrando nella Casa di Dio, riflette ai suoi passi. Il laboratorio precedente, quello dello zinco, ci sembrava adesso un esercizio infantile, come quando, da bambini, si gioca a fare la cucina: qualcosa, per diritto o per traverso, veniva pure sempre fuori, magari scarso di resa, magari poco puro: bisognava proprio essere degli schiappini, o dei bastiancontrari, per non riuscire a cavare il solfato di magnesio dalla magnesite, o il bromuro di potassio dal bromo.

Qui no: qui la faccenda si faceva seria, il confronto con la Materia-Mater, con la madre nemica, era piú duro e piú prossimo. Alle due del pomeriggio, il Professor D., dall'aria ascetica e distratta, consegnava ad ognuno di noi un

grammo esatto di una certa polverina: entro il giorno successivo bisognava completare l'analisi qualitativa, e cioè riferire quali metalli e non-metalli c'erano contenuti. Riferire per iscritto, sotto forma di verbale, di sí e di no, perché non erano ammessi i dubbi né le esitazioni: era ogni volta una scelta, un deliberare; un'impresa matura e responsabile, a cui il fascismo non ci aveva preparati, e che emanava un buon odore asciutto e pulito.

C'erano elementi facili e franchi, incapaci di nascondersi, come il ferro ed il rame; altri insidiosi e fuggitivi, come il bismuto e il cadmio. C'era un metodo, uno schema ponderoso ed avito di ricerca sistematica, una specie di pettine e di rullo compressore a cui nulla (in teoria) poteva sfuggire, ma io preferivo inventare volta per volta la mia strada, con rapide puntate estemporanee da guerra di corsa invece dell'estenuante routine della guerra di posizione: sublimare il mercurio in goccioline, trasformare il sodio in cloruro e ravvisarlo in tavolette a tramoggia sotto il microscopio. In un modo o nell'altro, qui il rapporto con la Materia cambiava, diventava dialettico: era una scherma, una partita a due. Due avversari disuguali: da una parte, ad interrogare, il chimico implume, inerme, con a fianco il testo dell'Autenrieth come solo alleato (perché D., spesso chiamato a soccorso nei casi difficili, manteneva una scrupolosa neutralità, e cioè rifiutava di pronunciarsi: savio atteggiamento, poiché chi si pronuncia può sbagliare, e un professore non deve sbagliare); dall'altra, a rispondere per enigmi, la Materia con la sua passività sorniona, vecchia come il Tutto e portentosamente ricca d'inganni, solenne e sottile come la Sfinge. Incominciavo allora a compitare il tedesco, e mi incantava il termine Urstoff (che vale Elemento: letteralmente, Sostanza primigenia) ed il prefisso Ur che vi compariva, e che esprime appunto origine antica, lontananza remota nello spazio e nel tempo.

Neppure qui, nessuno aveva speso molte parole per insegnarci a difenderci dagli acidi, dai caustici, dagli incendi e dalle esplosioni: sembrava che, secondo la rude morale

dell'Istituto, si contasse sull'opera della selezione naturale
per eleggere fra di noi i piú adatti alla sopravvivenza fisica
e professionale. Le cappe d'aspirazione erano poche; ognu-
no, secondo le prescrizioni del testo, nel corso dell'analisi
sistematica evaporava coscienziosamente all'aria libera
una buona dose d'acido cloridrico e d'ammoniaca, per cui
nel laboratorio ristagnava in permanenza una fitta nebbia
canuta di cloruro d'ammonio, che si depositava sui vetri
delle finestre in minuti cristalli scintillanti. Nella camera
dell'acido solfidrico, dall'atmosfera mortifera, si ritiravano
coppie desiderose d'intimità, e qualche isolato a fare me-
renda.

Attraverso la foschia, e nel silenzio affaccendato, si udí
una voce piemontese che diceva: «Nuntio vobis gaudium
magnum. Habemus ferrum». Era il marzo 1939, e da po-
chi giorni, con quasi identico solenne annuncio («Habe-
mus Papam») si era sciolto il conclave che aveva innalzato
al Soglio di Pietro il Cardinale Eugenio Pacelli, in cui mol-
ti speravano, poiché in qualcosa o qualcuno bisogna pure
sperare. Chi aveva pronunciato il sacrilegio era Sandro, il
taciturno.

In mezzo a noi, Sandro era un isolato. Era un ragazzo di
statura media, magro ma muscoloso, che neanche nei gior-
ni piú freddi portava mai il cappello. Veniva a lezione con
logori calzoni di velluto alla zuava, calzettoni di lana greg-
gia, e talvolta una mantellina nera che mi faceva pensare a
Renato Fucini. Aveva grandi mani callose, un profilo ossu-
to e scabro, il viso cotto dal sole, la fronte bassa sotto la li-
nea dei capelli, che portava cortissimi e tagliati a spazzola:
camminava col passo lungo e lento del contadino.

Da pochi mesi erano state proclamate le leggi razziali, e
stavo diventando un isolato anch'io. I compagni cristiani
erano gente civile, nessuno fra loro né fra i professori mi
aveva indirizzato una parola o un gesto nemico, ma li sen-
tivo allontanarsi, e, seguendo un comportamento antico,
anch'io me ne allontanavo: ogni sguardo scambiato fra me
e loro era accompagnato da un lampo minuscolo, ma per-

cettibile, di diffidenza e di sospetto. Che pensi tu di me? Che cosa sono io per te? Lo stesso di sei mesi addietro, un tuo pari che non va a messa, o il giudeo che «di voi tra voi non rida»?

Avevo osservato, con stupore e gioia, che tra Sandro e me qualcosa stava nascendo. Non era affatto l'amicizia fra due affini: al contrario, la diversità delle origini ci rendeva ricchi di «merci» da scambiare, come due mercanti che si incontrino provenendo da contrade remote e mutuamente sconosciute. Non era neppure la normale, portentosa confidenza dei vent'anni: a questa, con Sandro, non giunsi mai. Mi accorsi presto che era generoso, sottile, tenace e coraggioso, perfino con una punta di spavalderia, ma possedeva una qualità elusiva e selvatica per cui, benché fossimo nell'età in cui si ha il bisogno, l'istinto e l'impudicizia di infliggersi a vicenda tutto quanto brulica nella testa ed altrove (ed è un'età che può durare anche a lungo, ma termina col primo compromesso), niente era trapelato fuori del suo involucro di ritegno, niente del suo mondo interiore, che pure si sentiva folto e fertile, se non qualche rara allusione drammaticamente tronca. Era fatto come i gatti, con cui si convive per decenni senza che mai vi consentano di penetrare la loro sacra pelle.

Avevamo molto da cederci a vicenda. Gli dissi che eravamo come un catione e un anione, ma Sandro non mostrò di recepire la similitudine. Era nato sulla Serra d'Ivrea, terra bella ed avara: era figlio di un muratore, e passava le estati a fare il pastore. Non il pastore d'anime: il pastore di pecore, e non per retorica arcadica né per stramberia, ma con felicità, per amore della terra e dell'erba, e per abbondanza di cuore. Aveva un cuorioso talento mimico, e quando parlava di mucche, di galline, di pecore e di cani, si trasfigurava, ne imitava lo sguardo, le movenze e le voci, diventava allegro e sembrava imbestiarsi come uno stregone. Mi insegnava di piante e di bestie, ma della sua famiglia parlava poco. Il padre era morto quando lui era bambino, erano gente semplice e povera, e poiché il ragazzo era

sveglio, avevano deciso di farlo studiare perché portasse soldi a casa: lui aveva accettato con serietà piemontese, ma senza entusiasmo. Aveva percorso il lungo itinerario del ginnasio-liceo tirando al massimo risultato col minimo sforzo: non gli importava di Catullo e di Cartesio, gli importava la promozione, e la domenica sugli sci o su roccia. Aveva scelto Chimica perché gli era sembrata meglio che un altro studio: era un mestiere di cose che si vedono e si toccano, un guadagnapane meno faticoso che fare il falegname o il contadino.

Incominciammo a studiare fisica insieme, e Sandro fu stupito quando cercai di spiegargli alcune delle idee che a quel tempo confusamente coltivavo. Che la nobiltà dell'Uomo, acquisita in cento secoli di prove e di errori, era consistita nel farsi signore della materia, e che io mi ero iscritto a Chimica perché a questa nobiltà mi volevo mantenere fedele. Che vincere la materia è comprenderla, e comprendere la materia è necessario per comprendere l'universo e noi stessi: e che quindi il Sistema Periodico di Mendeleev, che proprio in quelle settimane imparavamo laboriosamente a dipanare, era una poesia, più alta e più solenne di tutte le poesie digerite in liceo: a pensarci bene, aveva perfino le rime! Che, se cercava il ponte, l'anello mancante, fra il mondo delle carte e il mondo delle cose, non lo doveva cercare lontano: era lí, nell'Autenrieth, in quei nostri laboratori fumosi, e nel nostro futuro mestiere.

E infine, e fondamentalmente: lui, ragazzo onesto ed aperto, non sentiva il puzzo delle verità fasciste che ammorbava il cielo, non percepiva come un'ignominia che ad un uomo pensante venisse richiesto di credere senza pensare? Non provava ribrezzo per tutti i dogmi, per tutte le affermazioni non dimostrate, per tutti gli imperativi? Lo provava: ed allora, come poteva non sentire nel nostro studio una dignità e una maestà nuove, come poteva ignorare che la chimica e la fisica di cui ci nutrivamo, oltre che alimenti di per sé vitali, erano l'antidoto al fascismo che lui ed io cercavamo, perché erano chiare e distinte e ad ogni

passo verificabili, e non tessuti di menzogne e di vanità, come la radio e i giornali?

Sandro mi ascoltava, con attenzione ironica, sempre pronto a smontarmi con due parole garbate e asciutte quando sconfinavo nella retorica: ma qualcosa maturava in lui (non certo solo per merito mio: erano mesi pieni di eventi fatali), qualcosa che lo turbava perché era insieme nuovo ed antico. Lui, che fino ad allora non aveva letto che Salgari, London e Kipling, divenne di colpo un lettore furioso: digeriva e ricordava tutto, e tutto in lui si ordinava spontaneamente in un sistema di vita; insieme, incominciò a studiare, e la sua media balzò dal 21 al 29. Nello stesso tempo, per inconscia gratitudine, e forse anche per desiderio di rivalsa, prese a sua volta ad occuparsi della mia educazione, e mi fece intendere che era mancante. Potevo anche aver ragione: poteva essere la Materia la nostra maestra, e magari anche, in mancanza di meglio, la nostra scuola politica; ma lui aveva un'altra materia a cui condurmi, un'altra educatrice: non le polverine di Qualitativa, ma quella vera, l'autentica Urstoff senza tempo, la pietra e il ghiaccio delle montagne vicine. Mi dimostrò senza fatica che non avevo le carte in regola per parlare di materia. Quale commercio, quale confidenza avevo io avuto, fino allora, coi quattro elementi di Empedocle? Sapevo accendere una stufa? Guadare un torrente? Conoscevo la tormenta in quota? Il germogliare dei semi? No, e dunque anche lui aveva qualcosa di vitale da insegnarmi.

Nacque un sodalizio, ed incominciò per me una stagione frenetica. Sandro sembrava fatto di ferro, ed era legato al ferro da una parentela antica: i padri dei suoi padri, mi raccontò, erano stati calderai («magnín») e fabbri («fré») delle valli canavesane, fabbricavano chiodi sulla sforgia a carbone, cerchiavano le ruote dei carri col cerchione rovente, battevano la lastra fino a che diventavano sordi: e lui stesso, quando ravvisava nella roccia la vena rossa del ferro, gli pareva di ritrovare un amico. D'inverno, quando gli attaccava secco, legava gli sci alla bicicletta rugginosa,

partiva di buonora, e pedalava fino alla neve, senza soldi, con un carciofo in tasca e l'altra piena d'insalata: tornava poi a sera, o anche il giorno dopo, dormendo nei fienili, e piú tormenta e fame aveva patito, piú era contento e meglio stava di salute.

D'estate, quando partiva da solo, sovente si portava dietro il cane, che gli tenesse compagnia. Era un bastardetto giallo dall'aspetto umiliato: infatti, come Sandro mi aveva raccontato, mimando alla sua maniera l'episodio animalesco, aveva avuto da cucciolo un infortunio con una gatta. Si era avvicinato troppo alla figliata dei gattini appena nati, la gatta si era impermalita, aveva cominciato a soffiare e si era gonfiata tutta: ma il cucciolo non aveva ancora imparato il significato di questi segnali, ed era rimasto lí come uno sciocco. La gatta lo aveva aggredito, inseguito, raggiunto e graffiato sul naso: il cane ne aveva riportato un trauma permanente. Si sentiva disonorato, e allora Sandro gli aveva costruito una pallottola di pezza, gli aveva spiegato che era un gatto, ed ogni mattino glielo presentava perché si vendicasse su di esso dell'affronto e restaurasse il suo onore canino. Per lo stesso motivo terapeutico Sandro lo portava in montagna, perché si svagasse: lo legava a un capo della corda, legava se stesso all'altro, metteva il cane bene accucciato su di un terrazzino, e poi saliva; quando la corda era finita, lo tirava su gentilmente, e il cane aveva imparato, e camminava a muso in su con le quattro zampe contro la parete quasi verticale, uggiolando sottovoce come se sognasse.

Sandro andava su roccia piú d'istinto che con tecnica, fidando nella forza delle mani, e salutando ironico, nell'appiglio a cui si afferrava, il silicio, il calcio e il magnesio che aveva imparati a riconoscere al corso di mineralogia. Gli pareva di aver perso giornata se non aveva dato fondo in qualche modo alle sue riserve di energia, ed allora era anche piú vivace il suo sguardo: e mi spiegò che, facendo vita sedentaria, si forma un deposito di grasso dietro agli occhi, che non è sano; faticando, il grasso si consuma, gli occhi

arretrano in fondo alle occhiaie, e diventano piú acuti.

Delle sue imprese parlava con estrema avarizia. Non era della razza di quelli che fanno le cose per poterle raccontare (come me): non amava le parole grosse, anzi, le parole. Sembrava che anche a parlare, come ad arrampicare, nessuno gli avesse insegnato; parlava come nessuno parla, diceva solo il nocciolo delle cose.

Portava all'occorrenza trenta chili di sacco, ma di solito andava senza: gli bastavano le tasche, con dentro verdura, come ho detto, un pezzo di pane, un coltellino, qualche volta la guida del Cai, tutta sbertucciata, e sempre una matassa di filo di ferro per le riparazioni d'emergenza. La guida, poi, non la portava perché ci credesse: anzi, per la ragione opposta. La rifiutava perché la sentiva come un vincolo; non solo, ma come una creatura bastarda, un ibrido detestabile di neve e roccia con carta. La portava in montagna per vilipenderla, felice se poteva coglierla in difetto, magari a spese sue e dei compagni di salita. Poteva camminare due giorni senza mangiare, o mangiare insieme tre pasti e poi partire. Per lui, tutte le stagioni erano buone. D'inverno a sciare, ma non nelle stazioni attrezzate e mondane, che lui fuggiva con scherno laconico: troppo poveri per comperarci le pelli di foca per le salite, mi aveva mostrato come ci si cuciono i teli di canapa ruvida, strumenti spartani che assorbono l'acqua e poi gelano come merluzzi, e in discesa bisogna legarseli intorno alla vita. Mi trascinava in estenuanti cavalcate nella neve fresca, lontano da ogni traccia umana, seguendo itinerari che sembrava intuire come un selvaggio. D'estate, di rifugio in rifugio, ad ubriacarci di sole, di fatica e di vento, ed a limarci la pelle dei polpastrelli su roccia mai prima toccata da mano d'uomo: ma non sulle cime famose, né alla ricerca dell'impresa memorabile; di questo non gli importava proprio niente. Gli importava conoscere i suoi limiti, misurarsi e migliorarsi; piú oscuramente, sentiva il bisogno di prepararsi (e di prepararmi) per un avvenire di ferro, di mese in mese piú vicino.

Vedere Sandro in montagna riconciliava col mondo, e faceva dimenticare l'incubo che gravava sull'Europa. Era il suo luogo, quello per cui era fatto, come le marmotte di cui imitava il fischio e il grifo: in montagna diventava felice, di una felicità silenziosa e contagiosa, come una luce che si accende. Suscitava in me una comunione nuova con la terra e il cielo, in cui confluivano il mio bisogno di libertà, la pienezza delle forze, e la fame di capire le cose che mi avevano spinto alla chimica. Uscivamo all'aurora, strofinandoci gli occhi, dalla portina del bivacco Martinotti, ed ecco tutto intorno, appena toccate dal sole, le montagne candide e brune, nuove come create nella notte appena svanita, e insieme innumerabilmente antiche. Erano un'isola, un altrove.

Del resto, non sempre occorreva andare alto e lontano. Nelle mezze stagioni il regno di Sandro erano le palestre di roccia. Ce ne sono diverse, a due o tre ore di bicicletta da Torino, e sarei curioso di sapere se sono tuttora frequentate: i Picchi del Pagliaio con il Torrione Wolkmann, i Denti di Cumiana, Roca Patanüa (significa Roccia Nuda), il Plô, lo Sbarüa, ed altri, dai nomi casalinghi e modesti. Quest'ultimo, lo Sbarüa, mi pare fosse stato scoperto da Sandro stesso, o da un suo mitico fratello, che Sandro non mi fece mai vedere, ma che, dai suoi scarsi accenni, doveva stare a lui come lui stava alla generalità dei mortali. Sbarüa è deverbio da «sbarüé», che significa «spaurare»; lo Sbarüa è un prisma di granito che sporge di un centinaio di metri da una modesta collina irta di rovi e di bosco ceduo: come il Veglio di Creta, è spaccato dalla base alla cima da una fenditura che si fa salendo via via più stretta, fino a costringere lo scalatore ad uscire in parete, dove, appunto, si spaura, e dove esisteva allora un singolo chiodo, lasciato caritatevolmente dal fratello di Sandro.

Erano quelli curiosi luoghi, frequentati da poche decine di affezionati del nostro stampo, che Sandro conosceva tutti di nome o di vista: si saliva, non senza problemi tecnici, in mezzo ad un noioso ronzio di mosche bovine attirate

dal nostro sudore, arrampicandosi per pareti di buona pietra salda interrotte da ripiani erbosi dove crescevano felci e fragole, o in autunno more; non di rado, si sfruttavano come appigli i tronchi di alberelli stenti, radicati nelle fenditure: e si arrivava dopo qualche ora alla cima, che non era una cima affatto, ma per lo più un placido pascolo, dove la vacche ci guardavano con occhi indifferenti. Si scendeva poi a rompicollo, in pochi minuti, per sentieri cosparsi di sterco vaccino antico e recente, a recuperare le biciclette.

Altre volte erano imprese più impegnative: mai tranquille evasioni, poiché Sandro diceva che, per vedere i panorami, avremmo avuto tempo a quarant'anni. «Dôma, neh?» mi disse un giorno, a febbraio: nel suo linguaggio, voleva dire che, essendo buono il tempo, avremmo potuto partire alla sera per l'ascensione invernale del Dente di M., che da qualche settimana era in programma. Dormimmo in una locanda e partimmo il giorno dopo, non troppo presto, ad un'ora imprecisata (Sandro non amava gli orologi: ne sentiva il tacito continuo ammonimento come un'intrusione arbitraria); ci cacciammo baldanzosamente nella nebbia, e ne uscimmo verso la una, in uno splendido sole, e sul crestone di una cima che non era quella buona.

Allora io dissi che avremmo potuto ridiscendere di un centinaio di metri, traversare a mezza costa e risalire per il costone successivo: o meglio ancora, già che c'eravamo, continuare a salire ed accontentarci della cima sbagliata, che tanto era solo quaranta metri più bassa dell'altra; ma Sandro, con splendida malafede, disse in poche sillabe dense che stava bene per la mia ultima proposta, ma che poi, «per la facile cresta nord-ovest» (era questa una sarcastica citazione dalla già nominata guida del Cai) avremmo raggiunto ugualmente, in mezz'ora, il Dente di M.; e che non valeva la pena di avere vent'anni se non ci si permetteva il lusso di sbagliare strada.

La facile cresta doveva essere facile, anzi elementare, d'estate, ma noi la trovammo in condizioni scomode. La

roccia era bagnata sul versante al sole, e coperta di vetrato nero su quello in ombra; fra uno spuntone e l'altro c'erano sacche di neve fradicia dove si affondava fino alla cintura. Arrivammo in cima alle cinque, io tirando l'ala da far pena, Sandro in preda ad un'ilarità sinistra che io trovavo irritante.

– E per scendere?

– Per scendere vedremo, – rispose; ed aggiunse misteriosamente: – Il peggio che ci possa capitare è di assaggiare la carne dell'orso –. Bene, la gustammo, la carne dell'orso, nel corso di quella notte, che trovammo lunga. Scendemmo in due ore, malamente aiutati dalla corda, che era gelata: era diventato un maligno groviglio rigido che si agganciava a tutti gli spuntoni, e suonava sulla roccia come un cavo da teleferica. Alle sette eravamo in riva a un laghetto ghiacciato, ed era buio. Mangiammo il poco che ci avanzava, costruimmo un futile muretto a secco dalla parte del vento e ci mettemmo a dormire per terra, serrati l'uno contro l'altro. Era come se anche il tempo si fosse congelato; ci alzavamo ogni tanto in piedi per riattivare la circolazione, ed era sempre la stessa ora; il vento soffiava sempre, c'era sempre uno spettro di luna, sempre allo stesso punto del cielo, e davanti alla luna una cavalcata fantastica di nuvole stracciate, sempre uguale. Ci eravamo tolte le scarpe, come descritto nei libri di Lammer cari a Sandro, e tenevamo i piedi nei sacchi; alla prima luce funerea, che pareva venire dalla neve e non dal cielo, ci levammo con le membra intormentite e gli occhi spiritati per la veglia, la fame e la durezza del giaciglio: e trovammo le scarpe talmente gelate che suonavano come campane, e per infilarle dovemmo covarle come fanno le galline.

Ma tornammo a valle coi nostri mezzi, e al locandiere, che ci chiedeva ridacchiando come ce la eravamo passata, e intanto sogguardava i nostri visi stralunati, rispondemmo sfrontatamente che avevamo fatto un'ottima gita, pagammo il conto e ce ne andammo con dignità. Era questa, la carne dell'orso: ed ora, che sono passati molti anni, rim-

piango di averne mangiata poca, poiché, di tutto quanto la vita mi ha dato di buono, nulla ha avuto, neppure alla lontana, il sapore di quella carne, che è il sapore di essere forti e liberi, liberi anche di sbagliare, e padroni del proprio destino. Perciò sono grato a Sandro per avermi messo coscientemente nei guai, in quella ed in altre imprese insensate solo in apparenza, e so con certezza che queste mi hanno servito più tardi.

Non hanno servito a lui, o non a lungo. Sandro era Sandro Delmastro, il primo caduto del Comando Militare Piemontese del Partito d'Azione. Dopo pochi mesi di tensione estrema, nell'aprile del 1944 fu catturato dai fascisti, non si arrese e tentò la fuga dalla Casa Littoria di Cuneo. Fu ucciso, con una scarica di mitra alla nuca, da un mostruoso carnefice-bambino, uno di quegli sciagurati sgherri di quindici anni che la repubblica di Salò aveva arruolato nei riformatori. Il suo corpo rimase a lungo abbandonato in mezzo al viale, perché i fascisti avevano vietato alla popolazione di dargli sepoltura.

Oggi so che è un'impresa senza speranza rivestire un uomo di parole, farlo rivivere in una pagina scritta: un uomo come Sandro in specie. Non era uomo da raccontare né da fargli monumenti, lui che dei monumenti rideva: stava tutto nelle azioni, e, finite quelle, di lui non resta nulla; nulla se non parole, appunto.

Potassio

Nel gennaio del 1941 le sorti dell'Europa e del mondo sembravano segnate. Solo qualche illuso poteva ancora pensare che la Germania non avrebbe vinto; gli stolidi inglesi «non si erano accorti di aver perso la partita» e resistevano ostinatamente ai bombardamenti, ma erano soli, e subivano sanguinosi rovesci su tutti i fronti. Solo un cieco e sordo volontario poteva dubitare sul destino riserbato agli ebrei in un'Europa tedesca: avevamo letto *I fratelli Oppenheim* di Feuchtwanger, importato nascostamente dalla Francia, e un *Libro Bianco* inglese, arrivato dalla Palestina, in cui si descrivevano le «atrocità naziste»; ne avevamo creduto una metà, ma bastava. Molti profughi dalla Polonia e dalla Francia erano approdati in Italia, ed avevamo parlato con loro: non conoscevano i particolari della strage che si andava svolgendo sotto un mostruoso velo di silenzio, ma ognuno di loro era un messaggero come quelli che accorrono a Giobbe, per dirgli «io solo sono scampato per raccontarlo».

Eppure, se si voleva vivere, se si voleva in qualche modo trarre profitto della giovinezza che ci correva per le vene, non restava altra risorsa appunto che la cecità volontaria: come gli inglesi, «non ci accorgevamo», ricacciavamo tutte le minacce nel limbo delle cose non percepite o subito dimenticate. Si poteva anche, in astratto, gettare tutto e fuggire, trapiantarsi in qualche paese lontano, mitico, scelto fra i pochi che mantenevano aperte le frontiere: il Madagascar, l'Honduras Britannico; ma per fare questo

occorrevano molti quattrini ed una favolosa capacità d'iniziativa, ed io, la mia famiglia e i miei amici non possedevamo né gli uni né l'altra. D'altronde, viste da vicino e nel dettaglio, le cose non sembravano poi cosí disastrose: l'Italia intorno a noi, o per meglio dire (in un tempo in cui si viaggiava poco) il Piemonte e Torino, non ci erano nemici. Il Piemonte era la nostra patria vera, quella in cui ci riconoscevamo; le montagne attorno a Torino, visibili nei giorni chiari, e a portata di bicicletta, erano nostre, non sostituibili, e ci avevano insegnato la fatica, la sopportazione, ed una certa saggezza. In Piemonte, e a Torino, erano insomma le nostre radici, non poderose ma profonde, estese e fantasticamente intrecciate.

Né in noi, né piú in generale nella nostra generazione, «ariani» o ebrei che fossimo, si era ancora fatta strada l'idea che resistere al fascismo si doveva e si poteva. La nostra resistenza di allora era passiva, e si limitava al rifiuto, all'isolamento, al non lasciarsi contaminare. Il seme della lotta attiva non era sopravvissuto fino a noi, era stato soffocato pochi anni prima, con l'ultimo colpo di falce che aveva relegato in prigione, al confino, all'esilio o al silenzio gli ultimi protagonisti e testimoni torinesi, Einaudi, Ginzburg, Monti, Vittorio Foa, Zini, Carlo Levi. Questi nomi non ci dicevano niente, non sapevamo quasi nulla di loro, il fascismo intorno a noi non aveva antagonisti. Bisognava ricominciare dal niente, «inventare» un nostro antifascismo, crearlo dal germe, dalle radici, dalle nostre radici. Cercavamo intorno a noi, e imboccavamo strade che portavano poco lontano. La Bibbia, Croce, la geometria, la fisica, ci apparivano fonti di certezza.

Ci radunavamo nella palestra del «Talmúd Thorà», della Scuola della Legge, come orgogliosamente si chiamava la vetusta scuola elementare ebraica, e ci insegnavamo a vicenda a ritrovare nella Bibbia la giustizia e l'ingiustizia e la forza che abbatte l'ingiustizia: a riconoscere in Assuero e in Nabucodonosor i nuovi oppressori. Ma dov'era Kadosh Barukhú, «il Santo, Benedetto sia Egli», colui che spezza

le catene degli schiavi e sommerge i carri degli Egizi? Colui che aveva dettato la Legge a Mosè, ed ispirato i liberatori Ezra e Neemia, non ispirava piú nessuno, il cielo sopra noi era silenzioso e vuoto: lasciava sterminare i ghetti polacchi, e lentamente, confusamente, si faceva strada in noi l'idea che eravamo soli, che non avevamo alleati su cui contare, né in terra né in cielo, che la forza di resistere avremmo dovuto trovarla in noi stessi. Non era dunque del tutto assurdo l'impulso che ci spingeva allora a conoscere i nostri limiti: a percorrere centinaia di chilometri in bicicletta, ad arrampicarci con furia e pazienza su pareti di roccia che conoscevamo male, a sottoporci volontariamente alla fame, al freddo e alla fatica, ad allenarci al sopportare e al decidere. Un chiodo entra o non entra: la corda tiene o non tiene; anche queste erano fonti di certezza.

La chimica, per me, aveva cessato di esserlo. Conduceva al cuore della Materia, e la Materia ci era alleata appunto perché lo Spirito, caro al fascismo, ci era nemico; ma, giunto al IV anno di Chimica Pura, non potevo piú ignorare che la chimica stessa, o almeno quella che ci veniva somministrata, non rispondeva alle mie domande. Preparare il bromobenzene o il violetto metile secondo il Gattermann era divertente, anche esilarante, ma non molto diverso dal seguire le ricette dell'Artusi. Perché in quel modo, e non in un altro? Dopo di essere stato ingozzato in liceo delle verità rivelate dalla Dottrina del Fascismo, tutte le verità rivelate, non dimostrate, mi erano venute a noia o in sospetto. Esistevano teoremi di chimica? No: perciò bisognava andare oltre, non accontentarsi del «quia», risalire alle origini, alla matematica ed alla fisica. Le origini della chimica erano ignobili, o almeno equivoche: gli antri degli alchimisti, la loro abominevole confusione di idee e di linguaggio, il loro confessato interesse all'oro, i loro imbrogli levantini da ciarlatani o da maghi; alle origini della fisica stava invece la strenua chiarezza dell'occidente, Archimede ed Euclide. Sarei diventato un fisico, «ruat coelum»:

magari senza laurea, poiché Hitler e Mussolini me lo proibivano.

Faceva parte del programma del IV anno di Chimica un breve corso di esercitazioni di fisica: semplici misure di viscosità, tensione superficiale, potere rotatorio e simili. Il corso era diretto da un giovane assistente, magro, alto, un po' curvo, gentile e straordinariamente timido, che si comportava in un modo a cui non eravamo abituati. Gli altri nostri insegnanti, quasi senza eccezione, si mostravano convinti dell'importanza ed eccellenza della materia che insegnavano; alcuni lo erano in buona fede, per altri si trattava palesemente di una questione di supremazia personale, di territorio di caccia. Quell'assistente, invece, aveva quasi l'aria di scusarsi davanti a noi, di mettersi dalla nostra parte: nel suo sorriso un po' impacciato, e signorilmente ironico, sembrava di poter leggere: «So anch'io che con questi apparecchi antiquati e consunti non combinerete nulla di utile, e che inoltre queste sono futilità marginali, e la sapienza abita altrove; ma è un mestiere che voi dovete fare e io anche, e perciò, per favore, cercate di non far troppi danni e di imparare quanto potete». In breve, tutte le ragazze del corso si innamorarono di lui.

Nel giro di quei mesi avevo fatto disperati tentativi di entrare come allievo interno presso questo o quel professore. Alcuni, a bocca torta o magari con burbanza, mi avevano risposto che le leggi razziali lo vietavano; altri avevano fatto ricorso a pretesti fumosi e inconsistenti. Incassato compostamente il quarto o quinto rifiuto, stavo rincasando una sera, in bicicletta, con addosso una cappa quasi tangibile di scoramento e di amarezza. Risalivo svogliatamente via Valperga Caluso, mentre dal Valentino giungevano e mi sorpassavano folate di nebbia gelida; era ormai notte, e la luce dei lampioni, mascherati di violetto per l'oscuramento, non riusciva a prevalere sulla foschia e sulle tenebre. I passanti erano rari e frettolosi: ed ecco, uno fra questi attirò la mia attenzione. Procedeva nella mia direzione con passo lungo e lento, portava un lungo cappotto

nero ed era a capo scoperto, e camminava un po' curvo, ed assomigliava all'Assistente, era l'Assistente. Lo sorpassai, incerto sul da farsi; poi mi feci coraggio, tornai indietro, ed ancora una volta non osai interpellarlo. Che cosa sapevo di lui? Niente: poteva essere un indifferente, un ipocrita, addirittura un nemico. Poi pensai che non rischiavo nulla se non un ulteriore rifiuto, e senza ambagi gli chiesi se sarebbe stato possibile essere accolto per un lavoro sperimentale nel suo istituto. L'Assistente mi guardò sorpreso: in luogo del lungo discorso che avrei potuto aspettare, mi rispose con due parole del Vangelo: «Viemmi retro».

L'interno dell'Istituto di Fisica Sperimentale era pieno di polvere e di fantasmi secolari. C'erano file di armadi a vetri zeppi di foglietti ingialliti e mangiati da topi e tarme: erano osservazioni di eclissi, registrazioni di terremoti, bollettini meteorologici bene addietro nel secolo scorso. Lungo la parete di un corridoio trovai una straordinaria tromba, lunga piú di dieci metri, di cui nessuno sapeva piú l'origine, lo scopo e l'uso: forse per annunciare il giorno del Giudizio, in cui tutto ciò che si asconde apparirà. C'era una eolipila in stile Secessione, una fontana di Erone, e tutta una fauna obsoleta e prolissa di aggeggi destinati da generazioni alle dimostrazioni in aula: una forma patetica ed ingenua di fisica minore, in cui conta piú la coreografia del concetto. Non è illusionismo né gioco di prestigio, ma confina con loro.

L'Assistente mi accolse nello sgabuzzino a pian terreno dove lui stesso abitava, e che era irto di apparecchi ben diversi, entusiasmanti e sconosciuti. Alcune molecole sono portatrici di un dipolo elettrico, si comportano insomma in un campo elettrico come minuscoli aghi di bussola: si orientano, alcune piú pigramente, altre meno. A seconda delle condizioni, obbediscono con maggiore o minore rispetto a certe leggi: ecco, quegli apparecchi servivano a chiarire queste condizioni e questo rispetto cosí lacunoso.

Aspettavano chi li usasse: lui era indaffarato per altre questioni (di astrofisica, mi precisò, e la notizia mi percosse le midolla: avevo dunque davanti a me, in carne ed ossa, un astrofisico!), e inoltre non era pratico di certe manipolazioni che riteneva necessarie per purificare i prodotti da sottoporre alle misure; per queste occorreva un chimico, e il chimico benvenuto ero io. Mi cedeva volentieri il campo e gli strumenti. Il campo erano due metri quadrati di tavolo e scrivania; gli strumenti, una piccola famiglia, ma i piú importanti erano la bilancia di Westphal e l'eterodina. La prima, la conoscevo già; con la seconda feci presto amicizia. Era in sostanza un apparecchio radioricevente, costruito in modo da svelare minime differenze di frequenza: ed infatti, usciva brutalmente di sintonia, ed abbaiava come un cane da pagliaio, solo che l'operatore si muovesse sulla sedia, o spostasse una mano, o addirittura se soltanto entrava qualcuno nella camera. In certe ore del giorno, inoltre, rivelava tutto un intricato universo di misteriosi messaggi, ticchettii in Morse, sibili modulati, e voci umane deformate e smozzicate, che pronunciavano frasi in lingue incomprensibili, o altre in italiano, ma erano frasi insensate, in codice. Era la babele radiofonica della guerra, messaggi di morte trasmessi da navi od aerei, da chissà chi a chissà chi, al di là dei monti e del mare.

Al di là dei monti e del mare, mi spiegò l'Assistente, esisteva un sapiente di nome Onsager, del quale lui non sapeva nulla salvo che aveva elaborato una equazione che pretendeva di descrivere il comportamento delle molecole polari in tutte le condizioni, purché si trovassero allo stato liquido. L'equazione funzionava bene per le soluzioni diluite; non risultava che nessuno si fosse curato di verificarla per soluzioni concentrate, per liquidi polari puri, e per miscele di questi ultimi. Era questo il lavoro che mi proponeva, e che io accettai con indiscriminato entusiasmo: preparare una serie di liquidi complessi, e controllare se obbedivano alla equazione di Onsager. Come primo passo, avrei dovuto fare quello che lui non sapeva fare: a quel tempo

non era facile trovare prodotti puri per analisi, ed io avrei dovuto dedicarmi per qualche settimana a purificare benzene, clorobenzene, clorofenoli, amminofenoli, toluidine ed altro.

Bastarono poche ore di contatto perché la figura dell'Assistente si definisse. Aveva trent'anni, era sposato da poco, veniva da Trieste ma era di origine greca, conosceva quattro lingue, amava la musica, Huxley, Ibsen, Conrad, ed il Thomas Mann a me caro. Amava anche la fisica, ma aveva in sospetto ogni attività che fosse tesa ad uno scopo: perciò era nobilmente pigro, e detestava il fascismo naturaliter.

Il suo rapporto con la fisica mi rese perplesso. Non esitò a trafiggere il mio ultimo ippogrifo, confermando con parole esplicite quel messaggio sulle «futilità marginali» che avevamo letto nei suoi occhi in laboratorio. Non soltanto quelle nostre umili esercitazioni, ma l'intera fisica era marginale, per natura, per vocazione, in quanto si prefiggeva di dare norma all'universo delle apparenze, mentre la verità, la realtà, l'intima essenza delle cose e dell'uomo stanno altrove, celate dietro un velo, o sette veli (non ricordo con esattezza). Lui era un fisico, e più precisamente un astrofisico, diligente e volonteroso, ma privo di illusioni: il Vero era oltre, inaccessibile ai nostri telescopi, accessibile agli iniziati; era quella una lunga strada che lui stava percorrendo con fatica, meraviglia e gioia profonda. La fisica era prosa: elegante ginnastica della mente, specchio del Creato, chiave al dominio dell'uomo sul pianeta; ma qual è la statura del Creato, dell'uomo e del pianeta? La sua strada era lunga, e lui l'aveva appena iniziata, ma io ero suo discepolo: volevo seguirlo?

Era una richiesta terribile. Essere discepolo dell'Assistente era per me un godimento di ogni minuto, un legame mai sperimentato prima, privo d'ombre, reso più intenso dalla certezza che quel rapporto era mutuo: io ebreo, emarginato e reso scettico dagli ultimi rivolgimenti, nemico della violenza ma non ancora risucchiato dalla necessità

dell'opposta violenza, dovevo essere per lui l'interlocutore ideale, un foglio bianco su cui qualunque messaggio poteva essere inciso.

Non inforcai il nuovo gigantesco ippogrifo che l'Assistente mi offriva. In quei mesi i tedeschi distruggevano Belgrado, spezzavano la resistenza greca, invadevano Creta dall'aria: era quello il Vero, quella la Realtà. Non c'erano scappatoie, o non per me. Meglio rimanere sulla Terra, giocare coi dipoli in mancanza di meglio, purificare il benzene e prepararsi per un futuro sconosciuto, ma imminente e certamente tragico. Purificare il benzene, poi, nelle condizioni in cui la guerra ed i bombardamenti avevano ridotto l'Istituto, non era un'impresa da poco: l'Assistente mi precisò che avevo mano del tutto libera, potevo rovistare dappertutto dalle cantine al solaio, impossessarmi di qualsiasi strumento o prodotto, ma non acquistare nulla: neppure lui lo poteva, era un regime di autarchia assoluta.

Trovai nello scantinato un bottiglione di benzene tecnico, al 95 per cento di purezza: meglio che niente, ma i manuali prescrivevano di rettificarlo e poi di sottoporlo ad una ultima distillazione in presenza di sodio, per liberarlo dalle ultime tracce di umidità. Rettificare significa distillare frazionatamente, scartando le frazioni che bollono piú basso o piú alto del prescritto e raccogliendo il «cuore», che dovrebbe bollire a temperatura costante: trovai nell'inesauribile cantina la vetreria necessaria, ivi compresa una di quelle colonnine di Vigreux, graziose come una trina, opera della sovrumana pazienza ed abilità dei soffiatori di vetro, ma (sia detto fra noi) di efficienza discutibile; il bagnomaria me lo fabbricai con un pentolino d'alluminio.

Distillare è bello. Prima di tutto, perché è un mestiere lento, filosofico e silenzioso, che ti occupa ma ti lascia tempo di pensare ad altro, un po' come l'andare in bicicletta. Poi, perché comporta una metamorfosi: da liquido a vapore (invisibile), e da questo nuovamente a liquido; ma in questo doppio cammino, all'in su ed all'in giú, si raggiunge la purezza, condizione ambigua ed affascinante, che parte

dalla chimica ed arriva molto lontano. E finalmente, quando ti accingi a distillare, acquisti la consapevolezza di ripetere un rito ormai consacrato dai secoli, quasi un atto religioso, in cui da una materia imperfetta ottieni l'essenza, l'«usía», lo spirito, ed in primo luogo l'alcool, che rallegra l'animo e riscalda il cuore. Impiegai due buoni giorni per ottenere una frazione di purezza soddisfacente: per questa operazione, dato che dovevo lavorare con fiamma libera, mi ero volontariamente relegato in una cameretta al 1° piano, deserta e vuota, e lontana da ogni presenza umana.

Ora si trattava di distillare una seconda volta in presenza di sodio. Il sodio è un metallo degenere: è anzi un metallo solo nel significato chimico della parola, non certo in quello del linguaggio quotidiano. Non è né rigido né elastico, è anzi molle come la cera; non è lucente, o meglio, lo è solo se conservato con attenzioni maniache, poiché altrimenti reagisce in pochi istanti con l'aria ricoprendosi di una brutta cotenna ruvida: con anche maggiore rapidità reagisce con l'acqua, sulla quale galleggia (un metallo che galleggia!) danzando freneticamente e svolgendo idrogeno. Frugai invano il ventre dell'Istituto: trovai dozzine di ampolle etichettate, come Astolfo sulla Luna, centinaia di composti astrusi, altri vaghi sedimenti anonimi apparentemente non toccati da generazioni, ma sodio niente. Trovai invece una boccetta di potassio: il potassio è gemello del sodio, perciò me ne impadronii e ritornai al mio eremitaggio.

Misi nel palloncino del benzene un grumo di potassio «della grossezza di mezzo pisello» (cosí il manuale) e distillai diligentemente il tutto: verso la fine della operazione spensi doverosamente la fiamma, smontai l'apparecchio, lasciai che il poco liquido rimasto nel pallone si raffreddasse un poco, e poi, con un lungo ferro acuminato, infilzai il «mezzo pisello» di potassio e lo estrassi.

Il potassio, come ho detto, è gemello del sodio, ma reagisce con l'aria e con l'acqua con anche maggiore energia: è noto a tutti (ed era noto anche a me) che a contatto con

l'acqua non solo svolge idrogeno, ma anche si infiamma. Perciò trattai il mio mezzo pisello come una santa reliquia; lo posai su di un pezzo di carta da filtro asciutta, ne feci un involtino, discesi nel cortile dell'Istituto, scavai una minuscola tomba e vi seppellii il piccolo cadavere indemoniato. Ricalcai bene la terra sopra e risalii al mio lavoro.

Presi il pallone ormai vuoto, lo posi sotto il rubinetto ed aprii l'acqua. Si udí un rapido tonfo, dal collo del pallone uscí una vampa diretta verso la finestra che era vicina al lavandino, e le tende di questa presero fuoco. Mentre armeggiavo alla ricerca di qualche mezzo anche primitivo di estinzione, incominciarono ad abbrustolire i pannelli degli scuri, ed il locale era ormai pieno di fumo. Riuscii ad accostare una sedia ed a strappare le tende: le buttai a terra e le calpestai rabbiosamente, mentre già il fumo mi aveva mezzo accecato e il sangue mi batteva con violenza nelle tempie.

A cose finite, quando tutti i brandelli incandescenti furono spenti, rimasi in piedi per qualche minuto, atono e come istupidito, con le ginocchia sciolte, a contemplare le tracce del disastro senza vederle. Appena ebbi ripreso un po' di fiato, scesi al piano di sotto e raccontai l'episodio all'Assistente. Se è vero che non c'è maggior dolore che ricordarsi del tempo felice nella miseria, è altrettanto vero che rievocare un'angoscia ad animo tranquillo, seduti quieti alla scrivania, è fonte di soddisfazione profonda.

L'Assistente ascoltò la mia relazione con attenzione educata ma con un'aria curiosa: chi mi aveva costretto a imbarcarmi in quella navigazione, e a distillare il benzene con tutte quelle cure? In fondo mi stava bene: sono queste le cose che accadono ai profani, a coloro che si attardano a giocare davanti alle porte del tempio invece di penetrarvi. Ma non disse nulla; assunse per l'occasione (malvolentieri come sempre) la distanza gerarchica, e mi fece notare che un pallone vuoto non s'incendia: vuoto non doveva essere stato. Doveva aver contenuto, se non altro, il vapore del benzene, oltre naturalmente all'aria penetrata dal collo.

Ma non s'è mai visto che il vapore di benzene, a freddo, prenda fuoco da sé: solo il potassio poteva aver acceso la miscela, ed il potassio io l'avevo tolto. Tutto?

Tutto, risposi io: ma mi venne un dubbio, risalii sul luogo dell'incidente, e trovai ancora a terra i cocci del pallone; su uno di essi, guardando bene, si scorgeva, appena visibile, una macchiolina bianca. La saggiai con la fenolftaleina: era basica, era idrossido di potassio. Il colpevole era trovato: aderente al vetro del pallone doveva essere rimasto un frammento minuscolo di potassio, quanto era bastato per reagire con l'acqua che io avevo introdotta ed incendiare i vapori di benzene.

L'Assistente mi guardava con occhio divertito e vagamente ironico: meglio non fare che fare, meglio meditare che agire, meglio la sua astrofisica, soglia dell'Inconoscibile, che la mia chimica impastata di puzze, scoppi e piccoli misteri futili. Io pensavo ad un'altra morale, piú terrena e concreta, e credo che ogni chimico militante la potrà confermare: che occorre diffidare del quasi-uguale (il sodio è quasi uguale al potassio: ma col sodio non sarebbe successo nulla), del praticamente identico, del pressapoco, dell'oppure, di tutti i surrogati e di tutti i rappezzi. Le differenze possono essere piccole, ma portare a conseguenze radicalmente diverse, come gli aghi degli scambi; il mestiere del chimico consiste in buona parte nel guardarsi da queste differenze, nel conoscerle da vicino, nel prevederne gli effetti. Non solo il mestiere del chimico.

Nichel

Avevo in un cassetto una pergamena miniata, con su scritto in eleganti caratteri che a Primo Levi, di razza ebraica, veniva conferita la laurea in Chimica con 110 e lode: era dunque un documento ancipite, mezzo gloria e mezzo scherno, mezzo assoluzione e mezzo condanna. Stava in quel cassetto dal luglio 1941, ed era finito novembre; il mondo precipitava alla catastrofe, ed intorno a me non capitava nulla. I tedeschi erano dilagati in Polonia, in Norvegia, in Olanda, in Francia, in Jugoslavia, e penetravano nelle pianure russe come una lama nel burro; gli Stati Uniti non si muovevano in aiuto degli inglesi, che erano rimasti soli. Io non trovavo lavoro, e mi estenuavo nella ricerca di una qualsiasi occupazione retribuita; nella camera accanto mio padre, prostrato da un tumore, viveva i suoi ultimi mesi.

Suonò il campanello: era un giovane alto e magro, in divisa di tenente del Regio Esercito, ed io non tardai a ravvisare in lui la figura del messaggero, del mercurio che guida le anime, o se vogliamo dell'angelo annunciatore: di colui insomma che ognuno attende, lo sappia o no, e che porta il messaggio celeste che ti fa cambiare vita, per il bene o per il male, ancora non lo sai, fino a che lui non abbia aperto bocca.

Aprí bocca, ed aveva un forte accento toscano, e chiese del Dottor Levi, che incredibilmente ero io (al titolo non mi ero ancora abituato); si presentò urbanamente e mi propose un lavoro. Chi lo mandava da me? Un altro mercurio,

Caselli, il custode inflessibile della fama altrui: la «lode» della mia laurea a qualcosa aveva pure servito.

Che io fossi ebreo, il Tenente mostrava di saperlo (del resto, il mio cognome si presta poco ai dubbi), ma sembrava che non gliene importasse. Sembrava anzi qualcosa di piú: che la faccenda in qualche modo gli andasse a genio, che provasse un gusto acre e sottile nel contravvenire alle leggi della separazione, che insomma fosse in segreto un alleato, e cercasse in me un alleato.

Il lavoro che mi propose era misterioso e pieno di fascino. «In qualche luogo» c'era una miniera, dalla quale si ricavava il 2 per cento di qualcosa di utile (non mi disse che cosa) ed il 98 per cento di sterile, che veniva scaricato in una valle accanto. In questo sterile c'era del nichel: pochissimo, ma il suo prezzo era talmente alto che il suo recupero poteva essere preso in considerazione. Lui aveva un'idea, anzi un grappolo di idee, però era in servizio militare ed aveva poco tempo libero: io avrei dovuto sostituirlo, sperimentare in laboratorio le sue idee, e se possibile poi, insieme con lui, realizzarle industrialmente. Era chiaro che si rendeva necessario il mio trasferimento nel «qualche luogo», che mi venne sommariamente descritto: questo trasferimento sarebbe avvenuto sotto un duplice sigillo di segretezza. In primo luogo, a mia protezione, nessuno avrebbe dovuto conoscere il mio nome né la mia origine abominevole, perché il qualche luogo era sotto il controllo dell'autorità militare; in secondo, a protezione della sua idea, io avrei dovuto impegnarmi sul mio onore a non farne parola con nessuno. Del resto, era chiaro che un segreto avrebbe consolidato l'altro, e che quindi, in certa misura, la mia condizione di fuori-casta gli veniva a taglio.

Qual era la sua idea, e dov'era il qualche luogo? Il Tenente si scusò: fino ad una mia accettazione di massima non poteva dirmi molto, era evidente; ad ogni modo, l'idea consisteva in un attacco dello sterile in fase gassosa, ed il qualche luogo era a poche ore di viaggio da Torino. Mi consigliai rapidamente coi miei. Erano d'accordo: con la

malattia di mio padre c'era in casa un bisogno urgente di
quattrini. Quanto a me, non avevo il minimo dubbio: ero
troppo logorato dall'inerzia, sicuro della mia chimica, e de-
sideroso di metterla alla prova. Poi, il Tenente mi incurio-
siva e mi piaceva.

Si vedeva bene che portava la divisa con ribrezzo: la sua
scelta nei miei riguardi non doveva essere stata dettata sol-
tanto da considerazioni utilitarie. Parlava del fascismo e
della guerra con reticenza, e con una gaiezza sinistra che
non faticai ad interpretare. Era la gaiezza ironica di un'in-
tera generazione d'italiani, abbastanza intelligenti ed one-
sti per rifiutare il fascismo, troppo scettici per opporvisi
attivamente, troppo giovani per accettare passivamente la
tragedia che si delineava e per disperar del domani; una
generazione a cui io stesso avrei appartenuto, se non fosse-
ro intervenute le provvide leggi razziali a maturarmi pre-
cocemente ed a guidarmi nella scelta.

Il Tenente prese atto del mio consenso, e senza perdere
tempo mi diede appuntamento in stazione per l'indomani.
Preparativi? Non ne occorrevano molti: documenti no cer-
to (avrei preso servizio in incognito, senza nome o con un
nome falso, si sarebbe visto piú avanti); qualche abito pe-
sante, quelli da montagna potevano andare bene, un cami-
ce, libri se volevo: per il resto, nessuna difficoltà, avrei tro-
vato una camera con riscaldamento, un laboratorio, pasti
regolari presso una famiglia di operai, e colleghi buona
gente, con cui peraltro mi raccomandava di non entrare in
troppa confidenza per le note ragioni.

Partimmo, scendemmo dal treno ed arrivammo alla mi-
niera dopo cinque chilometri di salita in mezzo ad un bo-
sco splendido di brina. Il Tenente, che era un tipo spiccio,
mi presentò sommariamente al Direttore, un giovane inge-
gnere alto e vigoroso, che era anche piú spiccio, e che evi-
dentemente era già stato informato sulla mia situazione.
Fui introdotto in laboratorio, dove mi aspettava una sin-
golare creatura: una ragazzotta sui diciott'anni, dai capelli

di fuoco e dagli occhi verdi, obliqui, maliziosi e curiosi. Appresi che sarebbe stata la mia aiutante.

Durante il pranzo, che eccezionalmente mi fu offerto nei locali degli uffici, la radio diffuse la notizia dell'attacco giapponese a Pearl Harbor e della dichiarazione di guerra del Giappone agli Stati Uniti. I miei commensali (alcuni impiegati, oltre al Tenente) accolsero l'annuncio in varia maniera: alcuni, e fra questi il Tenente stesso, con riserbo e con caute occhiate dalla mia parte; altri, con commenti preoccupati; altri ancora, sostenendo bellicosamente l'invincibilità oramai comprovata delle armate giapponesi e tedesche.

Il «qualche luogo» si era dunque localizzato nello spazio, senza però perdere nulla della sua magia. Già tutte le miniere sono magiche, da sempre. Le viscere della terra brulicano di gnomi, coboldi (cobalto!), niccoli (nichel!), che possono essere generosi e farti trovare il tesoro sotto la punta del piccone, o ingannarti, abbagliarti, facendo rilucere come l'oro la modesta pirite, o travestendo lo zinco con i panni dello stagno: e infatti, sono molti i minerali i cui nomi contengono radici che significano «inganno, frode, abbagliamento».

Anche quella miniera aveva una sua magia, un suo incanto selvaggio. In una collina tozza e brulla, tutta scheggioni e sterpi, si affondava una ciclopica voragine conica, un cratere artificiale, del diametro di quattrocento metri: era in tutto simile alle rappresentazioni schematiche dell'Inferno, nelle tavole sinottiche della *Divina Commedia*. Lungo i gironi, giorno per giorno, si facevano esplodere le volate delle mine: la pendenza delle pareti del cono era la minima indispensabile perché il materiale smosso rotolasse fino al fondo, ma senza acquistare troppo impeto. Al fondo, al posto di Lucifero, stava una poderosa chiusura a saracinesca; sotto a questa, era un breve pozzo verticale che immetteva in una lunga galleria orizzontale; questa, a sua volta, sboccava all'aria libera sul fianco della collina, a monte dello stabilimento. Nella galleria faceva la spola un

treno blindato: una locomotiva piccola ma potente presentava i vagoni uno per uno sotto la saracinesca affinché si riempissero, poi li trascinava a riveder le stelle.

Lo stabilimento era costruito in cascata, lungo il pendio della collina e sotto l'apertura della galleria: in esso il minerale veniva frantumato in un mostruoso frantoio, che il Direttore mi illustrò e mostrò con entusiasmo quasi infantile: era una campana capovolta, o se vogliamo una corolla di convolvolo, del diametro di quattro metri e di accaio massiccio: al centro, sospeso dal di sopra e guidato dal di sotto, oscillava un gigantesco batacchio. L'oscillazione era minima, appena visibile, ma bastava per fendere in un batter d'occhio i macigni che piovevano dal treno: si spaccavano, si incastravano piú in basso, si spaccavano nuovamente, ed uscivano dal di sotto in frammenti grossi come la testa di un uomo. L'operazione procedeva in mezzo ad un fracasso da apocalissi, in una nube di polvere che si vedeva fin dalla pianura. Il materiale veniva poi ulteriormente macinato fino a ghiaia, essiccato, selezionato: e ci volle assai poco per appurare che scopo ultimo di quel lavoro da ciclopi era strappare alla roccia un misero 2 per cento d'amianto che vi era intrappolato. Il resto, migliaia di tonnellate al giorno, veniva scaricato a valle alla rinfusa.

Anno dopo anno, la valle si andava riempiendo di una lenta valanga di polvere e ghiaia. L'amianto che ancora vi era contenuto rendeva la massa leggermente scorrevole, pigramente pastosa, come un ghiacciaio: l'enorme lingua grigia, punteggiata di macigni nerastri, incedeva verso il basso laboriosamente, ponderosamente, di qualche decina di metri all'anno; esercitava sulle pareti della valle una pressione tale da provocare profonde crepe trasversali nella roccia; spostava di centimetri all'anno alcuni edifici costruiti troppo in basso. In uno di questi, detto «il sottomarino» appunto per la sua silenziosa deriva, abitato io.

C'era amianto dappertutto, come una neve cenerina: se si lasciava per qualche ora un libro su di un tavolo, e poi lo si toglieva, se ne trovava il profilo in negativo; i tetti erano

coperti da uno spesso strato di polverino, che nei giorni di pioggia si imbeveva come una spugna, e ad un tratto franava violentemente a terra. Il capocava, che si chiamava Anteo, ed era un gigante obeso dalla folta barba nera che sembrava proprio traesse dalla madre terra il suo vigore, mi raccontò che, anni prima, una pioggia insistente aveva dilavato molte tonnellate d'amianto dalle pareti stesse della cava; l'amianto si era accumulato sul fondo del cono, sopra la valvola aperta, costipandosi segretamente in un tappo. Nessuno aveva dato peso alla cosa; ma aveva continuato a piovere, il cono aveva funzionato da imbuto, sul tappo si era formato un lago di ventimila metri cubi d'acqua, e ancora nessuno aveva dato peso alla cosa. Lui Anteo la vedeva brutta, ed aveva insistito presso il direttore di allora perché provvedesse in qualche modo: da buon capocava, lui propendeva per una bella mina sommersa, da far brillare senza perdere tempo sul fondo del lago; ma un po' di questo, un po' di quello, poteva essere pericoloso, si poteva danneggiare la valvola, bisognava sentire il consiglio d'amministrazione, nessuno voleva decidere, e decise la cava stessa, col suo genio maligno.

Mentre i savi deliberavano, si era udito un boato sordo: il tappo aveva ceduto, l'acqua si era inabissata nel pozzo e nella galleria, aveva spazzato via il treno con tutti i suoi vagoni, ed aveva devastato lo stabilimento. Anteo mi mostrò i segni dell'alluvione, due metri buoni al di sopra del piano inclinato.

Gli operai ed i minatori (che nel gergo locale si chiamavano «i minori») venivano dai paesi vicini, facendosi magari due ore di sentieri di montagna: gli impiegati abitavano sul posto. La pianura era a soli cinque chilometri, ma la miniera era a tutti gli effetti una piccola repubblica autonoma. In quel tempo di razionamento e di mercato nero, non c'erano lassú problemi annonari: non si sapeva come, ma tutti avevano di tutto. Molti impiegati avevano un loro orto, attorno alla palazzina quadrata degli uffici; alcuni avevano anche un pollaio. Era successo varie volte che le

galline dell'uno sconfinassero nell'orto dell'altro, danneggiandolo, e ne erano nate noiose controversie e faide, che male si confacevano alla serenità del luogo ed all'indole sbrigativa del Direttore. Questi aveva troncato il nodo da par suo: aveva fatto comprare un fucile Flobert, e lo aveva appeso a un chiodo nel suo ufficio. Chiunque vedesse dalla finestra una gallina straniera razzolare nel proprio orto aveva il diritto di prendere il fucile e di spararle due volte: ma occorreva la flagranza. Se la gallina moriva sul terreno, il cadavere apparteneva allo sparatore: questa era la legge. Nei primi giorni dopo il provvedimento si era assistito a molte rapide corse al fucile e sparatorie, mentre tutti i non interessati facevano scommesse, ma poi non c'erano piú stati sconfinamenti.

Altre storie meravigliose mi vennero raccontate, come quella del cane del Signor Pistamiglio. Questo Signor Pistamiglio, al mio tempo, era ormai sparito da anni, ma sempre viva era la sua memoria, e, come avviene, si andava ricoprendo di una patina dorata di leggenda. Il Signor Pistamiglio era dunque un ottimo caporeparto, non piú giovane, scapolo, pieno di buon senso, stimato da tutti, ed il suo cane era un bellissimo lupo, altrettanto probo e stimato.

Era venuto un certo Natale, ed erano spariti quattro dei tacchini piú grassi nel paese giú a valle. Pazienza: si era pensato ai ladri, alla volpe, poi piú a niente. Ma venne un altro inverno, e questa volta di tacchini ne erano spariti sette, fra novembre e dicembre. Era stata fatta denuncia ai carabinieri, ma nessuno avrebbe mai chiarito il mistero se non si fosse lasciata scappare una parola di troppo il Signor Pistamiglio medesimo, una sera che era un po' bevuto. I ladri di tacchini erano loro due, lui e il cane. Alla domenica lui portava il cane in paese, girava per le cascine e gli faceva vedere quali erano i tacchini piú belli e meno custoditi; gli spiegava caso per caso la strategia migliore; poi tornavano alla miniera, e lui di notte gli dava la larga, e il cane arrivava invisibile, strisciando lungo i muri come un

vero lupo, saltava il recinto del pollaio oppure scavava un passaggio sotto, accoppava in silenzio il tacchino e lo riportava al suo complice. Non risulta che il Signor Pistamiglio vendesse i tacchini: secondo la versione piú accreditata, li regalava alle sue amanti, che erano numerose, brutte, vecchie, e sparse in tutte le Prealpi piemontesi.

Mi vennero raccontate moltissime storie: a quanto pareva, tutti i cinquanta abitatori della miniera avevano reagito fra loro, a due a due, come nel calcolo combinatorio; voglio dire, ognuno con tutti gli altri, ed in specie ogni uomo con tutte le donne, zitelle o maritate, ed ogni donna con tutti gli uomini. Bastava scegliere due nomi a caso, meglio se di sesso diverso, e chiedere a un terzo: «Che c'è stato fra loro?», ed ecco, mi veniva dipanata una splendida storia, poiché ognuno conosceva la storia di tutti. Non è chiaro perché queste vicende, spesso intricate e sempre intime, le raccontassero con tanta facilità proprio a me, che invece non potevo raccontare nulla a nessuno, neppure il mio vero nome; ma pare che questo sia il mio pianeta (e non me ne lamento affatto): io sono uno a cui molte cose vengono raccontate.

Registrai, in diverse varianti, una saga remota, risalente ad un'epoca ancora di molto anteriore allo stesso Signor Pistamiglio: c'era stato un tempo in cui, negli uffici della miniera, era prevalso un regime da Gomorra. In quella leggendaria stagione, ogni sera, quando suonava la sirena delle cinque e mezza, nessuno degli impiegati andava a casa. A quel segnale, di fra le scrivanie scaturivano liquori e materassi, e si scatenava un'orgia che avvolgeva tutto e tutti, giovani dattilografe implumi e contabili stempiati, dal direttore di allora giú giú fino agli uscieri invalidi civili: il triste rondò delle scartoffie minerarie cedeva il campo ad un tratto, ogni sera, ad una sterminata fornicazione interclassista, pubblica e variamente intrecciata. Nessun superstite era sopravvissuto fino al nostro tempo, a portare testimonianza diretta: una sequenza di bilanci disastrosi aveva costretto l'Amministrazione di Milano ad un intervento dra-

stico e purificatore. Nessuno, salvo la Signora Bortolasso, che, mi si assicurò, sapeva tutto, aveva visto tutto, ma non parlava per la sua pudicizia estrema.

La Signora Bortolasso, del resto, non parlava mai con nessuno, salvo che per strette necessità di lavoro. Prima di chiamarsi cosí, si era chiamata la Gina delle Benne: a diciannove anni, già dattilografa negli uffici, si era innamorata di un giovane minatore smilzo e fulvo, che, senza ricambiarlo propriamente, mostrava tuttavia di accettare questo amore; ma «i suoi di lei» erano stati irremovibili. Avevano speso soldi per i suoi studi, e lei doveva mostrare gratitudine, fare un buon matrimonio, e non mettersi col primo venuto; ed anzi, poiché la ragazza queste cose non le intendeva, ci avrebbero pensato loro; che la piantasse col suo pelo rosso, oppure via di casa e via dalla miniera.

La Gina si era disposta ad aspettare i ventun anni (non gliene mancavano che due): ma il rosso non aspettò lei. Si fece vedere di domenica con un'altra donna, poi con una terza, e finí con lo sposarne una quarta. La Gina prese allora una decisione crudele: se non aveva potuto legare a sé l'uomo di cui le importava, l'unico, ebbene, non sarebbe stata di nessun altro. Monaca no, era di idee moderne: ma si sarebbe vietato per sempre il matrimonio in un modo raffinato e spietato, e cioè sposandosi. Era ormai un'impiegata di concetto, necessaria all'Amministrazione, dotata di una memoria di ferro e di una diligenza proverbiale: e fece sapere a tutti, ai genitori ed ai superiori, che intendeva sposare Bortolasso, lo scemo della miniera.

Questo Bortolasso era un manovale di mezza età, forte come un mulo e sporco come un verro. Non doveva essere uno scemo puro: è piú probabile che appartenesse a quel tipo umano di cui si dice in Piemonte che fanno i folli per non pagare il sale; al riparo dietro l'immunità che si concede ai deboli di mente, Bortolasso esercitava con negligenza estrema la funzione di giardiniere. Con una negligenza tale da sconfinare in un'astuzia rudimentale: sta bene, il mondo lo aveva dichiarato irresponsabile, ed ora doveva sop-

portarlo come tale, anzi mantenerlo ed avere cura di lui.

L'amianto bagnato dalla pioggia si estrae male, perciò il pluviometro, alla miniera, era molto importante: stava in mezzo ad un'aiuola, ed il Direttore stesso ne rilevava le indicazioni. Bortolasso, che ogni mattina innaffiava le aiuole, prese l'abitudine di innaffiare anche il pluviometro, inquinando severamente i dati dei costi d'estrazione; il Direttore (non subito) se ne accorse, e gli impose di smetterla. «Allora gli piace asciutto», ragionò Bortolasso: e dopo ogni pioggia andava ad aprire la valvola di fondo dello strumento.

Al tempo del mio arrivo la situazione si era stabilizzata da un pezzo. La Gina, ormai Signora Bortolasso, era sui trentacinque anni: la modesta bellezza del suo viso si era irrigidita e fissata in una maschera tesa e pronta, e recava manifesto lo stigma della verginità protratta. Perché vergine era rimasta: tutti lo sapevano perché Bortolasso lo raccontava a tutti. Questi erano stati i patti, al tempo del matrimonio; lui li aveva accettati, anche se poi, quasi tutte le notti, aveva cercato di violare il letto della donna. Ma lei si era difesa furiosamente, ed ancora si difendeva: mai e poi mai un uomo, e meno che tutti quello, avrebbe potuto toccarla.

Queste battaglie notturne fra i tristi coniugi erano diventate la favola della miniera, ed una delle sue poche attrazioni. In una delle prime notti tiepide, un gruppo di aficionados mi invitarono ad andare con loro per sentire che cosa capitava. Io rifiutai, e loro tornarono delusi poco dopo: si udiva solo un trombone che suonava *Faccetta Nera*. Mi spiegarono che qualche volta succedeva; lui era uno scemo musicale, e si sfogava cosí.

Del mio lavoro mi innamorai fin dal primo giorno, benché non si trattasse d'altro, in quella fase, che di analisi quantitative su campioni di roccia: attacco con acido fluoridrico, giú il ferro con ammoniaca, giú il nichel (quanto poco! un pizzico di sedimento rosa) con dimetilgliossima, giú il magnesio con fosfato, sempre uguale, tutti i santi

giorni: in sé, non era molto stimolante. Ma stimolante e nuova era un'altra sensazione: il campione da analizzare non era piú un'anonima polverina manufatta, un quiz materializzato; era un pezzo di roccia, viscera della terra, strappata alla terra per forza di mine: e sui dati delle analisi giornaliere nasceva a poco a poco una mappa, il ritratto delle vene sotterranee. Per la prima volta dopo diciassette anni di carriera scolastica, di aoristi e di guerre del Peloponneso, le cose imparate incominciavano dunque a servirmi. L'analisi quantitativa, cosí avara di emozioni, greve come il granito, diventava viva, vera, utile, inserita in un'opera seria e concreta. Serviva: era inquadrata in un piano, una tessera di un mosaico. Il metodo analitico che seguivo non era piú un dogma libresco, veniva ricollaudato ogni giorno, poteva essere affinato, reso conforme ai nostri scopi, con un gioco sottile di ragione, di prove e di errori. Sbagliare non era piú un infortunio vagamente comico, che ti guasta un esame o ti abbassa il voto: sbagliare era come quando si va su roccia, un misurarsi, un accorgersi, uno scalino in su, che ti rende piú valente e piú adatto.

La ragazza del laboratorio si chiamava Alida. Assisteva ai miei entusiasmi di neofita senza condividerli; ne era anzi sorpresa e un po' urtata. La sua presenza non era sgradevole. Veniva dal liceo, citava Pindaro e Saffo, era figlia di un gerarchetto locale del tutto innocuo, era furba ed infingarda, e non le importava nulla di nulla, e meno che mai dell'analisi della roccia, che dal Tenente aveva imparato meccanicamente ad eseguire. Anche lei, come tutti lassú, aveva interagito con varie persone, e non ne faceva alcun mistero con me, grazie a quella mia curiosa virtú confessoria a cui ho accennato prima. Aveva litigato con molte donne per vaghe rivalità, si era innamorata un poco di molti, molto di uno, ed era fidanzata di un altro ancora, un brav'uomo grigio e dimesso, impiegato all'Ufficio Tecnico, suo compaesano, che i suoi avevano scelto per lei; anche di questo non le importava nulla. Che farci? Ribellarsi? Andarsene? No, era una ragazza di buona famiglia, il suo

avvenire erano i figli e i fornelli, Saffo e Pindaro cose del
passato, il nichel un astruso riempitivo. Lavoricchiava in
laboratorio in attesa di quelle nozze cosí poco agognate, la-
vava svogliatamente i precipitati, pesava la nichel-dimetil-
gliossima, e mi ci volle impegno per farla persuasa che non
era opportuno maggiorare il risultato delle analisi: cosa che
lei tendeva a fare, anzi mi confessò di aver fatto sovente,
perché, diceva, tanto non costava niente a nessuno, e face-
va piacere al Direttore, al Tenente e a me.

Che cos'era poi, alla fine dei conti, quella chimica su cui
il Tenente ed io ci arrovellavamo? Acqua e fuoco, nient'al-
tro, come in cucina. Una cucina meno appetitosa, ecco:
con odori penetranti o disgustosi invece di quelli domesti-
ci; se no, anche lí il grembiulone, mescolare, scottarsi le
mani, rigovernare alla fine della giornata. Niente scampo
per Alida. Ascoltava con devozione compunta, ed insieme
con scetticismo italiano, i miei resoconti di vita torinese:
erano resoconti assai censurati, perché sia lei, sia io, dove-
vamo pure stare al gioco del mio anonimato, tuttavia qual-
cosa non poteva non emergere: se non altro, dalle mie stes-
se reticenze. Dopo qualche settimana mi accorsi che non
ero piú un senza nome: ero un Dott. Levi che non doveva
essere chiamato Levi, né alla seconda né alla terza persona,
per buona creanza, per non far nascere imbrogli. Nell'at-
mosfera pettegola e tollerante delle Cave, lo sfasamento
fra la mia indeterminata condizione di fuoricasta e la mia
visibile mitezza di costumi saltava agli occhi, e, mi confes-
sò Alida, veniva lungamente commentata e variamente in-
terpretata: dall'agente dell'Ovra al raccomandato d'alto li-
vello.

Scendere a valle era scomodo, e per me anche poco pru-
dente; poiché non potevo frequentare nessuno, le mie sere
alle Cave erano interminabili. Qualche volta mi fermavo
in laboratorio oltre l'ora della sirena, o ci ritornavo dopo
cena a studiare, o a meditare sul problema del nichel; altre
volte mi chiudevo a leggere le Storie di Giacobbe nella mia
cameretta monastica del Sottomarino. Nelle sere di luna

facevo sovente lunghe camminate solitarie attraverso la contrada selvaggia delle Cave, su fino al ciglio del cratere, o a mezza costa sul dorso grigio e rotto della discarica, corso da misteriosi brividi e scricchiolii, come se veramente ci si annidassero gli gnomi indaffarati: il buio era punteggiato da lontani ululati di cani nel fondo invisibile della valle.

Questi vagabondaggi mi concedevano una tregua alla consapevolezza funesta di mio padre morente a Torino, degli americani disfatti a Bataan, dei tedeschi vincitori in Crimea, ed insomma della trappola aperta, che stava per scattare: facevano nascere in me un legame nuovo, piú sincero della retorica della natura imparata a scuola, con quei rovi e quelle pietre che erano la mia isola e la mia libertà, una libertà che forse presto avrei perduta. Per quella roccia senza pace provavo un affetto fragile e precario: con essa avevo contratto un duplice legame, prima nelle imprese con Sandro, poi qui, tentandola come chimico per strapparle il tesoro. Da questo amore pietroso, e da queste solitudini d'amianto, in altre di quelle lunghe sere nacquero due racconti di isole e di libertà, i primi che mi venisse in animo di scrivere dopo il tormento dei componimenti in liceo: uno fantasticava di un mio remoto precursore, cacciatore di piombo anziché di nichel; l'altro, ambiguo e mercuriale, lo avevo ricavato da un cenno all'isola di Tristan da Cunha che mi era capitato sott'occhio in quel periodo.

Il Tenente, che prestava servizio militare a Torino, saliva alle Cave solo un giorno alla settimana. Controllava il mio lavoro, mi dava indicazioni e consigli per la settimana seguente, e si rivelò un ottimo chimico ed un ricercatore tenace ed acuto. Dopo un breve periodo orientativo, accanto alla routine delle analisi quotidiane si andò delineando un lavoro di volo piú alto.

Nella roccia delle Cave c'era dunque il nichel: assai poco, dalle nostre analisi risultava un contenuto medio dello 0,2 per cento. Risibile, in confronto ai minerali sfruttati

dai miei colleghi-rivali antipodi in Canadà e in Nuova Caledonia. Ma forse il greggio poteva essere arricchito? Sotto la guida del Tenente, provai tutto il provabile: separazioni magnetiche, per flottazione, per levigazione, per stacciatura, con liquidi pesanti, col piano a scosse. Non approdai a nulla: non si concentrava nulla, in tutte le frazioni ottenute la percentuale di nichel rimaneva ostinatamente quella originale. La natura non ci aiutava: concludemmo che il nichel accompagnava il ferro bivalente, lo sostituiva come un vicario, lo seguiva come un'ombra evanescente, un minuscolo fratello: 0,2 per cento di nichel, 8 per cento di ferro. Tutti i reattivi d'attacco pensabili per il nichel avrebbero dovuto essere impiegati in dose quaranta volte superiore, anche a non tener conto del magnesio. Un'impresa economicamente disperata. Nei momenti di stanchezza, percepivo la roccia che mi circondava, il serpentino verde delle Prealpi, in tutta la sua durezza siderale, nemica, estranea: al confronto, gli alberi della valle, ormai già vestiti di primavera, erano come noi, gente anche loro, che non parla, ma sente il caldo e il gelo, gode e soffre, nasce e muore, spande polline nel vento, segue oscuramente il sole nel suo giro. La pietra no: non accoglie energia in sé, è spenta fin dai primordi, pura passività ostile; una fortezza massiccia che dovevo smantellare bastione dopo bastione per mettere le mani sul folletto nascosto, sul capriccioso nichel-Nicolao che salta ora qui ora là, elusivo e maligno, colle lunghe orecchie tese, sempre attento a fuggire davanti ai colpi del piccone indagatore, per lasciarti con un palmo di naso.

Ma non è più tempo di folletti, di niccoli e di coboldi. Siamo chimici, cioè cacciatori: nostre sono «le due esperienze della vita adulta» di cui parlava Pavese, il successo e l'insuccesso, uccidere la balena bianca o sfasciare la nave; non ci si deve arrendere alla materia incomprensibile, non ci si deve sedere. Siamo qui per questo, per sbagliare e correggerci, per incassare colpi e renderli. Non ci si deve mai sentire disarmati: la natura è immensa e complessa, ma

non è impermeabile all'intelligenza; devi girarle intorno, pungere, sondare, cercare il varco o fartelo. I miei colloqui settimanali col Tenente sembravano piani di guerra.

Fra i molti tentativi che avevamo fatti, c'era anche stato quello di ridurre la roccia con idrogeno. Avevamo disposto il minerale, finemente macinato, in una navicella di porcellana, questa in un tubo di quarzo, e nel tubo, riscaldato dall'esterno, avevamo fatto passare una corrente d'idrogeno, nella speranza che quest'ultimo strappasse l'ossigeno legato al nichel e lo lasciasse ridotto, cioè nudo, allo stato metallico. Il nichel metallico, come il ferro, è magnetico, e quindi, in questa ipotesi, sarebbe stato facile separarlo dal resto, solo o col ferro, semplicemente per mezzo di una calamita. Ma, dopo il trattamento, avevamo dibattuto invano una potente calamita nella sospensione acquosa della nostra polvere: non ne avevamo ricavato che una traccia di ferro. Chiaro e triste: l'idrogeno, in quelle condizioni, non riduceva nulla; il nichel, insieme col ferro, doveva essere incastrato stabilmente nella struttura del serpentino, ben legato alla silice ed all'acqua, contento (per cosí dire) del suo stato ed alieno dall'assumerne un altro.

Ma se si provasse a sgangherare quella struttura? L'idea mi venne come si accende una lampada, un giorno in cui mi capitò casualmente fra le mani un vecchio diagramma tutto impolverato, opera di qualche mio ignoto predecessore; riportava la perdita di peso dell'amianto delle Cave in funzione della temperatura. L'amianto perdeva un po' d'acqua a 150°C, poi rimaneva apparentemente inalterato fin verso gli 800°C; qui si notava un brusco scalino con un calo di peso del 12 per cento, e l'autore aveva annotato: «diventa fragile». Ora, il serpentino è il padre dell'amianto: se l'amianto si decompone a 800°C, anche il serpentino dovrebbe farlo; e, poiché un chimico non pensa, anzi non vive, senza modelli, mi attardavo a raffigurarmi, disegnandole sulla carta, le lunghe catene di silicio, ossigeno, ferro e magnesio, col poco nichel intrappolato fra le loro maglie, e poi le stesse dopo lo sconquasso, ridotte a corti

mozziconi, col nichel scovato dalla sua tana ed esposto all'attacco; e non mi sentivo molto diverso dal remoto cacciatore di Altamira, che dipingeva l'antilope sulla parete di pietra affinché la caccia dell'indomani fosse fortunata.

Le cerimonie propiziatorie non durarono a lungo: il Tenente non c'era, ma poteva arrivare da un'ora all'altra, e temevo che non accettasse, o non accettasse volentieri, quella mia ipotesi di lavoro cosí poco ortodossa. Me la sentivo prudere su tutta la pelle: capo ha cosa fatta, meglio mettersi subito al lavoro.

Non c'è nulla di piú vivificante che un'ipotesi. Sotto lo sguardo divertito e scettico di Alida, che, essendo ormai pomeriggio avanzato, guardava ostentatamente l'orologio da polso, mi misi al lavoro come un turbine. In un attimo, l'apparecchio fu montato, il termostato tarato a 800°C, il riduttore di pressione della bombola regolato, il flussimetro messo a posto. Scaldai il materiale per mezz'ora, poi ridussi la temperatura e feci passare idrogeno per un'altra ora: si era ormai fatto buio, la ragazza se n'era andata, tutto era silenzio sullo sfondo del cupo ronzio del Reparto Selezione, che lavorava anche di notte. Mi sentivo un po' cospiratore e un po' alchimista.

Quando il tempo fu scaduto, estrassi la navicella dal tubo di quarzo, la lasciai raffreddare nel vuoto, poi dispersi in acqua la polverina, che di verdognola si era fatta giallastra: cosa che mi parve di buon auspicio. Presi la calamita e mi misi al lavoro. Ogni volta che estraevo la calamita dall'acqua, questa si portava dietro un ciuffetto di polvere bruna: la asportavo delicatamente con carta da filtro e la mettevo da parte, forse un milligrammo per volta; perché l'analisi fosse attendibile, ci voleva almeno mezzo grammo di materiale, cioè parecchie ore di lavoro. Decisi di smettere verso mezzanotte; di interrompere la separazione, voglio dire, perché a nessun costo avrei rimandato l'inizio dell'analisi. Per quest'ultima, trattandosi di una frazione magnetica (e quindi presumibilmente povera di silicati) e condiscendendo alla mia fretta, studiai lí per lí una varian-

te semplificata. Alle tre del mattino il risultato c'era: non piú la solita nuvoletta rosa di nichel-dimetilgliossima, ma un precipitato visibilmente abbondante. Filtrare, lavare, essiccare, pesare. Il dato finale mi apparve scritto in cifre di fuoco sul regolo calcolatore; 6 per cento di nichel, il resto ferro. Una vittoria: anche senza una ulteriore separazione, una lega da mandare tal quale al forno elettrico. Ritornai al «Sottomarino» che era quasi l'alba, con una voglia acuta di andar subito a svegliare il Direttore, di telefonare al Tenente, e di rotolarmi per i prati bui, fradici di rugiada. Pensavo molte cose insensate, e non pensavo alcune cose tristemente sensate.

Pensavo di aver aperto una porta con una chiave, e di possedere la chiave di molte porte, forse di tutte. Pensavo di aver pensato una cosa che nessun altro aveva ancora pensato, neppure in Canadà né in Nuova Caledonia, e mi sentivo invincibile e tabú, anche di fronte ai nemici vicini, ed ogni mese piú vicini. Pensavo, infine, di essermi presa una rivincita non ignobile contro chi mi aveva dichiarato biologicamente inferiore.

Non pensavo che, se anche il metodo di estrazione che avevo intravvisto avesse potuto trovare applicazione industriale, il nichel prodotto sarebbe finito per intero nelle corazze e nei proiettili dell'Italia fascista e della Germania di Hitler. Non pensavo che, in quegli stessi mesi, erano stati scoperti in Albania giacimenti di un minerale di nichel davanti a cui il nostro poteva andarsi a nascondere, e con lui ogni progetto mio, del Direttore o del Tenente. Non prevedevo che la mia interpretazione della separabilità magnetica del nichel era sostanzialmente sbagliata, come mi dimostrò il Tenente pochi giorni dopo, non appena gli ebbi comunicato i miei risultati. Né prevedevo che il Direttore, dopo aver condiviso per qualche giorno il mio entusiasmo, raffreddò il mio ed il suo quando si dovette rendere conto che non esisteva in commercio alcun selettore magnetico capace di separare un materiale in forma di polvere

fine, e che su polveri piú grossolane il mio metodo non poteva funzionare.

Eppure questa storia non finisce qui. Nonostante i molti anni passati, la liberalizzazione degli scambi ed il ribasso del prezzo internazionale del nichel, la notizia dell'enorme ricchezza che giace in quella valle, sotto forma di detriti accessibili a tutti, accende ancora le fantasie. Non lontano dalle Cave, in cantine, in stalle, al limite fra la chimica e la magia bianca, c'è ancora gente che va di notte alla discarica, ne torna con sacchi di ghiaia grigia, la macina, la cuoce, la tratta con reattivi sempre nuovi. Il fascino della ricchezza sepolta, dei due chili di nobile metallo argenteo legati ai mille chili di sasso sterile che si getta via, non si è ancora estinto.

Neppure sono scomparsi i due racconti minerali che allora avevo scritti. Hanno avuto una sorte travagliata, quasi quanto la mia: hanno subito bombardamenti e fughe, io li avevo dati perduti, e li ho ritrovati di recente riordinando carte dimenticate da decenni. Non li ho voluti abbandonare: il lettore li troverà qui di seguito, inseriti, come il sogno di evasione di un prigioniero, fra queste storie di chimica militante.

Piombo

Il mio nome è Rodmund, e vengo di lontano. Il mio paese si chiama Thiuda; noi almeno lo chiamiamo cosí, ma i nostri vicini, e cioè i nostri nemici, ci chiamano con nomi diversi, Saksa, Nemet, Alaman. Il mio paese è diverso da questo: ha grandi foreste e fiumi, inverni lunghi, paludi, nebbie e piogge. I miei, voglio dire quelli che parlano la mia lingua, sono pastori, cacciatori e guerrieri: non amano coltivare la terra, anzi disprezzano chi la coltiva, spingono le greggi sui loro campi, saccheggiano i loro villaggi e fanno schiave le loro donne. Io non sono né pastore né guerriero; non sono neppure un cacciatore, benché il mio mestiere non sia poi molto diverso dalla caccia. Mi lega alla terra, ma sono libero: non sono un contadino.

Mio padre, e tutti noi Rodmund in linea paterna, facciamo da sempre questo mestiere, che consiste nel conoscere una certa pietra pesante, trovarla in paesi lontani, affocarla in un certo modo che noi conosciamo, e cavarne il piombo nero. Presso il mio villaggio c'era un giacimento grande: si dice che fosse stato scoperto da un mio proavo, che chiamavano Rodmund Denti Azzurri. È un villaggio di fabbri del piombo: tutti lo sanno fondere e lavorare, ma soltanto noi Rodmund sappiamo trovare la pietra, ed assicurarci che è vera pietra da piombo, e non una delle tante pietre pesanti che gli Dei hanno seminato nelle montagne per ingannare l'uomo. Sono gli Dei che fanno crescere sotto terra le vene dei metalli, ma le tengono segrete, nascoste; chi le trova, è quasi loro pari, e perciò gli

Dei non lo amano, e tentano di confonderlo. Non amano noi Rodmund: ma noi non ce ne curiamo.

Ora, in cinque o sei generazioni il giacimento si è esaurito: qualcuno ha proposto di seguirlo sotto terra scavando gallerie, ed ha anche provato con suo danno; infine il parere dei piú prudenti ha prevalso. Tutti gli uomini hanno ripreso i vecchi mestieri, ma io no: come il piombo, senza di noi, non vede la luce, cosí, noi senza piombo non possiamo vivere. La nostra è un'arte che rende ricchi, ma fa morire giovani. Qualcuno dice che questo avviene perché il metallo entra nel sangue e lo smagrisce a poco a poco; altri pensano piuttosto che sia una vendetta degli Dei, ma in ogni modo a noi Rodmund importa poco che la nostra vita sia breve, perché siamo ricchi, rispettati e vediamo il mondo. Infatti, il caso di quel mio proavo dai denti azzurri è eccezionale, perché era eccezionalmente ricco il giacimento che lui aveva scoperto: in generale, noi cercatori siamo anche viaggiatori. Lui stesso, mi hanno raccontato, veniva da molto lontano, da un paese dove il sole è freddo e non tramonta mai, la gente abita in palazzi di ghiaccio, e nel mare nuotano mostri marini lunghi mille passi.

Cosí, dopo sei generazioni di sosta, io ho ripreso a viaggiare, alla ricerca di pietre da fondere, o da far fondere da altre genti, insegnandogli l'arte contro oro; ecco, noi Rodmund siamo negromanti: mutiamo il piombo in oro.

Sono partito da solo, verso sud, quando ero ancora giovane. Ho viaggiato per quattro anni, di contrada in contrada, evitando le pianure, risalendo le valli, battendo col martello, trovando poco o nulla: d'estate lavoravo nei campi, d'inverno intrecciavo canestri o spendevo l'oro che mi ero portato con me. Da solo, ho detto: a noi le donne servono per darci un figlio maschio, che la razza non si spenga, ma non ce le portiamo dietro. A che servirebbero? La pietra, non imparano a trovarla, e anzi, se la toccano quando hanno le loro regole, si scioglie in sabbia morta e in cenere. Meglio le ragazze che si incontrano per via, buone per una notte o per un mese, con cui si fa baldoria senza pensare al domani, come invece fanno le mogli. Il nostro domani, è meglio viverlo da soli: quando

la carne comincia a farsi flaccida e pallida, il ventre a dolere, i capelli e i denti a cadere, le gengive a diventare grigie, allora è meglio essere soli.

Sono arrivato in un posto da cui, nei giorni sereni, si vedeva a sud una catena di montagne. A primavera mi sono rimesso in cammino, deciso a raggiungerle: ero pieno di noia per quella terra appiccicosa e molle, buona a nulla, buona a far ocarine di coccio, priva di virtú e di segreti. In montagna è diverso, le rocce, che sono le ossa della terra, si vedono scoperte, suonano sotto le scarpe ferrate, ed è facile distinguere le diverse qualità: le pianure non fanno per noi. Io chiedevo in giro dov'era il valico piú agevole; chiedevo anche se avevano piombo, dove lo comperavano, quanto lo pagavano: piú caro lo pagavano, piú cercavo nelle vicinanze. Qualche volta, non sapevano neppure che cosa fosse, il piombo: quando gli mostravo il pezzo di lastra che mi porto sempre nella bisaccia, ridevano a sentirlo cosí tenero, e per derisione mi domandavano se al mio paese si fanno di piombo anche i vomeri e le spade. Il piú delle volte, però, non riuscivo né a capirli né a farmi capire: pane, latte, un giaciglio, una ragazza, la direzione da prendere l'indomani, e basta.

Ho superato un largo valico in piena estate, col sole che a mezzogiorno era quasi a picco sulla mia testa, eppure c'erano ancora chiazze di neve sui prati. Poco piú in basso c'erano greggi, pastori e sentieri: si vedeva il fondo della valle, tanto in basso che sembrava ancora immerso nella notte. Sono disceso, trovando villaggi, uno anzi piuttosto grande, sul torrente, dove i montanari scendevano a scambiare bestiame, cavalli, formaggio, pellicce, e una bevanda rossa che chiamavano vino. Mi scappava da ridere a sentirli parlare; il loro linguaggio era un barbugliare rozzo e indistinto, un bar-bar animalesco, tanto che c'era da stupirsi a vedere che invece avevano armi ed attrezzi simili ai nostri, alcuni anzi anche piú ingegnosi ed elaborati. Le donne filavano come da noi; costruivano case di pietra, non tanto belle ma solide: alcune invece erano di legno, sospese a qualche palmo dal suolo perché appoggiavano su quattro o sei ceppi di legno sormontati da dischi di pietra

liscia; credo che questi ultimi servano ad impedire l'ingresso dei topi, e questa mi è sembrata un'invenzione intelligente. I tetti non erano di paglia, ma di pietre larghe e piatte; la birra non la conoscevano.

Ho visto subito che in alto, nelle pareti della valle, c'erano fori nella roccia e colate di detriti: segno che anche da quelle parti c'era qualcuno che cercava. Ma non ho fatto domande, per non destare sospetti; un forestiero come me ne doveva già destare fin troppi. Sono sceso al torrente che era abbastanza impetuoso (mi ricordo che aveva l'acqua torbida e bianchiccia, come se ci fosse mescolato del latte, cosa che dalle mie parti non si è mai vista), e mi sono messo con pazienza ad esaminare le pietre: questa è una delle nostre malizie, i sassi dei torrenti vengono di lontano, e parlano chiaro a chi sa capire. C'era un po' di tutto: pietre focaie, sassi verdi, pietre da calce, granito, pietra da ferro, perfino un po' di quella che noi chiamiamo galmeida, tutta roba che non mi interessva; eppure, avevo come un chiodo in testa che in una valle fatta come quella, con certe striature bianche sulla roccia rossa, con tanto ferro in giro, le pietre da piombo non dovevano mancare.

Me ne andavo giú lungo il torrente, un po' sui massi, un po' guadando dove si poteva, come un cane da caccia, con gli occhi inchiodati a terra, quando ecco, poco sotto alla confluenza di un altro torrente piú piccolo, ho visto un sasso in mezzo a milioni di altri sassi, un sasso quasi uguale a tutti gli altri, un sasso bianchiccio con dei granelli neri, che mi ha fatto fermare, teso ed immobile, proprio come un bracco che punta. L'ho raccolto, era pesante, accanto ce n'era un altro simile ma piú piccolo. Noi è difficile che ci sbagliamo: ma a buon conto l'ho spezzato, ne ho preso un frammento come una noce e me lo sono portato via per saggiarlo. Un buon cercatore, uno serio, che non voglia dire bugie né agli altri né a se stesso, non si deve fidare delle apparenze, perché la pietra, che sembra morta, invece è piena d'inganni: qualche volta cambia sorte addirittura mentre la scavi, come certi serpenti che cambiano colore per non farsi scorgere. Un buon cercatore, dunque, si porta dietro tutto: il crogiolo d'argilla, la carbonella,

*l'esca, l'acciarino, e un altro strumento ancora che è segreto e
non vi posso dire, e serve appunto a capire se una pietra è buo-
na o no.*

*A sera mi sono trovato un posto fuori mano, ho fatto un
focolare, ci ho messo sopra il crogiolo ben stratificato, l'ho ar-
roventato per mezz'ora e l'ho lasciato raffreddare. L'ho rotto,
ed eccolo, il dischetto lucido e pesante, che si incide con l'un-
ghia, quello che ti allarga il cuore e fa sparire dalle gam-
be la stanchezza del cammino, e che noi chiamiamo «il pic-
colo re».*

*A questo punto non è che uno sia a posto: anzi, il piú del
lavoro è ancora da fare. Bisogna risalire il torrente, e ad ogni
biforcazione cercare se la pietra buona continua a destra o a
sinistra. Ho risalito per un bel po' il torrente piú grosso, e la
pietra c'era sempre, ma era sempre molto rara; poi la valle si
restringeva in una gola talmente profonda e ripida che non c'e-
ra neanche da pensare a risalirla. Ho chiesto ai pastori, lí in-
torno, e mi hanno fatto capire, a gesti e a grugniti, che non
c'era proprio modo di aggirare lo scoscendimento, ma che, ri-
discendendo nella valle grande, si trovava una stradina, larga
cosí, che superava un valico a cui loro davano un nome come
Tringo e scendeva a monte della gola, in un luogo dove c'era-
no bestie cornute che muggivano, e quindi (ho pensato io) an-
che pascoli, pastori, pane e latte. Mi sono messo in cammino,
ho trovato facilmente la stradina e il Tringo, e di qui sono di-
sceso in un bellissimo paese.*

*Proprio di fronte a me che scendevo, si vedeva d'infilata
una valle verde di larici, e in fondo montagne tutte bianche di
neve in piena estate: la valle terminava ai miei piedi in una va-
sta prateria punteggiata di capanne e di armenti. Ero stanco,
sono sceso e mi sono fermato dai pastori. Erano diffidenti, ma
conoscevano (fin troppo bene) il valore dell'oro, e mi hanno
ospitato per qualche giorno senza farmi angherie. Ne ho ap-
profittato per imparare qualche parola della loro lingua: chia-
mano «pen» le montagne, «tza» i prati, «roisa» la neve d'e-
state, «fea» le pecore, «bait» le loro case, che sono di pietra
nella parte bassa, dove tengono le bestie, e di legno sopra, con*

appoggi di pietra come ho già detto, dove vivono loro e tengo-
no il fieno e le provviste. Erano gente scontrosa, di poche pa-
role, ma non avevano armi e non mi hanno trattato male.

Essendomi riposato, ho ripreso la ricerca, sempre col siste-
ma del torrente, ed ho finito con l'infilarmi in una valle paral-
lela a quella dei larici, lunga stretta e deserta, senza pascoli né
foresta. Il torrente che la percorreva era ricco di pietra buona:
sentivo di essere vicino a quello che cercavo. Ci ho messo tre
giorni, dormendo all'addiaccio: anzi, senza dormire affatto,
tanto ero impaziente; passavo le notti a scrutare il cielo perché
nascesse l'alba.

Il giacimento era molto fuori mano, in un canalone ripido:
la pietra bianca affiorava dall'erba stenta, a portata di mano,
e bastava scavare due o tre palmi per trovare la pietra nera, la
più ricca di tutte, che io non avevo ancora mai vista ma mio
padre mi aveva descritta. Pietra compatta, senza scoria, da la-
vorarci cento uomini per cento anni. Quello che era strano, è
che qualcuno lí ci doveva già essere stato: si vedeva, mezzo
nascosto dietro una roccia (che certo era stata messa lí appo-
sta), l'imbocco di una galleria, che doveva essere molto anti-
ca, perché dalla volta pendevano stalattiti lunghe come le mie
dita. Per terra c'erano paletti di legno infracidito e frammenti
d'ossa, pochi e guasti, il resto dovevano averlo portato via le
volpi, infatti c'erano tracce di volpi e forse di lupi: ma un
mezzo cranio che sporgeva dal fango era certamente umano.
Questa è una cosa difficile da spiegare, ma è già successa più
di una volta: che qualcuno, chissà quando, venendo di chissà
dove, in un tempo remoto magari prima del diluvio, trova una
vena, non dice niente a nessuno, cerca da solo di cavare la pie-
tra, ci lascia le ossa, e poi passano i secoli. Mio padre mi dice-
va che, in qualunque galleria uno scavi, trova le ossa dei
morti.

Insomma, il giacimento c'era: ho fatto le mie prove, ho
fabbricato cosí alla meglio una fornace lí all'aperto, sono sce-
so e tornato su con la legna, ho fuso tanto piombo da poterlo
portare in spalla e sono tornato a valle. Alla gente dei pascoli
non ho detto niente: ho ripreso il Tringo e sono sceso nel gran-

de villaggio dall'altra parte, che si chiamava Sales. Era giorno di mercato, e mi sono messo in mostra col mio pezzo di piombo in mano. Qualcuno ha incominciato a fermarsi, a soppesarlo e a farmi domande che capivo a mezzo: era chiaro che volevano sapere a cosa serviva, quanto costava, da dove veniva. Poi si è fatto avanti un tale con l'aria svelta, con un berretto di lana intrecciata, e ci siamo intesi abbastanza bene. Gli ho fatto vedere che quella roba si batte col martello: anzi, seduta stante ho trovato un martello e un paracarro, e gli ho fatto vedere quanto è facile ridurlo in lastre e fogli; poi gli ho spiegato che coi fogli, saldandoli su di un lato con un ferro rovente, si possono fare tubi; gli ho detto che i tubi di legno, per esempio le gronde di quel paese Sales, perdono e marciscono, gli ho spiegato che i tubi di bronzo sono difficili da fare e che quando si usano per l'acqua da bere fanno venire il mal di ventre, e che invece i tubi di piombo durano in eterno e si saldano l'uno sull'altro con facilità. Un po' alla ventura, e facendo una faccia solenne, ho tirato anche il colpo di spiegargli che con un foglio di piombo si possono anche rivestire le casse dei morti, in modo che questi non fanno i vermi, ma diventano secchi e sottili, e così anche l'anima non si disperde, che è un bel vantaggio; e sempre col piombo si possono fondere delle statuette funebri, non lucide come il bronzo, ma appunto, un po' fosche, un po' velate, come si addice ad oggetti di lutto. Siccome ho visto che queste questioni gli interessavano molto, gli ho spiegato che, se si va oltre le apparenze, il piombo è proprio il metallo della morte: perché fa morire, perché il suo peso è un desiderio di cadere, e cadere è dei cadaveri, perché il suo stesso colore è smorto-morto, perché è il metallo del pianeta Tuisto, che è il più lento dei pianeti, cioè il pianeta dei morti. Gli ho anche detto che, secondo me, il piombo è una materia diversa da tutte le altre materie, un metallo che senti stanco, forse stanco di trasformarsi e che non si vuole trasformare più: la cenere di chissà quali altri elementi pieni di vita, che mille e mille anni fa si sono bruciati al loro stesso fuoco. Queste sono cose che io penso veramente, non è che me le sia inventate per stringere l'affare. Quell'uomo, che si

chiamava Borvio, stava a sentire a bocca aperta, e poi mi ha
detto che doveva proprio essere come io dicevo, e che quel
pianeta è sacro ad un dio che nel suo paese si chiama Saturno,
e viene dipinto con una falce. Era il momento di venire al so-
do, e mentre lui stava ancora rimuginando i miei imbonimen-
ti gli ho chiesto trenta libbre d'oro, contro la cessione del gia-
cimento, la tecnologia della fusione e istruzioni precise sugli
usi principali del metallo. Lui mi ha controfferto delle monete
di bronzo con sopra un cinghiale, coniate chissà dove, ma io
ho fatto l'atto di sputarci sopra: oro, e niente storie. D'altron-
de, trenta libbre sono troppe per uno che viaggia a piedi, tutti
lo sanno, e io sapevo che Borvio lo sapeva: cosí abbiamo con-
cluso per venti libbre. Si è fatto accompagnare al giacimento,
il che era giusto. Tornati a valle, mi ha consegnato l'oro: io ho
controllato tutti i venti lingottini, li ho trovati genuini e di
buon peso, ed abbiamo fatto una bella sbornia di vino per so-
lennizzare il contratto.

Era anche una sbornia d'addio. Non è che quel paese non
mi piacesse, ma molti motivi mi spingevano a riprendere il
cammino. Primo: volevo vedere i paesi caldi, dove si dice che
crescono gli olivi e i limoni. Secondo: volevo vedere il mare,
non quello tempestoso da dove veniva il mio avo dai denti az-
zurri, ma il mare tiepido, di dove viene il sale. Terzo: non ser-
ve a niente avere l'oro e portarselo sulla gobba, col terrore
continuo che di notte, o durante una sbornia, te lo portino
via. Quarto e complessivo: volevo spendere l'oro in un viaggio
per mare, per conoscere il mare e i marinai, perché i marinai
hanno bisogno del piombo, anche se non lo sanno.

Cosí me ne sono andato: ho camminato per due mesi, scen-
dendo per una grande valle triste, fino a che questa è sboccata
nel piano. C'erano prati e campi di grano, e un odore aspro di
sterpi bruciati che mi ha fatto venire nostalgia del mio paese:
l'autunno, in tutti i paesi del mondo, ha lo stesso odore, di fo-
glie morte, di terra che riposa, di fascine che bruciano, insom-
ma di cose che finiscono, e tu pensi «per sempre». Ho incon-
trato una città fortificata, grande come da noi non ce n'è, alla
confluenza di due fiumi; c'era un mercato di schiavi, carne,

vino, ragazze sudice, solide e scarmigliate, una locanda con un buon fuoco, e ci ho passato l'inverno: nevicava come da noi. Sono ripartito a marzo, e dopo un mese di cammino ho trovato il mare, che non era azzurro ma grigio, muggiva come un bisonte, e si avventava sulla terra come se la volesse divorare: al pensiero che non aveva mai riposo, non l'aveva mai avuto da quando c'è il mondo, mi sentivo mancare il coraggio. Ma ho preso ugualmente la strada verso levante, lungo la spiaggia, perché il mare mi affascinava e non mi potevo staccare da lui.

Ho trovato un'altra città, e mi ci sono fermato, anche perché il mio oro volgeva alla fine. Erano pescatori e gente strana, che veniva per nave da vari paesi molto lontani: comperavano e vendevano, di notte si accapigliavano per le donne e si accoltellavano nei vicoli; allora anch'io mi sono comperato un coltello, di bronzo, robusto, colla guaina di cuoio, da portare legato alla vita sotto i panni. Conoscevano il vetro, ma non gli specchi: cioè, avevano soltanto specchietti di bronzo levigato, da quattro soldi, di quelli che si rigano subito e falsano i colori. Se si ha del piombo, non è mica difficile fare uno specchio di vetro, ma io gli ho fatto cadere il segreto molto dall'alto, gli ho raccontato che è un'arte che solo noi Rodmund conosciamo, che ce l'ha insegnata una dea che si chiama Frigga, e altre sciocchezze che quelli hanno bevuto come acqua.

Io avevo bisogno di soldi: mi sono guardato intorno, ho trovato vicino al porto un vetraio che aveva l'aria abbastanza intelligente, e mi sono messo d'accordo con lui.

Da lui ho imparato diverse cose, prima fra tutte che il vetro si può soffiare: mi piaceva tanto, quel sistema, che me lo sono perfino fatto insegnare, e un giorno o l'altro proverò anche a soffiare il piombo o il bronzo fuso (ma sono troppo liquidi, è difficile che riesca). Io invece ho insegnato a lui che, sulla lastra di vetro ancora calda, si può colare il piombo fuso, e si ottengono degli specchi non tanto grandi, ma luminosi, senza difetti, e che si conservano per molti anni. Lui poi era abbastanza bravo, aveva un segreto per i vetri colorati, e gettava delle lastre variegate di bellissimo aspetto. Io ero pieno d'entusia-

smo per la collaborazione, ed ho inventato di fare specchi an-
che con le calotte di vetro soffiato, colandogli il piombo den-
tro o spalmandolo di fuori: a specchiarcisi dentro, ci si vede
molto grandi o molto piccoli, oppure anche tutti storti; questi
specchi non piacciono alle donne, ma tutti i bambini se li fan-
no comperare. Per tutta l'estate e l'autunno abbiamo venduto
specchi ai mercanti, che ce li pagavano bene: ma intanto io
parlavo con loro, e cercavo di raccogliere piú notizie che pote-
vo su di una terra che molti di loro conoscevano.

Era stupefacente osservare come quella gente, che pure pas-
sava in mare metà della sua vita, avesse idee cosí confuse circa
i punti cardinali e le distanze; ma insomma, su un punto era-
no tutti d'accordo, e cioè che navigando verso sud, chi diceva
mille miglia, chi ancora dieci volte piú lontano, si trovava una
terra che il sole aveva bruciata in polvere, ricca di alberi ed
animali mai visti, abitata da uomini feroci di pelle nera. Ma
molti avevano per certo che a metà strada si incontrava una
grande isola detta Icnusa, che era l'isola dei metalli: su quest'i-
sola si raccontavano le storie piú strane, che era abitata da gi-
ganti, ma che i cavalli, i buoi, perfino i conigli e i polli, erano
invece minuscoli; che comandavano le donne e facevano la
guerra, mentre gli uomini guardavano le bestie e filavano la
lana; che questi giganti erano divoratori d'uomini, e in specie
di stranieri; che era una terra di puttanesimo, dove i mariti si
scambiavano le mogli, ed anche gli animali si accoppiavano a
casaccio, i lupi con le gatte, gli orsi con le vacche; che la gra-
vidanza delle donne non durava che tre giorni, poi le donne
partorivano, e subito dicevano al bambino: «Orsú, portami le
forbici e fai luce, che io ti tagli il cordone». Altri ancora rac-
contavano che lungo le sue coste ci sono fortezze di pietra,
grandi come montagne; che tutto in quell'isola è fatto di pie-
tra, le punte delle lance, le ruote dei carri, perfino i pettini del-
le donne e gli aghi per cucire; anche le pentole per cucinare, e
addirittura che hanno pietre che bruciano, e le accendono sot-
to a queste pentole; che lungo le loro strade, a sorvegliare i
quadrivi, ci sono mostri pietrificati spaventosi a vedersi. Que-
ste cose io le ascoltavo con compunzione, ma dentro di me

ridevo a crepapelle, perché ormai il mondo l'ho girato abbastanza, e so che tutto il mondo è paese: del resto, anch'io, quando ritorno e racconto i paesi dove sono stato, mi diverto a inventare delle stranezze; e qui se ne raccontano di fantastiche sul mio paese, per esempio che i bufali da noi non hanno le ginocchia, e che per abbatterli basta segare alla base gli alberi a cui si appoggiano di notte per riposare: sotto il loro peso, l'albero si spezza, loro cascano distesi e non si possono rialzare piú.

Sul fatto dei metalli, però, erano tutti d'accordo; molti mercanti e capitani di mare avevano portato dall'isola a terra carichi di metallo greggio o lavorato, ma erano gente rozza, e dai loro discorsi era difficile capire di che metallo si trattasse: anche perché non parlavano tutti la stessa lingua, e nessuno parlava la mia, e c'era una gran confusione di termini. Dicevano per esempio «kalibe», e non c'era verso di capire se intendevano ferro, o argento, o bronzo. Altri chiamavano «sider» sia il ferro, sia il ghiaccio, ed erano cosí ignoranti da sostenere che il ghiaccio delle montagne, col passar dei secoli e sotto il peso della roccia, si indurisce e diventa prima cristallo di rocca e poi pietra da ferro.

Insomma, io ero stufo di mestieri da femmina, e in quest'Icnusa ci volevo andare. Ho ceduto al vetraio la mia quota dell'impresa, e con quel danaro, piú quello che avevo guadagnato con gli specchi, ho trovato un passaggio a bordo di una nave da carico: ma d'inverno non si parte, c'è la tramontana, o il maestrale, o il noto, o l'euro, pare insomma che nessun vento sia buono, e che fino ad aprile la cosa migliore sia starsene a terra, ubriacarsi, giocarsi la camicia ai dadi, e mettere incinte le ragazze del porto.

Siamo partiti ad aprile. La nave era carica di anfore di vino; oltre al padrone c'era un capociurma, quattro marinai e venti rematori incatenati ai banchi. Il capociurma veniva da Kriti ed era un gran bugiardo: raccontava di un paese dove vivono uomini chiamati Orecchioni, che hanno orecchie cosí smisurate che ci si avvolgono dentro per dormire d'inverno, e

di animali con la coda dalla parte davanti che si chiamano Alfil e intendono il linguaggio degli uomini.

Devo confessare che ho stentato ad avvezzarmi a vivere sulla nave: ti balla sotto i piedi, pende un po' a destra e un po' a sinistra, è difficile mangiare e dormire, e ci si pestano i piedi l'un l'altro per mancanza di spazio; poi, i rematori incatenati ti guardano con occhi così feroci da farti pensare che, se non fossero appunto incatenati, ti farebbero a pezzi in un momento: e il padrone mi ha detto che delle volte succede. D'altra parte, quando il vento è propizio, la vela si gonfia, e i rematori alzano i remi, sembra proprio di volare, in un silenzio incantato; si vedono i delfini saltare fuori dall'acqua, e i marinai sostengono di capire, dall'espressione del loro ceffo, il tempo che farà domani. Quella nave era bene impiastrata di pace, e tuttavia si vedeva tutta la carena sforacchiata: dalle teredini, mi spiegarono. Anche nel porto avevo visto che tutte le navi alla fonda erano rosicchiate: non c'è niente da fare, mi ha detto il padrone, che era anche il capitano. Quando una nave è vecchia, la si sfascia e si brucia; ma io avevo una mia idea, e così anche per l'ancora. È stupido farla di ferro: si mangia tutta di ruggine, non dura due anni. E le reti da pesca? Quei marinai, quando il vento era buono, calavano una rete che aveva galleggianti di legno, e sassi per zavorra. Sassi! se fossero stati di piombo, avrebbero potuto essere quattro volte meno ingombranti. Chiaro che non ne ho fatto parola con nessuno, ma, l'avrete capito anche voi, pensavo già al piombo che avrei cavato dal ventre dell'Icnusa, e vendevo la pelle dell'orso prima di averlo ammazzato.

Siamo arrivati in vista dell'isola dopo undici giorni di mare. Siamo entrati in un piccolo porto a forza di remi: intorno, c'erano scoscendimenti di granito, e schiavi che scolpivano colonne. Non erano giganti, e non dormivano nelle proprie orecchie; erano fatti come noi, e coi marinai si intendevano abbastanza bene, ma i loro sorveglianti non li lasciavano parlare. Quella era una terra di roccia e di vento, che mi piacque subito: l'aria era piena di odori d'erbe, amari e selvaggi, e la gente sembrava forte e semplice.

Il paese dei metalli era a due giornate di cammino: ho no-leggiato un asino col suo conducente, e questo è proprio vero, sono asini piccoli (non però come gatti, come si diceva nel continente), ma robusti e resistenti; insomma, nelle dicerie qualcosa di vero ci può essere, magari una verità nascosta sotto veli di parole, come un indovinello. Per esempio, ho visto che era giusta anche la faccenda delle fortezze di pietra: non sono proprio grosse come montagne, ma solide, di forma regolare, di conci commessi con precisione: e quello che è curioso, è che tutti dicono che «ci sono sempre state», e nessuno sa da chi, come, perché e quando sono state costruite. Che gli isolani divorino gli stranieri, invece, è una gran bugia: di tappa in tappa, mi hanno condotto alle miniere, senza fare storie né misteri, come se la loro terra fosse di tutti.

Il paese dei metalli è da ubriacarsi: come quando un segugio entra in un bosco pieno di selvaggina, che salta di usta in usta, trema tutto e diventa come stranito. È vicino al mare, una fila di colline che in alto diventano dirupi, e si vedono vicino e lontano, fino all'orizzonte, i pennacchi di fumo delle fonderie, con intorno gente in faccende, liberi e schiavi: e anche la storia della pietra che brucia è vera, non credevo ai miei occhi. Stenta un po' ad accendersi, ma poi fa molto calore e dura a lungo. La portavano là di non so dove, in canestri a dorso d'asino: è nera, untuosa, fragile, non tanto pesante.

Dicevo dunque che ci sono pietre meravigliose, certamente gravide di metalli mai visti, che affiorano in tracce bianche, viola, celesti: sotto quella terra ci dev'essere un favoloso intrico di vene. Mi sarei perso volentieri, a battere scavare e saggiare: ma sono un Rodmund, e la mia pietra è il piombo. Mi sono subito messo al lavoro.

Ho trovato un giacimento al margine ovest del paese, dove penso che nessuno avesse mai cercato: infatti non c'erano pozzi né gallerie né discariche, e neppure c'erano segni apparenti in superficie; i sassi che affioravano erano come tutti gli altri sassi. Ma poco sotto il piombo c'era: e questa è una cosa a cui spesso avevo pensato, che noi cercatori crediamo di trovare il metallo con gli occhi, l'esperienza e l'ingegno, ma in realtà

quello che ci conduce è qualcosa di piú profondo, una forza come quella che guida i salmoni a risalire i nostri fiumi, o le rondini a ritornare al nido. Forse avviene per noi come per gli acquari, che non sanno che cosa li guida all'acqua, ma qualcosa pure li guida, e torce la bacchetta fra le loro dita.

Non so dire come, ma proprio lí era il piombo, lo sentivo sotto i miei piedi torbido velenoso e greve, per due miglia lungo un ruscello in un bosco dove, nei tronchi fulminati, si annidano le api selvatiche. In poco tempo ho comperato schiavi che scavassero per me, ed appena ho avuto da parte un po' di danaro mi sono comperata anche una donna. Non per farci baldoria insieme: l'ho scelta con cura, senza guardare tanto la bellezza, ma che fosse sana, larga di fianchi, giovane e allegra. L'ho scelta cosí perché mi desse un Rodmund, che la nostra arte non perisca; e non ho perso tempo, perché le mie mani e le ginocchia hanno preso a tremare, e i miei denti vacillano nelle gengive, e si sono fatti azzurri come quelli del mio avo che veniva dal mare. Questo Rodmund nascerà sul finire del prossimo inverno, in questa terra dove crescono le palme e si condensa il sale, e si sentono di notte i cani selvaggi latrare sulla pista dell'orso; in questo villaggio che io ho fondato presso il ruscello delle api selvatiche, ed a cui avrei voluto dare un nome della mia lingua che sto dimenticando, Bak der Binnen, che significa appunto «Rio delle Alpi»: ma la gente di qui ha accettato il nome solo in parte, e fra di loro, nel loro linguaggio che ormai è il mio, lo chiamano «Bacu Abis».

Mercurio

Con mia moglie Maggie, io sottoscritto caporale Abrahams abito in quest'isola da quattordici anni. Mi ci avevano mandato di guarnigione: pare che in un'isola vicina (voglio dire «la piú vicina»: è a nord-est di questa, a non meno di 1200 miglia, e si chiama Sant'Elena) avessero esiliato una persona importante e pericolosa, ed avessero paura che i suoi sostenitori lo aiutassero a fuggire ed a rifugiarsi quaggiú. È una storia a cui io non ho mai creduto: la mia isola si chiama «Desolazione», e mai nome d'isola è stato meglio trovato; per cui, non ho mai capito che cosa una persona importante come quella potesse venire a cercare qui.

È corsa voce che fosse un rinnegato, adultero, papista, arruffapopoli e fanfarone. Finché è stato vivo, con noi c'erano altri dodici soldati, gente giovane e allegra, del Galles e del Surrey; erano anche buoni contadini, e ci davano una mano nel lavoro. Poi l'arruffapopoli è morto, e allora è venuta una cannoniera per riportare tutti a casa: ma Maggie e io abbiamo pensato a certi vecchi debiti, ed abbiamo preferito rimanere qui a badare ai nostri maiali. La nostra isola ha la figura che si vede rappresentata nella pagina seguente.

È l'isola piú solitaria che sia al mondo. È stata scoperta piú d'una volta, dai portoghesi, dagli olandesi, e prima ancora da gente selvaggia che ha scolpito segni e idoli nelle rocce del monte Snowdon; ma nessuno ci si è mai fermato, perché qui piove metà dell'anno, e la terra è buona solo per il sorgo e per le patate. Tuttavia, chi si accontenti non muore certo di fame,

perché la costa nord per cinque mesi all'anno brulica di foche, e le due isolette a sud sono piene di nidi di gabbiani: non c'è che da prendere una barchetta, e uno trova uova quante ne vuole. Sanno di pesce, ma sono nutrienti e tolgono la fame; del resto, tutto qui sa di pesce, anche le patate, e i maiali che le mangiano.

Sulle pendici est dello Snowdon crescono lecci e altre piante di cui non conosco il nome: d'autunno buttano fiori celesti, carnosi, dall'odore di gente sudicia; d'inverno, bacche dure, acide, non buone da mangiare. Sono piante strane: succhiano acqua dalla terra profonda e la rigettano in pioggia dalla cima dei rami; anche nei giorni asciutti, il terreno sotto a questa foresta è umido. L'acqua che piove dai rami è buona da bere, ed anzi fa bene per le flussioni, benché sappia di muschio: noi la raccogliamo, con un sistema di gronde e tinozze. Questa foresta, che del resto è la sola dell'isola, l'abbiamo chiamata «Foresta che Piange».

Ad Aberdare abitiamo noi. Non è una città, sono solo quattro baracche di legno, di cui due sfondate; ma ha insistito per chiamarle cosí uno dei gallesi, che era appunto di Aberdare. Il Duckbill è l'estremo nord dell'isola: il soldato Cochrane, che soffriva di nostalgia, ci andava sovente e ci passava le giornate in mezzo alla nebbia salata e al vento, perché gli pareva di essere piú vicino all'Inghilterra. Ci ha anche costruito un faro, che nessuno si è mai curato di accendere. Si chiama Duckbill perché, visto da est, ha proprio la figura di un becco d'anitra.

L'Isola delle Foche è piatta e sabbiosa: ci vengono d'inverno le foche a figliare. La grotta Holywell, cioè Pozzosanto, l'ha chiamata cosí mia moglie, che non so che cosa ci trovasse. In certi periodi, quando eravamo soli, ci andava quasi tutte le sere, con una torcia, e sí che da Aberdare ci sono quasi due miglia. Si sedeva là a filare o a lavorare a maglia, aspettando non si sa che cosa. Gliel'ho chiesto, piú di una volta: mi ha detto delle cose confuse, che udiva voci e vedeva ombre, e che laggiú, dove neppure arriva il tuono del mare, si sentiva meno sola e piú protetta. Io temevo invece che Maggie pendesse verso l'idolatria. In quella grotta c'erano macigni che assomigliavano a figure d'uomini e animali: una, proprio in fondo, era un cranio cornuto. Certo quelle forme non erano di mano umana: e allora di chi? Io, per conto mio, preferivo stare alla larga; anche perché nella grotta si sentivano qualche volta dei brontolii sordi, come di coliche nelle viscere della terra, il pavimento era caldo sotto i piedi, e da certe fenditure, in fondo, uscivano spifferi con odore di zolfo. Insomma, a quella grotta io avrei dato tutt'altro nome: ma Maggie diceva che quella voce che lei pretendeva di sentire avrebbe pronunciato un giorno il nostro destino, e dell'isola, e di tutta l'umanità.

Maggie ed io siamo rimasti soli per diversi anni: ogni anno, a Pasqua, passava la baleniera di Burton a portare notizie del mondo e vettovaglie, e a caricare il poco lardo affumicato che noi produciamo; ma poi tutto è cambiato. Tre anni fa Burton

ha sbarcato qui due olandesi: Willem era ancora quasi un bambino, timido biondo e roseo; aveva in fronte una piaga argentea che sembrava lebbra, e nessuna nave lo voleva a bordo. Hendrik era più anziano, era magro e aveva i capelli grigi e la fronte rugosa: ha raccontato una storia poco chiara, di una rissa in cui avrebbe spaccato la testa del suo quartiermastro, per cui in Olanda lo aspetterebbe la forca; ma non parlava come un marinaio e aveva le mani da signore, non da uno che spacca teste. Pochi mesi dopo, un mattino abbiamo visto salire fumo da una delle Isole delle Uova. Ho preso la barca e sono andato a vedere: ho trovato due naufraghi italiani, Gaetano di Amalfi e Andrea di Noli. La loro nave si è squarciata sugli scogli dell'Erpice, e loro si sono salvati a nuoto; non sapevano che l'isola grande fosse abitata; avevano acceso un fuoco di sterpi e di guano per asciugarsi. Ho detto loro che entro pochi mesi sarebbe ripassato Burton e avrebbe potuto sbarcarli in Europa, ma hanno rifiutato con terrore: dopo quello che avevano visto quella notte, mai più avrebbero rimesso piede su una nave; e mi ci è voluta un bel po' di fatica per convincerli a entrare nella mia barchetta, e ad attraversare le cento braccia di mare che ci separavano da Desolazione. Per conto loro, sarebbero rimasti su quello scoglio miserabile, a mangiare uova di gabbiani fino alla loro morte naturale.

Non è che a Desolazione manchi lo spazio. Ho sistemato i quattro in una delle baracche abbandonate dai gallesi, e ci stavano abbastanza larghi, anche perché il loro bagaglio era modesto. Solo Hendrik aveva un baule di legno, chiuso con un lucchetto. La piaga di Willem non era poi affatto lebbra: l'ha fatta guarire Maggie in poche settimane, con impacchi di un'erba che lei conosce; non è proprio crescione, è un'erba grassa che cresce ai margini della foresta ed è buona da mangiare, anche se poi fa fare strani sogni: noi comunque la chiamiamo crescione. Per verità, non lo ha curato solo con gli impacchi: si chiudeva con lui in camera e gli cantava come delle ninnenanne, con pause che mi sono sembrate troppo lunghe. Sono stato contento e più tranquillo quando Willem è guarito, ma subito dopo è cominciata un'altra storia seccante con

Hendrik. Lui e Maggie facevano insieme lunghe passeggiate, e li ho sentiti parlare delle sette chiavi, di Ermete Trismegisto, dell'unione dei contrari e di altre cose poco chiare. Hendrik si è costruita una capanna robusta, senza finestre, ci ha portato il baule, e ci passava intere giornate, qualche volta con Maggie: si vedeva uscire fumo dal camino. Andavano anche alla grotta, e ne tornavano con sassi colorati che Hendrik chiamava «cinabri».

I due italiani mi davano meno preoccupazioni. Anche loro guardavano Maggie con occhi lucidi, ma non sapevano l'inglese e non le potevano parlare: per di piú, erano gelosi l'uno dell'altro, e passavano la giornata a sorvegliarsi a vicenda. Andrea era devoto, e in breve ha riempito l'isola di santi di legno e d'argilla cotta: una madonna di terracotta l'ha anche regalata a Maggie, che però non sapeva che farsene, e l'ha messa in un angolo della cucina. Insomma, sarebbe stato chiaro a chiunque che per quei quattro uomini ci volevano quattro donne; un giorno li ho riuniti, e senza tanti complimenti gli ho detto che se uno di loro toccava Maggie sarebbe finito all'inferno, perché non si deve desiderare la donna d'altri: ma che all'inferno ce l'avrei spedito io stesso, a costo di finirci anch'io. Quando Burton è ripassato, con le stive zeppe d'olio di balena, tutti d'accordo lo abbiamo solennemente incaricato di trovarci le quattro mogli, ma ci ha riso in faccia: cosa pensavamo? che fosse facile trovare donne disposte a stabilirsi in mezzo alle foche, su quest'isola dimenticata, per sposare quattro buoni a nulla? Forse se le avessimo pagate, ma con che cosa? Non certo con le nostre salsicce, mezzo maiale e mezzo foca, che puzzavano di pesce piú della sua baleniera. Se n'é andato, e subito ha alzato le vele.

Quella sera stessa, poco prima di notte, si è sentito un grande tuono, e come se l'isola stessa si scuotesse sulle sue radici. Il cielo si è fatto buio in pochi minuti, e la nuvola nera che lo copriva era illuminata dal di sotto come da un fuoco. Dalla cima dello Snowdon si sono visti uscire prima rapidi lampi rossi che salivano fino al cielo, poi un fiotto largo e lento di lava accesa: non scendeva verso di noi, ma a sinistra, verso

sud, colando di balza in balza con fischi e crepitii. Dopo un'ora era arrivata al mare, e vi si spegneva ruggendo e sollevando una colonna di vapore. Nessuno di noi aveva mai pensato che lo Snowdon potesse essere un vulcano: eppure la forma della sua cima, con una conca rotonda profonda almeno duecento piedi, avrebbe potuto farlo supporre.

Il teatro è andato avanti per tutta la notte, calmandosi ogni tanto, poi riprendendo vigore con una nuova serie di esplosioni: sembrava che non dovesse finire mai piú. Invece, verso l'alba, è venuto un vento caldo da est, il cielo è ritornato pulito, e il fracasso si è fatto via via meno intenso, fino a ridursi a un mormorio, poi al silenzio. Il mantello di lava, da giallo ed abbagliante, è diventato rossastro come brace, e a giorno era spento.

La mia preoccupazione erano i maiali. Ho detto a Maggie che andasse a dormire, e ai quattro che venissero con me: volevo vedere che cosa era cambiato nell'isola.

Ai maiali non era successo niente, però ci sono corsi incontro come a dei fratelli (io non sopporto chi parla male dei maiali: sono bestie che hanno cognizione, e mi fa pena quando li devo scannare). Si sono aperti diversi crepacci, due grandi che non se ne vede il fondo, sul pendío nord-ovest. Il lembo sud-ovest della Foresta che Piange è stato sepolto, e la fascia accanto, per una larghezza di duecento piedi, si è seccata e ha preso fuoco; la terra doveva essere piú calda del cielo, perché il fuoco ha inseguito i tronchi fino dentro alle radici, scavando cunicoli dove erano queste. Il mantello di lava è tutto costellato di bolle scoppiate dai margini taglienti come schegge di vetro, e sembra una gigantesca grattugia da formaggio: esce dal margine sud del cratere, che è crollato, mentre il margine nord, che costituisce la cima del monte, è adesso una cresta arrotondata che sembra molto piú alta di prima.

Quando ci siamo affacciati alla grotta del Pozzosanto siamo rimasti impietriti dallo stupore. Era un'altra grotta, tutta diversa, come quando si rimescola un mazzo di carte, stretta dove prima era larga, alta dove era bassa: in un punto la volta era crollata, e le stalattiti invece che verso il basso erano pun-

tate di lato, come becchi di cicogne. In fondo, dove prima era
il Cranio del Diavolo, c'era adesso una enorme camera, come
la cupola di una chiesa, ancora piena di fumo e di scricchiolii,
tanto che Andrea e Gaetano volevano a tutti i costi tornare
indietro. Io li ho spediti a chiamare Maggie, che venisse anche
lei a vedere la sua caverna, e, come prevedevo, Maggie è arri-
vata ansimando per la corsa e l'emozione, e i due sono rimasti
fuori, presumibilmente a pregare i loro santi e a dire le litanie.
Dentro la grotta Maggie correva avanti e indietro come i cani
da caccia, come se la chiamassero quelle voci che lei diceva di
sentire: ad un tratto ha cacciato un urlo che ci ha fatto arric-
ciare tutti i peli. C'era nel cielo della cupola una fenditura, e
ne cadevano gocce, ma non d'acqua: gocce lucenti e pesanti,
che piombavano sul pavimento di roccia e scoppiavano in
mille goccioline che rotolavano lontano. Un po' più in basso
si era formata una pozza, e allora abbiamo capito che quello
era mercurio: Hendrik l'ha toccata, e poi anch'io; era una
materia fredda e viva, che si muoveva in piccole onde come ir-
ritate e frenetiche.

Hendrik sembrava trasfigurato. Scambiava con Maggie oc-
chiate svelte di cui non capivo il significato, e diceva a noi del-
le cose oscure e pasticciate, che però lei aveva l'aria di inten-
dere; che era tempo di iniziare la Grande Opera; che, come il
cielo, anche la terra ha la sua rugiada; che la caverna era piena
dello spiritus mundi; poi si è rivolto apertamente a Maggie, e
le ha detto: «Vieni qui stasera, faremo la bestia con due schie-
ne». Si è tolta dal collo una catenina con una croce di bronzo,
e ce l'ha fatta vedere: sulla croce era crocifisso un serpente, e
lui ha gettato la croce sul mercurio della pozza, e la croce gal-
leggiava.

A guardarsi bene intorno, il mercurio gemeva da tutte le
crepe della nuova grotta, come la birra dai tini nuovi. A por-
gere l'orecchio, si sentiva come un mormorio sonoro, fatto
dalle mille gocce metalliche che si staccavano dalla volta per
spiaccicarsi al suolo, e dalla voce dei rivoletti che scorrevano
vibrando, come argento fuso, e si inabissavano nelle fenditure
del pavimento.

A dire il vero, Hendrik non mi era mai piaciuto: dei quattro, era quello che mi piaceva di meno; ma in quei momenti mi faceva anche paura, rabbia e ribrezzo. Aveva negli occhi una luce sbieca e mobile, come quella del mercurio stesso; sembrava diventato mercurio, che gli corresse per le vene e gli trapelasse dagli occhi. Andava per la caverna come un furetto, trascinando Maggie per il polso, tuffava le mani nelle pozze di mercurio, se lo spruzzava addosso e se lo versava sul capo, come un assetato farebbe con l'acqua: poco mancava che non lo bevesse. Maggie lo seguiva come incantata. Ho resistito un poco, poi ho aperto il coltello, l'ho afferrato per il petto e l'ho premuto contro la parete di roccia: sono molto piú forte di lui, e si è afflosciato come le vele quando cade il vento. Volevo sapere chi era, cosa voleva da noi e dall'isola, e quella storia della bestia con due schiene.

Sembrava uno che si svegli da un sogno, e non si è fatto pregare. Ha confessato che la faccenda del quartiermastro accoppato era una bugia, ma non cosí quella della forca che lo aspettava in Olanda: aveva proposto agli Stati Generali di trasformare in oro la sabbia delle dune, aveva ottenuto uno stanziamento di centomila fiorini, ne aveva spesi pochi in esperimenti e il resto in gozzoviglie, poi era stato invitato ad eseguire davanti ai probiviri quello che lui chiama l'experimentum crucis; ma da mille libbre di sabbia non era riuscito a cavare che due pagliuzze d'oro, e allora era balzato dalla finestra, si era nascosto in casa della sua ganza, e poi si era imbarcato di soppiatto sulla prima nave in partenza per il Capo: aveva nel baule tutto il suo armamentario di alchimista. Quanto alla bestia, mi ha detto che non è una cosa da spiegarsi in due parole. Il mercurio, per la loro opera, sarebbe indispensabile, perché è spirito fisso volatile, ossia principio femminino, e combinato con lo zolfo, che è terra ardente mascolina, permette di ottenere l'Uovo Filosofico, che è appunto la Bestia con due Dossi, perché in essa sono uniti e commisti il maschio e la femmina. Un bel discorso, non è vero? Un parlare limpido e diritto, veramente da alchimista, di cui non ho creduto una parola. Loro due, erano la bestia a due dossi, lui e Mag-

gie: lui grigio e peloso, lei bianca e liscia, dentro la caverna o chissà dove, o magari nel nostro stesso letto, mentre io badavo ai maiali; si apprestavano a farla, ubriachi di mercurio com'erano, se pure non l'avevano già fatta.

Forse anche a me già girava il mercurio nelle vene, perché in quel momento vedevo veramente rosso. Dopo vent'anni di matrimonio, a me di Maggie non me ne importa poi tanto, ma in quel momento ero acceso di desiderio per lei, e avrei fatto una strage. Tuttavia mi sono padroneggiato; anzi, stavo ancora tenendo Hendrik bene stretto contro la parete quando m'è venuta in mente un'idea, e gli ho chiesto quanto valeva il mercurio: lui, col suo mestiere, doveva pure saperlo.

– Dodici sterline alla libbra, – mi ha risposto con un filo di voce.

– Giura!

– Giuro! – ha risposto lui, levando i due pollici e sputando a terra frammezzo; forse era il loro giuramento, di loro trasmutatori di metalli: ma aveva il mio coltello così vicino alla gola che certamente diceva la verità. L'ho lasciato andare, e lui, ancora tutto spaurito, mi ha spiegato che il mercurio greggio, come il nostro, non vale molto, ma che lo si può purificare distillandolo, come il whisky, in storte di ghisa o di terracotta: poi si rompe la storta, e nel residuo si trova piombo, spesso argento, e qualche volta oro; che questo era un loro segreto; ma che lo avrebbe fatto per me, se gli promettevo salva la vita.

Io non gli ho promesso proprio niente, e invece gli ho detto che col mercurio volevo pagare le quattro mogli. Fare storte e vasi di coccio doveva essere più facile che mutare in oro la sabbia d'Olanda: che si desse da fare, s'avvicinava Pasqua e la visita di Burton, per Pasqua volevo pronti quaranta barattoli da una pinta di mercurio purificato, tutti uguali, col loro bravo coperchio, lisci e rotondi, perché anche l'occhio vuole la sua parte. Si facesse pure aiutare dagli altri tre, e anch'io gli avrei dato una mano. Per cuocere storte e barattoli, non si preoccupasse: c'era già la fornace dove Andrea faceva cuocere i suoi santi.

A distillare ho imparato subito, e in dieci giorni i barattoli erano pronti: erano da una sola pinta, ma di mercurio ce ne stavano diciassette libbre abbondanti, tanto che si stentava a sollevarli a braccio teso, e a scuoterli sembrava che dentro ci si dimenasse un animale vivo. Quanto a trovare il mercurio greggio, non ci voleva niente: nella caverna si sguazzava nel mercurio, gocciolava sulla testa e sulle spalle, e tornati a casa lo si trovava nelle tasche, negli stivali, perfino nel letto, e dava alla testa un po' a tutti, tanto che cominciava a sembrarci naturale che lo si dovesse scambiare con delle donne. È veramente una sostanza bizzarra: è freddo e fuggitivo, sempre inquieto, ma quando è ben fermo ci si specchia meglio che in uno specchio. Se lo si fa girare in una scodella, continua a girare per quasi mezz'ora. Non soltanto ci galleggia sopra il crocifisso sacrilego di Hendrik, ma anche i sassi, e perfino il piombo. L'oro no: Maggie ha provato con il suo anello, ma è subito andato a fondo, e quando lo abbiamo ripescato era diventato di stagno. Insomma, è una materia che non mi piace, e avevo fretta di concludere l'affare e liberarmene.

A Pasqua è arrivato Burton, ha ritirato i quaranta barattoli ben sigillati con cera e argilla ed è ripartito senza fare promesse. Una sera, verso la fine dell'autunno, abbiamo visto la sua vela delinearsi nella pioggia, ingrandire, e poi sparire nell'aria fosca e nell'oscurità. Pensavamo che aspettasse la luce per entrare nel porticciolo, come faceva di solito, ma al mattino non c'era più traccia di Burton né della sua baleniera. C'erano invece, in piedi sulla spiaggia, fradice e intirizzite, le quattro donne con in più due bambini, strette fra loro in un mucchio per il freddo e la timidezza; una di loro mi ha porto in silenzio una lettera di Burton. Erano poche righe: che, per trovare quattro donne per quattro sconosciuti in un'isola desolata, aveva dovuto cedere tutto il mercurio, e non gli era rimasto nulla per la senseria; che ce l'avrebbe richiesta, in mercurio o in lardo, in misura del 10 per cento, nella sua prossima visita; che non erano donne di prima scelta, ma non aveva trovato niente di meglio; che preferiva sbarcarle alla svelta e tornare alle sue balene per non assistere a risse disgustose, e perché non

era un mezzano né un ruffiano, e neppure un prete per celebrare le nozze; che tuttavia ci raccomandava di celebrarle noi stessi, meglio che potevamo, per la salute delle nostre anime, che riteneva comunque già un po' compromessa.

Ho chiamato fuori i quattro, e volevo proporgli di tirare a sorte, ma ho subito visto che non ce n'era bisogno. C'era una mulatta di mezza età, grassetta, con una cicatrice sulla fronte, che guardava Willem con insistenza, e Willem guardava lei con curiosità: la donna avrebbe potuto essere sua madre. Ho detto a Willem: «La vuoi? Prendila!», lui se l'è presa, ed io li ho sposati cosí alla meglio; cioè, ho chiesto a lei se voleva lui e a lui se voleva lei, ma il discorsino «nella prosperità e nella miseria, nella salute e nella malattia» non lo ricordavo con precisione, e cosí l'ho inventato sul momento, finendo con «fino a che morte sopraggiunga», che mi pareva suonasse bene. Stavo appunto terminando con questi due quando mi sono accorto che Gaetano si era scelta una ragazzina guercia, o forse lei aveva scelto lui, e se ne stavano andando via di corsa in mezzo alla pioggia, tenendosi per mano, tanto che ho dovuto inseguirli e sposarli da lontano correndo anch'io. Delle due che restavano, Andrea si è presa una negra sulla trentina, graziosa e perfino elegante, col cappello di piume e un boa di struzzo bagnato fradicio, ma con un'aria piuttosto equivoca, e ho sposato anche loro, benché avessi ancora il fiato corto per la corsa che avevo fatta prima.

Rimaneva Hendrik, e una ragazza piccola e magra che era appunto la madre dei due bambini: aveva gli occhi grigi, e si guardava intorno come se la scena non la riguardasse ma la divertisse. Non guardava Hendrik, ma guardava me; Hendrik guardava Maggie che era appena uscita dalla baracca e non si era ancora tolti i bigodini, e Maggie guardava Hendrik. Allora mi è venuto in mente che i due bambini avrebbero potuto aiutarmi a guardare i maiali; che Maggie non mi avrebbe certamente dato figli; che Hendrik e Maggie sarebbero stati benissimo insieme, a fare le loro bestie a due dossi e le loro distillazioni; e che la ragazza dagli occhi grigi non mi dispiaceva, anche se era molto piú giovane di me: anzi, mi dava un'impres-

sione allegra e leggera, come un solletico, e mi faceva venire in mente l'idea di acchiapparla al volo come una farfalla. Cosí le ho domandato come si chiamava, e poi mi sono chiesto ad alta voce, in presenza dei testimoni: «Vuoi tu, caporale Daniel K. Abrahams, prendere in moglie la qui presente Rebecca Johnson?», mi sono risposto di sí, e poiché anche la ragazza era d'accordo, ci siamo sposati.

Fosforo

Nel giugno 1942 parlai a viso aperto col Tenente e col Direttore: mi rendevo conto che la mia opera stava diventando inutile, anche loro se ne rendevano conto, e mi consigliarono di cercarmi un altro lavoro, in una delle non molte nicchie che la legge ancora mi concedeva.

Stavo inutilmente cercando, quando un mattino, cosa rarissima, fui chiamato al telefono delle Cave: dall'altro capo del filo una voce milanese, che mi parve rozza ed energica, e che diceva di appartenere ad un Dottor Martini, mi convocava per la domenica seguente all'Hotel Suisse di Torino, senza concedermi il lusso di alcun particolare. Però aveva proprio detto «Hotel Suisse», e non «Albergo Svizzera» come avrebbe dovuto fare un cittadino ligio: a quel tempo, che era quello di Starace, a simili piccolezze si stava molto attenti, e gli orecchi erano esercitati a cogliere certe sfumature.

Nella hall (scusate: nel vestibolo) dell'Hotel Suisse, anacronistica oasi di velluti, penombre e tendaggi, mi attendeva il Dottor Martini, che era prevalentemente Commendatore, come avevo appreso poco prima dal portiere. Era un uomo tarchiato sulla sessantina, di statura media, abbronzato, quasi calvo: il suo viso aveva tratti pesanti, ma gli occhi erano piccoli ed astuti, e la bocca, un po' torta a sinistra come in una smorfia di disprezzo, era sottile come un taglio. Anche questo Commendatore si rivelò alle prime battute un tipo sbrigativo: e compresi allora che questa curiosa fretta di molti italiani «ariani» nei confronti degli

ebrei non era casuale. Fosse intuizione o calcolo, rispondeva ad uno scopo: con un ebreo, in tempo di Difesa della Razza, si poteva essere cortesi, si poteva magari aiutarlo, e perfino vantarsi (cautamente) di averlo aiutato, ma era consigliabile non intrattenere con lui rapporti umani, non compromettersi a fondo, in modo da non essere poi costretti a mostrare comprensione o compassione.

Il Commendatore mi fece poche domande, rispose evasivamente alle mie molte, e si dimostrò uomo concreto su due punti fondamentali. Lo stipendio iniziale che mi proponeva ammontava ad una cifra che io non avrei mai osato chiedere, e che mi lasciò attonito; la sua industria era svizzera, anzi, lui stesso era svizzero (lui pronunciava «svissero»), quindi per la mia eventuale assunzione non c'erano difficoltà. Trovai strano, anzi, francamente comico il suo svizzerismo espresso con un cosí virulento accento milanese; trovai invece giustificabili le sue molte reticenze.

La fabbrica di cui lui era proprietario e direttore si trovava nei dintorni di Milano, ed a Milano io avrei dovuto trasferirmi. Produceva estratti ormonali: io però avrei dovuto occuparmi di un problema ben preciso, e cioè della ricerca di un rimedio contro il diabete che fosse efficace per via orale. Sapevo qualcosa del diabete? Poco, risposi, ma il mio nonno materno era morto diabetico, ed anche da parte paterna diversi miei zii, leggendari divoratori di pasta asciutta, in vecchiaia avevano mostrato sintomi del male. All'udire questo, il Commendatore si fece piú attento, e i suoi occhi piú piccoli: compresi piú tardi che, essendo ereditaria la tendenza al diabete, non gli sarebbe spiaciuto di avere a disposizione un diabetico autentico, di razza sostanzialmente umana, su cui collaudare certe sue idee e preparati. Mi disse che lo stipendio offerto era soggetto a rapidi aumenti; che il laboratorio era moderno, attrezzato, spazioso; che esisteva in fabbrica una biblioteca con piú di diecimila volumi; ed infine, come quando il prestigiatore estrae un coniglio dal cappello a staio, aggiunse che, forse non lo sapevo (ed infatti non lo sapevo), ma già lavorava

nel suo laboratorio, e sullo stesso argomento, una persona
che io conoscevo bene, una mia compagna di studi, una
mia amica, che anzi gli aveva parlato di me: Giulia Vineis.
Che decidessi con calma: avrei potuto cercarlo all'Hotel
Suisse due domeniche dopo.

L'indomani stesso mi licenziai dalle Cave, e mi trasferii
a Milano con le poche cose che sentivo indispensabili: la
bicicletta, Rabelais, le Macaroneae, *Moby Dick* tradotto
da Pavese ed altri pochi libri, la piccozza, la corda da roc-
cia, il regolo logaritmico e un flauto dolce.

Il laboratorio del Commendatore non era inferiore alla
descrizione: una reggia, in confronto a quello delle Cave.
Trovai, già predisposti per il mio arrivo, un bancone, una
cappa, una scrivania, un armadio di vetreria, ed un silen-
zio e un ordine disumani. La «mia» vetreria era contrasse-
gnata con un puntino in smalto azzurro, perché non la
confondessi con quella di altri armadi, e perché «qui da
noi le rotture si pagano». Questa, del resto, non era che
una delle molte prescrizioni che il Commendatore mi ave-
va trasmesse all'atto del mio ingresso: lui, a muso duro, me
le aveva gabellate come «precisione svissera», anima del
laboratorio e della fabbrica intera, ma a me sembravano
una congerie di pastoie insulse, al limite della mania di
persecuzione.

Il Commendatore mi spiegò che l'attività della fabbrica,
ed in specie il problema che intendeva affidarmi, doveva-
no essere attentamente protetti da possibili spie industria-
li. Queste spie potevano essere estranei, ma anche impie-
gati ed operai della fabbrica stessa, a dispetto delle cautele
con cui lui praticava le assunzioni. Perciò non avrei dovuto
parlare con nessuno del tema che mi era stato proposto, né
dei suoi eventuali sviluppi: neppure coi miei colleghi, anzi,
con loro meno che con gli altri. Per questa ragione, ogni
impiegato aveva il suo orario particolare, che coincideva
con una singola coppia di corse del tram che proveniva dal-
la città: A doveva entrare alle 8,00, B alle 8,04, C alle 8,08
e cosí via, e analogamente per l'uscita, in modo che mai

due colleghi avessero occasione di viaggiare sulla stessa carrozza. Per le entrate in ritardo e per le uscite precoci c'erano multe pesanti.

L'ultima ora della giornata, cascasse il mondo, doveva essere dedicata a smontare, lavare e riporre la vetreria, in modo che nessuno, entrando fuori orario, potesse ricostruire quale lavoro era stato fatto durante il giorno. Ogni sera doveva essere compilata una relazione giornaliera, e consegnata in busta chiusa a lui personalmente, o alla signora Loredana, che era la sua segretaria.

Il pranzo, avrei potuto consumarlo dove volevo: non era sua intenzione sequestrare gli impiegati in fabbrica durante l'intervallo di mezzogiorno. Però, mi disse (e qui la bocca gli si storse piú del solito, e si fece anche piú sottile), buone trattorie nei dintorni non ce n'erano, e il suo consiglio era di attrezzarmi per pranzare in laboratorio: che io mi portassi da casa le materie prime, un'operaia avrebbe provveduto a cucinare per me.

Quanto alla biblioteca, le norme da rispettare erano singolarmente severe. Per nessun motivo era ammesso portare libri fuori della fabbrica: si potevano consultare solo col consenso della bibliotecaria, la signorina Paglietta. Sottolineare una parola, o anche solo fare un segno a penna o a matita, era una contravvenzione molto grave: la Paglietta era tenuta a controllare ogni volume, pagina per pagina, alla restituzione, e se trovava un segno, il volume doveva essere distrutto, e sostituito a spese del colpevole. Era proibito anche soltanto lasciare fra i fogli un segnalibro, o ripiegare l'angolo di una pagina: «qualcuno» avrebbe potuto ricavarne indizi sugli interessi e le attività della fabbrica, violarne insomma il segreto. Entro questo sistema, è logico che le chiavi fossero fondamentali: a sera, tutto doveva essere chiuso a chiave, anche la bilancia analitica, e le chiavi depositate dal portiere. Il Commendatore aveva una chiave che apriva tutte le serrature.

Questo viatico di precetti e divieti mi avrebbero reso permanentemente infelice se, entrando in laboratorio, non

avessi trovato Giulia Vineis, tutta tranquilla, seduta accanto al suo bancone. Non stava lavorando, bensí rammendandosi le calze, e sembrava che mi aspettasse. Mi accolse con famigliarità affettuosa e con un sogghigno pieno di sottintesi.

Eravamo stati colleghi in università per quattro anni, ed avevamo frequentato insieme tutti i corsi di laboratorio, mirabilmente prossenetici, senza mai stringere un'amicizia specifica. Giulia era una ragazza bruna, minuta ed espedita; aveva sopraccigli dall'arco elegante, un viso liscio ed aguzzo, movenze vivaci ma precise. Era piú aperta alla pratica che alla teoria, piena di calore umano, cattolica senza rigidezza, generosa ed arruffona; parlava con voce velata e svagata, come se fosse definitivamente stanca di vivere, il che non era affatto. Era lí da quasi un anno; sí, era stata lei a fare il mio nome al Commendatore: sapeva vagamente della mia situazione precaria alle Cave, pensava che io andassi bene per quel lavoro di ricerca, e poi, perché non dirlo, era stufa di stare sola. Ma che non mi facessi illusioni: era fidanzata, fidanzatissima, una faccenda complicata e tumultuosa che mi avrebbe spiegato poi. E io? No? Niente ragazze? Male: avrebbe visto lei di darmi una mano, leggi razziali o no; tutte storie, che importanza potevano avere?

Mi raccomandò di non prendere troppo sul tragico le fisime del Commendatore. Giulia era una di quelle persone che, apparentemente senza fare domande e senza scomodarsi, sanno subito tutto di tutti, il che a me, chissà perché, non avviene; perciò fu per me una guida turistica ed un'interprete eccellente. In una sola seduta mi insegnò l'essenziale, le carrucole riposte dietro lo scenario della fabbrica, ed i ruoli dei principali personaggi. Il Commendatore era il padrone, benché sottoposto ad oscuri altri padroni di Basilea: tuttavia chi comandava era la Loredana (e me la indicò dalla finestra nel cortile: alta, bruna, formosa, volgarotta, un po' sfiorita), che era la sua segretaria e la sua amante. Avevano una villa sul lago, e lui, «che era

vecchio ma mandrillo», la portava in barca a vela: c'erano delle foto in Direzione, non le avevo viste? Anche il Signor Grasso, dell'Ufficio Personale, stava dietro alla Loredana, ma per il momento lei Giulia non aveva ancora potuto stabilire se c'era già andato a letto o no: mi avrebbe tenuto al corrente. Vivere in quella fabbrica non era difficile: era difficile lavorarci, per via di tutti quegli impicci. La soluzione era semplice, bastava non lavorare: lei se n'era accorta subito, ed in un anno, modestia a parte, non aveva fatto quasi niente, non faceva che montare gli apparecchi al mattino, tanto per soddisfare l'occhio, e smontarli alla sera secondo le prescrizioni; le relazioni giornaliere le faceva di fantasia. A parte quello, si preparava il corredo, dormiva abbondantemente, scriveva lettere torrenziali al fidanzato, e, contro le prescrizioni, attaccava discorso con tutti quelli che le venivano a tiro. Coll'Ambrogio mezzo intronato, che accudiva ai conigli per gli esperimenti; con la Michela che custodiva tutte le chiavi e probabilmente era una spia del Fascio; con la Varisco, l'operaietta che secondo il Commendatore avrebbe dovuto prepararmi il pranzo; col Maiocchi, legionario di Spagna, impomatato e donnaiolo, e, imparzialmente, col Moioli, pallido e gelatinoso, che aveva nove figli, era stato nel Partito Popolare e i fascisti gli avevano rotto la schiena a bastonate.

La Varisco, mi precisò, era una sua creatura: le era affezionata e devota, e faceva tutto quello che lei le comandava, comprese certe spedizioni nei reparti di produzione degli opoterapici (vietati ai non addetti) da cui tornava con fegati, cervelli, capsule surrenali ed altre frattaglie pregiate. Anche la Varisco era fidanzata, e fra loro due correva una profonda solidarietà ed un intenso scambio di confidenze intime. Dalla Varisco, che, essendo addetta alla pulizia, aveva accesso a tutti i reparti, aveva saputo che anche la produzione era avviluppata in una fitta bardatura antispia: tutte le tubazioni d'acqua, vapore, vuoto, gas, nafta ecc. correvano in cunicoli o incassate nel cemento, e solo le valvole erano accessibili; le macchine erano coperte

con carter complicati e chiusi a chiave. I quadranti dei ter-
mometri e manometri non erano graduati: portavano solo
segni colorati convenzionali.

Beninteso, se io avevo voglia di lavorare, e se la ricerca
sul diabete mi interessava, che facessi pure, saremmo an-
dati d'accordo lo stesso; ma che non contassi sulla sua col-
laborazione, perché lei aveva altro da pensare. Potevo in-
vece contare su di lei e sulla Varisco per quanto riguardava
la cucina. Loro, tutte e due, dovevano fare allenamento in
vista del matrimonio, e mi avrebbero fatto dei mangiari da
far dimenticare le carte annonarie e il razionamento. A me
non sembrava tanto regolare che si facessero cucine com-
plicate in un laboratorio, ma Giulia mi disse che in quel la-
boratorio, oltre a un certo misterioso consulente di Basilea
che sembrava imbalsamato, veniva una volta al mese (del
resto abbondantemente preannunciato), si guardava intor-
no come se fosse in un museo, e se ne andava senza aprire
bocca, non entrava mai anima viva, e si poteva fare tutto
quello che si voleva, pur di non lasciare tracce. A memoria
d'uomo, il Commendatore non ci aveva mai messo piede.

Pochi giorni dopo la mia assunzione, il Commendatore
mi chiamò in Direzione, ed in quella occasione notai che le
foto con la barca a vela, del resto assai castigate, c'erano
proprio. Mi disse che era tempo di entrare in argomento.
La prima cosa che dovevo fare, era di andare in biblioteca,
a chiedere alla Paglietta il Kerrn, un trattato sul diabete: io
conoscevo il tedesco, non è vero? Bene, cosí avrei potuto
leggerlo nel testo originale, e non in una pessima traduzio-
ne francese che avevano fatta fare quelli di Basilea. Lui, lo
ammetteva, aveva letto solo quest'ultima, senza intender-
ne molto, ma ricavandone la convinzione che il Doktor
Kerrn era uno che la sapeva lunga, e che sarebbe stato bel-
lo essere i primi a tradurre in pratica le sue idee: certo,
scriveva in un modo un po' involuto, ma a questa faccenda
dell'antidiabetico perorale quelli di Basilea, e in specie il
consulente imbalsamato, tenevano molto. Che mi pren-
dessi dunque il Kerrn e me lo leggessi con attenzione, poi

ne avremmo riparlato insieme. Ma intanto, per non perdere tempo, avrei potuto incominciare a lavorare. Le sue molte preoccupazioni non gli avevano concesso di dedicare al testo l'attenzione che meritava, ma due idee fondamentali ne aveva pure ricavate, e si sarebbe potuto cercare di collaudarle in pratica.

La prima idea riguardava gli antociani. Gli antociani, come lei sa benissimo, sono i pigmenti dei fiori rossi ed azzurri: sono sostanze facili da ossidare e disossidare, tale è anche il glucosio, e il diabete è un'anomalia nell'ossidazione del glucosio; «dunque», con gli antociani si poteva tentare di ristabilire una normale ossidazione del glucosio. I petali dei fiordalisi sono molto ricchi di antociani; in vista del problema, lui aveva fatto seminare tutto un campo a fiordalisi, raccogliere i petali ed essiccarli al sole: che io provassi a farne estratti, a somministrarli ai conigli ed a controllare la loro glicemia.

La seconda idea era altrettanto vaga, ad un tempo semplicistica ed arruffata. Sempre secondo il Doktor Kerrn, nella interpretazione lombarda del Commendatore, l'acido fosforico aveva importanza fondamentale nel ricambio dei carboidrati, e fin qui c'era poco da obiettare; meno convincente era l'ipotesi, elaborata dallo stesso Commendatore sui fondamenti fumosi del Kerrn, che bastasse somministrare al diabetico un po' di fosforo di origine vegetale per raddrizzare il suo metabolismo sovvertito. A quel tempo ero talmente giovane da pensare ancora che fosse possibile fare mutare idea ad un superiore; perciò avanzai due o tre obiezioni, ma vidi subito che sotto i colpi di queste il Commendatore si incrudiva come una lastra di rame sotto il martello. Tagliò corto, e con un certo suo tono perentorio che trasformava in ordini le proposte, mi consigliò di analizzare un buon numero di piante, di scegliere le piú ricche in fosforo organico, di farne i soliti estratti e di infilarli nei soliti conigli. Buon lavoro e buona sera.

Quando riferii a Giulia l'esito di questo colloquio, il suo giudizio fu immediato e risentito: il vecchio è matto. Ma

ero io che lo avevo provocato, scendendo sul suo terreno e mostrando fin dal principio di prenderlo sul serio: mi stava bene, che adesso me la sbrogliassi, coi fiordalisi e il fosforo e i conigli. Secondo lei, tutta quella mia smania di lavorare, che arrivava fino a prostituirmi alle fiabe senili del Commendatore, veniva dal fatto che io non avevo una ragazza; se l'avessi avuta, avrei pensato a lei invece che agli antociani. Era veramente un peccato che lei Giulia non fosse disponibile, perché si rendeva conto del tipo che ero io, uno di quelli che non prendono iniziative, anzi scappano, e vanno condotti per mano sciogliendo piano piano i loro nodi. Be', c'era a Milano una sua cugina, un po' timida pure lei; avrebbe fatto in modo di farmela incontrare. Ma anch'io, diamine, dovevo darmi da fare; le faceva male al cuore vedere uno come me che buttava via in conigli gli anni migliori della giovinezza. Questa Giulia era un po' strega, leggeva la mano, frequentava le indovine e aveva sogni premonitori, e qualche volta ho osato pensare che questa sua fretta di liberarmi da una vecchia angoscia, e di procurarmi subito una modesta porzione di gioia, venisse da una sua intuizione oscura di quanto il destino mi stava preparando, e mirasse inconsapevolmente a deviarlo.

Andammo insieme a vedere «Porto delle Nebbie», lo trovammo meraviglioso, e ci confessammo a vicenda di esserci identificati coi protagonisti: Giulia smilza e mora con la eterea Michèle Morgan dagli occhi di gelo, io mite e recessivo con Jean Gabin disertore, fascinatore, bullo e morto ammazzato: assurdo, e poi quei due si amavano e noi no, non è vero?

Quando il film stava per finire, Giulia mi annunciò che io l'avrei accompagnata a casa. Io dovevo andare dal dentista, ma Giulia disse; «Se non mi accompagni, grido "Giú le mani, porco!"» Io tentai un'obiezione, ma Giulia prese fiato e nel buio della sala incominciò: «Giú le...»: allora telefonai al dentista e l'accompagnai fino a casa.

Giulia era una leonessa, capace di viaggiare dieci ore in piedi nei treni degli sfollati per trascorrerne due insieme

col suo uomo, felice e radiosa se poteva ingaggiare un violento duello verbale col Commendatore o con la Loredana, ma aveva paura delle bestioline e del tuono. Mi chiamava ad espellere un ragnetto dal suo banco di lavoro (non dovevo però ammazzarlo, ma metterlo in un pesafiltri e portarlo fuori nell'aiuola), e questo mi faceva sentire virtuoso e forte come Ercole davanti all'Idra di Lerna, ed insieme tentato, perché percepivo la intensa carica femminile della richiesta. Venne un furioso temporale, Giulia resistette a due fulmini, al terzo cercò rifugio contro di me. Sentivo il calore del suo corpo contro il mio, vertiginoso e nuovo, noto nei sogni, ma non restituii l'abbraccio; se lo avessi fatto, forse il suo destino e il mio sarebbero usciti fragorosamente dai binari, verso un comune avvenire totalmente imprevedibile.

La bibliotecaria, che non avevo mai vista prima, custodiva la biblioteca come lo avrebbe fatto un cane da pagliaio, uno di quei poveri cani che vengono deliberatamente resi cattivi a furia di catena e di fame; o meglio come il vecchio cobra sdentato, pallido per i secoli di tenebra, custodisce il tesoro del re nel *Libro della Giungla*. La Paglietta, poverina, era poco meno che un lusus naturae: era piccola, senza seno e senza fianchi, cerea, intristita e mostruosamente miope; portava occhiali talmente spessi e concavi che a guardarla di fronte i suoi occhi, di un celeste quasi bianco, sembravano lontanissimi, appicciati in fondo al cranio. Dava l'impressione di non essere mai stata giovane, quantunque non avesse certo piú di trent'anni, e di essere nata lí, nell'ombra, in quel vago odore di muffa e di chiuso. Nessuno sapeva niente di lei, il Commendatore stesso ne parlava con insofferenza stizzita, e Giulia ammetteva di odiarla per istinto, senza sapere il perché, senza pietà, come la volpe odia il cane. Diceva che puzzava di naftalina e che aveva la faccia da stitica. La Paglietta mi chiese perché volevo proprio il Kerrn, volle vedere la mia

carta d'identità, la scrutò con aria malevola, mi fece firmare un registro e mi abbandonò il volume con riluttanza.

Era un libro strano: difficilmente avrebbe potuto essere stato scritto e stampato altrove che nel Terzo Reich. L'autore non doveva essere uno sprovveduto, ma da ogni sua pagina spirava la burbanza di chi sa che le sue affermazioni non gli verranno contestate. Scriveva, anzi concionava, come un profeta invasato, come se il metabolismo del glucosio, nel diabetico e nel sano, gli fosse stato rivelato da Geova sul Sinai, anzi, da Wotan sul Walhalla. Forse a torto, concepii subito per le teorie del Kerrn un'astiosa diffidenza; ma non mi risulta che i trent'anni che da allora sono passati abbiano condotto ad una loro rivalutazione.

L'avventura degli antociani finí presto. Era incominciata con una pittoresca invasione di fiordalisi, sacchi e sacchi di delicati petali celesti, secchi e fragili come minuscole patate fritte. Davano estratti dai colori mutevoli, pittoreschi anche loro, ma estremamente instabili: dopo pochi giorni di tentativi, prima ancora di fare ricorso ai conigli, ebbi dal Commendatore l'autorizzazione ad archiviare l'argomento. Continuavo a trovare strano che l'uomo, svissero e coi piedi in terra, si fosse lasciato convincere da quel visionario fanatico, e con l'occasione, cautamente, gli accennai il mio giudizio, ma mi rispose brutalmente che non era affare mio criticare i professori. Mi fece capire che non ero pagato per niente, e mi invitò a non perdere tempo, e ad incominciare subito col fosforo: lui era convinto che il fosforo ci avrebbe condotti ad una brillante soluzione. Sotto col fosforo.

Mi misi al lavoro, pochissimo persuaso, persuaso invece che il Commendatore, e magari il Kerrn medesimo, avessero soggiaciuto al fascino da buon patto dei nomi e dei luoghi comuni: infatti il fosforo ha un nome molto bello (vuol dire «portatore di luce»), è fosforescente, c'è nel cervello, c'è anche nei pesci, e *perciò* mangiare pesci rende intelligenti; senza fosforo le piante non crescono; fosfatina Falières, glicerofosfati per i bambini anemici di cento anni

fa; c'è anche nelle capocchie dei fiammiferi, e le ragazze disperate per amore le mangiavano per suicidarsi; c'è nei fuochi fatui, putride fiamme innanzi al passegger. No, non è un elemento emotivamente neutro: era comprensibile che un professor Kerrn, mezzo biochimico e mezzo stregone, nell'ambiente impregnato di magia nera della Corte nazista, lo avesse designato come medicamentum.

Mani ignote mi lasciavano sul bancone, di notte, piante su piante, una specie al giorno; erano tutte piante singolarmente domestiche, e non so come fossero state scelte: cipolla, aglio, carota, bardana, mirtillo, achillea, salice, salvia, rosmarino, rosa canina, ginepro. Io, giorno per giorno, determinavo in tutte il fosforo, inorganico e totale, e mi sentivo come un asino legato al bindolo. Tanto mi aveva esaltato l'analisi del nichel nella roccia, nella mia incarnazione precedente, tanto mi umiliava adesso il dosaggio quotidiano del fosforo, perché fare un lavoro in cui non si crede è una grande afflizione; appena valeva a rallegrarmi la presenza di Giulia nella camera accanto, che cantava con voce velata «è primavera, svegliatevi bambine», e faceva cucina col termometro nei becher di vetro Pyrex. Ogni tanto veniva a contemplare il mio lavoro, provocatoria e beffarda.

Ci eravamo accorti, Giulia ed io, che le stesse mani ignote lasciavano in laboratorio, in nostra assenza, tracce appena percettibili. Un armadio, chiuso a chiave alla sera, era aperto al mattino. Uno stativo aveva cambiato posto. La cappa, lasciata aperta, era abbassata. Un mattino di pioggia, come Robinson, trovammo sul pavimento l'orma di una suola di gomma: il Commendatore portava scarpe di gomma. «Viene di notte a fare l'amore con la Loredana», decise Giulia: io pensavo invece che quel laboratorio, ossessivamente ordinato, doveva servire per qualche altro impalpabile e segreto lavorio svizzero. Mettemmo sistematicamente degli stecchi infilati dall'interno nelle porte, sempre chiuse a chiave, che dalla Produzione immettevano nel laboratorio: al mattino gli stecchi erano sempre caduti.

Dopo due mesi disponevo di una quarantina di analisi: le piante col contenuto in fosforo piú alto erano la salvia, la chelidonia e il prezzemolo. Io pensavo che a questo punto sarebbe stato opportuno determinare in quale forma era legato il fosforo, e cercare di isolare il componente fosforato, ma il Commendatore telefonò a Basilea e poi mi dichiarò che non c'era tempo per queste finezze: avanti con gli estratti, fatti cosí alla buona, con acqua calda e col torchietto, e poi concentrati sotto vuoto: infilarli nell'esofago dei conigli, e misurare la loro glicemia.

I conigli non sono animali simpatici. Sono fra i mammiferi piú lontani dall'uomo, forse perché le loro qualità sono quelle dell'umanità avvilita e reietta: sono timidi, silenziosi e fuggitivi, e non conoscono che il cibo ed il sesso. Se si eccettua qualche gatto di campagna nell'infanzia piú remota, io non avevo mai toccato un animale, e davanti ai conigli provavo repulsione; cosí anche Giulia. Per fortuna, la Varisco aveva invece grande confidenza sia con le bestiole sia con l'Ambrogio che le amministrava. Ci fece vedere che, in un cassetto, esisteva un piccolo assortimento di strumenti adatti; c'era una cassetta stretta ed alta, senza coperchio: ci spiegò che ai conigli piace intanarsi, e se uno li prende per gli orecchi (che sono il loro manico naturale) e li infila in una cassetta, si sentono piú sicuri e non si muovono piú. C'era una sonda di gomma e un piccolo fuso di legno con un foro trasversale: bisogna forzarlo fra i denti dell'animale, e poi, attraverso il foro, infilare la sonda in gola senza tanti complimenti, spingendola giú finché si sente che tocca il fondo dello stomaco; se non si mette il legno, il coniglio taglia la sonda coi denti, la inghiotte e muore. Attraverso la sonda è facile spedire gli estratti nello stomaco con una comune siringa.

Poi bisogna misurare la glicemia. Quello che per i topi è la coda, per i conigli sono le orecchie, anche in questo caso: hanno vene grosse e rilevate, che si congestionano subito se l'orecchio viene strofinato. Da queste vene, perforate con un ago, si preleva una goccia di sangue, e senza

domandarsi il perché delle varie manipolazioni si procede
poi secondo Crecelius-Seifert. I conigli, o sono stoici, o so-
no poco sensibili al dolore: nessuno di questi abusi sembra-
va farli soffrire, appena lasciati liberi e rimessi in gabbia si
rimettevano tranquilli a brucare il fieno, e la volta successi-
va non mostravano alcuna paura. Dopo un mese avrei potu-
to fare glicemie ad occhi chiusi, ma non sembrava che il no-
stro fosforo facesse alcun effetto; solo uno dei conigli reagi-
va all'estratto di chelidonia con un abbassamento della gli-
cemia, ma dopo poche settimane gli venne un grosso tumore
al collo. Il Commendatore mi disse di operarlo, io lo operai
con acre senso di colpa e veemente ribrezzo, e lui morí.

Quei conigli, per ordine del Commendatore, vivevano
ciascuno nella sua gabbia, maschi e femmine, in stretto ce-
libato. Ma venne un bombardamento notturno che, senza
fare molti altri danni, sfondò tutte le gabbie, ed al mattino
trovammo i conigli intenti ad una meticolosa e generale
campagna copulatoria: le bombe non li avevano spaventati
per nulla. Appena liberati, avevano subito scavato nelle
aiuole i cunicoli da cui traggono il nome, ed al minimo al-
larme abbandonavano a mezzo le loro nozze e ci si rifugia-
vano. L'Ambrogio ebbe pena a recuperarli ed a richiuderli
in gabbie nuove; il lavoro delle glicemie dovette essere in-
terrotto, perché solo le gabbie erano contrassegnate e non
gli animali, e dopo la dispersione non fu piú possibile iden-
tificarli.

Venne Giulia tra un coniglio e l'altro, e mi disse a bru-
ciapelo che aveva bisogno di me. Ero venuto in fabbrica in
bicicletta, non è vero? Ebbene, lei quella stessa sera dove-
va andare subito fino a Porta Genova, c'erano da cambia-
re tre tram, lei aveva fretta, era una faccenda importante:
che per favore la portassi in canna, d'accordo? Io, che se-
condo il maniaco orario sfalsato del Commendatore uscivo
dodici minuti prima di lei, l'attesi girato l'angolo, la caricai
sulla canna della bicicletta e partimmo.

Circolare per Milano in bicicletta non aveva allora nulla di temerario, e portare un passeggero in canna, in tempi di bombe e di sfollamenti, era poco meno che normale: qualche volta, specie se di notte, accadeva che estranei domandassero questo servizio, e che per un trasporto da un capo all'altro della città ti ricompensassero con quattro o cinque lire. Ma Giulia, già di regola piuttosto irrequieta, quella sera comprometteva la stabilità dell'equipaggio: stringeva convulsamente il manubrio contrastando la guida, cambiava di scatto posizione, illustrava il suo discorso con gesti violenti delle mani e del capo che spostavano in modo imprevedibile il nostro comune baricentro. Il suo discorso era in principio un po' generico, ma Giulia non era il tipo che si tiene i segreti in corpo ad intossicarlo; a metà di via Imbonati usciva già dal vago, e a Porta Volta era in termini espliciti: era furiosa perché i genitori di lui avevano detto di no, e volava al contrattacco. Perché lo avevano detto? – Per loro non sono abbastanza bella, capisci? – ringhiò, scuotendo il manubrio con ira.

– Che stupidi. A me sembri abbastanza bella, – dissi io con serietà.

– Fatti furbo. Non ti rendi conto.

– Volevo solo farti un complimento; e poi lo penso proprio.

– Non è il momento. Se cerchi di farmi la corte adesso, ti sbatto per terra.

– Cadi anche tu.

– Sei uno scemo. Dài, pedala, che si fa tardi.

In Largo Cairoli sapevo già tutto: o meglio, possedevo tutti gli elementi di fatto, ma talmente confusi e dislocati nella loro sequenza temporale che non mi era facile cavarne un costrutto.

Principalmente, non riuscivo a capire come non bastasse la volontà di quel lui a tagliare il nodo: era inconcepibile, scandaloso. C'era quest'uomo, che Giulia mi aveva altre volte descritto come generoso, solido, innamorato e serio; possedeva quella ragazza, scarmigliata e splendida nel-

la sua rabbia, che mi si stava dibattendo fra gli avambracci impegnati nella guida; e invece di piombare a Milano e farsi le sue ragioni, se ne stava annidato in non so piú quale caserma di frontiera a difendere la patria. Perché, essendo un «gòi», faceva il servizio militare, naturalmente: e mentre cosí pensavo, e mentre Giulia continuava a litigare con me come se fossi stato io il suo don rodrigo, mi sentivo invadere da un odio assurdo per il rivale mai conosciuto. Un gòi, e lei una gôià, secondo la terminologia atavica: e si sarebbero potuti sposare. Mi sentivo crescere dentro, forse per la prima volta, una nauseabonda sensazione di vuoto: questo, dunque, voleva dire essere altri; questo il prezzo di essere il sale della terra. Portare in canna una ragazza che si desidera, ed esserne talmente lontani da non potersene neppure innamorare: portarla in canna in Viale Gorizia per aiutarla ad essere di un altro, ed a sparire dalla mia vita.

Davanti al 40 di Viale Gorizia c'era una panchina: Giulia mi disse di aspettarla, ed entrò nel portone come un vento. Io mi sedetti ed attesi, lasciando via libera al corso dei miei pensieri, sgangherato e doloroso. Pensavo che avrei dovuto essere meno gentiluomo, anzi, meno inibito e sciocco, e che per tutta la vita avrei rimpianto che fra me e lei non ci fosse stato altro che qualche ricordo scolastico e aziendale; e che forse non era troppo tardi, che forse il no di quei due genitori da operetta sarebbe stato irremovibile, che Giulia sarebbe scesa in lacrime, e io avrei potuto consolarla; e che queste erano speranze nefande, un approfittare scellerato delle sventure altrui. E finalmente, come un naufrago che è stanco di dibattersi e si lascia colare a picco, ricadevo in quello che era il mio pensiero dominante di quegli anni: che il fidanzato esistente, e le leggi della separazione, non erano che alibi insulsi, e che la mia incapacità di avvicinare una donna era una condanna senza appello, che mi avrebbe accompagnato fino alla morte, restringendomi ad una vita avvelenata dalle invidie e dai desideri astratti, sterile e senza scopo.

Giulia uscí dopo due ore, anzi, eruppe dal portone come un proiettile da un obice. Non occorreva farle domande per sapere come era andata: – Li ho fatti diventare alti cosí, – mi disse, tutta rossa in viso e ancora ansimante. Feci il mio miglior sforzo per congratularmi con lei in modo credibile, ma a Giulia non si possono far credere cose che non si pensano, né nascondere cose che si pensano. Ora che era sollevata dal suo peso, e allegra di vittoria, mi guardò diritto negli occhi, vi scorse la nube, e mi chiese: – A cosa stavi pensando?

– Al fosforo, – risposi.

Giulia si sposò pochi mesi dopo, e si congedò da me tirando su lacrime dal naso e facendo minuziose prescrizioni annonarie alla Varisco. Ha avuto molte traversie e molti figli; siamo rimasti amici, ci vediamo a Milano ogni tanto e parliamo di chimica e di cose sagge. Non siamo malcontenti delle nostre scelte e di quello che la vita ci ha dato, ma quando ci incontriamo proviamo entrambi la curiosa e non sgradevole impressione (ce la siamo piú volte descritta a vicenda) che un velo, un soffio, un tratto di dado, ci abbia deviati su due strade divergenti che non erano le nostre.

Oro

È cosa risaputa che i torinesi trapiantati a Milano non vi allignano, o vi allignano male. Nell'autunno 1942 eravamo a Milano sette amici di Torino, ragazzi e ragazze, approdati per motivi diversi nella grossa città che la guerra rendeva inospitale; i nostri genitori, chi ancora li aveva, erano sfollati in campagna per sottrarsi ai bombardamenti, e noi facevamo vita ampiamente comune. Euge era architetto, voleva rifare Milano, e diceva che il miglior urbanista era stato Federico Barbarossa. Silvio era dottore in legge, ma scriveva un trattato di filosofia su minuscoli foglietti di carta velina ed era impiegato in un'impresa di trasporti e spedizioni. Ettore era ingegnere alla Olivetti. Lina faceva l'amore con Euge e si occupava vagamente di gallerie d'arte. Vanda era chimica come me, ma non trovava lavoro, ed era permanentemente irritata di questo fatto perché era femminista. Ada era mia cugina e lavorava alle Edizioni Corbaccio: Silvio la chiamava bidottore perché aveva due lauree, ed Euge la chiamava cugimo che voleva dire cugina di Primo, del che Ada si risentiva un poco. Io, dopo il matrimonio di Giulia, ero rimasto solo coi miei conigli, mi sentivo vedovo ed orfano, e fantasticavo di scrivere la saga di un atomo di carbonio, per far capire ai popoli la poesia solenne, nota solo ai chimici, della fotosintesi clorofilliana: ed in fatto l'ho poi scritta, ma molti anni piú tardi, ed è la storia con cui questo libro si conclude.

Se non sbaglio, tutti scrivevamo poesie, salvo Ettore, che diceva che per un ingegnere non era dignitoso. Scrive-

re poesie tristi e crepuscolari, e neppure tanto belle, mentre il mondo era in fiamme, non ci sembrava né strano né vergognoso: ci proclamavamo nemici del fascismo, ma in effetti il fascismo aveva operato su di noi, come su quasi tutti gli italiani, estraniandoci e facendoci diventare superficiali, passivi e cinici.

Sopportavamo con allegria maligna il razionamento e il freddo nelle case senza carbone, ed accettavamo con incoscienza i bombardamenti notturni degli inglesi; non erano per noi, erano un brutale segno di forza dei nostri lontanissimi alleati: facessero pure. Pensavamo quello che tutti gli italiani umiliati allora pensavano: che i tedeschi e i giapponesi erano invincibili, ma gli americani anche, e che la guerra sarebbe andata avanti cosí per altri venti o trent'anni, uno stallo sanguinoso ed interminabile, ma remoto, noto soltanto attraverso i bollettini di guerra adulterati, e talvolta, in certe famiglie di miei coetanei, attraverso le lettere funeree e burocratiche in cui si diceva «eroicamente, nell'adempimento del suo dovere». La danza macabra, su e giú lungo la costa libica, avanti e indietro nelle steppe d'Ucraina, non sarebbe finita mai.

Ciascuno di noi faceva il suo lavoro giorno per giorno, fiaccamente, senza crederci, come avviene a chi sa di non operare per il proprio domani. Andavamo a teatro ed ai concerti, che qualche volta si interrompevano a mezzo perché suonavano le sirene dell'allarme aereo, e questo ci sembrava un incidente ridicolo e gratificante; gli Alleati erano padroni del cielo, forse alla fine avrebbero vinto e il fascismo sarebbe finito: ma era affare loro, loro erano ricchi e potenti, avevano le portaerei e i «Liberators». Noi no, ci avevano dichiarato «altri» e altri saremmo stati; parteggiavamo, ma ci tenevamo fuori dai giochi stupidi e crudeli degli ariani, a discutere i drammi di O'Neill o di Thornton Wilder, ad arrampicarci sulle Grigne, ad innamorarci un poco gli uni delle altre, ad inventare giochi intellettuali, ed a cantare bellissime canzoni che Silvio aveva imparato da certi suoi amici valdesi. Di quello che in que-

gli stessi mesi avveniva in tutta l'Europa occupata dai te-
deschi, nella casa di Anna Frank ad Amsterdam, nella fos-
sa di Babi Yar presso Kiev, nel ghetto di Varsavia, a Salo-
nicco, a Parigi, a Lidice: di questa pestilenza che stava per
sommergerci non era giunta a noi alcuna notizia precisa,
solo cenni vaghi e sinistri portati dai militari che ritornava-
no dalla Grecia o dalle retrovie del fronte russo, e che noi
tendevamo a censurare. La nostra ignoranza ci concedeva
di vivere, come quando sei in montagna, e la tua corda è
logora e sta per spezzarsi, ma tu non lo sai e vai sicuro.

Ma venne in novembre lo sbarco alleato in Nord Afri-
ca, venne in dicembre la resistenza e poi la vittoria russa a
Stalingrado, e capimmo che la guerra si era fatta vicina e la
storia aveva ripreso il suo cammino. Nel giro di poche set-
timane ognuno di noi maturò, piú che in tutti i vent'anni
precedenti. Uscirono dall'ombra uomini che il fascismo
non aveva piegati, avvocati, professori ed operai, e ricono-
scemmo in loro i nostri maestri, quelli di cui avevamo inu-
tilmente cercato fino allora la dottrina nella Bibbia, nella
chimica, in montagna. Il fascismo li aveva ridotti al silen-
zio per vent'anni, e ci spiegarono che il fascismo non era
soltanto un malgoverno buffonesco e improvvido, ma il
negatore della giustizia; non aveva soltanto trascinato l'I-
talia in una guerra ingiusta ed infausta, ma era sorto e si
era consolidato come custode di una legalità e di un ordine
detestabili, fondati sulla costrizione di chi lavora, sul pro-
fitto incontrollato di chi sfrutta il lavoro altrui, sul silenzio
imposto a chi pensa e non vuole essere servo, sulla menzo-
gna sistematica e calcolata. Ci dissero che la nostra insof-
ferenza beffarda non bastava; doveva volgersi in collera, e
la collera essere incanalata in una rivolta organica e tempe-
stiva: ma non ci insegnarono come si fabbrica una bomba,
né come si spara un fucile.

Ci parlavano di sconosciuti: Gramsci, Salvemini, Go-
betti, i Rosselli; chi erano? Esisteva dunque una seconda
storia, una storia parallela a quella che il liceo ci aveva
somministrata dall'alto? In quei pochi mesi convulsi cer-

cammo invano di ricostruire, di ripopolare il vuoto storico
dell'ultimo ventennio, ma quei nuovi personaggi rimane-
vano «eroi», come Garibaldi e Nazario Sauro, non aveva-
no spessore né sostanza umana. Il tempo per consolidare la
nostra preparazione non ci fu concesso: vennero in marzo
gli scioperi di Torino, ad indicare che la crisi era prossima;
vennero col 25 luglio il collasso del fascismo dall'interno,
le piazze gremite di folla affratellata, la gioia estemporanea
e precaria di un paese a cui la libertà era stata donata da un
intrigo di palazzo; e venne l'8 settembre, il serpente verde-
grigio delle divisioni naziste per le vie di Milano e di Tori-
no, il brutale risveglio: la commedia era finita, l'Italia era
un paese occupato, come la Polonia, come la Jugoslavia,
come la Norvegia.

In questo modo, dopo la lunga ubriacatura di parole,
certi della giustezza della nostra scelta, estremamente in-
sicuri dei nostri mezzi, con in cuore assai piú disperazione
che speranza, e sullo sfondo di un paese disfatto e diviso,
siamo scesi in campo per misurarci. Ci separammo per se-
guire il nostro destino, ognuno in una valle diversa.

Avevamo freddo e fame, eravamo i partigiani piú disar-
mati del Piemonte, e probabilmente anche i piú sprovve-
duti. Ci credevamo al sicuro, perché non ci eravamo anco-
ra mossi dal nostro rifugio, sepolto da un metro di neve:
ma qualcuno ci tradí, ed all'alba del 13 dicembre 1943 ci
svegliammo circondati dalla repubblica: loro erano trecen-
to, e noi undici, con un mitra senza colpi e qualche pistola.
Otto riuscirono a fuggire, e si dispersero per la montagna:
noi non riuscimmo. I militi catturarono noi tre, Aldo, Gui-
do e me, ancora tutti insonnoliti. Mentre quelli entravano,
io feci in tempo a nascondere nella cenere della stufa la ri-
voltella che tenevo sotto il guanciale, e che del resto non
ero sicuro di saper usare: era minuscola, tutta intarsiata di
madreperla, di quelle che adoperano nei film le signore di-
sperate per suicidarsi. Aldo, che era medico, si alzò, accese

stoicamente una sigaretta, e disse: «Mi rincresce per i miei cromosomi».

Ci picchiarono un poco, ci ammonirono di «non fare atti inconsulti», ci promisero di interrogarci poi in un certo loro modo convincente e di fucilarci subito dopo, si disposero in gran pompa intorno a noi, e ci mettemmo in cammino verso il valico. Durante la marcia, che si protrasse per diverse ore, riuscii a fare due cose che mi stavano a cuore: mangiai pezzo per pezzo la carta d'identità troppo falsa che avevo nel portafoglio (la fotografia era particolarmente disgustosa), e, fingendo d'incespicare, infilai nella neve l'agenda piena d'indirizzi che tenevo in tasca. I militi cantavano fiere canzoni di guerra, sparavano col mitra alle lepri, buttavano bombe nel torrente per uccidere le trote. Giú a valle ci aspettavano diversi autobus. Ci fecero salire, sedere separati, ed io avevo militi tutto intorno, seduti ed in piedi, che non badavano a noi e continuavano a cantare. Uno, proprio davanti a me, mi voltava la schiena, e dalla cintura gli pendeva una bomba a mano di quelle tedesche, col manico di legno, che scoppiavano a tempo: avrei potuto benissimo levare la sicura, tirare la funicella e farla finita insieme con diversi di loro, ma non ne ebbi il coraggio. Ci condussero alla caserma, che era alla periferia di Aosta. Il loro centurione si chiamava Fossa, ed è strano, assurdo e sinistramente comico, data la situazione di allora, che lui giaccia da decenni in qualche sperduto cimitero di guerra, ed io sia qui, vivo e sostanzialmente indenne, a scrivere questa storia. Fossa era un legalitario, e si diede da fare per organizzare rapidamente a nostro favore un regime carcerario conforme ai regolamenti; cosí ci mise nelle cantine della caserma, uno per cella, con branda e bugliolo, rancio alle undici, l'ora d'aria e il divieto di comunicare fra noi. Questo divieto era doloroso, perché fra noi, in ognuna delle nostre menti, pesava un segreto brutto: lo stesso segreto che ci aveva esposti alla cattura, spegnendo in noi, pochi giorni prima, ogni volontà di esistere, anzi di vivere. Eravamo stati costretti dalla nostra coscienza ad eseguire una

condanna, e l'avevamo eseguita, ma ne eravamo usciti distrutti, destituiti, desiderosi che tutto finisse e di finire noi stessi; ma desiderosi anche di vederci fra noi, di parlarci, di aiutarci a vicenda ad esorcizzare quella memoria ancora cosí recente. Adesso eravamo finiti, e lo sapevamo: eravamo in trappola, ognuno nella sua trappola, non c'era uscita se non all'in giú. Non tardai a convincermene, esaminando la mia cella palmo a palmo, poiché i romanzi di cui anni prima mi ero nutrito erano pieni di meravigliose evasioni: ma lí i muri erano spessi mezzo metro, la porta era massiccia e vigilata dal di fuori, la finestrella munita di sbarre. Avevo una lima da unghie, avrei potuto segarne una, forse anche tutte: ero talmente magro che forse avrei potuto uscire: ma contro la finestrella scopersi che c'era un robusto blocco di cemento a riparo dalle schegge dei bombardamenti aerei.

Ogni tanto ci venivano a chiamare per gli interrogatori. Quando ad interrogarci era Fossa, andava abbastanza bene: Fossa era un esemplare d'uomo che non avevo ancora mai incontrato, un fascista da manuale, stupido e coraggioso, che il mestiere delle armi (aveva combattuto in Africa e in Spagna, e se ne vantava con noi) aveva cerchiato di solida ignoranza e stoltezza, ma non corrotto né reso disumano. Aveva creduto ed obbedito per tutta la sua vita, ed era candidamente convinto che i colpevoli della catastrofe fossero due soli, il re e Galeazzo Ciano, che proprio in quei giorni era stato fucilato a Verona: Badoglio no, era un soldato anche lui, aveva giurato al re e doveva tener fede al suo giuramento. Se non fosse stato del re e di Ciano, che avevano sabotato la guerra fascista fin dall'inizio, tutto sarebbe andato bene e l'Italia avrebbe vinto. Mi considerava uno sventato, guastato dalle cattive compagnie; nel profondo della sua anima classista, era persuaso che un laureato non poteva essere veramente un «sovversivo». Mi interrogava per noia, per indottrinarmi e per darsi importanza, senza alcun serio intento inquisitorio: lui era un solda-

to, non uno sbirro. Non mi fece mai domande imbarazzanti, e neppure mi chiese mai se ero ebreo.

Invece erano temibili gli interrogatori di Cagni. Cagni era la spia che ci aveva fatti catturare: spia integrale, per ogni grammo della sua carne, spia per natura e per tendenza piú che per convinzione fascista o per interesse: spia per nuocere, per sadismo sportivo, come abbatte la selvaggina libera chi va a caccia. Era un uomo abile: aveva raggiunto con buone credenziali una formazione partigiana contigua alla nostra, si era spacciato per depositario di importanti segreti militari tedeschi, li aveva rivelati, e si dimostrarono poi artificiosamente falsi e costruiti dalla Gestapo. Organizzò le difese della formazione, fece svolgere minuziose esercitazioni a fuoco (in cui fece in modo che si consumassero buona parte delle munizioni), poi fuggí a valle, e ricomparve alla testa delle centurie fasciste designate per il rastrellamento. Era sulla trentina, di carnagione pallida e floscia: incominciava l'interrogatorio posando bene in vista la Luger sullo scrittoio, insisteva per ore senza riposo; voleva sapere tutto. Minacciava continuamente la tortura e la fucilazione, ma per mia fortuna io non sapevo quasi nulla, ed i pochi nomi che conoscevo li tenni per me. Alternava momenti di simulata cordialità con scoppi di collera altrettanto simulati; a me disse (probabilmente bluffando) di sapere che ero ebreo, ma che era bene per me: o ero ebreo, o ero partigiano; se partigiano, mi metteva al muro; se ebreo, bene, c'era un campo di raccolta a Carpi, loro non erano dei sanguinari, ci sarei rimasto fino alla vittoria finale. Ammisi di essere ebreo: in parte per stanchezza, in parte anche per una irrazionale impuntatura d'orgoglio, ma non credevo affatto alle sue parole. Non aveva detto lui stesso che la direzione di quella stessa caserma, entro pochi giorni, sarebbe passata alle SS?

Nella mia cella c'era una sola lampadina fioca, che rimaneva accesa anche di notte; bastava appena per leggere, ma

ugualmente leggevo molto, perché pensavo che il tempo
che mi rimaneva era poco. Il quarto giorno, durante l'ora
d'aria, mi misi in tasca di nascosto un grosso sasso perché
volevo tentare di comunicare con Guido ed Aldo, che era-
no nelle due celle contigue. Ci riuscii, ma era estenuante:
occorreva un'ora per trasmettere una frase, battendo colpi
in codice sul muro divisorio, come i minatori di «Germi-
nal» sepolti nella miniera. Origliando al muro per cogliere
la risposta, si udivano invece i canti giulivi e rubesti dei
militi seduti a mensa sopra i nostri capi: «la vision de –
l'Alighieri», o «ma la mitragliatrice non la lascio», oppure,
struggente fra tutte, «vieni, c'è una strada nel bosco».

Nella mia cella c'era anche un topo. Mi teneva compa-
gnia, ma di notte mi rosicchiava il pane. C'erano due bran-
de: ne smontai una, ne ricavai un longherone, lungo e li-
scio; lo misi verticale, e di notte gli infilavo la pagnotta sul-
la punta, però un po' di briciole le lasciavo in terra per il
topo. Mi sentivo piú topo di lui: pensavo alle strade nei
boschi, alla neve fuori, alle montagne indifferenti, alle
cento cose splendide che se fossi tornato libero avrei potu-
to fare, e la gola mi si chiudeva come per un nodo.

Faceva molto freddo. Bussai alla porta finché venne il
milite che fungeva da sbirro, e lo pregai di mettermi a rap-
porto con Fossa; lo sbirro era proprio quello che mi aveva
picchiato al momento della cattura, ma quando aveva sa-
puto che io ero un «dottore» mi aveva chiesto scusa: l'Ita-
lia è uno strano paese. Non mi mise a rapporto, ma otten-
ne per me e per gli altri una coperta, e il permesso di riscal-
darci per mezz'ora ogni sera, prima del silenzio, vicino alla
caldaia del termosifone.

Il nuovo regime ebbe inizio la sera stessa. Venne il mi-
lite a prelevarmi, e non era solo: con lui c'era un altro pri-
gioniero di cui non conoscevo l'esistenza. Peccato: se fosse
stato Guido o Aldo sarebbe stato molto meglio: comun-
que, era un essere umano con cui scambiare parola. Ci
condusse nel locale caldaia, che era fosco di fuliggine,
schiacciato dal soffitto basso, ingombrato quasi per intero

dalla caldaia, ma caldo: un sollievo. Il milite ci fece sedere
su una panca, e prese posto lui stesso su una sedia nel vano
della porta, in modo da ostruirla: teneva il mitra verticale
fra le ginocchia, tuttavia pochi minuti dopo già sonnec-
chiava e si disinteressava di noi.

Il prigioniero mi guardava con curiosità: – Siete voi, i
ribelli? – mi chiese. Aveva forse trentacinque anni, era
magro e un po' curvo, aveva i capelli crespi in disordine, la
barba mal rasa, un grosso naso a becco, la bocca senza lab-
bra e gli occhi fuggitivi. Le sue mani erano sproporziona-
tamente grosse, nodose, come cotte dal sole e dal vento, e
non le teneva mai ferme: ora si grattava, ora le strofinava
una sull'altra come se le lavasse, ora tamburellava sulla
panca o su una coscia; notai che gli tremavano leggermen-
te. Il suo fiato odorava di vino, e ne dedussi che era stato
arrestato da poco; aveva l'accento della valle, ma non sem-
brava un contadino. Gli risposi tenendomi sul generico,
ma non si scoraggiò:

– Tanto quello dorme: puoi parlare, se vuoi. Io posso
fare uscire notizie; poi forse esco fra poco.

Non mi sembrava un tipo da fidarsene molto. – Perché
sei qui? – gli chiesi.

– Contrabbando: non ho voluto spartire con loro, ecco
tutto. Finiremo col metterci d'accordo, ma intanto mi ten-
gono dentro: è male, col mio mestiere.

– È male per tutti i mestieri!

– Ma io ho un mestiere speciale. Faccio anche il con-
trabbando, ma solo d'inverno, quando la Dora gela; in-
somma, faccio diversi lavori, ma nessuno sotto padrone.
Noi siamo gente libera: era cosí anche mio padre e mio
nonno e tutti i bisnonni fino dal principio dei tempi, fino
da quando son venuti i Romani.

Non avevo capito l'accenno alla Dora gelata, e gliene
chiesi conto: era forse un pescatore?

– Sai perché si chiama Dora? – mi rispose: – Perché è
d'oro. Non tutta, si capisce, ma porta oro, e quando gela
non si può piú cavarlo.

– C'è oro nel fondo?

– Sí, nella sabbia: non dappertutto, ma in molti tratti.
È l'acqua che lo trascina giú dalla montagna, e lo accumula
a capriccio, in un'ansa sí, in un'altra niente. La nostra an-
sa, che ce la passiamo di padre in figlio, è la piú ricca di
tutte: è ben nascosta, molto fuori mano, ma ugualmente è
meglio andarci di notte, che non venga nessuno a curiosa-
re. Per questo, quando gela forte come per esempio l'anno
scorso, non si può lavorare, perché appena hai forato il
ghiaccio se ne forma dell'altro, e poi anche le mani non re-
sistono. Se io fossi al tuo posto e tu al mio, parola d'onore,
ti spiegherei anche dov'è, il nostro posto.

Mi sentii ferito da quella sua frase. Sapevo bene come
stavano le mie cose, ma mi spiaceva sentirmelo dire da un
estraneo. L'altro, che si era accorto della topica, cercò gof-
famente di rimediare:

– Volevo dire insomma che sono cose riservate, che
non si dicono neppure agli amici. Io vivo di questo, e non
ho altro al mondo, ma non cambierei con un banchiere.
Vedi, non è che d'oro ce ne sia tanto: ce n'è anzi molto po-
co, si lava tutta una notte e si tira fuori uno o due grammi:
ma non finisce mai. Ci torni quando vuoi, la notte dopo o
dopo un mese, secondo che ne hai volontà, e l'oro è ricre-
sciuto; e cosí da sempre e per sempre, come torna l'erba
nei prati. E cosí non c'è gente piú libera di noi: ecco per-
ché mi sento venire matto a stare qui dentro.

Poi, devi capire che a lavare sabbia non sono capaci tut-
ti, e questo dà soddisfazione. A me, appunto, mi ha inse-
gnato mio padre: solo a me, perché ero il piú svelto: gli al-
tri fratelli lavorano alla fabbrica. E solo a me ha lasciato la
scodella, – e, con la enorme destra leggermente inflessa a
coppa, accennò al movimento rotatorio professionale.

– Non tutti i giorni son buoni: va meglio quando c'è se-
reno ed è l'ultimo quarto. Non saprei dirti perché, ma è
proprio cosí, caso mai ti venisse in mente di provare.

Apprezzai in silenzio l'augurio. Certo, che avrei prova-
to: che cosa non avrei provato? In quei giorni, in cui atten-

devo abbastanza coraggiosamente la morte, albergavo una lancinante voglia di tutto, di tutte le esperienze umane pensabili, e imprecavo alla mia vita precedente, che mi pareva di avere sfruttato poco e male, e mi sentivo il tempo scappare di fra le dita, sfuggire dal corpo minuto per minuto, come un'emorragia non piú arrestabile. Certo, che avrei cercato l'oro: non per arricchire, ma per sperimentare un'arte nuova, per rivisitare la terra l'aria e l'acqua, da cui mi separava una voragine ogni giorno piú larga; e per ritrovare il mio mestiere chimico nella sua forma essenziale e primordiale, la «Scheidekunst», appunto, l'arte di separare il metallo dalla ganga.

– Non lo vendo mica tutto, – continuava l'altro: – ci sono troppo affezionato. Ne tengo un po' da parte e lo fondo, due volte all'anno, e lo lavoro: non sono un artista ma mi piace averlo in mano, batterlo col martello, inciderlo, graffiarlo. Non mi interessa diventare ricco: mi importa vivere libero, non avere un collare come i cani, lavorare cosí, quando voglio, senza nessuno che mi venga a dire «su, avanti». Per questo soffro a stare qui dentro; e poi, oltre a tutto, si perde giornata.

Il milite diede un crollo nel sonno, e il mitra che teneva fra le ginocchia cadde a terra con fracasso. Lo sconosciuto ed io ci scambiammo un rapido sguardo, ci comprendemmo al volo, ci alzammo di scatto dalla panca: ma non facemmo in tempo a muovere un passo che già il milite aveva raccattato l'arma. Si ricompose, guardò l'ora, bestemmiò in veneto, e ci disse ruvidamente che era tempo di rientrare in cella. Nel corridoio incontrammo Guido e Aldo, che, scortati da un altro sorvegliante, si avviavano a prendere il nostro posto nell'afa polverosa della caldaia: mi salutarono con un cenno del capo.

Nella cella mi riaccolse la solitudine, il fiato gelido e puro delle montagne che penetrava dalla finestrella, e l'angoscia del domani. Tendendo l'orecchio, nel silenzio del coprifuoco si sentiva il mormorio della Dora, amica perduta, e tutti gli amici erano perduti, e la giovinezza, e la gioia, e

forse la vita: scorreva vicina ma indifferente, trascinando
l'oro nel suo grembo di ghiaccio fuso. Mi sentivo attana-
gliato da un'invidia dolorosa per il mio ambiguo compa-
gno, che presto sarebbe ritornato alla sua vita precaria ma
mostruosamente libera, al suo inesauribile rigagnolo d'oro,
ad una fila di giorni senza fine.

Cerio

Che io chimico, intento a scrivere qui le mie cose di chimico, abbia vissuto una stagione diversa, è stato raccontato altrove.

A distanza di trent'anni, mi riesce difficile ricostruire quale sorta di esemplare umano corrispondesse, nel novembre 1944, al mio nome, o meglio al mio numero 174517. Dovevo aver superato la crisi piú dura, quella dell'inserimento nell'ordine del Lager, e dovevo aver sviluppato una strana callosità, se allora riuscivo non solo a sopravvivere, ma anche a pensare, a registrare il mondo intorno a me, e perfino a svolgere un lavoro abbastanza delicato, in un ambiente infettato dalla presenza quotidiana della morte, ed insieme reso frenetico dall'avvicinarsi dei russi liberatori, giunti ormai ad ottanta chilometri da noi. La disperazione e la speranza si alternavano con un ritmo che avrebbe stroncato in un'ora qualsiasi individuo normale.

Noi non eravamo normali perché avevamo fame. La nostra fame di allora non aveva nulla in comune con la ben nota (non del tutto sgradevole) sensazione di chi ha saltato un pasto ed è sicuro che non gli mancherà il pasto successivo: era un bisogno, una mancanza, uno yearning, che ci accompagnava ormai da un anno, aveva messo in noi radici profonde e permanenti, abitava in tutte le nostre cellule e condizionava il nostro comportamento. Mangiare, procurarci da mangiare, era lo stimolo numero uno, dietro a cui, a molta distanza, seguivano tutti gli altri problemi di

sopravvivenza, ed ancora piú lontani i ricordi della casa e la stessa paura della morte.

Ero chimico in uno stabilimento chimico, in un laboratorio chimico (anche questo è già stato raccontato), e rubavo per mangiare. Se non si comincia da bambini, imparare a rubare non è facile; mi erano occorsi diversi mesi per reprimere i comandamenti morali e per acquisire le tecniche necessarie, e ad un certo punto mi ero accorto (con un balenio di riso, e un pizzico di ambizione soddisfatta) di stare rivivendo, io dottorino per bene, l'involuzione-evoluzione di un famoso cane per bene, un cane vittoriano e darwiniano che viene deportato, e diventa ladro per vivere nel suo «Lager» del Klondike, il grande Buck del *Richiamo della Foresta*. Rubavo come lui e come le volpi: ad ogni occasione favorevole, ma con astuzia sorniona e senza espormi. Rubavo tutto, salvo il pane dei miei compagni.

Sotto l'aspetto, appunto, delle sostanze che si potessero rubare con profitto, quel laboratorio era terreno vergine, tutto da esplorare. C'erano benzina ed alcool, prede banali e scomode: molti li rubavano, in vari punti del cantiere, l'offerta era alta ed alto anche il rischio, perché per i liquidi ci vogliono recipienti. È il grande problema dell'imballaggio, che ogni chimico esperto conosce: e lo conosceva bene il Padre Eterno, che lo ha risolto brillantemente, da par suo, con le membrane cellulari, il guscio delle uova, la buccia multipla degli aranci, e la nostra pelle, perché liquidi infine siamo anche noi. Ora, a quel tempo non esisteva il polietilene, che mi avrebbe fatto comodo perché è flessibile, leggero e splendidamente impermeabile: ma è anche un po' troppo incorruttibile, e non per niente il Padre Eterno medesimo, che pure è maestro in polimerizzazioni, si è astenuto dal brevettarlo: a Lui le cose incorruttibili non piacciono.

In mancanza di adatti imballaggi e confezioni, la refurtiva ideale avrebbe quindi dovuto essere solida, non deperibile, non ingombrante, e soprattutto nuova. Doveva essere di alto valore unitario, cioè non voluminosa, perché

spesso eravamo perquisiti all'ingresso nel campo dopo il lavoro; e doveva infine essere utile o desiderata da almeno una delle categorie sociali che componevano il complicato universo del Lager.

Avevo fatto in laboratorio vari tentativi. Avevo rubato qualche centinaio di grammi di acidi grassi, faticosamente ottenuti per ossidazione della paraffina da qualche mio collega dall'altra parte della barricata: ne avevo mangiato una metà, e saziavano veramente la fame, ma avevano un sapore cosí sgradevole che rinunciai a vendere il resto. Avevo provato a fare delle frittelle con cotone idrofilo, che tenevo premuto contro la piastra di un fornello elettrico; avevano un vago sapore di zucchero bruciato, ma si presentavano cosí male che non le giudicai commerciabili: quanto a vendere direttamente il cotone all'infermeria del Lager, provai una volta, ma era troppo ingombrante e poco quotato. Mi sforzai anche di ingerire e digerire la glicerina, fondandomi sul semplicistico ragionamento che, essendo questa un prodotto della scissione dei grassi, deve pure in qualche modo essere metabolizzata e fornire calorie: e forse ne forniva, ma a spese di sgradevoli effetti secondari.

C'era un barattolo misterioso su di uno scaffale. Conteneva una ventina di cilindretti grigi, duri, incolori, insapori, e non aveva etichetta. Questo era molto strano, perché quello era un laboratorio tedesco. Sí, certo, i russi erano a pochi chilometri, la catastrofe era nell'aria, quasi visibile; c'erano bombardamenti tutti i giorni; tutti sapevano che la guerra stava per finire: ma infine alcune costanti devono pure sussistere, e fra queste c'era la nostra fame, e che quel laboratorio era tedesco, e che i tedeschi non dimenticano mai le etichette. Infatti, tutti gli altri barattoli e bottiglie del laboratorio avevano etichette nitide, scritte a macchina, o a mano in bei caratteri gotici: solo quello non ne aveva.

In quella situazione, non disponevo certamente dell'attrezzatura e della tranquillità necessarie per identificare la

natura dei cilindretti. A buon conto, ne nascosi tre in tasca e me li portai la sera in campo. Erano lunghi forse venticinque millimetri, e con un diametro di quattro o cinque.

Li mostrai al mio amico Alberto. Alberto cavò di tasca un coltellino e provò ad inciderne uno: era duro, resisteva alla lama. Provò a raschiarlo: si udí un piccolo crepitio e scaturí un fascio di scintille gialle. A questo punto la diagnosi era facile: si trattava di ferro-cerio, la lega di cui sono fatte le comuni pietrine per accendisigaro. Perché erano cosí grandi? Alberto, che per qualche settimana aveva lavorato da manovale insieme con una squadra di saldatori, mi spiegò che vengono montati sulla punta dei cannelli ossiacetilenici, per accendere la fiamma. A questo punto mi sentivo scettico sulle possibilità commerciali della mia refurtiva: poteva magari servire ad accendere il fuoco, ma in Lager i fiammiferi (illegali) non scarseggiavano certo.

Alberto mi redarguí. Per lui la rinuncia, il pessimismo, lo sconforto, erano abominevoli e colpevoli: non accettava l'universo concentrazionario, lo rifiutava con l'istinto e con la ragione, non se ne lasciava inquinare. Era un uomo di volontà buona e forte, ed era miracolosamente rimasto libero, e libere erano le sue parole ed i suoi atti: non aveva abbassato il capo, non aveva piegato la schiena. Un suo gesto, una sua parola, un suo rigo, avevano virtú liberatoria, erano un buco nel tessuto rigido del Lager, e tutti quelli che lo avvicinavano se ne accorgevano, anche coloro che non capivano la sua lingua. Credo che nessuno, in quel luogo, sia stato amato quanto lui.

Mi redarguí: non bisogna scoraggiarsi mai, perché è dannoso, e quindi immorale, quasi indecente. Avevo rubato il cerio: bene, ora si trattava di piazzarlo, di lanciarlo. Ci avrebbe pensato lui, lo avrebbe fatto diventare una novità, un articolo di alto valore commerciale. Prometeo era stato sciocco a donare il fuoco agli uomini invece di venderlo: avrebbe fatto quattrini, placato Giove ed evitato il guaio dell'avvoltoio.

Noi dovevamo essere piú astuti. Questo discorso, della

necessità di essere astuti, non era nuovo fra noi: Alberto me lo aveva svolto sovente, e prima di lui altri nel mondo libero, e moltissimi altri ancora me lo ripeterono poi, infinite volte fino ad oggi, con modesto risultato; anzi, col risultato paradosso di sviluppare in me una pericolosa tendenza alla simbiosi con un autentico astuto, il quale ricavasse (o ritenesse di ricavare) dalla convivenza con me vantaggi temporali o spirituali. Alberto era un simbionte ideale, perché si asteneva dall'esercitare la sua astuzia ai miei danni. Io non sapevo, ma lui sí (sapeva sempre tutto di tutti, eppure non conosceva il tedesco né il polacco, e poco il francese), che nel cantiere esisteva un'industria clandestina di accendini: ignoti artefici, nei ritagli di tempo, li fabbricavano per le persone importanti e per gli operai civili. Ora, per gli accendini occorrono le pietrine, ed occorrono di una certa misura: bisognava dunque assottigliare quelle che io avevo sotto mano. Assottigliarle quanto, e come? «Non fare difficoltà, mi disse: ci penso io. Tu pensa a rubare il resto».

Il giorno dopo non ebbi difficoltà a seguire il consiglio di Alberto. Verso le dieci di mattina proruppero le sirene del Fliegeralarm, dell'allarme aereo. Non era una novità, oramai, ma ogni volta che questo avveniva ci sentivamo, noi e tutti, percossi di angoscia fino in fondo alle midolla. Non sembrava un suono terreno, non era una sirena come quelle delle fabbriche, era un suono di enorme volume che, simultaneamente in tutta la zona e ritmicamente, saliva fino ad un acuto spasmodico e ridiscendeva ad un brontolio di tuono. Non doveva essere stato un ritrovato casuale, perché nulla in Germania era casuale, e del resto era troppo conforme allo scopo ed allo sfondo: ho spesso pensato che fosse stato elaborato da un musico malefico, che vi aveva racchiuso furore e pianto, l'urlo del lupo alla luna e il respiro del tifone: cosí doveva suonare il corno di Astolfo. Provocava il panico, non solo perché preannunciava le bombe, ma anche per il suo intrinseco orrore, quasi il lamento di una bestia ferita grande fino all'orizzonte.

I tedeschi avevano piú paura di noi davanti agli attacchi aerei: noi, irrazionalmente, non li temevamo, perché li sapevamo diretti non contro noi, ma contro i nostri nemici. Nel giro di secondi mi trovai solo nel laboratorio, intascai tutto il cerio ed uscii all'aperto per ricongiungermi col mio Kommando: il cielo era già pieno del ronzio dei bombardieri, e ne scendevano, ondeggiando mollemente, volantini gialli che recavano atroci parole di irrisione:

Im Bauch kein Fett,	Niente lardo nella pancia,
Acht Uhr ins Bett;	Alle otto vai a letto;
Der Arsch kaum warm,	Appena il culo è caldo,
Fliegeralarm!	Allarme aereo!

A noi era consentito l'accesso ai rifugi antiaerei: ci raccoglievamo nelle vaste aree non ancora fabbricate, nei dintorni del cantiere. Mentre le bombe cominciavano a cadere, sdraiato sul fango congelato e sull'erba grama tastavo i cilindretti nella tasca, e meditavo sulla stranezza del mio destino, dei nostri destini di foglie sul ramo, e dei destini umani in generale. Secondo Alberto, una pietrina da accendino era quotata una razione di pane, cioè un giorno di vita; io avevo rubato almeno quaranta cilindretti, da ognuno dei quali si potevano ricavare tre pietrine finite. In totale, centoventi pietrine, due mesi di vita per me e due per Alberto, e in due mesi i russi sarebbero arrivati e ci avrebbero liberati; e ci avrebbe infine liberati il cerio, elemento di cui non sapevo nulla, salvo quella sua unica applicazione pratica, e che esso appartiene alla equivoca ed eretica famiglia delle Terre Rare, e che il suo nome non ha nulla a che vedere con la cera, e neppure ricorda lo scopritore; ricorda invece (grande modestia dei chimici d'altri tempi!) il pianetino Cerere, essendo stati il metallo e l'astro scoperti nello stesso anno 1801; e forse era questo un affettuoso-ironico omaggio agli accoppiamenti alchimistici: come il Sole era l'oro e Marte il ferro, cosí Cerere doveva essere il cerio.

A sera io portai in campo i cilindretti, ed Alberto un

pezzo di lamiera con un foro rotondo: era il calibro pre-
scritto a cui avremmo dovuto assottigliare i cilindri per
trasformarli in pietrine e quindi in pane.

Quanto seguí è da giudicarsi con cautela. Alberto disse
che i cilindri si dovevano ridurre raschiandoli con un col-
tello, di nascosto, perché nessun concorrente ci rubasse il
segreto. Quando? Di notte. Dove? Nella baracca di legno,
sotto le coperte e sopra il saccone pieno di trucioli, e cioè
rischiando di provocare un incendio, e piú realisticamente
rischiando l'impiccagione: poiché a questa pena erano con-
dannati, fra l'altro, tutti coloro che accendevano un fiam-
mifero in baracca.

Si esita sempre nel giudicare le azioni temerarie, proprie
od altrui, dopo che queste sono andate a buon fine: forse
non erano dunque abbastanza temerarie? O forse è vero
che esiste un Dio che protegge i bambini, gli stolti e gli eb-
bri? O forse ancora, queste hanno piú peso e piú calore
delle altre innumerevoli andate a fine cattivo, e perciò si
raccontano piú volentieri? Ma noi non ci ponemmo allora
queste domande: il Lager ci aveva donato una folle fami-
gliarità col pericolo e con la morte, e rischiare il capestro
per mangiare di piú ci sembrava una scelta logica, anzi
ovvia.

Mentre i compagni dormivano, lavorammo di coltello,
notte dopo notte. Lo scenario era tetro da piangere: una
sola lampadina elettrica illuminava fiocamente il grande
capannone di legno, e si distinguevano nella penombra,
come in una vasta caverna, i visi dei compagni stravolti dal
sonno e dai sogni: tinti di morte, dimenavano le mascelle,
sognando di mangiare. A molti pendevano fuori dalla
sponda del giaciglio un braccio o una gamba nudi e schele-
trici: altri gemevano o parlavano nel sonno.

Ma noi due eravamo vivi e non cedevamo al sonno. Te-
nevamo sollevata la coperta con le ginocchia, e sotto quella
tenda improvvisata raschiavamo i cilindri, alla cieca e a ta-
sto: ad ogni colpo si udiva un sottile crepitio, e si vedeva
nascere un fascio di stelline gialle. A intervalli, provavamo

se il cilindretto passava nel foro-campione: se no, continuavamo a raschiare; se sí, rompevamo il troncone assottigliato e lo mettevamo accuratamente da parte.

Lavorammo tre notti: non accadde nulla, nessuno si accorse del nostro tramestio, né le coperte né il saccone presero fuoco, e in questo modo ci conquistammo il pane che ci resse in vita fino all'arrivo dei russi e ci confortammo nella fiducia e nell'amicizia che ci univa. Quanto avvenne di me è scritto altrove. Alberto se ne partí a piedi coi piú quando il fronte fu prossimo: i tedeschi li fecero camminare per giorni e notti nella neve e nel gelo, abbattendo tutti quelli che non potevano proseguire; poi li caricarono su vagoni scoperti, che portarono i pochi superstiti verso un nuovo capitolo di schiavitú, a Buchenwald ed a Mauthausen. Non piú di un quarto dei partenti sopravvisse alla marcia.

Alberto non è ritornato, e di lui non resta traccia: un suo compaesano, mezzo visionario e mezzo imbroglione, visse per qualche anno, dopo la fine della guerra, spacciando a sua madre, a pagamento, false notizie consolatorie.

Cromo

C'era pesce come secondo piatto, ma il vino era rosso. Versino, capetto della manutenzione, disse che erano tutte storie, purché il vino e il pesce fossero buoni: lui era sicuro che la maggior parte dei sostenitori dell'ortodossia non avrebbero distinto ad occhi chiusi un bicchiere di bianco da uno di rosso. Bruni, del reparto Nitro, chiese se qualcuno sapeva perché il pesce vada col bianco: si udirono vari commenti scherzosi, ma nessuno seppe rispondere in modo esauriente. Il vecchio Cometto aggiunse che la vita è piena di usanze la cui radice non è piú rintracciabile: il colore della carta da zucchero, l'abbottonatura diversa per uomini e donne, la forma della prua delle gondole, e le innumerevoli compatibilità ed incompatibilità alimentari, di cui appunto quella in questione era un caso particolare: ma del resto, perché obbligatoriamente lo zampone con le lenticchie, e il cacio sui maccheroni?

Io feci un rapido ripasso mentale per accertarmi che nessuno dei presenti l'avesse ancora udita, poi mi accinsi a raccontare la storia della cipolla nell'olio di lino cotto. Quella, infatti, era una mensa di verniciai, ed è noto che l'olio di lino cotto (ölidlinköit) ha costituito per molti secoli la materia prima fondamentale della nostra arte. È questa un'arte antica, e perciò nobile: la sua testimonianza piú remota è in *Genesi* 6.14, dove si narra come, in conformità ad una precisa specificazione dell'Altissimo, Noè abbia rivestito (verosimilmente a pennello) con pece fusa l'interno e l'esterno dell'Arca. Ma è anche un'arte sottilmente fro-

dolenta, come quella che mira ad occultare il substrato conferendogli il colore e l'apparenza di ciò che non è: sotto questo aspetto essa è imparentata con la cosmetica e l'a-dornamento, che sono arti altrettanto ambigue e quasi altrettanto antiche (*Isaia* 3.16 seg.). Date dunque le sue origini plurimillenarie, non è tanto strano che il mestiere di fare vernici trattenga nelle sue pieghe (a dispetto delle innumerevoli sollecitazioni che modernamente riceve da altre tecniche affini) rudimenti di consuetudini e procedimenti ormai da tempo abbandonati.

Per ritornare dunque all'olio di lino cotto, raccontai ai commensali che in un ricettario stampato verso il 1942 avevo trovato il consiglio di introdurre nell'olio, verso la fine della cottura, due fette di cipolla, senza alcun commento sullo scopo di questo curioso additivo. Ne avevo parlato nel 1949 col Signor Giacomasso Olindo, mio predecessore e maestro, che aveva allora superato la settantina e faceva vernici da cinquant'anni, e lui, sorridendo benevolmente sotto i folti baffi bianchi, mi aveva spiegato che in effetti, quando lui era giovane e cuoceva l'olio personalmente, i termometri non erano ancora entrati nell'uso: si giudicava della temperatura della cottura osservando i fumi, o sputandoci dentro, oppure, piú razionalmente, immergendo nell'olio una fetta di cipolla infilata sulla punta di uno spiedo; quando la cipolla cominciava a rosolare, la cottura era buona. Evidentemente, col passare degli anni, quella che era stata una grossolana operazione di misura aveva perso il suo significato, e si era trasformata in una pratica misteriosa e magica.

Il vecchio Cometto raccontò un episodio analogo. Non senza nostalgia, rievocò i suoi bei tempi, i tempi delle coppali: raccontò come una volta l'ölidlinköit venisse combinato con queste leggendarie resine per farne vernici favolosamente resistenti e lucenti; la loro fama ed il loro nome sopravvivono ormai soltanto nella locuzione «scarpe di coppale», che allude appunto ad una vernice per cuoio un tempo diffusissima, e caduta in disuso da almeno mezzo

secolo: la locuzione stessa è oggi quasi estinta. Le coppali
venivano importate dagli inglesi dai piú lontani e selvaggi
paesi, e ne recavano il nome, che distingueva appunto una
varietà dall'altra: la coppale Madagascar, la Sierra Leone,
la Kauri (i cui giacimenti, sia detto per inciso, si sono esau-
riti verso il 1967), la notissima e nobile coppale Congo.
Sono resine fossili di origine vegetale, con punto di fusio-
ne piuttosto alto, ed allo stato in cui vengono ritrovate e
commerciate sono insolubili negli oli: per renderle solubili
e compatibili, venivano assoggettate ad una violenta cottu-
ra semidistruttiva, nel corso della quale la loro acidità di-
minuiva (si decarbossilavano) e si riduceva anche il punto
di fusione. L'operazione veniva condotta artigianalmente,
in modeste caldaie da due o tre quintali riscaldate a fuoco
diretto e mobili su ruote; durante la cottura venivano pe-
sate ad intervalli, e quando la resina aveva perduto il 16
per cento del suo peso in fumo, vapore acqueo ed anidride
carbonica, la solubilità in olio era giudicata raggiunta. Ver-
so il 1940 le arcaiche coppali, costose e di difficile approv-
vigionamento durante la guerra, furono sostituite da resi-
ne fenoliche e maleiche opportunamente modificate, che,
oltre a costar meno, erano direttamente compatibili con gli
oli; ebbene, Cometto ci narrò come in una fabbrica di cui
tacerò il nome, fino al 1953 una resina fenolica, che sosti-
tuiva la coppale Congo in una formulazione, venisse trat-
tata esattamente come la coppale stessa, cioè consumando-
ne il 16 per cento sul fuoco, in mezzo a pestilenziali esala-
zioni fenoliche, finché non fosse raggiunta quella solubilità
in olio che la resina possedeva già.

A questo punto io feci osservare che tutti i linguaggi so-
no pieni di immagini e metafore la cui origine si va perden-
do, insieme con l'arte da cui sono state attinte: decaduta
l'equitazione al rango di sport costoso, sono ormai inintel-
ligibili, e suonano strambe, le espressioni «ventre a terra»
e «mordere il freno»; scomparsi i mulini a pietre sovrappo-
ste, dette anche palmenti, in cui per secoli si era macinato
il grano (e le vernici), ha perso ogni riferimento la frase

«macinare» o «mangiare a quattro palmenti», che tuttavia viene ancora meccanicamente ripetuta. Allo stesso modo, poiché anche la Natura è conservatrice, portiamo nel coccige quanto resta di una coda scomparsa.

Bruni ci raccontò un fatto in cui era stato lui stesso implicato, ed a misura che raccontava, io mi sentivo invadere da sensazioni dolci e tenui che cercherò poi di chiarire: devo premettere che Bruni ha lavorato dal 1955 al 1965 in una grande fabbrica in riva a un lago, la stessa dove io ho imparato i rudimenti del mestiere verniciario negli anni 1946-47. Raccontò dunque che, quando era laggiú responsabile del reparto Vernici Sintetiche, gli era capitata per mano una formulazione di un'antiruggine ai cromati che conteneva un componente assurdo: nulla meno del cloruro d'ammonio, il vecchio ed alchimistico Sale Ammoniaco del tempio di Ammone, assai propenso a corrodere il ferro piuttosto che a preservarlo dalla ruggine. Aveva chiesto ai suoi superiori ed ai vecchi del reparto: sorpresi ed un po' scandalizzati, gli avevano risposto che in quella formulazione, che corrispondeva a venti o trenta tonnellate almeno di prodotto al mese ed esisteva da almeno dieci anni, quel sale «c'era sempre stato», e che lui era un bel tipo, cosí giovane d'anni e di impiego, a criticare l'esperienza di fabbrica, ed a cercarsi rogne domandando il perché e il percome. Se il cloruro d'ammonio era in formula, era segno che serviva a qualcosa; a cosa servisse, nessuno sapeva piú, ma che si guardasse bene dal toglierlo, perché «non si sa mai». Bruni è un razionalista, e c'era rimasto male; ma è anche un uomo prudente, e perciò aveva accettato il consiglio, per cui in quella formulazione, ed in quella fabbrica in riva al lago, a meno di ulteriori sviluppi, il cloruro d'ammonio si mette tuttora; eppure esso è oggi totalmente inutile, come posso affermare con piena coscienza di causa, perché nella formulazione l'ho introdotto io.

L'episodio citato da Bruni, l'antiruggine ai cromati e il cloruro d'ammonio, mi scagliarono indietro nel tempo, fino al rigido gennaio 1946, quando ancora la carne e il carbone erano razionati, nessuno aveva l'automobile, e mai in Italia si era respirata tanta speranza e tanta libertà.

Ma io ero ritornato dalla prigionia da tre mesi, e vivevo male. Le cose viste e sofferte mi bruciavano dentro; mi sentivo piú vicino ai morti che ai vivi, e colpevole di essere uomo, perché gli uomini avevano edificato Auschwitz, ed Auschwitz aveva ingoiato milioni di esseri umani, e molti miei amici, ed una donna che mi stava nel cuore. Mi pareva che mi sarei purificato raccontando, e mi sentivo simile al Vecchio Marinaio di Coleridge, che abbranca in strada i convitati che vanno alla festa per infliggere loro la sua storia di malefizi. Scrivevo poesie concise e sanguinose, raccontavo con vertigine, a voce e per iscritto, tanto che a poco a poco ne nacque poi un libro: scrivendo trovavo breve pace e mi sentivo ridiventare uomo, uno come tutti, né martire né infame né santo, uno di quelli che si fanno una famiglia, e guardano al futuro anziché al passato.

Poiché di poesie e racconti non si vive, cercavo affannosamente lavoro, e lo trovai nella grande fabbrica in riva al lago, ancora guasta per la guerra, assediata in quei mesi dal fango e dal ghiaccio. Nessuno si occupava molto di me: colleghi, direttore ed operai avevano altro da pensare, al figlio che non tornava dalla Russia, alla stufa senza legna, alle scarpe senza suole, ai magazzini senza scorte, alle finestre senza vetri, al gelo che spaccava i tubi, all'inflazione, alla carestia, ed alle virulente faide locali. Mi era stata benignamente concessa una scrivania zoppa in laboratorio, in un cantuccio pieno di fracasso e di correnti d'aria e di gente che andava e veniva con in mano stracci e bidoni, e non mi era stato assegnato alcun compito definito; io, vacante come chimico ed in stato di piena alienazione (ma allora non si chiamava cosí), scrivevo disordinatamente pagine su pagine dei ricordi che mi avvelenavano, ed i col-

leghi mi guardavano di sottecchi come uno squilibrato in-
nocuo. Il libro mi cresceva tra le mani quasi spontanea-
mente, senza piano né sistema, intricato e gremito come
un termitaio. Ogni tanto, spinto dalla coscienza professio-
nale, mi mettevo a rapporto col direttore e gli chiedevo un
lavoro, ma lui era troppo indaffarato per occuparsi dei
miei scrupoli: leggessi, studiassi: in fatto di vernici ero an-
cora, con licenza, un analfabeta. Non avevo un lavoro?
Ebbene, lodassi Dio e stessi in biblioteca: se proprio avevo
la fregola di rendermi utile, ecco, c'erano articoli da tra-
durre dal tedesco.

Un giorno mi mandò a chiamare, e con una luce obliqua
negli occhi mi annunciò che aveva un lavoretto per me. Mi
condusse in un angolo del piazzale, vicino al muro di cinta:
ammonticchiati alla rinfusa, i piú bassi schiacciati dai piú
alti, c'erano migliaia di blocchi squadrati, di un vivace co-
lor arancio. Me li fece toccare: erano gelatinosi e mollicci,
avevano una sgradevole consistenza di visceri macellati.
Dissi al direttore che, a parte il colore, mi sembravano dei
fegati, e lui mi lodò: proprio cosí stava scritto nei manuali
di verniciologia! Mi spiegò che il fenomeno che li aveva
prodotti si chiamava in inglese proprio cosí, «livering», e
cioè «infegatamento», ed in italiano impolmonimento; in
certe condizioni, certe vernici da liquide diventano solide,
con la consistenza appunto del fegato o del polmone, e so-
no da buttar via. Quei corpi parallelepipedi erano state lat-
te di vernice: la vernice si era impolmonita, le latte erano
state tagliate, ed il contenuto buttato nel mucchio delle
immondizie.

Quella vernice, mi disse, era stata prodotta durante la
guerra e subito dopo; conteneva un cromato basico ed una
resina alchidica. Forse il cromato era troppo basico o la re-
sina troppo acida: sono appunto queste le condizioni in cui
può avvenire un impolmonimento. Ecco, mi regalava quel
mucchio di antichi peccati; ci pensassi su, facessi prove ed
esami, e gli sapessi dire con precisione perché era successo

il guaio, cosa fare perché non si ripetesse, e se era possibile ricuperare il prodotto avariato.

Cosí impostato, mezzo chimico e mezzo poliziesco, il problema mi attirava: lo andavo riconsiderando quella sera (era un sabato sera), mentre uno dei fuligginosi e gelidi treni merci di allora mi trascinava verso Torino. Ora avvenne che il giorno seguente il destino mi riserbasse un dono diverso ed unico: l'incontro con una donna, giovane e di carne e d'ossa, calda contro il mio fianco attraverso i cappotti, allegra in mezzo alla nebbia umida dei viali, paziente sapiente e sicura mentre camminavamo per le strade ancora fiancheggiate di macerie. In poche ore sapemmo di appartenerci, non per un incontro, ma per la vita, come infatti è stato. In poche ore mi ero sentito nuovo e pieno di potenze nuove, lavato e guarito dal lungo male, pronto finalmente ad entrare nella vita con gioia e vigore; altrettanto guarito era ad un tratto il mondo intorno a me, ed esorcizzato il nome e il viso della donna che era discesa agli inferi con me e non ne era tornata. Lo stesso mio scrivere diventò un'avventura diversa, non piú l'itinerario doloroso di un convalescente, non piú un mendicare compassione e visi amici, ma un costruire lucido, ormai non piú solitario: un'opera di chimico che pesa e divide, misura e giudica su prove certe, e s'industria di rispondere ai perché. Accanto al sollievo liberatorio che è proprio del reduce che racconta, provavo ora nello scrivere un piacere complesso, intenso e nuovo, simile a quello sperimentato da studente nel penetrare l'ordine solenne del calcolo differenziale. Era esaltante cercare e trovare, o creare, la parola giusta, cioè commisurata, breve e forte; ricavare le cose dal ricordo, e descriverle col massimo rigore e il minimo ingombro. Paradossalmente, il mio bagaglio di memorie atroci diventava una ricchezza, un seme; mi pareva, scrivendo, di crescere come una pianta.

Nel merci del lunedí seguente, pigiato fra la folla insonnolita e imbacuccata nelle sciarpe, mi sentivo ilare e teso come mai prima né dopo. Ero pronto a sfidare tutto e tut-

ti, allo stesso modo come avevo sfidato e sconfitto Au-
schwitz e la solitudine: disposto, in specie, a dare battaglia
allegra alla goffa piramide di fegati arancioni che mi atten-
deva in riva al lago.

È lo spirito che doma la materia, non è vero? Non era
questo che mi avevano pestato in testa nel liceo fascista e
gentiliano? Mi buttai nel lavoro con lo stesso animo con
cui, in un tempo non lontano, attaccavamo una parete di
roccia; e l'avversario era sempre ancora quello, il non-io, il
Gran Curvo, la Hyle: la materia stupida, neghittosamente
nemica come è nemica la stupidità umana, e come quella
forte della sua ottusità passiva. Il nostro mestiere è con-
durre e vincere questa interminabile battaglia: è molto piú
ribelle, piú refrattaria al tuo volere, una vernice impolmo-
nita che un leone nel suo impeto insano; però, via, è anche
meno pericolosa.

La prima scaramuccia si svolse in archivio. I due part-
ner, i due fornicatori dal cui amplesso erano scaturiti i mo-
stri aranciati, erano il cromato e la resina. La resina era
fabbricata sul posto: trovai gli atti di nascita di tutti i lotti,
e non presentavano nulla di sospetto; l'acidità era varia,
ma sempre inferiore a 6, come prescritto. Un lotto trovato
con acidità 6,2 era stato doverosamente scartato da un col-
laudatore dalla firma fiorita. In prima istanza, la resina era
fuori questione.

Il cromato era stato acquistato da diversi fornitori, ed
anch'esso debitamente collaudato lotto per lotto. Secondo
la Prescrizione di Acquisto PDA 480/0 avrebbe dovuto con-
tenere non meno del 28 per cento di ossido di cromo tota-
le; ed ecco, avevo sotto gli occhi l'interminabile elenco dei
collaudi dal gennaio 1942 all'oggi (una delle letture meno
appassionanti che si possano immaginare), e tutti i valori
soddisfacevano alla prescrizione, anzi, erano uguali fra lo-
ro: 29,5 per cento, non uno di piú, non uno di meno. Sen-
tii le mie fibre di chimico torcersi davanti a quell'abomi-
nio: bisogna infatti sapere che le naturali oscillazioni nel
metodo di preparazione di un cromato come quello, som-

mate con gli inevitabili errori analitici, rendono estrema-
mente improbabile che molti valori trovati su lotti diversi
ed in giorni diversi coincidano cosí esattamente. Possibile
che nessuno si fosse insospettito? Ma già, a quel tempo
non conoscevo ancora lo spaventoso potere anestetico del-
le carte aziendali, la loro capacità di impastoiare, smorza-
re, smussare ogni guizzo d'intuizione e ogni scintilla d'in-
gegno. Del resto, è noto ai dotti che tutte le secrezioni so-
no nocive o tossiche: ora, in condizioni patologiche non è
raro che la carta, secreto aziendale, venga riassorbita in
misura eccessiva, e addormenti, paralizzi, o addirittura uc-
cida l'organismo da cui è stata essudata.

La storia di quanto era avvenuto incominciava a deli-
nearsi: per qualche motivo, un qualche analista era stato
tradito da un metodo difettoso, o da un reattivo impuro, o
da un'abitudine scorretta; aveva incolonnato con diligenza
quei risultati cosí palesemente sospetti, ma formalmente
irreprensibili; aveva puntigliosamente firmato ogni analisi,
e la sua firma, ingrossandosi come una valanga, era stata
consolidata da quella del capo-laboratorio, del direttore
tecnico e del direttore generale. Me lo raffiguravo, il tapi-
no, sullo sfondo di quegli anni difficili: non piú giovane,
poiché i giovani erano militari; forse braccato dai fascisti,
o magari anche fascista ricercato dai partigiani; certamen-
te frustrato, perché l'analista è mestiere di giovani; arroc-
cato in laboratorio nella fortezza della sua minuscola sa-
pienza, poiché l'analista è per definizione infallibile; deri-
so e malvisto fuori del laboratorio proprio per le sue virtú,
di guardiano incorruttibile, di piccolo minosse pignolo e
senza fantasia, di bastone fra le ruote della produzione. A
giudicare dalla scrittura anonima e forbita, il suo mestiere
lo doveva avere logorato ed insieme condotto ad una rozza
perfezione, come un ciottolo di torrente voltolato fino alla
foce. Non c'era da stupirsi se, col tempo, aveva sviluppato
una certa insensibilità per il significato vero delle operazio-
ni che eseguiva e delle note che scriveva. Mi ripromisi di
indagare sul suo conto, ma nessuno sapeva pú niente di lui:

le mie domande suscitavano risposte sgarbate o distratte. Del resto, cominciavo a sentire intorno a me ed al mio lavoro una curiosità canzonatoria e malevola: chi era questo ultimo venuto, questo pivello a 7000 lire al mese, questo scribacchino maniaco che disturbava le notti della foresteria scrivendo a macchina chissà che, per intrigarsi degli errori passati e lavare i panni sporchi di una generazione? Ebbi perfino il sospetto che il compito che mi era stato assegnato avesse avuto lo scopo segreto di condurmi ad inciampare contro qualcosa o qualcuno: ma ormai la faccenda dell'impolmonimento mi aveva assorbito corpo ed anima, tripes et boyaux, e insomma me ne ero innamorato quasi come di quella ragazza che dicevo, la quale infatti ne era un po' gelosa.

Non mi fu difficile procurarmi, oltre alle PDA, anche le altrettanto inviolabili PDC, Prescrizioni di Collaudo: in un cassetto del laboratorio c'era un pacchetto di schede bisunte, scritte a macchina e piú volte corrette a mano, ognuna delle quali conteneva il modo di eseguire il controllo di una determinata materia prima. La scheda del Blu di Prussia era macchiettata di blu, quella della Glicerina era appiccicosa, e quella dell'Olio di Pesce puzzava di acciughe. Estrassi la scheda del cromato, che per il lungo uso era diventata color dell'aurora, e la lessi con attenzione. Era tutto abbastanza sensato, e conforme alle non lontane nozioni scolastiche: solo un punto mi apparve strano. Avvenuta la disgregazione del pigmento, si prescriveva di aggiungere 23 gocce di un certo reattivo: ora, una goccia non è una unità cosí definita da sopportare un cosí definito coefficiente numerico; e poi, a conti fatti, la dose prescritta era assurdamente elevata: avrebbe allagato l'analisi, conducendo in ogni caso ad un risultato conforme alla specifica. Guardai il rovescio della scheda: portava la data dell'ultima revisione, 4 gennaio 1944; l'atto di nascita del primo lotto impolmonito era del 22 febbraio successivo.

A questo punto si cominciava a vedere la luce. In un archivio polveroso trovai la raccolta delle PDC in disuso, ed

ecco, l'edizione precedente della scheda del cromato portava l'indicazione di aggiungere «2 o 3» gocce, e non «23»: la «o» fondamentale era mezza cancellata, e nella trascrizione successiva era andata perduta. Gli eventi si concatenavano bene: la revisione della scheda aveva comportato un errore di trascrizione, e l'errore aveva falsato tutte le analisi successive, appiattendo i risultati su di un valore fittizio dovuto all'enorme eccesso di reattivo, e provocando così l'accettazione di lotti di pigmento che avrebbero dovuto essere scartati; questi, essendo troppo basici, avevano scatenato l'impolmonimento.

Ma guai a chi cede alla tentazione di scambiare una ipotesi elegante con una certezza: lo sanno anche i lettori di libri gialli. Mi impadronii del magazziniere sonnacchioso, pretesi da lui i controcampioni di tutte le partite di cromato dal gennaio '44 in avanti, e mi asserragliai dietro al bancone per tre giorni, per analizzarli secondo il metodo sbagliato e secondo quello corretto. A mano a mano che i risultati si incolonnavano sul registro, la noia del lavoro ripetitivo si andava trasformando nell'allegria nervosa di quando da bambini si gioca a rimpiattino, e si scorge l'avversario goffamente acquattato dietro la siepe. Col metodo sbagliato, si trovava costantemente il fatidico 29,5 per cento; col metodo giusto, i risultati erano ampiamente dispersi, ed un buon quarto, essendo inferiore al minimo prescritto, corrispondeva a lotti che avrebbero dovuto essere respinti. La diagnosi era confermata e la patogenesi scoperta: si trattava adesso di definire la terapia.

Questa fu trovata abbastanza presto, attingendo alla buona chimica inorganica, lontana isola cartesiana, paradiso perduto per noi pasticcioni organisti e macromolecolisti: occorreva neutralizzare in qualche modo, entro il corpo malato di quella vernice, l'eccesso di basicità dovuto all'ossido di piombo libero. Gli acidi si dimostrarono nocivi per altri versi: pensai al cloruro d'ammonio, capace di combinarsi stabilmente con l'ossido di piombo dando un cloruro insolubile ed inerte, e liberando ammoniaca. Le

prove in piccolo diedero risultati promettenti: presto, reperire il cloruro (nell'inventario era designato come «cloruro demonio»), mettersi d'accordo col caporeparto di Macinazione, infilare in un piccolo mulino a palle due dei fegati disgustosi a vedersi e a toccarsi, aggiungere una quantità pesata della presunta medicina, dare il via al mulino sotto gli sguardi scettici degli astanti. Il mulino, di solito cosí fragoroso, si mise in moto quasi malvolentieri, in un silenzio di cattivo augurio, inceppato dalla massa gelatinosa che impastava le palle. Non rimaneva che ritornare a Torino ed aspettare il lunedí, raccontando vorticosamente alla paziente ragazza le ipotesi fatte, le cose capite in riva al lago, l'attesa spasmodica della sentenza che i fatti avrebbero pronunciata.

Il lunedí seguente il mulino aveva ritrovato la sua voce: scrosciava anzi allegramente, con un tono pieno e continuo, senza quel franare ritmico che in un mulino a palle denuncia cattiva manutenzione o cattiva salute. Lo feci fermare, ed allentare cautamente i bulloni del boccaporto: uscí fischiando una folata ammoniacale, come doveva. Feci togliere il boccaporto. Angeli e Ministri di Grazia! la vernice era fluida e liscia, in tutto normale, rinata dalle sue ceneri come la Fenice. Stesi una relazione in buon gergo aziendale, e la Direzione mi aumentò lo stipendio. Inoltre, a titolo di riconoscimento, ricevetti l'assegnazione di due «côrasse» (due copertoni) per la bicicletta.

Poiché il magazzino conteneva parecchi lotti di cromato pericolosamente basici, che dovevano pure essere utilizzati perché erano stati accettati al collaudo e non si potevano piú restituire al fornitore, il cloruro venne ufficialmente introdotto come preventivo anti-impolmonimento nella formulazione di quella vernice. Poi io diedi le dimissioni, passarono i decenni, finí il dopoguerra, i deleteri cromati troppo basici sparirono dal mercato, e la mia relazione fece la fine di ogni carne: ma le formulazioni sono sacre come le preghiere, i decreti-legge e le lingue morte, e non un iota in esse può venire mutato. Perciò, il mio Cloruro Demo-

nio, gemello di un amore felice e di un libro liberatore, ormai in tutto inutile e probabilmente un po' nocivo, in riva a quel lago viene tuttora religiosamente macinato nell'antiruggine ai cromati, e nessuno sa piú perché.

Zolfo

Lanza agganciò la bicicletta al telaio, bollò la cartolina, andò alla caldaia, mise in marcia l'agitatore e diede il fuoco. Il getto di nafta polverizzata si accese con un tonfo violento e una perfida fiammata all'indietro (ma Lanza, conoscendo quel focolare, si era scansato a tempo); poi continuò a bruciare con un buon fragore teso e pieno, come un tuono continuato, che copriva il piccolo ronzio dei motori e delle trasmissioni. Lanza era ancora pieno di sonno, e del freddo dei risvegli improvvisi; rimase accovacciato di fronte al focolare, la cui vampa rossa, in un succedersi di rapidi bagliori, faceva ballare la sua ombra enorme e stravolta sulla parete di dietro, come in un cinematografo primitivo.

Dopo una mezz'ora il termometro cominciò a muoversi, come doveva: la lancetta d'acciaio brunito, scivolando come una lumaca sul quadrante giallastro, andò a fermarsi sui 95°. Anche questo andava bene, perché il termometro era falso di cinque gradi: Lanza fu soddisfatto, e oscuramente in pace con la caldaia, col termometro e insomma col mondo e con se stesso, perché tutte le cose che dovevano accadere accadevano, e perché in fabbrica c'era lui solo a sapere che quel termometro era falso: magari un altro avrebbe spinto il fuoco, o si sarebbe messo lí a studiare chissà cosa per farlo salire fino a 100° come stava scritto sul buono di lavorazione.

Il termometro rimase dunque fermo a lungo sui 95°, e poi riprese a camminare. Lanza stava vicino al fuoco, e poiché, col tepore, il sonno ricominciava a premere, gli

permise di invadere dolcemente qualcuna delle camere della sua coscienza. Non però quella che stava dietro gli occhi e sorvegliava il termometro: quella doveva restare sveglia.

Con un solfodiene non si sa mai, ma per il momento tutto andava regolarmente. Lanza gustava il soave riposo, e si abbandonava alla danza di pensieri e d'immagini che prelude al sonno, pur evitando di lasciarsene sopraffare. Faceva caldo, e Lanza vedeva il suo paese: la moglie, il figlio, il suo campo, l'osteria. Il fiato caldo dell'osteria, il fiato pesante della stalla. Nella stalla filtrava acqua ad ogni temporale, acqua che veniva dal di sopra, dal fienile: forse da una crepa del muro, perché i tegoli (a Pasqua li aveva controllati lui stesso) erano tutti sani. Il posto per un'altra mucca ci sarebbe, ma (e qui tutto si offuscò in una nebbia di cifre e di calcoli abbozzati e non conclusi). Ogni minuto di lavoro, dieci lire che gli venivano in tasca: adesso gli pareva che il fuoco strepitasse per lui, e che l'agitatore girasse per lui, come una macchina per fare i quattrini.

In piedi, Lanza: siamo arrivati a 180°, bisogna sbullonare il boccaporto e buttare dentro il B 41; che è poi proprio una gran buffonata dover continuare a chiamarlo B 41 quando tutta la fabbrica sa che è zolfo, e in tempo di guerra, quando tutto mancava, parecchi se lo portavano a casa e lo vendevano in borsa nera ai contadini che lo spargevano sulle viti. Ma insomma il dottore è dottore e bisogna accontentarlo.

Spense il fuoco, rallentò l'agitatore, sbullonò il boccaporto e mise la maschera di protezione, per il che si sentí un po' talpa e un po' cinghiale. Il B 41 era già pesato, in tre scatole di cartone: lo introdusse cautamente, e nonostante la maschera, che forse perdeva un poco, sentí subito l'odore sporco e triste che emanava dalla cottura, e pensò che magari poteva anche aver ragione il prete, quando diceva che nell'inferno c'è odore di zolfo: del resto, non piace neanche ai cani, tutti lo sanno. Quando ebbe finito, affrancò di nuovo il boccaporto e rimise tutto in moto.

Alle tre di notte, il termometro era a 200°: bisognava dare il vuoto. Alzò la manetta nera, e lo strepito alto ed aspro della pompa centrifuga si sovrappose al tuono profondo del bruciatore. L'ago del vuotometro, che stava verticale sullo zero, cominciò a declinare strisciando verso sinistra. Venti gradi, quaranta gradi: buono. A questo punto ci si può accendere una sigaretta e stare tranquilli per piú di un'ora.

C'era chi aveva il destino di diventare milionario, e chi il destino di morire d'accidente. Lui Lanza, il suo destino (e sbadigliò rumorosamente, per tenersi un poco compagnia) era di fare di notte giorno. Neanche se l'avessero saputo, in tempo di guerra l'avevano subito sbattuto a fare quel bel mestiere di starsene di notte in cima ai tetti a tirare giú gli aeroplani dal cielo.

Di scatto fu in piedi, gli orecchi tesi e tutti i nervi in allarme. Il fracasso della pompa si era fatto di colpo piú lento e piú impastato, come sforzato: e infatti, l'ago del vuotometro, come un dito che minacci, risaliva sullo zero, ed ecco, grado dopo grado, cominciava a pendere sulla destra. Poco da fare, la caldaia stava andando in pressione.

«Spegni e scappa». «Spegni tutto e scappa». Ma non scappò: acchiappò una chiave inglese, e menava colpi sul tubo del vuoto, per tutta la sua lunghezza: doveva essere ostruito, non c'era altra ragione possibile. Picchia e ripicchia: niente di fatto, la pompa continuava a macinare a vuoto, e la lancetta ballonzolava intorno a un terzo di atmosfera.

Lanza si sentiva tutti i peli in piedi, come la coda di un gatto in collera: ed in collera era, in una rabbia sanguinaria e forsennata contro la caldaia, contro quella bestiaccia restia seduta sul fuoco, che muggiva come un toro: arroventata, come un enorme riccio a spine dritte, che non sai da che parte toccarlo e prenderlo, e verrebbe voglia di volargli addosso a calci. A pugni stretti e a testa calda, Lanza andava farneticando di scoperchiare il boccaporto per lasciare sfogare la pressione; cominciò ad allentare i bulloni,

ed ecco schizzare friggendo dalla fenditura una bava gial-
lastra con soffi di fumo impestato: la caldaia doveva essere
piena di schiuma. Lanza richiuse precipitosamente, con
una tremenda voglia in corpo di attaccarsi al telefono e
chiamare il dottore, chiamare i pompieri, chiamare lo spi-
rito santo, che venissero fuori della notte a dargli una ma-
no o un consiglio.

La caldaia non era fatta per la pressione, e poteva salta-
re da un momento all'altro: o almeno cosí pensava Lanza,
e forse, se fosse stato giorno o non fosse stato solo, non l'a-
vrebbe pensato. Ma la paura si era risolta in collera, e
quando la collera sbollí gli lasciò la testa fredda e sgombra.
E allora pensò alla cosa piú ovvia: aprí la valvola della ven-
tola d'aspirazione, mise questa in moto, chiuse il rompi-
vuoto e fermò la pompa. Con sollievo e con fierezza, per-
ché l'aveva studiata giusta, vide l'ago risalire fino a zero,
come una pecora smarrita che ritorni all'ovile, e inclinarsi
di nuovo docilmente dalla parte del vuoto.

Si guardò intorno, con un gran bisogno di ridere e di
raccontarla, e con un senso di leggerezza in tutte le mem-
bra. Vide per terra la sua sigaretta ridotta ad un lungo ci-
lindretto di cenere: si era fumata da sola. Erano le cinque
e venti, spuntava l'alba dietro la tettoia dei fusti vuoti, il
termometro segnava 210°. Prelevò un campione dalla cal-
daia, lo lasciò raffreddare e lo saggiò col reattivo: la pro-
vetta rimase limpida qualche secondo, e poi diventò bian-
ca come il latte. Lanza spense il fuoco, fermò l'agitazione
e la ventola, ed aperse il rompivuoto: si sentí un lungo fi-
schio rabbioso, che piano piano si andò placando in un fru-
scio, in un mormorio, e poi tacque. Avvitò il tubo pescan-
te, mise in moto il compressore, e gloriosamente, in mezzo
a fumi bianchi ed all'aspro odore consueto, il getto denso
della resina andò a placarsi nella bacinella di raccolta in un
nero specchio lucente.

Lanza si avviò al cancello, ed incontrò Carmine che sta-
va entrando. Gli disse che tutto andava bene, gli lasciò le
consegne e si mise a gonfiare le gomme della bicicletta.

Titanio

A Felice Fantino

In cucina c'era un uomo molto alto, vestito in un modo che Maria non aveva mai visto prima. Aveva in testa una barchetta fatta con un giornale, fumava la pipa e dipingeva l'armadio di bianco.

Era incomprensibile come tutto quel bianco potesse stare in una scatoletta cosí piccola, e Maria moriva dal desiderio di andare a guardarci dentro. L'uomo ogni tanto posava la pipa sull'armadio stesso, e fischiava; poi smetteva di fischiare e cominciava a cantare; ogni tanto faceva due passi indietro e chiudeva un occhio, e andava anche qualche volta a sputare nella pattumiera e poi si strofinava la bocca col rovescio della mano. Faceva insomma tante cose cosí strane e nuove che era interessantissimo starlo a guardare: e quando l'armadio fu bianco, raccolse la scatola e molti giornali che erano per terra e portò tutto accanto alla credenza e cominciò a dipingere anche quella.

L'armadio era cosí lucido, pulito e bianco che era quasi indispensabile toccarlo. Maria si avvicinò all'armadio, ma l'uomo se ne accorse e disse: – Non toccare. Non devi toccare –. Maria si arrestò interdetta, e chiese: – Perché? – al che l'uomo rispose: – Perché non bisogna –. Maria ci pensò sopra, poi chiese ancora: – Perché è cosí bianco? – Anche l'uomo pensò un poco, come se la domanda gli sembrasse difficile, e poi disse con voce profonda: – Perché è titanio.

Maria si sentí percorrere da un delizioso brivido di paura, come quando nelle fiabe arriva l'orco; guardò con at-

tenzione, e constatò che l'uomo non aveva coltelli, né in mano né intorno a sé: poteva però averne uno nascosto. Allora domandò: – Mi tagli che cosa? – e a questo punto avrebbe dovuto rispondere «Ti taglio la lingua». Invece disse soltanto: – Non ti taglio: titanio.

In conclusione, doveva essere un uomo molto potente: tuttavia non pareva in collera, anzi piuttosto buono e amichevole. Maria gli chiese: – Signore, come ti chiami? – Lui rispose: – Mi chiamo Felice –; non si era tolta la pipa di bocca, e quando parlava la pipa ballava su e giú eppure non cadeva. Maria stette un po' di tempo in silenzio, guardando alternativamente l'uomo e l'armadio. Non era per nulla soddisfatta di quella risposta ed avrebbe voluto domandare perché si chiamava Felice, ma poi non osò, perché si ricordava che i bambini non devono mai chiedere perché. La sua amica Alice si chiamava Alice ed era una bambina, ed era veramente strano che si chiamasse Felice un uomo grande come quello. Ma a poco a poco incominciò invece a sembrarle naturale che quell'uomo si chiamasse Felice, e le parve anzi che non avrebbe potuto chiamarsi in nessun altro modo.

L'armadio dipinto era talmente bianco che in confronto tutto il resto della cucina sembrava giallo e sporco. Maria giudicò che non ci fosse nulla di male nell'andarlo a vedere da vicino: solo vedere senza toccare. Ma mentre si avvicinava in punta di piedi avvenne un fatto imprevisto e terribile: l'uomo si voltò, con due passi le fu vicino; trasse di tasca un gesso bianco, e disegnò sul pavimento un cerchio intorno a Maria. Poi disse: – Non devi uscire di lí dentro –. Dopo di che strofinò un fiammifero, accese la pipa facendo colla bocca molte smorfie strane, e si rimise a verniciare la credenza.

Maria sedette sui calcagni e considerò a lungo il cerchio con attenzione: ma dovette convincersi che non c'era nessuna uscita. Provò a fregarlo in un punto con un dito, e constatò che realmente la traccia di gesso spariva; ma si

rendeva benissimo conto che l'uomo non avrebbe ritenuto valido quel sistema.

Il cerchio era palesemente magico. Maria sedette per terra zitta e tranquilla; ogni tanto provava a spingersi fino a toccare il cerchio con la punta dei piedi e si sporgeva in avanti fino quasi a perdere l'equilibrio, ma vide ben presto che mancava ancora un buon palmo a che potesse raggiungere l'armadio o la parete con le dita. Allora stette a contemplare come a poco a poco anche la credenza, le sedie e il tavolo diventavano belli e bianchi.

Dopo moltissimo tempo l'uomo ripose il pennello e lo scatolino e si tolse la barchetta di giornale dal capo, ed allora si vide che aveva i capelli come tutti gli altri uomini. Poi uscí dalla parte del balcone, e Maria lo udí tramestare e camminare su e giú nella stanza accanto. Maria cominciò a chiamare – Signore! – dapprima sottovoce, poi piú forte, ma non troppo, perché in fondo aveva paura che l'uomo sentisse.

Finalmente l'uomo ritornò in cucina. Maria chiese: – Signore, adesso posso uscire? – L'uomo guardò in giú a Maria e al cerchio, rise forte e disse molte cose che non si capivano, ma non pareva che fosse arrabbiato. Infine disse: – Sí, si capisce, adesso puoi uscire –. Maria lo guardava perplessa e non si muoveva: allora l'uomo prese uno straccio e cancellò il cerchio ben bene, per disfare l'incantesimo. Quando il cerchio fu sparito Maria si alzò e se ne andò saltellando, e si sentiva molto contenta e soddisfatta.

Arsenico

Come cliente, aveva un aspetto inconsueto. Nel nostro laboratorio umile e audace, a farsi analizzare le merci piú disparate, veniva gente varia, uomini e donne, vecchi e giovani, ma tutti visibilmente inseriti nel grande reticolo ambiguo e furbesco del commercio. Chi per mestiere compra o vende si riconosce facilmente: ha l'occhio vigile e il volto teso, teme la frode o la medita, e sta in guardia come un gatto all'imbrunire. È un mestiere che tende a distruggere l'anima immortale; ci sono stati filosofi cortigiani, filosofi pulitori di lenti, perfino filosofi ingegneri e strateghi, ma nessun filosofo, che io sappia, era grossista o bottegaio.

Lo ricevetti io, poiché Emilio era assente. Avrebbe potuto essere un filosofo contadino: era un vecchiotto robusto e rubicondo, dalle mani pesanti, deformate dal lavoro e dall'artrite; gli occhi apparivano chiari, mobili e giovanili, nonostante le grosse borse delicate che pendevano vuote sotto le orbite. Portava il gilè, dal cui taschino pendeva la catena dell'orologio. Parlava piemontese, il che mi mise immediatamente a disagio: non è educato rispondere in italiano a chi ti parla in dialetto, ti mette subito al di là di una barriera, dalla parte degli aristò, della gente per bene, dei «luigini», come li chiamò un mio illustre omonimo: eppure il mio piemontese, corretto come forme e suoni, è cosí liscio e snervato, cosí educato e languido, che appare poco autentico. Piuttosto che un genuino atavismo, sembra il

frutto di un diligente studio al tavolino, a lume di lanterna, su grammatica e lessico.

In ottimo piemontese dunque, con argute venature astigiane, mi disse che aveva dello zucchero da chimicare: voleva sapere se era zucchero o no, o se c'era magari dentro qualche porcheria («saloparía»). Quale porcheria? Gli spiegai che, se mi avesse precisato i suoi sospetti, mi avrebbe facilitato il compito: ma mi rispose che non mi voleva influenzare, che facessi l'analisi meglio che potevo, i suoi sospetti me li avrebbe detti dopo. Mi lasciò in mano un cartoccio con dentro un buon mezzo chilo di zucchero, disse che sarebbe tornato l'indomani, salutò e se ne andò: non prese l'ascensore, scese tranquillo a piedi le quattro rampe di scale. Doveva essere un uomo senza angoscie e senza fretta.

Da noi, di clienti ne venivano abbastanza pochi, noi facevamo poche analisi e guadagnavamo pochi quattrini: cosí non potevamo comperarci strumenti moderni e rapidi, i nostri responsi erano lenti, le nostre analisi duravano molto piú del normale; non avevamo neppure una targa in strada, per cui il cerchio si chiudeva e i clienti diventavano ancora piú pochi. I campioni che ci lasciavano per le analisi costituivano un apporto non trascurabile al nostro sostentamento: Emilio ed io ci guardavamo bene dal far sapere che in generale bastano pochi grammi, ed accettavamo volentieri il litro di vino o di latte, il chilo di pasta o di sapone, il pacchetto di agnolotti.

Tuttavia, data l'anamnesi, e cioè i sospetti del vecchiotto, sarebbe stato imprudente consumare quello zucchero cosí alla cieca, ed anche solo assaggiarlo. Ne sciolsi un po' in acqua distillata: la soluzione era torbida, c'era certamente qualcosa che non andava. Pesai un grammo di zucchero nel crogiolo di platino (pupilla dei nostri occhi) per incenerirlo sulla fiamma: si levò nell'aria polluta del laboratorio l'odore domestico ed infantile dello zucchero bruciato, ma subito dopo la fiamma si fece livida e si percepí un odore ben diverso, metallico, agliaceo, inorganico, an-

zi, controorganico: guai se un chimico non avesse naso. A
questo punto è difficile sbagliare: filtrare la soluzione, aci-
dificarla, prendere il Kipp, far passare idrogeno solforato.
Ecco il precipitato giallo di solfuro, è l'anidride arseniosa,
l'arsenico insomma, il Mascolino, quello di Mitridate e di
Madame Bovary.

Passai il resto della giornata a distillare acido piruvico
ed a speculare sullo zucchero del vecchio. Non so come l'a-
cido piruvico si prepari modernamente; noi, allora, fonde-
vamo acido solforico e soda in una casseruola smaltata, ot-
tenendo bisolfato che gettavamo a solidificarsi sul nudo
pavimento, e macinavamo poi in un macinino da caffè.
Scaldavamo poi a 250°C una miscela di detto bisolfato ed
acido tartarico, per il che quest'ultimo si disidrata ad acido
piruvico e distilla. Questa operazione la tentammo dapprima
ma in recipienti di vetro, spaccandone una quantità proi-
bitiva; allora comperammo dal ferravecchi dieci canistri di
lamiera, di provenienza ARAR[1], di quelli che si usavano per
la benzina prima dell'avvento del polietilene, che si dimo-
strarono adatti allo scopo; poiché il cliente era soddisfatto
della qualità, e prometteva nuove ordinazioni, saltammo il
fosso, e dal fabbro del rione ci facemmo costruire un rozzo
reattore cilindrico di lamiera nera, munito di agitazione a
mano. Lo incassammo in un pozzo di mattoni pieni, che
aveva sul fondo e sulle pareti quattro resistenze da 1000
watt collegate illegalmente a monte del contatore. Collega
che leggi, non ti stupire troppo di questa chimica preco-
lombiana e rigattiera: in quegli anni non eravamo i soli, né
i soli chimici, a vivere cosí, ed in tutto il mondo sei anni di
guerra e di distruzioni avevano fatto regredire molte abi-
tudini civili ed attenuato molti bisogni, primo fra tutti il
bisogno del decoro.

Dall'estremità del refrigerante a serpentina l'acido ca-
deva nel collettore in grevi gocce dorate, rifrangenti come

[1] Azienda Rilievo e Alienazione Residuati.

gemme: «distillava» insomma, stilla su stilla, ogni dieci
stille una lira di guadagno: ed intanto andavo pensando al-
l'arsenico ed al vecchio, che non mi sembrava il tipo di tra-
mare venefici e neppure di subirne, e non ne venivo a
capo.

L'uomo ritornò il giorno dopo. Insistette per pagare l'o-
norario, prima ancora di conoscere l'esito dell'analisi.
Quando glielo comunicai, il suo viso si illuminò di un com-
plicato sorriso grinzoso, e mi disse: – Mi fa proprio piace-
re. Io l'avevo sempre detto, che finiva cosí –. Era palese
che non attendeva altro se non una minima sollecitazione
da parte mia per raccontarmi una storia; non gliela feci
mancare, e la storia è questa, un po' deperita per effetto
della traduzione dal piemontese, linguaggio essenzialmen-
te parlato, all'italiano marmoreo, buono per le lapidi.

– Il mio mestiere è di fare il ciabattino. Se si incammi-
na da giovani, non è un brutto mestiere: si sta seduti, non
si fatica tanto, e si incontra gente per cambiar parola. Cer-
to non si fa fortuna, e si sta tutto il giorno con le scarpe de-
gli altri in mano: ma a questo si fa l'abitudine, anche all'o-
dore del cuoio vecchio. La mia bottega è in via Gioberti
angolo via Pastrengo: ci lavoro da trent'anni, il ciabatti-
no... (ma lui diceva «'l caglié», «caligarius»: venerando
vocabolo che sta scomparendo) ... il ciabattino di San Se-
condo sono io; conosco tutti i piedi difficili, e per fare il
mio lavoro mi bastano il martello e lo spago. Bene, è venu-
to un giovanotto, neppure di qui: alto, bello e pieno d'am-
bizione; ha messo bottega a un tiro di schioppo, e l'ha
riempita di macchine. Per allungare, per allargare, per cu-
cire, per battere suola: non saprei neppure dirle, io non so-
no mai andato a vedere, me l'hanno raccontato. Ha messo
dei bigliettini col suo indirizzo e il telefono dentro a tutte
le buche per le lettere del vicinato: anche il telefono, sí,
neanche fosse una levatrice.

Lei crederà che gli affari gli siano andati subito bene. I
primi mesi sí, un po' per curiosità, un po' per metterci in

concorrenza, qualcuno da lui c'è andato, anche perché in principio teneva i prezzi bassi: ma poi ha dovuto alzarli, quando ha visto che ci rimetteva. Faccia attenzione che io tutte queste cose gliele dico senza volergli male: ne ho visti tanti come lui, partire al galoppo e rompersi la testa, ciabattini e mica solo ciabattini. Ma lui, me lo hanno detto, voleva male a me: a me mi raccontano tutto, e sa chi? Le vecchiette, quelle che hanno male ai piedi e non trovano piú nessun gusto a camminare e hanno solo un paio di scarpe: quelle vengono da me, aspettano sedute che io gli aggiusti i difetti, e intanto mi tengono al corrente, mi raccontano la rava e la fava.

Lui mi voleva male a me, e diceva in giro un mucchio di bugiarderie. Che risuolo col cartone. Che mi ubriaco tutte le sere. Che ho fatto morire mia moglie per l'assicurazione. Che a un mio cliente è spuntato un chiodo dalla suola e poi è morto di tetano. E allora, con le cose a questo punto, capisce che non mi sono stupito mica tanto quando un mattino, in mezzo alle scarpe della giornata, ho trovato questo cartoccio. Ho subito capito il macinato, ma volevo essere sicuro: cosí ne ho dato un poco al gatto, e dopo due ore è andato in un angolo e ha vomitato. Allora ne ho messo un altro poco nella zuccheriera, ieri mia figlia e io ne abbiamo messo nel caffè, e dopo due ore abbiamo vomitato tutti e due. Adesso poi ho anche la sua conferma, e sono soddisfatto.

– Vuole fare denuncia? Ha bisogno di una dichiarazione?

– No, no. Gliel'ho detto, è solo un povero diavolo, e non voglio rovinarlo. Anche per il mestiere, il mondo è grande e c'è posto per tutti: lui non lo sa, ma io sí.

– Allora?

– Allora domani gli rimando il cartoccio da una delle mie vecchiette, insieme con un bigliettino. Anzi, no: glielo voglio riportare io, cosí vedo che faccia ha e gli spiego due o tre cose –. Si guardò intorno, come uno farebbe in un

museo, poi aggiunse: – Bel mestiere, anche il vostro: ci va occhio e pazienza. Chi non ne ha, è meglio che se ne cerchi un altro.

Salutò, si riprese il cartoccio, e discese senza prendere l'ascensore, con la tranquilla dignità che gli era propria.

Azoto

... e venne infine il cliente sognato, quello che voleva da noi una consulenza. La consulenza è il lavoro ideale, quello da cui tu trai prestigio e quattrini senza sporcarti le mani, né romperti il filo della schiena, né rischiare di finire abbrustolito o intossicato: devi solo toglierti il camice, mettere la cravatta, ascoltare in attento silenzio il quesito, e ti senti come l'oracolo di Delfo. Devi poi pesare bene la risposta e formularla in linguaggio paludato e sfumato, affinché anche il cliente ti ritenga un oracolo, degno della sua fiducia e delle tariffe stabilite dall'Ordine dei Chimici.

Il cliente sognato era sulla quarantina, piccolo, compatto ed obeso; portava i baffetti alla Clark Gable ed aveva ciuffi di pelo nero un po' dappertutto, dentro alle orecchie, dentro alle narici, sul dorso delle mani, e sulle falangi fin quasi alle unghie. Era profumato ed impomatato e aveva un aspetto volgare: sembrava un souteneur, o meglio un cattivo attore nella parte del souteneur; oppure un bullo da barriera. Mi spiegò che era il proprietario di una fabbrica di cosmetici, ed aveva noie con un certo tipo di rossetto. Bene, che ne portasse un campione: ma no, disse, era un problema particolare, da vedere sul posto; era meglio che uno di noi due lo visitasse, così avremmo potuto renderci conto dell'inconveniente. Domani alle dieci? Domani.

Sarebbe stato molto bello arrivare sul posto in auto, ma

già, se tu fossi un chimico con l'auto, invece che un reduce meschino, scrittore a tempo perso, e per giunta appena sposato, non staresti qui ad essudare acido piruvico ed a correre dietro ad ambigui fabbricanti di rossetto. Mi misi il piú bello dei miei (due) vestiti, e pensai che era meglio lasciare la bicicletta in qualche cortile lí vicino e fare le viste di essere arrivato in taxi, ma quando fui entrato nella fabbrica mi accorsi che non era il caso di avere scrupoli di prestigio. La fabbrica era un capannone sporco e disordinato, pieno di correnti d'aria, in cui gironzolavano una dozzina di ragazze proterve, indolenti, sudice e vistosamente truccate. Il proprietario mi diede spiegazioni, mostrando fierezza e dandosi importanza: chiamava «rouge» il rossetto, «anellina» l'anilina e «adelaide» l'aldeide benzoica. La lavorazione era semplice: una ragazza faceva fondere certe cere e grassi in una comune pentola smaltata, aggiungeva un po' di profumo e un po' di colorante, poi colava il tutto in una minuscola lingottiera. Un'altra ragazza faceva raffreddare le lingottiere sotto l'acqua corrente e cavava da ciascuna venti cilindretti scarlatti di rossetto; altre ancora provvedevano alla confezione e all'imballaggio. Il proprietario acchiappò sgarbatamente una delle ragazze, le mise una mano dietro alla nuca per avvicinare la sua bocca ai miei occhi, e mi invitò ad osservare bene il contorno delle labbra: ecco, vede, dopo qualche ora dall'applicazione, specie quando fa caldo, il rouge cammina, si infila su per le minuscole rughe che hanno intorno alle labbra anche le donne giovani, e cosí si forma una brutta ragnatela di filamenti rossi, che sfuma il contorno e rovina tutto l'effetto.

Osservai, non senza imbarazzo: i fili rossi c'erano proprio, ma solo sulla metà destra della bocca della ragazza, che sottostava impassibile all'ispezione masticando gomma americana. Per forza, mi spiegò il proprietario: la metà sinistra di quella, e di tutte le altre ragazze, era truccata con un ottimo prodotto francese, proprio quello che lui

cercava invano di imitare. Un rossetto si può valutare solo cosí, con un confronto pratico: tutte le mattine, tutte le ragazze dovevano pitturarsi col rossetto, a destra col suo, a sinistra con quell'altro, e lui le baciava tutte otto volte al giorno per controllare se il prodotto era solido al bacio.

Chiesi al bullo la ricetta del suo rossetto, ed un campione di tutti e due i prodotti. Leggendo la ricetta, ebbi subito il sospetto di dove il difetto procedeva, ma mi parve piú opportuno accertarmene e fare cadere il responso un po' dall'alto, e chiesi due giorni di tempo «per le analisi». Recuperai la bicicletta, e pedalando pensavo che, se quell'affare andava bene, avrei forse potuto cambiarla con un Velosolex e smettere di pedalare.

Ritornato in laboratorio, presi un foglio di carta da filtro, vi feci due puntini rossi con i due campioni, e posi il tutto in stufa a 80°C. Dopo un quarto d'ora, si vedeva che il puntino del rossetto sinistro era rimasto un puntino, seppure circondato da un alone untuoso; invece il puntino del rossetto destro era sbiadito e dilatato, era diventato un'aureola rosata grande quanto una moneta. Nella ricetta del mio uomo figurava un colorante solubile: era chiaro che, quando il calore della pelle delle signore (o della mia stufa) portava a fusione il grasso, il colorante lo seguiva nella sua diffusione. L'altro rossetto doveva contenere invece un pigmento rosso, ben disperso ma insolubile, e perciò non migrante: me ne accertai facilmente diluendo con benzene e centrifugando, eccolo lí depositato sul fondo della provetta. Grazie all'esperienza che avevo accumulata nella fabbrica in riva al lago, riuscii anche a identificarlo: era un pigmento costoso e non facile a disperdersi, e del resto il mio bullo non aveva alcuna apparecchiatura adatta a disperdere un pigmento; bene, erano rogne sue, che si arrangiasse, lui con il suo harem di ragazze-cavia e con i suoi rivoltanti baci a tassametro. Io, il mio dovere professionale lo avevo fatto; feci una relazione, vi allegai la fattura coi bolli ed il pittoresco provino di carta da filtro, tornai alla

fabbrica, consegnai, riscossi l'onorario e mi disposi a prendere congedo.

Ma il bullo mi trattenne: era soddisfatto della mia opera, e mi voleva proporre un affare. Gli potevo procurare qualche chilogrammo di allossana? L'avrebbe pagata molto bene, purché mi impegnassi per contratto a fornirla solo a lui. Aveva letto su non so piú quale rivista che l'allossana, a contatto con le mucose, conferisce loro una colorazione rossa estremamente permanente, perché non è una sovrapposizione, una vernice insomma, come il rossetto, ma una vera e propria tintura, come si fa con la lana e il cotone.

Inghiottii, ed a buon conto risposi che si sarebbe potuto vedere: l'allossana non è un composto molto comune né molto conosciuto, non mi pare che il mio vecchio testo di chimica organica le dedicasse piú di cinque righe, e in quel momento ricordavo solo vagamente che era un derivato dell'urea e che aveva qualcosa a che vedere con l'acido urico.

Appena mi fu possibile filai in biblioteca: intendo dire, alla venerabile biblioteca dell'Istituto Chimico dell'Università di Torino, a quel tempo impenetrabile agli infedeli come la Mecca, difficilmente penetrabile anche ai fedeli qual ero io. È da pensare che la Direzione seguisse il savio principio secondo cui è bene scoraggiare le arti e le scienze: solo chi fosse stato spinto da un assoluto bisogno, o da una passione travolgente, si sarebbe sottoposto di buon animo alle prove di abnegazione che venivano richieste per consultare i volumi. L'orario era breve ed irrazionale; l'illuminazione scarsa; gli indici in disordine; d'inverno, nessun riscaldamento, non sedie, ma sgabelli metallici scomodi e rumorosi; e finalmente, il bibliotecario era un tanghero incompetente, insolente e di una bruttezza invereconda, messo sulla soglia per atterrire col suo aspetto e col suo latrato i pretendenti all'ingresso. Ottenni di entrare, superai le prove, ed in primo luogo mi affrettai a rinfrescarmi la memoria sulla composizione e sulla struttura dell'allossana. Eccone il ritratto:

dove O è l'ossigeno, C il carbonio, H l'idrogeno (Hydro-
genium) ed N l'azoto (Nitrogenium). È una struttura gra-
ziosa, non è vero? Fa pensare a qualcosa di solido, di stabi-
le, di ben connesso. Infatti, accade anche in chimica, come
in architettura, che gli edifici «belli», e cioè simmetrici e
semplici, siano anche i piú saldi: avviene insomma per le
molecole come per le cupole delle cattedrali o per le arcate
dei ponti. E può anche darsi che la spiegazione non sia poi
remota né metafisica: dire «bello» è dire «desiderabile», e
da quando l'uomo costruisce, desidera costruire con la mi-
nima spesa ed in vista della massima durata, e il godimento
estetico che prova nel contemplare le sue opere viene do-
po. Certo non è sempre stato cosí: ci sono stati secoli in cui
la bellezza veniva identificata con l'adornamento, il so-
vrapposto, il fronzolo; ma è probabile che fossero epoche
devianti, e che la bellezza vera, quella in cui ogni secolo si
riconosce, sia quella delle pietre ritte, delle carene, della la-
ma di scure e dell'ala dell'aereo.

Riconosciuta ed apprezzata la virtú strutturale dell'al-
lossana, è urgente che tu chimico interlocutorio, cosí a-
mante delle digressioni, te ne torni alla tua carreggiata, che
è quella di fornicare con la materia allo scopo di provvede-
re al tuo sostentamento: ed oggi, non piú solo al tuo. Aper-
si con rispetto gli scaffali del Zentralblatt ed incominciai a
consultarlo anno per anno. Giú il cappello davanti al Che-
misches Zentralblatt: è la Rivista delle Riviste, quella che,

da quando esiste la Chimica, riporta sotto forma di rias-
sunto rabbiosamente conciso tutte le pubblicazioni d'argo-
mento chimico che appaiono su tutte le riviste del mondo.
Le prime annate sono smilzi volumetti di 300 o 400 pagi-
ne: oggi, ogni anno, ne vengono scodellati quattordici vo-
lumi di 1300 pagine ciascuno. È corredato da un maestoso
indice per autori, uno per argomento, uno per formule, e
ci puoi trovare fossili reverendi, quali le leggendarie me-
morie in cui il nostro padre Wöhler narra la prima sintesi
organica, o Sainte-Claire Deville descrive il primo isola-
mento dell'alluminio metallico.

Dal Zentralblatt venni rimbalzato al Beilstein, altret-
tanto monumentale enciclopedia continuamente aggiorna-
ta in cui, come in un'anagrafe, viene descritto via via ogni
nuovo composto, insieme con i suoi metodi di preparazio-
ne. L'allossana era nota da quasi settant'anni, ma come cu-
riosità di laboratorio: i metodi preparativi descritti aveva-
no puro valore accademico, e procedevano da materie pri-
me costose che (in quegli anni di immediato dopoguerra)
era vano sperare di trovare sul mercato. L'unica prepara-
zione accessibile era anche la piú antica: non sembrava
tanto difficile da eseguire, e consisteva in una demolizione
ossidativa dell'acido urico. Proprio cosí: dell'acido urico,
quello dei gottosi, degli intemperanti e del mal della pie-
tra. Era una materia prima decisamente insolita, ma forse
non cosí proibitiva come le altre.

Infatti, una successiva ricerca nei pulitissimi scaffali,
odorosi di canfora, di cera e di secolari fatiche chimiche,
mi insegnò che l'acido urico, scarsissimo negli escreti del-
l'uomo e dei mammiferi, costituisce invece il 50 per cento
degli escrementi degli uccelli, ed il 90 per cento degli
escrementi dei rettili. Benissimo. Telefonai al bullo che la
cosa si poteva fare, mi desse soltanto qualche giorno di
tempo: entro il mese gli avrei portato il primo campione
di allossana, ed insieme gli avrei dato un'idea del prezzo e di
quanta ne avrei potuta produrre al mese. Che poi l'allossa-
na, destinata ad abbellire le labbra delle dame, scaturisse

dagli escrementi delle galline o dei pitoni, era un pensiero
che non mi turbava neanche un poco. Il mestiere di chimi-
co (fortificato, nel mio caso, dall'esperienza di Auschwitz)
insegna a superare, anzi ad ignorare, certi ribrezzi, che
non hanno nulla di necessario né di congenito: la materia
è materia, né nobile né vile, infinitamente trasformabile,
e non importa affatto quale sia la sua origine prossima.
L'azoto è azoto, passa mirabilmente dall'aria alle piante,
da queste agli animali, e dagli animali a noi; quando nel
nostro corpo la sua funzione è esaurita, lo eliminiamo, ma
sempre azoto resta, asettico, innocente. Noi, intendo dire
noi mammiferi, che in generale non abbiamo problemi di
approvvigionamento d'acqua, abbiamo imparato ad inca-
strarlo nella molecola dell'urea, che è solubile in acqua, e
come urea ce ne liberiamo; altri animali, per cui l'acqua è
preziosa (o tale era per i loro lontani progenitori), hanno
fatto l'ingegnosa invenzione di impacchettare il loro azoto
sotto forma di acido urico, che è insolubile in acqua, e di
eliminare questo allo stato solido, senza bisogno di ricorre-
re all'acqua come veicolo. In modo analogo si pensa oggi di
eliminare i detriti urbani facendone blocchetti compressi,
che si possono portare alle discariche o interrare con poca
spesa.

Dirò di piú: lungi dallo scandalizzarmi, l'idea di ricava-
re un cosmetico da un escremento, ossia aurum de sterco-
re, mi divertiva e mi riscaldava il cuore come un ritorno al-
le origini, quando gli alchimisti ricavavano il fosforo dal-
l'urina. Era un'avventura inedita e allegra, e inoltre no-
bile, perché nobilitava, restaurava e ristabiliva. Cosí fa la
natura: trae la grazia della felce dalla putredine del sot-
tobosco, e il pascolo dal letame; e «laetamen» non vuol
forse dire «allietamento»? cosí mi avevano insegnato in li-
ceo, cosí era stato per Virgilio, e cosí ritornava ad essere
per me. Tornai a casa a sera, spiegai alla recentissima mo-
glie il fatto dell'allossana e dell'acido urico, e le annunciai
che l'indomani sarei partito per un viaggio d'affari: che
cioè avrei preso la bicicletta, e fatto un giro per le cascine

della periferia (a quel tempo c'erano ancora) in cerca di
sterco di gallina. Non esitò: la campagna le piace, e la mo-
glie deve seguire il marito; sarebbe venuta anche lei. Era
una specie di supplemento del nostro viaggio di nozze, che
per ragioni di economia era stato frugale e frettoloso. Ma
mi ammonì di non farmi troppe illusioni: trovare sterco di
gallina allo stato puro non doveva poi essere cosí facile.

Infatti risultò difficile. In primo luogo, la pollina (si
chiama cosí: noi inurbati non lo sapevamo, né sapevamo
che, sempre per via dell'azoto, è apprezzatissima come
concime per gli orti) non si regala, anzi si vende a caro
prezzo. In secondo luogo, chi la compra se la va a raccatta-
re, entrando a quattro gampe nei pollai e spigolando per le
aie. In terzo luogo, ciò che effettivamente si raccoglie può
essere direttamente usato come fertilizzante, ma si presta
male ad ulteriori lavorazioni: è un miscuglio di sterco, ter-
ra, sassi, becchime, piume e përpôjín (sono i pidocchietti
delle galline, che si annidano sotto le ali: non so come si
chiamino in italiano). Ad ogni modo, pagando non poco,
faticando ed insudiciandoci parecchio, la moglie impavida
ed io ce ne ritornammo a sera per Corso Francia, con un
chilo di sudata pollina nel portapacchi della bicicletta.

L'indomani esaminai il materiale: la «ganga» era molta,
tuttavia qualcosa forse se ne sarebbe potuto cavare. Ma si-
multaneamente mi venne un'idea: proprio in quei giorni,
nella galleria della Metropolitana (che esiste a Torino da
quarant'anni, mentre la Metropolitana non esiste ancora)
era stata inaugurata una mostra di serpenti. Perché non
andare a vedere? I serpenti sono una razza pulita, non
hanno piume né pidocchi e non razzolano fra la polvere;
poi, un pitone è ben piú grosso di una gallina. Forse i loro
escrementi, al 90 per cento di acido urico, si potevano ot-
tenere in abbondanza, in pezzatura non troppo minuta e
in condizioni di purezza ragionevole. Questa volta andai
solo: mia moglie è figlia d'Eva, e i serpenti non le piac-
ciono.

Il direttore e gli inservienti della mostra mi ricevettero

con disprezzo stupito. Quali erano le mie credenziali? Da dove venivo? Chi mi credevo di essere, per presentarmi a loro cosí, come se niente fosse, a chiedere sterco di pitoni? Ma neanche parlarne, neanche un grammo; i pitoni sono sobrii, mangiano due volte al mese e viceversa: specie quando fanno poco esercizio. Il loro scarsissimo sterco si vende a peso d'oro: del resto, loro, e tutti gli espositori e possessori di serpenti, hanno contratti permanenti di esclusività con le grandi industrie farmaceutiche. Che mi togliessi solo di torno, e non gli facessi perdere altro tempo.

Dedicai un giorno a selezionare grossolanamente la pollina, ed altri due a cercare di ossidare ad allossana l'acido che vi era contenuto. La virtú e la pazienza dei chìmici àntichi dovevano essere sovrumane, o forse era soltanto smisurata la mia inesperienza di preparazioni organiche. Non ottenni che vapori immondi, noia, umiliazione, ed un liquido nero e torbido che intoppava irrimediabilmente i filtri, e non mostrava alcuna tendenza a cristallizzare, come secondo il testo avrebbe dovuto. Lo sterco rimase sterco, e l'allossana dal nome sonante un nome sonante. Non era quella la via per uscire dalla palude: per quale via ne sarei dunque uscito, io autore sfiduciato di un libro che a me sembrava bello, ma che nessuno leggeva? Meglio ritornare fra gli schemi scoloriti ma sicuri della chimica inorganica.

Stagno

«Mala cosa nascer povero», andavo rimuginando, mentre reggevo sulla fiamma di un becco a gas un lingotto di stagno degli Stretti. Piano piano, lo stagno fondeva, e le gocce piombavano stridendo nell'acqua d'una bacinella: sul fondo di questa si andava formando un intrico metallico affascinante, dalle forme sempre nuove.

Ci sono metalli amici e metalli nemici. Lo stagno era un amico: non solo perché, da qualche mese, Emilio ed io ne vivevamo, trasformandolo in cloruro stannoso da vendere ai fabbricanti di specchi, ma anche per altre ragioni piú riposte. Perché si sposa al ferro, trasformandolo nella mite latta, e privandolo pertanto della sua qualità sanguinaria di «nocens ferrum»; perché lo commerciavano i Fenici, e perché tuttora lo si estrae, raffina ed imbarca in paesi favolosi e lontani (gli Stretti, appunto: come chi dicesse la Dormiente Sonda, le Isole Felici e gli Arcipelaghi); perché si allega col rame per dare il bronzo, materia rispettabile per eccellenza, notoriamente perenne e well established; perché fonde basso, quasi come i composti organici, cioè quasi come noi; ed infine, per due sue proprietà uniche, dai nomi pittoreschi e poco credibili, mai viste né udite (che io sappia) da occhio od orecchio umano, tuttavia fedelmente tramandate, di generazione in generazione, da tutti i testi scolastici, la «peste» e il «pianto» dello stagno.

Bisognava granulare lo stagno affinché fosse piú facile attaccarlo poi con acido cloridrico. Ti sta bene, dunque. Stavi sotto le ali di quella fabbrica in riva al lago, un uccel-

lo rapace, ma di ali larghe e robuste. Hai voluto uscire di tutela, volare con le tue: ti sta bene. Vola, adesso: volevi essere libero e sei libero, volevi fare il chimico e fai il chimico. Orsú, grufola tra veleni, rossetti e sterco pollino; granula lo stagno, versa acido cloridrico, concentra, travasa e cristallizza, se non vuoi patire la fame, e la fame la conosci. Compera stagno e vendi cloruro stannoso.

Il laboratorio, Emilio lo aveva ricavato entro l'alloggio dei suoi genitori, gente pia, sconsigliata e longanime. Certo, cedendogli in uso la loro camera da letto, non avevano previsto tutte le conseguenze, ma indietro non si torna: adesso, l'anticamera era un deposito di damigiane d'acido cloridrico concentrato, il fornello di cucina (fuori delle ore dei pasti) serviva a concentrare il cloruro stannoso in becher e beute da sei litri, e l'intero alloggio era invaso dai nostri fumi.

Il padre d'Emilio era un vecchio maestoso e benigno, dai baffoni bianchi e dalla voce tonante. Aveva fatto in vita sua molti mestieri, tutti avventurosi o per lo meno strambi, ed a settant'anni conservava una preoccupante avidità di esperimenti. A quell'epoca, deteneva il monopolio del sangue di tutti i bovini uccisi al vecchio Macello Municipale di Corso Inghilterra: passava molte ore al giorno in un lurido antro, dalle pareti brune di sangue rappreso, dal pavimento fradicio di liquame putrefatto, e frequentato da ratti grossi come conigli; perfino le fatture e il libro mastro erano insanguinati. Col sangue fabbricava bottoni, colla, frittelle, sanguinacci, pitture murali e pasta per lucidare. Leggeva esclusivamente riviste e giornali arabi, che si faceva arrivare dal Cairo, dove aveva vissuto molti anni, dove gli erano nati i tre figli, dove aveva difeso a fucilate il Consolato italiano contro una turba inferocita, e dove il suo cuore era rimasto. Andava ogni giorno in bicicletta a Porta Palazzo a comperare erbe, farina di sorgo, grasso di arachidi e patate dolci: con questi ingredienti, e col sangue del macello, cucinava pietanze sperimentali, ogni giorno diverse; ce le vantava e ce le faceva assaggiare.

Un giorno portò a casa un ratto, gli tagliò la testa e le zampine, disse a sua moglie che era una cavia e lo fece arrostire. Poiché la sua bicicletta non aveva carter, e le sue reni erano un poco anchilosate, si metteva al mattino le mollette in fondo ai pantaloni, e non le toglieva piú per tutta la giornata. Lui e sua moglie, la dolce ed imperturbabile Signora Ester, nata a Corfú di famiglia veneta, avevano accettato in casa il nostro laboratorio come se tenersi gli acidi in cucina fosse la cosa piú naturale del mondo. Portavamo le damigiane d'acido al quarto piano con l'ascensore: il padre d'Emilio aveva un aspetto talmente rispettabile ed autorevole che nessun condomino aveva osato obiettare.

Il nostro laboratorio assomigliava ad una bottega di robivecchi ed alla stiva di una baleniera. A parte le sue propaggini, che appunto invadevano la cucina, l'anticamera e perfino il bagno, era costituito da una sola camera e dal balcone. Sul balcone stavano sparpagliati i pezzi di una moto DKW che Emilio aveva acquistata smontata, e che, diceva, un giorno o l'altro avrebbe rimessa insieme: il serbatoio scarlatto stava a cavallo della ringhiera, e il motore, dentro una moscaiola, arrugginiva corroso dalle nostre esalazioni. C'erano poi alcune bombole d'ammoniaca, residuo di un'epoca precedente il mio arrivo, in cui Emilio campava sciogliendo l'ammoniaca gassosa in damigiane d'acqua potabile, vendendo queste e ammorbando il vicinato. Dappertutto, sul balcone e all'interno, era sparsa un'incredibile mole di ciarpame talmente vetusto e trito da risultare pressoché irriconoscibile: solo ad un esame piú attento si potevano distinguere i componenti professionali da quelli domestici.

In mezzo al laboratorio stava una grande cappa d'aspirazione di legno e vetro, nostro orgoglio e nostro unico presidio contro la morte per gas. Non è che l'acido cloridrico sia propriamente tossico: è uno di quei nemici franchi che ti vengono addosso gridando da lontano, e da cui quindi è facile guardarsi. Ha un odore cosí penetrante che, chi può, non tarda a mettersi al riparo; e non lo puoi con-

fondere con niente d'altro, perché dopo averne respirato
un colpo emetti dal naso due brevi pennacchi di fumo
bianco, come i cavalli nei film di Eisenstein, e ti senti i
denti aspri in bocca come quando hai mangiato un limone.
A dispetto della nostra cappa cosí volenterosa, i fumi del-
l'acido invadevano tutte le camere: le carte da parato cam-
biavano colore, le maniglie e gli infissi metallici diventava-
no opachi e scabri, e ogni tanto ci faceva sobbalzare un
tonfo sinistro: un chiodo aveva finito di corrodersi, e un
quadro, in qualche angolo dell'alloggio, era rovinato a ter-
ra. Emilio piantava un chiodo nuovo e riappendeva il qua-
dro al suo posto.

Facevamo dunque disciogliere lo stagno nell'acido clo-
ridrico: poi bisognava concentrare la soluzione fino ad un
determinato peso specifico e lasciare che cristallizzasse per
raffreddamento. Il cloruro stannoso si separava in piccoli
prismi graziosi, incolori e trasparenti. Poiché la cristalliz-
zazione era lenta, occorrevano molti recipienti, e poiché
l'acido cloridrico intacca tutti i metalli, questi recipienti
dovevano essere di vetro o di ceramica. Nei periodi in cui
le ordinazioni erano molte, bisognava mobilitare i reci-
pienti di complemento, di cui del resto la casa di Emilio
era ricca: una zuppiera, una pentola Regina di ferro smal-
tato, un lampadario stile Novecento e un vaso da notte.

Il mattino dopo si raccoglie il cloruro e lo si mette a sco-
lare: e devi fare bene attenzione a non toccarlo con le ma-
ni, se no ti attacca addosso un odore disgustoso. Questo
sale, di per sé, è inodore, ma reagisce in qualche modo con
la pelle, forse riducendo i ponti di solfuro della cheratina,
e ne libera un tanfo metallico persistente che ti denuncia
come chimico per diversi giorni. È aggressivo, ma anche
delicato, come certi sgradevoli avversari sportivi che pia-
gnucolano quando perdono: non bisogna fargli forza, devi
lasciare che asciughi all'aria con tutto il suo comodo. Se
cerchi di scaldarlo, anche nel modo piú blando, per esem-
pio con un asciugacapelli o sopra il termosifone, perde la
sua acqua di cristallizzazione, diventa opaco, e i clienti

sciocchi non lo vogliono piú. Sciocchi, perché gli converrebbe: con meno acqua c'è piú stagno e quindi una resa migliore; ma tant'è, il cliente ha sempre ragione, specie quando di chimica ne sa poco, come appunto è il caso per gli specchiai.

Nulla della bonarietà generosa dello stagno, metallo di Giove, sopravvive nel suo cloruro (del resto, i cloruri in genere sono gentaglia, per lo piú sottoprodotti ignobili, igroscopici e buoni a poco: con la sola eccezione del sale comune, che è tutt'altro discorso). Questo sale è un energico riducente, vale a dire che è smanioso di liberarsi di certi due suoi elettroni, e lo fa al minimo pretesto, talvolta con esiti disastrosi: era bastato un solo schizzo della soluzione concentrata, che mi era colato lungo i pantaloni, per tagliarli netti come un colpo di scimitarra; ed era il dopoguerra, e non ne avevo altri fuori di quelli della domenica, e i soldi in casa erano pochi.

Non mi sarei mai allontanato dalla fabbrica in riva al lago, e sarei rimasto in eterno a raddrizzare le deformità delle vernici, se Emilio non avesse insistito, vantandomi l'avventura e la gloria della libera professione. Mi ero licenziato con assurda baldanza, distribuendo a colleghi e superiori un testamento in quartine pieno di allegre insolenze: ero abbastanza consapevole del rischio che correvo, ma sapevo che la licenza di sbagliare si restringe con gli anni, e che perciò chi ne vuole approfittare non deve aspettare troppo. D'altra parte, non bisogna neppure aspettare troppo ad accorgersi che un errore è un errore: alla fine di ogni mese facevamo i conti, e diventava sempre piú chiaro che di solo cloruro stannoso l'uomo non vive; o almeno, non vivevo io, che mi ero appena sposato e non avevo nessun autorevole patriarca alle spalle.

Non ci arrendemmo subito; ci arrovellammo per un buon mese nello sforzo di ottenere la vanillina dall'eugenolo con una resa che ci consentisse di sopravvivere, e non ci riuscimmo; secernemmo diversi quintali d'acido piruvico, prodotto con un'attrezzatura da trogloditi e con un

orario da forzati, dopo di che io levai bandiera bianca. Mi
sarei trovato un impiego, magari tornando alle vernici.

Emilio accettò con dolore, ma virilmente, la comune
sconfitta e la mia diserzione. Per lui era diverso: nelle sue
vene correva il sangue paterno, ricco di remoti fermenti
pirateschi, di iniziative mercantili e di inquieta smania del
nuovo. Non aveva paura di sbagliare, né di cambiare me-
stiere, luogo e stile di vita ogni sei mesi, né di diventare
povero; neppure aveva fisime di casta, e non provava al-
cun disagio ad andare col triciclo e con la tuta grigia a con-
segnare ai clienti il nostro laborioso cloruro. Accettò, e il
giorno dopo aveva già in mente altre idee, altre combina-
zioni con gente piú navigata di me, e diede subito inizio al-
la smobilitazione del laboratorio, e non era neppure tanto
triste, mentre lo ero io, che avevo voglia di piangere, o di
ululare alla luna come fanno i cani quando vedono chiude-
re le valige. Mettemmo mano alla malinconica bisogna aiu-
tati (o meglio frastornati ed impediti) dal Signor Samuele
e dalla Signora Ester. Vennero in luce oggetti famigliari,
cercati invano da anni, ed altri esotici, sepolti geologica-
mente nei recessi dell'alloggio: un otturatore di mitra Be-
retta 38 A (del tempo in cui Emilio era partigiano, e girava
le valli a distribuire alle bande i pezzi di ricambio), un Co-
rano miniato, una lunghissima pipa di porcellana, una spa-
da damaschinata dall'elsa intarsiata d'argento, una valanga
di carte ingiallite. Fra queste affiorò, e me ne appropriai
golosamente, una grida del 1785, in cui F. Tom. Lorenzo
Matteucci, della Marca Anconitana Inquisitore Generale,
contro l'Eretica Pravità specialmente Delegato, con molta
sicumera e poca chiarezza «ordina, proibisce, ed espressa-
mente comanda, che nessun Ebreo abbia ardire di prende-
re da Cristiani lezzione di veruna sorta d'Istromento, e
molto meno quella di Ballo». Rimandammo al giorno se-
guente il compito piú straziante, lo smontaggio della cappa
d'aspirazione.

Nonostante il parere d'Emilio, fu subito chiaro che le
nostre forze non sarebbero bastate. Ci fu doloroso arruo-

lare una coppia di carpentieri, a cui Emilio prescrisse di costruire un'attrezzatura adatta a sradicare la cappa dai suoi ancoraggi senza smembrarla: questa cappa era insomma un simbolo, l'insegna di una professione e di una condizione, anzi di un'arte, e avrebbe dovuto essere depositata nel cortile intatta e nella sua interezza, per ritrovare nuova vita e utilità in un futuro per ora non precisato.

Fu costruita un'impalcatura, montato un paranco, tese funi di guida. Mentre Emilio ed io assistevamo dal cortile alla funerea cerimonia, la cappa uscí solenne dalla finestra, si librò ponderosa, si stagliò contro il cielo grigio di via Massena, venne abilmente agganciata alla catena del paranco, e la catena gemette e si spezzò. La cappa piombò per quattro piani ai nostri piedi, e si ridusse in schegge di legno e vetro; odorava ancora di eugenolo e d'acido piruvico, e con lei si ridusse in schegge ogni nostra volontà ed ardimento d'intraprendere.

Nei brevi istanti del volo l'istinto di conservazione ci fece fare un balzo indietro. Emilio disse: «Credevo che facesse piú rumore».

Uranio

A fare il SAC (Servizio Assistenza Clienti) non si può mandare il primo venuto. È un lavoro delicato e complesso, non molto diverso da quello dei diplomatici: per esercitarlo con successo occorre infondere fiducia nei clienti, e perciò è indispensabile avere fiducia in noi stessi e nei prodotti che vendiamo; è dunque un esercizio salutare, che aiuta a conoscersi e rinforza il carattere. È forse la piú igienica delle specialità che costituiscono il Decathlon del chimico di fabbrica: quella che meglio lo allena nell'eloquenza e nell'improvvisazione, nella prontezza dei riflessi e nella capacità di capire e di farsi capire; inoltre, ti fa girare l'Italia e il mondo, e ti mette a confronto con gente varia. Devo ancora accennare ad un'altra curiosa e benefica conseguenza del SAC: facendo mostra di stimare e di trovar simpatici i propri simili, dopo qualche anno di mestiere si finisce col farlo veramente, allo stesso modo come spesso diventa matto chi simula a lungo la follia.

Nella maggior parte dei casi, al primo contatto occorre acquistare o conquistare un rango superiore a quello del tuo interlocutore: ma conquistarlo in sordina, con le buone, senza spaventarlo né surclassarlo. Ti deve sentire superiore, ma di poco: raggiungibile, comprensibile. Guai, ad esempio, a fare discorsi chimici con un non chimico: questo è l'abc del mestiere. Ma è molto piú grave il pericolo opposto, che sia il cliente a surclassare te: cosa che può avvenire benissimo, perché lui gioca in casa, ossia è lui che impiega praticamente i prodotti che tu gli vendi, e perciò

ne conosce le virtú e i difetti come una moglie conosce quelli del marito, mentre di solito tu ne hai soltanto una conoscenza indolore e disinteressata, spesso ottimistica, acquistata in laboratorio o nel corso di preparazione. La costellazione piú favorevole è quella in cui tu ti puoi presentare come un benefattore, in qualsiasi modo: convincendolo che il tuo prodotto soddisfa un suo vecchio bisogno o desiderio, magari inavvertito; che, fatti tutti i conti, alla fine dell'anno esso gli viene a costare meno che quello della Concorrenza, il quale inoltre, come è noto, va bene sulle prime, ma insomma non mi faccia parlare troppo. Puoi però beneficarlo anche in maniere diverse (e qui si rivela la fantasia del candidato al SAC): risolvendogli un problema tecnico che c'entra alla lontana, o magari niente; fornendogli un indirizzo; invitandolo a pranzo «in un locale caratteristico»; facendogli visitare la tua città ed aiutandolo o consigliandolo nell'acquisto dei souvenirs per sua moglie o per la sua ragazza; trovandogli all'ultimo momento un biglietto per il derby allo stadio (eh sí, si fa anche questo). Il mio collega di Bologna possiede una raccolta continuamente aggiornata di storielle grasse, e le ripassa diligentemente, insieme con i bollettini tecnici, prima di intraprendere il suo giro di visite in città e in provincia; siccome è di memoria corta, tiene nota di quelle che ha raccontate ad ogni singolo cliente, perché somministrare due volte la stessa storiella alla stessa persona sarebbe un fallo grave.

Tutte queste cose si imparano con l'esperienza, ma ci sono dei tecnici-commerciali che sembrano tali dalla nascita, nati SAC come Minerva. Questo non è il mio caso, e ne sono tristemente consapevole: quando mi capita di esercitare il SAC, in sede o in trasferta, lo faccio malvolentieri, con esitazione, compunzione e scarso calore umano. Peggio: tendo ad essere brusco ed impaziente coi clienti che sono impazienti e bruschi, e ad essere mite ed arrendevole coi fornitori, che, essendo a loro volta dei SAC, si mostrano

appunto arrendevoli e miti. Insomma, non sono un buon SAC, e temo che ormai sia troppo tardi per diventarlo.

Tabasso mi aveva detto: «Vai alla *** e chiedi di Bonino, che è il caporeparto. È un brav'uomo, conosce già i nostri prodotti, tutto è sempre andato bene, non è un'aquila, non lo visitiamo da tre mesi. Vedrai che non avrai difficoltà tecniche; se poi parla di prezzi, tieniti sulle generali: di' che riferirai e che non è affar tuo».

Mi feci annunciare, mi diedero il modulo da riempire e mi consegnarono il cartellino da appendere all'occhiello, che ti caratterizza come straniero e ti immunizza contro le reazioni di rigetto dei guardioni. Mi fecero accomodare in una sala d'aspetto; dopo non più di cinque minuti apparve Bonino e mi condusse nel suo ufficio. Questo è un ottimo sintomo, e non va sempre così: c'è gente che, freddamente, fa aspettare i SAC trenta o quaranta minuti anche se esiste un appuntamento, allo scopo deliberato di metterli sotto e di imporre il loro rango; è lo stesso scopo a cui mirano, con tecniche più ingegnose e più oscene, i babbuini nella gran fossa dello zoo. Ma l'analogia è più generale: tutte le strategie e tattiche del SAC si possono descrivere in termini di corteggiamento sessuale. In entrambi i casi si ha un rapporto fra due: sarebbero impensabili un corteggiamento o una contrattazione a tre. In entrambi i casi si nota all'inizio una sorta di danza od apertura ritualizzata, in cui il compratore accetta il venditore solo se questi si attiene rigidamente al cerimoniale tradizionale; se questo avviene, il compratore si unisce alla danza, e se il gradimento è reciproco si giunge all'accoppiamento, e cioè all'acquisto, con visibile soddisfazione dei due partner. I casi di violenza unilaterale sono rari; non a caso, vengono spesso descritti con termini mutuati dalla sfera sessuale.

Bonino era un ometto rotondo, sciatto, vagamente canino, dalla barba mal rasa e dal sorriso sdentato. Mi presentai ed iniziai la danza propiziatoria, ma lui mi disse subito:

– Ah sí, lei è quello che ha scritto un libro –. Devo confessare la mia debolezza: quest'apertura irregolare non mi dispiace, quantunque sia poco utile per la società che rappresento; infatti, a questo punto il discorso tende a degenerare, o per lo meno a perdersi in considerazioni anomale, che distraggono dallo scopo della visita e fanno perdere tempo professionale.

– È proprio un bel romanzo, – continuò Bonino: – l'ho letto durante le ferie, e l'ho fatto anche leggere a mia moglie; ai ragazzi no, perché magari potrebbero impressionarsi –. Queste opinioni normalmente mi irritano, ma quando si è in veste di SAC non bisogna essere troppo sofistici: ringraziai urbanamente, e cercai di ricondurre il discorso sul binario dovuto, e cioè sulle nostre vernici. Bonino oppose resistenza.

– Cosí come mi vede, ho rischiato anch'io di finire come lei. Ci avevano già chiusi nel cortile della caserma, in Corso Orbassano: ma a un certo punto io l'ho visto entrare, sa bene chi dico, e allora, mentre nessuno mi vedeva, ho scavalcato il muro, mi sono buttato giú dall'altra parte, che ci sono cinque metri buoni, e sono filato via. Poi sono andato in Val Susa coi Badogliani.

Non mi era ancora mai successo di sentire un badogliano chiamare badogliani i badogliani. Mi chiusi in difesa, ed anzi, sorpresi me stesso a prendere fiato profondamente, come fa chi si prepara ad una lunga immersione. Era chiaro che il racconto di Bonino non sarebbe stato tanto breve: ma pazienza, ripensai a quanti lunghi racconti avevo inflitto io al mio prossimo, a chi voleva ed a chi non voleva ascoltare, ricordai che sta scritto (*Deut.* 10.19) «Amerai lo straniero, poiché anche voi siete stati stranieri nel paese d'Egitto», e mi disposi comodo sulla sedia.

Bonino non era un buon narratore: divagava, si ripeteva, faceva digressioni, e digressioni delle digressioni. Aveva poi il curioso vizio di omettere il soggetto di alcune proposizioni, sostituendolo col pronome personale, il che rendeva ancora piú nebuloso il suo discorso. Mentre parlava,

io esaminavo distrattamente il locale dove mi aveva ricevuto: evidentemente il suo ufficio da molti anni, perché appariva trasandato e scomposto come la sua stessa persona. I vetri della finestra erano offensivamente sporchi, le pareti affumicate, e nell'aria ristagnava un odore tetro di tabacco stantio. Nelle pareti erano confitti chiodi rugginosi: alcuni apparentemente inutili, altri reggevano fogli ingialliti. Uno di questi, leggibile dal mio posto di osservazione, incominciava cosí: «OGGETTO: Stracci. Con sempre maggior frequenza...»; altrove, si distinguevano lamette di rasoio usate, schedine del Totocalcio, moduli della Mutua, cartoline illustrate.

– ... allora lui mi ha detto che gli andassi dietro, anzi davanti: era lui che mi stava dietro, con la pistola puntata. Poi è arrivato l'altro, il compare, che stava dietro l'angolo e lo aspettava; e fra tutti e due mi hanno portato in via Asti, sa bene, dove c'era l'Aloisio Smit. Mi chiamava su ogni tanto, e mi diceva parla parla che tanto i tuoi compagni hanno già parlato, è inutile che fai l'eroe...

Sulla scrivania di Bonino c'era un'orribile riproduzione in lega leggera della Torre di Pisa. C'era anche un portacenere ricavato da una conchiglia, pieno di mozziconi e di noccioli di ciliegia, ed un portapenne d'alabastro a forma di Vesuvio. Era una scrivania miserevole: non piú di 0,6 metri quadrati, ad una stima generosa. Non c'è SAC esperimentato che non conosca questa triste scienza delle scrivanie: magari non a livello consapevole, ma in forma di riflesso condizionato, una scrivania scarsa denunzia inesorabilmente un occupante dappoco; quanto poi a quell'impiegato che, entro otto o dieci giorni dall'assunzione, non si è saputo conquistare una scrivania, ebbene, è un uomo perduto: non può contare su piú di qualche settimana di sopravvivenza, come un paguro senza guscio. Per contro, ho conosciuto persone che al termine della loro carriera disponevano di una superficie di sette od otto metri quadrati lucidati a poliestere, palesemente esuberante, ma idonea ad esprimere in codice la misura del loro potere. Quali oggetti

riposino sulla scrivania, non è determinante ai fini quanti-
tativi: c'è chi esprime la propria autorità mantenendo in
superficie il massimo disordine ed il massimo accumulo di
cancelleria; c'è invece chi, piú sottilmente, impone il suo
rango attraverso il vuoto e la pulizia meticolosa: cosí si rac-
conta facesse Mussolini a Palazzo Venezia.

– ... ma fra tutti non si erano accorti che dentro alla
cintura la pistola ce l'avevo anch'io. Quando hanno co-
minciato a farmi la tortura, l'ho tirata fuori, li ho messi
tutti con la faccia contro il muro e me ne sono venuto via.
Ma lui...

Lui chi? Ero perplesso; il racconto si andava ingarbu-
gliando sempre di piú, l'orologio camminava, ed è pur vero
che il cliente ha sempre ragione, ma c'è un limite anche al
vendere la propria anima, ed alla fedeltà alla consegna
aziendale: oltre questo limite ci si rende ridicoli.

– ... piú lontano che potevo: mezz'ora, ed ero già dalle
parti di Rivoli. Camminavo lungo la strada, ed ecco che
vedo atterrare nei campi lí vicino un aereo tedesco, una ci-
cogna, di quelli che atterrano in cinquanta metri. Scendo-
no due, molto gentili, e mi chiedono per favore da che par-
te si passa per andare in Svizzera. Io sono pratico di quei
posti, e gli ho risposto pronto: dritto per cosí fino a Mila-
no, poi girate a sinistra. Dànche, mi rispondono, e risalgo-
no sull'apparecchio; ma poi uno ci ripensa, fruga sotto il
seggiolino, scende e mi viene incontro con in mano come
un sasso; me lo consegna e mi dice: «Questo è per il suo di-
sturbo: lo tenga da conto, è uranio». Capisce, era la fine
della guerra, ormai si sentivano perduti, la bomba atomica
non facevano piú in tempo a farla e l'uranio non gli serviva
piú. Pensavano solo a salvare la pelle ed a scappare in Svi-
zzera.

Anche al controllo sulla propria fisionomia c'è un limi-
te: Bonino doveva aver colto sulla mia qualche segno di in-
credulità, perché si interruppe, e con tono lievemente of-
feso mi disse: – Ma lei non ci crede?

– Certo, che ci credo, – risposi eroicamente: – Ma era proprio uranio?

– Sicuro: chiunque se ne sarebbe accorto. Aveva un peso incredibile, e a toccarlo era caldo. Del resto, ce l'ho ancora a casa: lo tengo sul balcone, in un ripostiglio, che i ragazzi non lo tocchino; ogni tanto lo faccio vedere agli amici, ed è rimasto caldo, è caldo ancora adesso –. Esitò un istante, poi aggiunse: – Sa che cosa faccio? Domani glie ne mando un pezzo: cosí si convince, e magari, lei che è uno scrittore, in aggiunta alle sue storie un giorno o l'altro scrive anche questa.

Ringraziai, feci doverosamente il mio numero, illustrai un certo nuovo prodotto, presi nota di una ordinazione abbastanza cospicua, salutai e diedi passata alla faccenda. Ma il giorno dopo, sulla mia scrivania da 1,2 metri quadrati, trovai deposto un pacchetto, alla mia cortese attenzione. Lo svolsi, non senza curiosità: conteneva un blocchetto di metallo, grande quanto mezza scatola di sigarette, effettivamente piuttosto pesante e dall'aria esotica. La superficie era bianca argentea, con una leggera patina giallognola: non pareva che fosse caldo, ma non era confondibile con nessuno dei metalli che una lunga consuetudine anche extra-chimica ci ha resi famigliari, come il rame, lo zinco, l'alluminio. Forse una lega? O magari proprio uranio? L'uranio metallico, dalle nostre parti, non lo ha visto mai nessuno, e nei trattati viene descritto come bianco-argenteo; e non è che sia permanentemente caldo un blocchetto piccolo come quello: forse solo una massa grande quanto una casa può mantenersi calda a spese dell'energia di disintegrazione.

Appena mi fu decentemente possibile, mi cacciai in laboratorio, il che, per un chimico del SAC, è un'iniziativa inusitata e vagamente sconveniente. Il laboratorio è luogo da giovani, ed a ritornarci ci si sente ritornare giovani: con la stessa smania di avventura, di scoperta, d'imprevisto, che si ha a diciassette anni. Naturalmente, diciassette anni non li hai piú da un pezzo, ed inoltre la lunga carriera di

attività parachimiche ti ha mortificato, ti ha reso atrofico, impedito, ignaro della collocazione dei reagenti e delle apparecchiature, immemore di tutto salvo che delle reazioni fondamentali: ma proprio per questi motivi il laboratorio rivisitato è sorgente di gioia, ed emana un fascino intenso, che è quello della giovinezza, dell'avvenire indeterminato e gravido di potenze, e cioè della libertà.

Ma gli anni di non-uso non ti fanno dimenticare alcuni tic professionali, alcuni comportamenti stereotipi che ti fanno riconoscere come chimico in qualsiasi circostanza: tentare la materia incognita con l'unghia, col temperino, annusarla, sentire con le labbra se è «fredda» o «calda», provare se incide o no il vetro della finestra, osservarla in luce riflessa, soppesarla nel cavo della mano. Valutare senza bilancia il peso specifico di un materiale non è poi così facile, ma l'uranio, via, ha p. sp. 19, molto più del piombo, il doppio del rame: il dono fatto a Bonino dagli aeronauti-astronauti nazisti non poteva essere uranio. Incominciavo ad intravvedere, nel racconto paranoico dell'ometto, l'eco di una leggenda locale tenace e ricorrente, degli UFO della Val Susa, dei dischi volanti portatori di presagi come le comete nel medioevo, erratici e privi di effetti come gli spiriti degli spiritisti.

E se non era uranio, cosa? Asportai col seghetto una fettina di metallo (si segava senza difficoltà) e la presentai sulla fiamma del becco Bunsen: avvenne una cosa poco comune, dalla fiamma si levò un filo di fumo bruno, che si arricciolava in volute. Percepii, con un attimo di voluttuosa nostalgia, ridestarsi in me i riflessi dell'analista, appassiti per la lunga inerzia: trovai una capsula di porcellana smaltata, la riempii d'acqua, la sovrapposi alla fiamma fuligginosa, e vidi formarsi sul fondo un deposito bruno che era una vecchia conoscenza. Toccai il deposito con una gocciolina di soluzione di nitrato d'argento, ed il colore nero-azzurro che si sviluppò mi confermò che il metallo era cadmio, il lontano figlio di Cadmo, il seminatore dei denti del drago.

Dove Bonino avesse trovato il cadmio, non era molto

interessante: probabilmente nel reparto cadmiatura della sua fabbrica. Piú interessante, ma indecifrabile, era l'origine della sua storia: profondamente sua, la sua, poiché, come seppi in seguito, la raccontava sovente ed a tutti, ma senza sostanziarla con l'apporto della materia, e con particolari via via piú colorati e meno credibili col passare degli anni. Era chiaramente impossibile venirne a capo: ma invidiai in lui, io impigliato nella rete del SAC, dei doveri sociali ed aziendali e della verosimiglianza, la libertà sconfinata dell'invenzione, di chi ha sfondato la barriera ed è ormai padrone di costruirsi il passato che piú gli aggrada, di cucirsi intorno i panni dell'eroe, e di volare come Superman attraverso i secoli, i meridiani e i paralleli.

Argento

Una circolare ciclostilata, di norma, si getta nel cestino senza leggerla, ma mi accorsi subito che quella non meritava il comune destino: era l'invito per la cena del venticinquesimo anno di laurea. Il suo linguaggio mi diede da pensare: il destinatario veniva trattato col «tu», e l'estensore faceva sfoggio di termini goliardici stantii, come se quei venticinque anni non fossero passati. Con involontaria comicità, il testo concludeva dicendo: «... in un'atmosfera di rinnovato cameratismo, celebreremo le nostre nozze d'argento con la Chimica narrandoci a vicenda gli eventi chimici della nostra vita quotidiana». Quali eventi chimici? La precipitazione degli steroli entro le nostre arterie cinquantenni? L'equilibrio di membrana delle nostre membrane?

Chi poteva essere l'autore? Passai in rassegna mentalmente i venticinque o trenta colleghi superstiti: voglio dire, non solo ancora in vita, ma non spariti dietro il capo di altre attività professionali. Prima di tutto, via tutte le colleghe: tutte madri di famiglia, tutte smobilitate, nessuna piú in possesso di «eventi» da raccontare. Via gli arrampicatori, gli arrampicati, i protetti, gli ex protetti divenuti protettori: questa è gente che non ama i confronti. Via anche i frustrati, che neanche loro amano i confronti: ad una riunione cosí, il naufrago magari ci viene, ma per chiedere compatimento o aiuto: è difficile che prenda l'iniziativa di organizzarla. Dalla esigua rosa che avanzava scaturí un nome probabile: Cerrato, l'onesto maldestro e volonteroso

Cerrato, a cui la vita aveva dato cosí poco e che cosí poco aveva dato alla vita. L'avevo incontrato saltuariamente e fugacemente dopo la guerra, ed era un inerte, non un naufrago: è naufrago chi parte ed affonda, chi si propone una meta, non la raggiunge e ne soffre; Cerrato non si era proposto nulla, non si era esposto a nulla, era rimasto ben chiuso in casa, e certamente doveva essere rimasto abbarbicato agli anni «d'oro» degli studi perché tutti gli altri suoi anni erano stati di piombo.

Davanti alla prospettiva di quella cena provavo una reazione bifida: non era un evento neutro, mi attirava e mi respingeva allo stesso tempo, come un magnete accostato a una bussola. Ci volevo andare e non ci volevo andare: ma le motivazioni per entrambe le decisioni, a ben guardare, non erano molto nobili. Ci volevo andare perché mi lusingava confrontarmi e sentirmi piú disponibile degli altri, meno legato al guadagno e agli idoli, meno giocato, meno sparato. Non ci volevo andare perché non volevo avere l'età degli altri, cioè la mia età: non volevo vedere rughe, canizie, memento mori. Non volevo contarci, né contare gli assenti, né fare calcoli.

Eppure Cerrato mi incuriosiva. Qualche volta avevamo studiato insieme: era serio e non aveva indulgenze per se stesso, studiava senza genialità e senza gioia (sembrava che non conoscesse la gioia), abbattendo successivamente i capitoli dei testi come un minatore in galleria. Col fascismo non si era compromesso, e aveva reagito bene al reattivo delle leggi razziali. Era stato un ragazzo opaco ma sicuro, di cui ci si poteva fidare: e l'esperienza insegna che proprio questa, l'affidabilità, è la virtú piú costante, quella che non si acquista né si perde con gli anni. Si nasce degni di fiducia, col viso aperto e gli occhi fermi, e tali si resta per la vita. Chi nasce contorto e lasco, tale rimane: chi ti mente a sei anni, ti mente a sedici e a sessanta. Il fenomeno è notevole, e spiega come certe amicizie e matrimoni sopravvivono per molti decenni, a dispetto dell'abitudine, della noia e del logorarsi degli argomenti: mi interessava verificarlo

su Cerrato. Versai la quota, e scrissi all'anonimo Comitato che alla cena avrei preso parte.

La sua figura non era molto cambiata: era alto, ossuto, olivastro; i capelli ancora folti, la barba ben rasa, la fronte, il naso e il mento pesanti e come appena abbozzati. Ancora, come allora, si muoveva malamente, con quei gesti bruschi e insieme incerti che in laboratorio l'avevano reso un proverbiale spaccatore di vetreria.

Come è usanza, dedicammo all'aggiornamento reciproco i primi minuti di colloquio. Appresi che era sposato senza figli, e simultaneamente compresi che questo non era un argomento gradito. Appresi che aveva sempre lavorato in chimica fotografica: dieci anni in Italia, quattro in Germania, poi di nuovo in Italia. Era stato lui, certo, il promotore della cena e l'autore della lettera d'invito. Non provava vergogna ad ammetterlo: se gli concedevo una metafora professionale, gli anni di studio erano il suo Technicolor, il resto era bianco e nero. Quanto agli «eventi» (mi trattenni dal fargli notare la goffaggine dell'espressione), gli interessavano veramente. La sua carriera era stata ricca di eventi, anche se per lo piú, appunto, non erano stati che in bianco e nero: anche la mia? Certo, gli confermai: chimici e non chimici, ma negli ultimi anni gli eventi chimici avevano prevalso, per frequenza e intensità. Ti dànno il senso del «nicht dazu gewachsen», dell'impotenza, dell'insufficienza, non è vero? Ti dànno l'impressione di combattere un'interminabile guerra contro un esercito avversario ottuso e tardo, ma tremendo per numero e peso; di perdere tutte le battaglie, una dopo l'altra, un anno dopo l'altro; e ti devi accontentare, per medicare il tuo orgoglio contuso, di quelle poche occasioni in cui intravvedi una smagliatura nello schieramento nemico, ti ci avventi, e metti a segno un rapido singolo colpo.

Anche Cerrato conosceva questa milizia: anche lui aveva sperimentato l'insufficienza della nostra preparazione,

e il dovervi surrogare con la fortuna, l'intuizione, gli stra-
tagemmi, ed un fiume di pazienza. Gli dissi che andavo in
cerca di eventi, miei e d'altri, che volevo schierare in mo-
stra in un libro, per vedere se mi riusciva di convogliare ai
profani il sapore forte ed amaro del nostro mestiere, che è
poi un caso particolare, una versione piú strenua, del me-
stiere di vivere. Gli dissi che non mi pareva giusto che il
mondo sapesse tutto di come vive il medico, la prostituta,
il marinaio, l'assassino, la contessa, l'antico romano, il
congiurato e il polinesiano, e nulla di come viviamo noi
trasmutatori di materia; ma che in questo libro avrei deli-
beratamente trascurato la grande chimica, la chimica
trionfante degli impianti colossali e dei fatturati vertigino-
si, perché questa è opera collettiva e quindi anonima. A
me interessavano di piú le storie della chimica solitaria,
inerme e appiedata, a misura d'uomo, che con poche ecce-
zioni è stata la mia: ma è stata anche la chimica dei fonda-
tori, che non lavoravano in équipe ma soli, in mezzo all'in-
differenza del loro tempo, per lo piú senza guadagno, e af-
frontavano la materia senza aiuti, col cervello e con le ma-
ni, con la ragione e la fantasia.

Gli chiesi se a questo libro gli sarebbe piaciuto contri-
buire: se sí, mi raccontasse una storia, e, se mi era permes-
so dare un suggerimento, doveva essere una storia delle
nostre, in cui ci si arrabatta nel buio per una settimana o
per un mese, sembra che sarà buio sempre, e viene voglia
di buttare via tutto e di cambiare mestiere: poi si scorge
nel buio un bagliore, si va a tentoni da quella parte, e la lu-
ce cresce, e infine l'ordine segue al caos. Cerrato mi disse
seriamente che in effetti qualche volta le cose andavano
cosí, e che avrebbe cercato di accontentarmi; ma che in ge-
nerale era proprio buio sempre, il bagliore non si vedeva,
si picchiava il capo piú e piú volte contro il soffitto sempre
piú basso, e si finiva coll'uscire dalla grotta carponi e a ri-
troso, un po' piú vecchi di quando ci si era entrati. Mentre
lui interrogava la sua memoria, con lo sguardo verso il sof-
fitto presuntuosamente affrescato del ristorante, gli scoc-

cai una rapida occhiata, e vidi che era invecchiato bene, senza deformarsi, anzi crescendo e maturando: era rimasto greve come un tempo, negato al refrigerio della malizia e del riso, ma questo non offendeva piú, si accettava meglio da un cinquantenne che da un ventenne. Mi raccontò una storia d'argento.

– Ti racconto l'essenziale; il contorno ce lo metti tu, per esempio come vive un italiano in Germania; del resto, ci sei pure stato. Ero al controllo del reparto dove si fabbricano le carte per radiografia. Ne sai qualcosa? Non importa: è un materiale poco sensibile, che non dà rogne (rogne e sensibilità sono proporzionali); quindi anche il reparto era piuttosto tranquillo. Ma devi pensare che, se funziona male una pellicola per dilettanti, nove volte su dieci l'utente pensa che sia colpa sua; o se no, al massimo ti manda qualche accidente, che non ti arriva per insufficienza d'indirizzo. Invece, se va male una radiografia, magari dopo la pappa di bario o l'urografia discendente; e poi ne va male una seconda, e tutto il pacchetto di carte; ebbene, allora non finisce cosí: la grana fa la sua scalata, ingrossando mentre sale, e ti arriva addosso come un'afflizione. Tutte cose che il mio predecessore mi aveva spiegate, col talento didascalico dei tedeschi, per giustificare ai miei occhi il fantastico rituale di pulizia che nel reparto si deve osservare, dal principio alla fine della lavorazione. Non so se ti interessa: ti basti pensare che...

Lo interruppi: le cautele minuziose, le pulizie maniache, le purezze con otto zeri, sono cose che mi fanno soffrire. So bene che in qualche caso si tratta di misure necessarie, ma so pure che, piú sovente, la mania prevale sul buon senso, e che accanto a cinque precetti o divieti sensati se ne annidano dieci insensati, inutili, che nessuno osa cancellare solo per pigrizia mentale, per scaramanzia o per morbosa paura di complicazioni: quando addirittura non capita come nel servizio militare, in cui il regolamento ser-

ve a contrabbandare una disciplina repressiva. Cerrato mi versò da bere: la sua grossa mano si diresse esitando verso il collo della bottiglia, come se questa stesse starnazzando sul tavolo per sfuggirgli; poi la inclinò verso il mio bicchiere, urtandovi contro piú volte. Mi confermò che spesso le cose stavano proprio cosí: per esempio, alle operaie del reparto di cui mi stava parlando era vietato usare cipria, ma una volta, ad una ragazza era caduto dalla tasca il portacipria, si era aperto cadendo, e ne era volata per aria un bel po'; la produzione di quel giorno era stata collaudata con rigore particolare, ma andava benissimo. Bene, il divieto della cipria era rimasto.

– ... però un dettaglio bisogna che te lo dica, se no la storia non si capirebbe. C'è la religione del pelo (questa è giustificata, te lo assicuro): il reparto è in leggera sovrapressione, e l'aria che ci si pompa dentro è accuratamente filtrata. Si porta sopra gli abiti una tuta speciale, e una cuffia sopra i capelli: tute e cuffie vanno lavate tutti i giorni, per asportare i peli in formazione o catturati accidentalmente. Scarpe e calze vanno tolte all'ingresso, e sostituite con pantofole antipolvere.

Ecco, questo è lo scenario. Devo aggiungere che, da cinque o sei anni, incidenti grossi non ne erano capitati: qualche protesta isolata da qualche ospedale per la sensibilità alterata, ma si trattava quasi sempre di materiale già fuori del limite di scadenza. Le grane, tu lo saprai, non vengono al galoppo, come gli Unni, ma zitte, di soppiatto, come le epidemie. Incominciò con un espresso da un centro diagnostico di Vienna; era in termini molto civili, direi piú una segnalazione che una protesta, e allegata c'era una radiografia giustificativa: regolare come grana (scusa il bisticcio: qui volevo dire grana dell'emulsione) e come contrasto, ma cosparsa di macchioline bianche, oblunghe, grosse come fagioli. Si risponde con una lettera compunta, in cui ci si scusa dell'involontario eccetera, ma dopo il primo lanzichenecco morto di peste è meglio non farsi illusioni: la peste è peste, è inutile fare gli struzzi. La settimana

dopo c'erano altre due lettere: una veniva da Liegi e accennava a danni da rifondere, l'altra veniva dall'Unione Sovietica, non ricordo piú (forse l'ho censurata) la complicata sigla dell'ente commerciale che l'aveva spedita. Quando fu tradotta, a tutti si drizzarono i capelli in testa. Il difetto, naturalmente, era sempre quello, delle macchie a forma di fagiolo, e la lettera era pesantissima: si parlava di tre operazioni che avevano dovuto essere rimandate, di turni persi, di quintali di carta sensibile contestata, di una perizia e di una controversia internazionale presso il Tribunale di non so dove; ci si ingiungeva di mandare subito uno Spezialist.

In questi casi si cerca almeno di chiudere le stalle dopo che una parte dei buoi sono scappati, ma non sempre ci si riesce. Chiaro che tutta la carta aveva superato bene il collaudo di uscita: si trattava dunque di un difetto che si manifestava in ritardo, durante il magazzinaggio da noi o dal cliente, o durante il trasporto. Il Direttore mi chiamò a rapporto; discusse il caso con me, molto cortesemente, per due ore, ma a me pareva che mi scuoiasse, lentamente, metodicamente, e godendoci.

Prendemmo accordi col laboratorio controlli, e ricollaudammo lotto per lotto tutta la carta che era a magazzino. Quella piú recente di due mesi era in ordine. Nell'altra, il difetto fu riscontrato, ma non in tutta: i lotti erano centinaia, e circa un sesto presentavano l'inconveniente dei fagioli. Il mio vice, che era un giovane chimico neanche poi tanto sveglio, fece un'osservazione curiosa: i lotti difettosi si susseguivano con una certa regolarità, cinque buoni e uno cattivo. Mi sembrò una traccia, e cercai di andare a fondo: era proprio cosí, era guasta quasi esclusivamente la carta fabbricata il mercoledí.

Certo saprai anche che le grane a ritardo sono di gran lunga le piú maligne. Mentre si cercano le cause, bisogna pure continuare a produrre: ma come puoi essere sicuro che la causa (o le cause) non sia tuttora al lavoro, e il materiale che produci foriero di altri guai? Si capisce che puoi

tenerlo in quarantena due mesi e poi ricollaudarlo: ma che
cosa dirai ai depositi in tutto il mondo, che non vedono ar-
rivare roba? E gli interessi passivi? E il nome, il Buon No-
me, l'Unbestrittener Ruf? Poi c'è quell'altra complicazio-
ne: ogni variazione che tu faccia nella composizione o nella
tecnologia, deve aspettare due mesi prima che tu sappia se
serve o non serve, se annulla il difetto o lo accentua.

Io mi sentivo innocente, naturalmente: avevo rispettato
tutte le regole, non mi ero permessa nessuna indulgenza. A
monte e a valle di me, tutti gli altri si sentivano altrettanto
innocenti: quelli che avevano date per buone le materie
prime, che avevano preparato e collaudato l'emulsione di
bromuro d'argento, quelli che avevano confezionato, im-
ballato e immagazzinato i pacchi della carta. Mi sentivo in-
nocente, ma non ero: ero colpevole per definizione, perché
un caporeparto risponde del suo reparto, e perché se c'è
danno c'è peccato, e se c'è peccato c'è un peccatore. È una
faccenda, appunto, come il peccato originale: non hai fatto
niente, ma sei colpevole e devi pagare. Non con denaro,
ma peggio: perdi il sonno, perdi l'appetito, ti viene l'ulcera
o l'eczema, e fai un grande passo verso la nevrosi aziendale
definitiva.

Mentre continuavano ad arrivare lettere e telefonate di
protesta, io mi accanivo ad almanaccare sul fatto del mer-
coledì: un significato lo doveva pure avere. Il martedì not-
te era di turno un guardiano che non mi piaceva, aveva
una cicatrice sul mento e la faccia da nazi. Non sapevo se
parlarne o no col Direttore: cercare di scaricare la colpa su-
gli altri è sempre cattiva politica. Poi mi feci portare i libri
paga, e vidi che il nazi era da noi solo da tre mesi, mentre
il guaio dei fagioli incominciava a manifestarsi sulla carta
fabbricata dieci mesi prima. Cosa era successo di nuovo
dieci mesi prima?

Circa dieci mesi prima era stato accettato, dopo rigorosi
controlli, un nuovo fornitore della carta nera che si usa per
proteggere dalla luce le carte sensibili: ma il materiale di-
fettoso risultò imballato promiscuamente in carta nera

proveniente da entrambi i fornitori. Anche dieci mesi prima (nove, per l'esattezza) era stato assunto un gruppo di operaie turche; le intervistai una per una, con loro grande stupore: volevo stabilire se il mercoledí, o il martedí sera, facevano qualcosa di diverso dal solito. Si lavavano? o *non* si lavavano? Usavano qualche cosmetico speciale? andavano a ballare e sudavano piú del solito? Non osai chiedergli se il martedí sera facevano all'amore: comunque, né direttamente né attraverso l'interprete, non riuscii a cavarne nulla.

Capirai che frattanto la faccenda si era risaputa in tutta la fabbrica, e mi guardavano con un'aria strana: anche perché ero il solo caporeparto italiano, e mi immaginavo benissimo i commenti che si dovevano scambiare dietro le mie spalle. L'aiuto decisivo mi venne da uno degli uscieri, che parlava un po' italiano perché era stato a combattere in Italia: anzi, era stato fatto prigioniero dai partigiani dalle parti di Biella, e poi scambiato con qualcuno. Non aveva rancore, era loquace, e parlava a vanvera di un po' di tutto senza mai concludere: ebbene, è stata proprio questa sua chiacchiera insulsa a fare da filo d'Arianna. Un giorno mi disse che lui era pescatore, ma che da quasi un anno, nel fiumicello lí accanto, non si pescava piú un pesce: da quando, cinque o sei chilometri piú a monte, avevano messo una conceria. Mi disse poi che addirittura l'acqua, in certi giorni, diventava bruna. Lí per lí non feci caso a queste sue osservazioni, ma ci ripensai pochi giorni dopo, quando dalla finestra della mia camera, nella foresteria, vidi ritornare il camioncino che riportava le tute dalla lavanderia. Mi informai: la conceria aveva cominciato a lavorare dieci mesi prima, e la lavanderia lavava le tute proprio nell'acqua del fiume dove il pescatore non riusciva piú a pescare: però la filtravano e la facevano passare per un depuratore a scambio ionico. Le tute le lavavano durante il giorno, le asciugavano di notte in un essiccatoio, e le riconsegnavano al mattino presto, prima della sirena.

Andai alla conceria: volevo sapere quando, dove, con quale ritmo, in quali giorni svuotavano i tini. Mi mandarono via malamente, ma io ci ritornai due giorni dopo col medico dell'Ufficio d'Igiene; bene, il piú grande dei tini di concia lo vuotavano ogni settimana, la notte fra il lunedí e il martedí! Non mi vollero dire che cosa conteneva, ma sai bene, i conciati organici sono dei polifenoli, non c'è resina scambio-ionica che li trattenga, e che cosa possa fare un polifenolo sul bromuro d'argento lo immagini anche tu che non sei della partita. Ottenni un campione del bagno di concia, andai al laboratorio sperimentale, e provai ad atomizzare una soluzione 1:10 000 nella camera oscura in cui stava esposto un campione di carta per radiografie. L'effetto si vide pochi giorni dopo: la sensibilità della carta era sparita, letteralmente. Il capo del laboratorio non credeva ai suoi occhi: mi disse che non aveva mai visto un inibitore cosí potente. Abbiamo provato con soluzioni via via piú diluite, come fanno gli omeopatici: con soluzioni intorno alla parte per milione si ottenevano le macchie a forma di fagiolo, che venivano fuori però solo dopo due mesi di riposo. L'effetto-fagiolo, il Bohneffekt, era stato riprodotto in pieno: a conti fatti, si è visto che bastava qualche migliaio di molecole di polifenolo, assorbito dalle fibre della tuta durante il lavaggio, e portato in volo dalla tuta alla carta da un pelino invisibile, per provocare una macchia.

Gli altri commensali intorno a noi conversavano rumorosamente di figli, di ferie e di stipendi; noi finimmo con l'appartarci al bar, dove a poco a poco diventammo sentimentali, e ci promettemmo a vicenda di rinnovare un'amicizia che in effetti fra noi non era mai esistita. Ci saremmo tenuti a contatto, e ognuno di noi avrebbe raccolto per l'altro altre storie come questa, in cui la materia stolida

manifesta un'astuzia tesa al male, all'ostruzione, come se si ribellasse all'ordine caro all'uomo: come i fuoricasta temerari, assetati piú della rovina altrui che del trionfo proprio, che nei romanzi arrivano dai confini della terra per stroncare l'avventura degli eroi positivi.

Vanadio

Una vernice è una sostanza instabile per definizione: infatti, a un certo punto della sua carriera, da liquida deve diventare solida. È necessario che questo avvenga al momento e nel luogo giusto. Il caso opposto può essere sgradevole o drammatico: può avvenire che una vernice solidifichi (noi diciamo brutalmente «parta») durante il soggiorno a magazzino, e allora la merce va buttata; o che solidifichi la resina di base durante la sintesi, in un reattore da dieci o venti tonnellate, il che può volgere al tragico; o invece, che la vernice non solidifichi affatto, neppure dopo l'applicazione, e allora ci si fa ridere dietro, perché una vernice che non «asciuga» è come un fucile che non spara o un toro che non ingravida.

Al processo di solidificazione prende parte in molti casi l'ossigeno dell'aria. Fra le varie imprese, vitali o distruttive, che l'ossigeno sa compiere, a noi verniciai interessa soprattutto la sua capacità di reagire con certe molecole piccole, quali quelle di certi oli, e di creare ponti fra loro trasformandole in un reticolo compatto e quindi solido: è cosí che, ad esempio, «asciuga» all'aria l'olio di lino.

Avevamo importato una partita di resina per vernici, una appunto di quelle resine che solidificano a temperatura ordinaria per semplice esposizione all'atmosfera, ed eravamo preoccupati. Controllata da sola, la resina essiccava regolarmente, ma dopo di essere stata macinata con un certo (insostituibile) tipo di nerofumo, la capacità di essiccare si attenuava fino a sparire: avevamo già accantonato

diverse tonnellate di smalto nero che, a dispetto di tutte le correzioni tentate, dopo applicato rimaneva appiccicoso indefinitamente, come una lugubre carta moschicida.

In casi come questi, prima di formulare accuse bisogna andare cauti. Il fornitore era la W., grande e rispettabile industria tedesca, uno dei tronconi in cui, dopo la guerra, gli Alleati avevano smembrato la onnipotente IG-Farben: gente come questa, prima di riconoscersi in colpa, butta sul piatto della bilancia tutto il peso del proprio prestigio e tutta la propria capacità defatigatoria. Ma non c'era modo di evitare la controversia: le altre partite di resina si comportavano bene con quella stessa partita di nerofumo, la resina era di un tipo speciale, che solo la W. produceva, e noi eravamo vincolati da un contratto, e dovevamo assolutamente continuare a fornire quello smalto nero, senza perdere scadenze.

Scrissi una educata lettera di protesta, esponendo i termini della questione, e pochi giorni dopo giunse la risposta: era lunga e pedante, consigliava artifici ovvi che noi avevamo già adottati senza risultato, e conteneva un'esposizione superflua e deliberatamente confusa sul meccanismo d'ossidazione della resina; ignorava la nostra fretta, e sul punto essenziale diceva soltanto che erano in corso i doverosi controlli. Non rimaneva altro da fare se non ordinare subito un'altra partita, raccomandando alla W. di verificare con particolare cura il comportamento della resina con quel tipo di nerofumo.

Insieme con la conferma di quest'ultimo ordine, giunse una seconda lettera, lunga quasi quanto la prima, e firmata dallo stesso Doktor L. Müller. Era un po' più pertinente della prima, riconosceva (con molte cautele e riserve) la giustezza della nostra doglianza, e conteneva un consiglio meno ovvio dei precedenti: «ganz unerwarteterweise», e cioè in modo del tutto inaspettato, gli gnomi del loro laboratorio avevano trovato che la partita contestata guariva se addizionata dello 0,1 per cento di naftenato di vanadio: un additivo di cui, fino a quel tempo, nel mondo delle vernici

non si era mai sentito parlare. L'ignoto dottor Müller ci invitava a verificare immediatamente la loro affermazione; se l'effetto veniva confermato, la loro osservazione avrebbe potuto evitare ad entrambe le parti i fastidi e le incognite di una controversia internazionale e di una riesportazione.

Müller. C'era un Müller in una mia incarnazione precedente, ma Müller è un nome comunissimo in Germania, come Molinari in Italia, di cui è l'esatto equivalente. Perché continuare a pensarci? Eppure, rileggendo le due lettere dal periodare pesantissimo, infarcite di tecnicismi, non riuscivo a far tacere un dubbio, di quelli che non si lasciano accantonare e ti scricchiolano dentro come tarli. Ma via, i Müller in Germania saranno duecentomila, lascia andare e pensa alla vernice da correggere.

... e poi, ad un tratto, mi ritornò sott'occhio una particolarità dell'ultima lettera che mi era sfuggita: non era un errore di battuta, era ripetuto due volte, stava proprio scritto «naptenat», non «naphthenat» come avrebbe dovuto. Ora, degli incontri fatti in quel mondo ormai remoto io conservo memorie di una precisione patologica: ebbene, anche quell'altro Müller, in un non dimenticato laboratorio pieno di gelo, di speranza e di spavento, diceva «beta-Naptylamin» anziché «beta-Naphthylamin».

I russi erano alle porte, due o tre volte al giorno venivano gli aerei alleati a sconquassare la fabbrica di Buna: non c'era un vetro intero, mancavano l'acqua, il vapore, l'energia elettrica; ma l'ordine era di incominciare a produrre gomma Buna, e i tedeschi non discutono gli ordini.

Io stavo in laboratorio con altri due prigionieri specialisti, simili agli schiavi indottrinati che i ricchi romani importavano dalla Grecia. Lavorare era tanto impossibile quanto inutile: il nostro tempo se ne andava quasi per intero nello smontare gli apparecchi ad ogni allarme aereo e nel rimontarli ad allarme cessato. Ma appunto, gli ordini

non si discutono, ed ogni tanto qualche ispettore si faceva largo fino a noi attraverso le macerie e la neve per accertarsi che il lavoro del laboratorio procedesse secondo le prescrizioni. A volte veniva un SS dalla faccia di pietra, altre volte un vecchio soldatino della Territoriale spaurito come un sorcio, altre ancora un borghese. Il borghese che compariva piú sovente veniva chiamato Doktor Müller.

Doveva essere piuttosto autorevole, perché tutti lo salutavano per primi. Era un uomo alto e corpulento, sui quarant'anni, dall'aspetto piuttosto rozzo che raffinato; con me aveva parlato soltanto tre volte, e tutte e tre con una timidezza rara in quel luogo, come se si vergognasse di qualche cosa. La prima volta, solo di questioni di lavoro (del dosamento della «naptilamina», appunto); la seconda volta mi aveva chiesto perché avevo la barba cosí lunga, al che io avevo risposto che nessuno di noi aveva un rasoio, anzi neppure un fazzoletto, e che la barba ci veniva rasa d'ufficio tutti i lunedí; la terza volta mi aveva dato un biglietto, scritto nitidamente a macchina, che mi autorizzava ad essere raso anche il giovedí ed a prelevare dall'Effektenmagazin un paio di scarpe di cuoio, e mi aveva chiesto, dandomi del «lei»: «Perché ha l'aria cosí inquieta?» Io, che a quel tempo pensavo in tedesco, avevo concluso fra me: «Der Mann hat keine Ahnung», costui non si rende conto.

Prima il dovere. Mi affrettai a ricercare fra i nostri comuni fornitori un campione di naftenato di vanadio, e mi accorsi che non era facile: il prodotto non era di fabbricazione normale, veniva preparato in piccoli quantitativi e solo su ordinazione; trasmisi l'ordinazione.

Il ritorno di quel «pt» mi aveva precipitato in una eccitazione violenta. Ritrovarmi, da uomo a uomo, a fare i conti con uno degli «altri» era stato il mio desiderio piú vivo e permanente del dopo-Lager. Era stato soddisfatto solo in parte dalle lettere dei miei lettori tedeschi: non mi

accontentavano, quelle oneste e generiche dichiarazioni di pentimento e di solidarietà da parte di gente mai vista, di cui non conoscevo l'altra facciata, e che probabilmente non era implicata se non sentimentalmente. L'incontro che io aspettavo, con tanta intensità da sognarlo (in tedesco) di notte, era un incontro con uno di quelli di laggiú, che avevano disposto di noi, che non ci avevano guardati negli occhi, come se noi non avessimo avuto occhi. Non per fare vendetta: non sono un Conte di Montecristo. Solo per ristabilire le misure, e per dire «dunque?» Se questo Müller era il mio Müller, non era l'antagonista perfetto, perché in qualche modo, forse solo per un momento, aveva avuto pietà, o anche solo un rudimento di solidarietà professionale. Forse ancora meno: forse si era soltanto risentito per il fatto che quello strano ibrido di collega e di strumento, che pure insomma era un chimico, frequentasse un laboratorio senza l'Anstand, il decoro, che il laboratorio richiede; ma gli altri intorno a lui non avevano sentito neppure questo. Non era l'antagonista perfetto: ma, come è noto, la perfezione è delle vicende che si raccontano, non di quelle che si vivono.

Mi misi in contatto col rappresentante della W., con cui ero abbastanza in confidenza, e lo pregai di investigare con discrezione sul dottor Müller: quanti anni aveva? quale aspetto? dove era stato durante la guerra? La risposta non tardò molto: gli anni e l'aspetto coincidevano, l'uomo aveva lavorato prima a Schkopau, per impratichirsi nella tecnologia della gomma, poi alla fabbrica di Buna, presso Auschwitz. Ottenni il suo indirizzo, e gli mandai, da privato a privato, una copia della edizione tedesca di *Se questo è un uomo*, con una lettera di accompagnamento in cui gli chiedevo se era veramente lui il Müller di Auschwitz, e se ricordava «i tre uomini del laboratorio»; bene, che scusasse la brutale intromissione e ritorno dal nulla, io ero uno dei tre, oltre ad essere il cliente preoccupato per la resina che non essiccava.

Mi disposi all'attesa della risposta, mentre a livello

aziendale continuava, come l'oscillazione di un enorme
lentissimo pendolo, lo scambio di lettere chimico-buro-
cratiche a proposito del vanadio italiano che non andava
cosí bene come quello tedesco. Vogliate pertanto spedirci
con cortese urgenza le specificazioni del prodotto, ed in-
viarcene per via aerea kg 50, il cui importo vorreste defalca-
re eccetera. Sul piano tecnico la questione sembrava bene
avviata, ma non era chiaro il destino del lotto difettoso di
resina: trattenerlo con uno sconto sul prezzo, o riesportar-
lo a spese della W., o chiedere un arbitrato; intanto, come
è usanza, ci minacciavamo a vicenda di adire le vie legali,
«gerichtlich vorzugehen».

La risposta «privata» continuava a farsi attendere, il
che era irritante e snervante quasi quanto la contesa azien-
dale. Che cosa sapevo del mio uomo? Niente: con ogni
probabilità aveva cancellato tutto, deliberatamente o no;
la mia lettera e il mio libro erano per lui un'intrusione ine-
ducata e fastidiosa, un invito maldestro a rimestare un se-
dimento ormai bene assestato, un attentato all'Anstand.
Non avrebbe risposto mai. Peccato: non era un tedesco
perfetto, ma esistono tedeschi perfetti? o ebrei perfetti?
Sono un'astrazione: il passaggio dal generale al particolare
riserva sempre delle sorprese stimolanti, quando il partner
privo di contorni, larvale, ti si definisce davanti, a poco a
poco o ad un solo tratto, e diventa il Mitmensch, il co-
uomo, con tutto il suo spessore, ticchi, anomalie ed anaco-
luti. Ormai erano passati quasi due mesi: la risposta non
sarebbe piú arrivata. Peccato.

Arrivò datata 2 marzo 1967, su elegante carta intestata
in caratteri vagamente gotici. Era una lettera di apertura,
breve e riservata. Sí, il Müller di Buna era proprio lui.
Aveva letto il mio libro, riconosciuto con emozione perso-
ne e luoghi; era lieto di sapermi sopravvissuto; mi chiedeva
notizie degli altri due «uomini del laboratorio», e fin qui
non c'era nulla di strano, poiché erano nominati nel libro:
ma chiedeva anche di Goldbaum, che io non avevo nomi-
nato. Aggiungeva di aver riletto, con l'occasione, le sue

annotazioni su quel periodo: me le avrebbe commentate volentieri in un auspicabile incontro personale, «utile sia a me, sia a Lei, e necessario ai fini del superamento di quel terribile passato» («im Sinne der Bewältigung der so furchtbaren Vergangenheit»). Dichiarava infine che, fra tutti i prigionieri che aveva incontrato ad Auschwitz, ero io quello che gli aveva fatto l'impressione piú forte e duratura, ma questa poteva bene essere una lusinga: dal tono della lettera, e in specie da quella frase sul «superamento», sembrava che l'uomo aspettasse qualcosa da me.

Adesso toccava a me rispondere, e mi sentivo imbarazzato. Ecco: l'impresa era riuscita, l'avversario accalappiato; era davanti a me, quasi un collega verniciaio, scriveva come me su carta intestata, e si ricordava perfino di Goldbaum. Era ancora assai sfuocato, ma era chiaro che voleva da me qualcosa come un'assoluzione, perché lui aveva un passato da superare e io no: io volevo da lui soltanto uno sconto sulla fattura di una resina difettosa. La situazione era interessante, ma atipica: coincideva solo in parte con quella del reprobo davanti al giudice.

In primo luogo: in quale lingua gli avrei risposto? Non in tedesco certo; avrei commesso errori ridicoli, che il mio ruolo non ammetteva. Meglio sempre combattere sul proprio campo: gli scrissi in italiano. I due del laboratorio erano morti, non sapevo dove né come; cosí pure Goldbaum, di freddo e fame, durante la marcia di evacuazione. Di me, l'essenziale lo conosceva dal libro, e dalla corrispondenza aziendale sul vanadio.

Avevo io molte domande da porgli: troppe, e troppo pesanti per lui e per me. Perché Auschwitz? Perché Pannwitz? Perché i bambini in gas? Ma sentivo che non era ancora il momento di superare certi limiti, e gli chiesi soltanto se accettava i giudizi, impliciti ed espliciti, del mio libro. Se riteneva che la IG-Farben avesse assunto spontaneamente la mano d'opera schiava. Se conosceva allora gli «impianti» di Auschwitz, che ingoiavano diecimila vite al giorno a sette chilometri dagli impianti per la gomma Bu-

na. Infine, poiché lui citava le sue «annotazioni su quel periodo», me ne avrebbe mandata una copia?

Dell'«auspicabile incontro» non parlai, perché ne avevo paura. Inutile cercare eufemismi, parlare di pudore, ribrezzo, ritegno. Paura era la parola: come non mi sentivo un Montecristo, cosí non mi sentivo un Orazio-Curiazio; non mi sentivo capace di rappresentare i morti di Auschwitz, e neppure mi pareva sensato ravvisare in Müller il rappresentante dei carnefici. Mi conosco: non posseggo prontezza polemica, l'avversario mi distrae, mi interessa piú come uomo che come avversario, lo sto a sentire e rischio di credergli; lo sdegno e il giusto giudizio mi tornano dopo, sulle scale, quando non servono piú. Mi stava bene continuare per lettera.

Müller mi scrisse aziendalmente che i cinquanta chili erano stati spediti, e che la W. confidava in una composizione amichevole eccetera. Quasi simultaneamente, mi giunse a casa la lettera che attendevo: ma non era come la attendevo. Non era una lettera modello, da paradigma: a questo punto, se questa storia fosse inventata, avrei potuto introdurre solo due tipi di lettera; una lettera umile, calda, cristiana, di tedesco redento; una ribalda, superba, glaciale, di nazista pervicace. Ora questa storia non è inventata, e la realtà è sempre piú complessa dell'invenzione: meno pettinata, piú ruvida, meno rotonda. È raro che giaccia in un piano.

La lettera era lunga otto pagine, e conteneva una fotografia che mi fece trasalire. Il viso era *quel* viso: invecchiato, ed insieme nobilitato da un fotografo sapiente, lo risentivo alto sopra di me a pronunciare quelle parole di compassione distratta e momentanea, «perché ha l'aria cosí inquieta?»

Era visibilmente opera di uno scrivente inesperto: retorica, sincera a mezzo, piena di digressioni e di elogi spertichi, commovente, pedantica ed impacciata: sfidava qualsiasi giudizio sommario e globale.

Attribuiva i fatti di Auschwitz all'Uomo, senza diffe-

renziare; li deplorava, e trovava consolazione al pensiero di altri uomini citati nel mio libro, Alberto, Lorenzo, «contro cui si spuntano le armi della notte»: la frase era mia, ma ripetuta da lui mi suonava ipocrita e stonata. Raccontava la sua storia: «trascinato inizialmente dal generale entusiasmo per il regime di Hitler», si era iscritto in una lega studentesca nazionalistica, che poco dopo era stata incorporata d'ufficio nelle SA; aveva ottenuto di esserne congedato, e commentava che «anche questo era dunque possibile». Alla guerra, era stato mobilitato nell'antiaerea, e soltanto allora, davanti alle rovine delle città, aveva provato «vergogna e sdegno» per la guerra. Nel maggio del '44 aveva potuto (come me!) far valere la sua qualità di chimico, ed era stato assegnato alla fabbrica di Schkopau della IG-Farben, di cui la fabbrica di Auschwitz era una copia ingrandita: a Schkopau aveva provveduto ad addestrare nei lavori di laboratorio un gruppo di ragazze ucraine, che infatti io avevo ritrovate ad Auschwitz, e di cui non mi spiegavo la strana familiarità col dottor Müller. Era stato trasferito ad Auschwitz con le ragazze solo nel novembre 1944: il nome di Auschwitz, a quel tempo, non aveva alcun significato, né per lui, né per i suoi conoscenti; tuttavia, al suo arrivo, aveva avuto un breve incontro di presentazione col direttore tecnico (presumibilmente l'ingegner Faust), e questi lo aveva ammonito che «agli ebrei di Buna dovevano essere assegnati solo i lavori piú umili, e la compassione non era tollerata».

Era stato assegnato alle dirette dipendenze del Doktor Pannwitz, quello che mi aveva sottoposto ad un curioso «esame di Stato» per accertarsi delle mie capacità professionali: Müller mostrava di avere una pessima opinione del suo superiore, e mi precisava che era morto nel 1946 di un tumore al cervello. Era lui Müller il responsabile dell'organizzazione del laboratorio di Buna: affermava di non aver saputo nulla di quell'esame, e di essere stato lui stesso a scegliere noi tre specialisti, e me in specie; secondo questa notizia, improbabile ma non impossibile, sarei dunque

stato debitore a lui della mia sopravvivenza. Con me, affermava di aver avuto un rapporto quasi di amicizia fra pari; di aver conversato con me di problemi scientifici, e di aver meditato, in questa circostanza, su quali «preziosi valori umani venissero distrutti da altri uomini per pura brutalità». Non solo io non ricordavo alcuna conversazione del genere (e la mia memoria di quel periodo, come ho detto, è ottima), ma il solo supporlo, su quello sfondo di disfacimento, di diffidenza reciproca e di stanchezza mortale, era del tutto fuori della realtà, e solo spiegabile con un molto ingenuo wishful thinking postumo; forse era una circostanza che lui raccontava a molti, e non si rendeva conto che l'unica persona al mondo che non la poteva credere ero proprio io. Forse, in buona fede, si era costruito un passato di comodo. Non ricordava i due dettagli della barba e delle scarpe, ma ne ricordava altri equivalenti, e a mio parere plausibili. Aveva saputo della mia scarlattina, e si era preoccupato della mia sopravvivenza, specialmente quando aveva saputo che i prigionieri venivano evacuati a piedi. Il 26 gennaio 1945 era stato assegnato dalle SS al Volkssturm, l'armata raccogliticcia di riformati, di vecchi e di bambini che avrebbe dovuto contrastare il passo ai sovietici: lo aveva fortunosamente salvato il direttore tecnico nominato sopra, autorizzandolo a fuggire nelle retrovie.

Alla mia domanda sulla IG-Farben rispondeva recisamente che sí, aveva assunto prigionieri, ma solo per proteggerli: addirittura, formulava la (pazzesca!) opinione che l'intera fabbrica di Buna-Monowitz, otto chilometri quadrati di impianti ciclopici, fosse stata costruita con l'intento di «proteggere gli ebrei e contribuire a farli sopravvivere», e che l'ordine di non aver compassione per loro fosse «eine Tarnung», un mascheramento. «Nihil de Principe», nessuna accusa alla IG-Farben: il mio uomo era tuttora dipendente della W., che ne era l'erede, e non si sputa nel piatto in cui si mangia. Durante il suo breve soggiorno ad Auschwitz, lui «non era mai venuto a conoscenza di alcun elemento che sembrasse inteso all'uccisione degli ebrei».

Paradossale, offensivo, ma non da escludersi: a quel tempo, presso la maggioranza silenziosa tedesca, era tecnica comune cercare di sapere quante meno cose fosse possibile, e perciò non porre domande. Anche lui, evidentemente, non aveva domandato spiegazioni a nessuno, neppure a se stesso, benché le fiamme del crematorio, nei giorni chiari, fossero visibili dalla fabbrica di Buna.

Poco prima del collasso finale, era stato catturato dagli americani, e rinchiuso per qualche giorno in un campo per prigionieri di guerra che lui, con sarcasmo involontario, definiva «di attrezzatura primitiva»: come al tempo dell'incontro in laboratorio, Müller continuava dunque, nel momento in cui scriveva, a non avere «keine Ahnung», a non rendersi conto. Era ritornato presso la sua famiglia a fine giugno 1945. Il contenuto delle sue annotazioni, che io avevo chiesto di conoscere, era sostanzialmente questo.

Percepiva nel mio libro un superamento del Giudaismo, un compimento del precetto cristiano di amare i propri nemici ed una testimonianza di fede nell'Uomo, e concludeva insistendo sulla necessità di un incontro, in Germania o in Italia, dove era pronto a raggiungermi quando e dove io lo gradissi: preferibilmente in Riviera. Due giorni dopo, per i canali aziendali, arrivò una lettera della W. che, certo non per caso, portava la stessa data della lunga lettera privata, oltre alla stessa firma; era una lettera conciliante, riconoscevano il loro torto, e si dichiaravano disponibili a qualsiasi proposta. Facevano capire che non tutto il male era venuto per nuocere: l'incidente aveva messo in luce la virtú del naftenato di vanadio, che d'ora in avanti sarebbe stato incorporato direttamente nella resina, a qualunque cliente fosse destinata.

Che fare? Il personaggio Müller si era «entpuppt», era uscito dalla crisalide, era nitido, a fuoco. Né infame né eroe: filtrata via la retorica e le bugie in buona o in mala fede, rimaneva un esemplare umano tipicamente grigio, uno dei non pochi monocoli nel regno dei ciechi. Mi faceva un onore non meritato attribuendomi la virtú di amare

i nemici: no, nonostante i lontani privilegi che mi aveva ri-
serbati, e benché non fosse stato un nemico a rigore di ter-
mini, non mi sentivo di amarlo. Non lo amavo, e non desi-
deravo vederlo, eppure provavo una certa misura di rispet-
to per lui: non è comodo essere monocoli. Non era un
ignavo né un sordo né un cinico, non si era adattato, face-
va i conti col passato e i conti non gli tornavano bene: cer-
cava di farli tornare, magari barando un poco. Si poteva
chiedere molto di piú a un ex SA? Il confronto, che tante
volte avevo avuto occasione di fare, con altri onesti tede-
schi incontrati in spiaggia o in fabbrica, era tutto a suo fa-
vore: la sua condanna del nazismo era timida e perifrasti-
ca, ma non aveva cercato giustificazioni. Cercava un collo-
quio: aveva una coscienza, e si arrabattava per mantenerla
quieta. Nella sua prima lettera aveva parlato di «supera-
mento del passato», «Bewältigung der Vergangenheit»:
ho poi saputo che questo è uno stereotipo, un eufemismo
della Germania d'oggi, dove è universalmente inteso come
«redenzione dal nazismo»; ma la radice «walt» che vi è
contenuta compare anche in parole che dicono «domi-
nio», «violenza» e «stupro», e credo che traducendo l'e-
spressione con «distorsione del passato», o «violenza fatta
al passato», non si andrebbe molto lontano dal suo senso
profondo. Eppure era meglio questo rifugiarsi nei luoghi
comuni che non la florida ottusità degli altri tedeschi: i
suoi sforzi di superamento erano maldestri, un po' ridicoli,
irritanti e tristi, tuttavia decorosi. E non mi aveva fatto
avere un paio di scarpe?

Alla prima domenica libera mi accinsi, pieno di perples-
sità, a preparare una risposta per quanto possibile sincera,
equilibrata e dignitosa. Stesi la minuta: lo ringraziavo per
avermi fatto entrare nel laboratorio; mi dichiaravo pronto
a perdonare i nemici, e magari anche ad amarli, ma solo
quando mostrino segni certi di pentimento, e cioè quando
cessino di essere nemici. Nel caso contrario, del nemico
che resta tale, che persevera nella sua volontà di creare sof-
ferenza, è certo che non lo si deve perdonare: si può cerca-

re di recuperarlo, si può (si deve!) discutere con lui, ma è nostro dovere giudicarlo, non perdonarlo. Quanto al giudizio specifico sul suo comportamento, che Müller implicitamente domandava, citavo discretamente due casi a me noti di suoi colleghi tedeschi che nei nostri confronti avevano fatto qualcosa di ben piú coraggioso di quanto lui rivendicava. Ammettevo che non tutti nascono eroi, e che un mondo in cui *tutti* fossero come lui, cioè onesti ed inermi, sarebbe tollerabile, ma questo è un mondo irreale. Nel mondo reale gli armati esistono, costruiscono Auschwitz, e gli onesti ed inermi spianano loro la strada; perciò di Auschwitz deve rispondere ogni tedesco, anzi, ogni uomo, e dopo Auschwitz non è piú lecito essere inermi. Dell'incontro in Riviera non feci parola.

Quella sera stessa Müller mi chiamò al telefono dalla Germania. La comunicazione era disturbata, e del resto ormai non mi è piú facile comprendere il tedesco al telefono: la sua voce era faticosa e come rotta, il tono concitato. Mi annunciava che per Pentecoste, entro sei settimane, sarebbe venuto a Finale Ligure: potevamo incontrarci? Preso alla sprovvista, risposi di sí; lo pregai di precisare a suo tempo i particolari del suo arrivo, e misi da parte la minuta ormai superflua.

Otto giorni dopo ricevetti dalla Signora Müller l'annuncio della morte inaspettata del Dottor Lothar Müller, nel suo sessantesimo anno di età.

Carbonio

Il lettore, a questo punto, si sarà accorto da un pezzo che questo non è un trattato di chimica: la mia presunzione non giunge a tanto, «ma voix est foible, et même un peu profane». Non è neppure un'autobiografia, se non nei limiti parziali e simbolici in cui è un'autobiografia ogni scritto, anzi, ogni opera umana: ma storia in qualche modo è pure. È, o avrebbe voluto essere, una microstoria, la storia di un mestiere e delle sue sconfitte, vittorie e miserie, quale ognuno desidera raccontare quando sente prossimo a conchiudersi l'arco della propria carriera, e l'arte cessa di essere lunga. Giunto a questo punto della vita, quale chimico, davanti alla tabella del Sistema Periodico, o agli indici monumentali del Beilstein o del Landolt, non vi ravvisa sparsi i tristi brandelli, o i trofei, del proprio passato professionale? Non ha che da sfogliare un qualsiasi trattato, e le memorie sorgono a grappoli: c'è fra noi chi ha legato il suo destino, indelebilmente, al bromo o al propilene o al gruppo –NCO o all'acido glutammico; ed ogni studente in chimica, davanti ad un qualsiasi trattato, dovrebbe essere consapevole che in una di quelle pagine, forse in una sola riga o formula o parola, sta scritto il suo avvenire, in caratteri indecifrabili, ma che diverranno chiari «poi»: dopo il successo o l'errore o la colpa, la vittoria o la disfatta. Ogni chimico non più giovane, riaprendo alla pagina «verhängnisvoll» quel medesimo trattato, è percosso da amore o disgusto, si rallegra o dispera.

Così avviene, dunque, che ogni elemento dica qualcosa

a qualcuno (a ciascuno una cosa diversa), come le valli o le spiagge visitate in giovinezza: si deve forse fare un'eccezione per il carbonio, perché dice tutto a tutti, e cioè non è specifico, allo stesso modo che Adamo non è specifico come antenato; a meno che non si ritrovi oggi (perché no?) il chimico-stilita che ha dedicato la sua vita alla grafite o al diamante. Eppure, proprio verso il carbonio ho un vecchio debito, contratto in giorni per me risolutivi. Al carbonio, elemento della vita, era rivolto il mio primo sogno letterario, insistentemente sognato in un'ora e in un luogo nei quali la mia vita non valeva molto: ecco, volevo raccontare la storia di un atomo di carbonio.

È lecito parlare di «un certo» atomo di carbonio? Per il chimico esiste qualche dubbio, perché non si conoscono fino ad oggi (1970) tecniche che consentano di vedere, o comunque isolare, un singolo atomo; nessun dubbio esiste per il narratore, il quale pertanto si dispone a narrare.

Il nostro personaggio giace dunque da centinaia di milioni di anni, legato a tre atomi d'ossigeno e ad uno di calcio, sotto forma di roccia calcarea: ha già una lunghissima storia cosmica alle spalle, ma la ignoreremo. Per lui il tempo non esiste, o esiste solo sotto forma di pigre variazioni di temperatura, giornaliere e stagionali, se, per la fortuna di questo racconto, la sua giacitura non è troppo lontana dalla superficie del suolo. La sua esistenza, alla cui monotonia non si può pensare senza orrore, è un'alternanza spietata di caldi e di freddi, e cioè di oscillazioni (sempre di ugual frequenza) un po' più strette o un po' più ampie: una prigionia, per lui potenzialmente vivo, degna dell'inferno cattolico. A lui, fino a questo momento, si addice dunque il tempo presente, che è quello della descrizione, anziché uno dei passati, che sono i tempi di chi racconta: è congelato in un eterno presente, appena scalfito dai fremiti moderati dell'agitazione termica.

Ma, appunto per la fortuna di chi racconta, che in caso diverso avrebbe finito di raccontare, il banco calcareo di cui l'atomo fa parte giace in superficie. Giace alla portata

dell'uomo e del suo piccone (onore al piccone ed ai suoi piú
moderni equivalenti: essi sono tuttora i piú importanti in-
termediari nel millenario dialogo fra gli elementi e l'uo-
mo): in un qualsiasi momento, che io narratore decido per
puro arbitrio essere nell'anno 1840, un colpo di piccone lo
staccò e gli diede l'avvio verso il forno a calce, precipitan-
dolo nel mondo delle cose che mutano. Venne arrostito af-
finché si separasse dal calcio, il quale rimase per cosí dire
coi piedi in terra e andò incontro ad un destino meno bril-
lante che non narreremo; lui, tuttora fermamente abbarbi-
cato a due dei tre suoi compagni ossigeni di prima, uscí per
il camino e prese la via dell'aria. La sua storia, da immobi-
le, si fece tumultuosa.

Fu colto dal vento, abbattuto al suolo, sollevato a dieci
chilometri. Fu respirato da un falco, discese nei suoi pol-
moni precipitosi, ma non penetrò nel suo sangue ricco, e
fu espulso. Si sciolse per tre volte nell'acqua del mare, una
volta nell'acqua di un torrente in cascata, e ancora fu
espulso. Viaggiò col vento per otto anni: ora alto, ora bas-
so, sul mare e fra le nubi, sopra foreste, deserti e smisurate
distese di ghiaccio; poi incappò nella cattura e nell'avven-
tura organica.

Il carbonio, infatti, è un elemento singolare: è il solo
che sappia legarsi con se stesso in lunghe catene stabili sen-
za grande spesa di energia, ed alla vita sulla terra (la sola
che finora conosciamo) occorrono appunto lunghe catene.
Perciò il carbonio è l'elemento chiave della sostanza viven-
te: ma la sua promozione, il suo ingresso nel mondo vivo,
non è agevole, e deve seguire un cammino obbligato, intri-
cato, chiarito (e non ancora definitivamente) solo in questi
ultimi anni. Se l'organicazione del carbonio non si svolges-
se quotidianamente intorno a noi, sulla scala dei miliardi
di tonnellate alla settimana, dovunque affiori il verde di
una foglia, le spetterebbe di pieno diritto il nome di mira-
colo.

L'atomo di cui parliamo, accompagnato dai suoi due sa-
telliti che lo mantenevano allo stato di gas, fu dunque con-

dotto dal vento, nell'anno 1848, lungo un filare di viti. Ebbe la fortuna di rasentare una foglia, di penetrarvi, e di esservi inchiodato da un raggio di sole. Se qui il mio linguaggio si fa impreciso ed allusivo, non è solo per mia ignoranza: questo avvenimento decisivo, questo fulmineo lavoro a tre, dell'anidride carbonica, della luce e del verde vegetale, non è stato finora descritto in termini definitivi, e forse non lo sarà per molto tempo ancora, tanto esso è diverso da quell'altra chimica «organica» che è opera ingombrante, lenta e ponderosa dell'uomo: eppure questa chimica fine e svelta è stata «inventata» due o tre miliardi d'anni addietro dalle nostre sorelle silenziose, le piante, che non sperimentano e non discutono, e la cui temperatura è identica a quella dell'ambiente in cui vivono. Se comprendere vale farsi un'immagine, non ci faremo mai un'immagine di uno happening la cui scala è il milionesimo di millimetro, il cui ritmo è il milionesimo di secondo, ed i cui attori sono per loro essenza invisibili. Ogni descrizione verbale sarà mancante, ed una varrà l'altra: valga quindi la seguente.

Entra nella foglia, collidendo con altre innumerevoli (ma qui inutili) molecole di azoto ed ossigeno. Aderisce ad una grossa e complicata molecola che lo attiva, e simultaneamente riceve il decisivo messaggio dal cielo, sotto la forma folgorante di un pacchetto di luce solare: in un istante, come un insetto preda del ragno, viene separato dal suo ossigeno, combinato con idrogeno e (si crede) fosforo, ed infine inserito in una catena, lunga o breve non importa, ma è la catena della vita. Tutto questo avviene rapidamente, in silenzio, alla temperatura e pressione dell'atmosfera, e gratis: cari colleghi, quando impareremo a fare altrettanto saremo «sicut Deus», ed avremo anche risolto il problema della fame nel mondo.

Ma c'è di piú e di peggio, a scorno nostro e della nostra arte. L'anidride carbonica, e cioè la forma aerea del carbonio di cui abbiamo finora parlato: questo gas che costituisce la materia prima della vita, la scorta permanente a cui

tutto ciò che cresce attinge, e il destino ultimo di ogni carne, non è uno dei componenti principali dell'aria, bensí un rimasuglio ridicolo, un'«impurezza», trenta volte meno abbondante dell'argon di cui nessuno si accorge. L'aria ne contiene il 0,03 per cento: se l'Italia fosse l'aria, i soli italiani abilitati ad edificare la vita sarebbero ad esempio i 15 000 abitanti di Milazzo, in provincia di Messina. Questo, in scala umana, è un'acrobazia ironica, uno scherzo da giocoliere, una incomprensibile ostentazione di onnipotenza-prepotenza, poiché da questa sempre rinnovata impurezza dell'aria veniamo noi: noi animali e noi piante, e noi specie umana, coi nostri quattro miliardi di opinioni discordi, i nostri millenni di storia, le nostre guerre e vergogne e nobiltà e orgoglio. Del resto, la nostra stessa presenza sul pianeta diventa risibile in termini geometrici: se l'intera umanità, circa 250 milioni di tonnellate, venisse ripartita come un rivestimento di spessore omogeneo su tutte le terre emerse, la «statura dell'uomo» non sarebbe visibile ad occhio nudo; lo spessore che si otterrebbe sarebbe di circa sedici millesimi di millimetro.

Ora il nostro atomo è inserito: fa parte di una struttura, nel senso degli architetti; si è imparentato e legato con cinque compagni, talmente identici a lui che solo la finzione del racconto mi permette di distinguerli. È una bella struttura ad anello, un esagono quasi regolare, che però va soggetto a complicati scambi ed equilibri con l'acqua in cui sta sciolto; perché ormai sta sciolto in acqua, anzi, nella linfa della vite, e questo, di stare sciolti, è obbligo e privilegio di tutte le sostanze che sono destinate a (stavo per dire «desiderano») trasformarsi. Se poi qualcuno volesse proprio sapere perché un anello, e perché esagonale, e perché solubile in acqua, ebbene, si dia pace: queste sono fra le non molte domande a cui la nostra dottrina sa rispondere con un discorso persuasivo, accessibile a tutti, ma fuori luogo qui.

È entrato a far parte di una molecola di glucosio, tanto per dirla chiara: un destino né carne né pesce, mediano,

che lo prepara ad un primo contatto col mondo animale, ma non lo autorizza alla responsabilità piú alta, che è quella di far parte di un edificio proteico. Viaggiò dunque, col lento passo dei succhi vegetali, dalla foglia per il picciolo e per il tralcio fino al tronco, e di qui discese fino a un grappolo quasi maturo. Quello che seguí è di pertinenza dei vinai: a noi interessa solo precisare che sfuggí (con nostro vantaggio, perché non la sapremmo ridurre in parole) alla fermentazione alcoolica, e giunse al vino senza mutare natura.

È destino del vino essere bevuto, ed è destino del glucosio essere ossidato. Ma non fu ossidato subito: il suo bevitore se lo tenne nel fegato per piú d'una settimana, bene aggomitolato e tranquillo, come alimento di riserva per uno sforzo improvviso; sforzo che fu costretto a fare la domenica seguente, inseguendo un cavallo che si era adombrato. Addio alla struttura esagonale: nel giro di pochi istanti il gomitolo fu dipanato e ridivenne glucosio, questo venne trascinato dalla corrente del sangue fino ad una fibrilla muscolare di una coscia, e qui brutalmente spaccato in due molecole d'acido lattico, il tristo araldo della fatica: solo piú tardi, qualche minuto dopo, l'ansito dei polmoni poté procurare l'ossigeno necessario ad ossidare con calma quest'ultimo. Cosí una nuova molecola d'anidride carbonica ritornò all'atmosfera, ed una parcella dell'energia che il sole aveva ceduta al tralcio passò dallo stato di energia chimica a quello di energia meccanica e quindi si adagiò nella ignava condizione di calore, riscaldando impercettibilmente l'aria smossa dalla corsa ed il sangue del corridore. «Cosí è la vita», benché raramente essa venga cosí descritta: un inserirsi, un derivare a suo vantaggio, un parassitare il cammino in giú dell'energia, dalla sua nobile forma solare a quella degradata di calore a bassa temperatura. Su questo cammino all'ingiú, che conduce all'equilibrio e cioè alla morte, la vita disegna un'ansa e ci si annida.

Siamo di nuovo anidride carbonica, del che ci scusiamo: è un passaggio obbligato, anche questo; se ne possono im-

maginare o inventare altri, ma sulla terra è cosí. Di nuovo
vento, che questa volta porta lontano: supera gli Appenni-
ni e l'Adriatico, la Grecia l'Egeo e Cipro: siamo sul Libano
e la danza si ripete. L'atomo di cui ci occupiamo è ora in-
trappolato in una struttura che promette di durare a lungo:
è il tronco venerabile di un cedro, uno degli ultimi; è ripas-
sato per gli stadi che abbiamo già descritti, ed il glucosio di
cui fa parte appartiene, come il grano di un rosario, ad una
lunga catena di cellulosa. Non è piú la fissità allucinante e
geologica della roccia, non sono piú i milioni di anni, ma
possiamo bene parlare di secoli, perché il cedro è un albero
longevo. È in nostro arbitrio abbandonarvelo per un anno
o per cinquecento: diremo che dopo vent'anni (siamo nel
1868) se ne occupa un tarlo. Ha scavato la sua galleria fra
il tronco e la corteccia, con la voracità ostinata e cieca della
sua razza; trapanando è cresciuto, il suo cunicolo è andato
ingrossando. Ecco, ha ingoiato ed incastonato in se stesso
il soggetto di questa storia; poi si è impupato, ed è uscito
in primavera sotto forma di una brutta farfalla grigia che
ora si sta asciugando al sole, frastornata ed abbagliata dallo
splendore del giorno: lui è là, in uno dei mille occhi dell'in-
setto, e contribuisce alla visione sommaria e rozza con cui
esso si orienta nello spazio. L'insetto viene fecondato, de-
pone le uova e muore: il piccolo cadavere giace nel sotto-
bosco, si svuota dei suoi umori, ma la corazza di chitina re-
siste a lungo, quasi indistruttibile. La neve e il sole ritorna-
no sopra di lei senza intaccarla: è sepolta dalle foglie morte
e dal terriccio, è diventata una spoglia, una «cosa», ma la
morte degli atomi, a differenza dalla nostra, non è mai ir-
revocabile. Ecco al lavoro gli onnipresenti, gli instancabili
ed invisibili becchini del sottobosco, i microrganismi del-
l'humus. La corazza, coi suoi occhi ormai ciechi, è lenta-
mente disintegrata, e l'ex bevitore, ex cedro, ex tarlo ha
nuovamente preso il volo.

Lo lasceremo volare per tre volte intorno al mondo, fi-
no al 1960, ed a giustificazione di questo intervallo cosí
lungo rispetto alla misura umana faremo notare che esso è

invece assai piú breve della media: questa, ci si assicura, è
di duecento anni. Ogni duecento anni, ogni atomo di car-
bonio che non sia congelato in materiali ormai stabili (co-
me appunto il calcare, o il carbon fossile, o il diamante, o
certe materie plastiche) entra e rientra nel ciclo della vita,
attraverso la porta stretta della fotosintesi. Esistono altre
porte? Sí, alcune sintesi create dall'uomo; sono un titolo di
nobiltà per l'uomo-fabbro, ma finora la loro importanza
quantitativa è trascurabile. Sono porte ancora molto piú
strette di quella del verde vegetale: consapevolmente o no,
l'uomo non ha cercato finora di competere con la natura su
questo terreno, e cioè non si è sforzato di attingere dall'a-
nidride carbonica dell'aria il carbonio che gli è necessario
per nutrirsi, per vestirsi, per riscaldarsi, e per i cento altri
bisogni piú sofisticati della vita moderna. Non lo ha fatto
perché non ne ha avuto bisogno: ha trovato, e tuttora tro-
va (ma per quanti decenni ancora?), gigantesche riserve di
carbonio già organicato, o almeno ridotto. Oltre al mondo
vegetale ed animale, queste riserve sono costituite dai gia-
cimenti di carbon fossile e di petrolio: ma anche questi so-
no eredità di attività fotosintetiche compiute in epoche
lontane, per cui si può bene affermare che la fotosintesi
non è solo l'unica via per cui il carbonio si fa vivente, ma
anche la sola per cui l'energia del sole si fa utilizzabile chi-
micamente.

Si può dimostrare che questa storia, del tutto arbitraria,
è tuttavia vera. Potrei raccontare innumerevoli storie di-
verse, e sarebbero tutte vere: tutte letteralmente vere, nel-
la natura dei trapassi, nel loro ordine e nella loro data. Il
numero degli atomi è tanto grande che se ne troverebbe
sempre uno la cui storia coincida con una qualsiasi storia
inventata a capriccio. Potrei raccontare storie a non finire,
di atomi di carbonio che si fanno colore o profumo nei fio-
ri; di altri che, da alghe minute a piccoli crostacei, a pesci
via via piú grossi, ritornano anidride carbonica nelle acque

del mare, in un perpetuo spaventoso girotondo di vita e di morte, in cui ogni divoratore è immediatamente divorato; di altri che raggiungono invece una decorosa semi-eternità nelle pagine ingiallite di qualche documento d'archivio, o nella tela di un pittore famoso; di quelli a cui toccò il privilegio di fare parte di un granello di polline, e lasciarono la loro impronta fossile nelle rocce per la nostra curiosità; di altri ancora che discesero a far parte dei misteriosi messaggeri di forma del seme umano, e parteciparono al sottile processo di scissione duplicazione e fusione da cui ognuno di noi è nato. Ne racconterò invece soltanto ancora una, la più segreta, e la racconterò con l'umiltà e il ritegno di chi sa fin dall'inizio che il suo tema è disperato, i mezzi fievoli, e il mestiere di rivestire i fatti con parole fallimentare per sua profonda essenza.

È di nuovo fra noi, in un bicchiere di latte. È inserito in una lunga catena, molto complessa, tuttavia tale che quasi tutti i suoi anelli sono accetti dal corpo umano. Viene ingoiato: e poiché ogni struttura vivente alberga una selvaggia diffidenza verso ogni apporto di altro materiale di origine vivente, la catena viene meticolosamente frantumata, ed i frantumi, uno per uno, accettati o respinti. Uno, quello che ci sta a cuore, varca la soglia intestinale ed entra nel torrente sanguigno: migra, bussa alla porta di una cellula nervosa, entra e soppianta un altro carbonio che ne faceva parte. Questa cellula appartiene ad un cervello, e questo è il mio cervello, di me che scrivo, e la cellula in questione, ed in essa l'atomo in questione, è addetta al mio scrivere, in un gigantesco minuscolo gioco che nessuno ha ancora descritto. È quella che in questo istante, fuori da un labirintico intreccio di sí e di no, fa sí che la mia mano corra in un certo cammino sulla carta, la segni di queste volute che sono segni; un doppio scatto, in su ed in giú, fra due livelli d'energia guida questa mia mano ad imprimere sulla carta questo punto: questo.

I sommersi e i salvati

Since then, at an uncertain hour,
That agony returns:
And till my ghastly tale is told
This heart within ne burns.

<div align="right">

S. T. Coleridge,
The Rime of Ancient Mariner,
vv. 582-85.

</div>

Prefazione

Le prime notizie sui campi d'annientamento nazisti hanno cominciato a diffondersi nell'anno cruciale 1942. Erano notizie vaghe, tuttavia fra loro concordi: delineavano una strage di proporzioni cosí vaste, di una crudeltà cosí spinta, di motivazioni cosí intricate, che il pubblico tendeva a rifiutarle per la loro stessa enormità. È significativo come questo rifiuto fosse stato previsto con ampio anticipo dagli stessi colpevoli; molti sopravvissuti (tra gli altri, Simon Wiesenthal nelle ultime pagine di *Gli assassini sono fra noi*, Garzanti, Milano 1970) ricordano che i militi delle SS si divertivano ad ammonire cinicamente i prigionieri: «In qualunque modo questa guerra finisca, la guerra contro di voi l'abbiamo vinta noi; nessuno di voi rimarrà per portare testimonianza, ma se anche qualcuno scampasse, il mondo non gli crederà. Forse ci saranno sospetti, discussioni, ricerche di storici, ma non ci saranno certezze, perché noi distruggeremo le prove insieme con voi. E quando anche qualche prova dovesse rimanere, e qualcuno di voi sopravvivere, la gente dirà che i fatti che voi raccontate sono troppo mostruosi per essere creduti: dirà che sono esagerazioni della propaganda alleata, e crederà a noi, che negheremo tutto, e non a voi. La storia dei Lager, saremo noi a dettarla».

Curiosamente, questo stesso pensiero («se anche raccontassimo, non saremmo creduti») affiorava in forma di sogno notturno dalla disperazione dei prigionieri. Quasi tutti i reduci, a voce o nelle loro memorie scritte, ricorda-

no un sogno che ricorreva spesso nelle notti di prigionia, vario nei particolari ma unico nella sostanza: di essere tornati a casa, di raccontare con passione e sollievo le loro sofferenze passate rivolgendosi ad una persona cara, e di non essere creduti, anzi, neppure ascoltati. Nella forma piú tipica (e piú crudele), l'interlocutore si voltava e se ne andava in silenzio. È questo un tema su cui ritorneremo, ma fin da adesso è importante sottolineare come entrambe le parti, le vittime e gli oppressori, avessero viva la consapevolezza dell'enormità, e quindi della non credibilità, di quanto avveniva nei Lager: e, possiamo aggiungere qui, non solo nei Lager, ma nei ghetti, nelle retrovie del fronte orientale, nelle stazioni di polizia, negli asili per i minorati mentali.

Fortunatamente le cose non sono andate come le vittime temevano e come i nazisti speravano. Anche la piú perfetta delle organizzazioni presenta lacune, e la Germania di Hitler, soprattutto negli ultimi mesi prima del crollo, era lontana dall'essere una macchina perfetta. Molte delle prove materiali degli stermini di massa furono soppresse, o si cercò piú o meno abilmente di sopprimerle: nell'autunno del 1944 i nazisti fecero saltare le camere a gas e i crematori di Auschwitz, ma le rovine ci sono ancora, e a dispetto delle contorsioni degli epigoni è difficile giustificarne la funzione ricorrendo ad ipotesi fantasiose. Il ghetto di Varsavia, dopo la famosa insurrezione della primavera del 1943, fu raso al suolo, ma la cura sovrumana di alcuni combattenti-storici (storici di se stessi!) fece sí che, tra le macerie spesse molti metri, o contrabbandata al di là del muro, altri storici ritrovassero la testimonianza di come, giorno per giorno, quel ghetto sia vissuto e sia morto. Tutti gli archivi dei Lager sono stati bruciati negli ultimi giorni di guerra, e questa è stata veramente una perdita irrimediabile, tanto che ancora oggi si discute se le vittime siano state quattro o sei od otto milioni: ma sempre di milioni si parla. Prima che i nazisti facessero ricorso ai giganteschi crematori multipli, gli innumerevoli cadaveri stessi delle

vittime, uccise deliberatamente o consumate dagli stenti e dalle malattie, potevano costituire una prova, e dovevano essere fatti sparire in qualche modo. La prima soluzione, macabra al punto da fare esitare a parlarne, era stata quella di accatastare semplicemente i corpi, centinaia di migliaia di corpi, in grandi fosse comuni, il che fu fatto segnatamente a Treblinka, in altri Lager minori, e nelle retrovie russe. Era una soluzione provvisoria, presa con bestiale noncuranza quando le armate tedesche trionfavano su tutti i fronti e la vittoria finale sembrava certa: *dopo* si sarebbe visto che cosa fare, in ogni modo il vincitore è padrone anche della verità, la può manipolare come gli pare, in qualche modo le fosse comuni sarebbero state giustificate, o fatte sparire, o attribuite ai sovietici (che del resto dimostrarono a Katyn di non essere molto da meno). Ma dopo la svolta di Stalingrado ci fu un ripensamento: meglio cancellare subito tutto. Gli stessi prigionieri furono costretti a disseppellire quei resti miserandi ed a bruciarli su roghi all'aperto, come se un'operazione di queste proporzioni, e cosí inconsueta, potesse passare totalmente inosservata.

I comandi SS ed i servizi di sicurezza posero poi la massima cura affinché nessun testimone sopravvivesse. È questo il senso (difficilmente se ne potrebbe escogitare un altro) dei trasferimenti micidiali, ed apparentemente folli, con cui si è chiusa la storia dei campi nazisti nei primi mesi del 1945: i superstiti di Majdanek ad Auschwitz, quelli di Auschwitz a Buchenwald ed a Mauthausen, quelli di Buchenwald a Bergen Belsen, le donne di Ravensbrück verso Schwerin. Tutti insomma dovevano essere sottratti alla liberazione, rideportati verso il cuore della Germania invasa da est e da ovest; non aveva importanza che morissero per via, importava che non raccontassero. Infatti, dopo aver funzionato come centri di terrore politico, poi come fabbriche della morte, e successivamente (o contemporaneamente) come sterminato serbatoio di mano d'opera schiava sempre rinnovata, i Lager erano diventati pericolosi per la Germania moribonda perché con-

tenevano il segreto dei Lager stessi, il massimo crimine nella storia dell'umanità. L'esercito di larve che ancora vi vegetava era costituito da *Geheimnisträger*, portatori di segreti, di cui era necessario liberarsi; distrutti ormai gli impianti di sterminio, a loro volta eloquenti, si scelse la via di trasferirli verso l'interno, nella speranza assurda di poterli ancora rinchiudere in Lager meno minacciati dai fronti avanzanti, e di sfruttarne le ultime capacità lavorative, e nell'altra speranza meno assurda che il tormento di quelle bibliche marce ne riducesse il numero. Ed infatti il numero fu spaventosamente ridotto, ma qualcuno ha pure avuto la fortuna e la forza di sopravvivere, ed è rimasto per testimoniare.

È meno noto e meno studiato il fatto che molti portatori di segreti si trovavano anche dall'altra parte, dalla parte degli oppressori, benché molti sapessero poco, e pochi sapessero tutto. Nessuno riuscirà mai a stabilire con precisione quanti, nell'apparato nazista, *non potessero non sapere* delle spaventose atrocità che venivano commesse; quanti sapessero qualcosa, ma fossero in grado di fingere d'ignorare; quanti ancora avessero avuto la possibilità di sapere tutto, ma abbiano scelto la via piú prudente di tenere occhi ed orecchi (e soprattutto la bocca) ben chiusi. Comunque sia, poiché non si può supporre che la maggioranza dei tedeschi accettasse a cuor leggero la strage, è certo che la mancata diffusione della verità sui Lager costituisce una delle maggiori colpe collettive del popolo tedesco, e la piú aperta dimostrazione della viltà a cui il terrore hitleriano lo aveva ridotto: una viltà entrata nel costume, e cosí profonda da trattenere i mariti dal raccontare alle mogli, i genitori ai figli; senza la quale, ai maggiori eccessi non si sarebbe giunti, e l'Europa ed il mondo oggi sarebbero diversi.

Senza dubbio, coloro che conoscevano l'orribile verità per esserne (o esserne stati) responsabili avevano forti ragioni per tacere; ma, in quanto depositari del segreto, anche tacendo non avevano sempre la vita sicura. Lo dimo-

stra il caso di Stangl e degli altri macellai di Treblinka, che dopo l'insurrezione e lo smantellamento di quel Lager furono trasferiti in una delle zone partigiane piú pericolose.

L'ignoranza voluta e la paura hanno fatto tacere anche molti potenziali testimoni «civili» delle infamie dei Lager. Specialmente negli ultimi anni di guerra, i Lager costituivano un sistema esteso, complesso, e profondamente compenetrato con la vita quotidiana del paese; si è parlato con ragione di «univers concentrationnaire», ma non era un universo chiuso. Società industriali grandi e piccole, aziende agricole, fabbriche di armamenti, traevano profitto dalla mano d'opera pressoché gratuita fornita dai campi. Alcune sfruttavano i prigionieri senza pietà, accettando il principio disumano (ed anche stupido) delle SS, secondo cui un prigioniero ne valeva un altro, e se moriva di fatica poteva essere immediatamente sostituito; altre, poche, cercavano cautamente di alleviarne le pene. Altre industrie, o magari le stesse, ricavavano profitti dalle forniture ai Lager medesimi: legname, materiali per costruzione, il tessuto per l'uniforme a righe dei prigionieri, i vegetali essiccati per la zuppa, eccetera. Gli stessi forni crematori multipli erano stati progettati, costruiti, montati e collaudati da una ditta tedesca, la Topf di Wiesbaden (era tuttora attiva fin verso il 1975: costruiva crematori per uso civile, e non aveva ritenuto opportuno apportare mutamenti alla sua ragione sociale). È difficile pensare che il personale di queste imprese non si rendesse conto del significato espresso dalla qualità o dalla quantità delle merci e degli impianti che venivano commissionati dai comandi SS. Lo stesso discorso si può fare, ed è stato fatto, per quanto riguarda la fornitura del veleno che fu impiegato nelle camere a gas di Auschwitz: il prodotto, sostanzialmente acido cianidrico, era usato già da molti anni per la disinfestazione delle stive, ma il brusco aumento delle ordinazioni a partire dal 1942 non poteva passare inosservato. Doveva far nascere dubbi, e certamente li fece nascere, ma essi furono soffocati dalla paura, dal desiderio di guadagno, dalla

cecità e stupidità volontaria a cui abbiamo accennato, ed
in alcuni casi (probabilmente pochi) dalla fanatica obbe-
dienza nazista.

È naturale ed ovvio che il materiale piú consistente per
la ricostruzione della verità sui campi sia costituito dalle
memorie dei superstiti. Al di là della pietà e dell'indigna-
zione che suscitano, esse vanno lette con occhio critico.
Per una conoscenza dei Lager, i Lager stessi non erano
sempre un buon osservatorio: nelle condizioni disumane a
cui erano assoggettati, era raro che i prigionieri potessero
acquisire una visione d'insieme del loro universo. Poteva
accadere, soprattutto per coloro che non capivano il tede-
sco, che i prigionieri non sapessero neppure in quale punto
d'Europa si trovasse il Lager in cui stavano, ed in cui era-
no arrivati dopo un viaggio massacrante e tortuoso in va-
goni sigillati. Non conoscevano l'esistenza di altri Lager,
magari a pochi chilometri di distanza. Non sapevano per
chi lavoravano. Non comprendevano il significato di certi
improvvisi mutamenti di condizione e dei trasferimenti in
massa. Circondato dalla morte, spesso il deportato non era
in grado di valutare la misura della strage che si svolgeva
sotto i suoi occhi. Il compagno che oggi aveva lavorato al
suo fianco, domani non c'era piú: poteva essere nella ba-
racca accanto, o cancellato dal mondo; non c'era modo di
saperlo. Si sentiva insomma dominato da un enorme edifi-
cio di violenza e di minaccia, ma non poteva costruirsene
una rappresentazione perché i suoi occhi erano legati al
suolo dal bisogno di tutti i minuti.

Da questa carenza sono state condizionate le testimo-
nianze, verbali o scritte, dei prigionieri «normali», dei non
privilegiati, di quelli cioè che costituivano il nerbo dei
campi, e che sono scampati alla morte solo per una combi-
nazione di eventi improbabili. Erano maggioranza in La-
ger, ma esigua minoranza tra i sopravvissuti: fra questi, so-
no molto piú numerosi coloro che in prigionia hanno fruito
di un qualche privilegio. A distanza di anni, si può oggi be-
ne affermare che la storia dei Lager è stata scritta quasi

esclusivamente da chi, come io stesso, non ne ha scandagliato il fondo. Chi lo ha fatto non è tornato, oppure la sua capacità di osservazione era paralizzata dalla sofferenza e dall'incomprensione.

D'altra parte, i testimoni «privilegiati» disponevano di un osservatorio certamente migliore, se non altro perché era situato piú in alto, e quindi dominava un orizzonte piú esteso; però era anche falsato in maggiore o minor misura dal privilegio medesimo. Il discorso sul privilegio (non solo in Lager!) è delicato, e cercherò di svolgerlo piú oltre con la massima obiettività consentita: accennerò qui solo al fatto che i privilegiati per eccellenza, coloro cioè che si sono acquistato il privilegio asservendosi all'autorità del campo, non hanno testimoniato affatto, per ovvi motivi, oppure hanno lasciato testimonianze lacunose o distorte o totalmente false. I migliori storici dei Lager sono dunque emersi fra i pochissimi che hanno avuto l'abilità e la fortuna di raggiungere un osservatorio privilegiato senza piegarsi a compromessi, e la capacità di raccontare quanto hanno visto, sofferto e fatto con l'umiltà del buon cronista, ossia tenendo conto della complessità del fenomeno Lager, e della varietà dei destini umani che vi si svolgevano. Era nella logica delle cose che questi storici fossero quasi tutti prigionieri politici: e ciò perché i Lager erano un fenomeno politico; perché i politici, molto piú degli ebrei e dei criminali (erano queste, come è noto, le tre categorie principali di prigionieri), potevano disporre di uno sfondo culturale che consentiva loro di interpretare i fatti a cui assistevano; perché, proprio in quanto ex combattenti, o tuttora combattenti antifascisti, si rendevano conto che una testimonianza era un atto di guerra contro il fascismo; perché avevano piú facile accesso ai dati statistici; ed infine, perché spesso, oltre a rivestire in Lager cariche importanti, erano membri delle organizzazioni segrete di difesa. Almeno negli ultimi anni, le loro condizioni di vita erano tollerabili, tanto da permettere loro, ad esempio, di scrivere e conservare appunti; cosa che per gli ebrei

non era pensabile, e che i criminali non avevano interesse
a fare.

Per tutti i motivi accennati qui, la verità sui Lager è ve-
nuta alla luce attraverso una strada lunga ed una porta
stretta, e molti aspetti dell'universo concentrazionario non
sono ancora stati approfonditi. Sono trascorsi ormai piú di
quarant'anni dalla liberazione dei Lager nazisti; questo ri-
spettabile intervallo ha portato, ai fini della chiarificazio-
ne, ad effetti contrastanti, che cercherò di elencare.

C'è stata, in primo luogo, la decantazione, processo de-
siderabile e normale, grazie al quale i fatti storici acquista-
no il loro chiaroscuro e la loro prospettiva solo a qualche
decennio dalla loro conclusione. Alla fine della seconda
guerra mondiale, i dati quantitativi sulle deportazioni e sui
massacri nazisti, in Lager ed altrove, non erano acquisiti,
né era facile intenderne la portata e la specificità. Solo da
pochi anni si sta comprendendo che la strage nazista è sta-
ta tremendamente «esemplare», e che, se altro di peggio
non avverrà nei prossimi anni, essa sarà ricordata come il
fatto centrale, come la macchia di questo secolo.

Per contro, il trascorrere del tempo sta provocando altri
effetti storicamente negativi. La maggior parte dei testi-
moni, di difesa e di accusa, sono ormai scomparsi, e quelli
che rimangono, e che ancora (superando i loro rimorsi, o
rispettivamente le loro ferite) acconsentono a testimonia-
re, dispongono di ricordi sempre piú sfuocati e stilizzati;
spesso, a loro insaputa, influenzati da notizie che essi han-
no appreso piú tardi, da letture o da racconti altrui. In al-
cuni casi, naturalmente, la smemoratezza è simulata, ma i
molti anni trascorsi la rendono credibile, anche in giudi-
zio: i «non so» o «non sapevo», detti oggi da molti tede-
schi, non scandalizzano piú, mentre scandalizzavano, o
avrebbero dovuto scandalizzare, quando i fatti erano re-
centi.

Di un'altra stilizzazione siamo responsabili noi stessi,

noi reduci, o piú precisamente quelli fra noi che hanno accettato di vivere la loro condizione di reduci nel modo piú semplice e meno critico. Non è detto che le cerimonie e le celebrazioni, i monumenti e le bandiere, siano sempre e dappertutto da deplorare. Una certa dose di retorica è forse indispensabile affinché il ricordo duri. Che i sepolcri, «l'urne de' forti», accendano gli animi a egregie cose, o almeno conservino memoria delle imprese compiute, era vero ai tempi del Foscolo ed è vero ancor oggi; ma bisogna stare in guardia dalle semplificazioni eccessive. Ogni vittima è da piangere, ed ogni reduce è da aiutare e commiserare, ma non tutti i loro comportamenti sono da proporre ad esempio. L'interno dei Lager era un microcosmo intricato e stratificato; la «zona grigia» di cui parlerò piú oltre, quella dei prigionieri che in qualche misura, magari a fin di bene, hanno collaborato con l'autorità, non era sottile, anzi costituiva un fenomeno di fondamentale importanza per lo storico, lo psicologo ed il sociologo. Non c'è prigioniero che non lo ricordi, e che non ricordi il suo stupore di allora: le prime minacce, i primi insulti, i primi colpi non venivano dalle SS, ma da altri prigionieri, da «colleghi», da quei misteriosi personaggi che pure vestivano la stessa tunica a zebra che loro, i nuovi arrivati, avevano appena indossata.

Questo libro intende contribuire a chiarire alcuni aspetti del fenomeno Lager che ancora appaiono oscuri. Si propone anche un fine piú ambizioso; vorrebbe rispondere alla domanda piú urgente, alla domanda che angoscia tutti coloro che hanno avuto occasione di leggere i nostri racconti: quanto del mondo concentrazionario è morto e non ritornerà piú, come la schiavitú ed il codice dei duelli? quanto è tornato o sta tornando? che cosa può fare ognuno di noi, perché in questo mondo gravido di minacce, almeno questa minaccia venga vanificata?

Non ho avuto intenzione, né sarei stato capace, di fare opera di storico, cioè di esaminare esaustivamente le fonti. Mi sono limitato quasi esclusivamente ai Lager nazional-

socialisti, perché solo di questi ho avuto esperienza diretta: ne ho avuto anche una copiosa esperienza indiretta, attraverso i libri letti, i racconti ascoltati, e gli incontri con i lettori dei miei primi due libri. Inoltre, fino al momento in cui scrivo, e nonostante l'orrore di Hiroshima e Nagasaki, la vergogna dei Gulag, l'inutile e sanguinosa campagna del Vietnam, l'autogenocidio cambogiano, gli scomparsi in Argentina, e le molte guerre atroci e stupide a cui abbiamo in seguito assistito, il sistema concentrazionario nazista rimane tuttavia un *unicum*, sia come mole sia come qualità. In nessun altro luogo e tempo si è assistito ad un fenomeno cosí imprevisto e cosí complesso: mai tante vite umane sono state spente in cosí breve tempo, e con una cosí lucida combinazione di ingegno tecnologico, di fanatismo e di crudeltà. Nessuno assolve i conquistadores spagnoli dei massacri da loro perpetrati in America per tutto il sedicesimo secolo. Pare che abbiano provocato la morte di almeno 60 milioni di indios; ma agivano in proprio, senza o contro le direttive del loro governo; e diluirono i loro misfatti, in verità assai poco «pianificati», su un arco di piú di cento anni; e furono aiutati dalle epidemie che involontariamente si portarono dietro. Ed infine, non avevamo cercato di liberarcene, sentenziando che erano «cose di altri tempi»?

I.
La memoria dell'offesa

La memoria umana è uno strumento meraviglioso ma fallace. È questa una verità logora, nota non solo agli psicologi, ma anche a chiunque abbia posto attenzione al comportamento di chi lo circonda, o al suo stesso comportamento. I ricordi che giacciono in noi non sono incisi sulla pietra; non solo tendono a cancellarsi con gli anni, ma spesso si modificano, o addirittura si accrescono, incorporando lineamenti estranei. Lo sanno bene i magistrati: non avviene quasi mai che due testimoni oculari dello stesso fatto lo descrivano allo stesso modo e con le stesse parole, anche se il fatto è recente, e se nessuno dei due ha un interesse personale a deformarlo. Questa scarsa affidabilità dei nostri ricordi sarà spiegata in modo soddisfacente solo quando sapremo in quale linguaggio, in quale alfabeto essi sono scritti, su quale materiale, con quale penna: a tutt'oggi, è questa una meta da cui siamo lontani. Si conoscono alcuni meccanismi che falsificano la memoria in condizioni particolari: i traumi, non solo quelli cerebrali; l'interferenza da parte di altri ricordi «concorrenziali»; stati abnormi della coscienza; repressioni; rimozioni. Tuttavia, anche in condizioni normali è all'opera una lenta degradazione, un offuscamento dei contorni, un oblio per cosí dire fisiologico, a cui pochi ricordi resistono. È probabile che si possa riconoscere qui una delle grandi forze della natura, quella stessa che degrada l'ordine in disordine, la giovinezza in vecchiaia, e spegne la vita nella morte. È certo che l'esercizio (in questo caso, la frequente rievocazione) mantiene

il ricordo fresco e vivo, allo stesso modo come si mantiene efficiente un muscolo che viene spesso esercitato; ma è anche vero che un ricordo troppo spesso evocato, ed espresso in forma di racconto, tende a fissarsi in uno stereotipo, in una forma collaudata dall'esperienza, cristallizzata, perfezionata, adorna, che si installa al posto del ricordo greggio e cresce a sue spese.

Intendo esaminare qui i ricordi di esperienze estreme, di offese subite o inflitte. In questo caso sono all'opera tutti o quasi i fattori che possono obliterare o deformare la registrazione mnemonica: il ricordo di un trauma, patito o inflitto, è esso stesso traumatico, perché richiamarlo duole o almeno disturba: chi è stato ferito tende a rimuovere il ricordo per non rinnovare il dolore; chi ha ferito ricaccia il ricordo nel profondo, per liberarsene, per alleggerire il suo senso di colpa.

Qui, come in altri fenomeni, ci troviamo davanti ad una paradossale analogia tra vittima ed oppressore, e ci preme essere chiari: i due sono nella stessa trappola, ma è l'oppressore, e solo lui, che l'ha approntata e che l'ha fatta scattare, e se ne soffre, è giusto che ne soffra; ed è iniquo che ne soffra la vittima, come invece ne soffre, anche a distanza di decenni. Ancora una volta si deve constatare, con lutto, che l'offesa è insanabile: si protrae nel tempo, e le Erinni, a cui bisogna pur credere, non travagliano solo il tormentatore (se pure lo travagliano, aiutate o no dalla punizione umana), ma perpetuano l'opera di questo negando la pace al tormentato. Non si leggono senza spavento le parole lasciate scritte da Jean Améry, il filosofo austriaco torturato dalla Gestapo perché attivo nella resistenza belga, e poi deportato ad Auschwitz perché ebreo:

> Chi è stato torturato rimane torturato. (...) Chi ha subito il tormento non potrà piú ambientarsi nel mondo, l'abominio dell'annullamento non si estingue mai. La fiducia nell'umanità, già incrinata dal primo schiaffo sul viso, demolita poi dalla tortura, non si riacquista piú.

La tortura è stata per lui una interminabile morte: Améry, di cui riparlerò al capitolo sesto, si è ucciso nel 1978.

Non vogliamo confusioni, freudismi spiccioli, morbosità, indulgenze. L'oppressore resta tale, e cosí la vittima: non sono intercambiabili, il primo è da punire e da esecrare (ma, se possibile, da capire), la seconda è da compiangere e da aiutare; ma entrambi, davanti all'indecenza del fatto che è stato irrevocabilmente commesso, hanno bisogno di rifugio e di difesa, e ne vanno istintivamente in cerca. Non tutti, ma i piú; e spesso per tutta la loro vita.

Disponiamo ormai di numerose confessioni, deposizioni, ammissioni da parte degli oppressori (non parlo solo dei nazionalsocialisti tedeschi, ma di tutti coloro che commettono delitti orrendi e multipli per obbedienza ad una disciplina): alcune rilasciate in giudizio, altre nel corso di interviste, altre ancora contenute in libri o memoriali. A mio parere, sono documenti di estrema importanza. In generale, interessano poco le descrizioni delle cose viste e degli atti compiuti: esse coincidono ampiamente con quanto è stato raccontato dalle vittime; assai raramente vengono contestate, sono passate in giudicato e fanno ormai parte della Storia. Spesso vengono date per note. Sono molto piú importanti le motivazioni e le giustificazioni: perché lo hai fatto? Ti rendevi conto di commettere un delitto?

Le risposte a queste due domande, o ad altre analoghe, sono molto simili fra loro, indipendentemente dalla personalità dell'interrogato, sia egli un professionista ambizioso ed intelligente come Speer, o un gelido fanatico come Eichmann, o un funzionario di vista corta come Stangl di Treblinka e Höss di Auschwitz, o un bruto ottuso come Boger e Kaduk inventori di torture. Espresse con formulazioni diverse, e con maggiore o minor protervia a seconda del livello mentale e culturale di chi parla, esse vengono a dire tutte sostanzialmente le stesse cose: l'ho fatto perché mi è stato comandato; altri (i miei superiori) hanno commesso azioni peggiori delle mie; data l'educazione che ho ricevuta, e l'ambiente in cui sono vissuto, non potevo fare

altro; se non l'avessi fatto, l'avrebbe fatto con maggiore
durezza un altro al mio posto. Per chi legge queste giusti-
ficazioni, il primo moto è di ribrezzo: costoro mentono,
non possono credere di essere creduti, non possono non
vedere lo squilibrio fra le loro scuse e la mole di dolore e
di morte che essi hanno provocata. Mentono sapendo di
mentire: sono in mala fede.

Ora, chiunque abbia sufficiente esperienza delle cose
umane sa che la distinzione (l'opposizione, direbbe un lin-
guista) buona fede/mala fede è ottimistica ed illuministi-
ca, e lo è tanto piú, ed a molto maggior ragione, se applica-
ta a uomini come quelli appena nominati. Presuppone una
chiarezza mentale che è di pochi, e che anche questi pochi
perdono immediatamente quando, per qualsiasi motivo, la
realtà passata o presente provoca in loro ansia o disagio. In
queste condizioni c'è bensí chi mente consapevolmente
falsificando a freddo la realtà stessa, ma sono piú numerosi
coloro che salpano le ancore, si allontanano, momentanea-
mente o per sempre, dai ricordi genuini, e si fabbricano
una realtà di comodo. Il passato è loro di peso; provano ri-
pugnanza per le cose fatte o subite, e tendono a sostituirle
con altre. La sostituzione può incominciare in piena consa-
pevolezza, con uno scenario inventato, mendace, restaura-
to, ma meno penoso di quello reale; ripetendone la descri-
zione, ad altri ma anche a se stessi, la distinzione fra vero
e falso perde progressivamente i suoi contorni, e l'uomo fi-
nisce col credere pienamente al racconto che ha fatto cosí
spesso e che ancora continua a fare, limandone e ritoccan-
done qua e là i dettagli meno credibili, o fra loro incon-
gruenti, o incompatibili con il quadro degli eventi acquisi-
ti: la mala fede iniziale è diventata buona fede. Il silenzio-
so trapasso dalla menzogna all'autoinganno è utile: chi
mente in buona fede mente meglio, recita meglio la sua
parte, viene creduto piú facilmente dal giudice, dallo sto-
rico, dal lettore, dalla moglie, dai figli.

Piú si allontanano gli eventi, piú si accresce e si per-
feziona la costruzione della verità di comodo. Credo che

solo attraverso questo meccanismo mentale si possano interpretare, ad esempio, le dichiarazioni fatte all'«Express» nel 1978 da Louis Darquier de Pellepoix, già commissario addetto alle questioni ebraiche presso il governo di Vichy intorno al 1942, e come tale responsabile in proprio della deportazione di 70 000 ebrei. Darquier nega tutto: le foto dei cumuli di cadaveri sono montaggi; le statistiche dei milioni di morti sono state fabbricate dagli ebrei, sempre avidi di pubblicità, di commiserazione e di indennizzi; le deportazioni ci saranno magari anche state (gli sarebbe stato difficile contestarle: la sua firma compare in calce a troppe lettere che dànno disposizioni per le deportazioni stesse, anche di bambini), ma lui non sapeva verso dove e con quale esito; ad Auschwitz le camere a gas c'erano sí, ma servivano solo per uccidere i pidocchi, e del resto (si noti la coerenza!) sono state costruite a scopo di propaganda dopo la fine della guerra. Non intendo giustificare quest'uomo vile e sciocco, e mi offende sapere che ha vissuto a lungo indisturbato in Spagna, ma mi pare di poter ravvisare in lui il caso tipico di chi, avvezzo a mentire pubblicamente, finisce col mentire anche in privato, anche a se stesso, e coll'edificarsi una verità confortevole che gli consente di vivere in pace. Tenere distinte la buona e la mala fede è costoso: richiede una profonda sincerità con se stesso, esige uno sforzo continuo, intellettuale e morale. Come si può pretendere questo sforzo da uomini come Darquier?

Se si leggono le dichiarazioni fatte da Eichmann durante il processo di Gerusalemme, e di Rudolf Höss (il penultimo comandante di Auschwitz, l'inventore delle camere ad acido cianidrico) nella sua autobiografia, vi si riconosce un processo di elaborazione del passato, piú sottile di quello ora accennato. In sostanza, questi due si sono difesi nel modo classico dei gregari nazisti, o meglio di tutti i gregari: siamo stati educati all'obbedienza assoluta, alla gerarchia, al nazionalismo; siamo stati imbevuti di slogan, ubriacati di cerimonie e manifestazioni; ci hanno inse-

gnato che la sola giustizia era ciò che giovava al nostro popolo, e la sola verità erano le parole del Capo. Che cosa volete da noi? Come potete pensare di pretendere da noi, a cose fatte, un comportamento diverso da quello che è stato il nostro, e di tutti quelli che erano come noi? Siamo stati diligenti esecutori, e per la nostra diligenza siamo stati lodati e promossi. Le decisioni non sono state nostre, perché il regime in cui siamo cresciuti non ci concedeva decisioni autonome: altri hanno deciso per noi, e non poteva avvenire altrimenti, perché eravamo stati amputati della capacità di decidere. Non solo decidere ci era stato vietato, ma ne eravamo diventati incapaci. Perciò non siamo responsabili e non possiamo essere puniti.

Anche se proiettata sullo sfondo dei camini di Birkenau, questa argomentazione non può essere presa come frutto di pura impudenza. La pressione che un moderno Stato totalitario può esercitare sull'individuo è paurosa. Le sue armi sono sostanzialmente tre: la propaganda diretta, o camuffata da educazione, da istruzione, da cultura popolare; lo sbarramento opposto al pluralismo delle informazioni; il terrore. Tuttavia, non è lecito ammettere che questa pressione sia irresistibile, tanto meno nel breve termine dei dodici anni del Terzo Reich: nelle affermazioni e nelle discolpe di uomini dalle gravissime responsabilità, quali erano Höss e Eichmann, è palese l'esagerazione, ed ancor piú la manomissione del ricordo. Entrambi erano nati ed erano stati educati molto prima che il Reich diventasse veramente «totalitario», e la loro adesione era stata una scelta, dettata piú da opportunismo che da entusiasmo. La rielaborazione del loro passato è stata opera posteriore, lenta e (probabilmente) non metodica. Domandarsi se sia stata fatta in buona o in mala fede è ingenuo. Anche loro, cosí forti di fronte al dolore altrui, quando il destino li ha messi davanti ai giudici, davanti alla morte che hanno meritato, si sono costruiti un passato di comodo ed hanno finito per credervi: in special modo Höss, che non era un uomo sottile. Quale appare dal suo scritto, era anzi un

personaggio talmente poco propenso all'autocontrollo ed all'introspezione che non si accorge di confermare il suo grossolano antisemitismo nell'atto stesso in cui lo rinnega e lo nega, e da non rendersi conto di quanto appaia viscido il suo autoritratto di buon funzionario, padre e marito.

A commento di queste ricostruzioni del passato (ma non solo di queste: è un'osservazione che vale per tutte le memorie), si deve notare che la distorsione dei fatti è spesso limitata dall'obiettività dei fatti stessi, intorno ai quali esistono testimonianze di terzi, documenti, «corpi del reato», contesti storicamente acquisiti. È generalmente difficile negare di aver commesso una data azione, o che questa azione sia stata commessa; è invece facilissimo alterare le motivazioni che ci hanno condotto ad un'azione, e le passioni che in noi hanno accompagnato l'azione stessa. Questa è materia estremamente fluida, soggetta a deformarsi sotto forze anche molto deboli; alle domande «perché lo hai fatto?», o «cosa pensavi facendolo?», non esistono risposte attendibili, perché gli stati d'animo sono labili per natura, e ancora piú labile è la loro memoria.

Come caso limite della deformazione del ricordo di una colpa commessa, c'è la sua soppressione. Anche qui il confine tra buona e mala fede può essere vago; dietro i «non so» e i «non ricordo» che si sentono nei tribunali c'è talvolta il preciso proposito di mentire, ma altre volte si tratta di una menzogna fossilizzata, irrigidita in una formula. Il memore ha voluto diventare immemore e ci è riuscito: a furia di negarne l'esistenza, ha espulso da sé il ricordo nocivo come si espelle un'escrezione o un parassita. Gli avvocati difensori sanno bene che il vuoto di memoria, o la verità putativa, che essi suggeriscono ai loro difesi, tendono a diventare dimenticanze e verità effettive. Non occorre sconfinare nella patologia mentale per trovare esemplari umani le cui affermazioni ci lasciano perplessi: sono certamente false, ma non riusciamo a distinguere se il soggetto sa o non sa di mentire. Supponendo per assurdo che il mentitore diventi per un istante veridico, lui stesso non

saprebbe rispondere al dilemma; nell'atto in cui mente è
un attore totalmente fuso col suo personaggio, non è piú
discernibile da lui. Ne è un esempio vistoso, nei giorni
in cui scrivo, il comportamento in tribunale del turco Alí
Agca, l'attentatore di Giovanni Paolo II.

Il modo migliore per difendersi dall'invasione di memo-
rie pesanti è impedirne l'ingresso, stendere una barriera
sanitaria lungo il confine. È piú facile vietare l'ingresso a
un ricordo che liberarsene dopo che è stato registrato. A
questo, in sostanza, servivano molti degli artifizi escogitati
dai comandi nazisti per proteggere le coscienze degli ad-
detti ai lavori sporchi, e per assicurarsi i loro servizi, sgra-
devoli anche per gli scherani piú induriti. Agli *Einsatzkom-
mandos*, che nelle retrovie del fronte russo mitragliavano i
civili sull'orlo delle fosse comuni che le vittime stesse era-
no costrette a scavare, veniva distribuito alcool a volontà,
in modo che il massacro venisse velato dall'ubriachezza. I
ben noti eufemismi («soluzione finale», «trattamento spe-
ciale», lo stesso termine «Einsatzkommando» appena ci-
tato, che significa letteralmente «Unità di pronto impie-
go», ma mascherava una realtà spaventosa) non servivano
solo ad illudere le vittime ed a prevenirne le reazioni di di-
fesa: valevano anche, nei limiti del possibile, ad impedire
che l'opinione pubblica, e gli stessi reparti delle forze ar-
mate non direttamente implicati, venissero a conoscenza
di quanto stava accadendo in tutti i territori occupati dal
Terzo Reich.

Del resto, l'intera storia del breve «Reich Millenario»
può essere riletta come guerra contro la memoria, falsifica-
zione orwelliana della memoria, falsificazione della realtà,
negazione della realtà, fino alla fuga definitiva dalla realtà
medesima. Tutte le biografie di Hitler, discordi sull'inter-
pretazione da darsi alla vita di quest'uomo cosí difficile da
classificare, concordano sulla fuga dalla realtà che ha se-
gnato i suoi ultimi anni, soprattutto a partire dal primo in-
verno russo. Aveva proibito e negato ai suoi sudditi l'ac-
cesso alla verità, inquinando la loro morale e la loro memo-

ria; ma, in misura via via crescente fino alla paranoia del Bunker, aveva sbarrato la via della verità anche a se stesso. Come tutti i giocatori d'azzardo, si era costruito intorno uno scenario intessuto di menzogne superstiziose, in cui aveva finito col credere con la stessa fede fanatica che pretendeva da ogni tedesco. Il suo crollo non è stato soltanto una salvazione per il genere umano, ma anche una dimostrazione del prezzo che si paga quando si manomette la verità.

Anche nel campo ben piú vasto delle vittime si osserva una deriva della memoria, ma qui, evidentemente, manca il dolo. Chi riceve un'ingiustizia o un'offesa non ha bisogno di elaborare bugie per discolparsi di una colpa che non ha (anche se, per un paradossale meccanismo di cui diremo, può avvenire che ne provi vergogna); ma questo non esclude che anche i suoi ricordi possano essere alterati. È stato notato, ad esempio, che molti reduci da guerre o da altre esperienze complesse e traumatiche tendono a filtrare inconsapevolmente i loro ricordi: rievocandoli fra loro, o raccontandoli a terzi, preferiscono soffermarsi sulle tregue, sui momenti di respiro, sugli intermezzi grotteschi o strani o distesi, e sorvolare sugli episodi piú dolorosi. Questi ultimi non vengono richiamati volentieri dal serbatoio della memoria, e perciò tendono ad annebbiarsi col tempo, a perdere i loro contorni. È psicologicamente credibile il comportamento del Conte Ugolino, che prova ritegno nel raccontare a Dante la sua morte tremenda, e si induce a farlo non per accondiscendenza, ma solo per vendetta postuma contro il suo eterno nemico. Quando diciamo «non lo dimenticherò mai» riferendoci a qualche evento che ci ha feriti profondamente, ma che non ha lasciato in noi o intorno a noi una traccia materiale o un'assenza permanente, siamo avventati: anche nella vita «civile», dimentichiamo volentieri i particolari di una malattia grave da cui siamo guariti, o di un'operazione chirurgica riuscita bene.

A scopo di difesa, la realtà può essere distorta non solo

nel ricordo, ma nell'atto stesso in cui si verifica. Per tutto l'anno della mia prigionia ad Auschwitz, ho avuto come amico fraterno Alberto D.: era un giovane robusto e coraggioso, chiaroveggente piú della media, e perciò assai critico nei confronti dei molti che si fabbricavano, e si somministravano a vicenda, illusioni consolatorie («la guerra finirà fra due settimane», «non ci saranno piú selezioni», «gli inglesi sono sbarcati in Grecia», «i partigiani polacchi stanno per liberare il campo», e cosí via: erano voci che correvano quasi ogni giorno, puntualmente smentite dalla realtà). Alberto era stato deportato insieme col padre quarantacinquenne. Nell'imminenza della grande selezione dell'ottobre 1944, Alberto ed io avevamo commentato il fatto con spavento, collera impotente, ribellione, rassegnazione, ma senza cercare rifugio nelle verità di conforto. Venne la selezione, il «vecchio» padre di Alberto fu scelto per il gas, ed Alberto cambiò, nel giro di poche ore. Aveva sentito voci che gli sembravano degne di fede: i russi erano vicini, i tedeschi non avrebbero piú osato persistere nella strage, quella non era una selezione come le altre, non era per le camere a gas, era stata fatta per scegliere i prigionieri indeboliti ma recuperabili, come suo padre, appunto, che era molto stanco ma non ammalato; anzi, lui sapeva perfino dove li avrebbero mandati, a Jaworzno, non lontano, in un campo speciale per convalescenti adatti soltanto per lavori leggeri.

Naturalmente il padre non fu piú visto, ed Alberto stesso scomparve durante la marcia di evacuazione del campo, nel gennaio 1945. Stranamente, senza sapere del comportamento di Alberto, anche i suoi parenti che erano rimasti nascosti in Italia sfuggendo alla cattura, si sono condotti come lui, rifiutando una verità insopportabile e costruendosene un'altra. Appena rimpatriato, ritenni doveroso andare subito alla città di Alberto, per riferire alla madre ed al fratello quanto sapevo. Fui accolto con cortesia affettuosa, ma appena ebbi cominciato il mio racconto la madre mi pregò di smettere: lei sapeva già tutto, almeno

per quanto riguardava Alberto, ed era inutile che io le ripetessi le solite storie di orrore. Lei *sapeva* che il figlio, lui solo, era riuscito ad allontanarsi dalla colonna senza che le SS gli sparassero, si era nascosto nella foresta ed era in salvo nelle mani dei russi; non aveva ancora potuto mandare notizie, ma presto lo avrebbe fatto, lei ne era sicura; ed ora, che per favore io cambiassi argomento, e le raccontassi come io stesso ero sopravvissuto. Un anno dopo mi trovai per caso a passare per quella città, e visitai di nuovo la famiglia. La verità era leggermente cambiata: Alberto era in una clinica sovietica, stava bene, ma aveva perso la memoria, non ricordava piú nemmeno il suo nome; però era in via di miglioramento e sarebbe ritornato presto, lei lo sapeva da fonte sicura.

Alberto non è mai ritornato. Sono passati piú di quarant'anni; non ho piú avuto il coraggio di ripresentarmi, e di contrapporre la mia verità dolorosa alla «verità» consolatoria che, aiutandosi l'uno con l'altro, i parenti di Alberto si erano costruita.

Un'apologia è d'obbligo. Questo stesso libro è intriso di memoria: per di piú, di una memoria lontana. Attinge dunque ad una fonte sospetta, e deve essere difeso contro se stesso. Ecco: contiene piú considerazioni che ricordi, si sofferma piú volentieri sullo stato delle cose qual è oggi che non sulla cronaca retroattiva. Inoltre, i dati che contiene sono fortemente sostanziati dall'imponente letteratura che sul tema dell'uomo sommerso (o «salvato») si è andata formando, anche con la collaborazione, volontaria o no, dei colpevoli di allora; ed in questo corpus le concordanze sono abbondanti, le discordanze trascurabili. Quanto ai miei ricordi personali, ed ai pochi aneddoti inediti che ho citati e citerò, li ho vagliati tutti con diligenza: il tempo li ha un po' scoloriti, ma sono in buona consonanza con lo sfondo, e mi sembrano indenni dalle derive che ho descritte.

II.
La zona grigia

Siamo stati capaci, noi reduci, di comprendere e di far comprendere la nostra esperienza? Ciò che comunemente intendiamo per «comprendere» coincide con «semplificare»: senza una profonda semplificazione, il mondo intorno a noi sarebbe un groviglio infinito e indefinito, che sfiderebbe la nostra capacità di orientarci e di decidere le nostre azioni. Siamo insomma costretti a ridurre il conoscibile a schema: a questo scopo tendono i mirabili strumenti che ci siamo costruiti nel corso dell'evoluzione e che sono specifici del genere umano, il linguaggio ed il pensiero concettuale.

Tendiamo a semplificare anche la storia; ma non sempre lo schema entro cui si ordinano i fatti è individuabile in modo univoco, e può dunque accadere che storici diversi comprendano e costruiscano la storia in modi fra loro incompatibili; tuttavia, è talmente forte in noi, forse per ragioni che risalgono alle nostre origini di animali sociali, l'esigenza di dividere il campo fra «noi» e «loro», che questo schema, la bipartizione amico-nemico, prevale su tutti gli altri. La storia popolare, ed anche la storia quale viene tradizionalmente insegnata nelle scuole, risente di questa tendenza manichea che rifugge dalle mezze tinte e dalle complessità: è incline a ridurre il fiume degli accadimenti umani ai conflitti, e i conflitti a duelli, noi e loro, gli ateniesi e gli spartani, i romani e i cartaginesi. Certo è questo il motivo dell'enorme popolarità degli sport spettacolari, come il calcio, il baseball e il pugilato, in cui i contendenti sono

due squadre o due individui, ben distinti e identificabili, e alla fine della partita ci saranno gli sconfitti e i vincitori. Se il risultato è di parità, lo spettatore si sente defraudato e deluso: a livello piú o meno inconscio, voleva i vincitori ed i perdenti, e li identificava rispettivamente con i buoni e i cattivi, poiché sono i buoni che devono avere la meglio, se no il mondo sarebbe sovvertito.

Questo *desiderio* di semplificazione è giustificato, la semplificazione non sempre lo è. È un'ipotesi di lavoro, utile in quanto sia riconosciuta come tale e non scambiata per la realtà; la maggior parte dei fenomeni storici e naturali non sono semplici, o non semplici della semplicità che piacerebbe a noi. Ora, non era semplice la rete dei rapporti umani all'interno dei Lager: non era riducibile ai due blocchi delle vittime e dei persecutori. In chi legge (o scrive) oggi la storia dei Lager è evidente la tendenza, anzi il bisogno, di dividere il male dal bene, di poter parteggiare, di ripetere il gesto di Cristo nel Giudizio Universale: qui i giusti, là i reprobi. Soprattutto i giovani chiedono chiarezza, il taglio netto; essendo scarsa la loro esperienza del mondo, essi non amano l'ambiguità. La loro aspettazione, del resto, riproduce con esattezza quella dei nuovi arrivati in Lager, giovani o no: tutti, ad eccezione di chi avesse già attraversato un'esperienza analoga, si aspettavano di trovare un mondo terribile ma decifrabile, conforme a quel modello semplice che atavicamente portiamo in noi, «noi» dentro e il nemico fuori, separati da un confine netto, geografico.

L'ingresso in Lager era invece un urto per la sorpresa che portava con sé. Il mondo in cui ci si sentiva precipitati era sí terribile, ma anche indecifrabile: non era conforme ad alcun modello, il nemico era intorno ma anche dentro, il «noi» perdeva i suoi confini, i contendenti non erano due, non si distingueva una frontiera ma molte e confuse, forse innumerevoli, una fra ciascuno e ciascuno. Si entrava sperando almeno nella solidarietà dei compagni di sventura, ma gli alleati sperati, salvo casi speciali, non c'erano;

c'erano invece mille monadi sigillate, e fra queste una lotta disperata, nascosta e continua. Questa rivelazione brusca, che si manifestava fin dalle prime ore di prigionia, spesso sotto la forma immediata di un'aggressione concentrica da parte di coloro in cui si sperava di ravvisare i futuri alleati, era talmente dura da far crollare subito la capacità di resistere. Per molti è stata mortale, indirettamente o anche direttamente: è difficile difendersi da un colpo a cui non si è preparati.

In questa aggressione si possono distinguere diversi aspetti. Occorre ricordare che il sistema concentrazionario, fin dalle sue origini (che coincidono con la salita al potere del nazismo in Germania), aveva lo scopo primario di spezzare la capacità di resistenza degli avversari: per la direzione del campo, il nuovo giunto era un avversario per definizione, qualunque fosse l'etichetta che gli era stata affibbiata, e doveva essere demolito subito, affinché non diventasse un esempio, o un germe di resistenza organizzata. Su questo punto le SS avevano le idee chiare, e sotto questo aspetto è da interpretare tutto il sinistro rituale, diverso da Lager a Lager, ma unico nella sostanza, che accompagnava l'ingresso; i calci e i pugni subito, spesso sul viso; l'orgia di ordini urlati con collera vera o simulata; la denudazione totale; la rasatura dei capelli; la vestizione con stracci. È difficile dire se tutti questi particolari siano stati messi a punto da qualche esperto o perfezionati metodicamente in base all'esperienza, ma certo erano voluti e non casuali: una regia c'era, ed era vistosa.

Tuttavia, al rituale d'ingresso, ed al crollo morale che esso favoriva, contribuivano piú o meno consapevolmente anche le altre componenti del mondo concentrazionario: i prigionieri semplici ed i privilegiati. Accadeva di rado che il nuovo venuto fosse accolto, non dico come un amico, ma almeno come un compagno di sventura; nella maggior parte dei casi, gli anziani (e si diventava anziani in tre o quattro mesi: il ricambio era rapido!) manifestavano fastidio o addirittura ostilità. Il «nuovo» (*Zugang*: si noti, in tedesco

è un termine astratto, amministrativo; significa «ingresso», «entrata») veniva invidiato perché sembrava che avesse ancora indosso l'odore di casa sua, ed era un'invidia assurda, perché in effetti si soffriva assai di piú nei primi giorni di prigionia che dopo, quando l'assuefazione da una parte, e l'esperienza dall'altra, permettevano di costruirsi un riparo. Veniva deriso e sottoposto a scherzi crudeli, come avviene in tutte le comunità con i «coscritti» e le «matricole», e con le cerimonie di iniziazione presso i popoli primitivi: e non c'è dubbio che la vita in Lager comportava una regressione, riconduceva a comportamenti, appunto, primitivi.

È probabile che l'ostilità verso lo *Zugang* fosse in sostanza motivata come tutte le altre intolleranze, cioè consistesse in un tentativo inconscio di consolidare il «noi» a spese degli «altri», di creare insomma quella solidarietà fra oppressi la cui mancanza era fonte di una sofferenza addizionale, anche se non percepita apertamente. Entrava in gioco anche la ricerca del prestigio, che nella nostra civiltà sembra sia un bisogno insopprimibile: la folla disprezzata degli anziani tendeva a ravvisare nel nuovo arrivato un bersaglio su cui sfogare la sua umiliazione, a trovare a sue spese un compenso, a costruirsi a sue spese un individuo di rango piú basso su cui riversare il peso delle offese ricevute dall'alto.

Per quanto riguarda i prigionieri privilegiati, il discorso è piú complesso, ed anche piú importante: a mio parere, è anzi fondamentale. È ingenuo, assurdo e storicamente falso ritenere che un sistema infero, qual era il nazionalsocialismo, santifichi le sue vittime: al contrario, esso le degrada, le assimila a sé, e ciò tanto piú quanto piú esse sono disponibili, bianche, prive di un'ossatura politica o morale. Da molti segni, pare che sia giunto il tempo di esplorare lo spazio che separa (non solo nei Lager nazisti!) le vittime dai persecutori, e di farlo con mano piú leggera, e con spirito meno torbido, di quanto non si sia fatto ad esempio in alcuni film. Solo una retorica schematica può sostenere

che quello spazio sia vuoto: non lo è mai, è costellato di figure turpi o patetiche (a volte posseggono le due qualità ad un tempo), che è indispensabile conoscere se vogliamo conoscere la specie umana, se vogliamo saper difendere le nostre anime quando una simile prova si dovesse nuovamente prospettare, o se anche soltanto vogliamo renderci conto di quello che avviene in un grande stabilimento industriale.

I prigionieri privilegiati erano in minoranza entro la popolazione dei Lager, ma rappresentano invece una forte maggioranza fra i sopravvissuti; infatti, anche se non si tenga conto della fatica, delle percosse, del freddo, delle malattie, va ricordato che la razione alimentare era decisamente insufficiente anche per il prigioniero piú sobrio: consumate in due o tre mesi le riserve fisiologiche dell'organismo, la morte per fame, o per malattie indotte dalla fame, era il destino normale del prigioniero. Poteva essere evitato solo con un sovrappiú alimentare, e per ottenere questo occorreva un privilegio, grande o piccolo; in altre parole, un modo, octroyé o conquistato, astuto o violento, lecito o illecito, di sollevarsi al di sopra della norma.

Ora, non si può dimenticare che la maggior parte dei ricordi dei reduci, raccontati o scritti, incomincia cosí: l'urto contro la realtà concentrazionaria coincide con l'aggressione, non prevista e non compresa, da parte di un nemico nuovo e strano, il prigioniero-funzionario, che invece di prenderti per mano, tranquillizzarti, insegnarti la strada, ti si avventa addosso urlando in una lingua che tu non conosci, e ti percuote sul viso. Ti vuole domare, vuole spegnere in te la scintilla di dignità che tu forse ancora conservi e che lui ha perduta. Ma guai a te se questa tua dignità ti spinge a reagire: questa è una legge non scritta ma ferrea, il *zurückschlagen*, il rispondere coi colpi ai colpi, è una trasgressione intollerabile, che può venire in mente appunto solo a un «nuovo». Chi la commette deve diventare un esempio: altri funzionari accorrono a difesa dell'ordine minacciato, e il colpevole viene percosso con rabbia e me-

todo finché è domato o morto. Il privilegio, per definizione, difende e protegge il privilegio. Mi torna a mente che il termine locale, jiddisch e polacco, per indicare il privilegio era «protekcja», che si pronuncia «protekzia» ed è di evidente origine italiana e latina; e mi è stata raccontata la storia di un «nuovo» italiano, un partigiano, scaraventato in un Lager di lavoro con l'etichetta di prigioniero politico quando era ancora nel pieno delle sue forze. Era stato malmenato durante la distribuzione della zuppa, ed aveva osato dare uno spintone al funzionario-distributore: accorsero i colleghi di questo, e il reo venne affogato esemplarmente immergendogli la testa nel mastello della zuppa stessa.

L'ascesa dei privilegiati, non solo in Lager ma in tutte le convivenze umane, è un fenomeno angosciante ma immancabile: essi sono assenti solo nelle utopie. È compito dell'uomo giusto fare guerra ad ogni privilegio non meritato, ma non si deve dimenticare che questa è una guerra senza fine. Dove esiste un potere esercitato da pochi, o da uno solo, contro i molti, il privilegio nasce e prolifera, anche contro il volere del potere stesso; ma è normale che il potere, invece, lo tolleri o lo incoraggi. Limitiamoci al Lager, che però (anche nella sua versione sovietica) può ben servire da «laboratorio»: la classe ibrida dei prigionieri-funzionari ne costituisce l'ossatura, ed insieme il lineamento piú inquietante. È una zona grigia, dai contorni mal definiti, che insieme separa e congiunge i due campi dei padroni e dei servi. Possiede una struttura interna incredibilmente complicata, ed alberga in sé quanto basta per confondere il nostro bisogno di giudicare.

La zona grigia della «protekcja» e della collaborazione nasce da radici molteplici. In primo luogo, l'area del potere, quanto piú è ristretta, tanto piú ha bisogno di ausiliari esterni; il nazismo degli ultimi anni non ne poteva fare a meno, risoluto com'era a mantenere il suo ordine all'interno dell'Europa sottomessa, e ad alimentare i fronti di guerra dissanguati dalla crescente resistenza militare degli

avversari. Era indispensabile attingere dai paesi occupati
non solo mano d'opera, ma anche forze d'ordine, delegati
ed amministratori del potere tedesco ormai impegnato al-
trove fino all'esaurimento. Entro quest'area vanno catalo-
gati, con sfumature diverse per qualità e peso, Quisling di
Norvegia, il governo di Vichy in Francia, il Judenrat di
Varsavia, la Repubblica di Salò, fino ai mercenari ucraini
e baltici impiegati dappertutto per i compiti piú sporchi
(mai per il combattimento), ed ai Sonderkommandos di
cui dovremo parlare. Ma i collaboratori che provengono
dal campo avversario, gli ex nemici, sono infidi per essen-
za: hanno tradito una volta e possono tradire ancora. Non
basta relegarli in compiti marginali; il modo migliore di le-
garli è caricarli di colpe, insanguinarli, comprometterli
quanto piú è possibile: cosí avranno contratto coi mandan-
ti il vincolo della correità, e non potranno piú tornare in-
dietro. Questo modo di agire è noto alle associazioni cri-
minali di tutti i tempi e luoghi, è praticato da sempre dalla
mafia, e tra l'altro è il solo che spieghi gli eccessi, altrimen-
ti indecifrabili, del terrorismo italiano degli anni '70.

 In secondo luogo, ed a contrasto con una certa stilizza-
zione agiografica e retorica, quanto piú è dura l'oppressio-
ne, tanto piú è diffusa tra gli oppressi la disponibilità a col-
laborare col potere. Anche questa disponibilità è variegata
da infinite sfumature e motivazioni: terrore, adescamento
ideologico, imitazione pedissequa del vincitore, voglia
miope di un qualsiasi potere, anche ridicolmente circo-
scritto nello spazio e nel tempo, viltà, fino a lucido calcolo
inteso a eludere gli ordini e l'ordine imposto. Tutti questi
motivi, singolarmente o fra loro combinati, sono stati ope-
ranti nel dare origine a questa fascia grigia, i cui compo-
nenti, nei confronti dei non privilegiati, erano accomunati
dalla volontà di conservare e consolidare il loro privilegio.

 Prima di discutere partitamente i motivi che hanno
spinto alcuni prigionieri a collaborare in varia misura con
l'autorità dei Lager, occorre però affermare con forza che
davanti a casi umani come questi è imprudente precipitarsi

ad emettere un giudizio morale. Deve essere chiaro che la massima colpa pesa sul sistema, sulla struttura stessa dello Stato totalitario; il concorso alla colpa da parte dei singoli collaboratori grandi e piccoli (mai simpatici, mai trasparenti!) è sempre difficile da valutare. È un giudizio che vorremmo affidare soltanto a chi si è trovato in circostanze simili, ed ha avuto modo di verificare su se stesso che cosa significa agire in stato di costrizione. Lo sapeva bene il Manzoni: «I provocatori, i soverchiatori, tutti coloro che, in qualunque modo, fanno torto altrui, sono rei, non solo del male che commettono, ma del pervertimento ancora a cui portano l'animo degli offesi». La condizione di offeso non esclude la colpa, e spesso questa è obiettivamente grave, ma non conosco tribunale umano a cui delegarne la misura.

Se dipendesse da me, se fossi costretto a giudicare, assolverei a cuor leggero tutti coloro per cui il concorso nella colpa è stato minimo, e su cui la costrizione è stata massima. Intorno a noi, prigionieri senza gradi, brulicavano i funzionari di basso rango. Costituivano una fauna pittoresca: scopini, lava-marmitte, guardie notturne, stiratori dei letti (che sfruttavano a loro minuscolo vantaggio la fisima tedesca delle cuccette rifatte piane e squadrate), controllori di pidocchi e di scabbia, portaordini, interpreti, aiutanti degli aiutanti. In generale, erano poveri diavoli come noi, che lavoravano a pieno orario come tutti gli altri, ma che per mezzo litro di zuppa in piú si adattavano a svolgere queste ed altre funzioni «terziarie»: innocue, talvolta utili, spesso inventate dal nulla. Raramente erano violenti, ma tendevano a sviluppare una mentalità tipicamente corporativa, ed a difendere con energia il loro «posto di lavoro» contro chi, dal basso o dall'alto, glie lo insidiava. Il loro privilegio, che del resto comportava disagi e fatiche supplementari, fruttava loro poco, e non li sottraeva alla disciplina ed alle sofferenze degli altri; la loro speranza di vita era sostanzialmente uguale a quella dei non privilegiati.

Erano rozzi e protervi, ma non venivano sentiti come nemici.

Il giudizio si fa piú delicato e piú vario per coloro che occupavano posizioni di comando: i capi (Kapos: il termine tedesco deriva direttamente da quello italiano, e la pronuncia tronca, introdotta dai prigionieri francesi, si diffuse solo molti anni dopo, divulgata dall'omonimo film di Pontecorvo, e favorita in Italia proprio per il suo valore differenziale) delle squadre di lavoro, i capibaracca, gli scritturali, fino al mondo (a quel tempo da me neppure sospettato) dei prigionieri che svolgevano attività diverse, talvolta delicatissime, presso gli uffici amministrativi del campo, la Sezione Politica (di fatto, una sezione della Gestapo), il Servizio del Lavoro, le celle di punizione. Alcuni fra questi, grazie alla loro abilità o alla fortuna, hanno avuto accesso alle notizie piú segrete dei rispettivi Lager, e, come Hermann Langbein ad Auschwitz, Eugen Kogon a Buchenwald, e Hans Marsalek a Mauthausen, ne sono poi diventati gli storici. Non si sa se ammirare di piú il loro coraggio personale o la loro astuzia, che ha concesso loro di aiutare concretamente i loro compagni in molti modi, studiando attentamente i singoli ufficiali delle SS con cui erano a contatto, ed intuendo quali fra questi potessero essere corrotti, quali dissuasi dalle decisioni piú crudeli, quali ricattati, quali ingannati, quali spaventati dalla prospettiva di un *redde rationem* a guerra finita. Alcuni fra loro, ad esempio i tre nominati, erano anche membri di organizzazioni segrete di difesa, e perciò il potere di cui disponevano grazie alla loro carica era controbilanciato dal pericolo estremo che correvano, in quanto «resistenti» e in quanto detentori di segreti.

I funzionari ora descritti non erano affatto, o erano solo apparentemente, dei collaboratori, bensí piuttosto degli oppositori mimetizzati. Non cosí la maggior parte degli altri detentori di posizioni di comando, che si sono rivelati esemplari umani da mediocri a pessimi. Piuttosto che lo-

gorare, il potere corrompe; tanto piú intensamente corrompeva il loro potere, che era di natura peculiare.

Il potere esiste in tutte le varietà dell'organizzazione sociale umana, piú o meno controllato, usurpato, investito dall'alto o riconosciuto dal basso, assegnato per merito o per solidarietà corporativa o per sangue o per censo: è verosimile che una certa misura di dominio dell'uomo sull'uomo sia inscritta nel nostro patrimonio genetico di animali gregari. Non è dimostrato che il potere sia intrinsecamente nocivo alla collettività. Ma il potere di cui disponevano i funzionari di cui si parla, anche di basso grado, come i Kapos delle squadre di lavoro, era sostanzialmente illimitato; o per meglio dire, alla loro violenza era imposto un limite inferiore, nel senso che essi venivano puniti o destituiti se non si mostravano abbastanza duri, ma nessun limite superiore. In altri termini, erano liberi di commettere sui loro sottoposti le peggiori atrocità, a titolo di punizione per qualsiasi loro trasgressione, o anche senza motivo alcuno: fino a tutto il 1943, non era raro che un prigioniero fosse ucciso a botte da un Kapo, senza che questo avesse da temere alcuna sanzione. Solo piú tardi, quando il bisogno di mano d'opera si era fatto piú acuto, vennero introdotte alcune limitazioni: i maltrattamenti che i Kapos potevano infliggere ai prigionieri non dovevano ridurne permanentemente la capacità lavorativa; ma ormai il mal uso era invalso, e non sempre la norma venne rispettata.

Si riproduceva cosí, all'interno dei Lager, in scala piú piccola ma con caratteristiche amplificate, la struttura gerarchica dello Stato totalitario, in cui tutto il potere viene investito dall'alto, ed in cui un controllo dal basso è quasi impossibile. Ma questo «quasi» è importante: non è mai esistito uno Stato che fosse realmente «totalitario» sotto questo aspetto. Una qualche forma di retroazione, un correttivo all'arbitrio totale, non è mai mancato, neppure nel Terzo Reich né nell'Unione Sovietica di Stalin: nell'uno e nell'altra hanno fatto da freno, in maggiore o minor misura, l'opinione pubblica, la magistratura, la stampa estera,

le chiese, il sentimento di umanità e giustizia che dieci o
vent'anni di tirannide non bastano a sradicare. Solo entro
il Lager il controllo dal basso era nullo, ed il potere dei pic-
coli satrapi era assoluto. È comprensibile come un potere
di tale ampiezza attirasse con prepotenza quel tipo umano
che di potere è avido: come vi aspirassero anche individui
dagli istinti moderati, attratti dai molti vantaggi materiali
della carica; e come questi ultimi venissero fatalmente in-
tossicati dal potere di cui disponevano.

Chi diventava Kapo? Occorre ancora una volta distin-
guere. In primo luogo, coloro a cui la possibilità veniva of-
ferta, e cioè gli individui in cui il comandante del Lager o
i suoi delegati (che spesso erano buoni psicologi) intrave-
devano la potenzialità del collaboratore: rei comuni tratti
dalle carceri, a cui la carriera di aguzzini offriva un'eccel-
lente alternativa alla detenzione; prigionieri politici fiacca-
ti da cinque o dieci anni di sofferenze, o comunque moral-
mente debilitati; piú tardi, anche ebrei, che vedevano nel-
la particola di autorità che veniva loro offerta l'unico mo-
do di sfuggire alla «soluzione finale». Ma molti, come ac-
cennato, aspiravano al potere spontaneamente: lo cerca-
vano i sadici, certo non numerosi ma molto temuti, poi-
ché per loro la posizione di privilegio coincideva con la
possibilità di infliggere ai sottoposti sofferenza ed umilia-
zione. Lo cercavano i frustrati, ed anche questo è un linea-
mento che riproduce nel microcosmo del Lager il macroco-
smo della società totalitaria: in entrambi, al di fuori della
capacità e del merito, viene concesso generosamente il po-
tere a chi sia disposto a tributare ossequio all'autorità ge-
rarchica, conseguendo in questo modo una promozione so-
ciale altrimenti irraggiungibile. Lo cercavano, infine, i
molti fra gli oppressi che subivano il contagio degli oppres-
sori e tendevano inconsciamente ad identificarsi con loro.

Su questa mimesi, su questa identificazione o imitazio-
ne o scambio di ruoli fra il soverchiatore e la vittima, si è
molto discusso. Si sono dette cose vere e inventate, con-
turbanti e banali, acute e stupide: non è un terreno vergi-

ne, anzi, è un campo arato maldestramente, scalpicciato e sconvolto. La regista Liliana Cavani, a cui era stato chiesto di esprimere in breve il senso di un suo film bello e falso, ha dichiarato: «Siamo tutti vittime o assassini e accettiamo questi ruoli volontariamente. Solo Sade e Dostoevskij l'hanno compreso bene»; ha detto anche di credere «che in ogni ambiente, in ogni rapporto, ci sia una dinamica vittima-carnefice piú o meno chiaramente espressa e generalmente vissuta a livello non cosciente».

Non mi intendo di inconscio e di profondo, ma so che pochi se ne intendono, e che questi pochi sono piú cauti; non so, e mi interessa poco sapere, se nel mio profondo si annidi un assassino, ma so che vittima incolpevole sono stato ed assassino no; so che gli assassini sono esistiti, non solo in Germania, e ancora esistono, a riposo o in servizio, e che confonderli con le loro vittime è una malattia morale o un vezzo estetistico o un sinistro segnale di complicità; soprattutto, è un prezioso servigio reso (volutamente o no) ai negatori della verità. So che in Lager, e piú in generale sul palcoscenico umano, capita tutto, e che perciò l'esempio singolo dimostra poco. Detto chiaramente tutto questo, e riaffermato che confondere i due ruoli significa voler mistificare dalle basi il nostro bisogno di giustizia, restano da fare alcune considerazioni.

Rimane vero che, in Lager e fuori, esistono persone grige, ambigue, pronte al compromesso. La tensione estrema del Lager tende ad accrescerne la schiera; esse posseggono in proprio una quota (tanto piú rilevante quanto maggiore era la loro libertà di scelta) di colpa, ed oltre a questa sono i vettori e gli strumenti della colpa del sistema. Rimane vero che la maggior parte degli oppressori, durante o (piú spesso) dopo le loro azioni, si sono resi conto che quanto facevano o avevano fatto era iniquo, hanno magari provato dubbi o disagio, od anche sono stati puniti; ma queste loro sofferenze non bastano ad arruolarli fra le vittime. Allo stesso modo, non bastano gli errori e i cedimenti dei prigionieri per allinearli con i loro custodi: i prigionieri dei

Lager, centinaia di migliaia di persone di tutte le classi so-
ciali, di quasi tutti i paesi d'Europa, rappresentavano un
campione medio, non selezionato, di umanità: anche se
non si volesse tener conto dell'ambiente infernale in cui
erano stati bruscamente precipitati, è illogico pretendere
da loro, ed è retorico e falso sostenere che abbiano sempre
e tutti seguito, il comportamento che ci si aspetta dai santi
e dai filosofi stoici. In realtà, nella enorme maggioranza
dei casi, il loro comportamento è stato ferreamente obbli-
gato: nel giro di poche settimane o mesi, le privazioni a cui
erano sottoposti li hanno condotti ad una condizione di
pura sopravvivenza, di lotta quotidiana contro la fame, il
freddo, la stanchezza, le percosse, in cui lo spazio per le
scelte (in specie, per le scelte morali) era ridotto a nulla; fra
questi, pochissimi hanno sopravvissuto alla prova, grazie
alla somma di molti eventi improbabili: sono insomma sta-
ti salvati dalla fortuna, e non ha molto senso cercare fra i
loro destini qualcosa di comune, al di fuori forse della buo-
na salute iniziale.

Un caso-limite di collaborazione è rappresentato dai
Sonderkommandos di Auschwitz e degli altri Lager di
sterminio. Qui si esita a parlare di privilegio: chi ne faceva
parte era privilegiato solo in quanto (ma a quale costo!) per
qualche mese mangiava a sufficienza, non certo perché po-
tesse essere invidiato. Con questa denominazione debita-
mente vaga, «Squadra Speciale», veniva indicato dalle SS
il gruppo di prigionieri a cui era affidata la gestione dei
crematori. A loro spettava mantenere l'ordine fra i nuovi
arrivati (spesso del tutto inconsapevoli del destino che li
attendeva) che dovevano essere introdotti nelle camere a
gas; estrarre dalle camere i cadaveri; cavare i denti d'oro
dalle mascelle; tagliare i capelli femminili; smistare e clas-
sificare gli abiti, le scarpe, il contenuto dei bagagli; tra-
sportare i corpi ai crematori e sovraintendere al funziona-
mento dei forni; estrarre ed eliminare le ceneri. La Squa-

dra Speciale di Auschwitz contava, a seconda dei periodi, da 700 a 1000 effettivi.

Queste Squadre Speciali non sfuggivano al destino di tutti; anzi, da parte delle SS veniva messa in atto ogni diligenza affinché nessun uomo che ne avesse fatto parte potesse sopravvivere e raccontare. Ad Auschwitz si succedettero dodici squadre; ognuna rimaneva in funzione qualche mese, poi veniva soppressa, ogni volta con un artificio diverso per prevenire eventuali resistenze, e la squadra successiva, come iniziazione, bruciava i cadaveri dei predecessori. L'ultima squadra, nell'ottobre 1944, si ribellò alle SS, fece saltare uno dei crematori e fu sterminata in un diseguale combattimento a cui accennerò piú oltre. I superstiti delle Squadre Speciali sono dunque stati pochissimi, sfuggiti alla morte per qualche imprevedibile gioco del destino. Nessuno di loro, dopo la liberazione, ha parlato volentieri, e nessuno parla volentieri della loro spaventosa condizione. Le notizie che possediamo su queste Squadre provengono dalle scarne deposizioni di questi superstiti; dalle ammissioni dei loro «committenti» processati davanti a vari tribunali; da cenni contenuti in deposizioni di «civili» tedeschi o polacchi che ebbero casualmente occasione di venire a contatto con le squadre; e finalmente, da fogli di diario che vennero scritti febbrilmente a futura memoria, e sepolti con estrema cura nei dintorni dei crematori di Auschwitz, da alcuni dei loro componenti. Tutte queste fonti concordano tra loro, eppure ci riesce difficile, quasi impossibile, costruirci una rappresentazione di come questi uomini vivessero giorno per giorno, vedessero se stessi, accettassero la loro condizione.

In un primo tempo, essi venivano scelti dalle SS fra i prigionieri già immatricolati nei Lager, ed è stato testimoniato che la scelta avveniva non soltanto in base alla robustezza fisica, ma anche studiando a fondo le fisionomie. In qualche raro caso, l'arruolamento avvenne per punizione. Piú tardi, si preferí prelevare i candidati direttamente sulla banchina ferroviaria, all'arrivo dei singoli convogli: gli

«psicologi» delle SS si erano accorti che il reclutamento era piú facile se si attingeva da quella gente disperata e disorientata, snervata dal viaggio, priva di resistenze, nel momento cruciale dello sbarco dal treno, quando veramente ogni nuovo giunto si sentiva alla soglia del buio e del terrore di uno spazio non terrestre.

Le Squadre Speciali erano costituite in massima parte da ebrei. Per un verso, questo non può stupire, dal momento che lo scopo principale dei Lager era quello di distruggere gli ebrei, e che la popolazione di Auschwitz, a partire dal 1943, era costituita da ebrei per il 90-95%; sotto un altro aspetto, si rimane attoniti davanti a questo parossismo di perfidia e di odio: dovevano essere gli ebrei a mettere nei forni gli ebrei, si doveva dimostrare che gli ebrei, sotto-razza, sotto-uomini, si piegano ad ogni umiliazione, perfino a distruggere se stessi. D'altra parte, è attestato che non tutte le SS accettavano volentieri il massacro come compito quotidiano; delegare alle vittime stesse una parte del lavoro, e proprio la piú sporca, doveva servire (e probabilmente serví) ad alleggerire qualche coscienza.

Beninteso, sarebbe iniquo attribuire questa acquiescenza a qualche particolarità specificamente ebraica: delle Squadre Speciali fecero parte anche prigionieri non ebrei, tedeschi e polacchi, però con le mansioni «piú dignitose» di Kapos; ed anche prigionieri di guerra russi, che i nazisti consideravano solo di uno scalino superiori agli ebrei. Furono pochi, perché ad Auschwitz i russi erano pochi (vennero in massima parte sterminati prima, subito dopo la cattura, mitragliati sull'orlo di enormi fosse comuni): ma non si comportarono in modo diverso dagli ebrei.

Le Squadre Speciali, in quanto portatrici di un orrendo segreto, venivano tenute rigorosamente separate dagli altri prigionieri e dal mondo esterno. Tuttavia, come è noto a chiunque abbia attraversato esperienze analoghe, nessuna barriera è mai priva di incrinature: le notizie, magari incomplete e distorte, hanno un potere di penetrazione enorme, e qualcosa trapela sempre. Su queste Squadre, vo-

ci vaghe e monche circolavano già fra noi durante la prigionia, e vennero confermate piú tardi dalle altre fonti accennate prima, ma l'orrore intrinseco di questa condizione umana ha imposto a tutte le testimonianze una sorta di ritegno; perciò, oggi ancora è difficile costruirsi un'immagine di «cosa volesse dire» essere costretti ad esercitare per mesi questo mestiere. Alcuni hanno testimoniato che a quegli sciagurati veniva messa a disposizione una grande quantità di alcolici, e che essi si trovavano permanentemente in uno stato di abbrutimento e di prostrazione totali. Uno di loro ha dichiarato: «A fare questo lavoro, o si impazzisce il primo giorno, oppure ci si abitua». Un altro, invece: «Certo, avrei potuto uccidermi o lasciarmi uccidere; ma io volevo sopravvivere, per vendicarmi e per portare testimonianza. Non dovete credere che noi siamo dei mostri: siamo come voi, solo molto piú infelici».

È evidente che queste cose dette, e le altre innumerevoli che da loro e fra di loro saranno state dette ma non ci sono pervenute, non possono essere prese alla lettera. Da uomini che hanno conosciuto questa destituzione estrema non ci si può aspettare una deposizione nel senso giuridico del termine, bensí qualcosa che sta fra il lamento, la bestemmia, l'espiazione e il conato di giustificarsi, di recuperare se stessi. Ci si deve aspettare piuttosto uno sfogo liberatorio che una verità dal volto di Medusa.

Aver concepito ed organizzato le Squadre è stato il delitto piú demoniaco del nazionalsocialismo. Dietro all'aspetto pragmatico (fare economia di uomini validi, imporre ad altri i compiti piú atroci) se ne scorgono altri piú sottili. Attraverso questa istituzione, si tentava di spostare su altri, e precisamente sulle vittime, il peso della colpa, talché, a loro sollievo, non rimanesse neppure la consapevolezza di essere innocenti. Non è facile né gradevole scandagliare questo abisso di malvagità, eppure io penso che lo si debba fare, perché ciò che è stato possibile perpetrare ieri potrà essere nuovamente tentato domani, potrà coinvolgere noi stessi o i nostri figli. Si prova la tentazione di

torcere il viso e distogliere la mente: è una tentazione a cui ci si deve opporre. Infatti, l'esistenza delle Squadre aveva un significato, conteneva un messaggio: «Noi, il popolo dei Signori, siamo i vostri distruttori, ma voi non siete migliori di noi; se lo vogliamo, e lo vogliamo, noi siamo capaci di distruggere non solo i vostri corpi, ma anche le vostre anime, così come abbiamo distrutto le nostre».

Miklos Nyiszli, medico ungherese, è stato fra i pochissimi superstiti dell'ultima Squadra Speciale di Auschwitz. Era un noto anatomo-patologo, esperto nelle autopsie, ed il medico capo delle SS di Birkenau, quel Mengele che è morto pochi anni fa sfuggendo alla giustizia, si era assicurato i suoi servizi; gli aveva riservato un trattamento di favore, e lo considerava quasi come un collega. Nyiszli doveva dedicarsi in specie allo studio dei gemelli: infatti, Birkenau era l'unico luogo al mondo in cui esistesse la possibilità di esaminare cadaveri di gemelli uccisi nello stesso momento. Accanto a questo suo incarico particolare, a cui, sia detto per inciso, non risulta che egli si sia opposto con molta determinazione, Nyiszli era il medico curante della Squadra, con cui viveva a stretto contatto. Ebbene, egli racconta un fatto che mi pare significativo.

Le SS, come ho detto, sceglievano accuratamente, dai Lager o dai convogli in arrivo, i candidati alle Squadre, e non esitavano a sopprimere sul posto coloro che si rifiutavano o si mostravano inadatti alle loro mansioni. Nei confronti dei membri appena assunti, esse mostravano lo stesso comportamento sprezzante e distaccato che usavano mostrare verso tutti i prigionieri, e verso gli ebrei in specie: era stato loro inculcato che si trattava di esseri spregevoli, nemici della Germania e perciò indegni di vivere; nel caso più favorevole, potevano essere obbligati a lavorare fino alla morte per esaurimento. Non così si comportavano invece nei confronti dei veterani della Squadra: in questi, sentivano in qualche misura dei colleghi, ormai disumani quanto loro, legati allo stesso carro, vincolati dal vincolo

immondo della complicità imposta. Nyiszli racconta dunque di aver assistito, durante una pausa del «lavoro», ad un incontro di calcio fra SS e SK (Sonderkommando), vale a dire fra una rappresentanza delle SS di guardia al crematorio e una rappresentanza della Squadra Speciale; all'incontro assistono altri militi delle SS e il resto della Squadra, parteggiano, scommettono, applaudono, incoraggiano i giocatori, come se, invece che davanti alle porte dell'inferno, la partita si svolgesse sul campo di un villaggio.

Niente di simile è mai avvenuto, né sarebbe stato concepibile, con altre categorie di prigionieri; ma con loro, con i «corvi del crematorio», le SS potevano scendere in campo, alla pari o quasi. Dietro questo armistizio si legge un riso satanico: è consumato, ci siamo riusciti, non siete piú l'altra razza, l'anti-razza, il nemico primo del Reich Millenario: non siete piú il popolo che rifiuta gli idoli. Vi abbiamo abbracciati, corrotti, trascinati sul fondo con noi. Siete come noi, voi orgogliosi: sporchi del vostro sangue come noi. Anche voi, come noi e come Caino, avete ucciso il fratello. Venite, possiamo giocare insieme.

Nyiszli racconta un altro episodio da meditare. Nella camera a gas sono stati stipati ed uccisi i componenti di un convoglio appena arrivato, e la Squadra sta svolgendo il lavoro orrendo di tutti i giorni, districare il groviglio di cadaveri, lavarli con gli idranti e trasportarli al crematorio, ma sul pavimento trovano una giovane ancora viva. L'evento è eccezionale, unico; forse i corpi umani le hanno fatto barriera intorno, hanno sequestrato una sacca d'aria che è rimasta respirabile. Gli uomini sono perplessi; la morte è il loro mestiere di ogni ora, la morte è una consuetudine, poiché, appunto, «si impazzisce il primo giorno oppure ci si abitua», ma quella donna è viva. La nascondono, la riscaldano, le portano brodo di carne, la interrogano: la ragazza ha sedici anni, non si orienta nello spazio né nel tempo, non sa dov'è, ha percorso senza capire la trafila del treno sigillato, della brutale selezione preliminare, della spogliazione, dell'ingresso nella camera da cui nessuno è

mai uscito vivo. Non ha capito, ma ha visto; perciò deve morire, e gli uomini della Squadra lo sanno, cosí come sanno di dover morire essi stessi e per la stessa ragione. Ma questi schiavi abbrutiti dall'alcool e dalla strage quotidiana sono trasformati; davanti a loro non c'è piú la massa anonima, il fiume di gente spaventata, attonita, che scende dai vagoni: c'è una persona.

Come non ricordare l'«insolito rispetto» e l'esitazione del «turpe monatto» davanti al caso singolo, davanti alla bambina Cecilia morta di peste che, nei *Promessi Sposi*, la madre rifiuta di lasciar buttare sul carro confusa fra gli altri morti? Fatti come questi stupiscono, perché contrastano con l'immagine che alberghiamo in noi, dell'uomo concorde con se stesso, coerente, monolitico; e non dovrebbero stupire, perché tale l'uomo non è. Pietà e brutalità possono coesistere, nello stesso individuo e nello stesso momento, contro ogni logica; e del resto, la pietà stessa sfugge alla logica. Non esiste proporzionalità tra la pietà che proviamo e l'estensione del dolore da cui la pietà è suscitata: una singola Anna Frank desta piú commozione delle miriadi che soffrirono come lei, ma la cui immagine è rimasta in ombra. Forse è necessario che sia cosí; se dovessimo e potessimo soffrire le sofferenze di tutti, non potremmo vivere. Forse solo ai santi è concesso il terribile dono della pietà verso i molti; ai monatti, a quelli della Squadra Speciale, ed a noi tutti, non resta, nel migliore dei casi, che la pietà saltuaria indirizzata al singolo, al *Mitmensch*, al co-uomo: all'essere umano di carne e sangue che sta davanti a noi, alla portata dei nostri sensi provvidenzialmente miopi.

Viene chiamato un medico, che rianima la ragazza con una iniezione: sí, il gas non ha compiuto il suo effetto, potrà sopravvivere, ma dove e come? In quel momento sopraggiunge Muhsfeld, uno dei militi SS addetti agli impianti di morte; il medico lo chiama da parte e gli espone il caso. Muhsfeld esita, poi decide: no, la ragazza deve morire; se fosse piú anziana il caso sarebbe diverso, avrebbe

piú senno, forse la si potrebbe convincere a tacere su quanto le è accaduto, ma ha solo sedici anni: di lei non ci si può fidare. Tuttavia non la uccide di mano sua, chiama un suo sottoposto che la sopprima con un colpo alla nuca. Ora, questo Muhsfeld non era un misericorde; la sua razione quotidiana di strage era trapunta di episodi arbitrari e capricciosi, segnata da sue invenzioni di raffinata crudeltà. Fu processato nel 1947, condannato a morte e impiccato a Cracovia, e questo fu giusto; ma neppure lui era un monolito. Se fosse vissuto in un ambiente ed in un'epoca diversi, è probabile che si sarebbe comportato come qualsiasi altro uomo comune.

Nei *Fratelli Karamazov*, Grušen'ka racconta la favola della cipollina. Una vecchia malvagia muore e va all'inferno, ma il suo angelo custode, sforzando la memoria, ricorda che essa, una volta, una sola, ha donato ad un mendicante una cipollina che ha cavata dal suo orto: le porge la cipollina, e la vecchia vi si aggrappa e viene tratta dal fuoco infernale. Questa favola mi è sempre sembrata rivoltante: quale mostro umano non ha mai donato in vita sua una cipollina, se non ad altri ai suoi figli, alla moglie, al cane? Quel singolo attimo di pietà subito cancellata non basta certo ad assolvere Muhsfeld, basta però a collocare anche lui, seppure al margine estremo, nella fascia grigia, in quella zona di ambiguità che irradia dai regimi fondati sul terrore e sull'ossequio.

Non è difficile giudicare Muhsfeld, e non credo che il tribunale che lo ha condannato abbia avuto dubbi; per contro, il nostro bisogno e la nostra capacità di giudicare si inceppano davanti alla Squadra Speciale. Subito sorgono le domande, domande convulse, a cui è dura impresa dare una risposta che ci tranquillizzi sulla natura dell'uomo. Perché hanno accettato quel loro compito? Perché non si sono ribellati, perché non hanno preferito la morte?

In certa misura, i fatti di cui disponiamo ci permettono di tentare una risposta. Non tutti hanno accettato; alcuni si sono ribellati sapendo di morire. Di almeno un caso ab-

biamo notizia precisa: un gruppo di quattrocento ebrei di
Corfú, che nel luglio 1944 era stato inserito nella Squadra,
rifiutò compattamente il lavoro, e venne immediatamente
ucciso col gas. È rimasta memoria di vari altri ammutina-
menti singoli, tutti subito puniti con una morte atroce (Fi-
lip Müller, uno fra i pochissimi superstiti delle Squadre,
racconta di un suo compagno che le SS introdussero vivo
nella fornace), e di molti casi di suicidio, all'atto dell'ar-
ruolamento o subito dopo. Infine, è da ricordare che pro-
prio dalla Squadra Speciale fu organizzato, nell'ottobre
1944, l'unico disperato tentativo di rivolta nella storia dei
Lager di Auschwitz, a cui già si è accennato.

Le notizie che di questa impresa sono pervenute fino a
noi non sono né complete né concordi; si sa che i rivoltosi
(gli addetti a due dei cinque crematori di Auschwitz-
Birkenau), male armati e privi di contatti con i partigiani
polacchi fuori del Lager e con l'organizzazione clandestina
di difesa entro il Lager, fecero esplodere il crematorio n. 3
e diedero battaglia alle SS. Il combattimento finí mol-
to presto; alcuni degli insorti riuscirono a tagliare il filo
spinato ed a fuggire all'esterno, ma furono catturati poco
dopo. Nessuno di loro è sopravvissuto; circa 450 furono
immediatamente uccisi dalle SS; di queste, tre furono uc-
cise e dodici ferite.

Quelli di cui sappiamo, i miserabili manovali della stra-
ge, sono dunque gli altri, quelli che di volta in volta prefe-
rirono qualche settimana in piú di vita (quale vita!) alla
morte immediata, ma che in nessun caso si indussero, o fu-
rono indotti, ad uccidere di propria mano. Ripeto: credo
che nessuno sia autorizzato a giudicarli, non chi ha cono-
sciuto l'esperienza del Lager, tanto meno chi non l'ha co-
nosciuta. Vorrei invitare chiunque osi tentare un giudizio
a compiere su se stesso, con sincerità, un esperimento con-
cettuale: immagini, se può, di aver trascorso mesi o anni in
un ghetto, tormentato dalla fame cronica, dalla fatica, dal-
la promiscuità e dall'umiliazione; di aver visto morire in-
torno a sé, ad uno ad uno, i propri cari; di essere tagliato

fuori dal mondo, senza poter ricevere né trasmettere notizie; di essere infine caricato su un treno, ottanta o cento per vagone merci; di viaggiare verso l'ignoto, alla cieca, per giorni e notti insonni; e di trovarsi infine scagliato fra le mura di un inferno indecifrabile. Qui gli viene offerta la sopravvivenza, e gli viene proposto, anzi imposto, un compito truce ma imprecisato. È questo, mi pare, il vero *Befehlnotstand*, lo «stato di costrizione conseguente a un ordine»: non quello sistematicamente ed impudentemente invocato dai nazisti trascinati a giudizio, e piú tardi (ma sulle loro orme) dai criminali di guerra di molti altri paesi. Il primo è un aut-aut rigido, l'obbedienza immediata o la morte; il secondo è un fatto interno al centro di potere, ed avrebbe potuto essere risolto (in effetti spesso fu risolto) con qualche manovra, con qualche ritardo nella carriera, con una moderata punizione, o, nel peggiore dei casi, col trasferimento del renitente al fronte di guerra.

L'esperimento che ho proposto non è gradevole; ha tentato di rappresentarlo Vercors, nel suo racconto *Les armes de la nuit* (Albin Michel, Paris 1953) in cui si parla della «morte dell'anima», e che riletto oggi mi appare intollerabilmente infetto di estetismo e di libidine letteraria. Ma è indubbio che di morte dell'anima si tratta; ora, nessuno può sapere quanto a lungo, ed a quali prove, la sua anima sappia resistere prima di piegarsi o di infrangersi. Ogni essere umano possiede una riserva di forza la cui misura gli è sconosciuta: può essere grande, piccola o nulla, e solo l'avversità estrema dà modo di valutarla. Anche senza ricorrere al caso-limite delle Squadre Speciali, accade spesso a noi reduci, quando raccontiamo le nostre vicende, che l'interlocutore dica: «Io, al tuo posto, non avrei resistito un giorno». L'affermazione non ha un senso preciso: non si è mai al posto di un altro. Ogni individuo è un oggetto talmente complesso che è vano pretendere di prevederne il comportamento, tanto piú se in situazioni estreme; neppure è possibile antivedere il comportamento proprio. Perciò chiedo

che la storia dei «corvi del crematorio» venga meditata con pietà e rigore, ma che il giudizio su di loro resti sospeso.

La stessa «impotentia judicandi» ci paralizza davanti al caso Rumkowski. La storia di Chaim Rumkowski non è propriamente una storia di Lager, benché nel Lager si concluda: è una storia di ghetto, ma cosí eloquente sul tema fondamentale dell'ambiguità umana provocata fatalmente dall'oppressione, che mi pare si attagli fin troppo bene al nostro discorso. La ripeto qui, anche se già l'ho narrata altrove.

Al mio ritorno da Auschwitz mi sono trovato in tasca una curiosa moneta in lega leggera, che conservo tuttora. È graffiata e corrosa; reca su una faccia la stella ebraica (lo «Scudo di Davide»), la data 1943 e la parola *getto*, che alla tedesca si legge *ghetto*; sull'altra faccia, le scritte QUITTUNG ÜBER 10 MARK e DER ÄLTESTE DER JUDEN IN LITZMANN-STADT, e cioè rispettivamente *Quietanza su 10 marchi* e *Il decano degli ebrei in Litzmannstadt*: era insomma una moneta interna di un ghetto. Per molti anni ne ho dimenticato l'esistenza, poi, verso il 1974, ho potuto ricostruirne la storia, che è affascinante e sinistra.

Col nome di Litzmannstadt, in onore di un generale Litzmann vittorioso sui russi nella prima guerra mondiale, i nazisti avevano ribattezzato la città polacca di Łódź. Negli ultimi mesi del 1944 gli ultimi superstiti del ghetto di Łódź erano stati deportati ad Auschwitz: io devo aver trovato sul suolo del Lager quella moneta ormai inutile.

Nel 1939 Łódź aveva 750 000 abitanti, ed era la piú industriale delle città polacche, la piú «moderna» e la piú brutta: viveva sull'industria tessile, come Manchester e Biella, ed era condizionata dalla presenza di una miriade di stabilimenti grandi e piccoli, per lo piú antiquati già allora. Come in tutte le città di una certa importanza dell'Europa orientale occupata, i nazisti si affrettarono a

costituirvi un ghetto, ripristinandovi, aggravato dalla loro moderna ferocia, il regime dei ghetti del medioevo e della controriforma. Il ghetto di Łódź, aperto già nel febbraio 1940, fu il primo in ordine di tempo, ed il secondo, dopo quello di Varsavia, come consistenza numerica: giunse a contenere più di 160 000 ebrei, e fu sciolto solo nell'autunno del 1944. Fu dunque il più longevo dei ghetti nazisti, e ciò va attribuito a due ragioni: la sua importanza economica e la conturbante personalità del suo presidente.

Si chiamava Chaim Rumkowski: già piccolo industriale fallito, dopo vari viaggi ed alterne vicende si era stabilito a Łódź nel 1917. Nel 1940 aveva quasi sessant'anni ed era vedovo senza figli; godeva di una certa stima, ed era noto come direttore di opere pie ebraiche e come uomo energico, incolto ed autoritario. La carica di Presidente (o Decano) di un ghetto era intrinsecamente spaventosa, ma era una carica, costituiva un riconoscimento sociale, sollevava di uno scalino e conferiva diritti e privilegi, cioè autorità: ora Rumkowski amava appassionatamente l'autorità. Come sia pervenuto all'investitura, non è noto: forse si trattò di una beffa nel tristo stile nazista (Rumkowski era, o sembrava, uno sciocco dall'aria per bene, insomma uno zimbello ideale); forse intrigò egli stesso per essere scelto, tanto doveva essere forte in lui la voglia del potere. È provato che i quattro anni della sua presidenza, o meglio della sua dittatura, furono un sorprendente groviglio di sogno megalomane, di vitalità barbarica e di reale capacità diplomatica ed organizzativa. Egli giunse presto a vedere se stesso in veste di monarca assoluto ma illuminato, e certo fu sospinto su questa via dai suoi padroni tedeschi, che giocavano bensí con lui, ma apprezzavano i suoi talenti di buon amministratore e d'uomo d'ordine. Da loro ottenne l'autorizzazione a battere moneta, sia metallica (quella mia moneta) sia cartacea, su carta a filigrana che gli fu fornita ufficialmente. In questa moneta erano pagati gli operai estenuati del ghetto; potevano spenderla negli spacci per acquistarvi le loro razioni alimentari, che ammontavano in

media a 800 calorie giornaliere (ricordo, di passata, che ne
occorrono almeno 2000 per sopravvivere in stato di asso-
luto riposo).

Da questi suoi sudditi affamati, Rumkowski ambiva ri-
scuotere non solo obbedienza e rispetto, ma anche amore:
in questo le dittature moderne differiscono dalle antiche.
Poiché disponeva di un esercito di eccellenti artisti ed ar-
tigiani, pronti ad ogni suo cenno contro un quarto di pane,
fece disegnare e stampare francobolli che recano la sua ef-
figie, con i capelli e la barba candidi nella luce della Spe-
ranza e della Fede. Ebbe una carrozza trainata da un ron-
zino scheletrico, e su questa percorreva le strade del suo
minuscolo regno, affollate di mendicanti e di postulanti.
Ebbe un manto regale, e si attorniò di una corte di adula-
tori e di sicari; dai suoi poeti-cortigiani fece comporre inni
in cui si celebrava la sua «mano ferma e potente», e la pace
e l'ordine che per virtú sua regnavano nel ghetto; ordinò
che ai bambini delle nefande scuole, ogni giorno devastate
dalle epidemie, dalla denutrizione e dalle razzie tedesche,
fossero assegnati temi in lode «del nostro amato e provvi-
do Presidente». Come tutti gli autocrati, si affrettò ad or-
ganizzare una polizia efficiente, nominalmente per mante-
nere l'ordine, di fatto per proteggere la sua persona e per
imporre la sua disciplina: era costituita da seicento guardie
armate di bastone, e da un numero imprecisato di spie.
Pronunciò molti discorsi, di cui alcuni ci sono stati conser-
vati, ed il cui stile è inconfondibile: aveva adottato la tec-
nica oratoria di Mussolini e di Hitler, quella della recita-
zione ispirata, dello pseudo-colloquio con la folla, della
creazione del consenso attraverso il plagio ed il plauso.
Forse questa sua imitazione era deliberata; forse era inve-
ce una identificazione inconscia col modello dell'«eroe ne-
cessario» che allora dominava l'Europa ed era stato canta-
to da D'Annunzio; ma è piú probabile che il suo atteggia-
mento scaturisse dalla sua condizione di piccolo tiranno,
impotente verso l'alto ed onnipotente verso il basso. Chi

ha trono e scettro, chi non teme di essere contraddetto né irriso, parla cosí.

Eppure la sua figura fu piú complessa di quanto appaia fin qui. Rumkowski non fu soltanto un rinnegato ed un complice; in qualche misura, oltre a farlo credere, deve essersi progressivamente convinto egli stesso di essere un messia, un salvatore del suo popolo, il cui bene, almeno ad intervalli, egli deve avere pure desiderato. Occorre beneficare per sentirsi benefici, e sentirsi benefici è gratificante anche per un satrapo corrotto. Paradossalmente, alla sua identificazione con gli oppressori si alterna o si affianca un'identificazione con gli oppressi, poiché l'uomo, dice Thomas Mann, è una creatura confusa; e tanto piú confusa diventa, possiamo aggiungere, quanto piú è sottoposta a tensioni: allora sfugge al nostro giudizio, cosí come impazzisce una bussola al polo magnetico.

Benché sia stato costantemente disprezzato e deriso dai tedeschi, è probabile che Rumkowski pensasse a se stesso non come a un servo ma come a un Signore. Deve aver preso sul serio la propria autorità: quando la Gestapo si impadroní senza preavviso dei «suoi» consiglieri, accorse con coraggio in loro aiuto, esponendosi a beffe e schiaffi che seppe sopportare con dignità. Anche in altre occasioni, cercò di mercanteggiare con i tedeschi, che esigevano sempre piú tela da Łódź, e da lui contingenti sempre piú alti di bocche inutili (vecchi, bambini, ammalati) da mandare alle camere a gas di Treblinka e poi di Auschwitz. La stessa durezza con cui si precipitò a reprimere i moti d'insubordinazione dei suoi sudditi (esistevano, a Łódź come in altri ghetti, nuclei di temeraria resistenza politica, di radice sionista, bundista o comunista) non proveniva tanto da servilismo verso i tedeschi, quanto da «lesa maestà», da indignazione per l'oltraggio inferto alla sua regale persona.

Nel settembre 1944, poiché il fronte russo si stava avvicinando, i nazisti diedero inizio alla liquidazione del ghetto di Łódź. Decine di migliaia di uomini e donne furono

deportati ad Auschwitz, «anus mundi», luogo di drenaggio ultimo dell'universo tedesco; esausti com'erano, furono quasi tutti soppressi immediatamente. Rimasero nel ghetto un migliaio di uomini, a smobilitare il macchinario delle fabbriche ed a cancellare le tracce della strage: essi furono liberati dall'Armata Rossa poco dopo, ed a loro si debbono le notizie qui riportate.

Sul destino finale di Chaim Rumkowski esistono due versioni, come se l'ambiguità sotto il cui segno aveva vissuto si fosse protratta ad avvolgerne la morte. Secondo la prima versione, nel corso della liquidazione del ghetto egli avrebbe cercato di opporsi alla deportazione di suo fratello, da cui non voleva separarsi; un ufficiale tedesco gli avrebbe allora proposto di partire volontariamente insieme con lui, ed egli avrebbe accettato. Un'altra versione afferma invece che il salvataggio di Rumkowski sarebbe stato tentato da Hans Biebow, altro personaggio ammantato di doppiezza. Questo losco industriale tedesco era il funzionario responsabile dell'amministrazione del ghetto, e in pari tempo ne era l'appaltatore: il suo era dunque un incarico delicato, perché le fabbriche tessili di Łódź lavoravano per le forze armate. Biebow non era una belva: non gli interessava creare sofferenze inutili né punire gli ebrei per la loro colpa di essere ebrei, bensí guadagnare sulle forniture, nei modi leciti e negli altri. Il tormento del ghetto lo toccava, ma solo per via indiretta; desiderava che gli operai schiavi lavorassero, e perciò desiderava che non morissero di fame: il suo senso morale si fermava qui. Di fatto, era il vero padrone del ghetto, ed era legato a Rumkowski da quel rapporto committente-fornitore che spesso sfocia in una ruvida amicizia. Biebow, piccolo sciacallo troppo cinico per prendere sul serio la demonologia della razza, avrebbe voluto rimandare a oltranza lo scioglimento del ghetto, che per lui era un ottimo affare, e preservare dalla deportazione Rumkowski, della cui complicità si fidava: dove si vede come spesso un realista sia obiettivamente migliore di un teorico. Ma i teorici delle SS erano di parere

contrario, ed erano i piú forti. Erano *gründlich*, radicali:
via il ghetto e via Rumkowski.

Non potendo provvedere diversamente, Biebow, che
aveva buone aderenze, consegnò a Rumkowski una lette-
ra indirizzata al comandante del Lager di destinazione, e
gli garantí che essa lo avrebbe protetto e gli avrebbe assi-
curato un trattamento di favore. Rumkowski avrebbe
chiesto a Biebow, ed ottenuto, di viaggiare fino ad Aus-
chwitz, lui e la sua famiglia, col decoro che si addiceva al
suo rango, e cioè in un vagone speciale, agganciato in coda
alla tradotta di vagoni merci stipati di deportati senza pri-
vilegi: ma il destino degli ebrei in mano tedesca era uno so-
lo, fossero vili od eroi, umili o superbi. Né la lettera né il
vagone valsero a salvare dal gas Chaim Rumkowski, re dei
Giudei.

Una storia come questa non è chiusa in sé. È pregna,
pone piú domande di quante ne soddisfaccia, riassume in
sé l'intera tematica della zona grigia, e lascia sospesi. Gri-
da e chiama per essere capita, perché vi si intravede un
simbolo, come nei sogni e nei segni del cielo.

Chi è Rumkowski? Non è un mostro, e neppure un uo-
mo comune; tuttavia molti intorno a noi sono simili a lui.
I fallimenti che hanno preceduto la sua «carriera» sono si-
gnificativi: gli uomini che da un fallimento ricavano forza
morale sono pochi. Mi pare che nella sua storia si possa ri-
conoscere in forma esemplare la necessità quasi fisica che
dalla costrizione politica fa nascere l'area indefinita del-
l'ambiguità e del compromesso. Ai piedi di ogni trono as-
soluto gli uomini come il nostro si affollano per ghermire
la loro porzioncina di potere: è uno spettacolo ricorrente,
ritornano alla memoria le lotte a coltello degli ultimi mesi
della seconda guerra mondiale, alla corte di Hitler e fra i
ministri di Salò; uomini grigi anche questi, ciechi prima
che criminali, accaniti a spartirsi i brandelli d'una autorità

scellerata e moribonda. Il potere è come la droga: il biso-
gno dell'uno e dell'altra è ignoto a chi non li ha provati,
ma dopo l'iniziazione, che (come per Rumkowski) può es-
sere fortuita, nasce la dipendenza e la necessità di dosi
sempre piú alte; nasce anche il rifiuto della realtà e il ritor-
no ai sogni infantili di onnipotenza. Se è valida l'interpre-
tazione di un Rumkowski intossicato dal potere, bisogna
ammettere che l'intossicazione è sopraggiunta non a causa,
ma nonostante l'ambiente del ghetto; che cioè essa è cosí
potente da prevalere perfino in condizioni che sembrereb-
bero tali da spegnere ogni volontà individuale. Di fatto, era
ben visibile in lui, come nei suoi modelli piú famosi, la sin-
drome del potere protratto e incontrastato: la visione di-
storta del mondo, l'arroganza dogmatica, il bisogno di adu-
lazione, l'aggrapparsi convulso alle leve di comando, il di-
sprezzo delle leggi.

Tutto questo non esonera Rumkowski dalla sua respon-
sabilità. Che dall'afflizione di Łódź un Rumkowski sia
emerso, duole e brucia; se fosse sopravvissuto alla sua tra-
gedia, ed alla tragedia del ghetto che lui ha inquinata so-
vrapponendovi la sua immagine di istrione, nessun tribu-
nale lo avrebbe assolto, né certo lo possiamo assolvere noi
sul piano morale. Ha però delle attenuanti: un ordine infe-
ro, qual era il nazionalsocialismo, esercita uno spaventoso
potere di corruzione, da cui è difficile guardarsi. Degrada
le sue vittime e le fa simili a sé, perché gli occorrono com-
plicità grandi e piccole. Per resistergli, ci vuole una ben so-
lida ossatura morale, e quella di cui disponeva Chaim
Rumkowski, il mercante di Łódź, insieme con tutta la sua
generazione, era fragile: ma quanto forte è la nostra, di noi
europei di oggi? Come si comporterebbe ognuno di noi se
venisse spinto dalla necessità e in pari tempo allettato dalla
seduzione?

La storia di Rumkowski è la storia incresciosa e inquie-
tante dei Kapos e dei funzionari dei Lager; dei gerarchetti
che servono un regime alle cui colpe sono volutamente cie-
chi; dei subordinati che firmano tutto, perché una firma

costa poco; di chi scuote il capo ma acconsente; di chi dice «se non lo facessi io, lo farebbe un altro peggiore di me».

In questa fascia di mezze coscienze va collocato Rumkowski, figura simbolica e compendiaria. Se in alto o in basso, è difficile dire: lui solo lo potrebbe chiarire se potesse parlare davanti a noi, magari mentendo, come forse sempre mentiva, anche a se stesso; ci aiuterebbe comunque a comprenderlo, come ogni imputato aiuta il suo giudice, anche se non vuole, anche se mente, perché la capacità dell'uomo di recitare una parte non è illimitata.

Ma tutto questo non basta a spiegare il senso di urgenza e di minaccia che emana da questa storia. Forse il suo significato è piú vasto: in Rumkowski ci rispecchiamo tutti, la sua ambiguità è la nostra, connaturata, di ibridi impastati di argilla e di spirito; la sua febbre è la nostra, quella della nostra civiltà occidentale che «scende all'inferno con trombe e tamburi», ed i suoi orpelli miserabili sono l'immagine distorta dei nostri simboli di prestigio sociale. La sua follia è quella dell'Uomo presuntuoso e mortale quale lo descrive Isabella in *Misura per misura*, l'Uomo che,

> ... ammantato d'autorità precaria,
> di ciò ignaro di cui si crede certo,
> – della sua essenza, ch'è di vetro –, quale
> una scimmia arrabbiata, gioca tali
> insulse buffonate sotto il cielo
> da far piangere gli angeli.

Come Rumkowski, anche noi siamo cosí abbagliati dal potere e dal prestigio da dimenticare la nostra fragilità essenziale: col potere veniamo a patti, volentieri o no, dimenticando che nel ghetto siamo tutti, che il ghetto è cintato, che fuori del recinto stanno i signori della morte, e che poco lontano aspetta il treno.

III.

La vergogna

Esiste un quadro stereotipo, proposto infinite volte, consacrato dalla letteratura e dalla poesia, raccolto dal cinematografo: al termine della bufera, quando sopravviene «la quiete dopo la tempesta», ogni cuore si rallegra. «Uscir di pena | è diletto fra noi». Dopo la malattia ritorna la salute; a rompere la prigionia arrivano i nostri, i liberatori, a bandiere spiegate; il soldato ritorna, e ritrova la famiglia e la pace.

A giudicare dai racconti fatti da molti reduci, e dai miei stessi ricordi, il pessimista Leopardi, in questa sua rappresentazione, è stato al di là del vero: suo malgrado, si è dimostrato ottimista. Nella maggior parte dei casi, l'ora della liberazione non è stata lieta né spensierata: scoccava per lo piú su uno sfondo tragico di distruzione, strage e sofferenza. In quel momento, in cui ci si sentiva ridiventare uomini, cioè responsabili, ritornavano le pene degli uomini: la pena della famiglia dispersa o perduta; del dolore universale intorno a sé; della propria estenuazione, che appariva non piú medicabile, definitiva; della vita da ricominciare in mezzo alle macerie, spesso da soli. Non «piacer figlio d'affanno»: affanno figlio d'affanno. L'uscir di pena è stato un diletto solo per pochi fortunati, o solo per pochi istanti, o per animi molto semplici; quasi sempre ha coinciso con una fase d'angoscia.

L'angoscia è nota a tutti, fin dall'infanzia, ed a tutti è noto che spesso è bianca, indifferenziata. È raro che rechi un'etichetta scritta in chiaro, e contenente la sua motiva-

zione; quando la reca, spesso essa è mendace. Si può credersi o dichiararsi angosciati per un motivo, ed esserlo per tutt'altro: credere di soffrire davanti al futuro, e soffrire invece per il proprio passato; credere di soffrire per gli altri, per pietà, per com-passione, e soffrire invece per motivi nostri, piú o meno profondi, piú o meno confessabili e confessati; talvolta cosí profondi che solo lo specialista, l'analista delle anime, li sa disseppellire.

Naturalmente non oso affermare che il copione a cui ho accennato sia falso in ogni caso. Molte liberazioni sono state vissute con gioia piena, autentica: soprattutto da parte dei combattenti, militari o politici, che vedevano realizzarsi in quel momento le aspirazioni della loro militanza e della loro vita; inoltre, da parte di chi aveva sofferto di meno, o per meno tempo, o soltanto in proprio, e non per famigliari o amici o persone amate. E poi, per fortuna, gli esseri umani non sono tutti uguali: c'è fra noi anche chi ha la virtú ed il privilegio di enucleare, isolare quegli istanti di allegrezza, di goderli appieno, come chi estraesse l'oro nativo dalla ganga. E finalmente, tra le testimonianze lette od ascoltate, ci sono anche quelle inconsciamente stilizzate, in cui la convenzione prevale sulla memoria genuina: «chi è liberato dalla schiavitú ne gode, io ne sono stato liberato, quindi ne ho goduto anch'io. In tutti i film, in tutti i romanzi, come nel *Fidelio*, la rottura delle catene è un momento di letizia solenne o fervida, quindi anche la mia lo è stata». È questo un caso particolare di quella deriva dei ricordi a cui accennavo nel primo capitolo, e che si accentua col passare degli anni e con l'accumularsi delle esperienze altrui, vere o presunte, sullo strato delle proprie. Ma chi, per proposito o per temperamento, si tiene lontano dalla retorica, parla di solito con voce diversa. Cosí ad esempio descrive la sua liberazione il già nominato Filip Müller, che pure ha avuto un'esperienza assai piú terribile della mia, nell'ultima pagina del suo memoriale, *Eyewitness Auschwitz - Three Years in the Gas Chambers*:

Per quanto possa sembrare incredibile, provai un completo abbattimento. Quel momento, su cui da tre anni si erano concentrati tutti i miei pensieri ed i miei desideri segreti, non suscitò in me né felicità né alcun altro sentimento. Mi lasciai cadere dal mio giaciglio e andai carponi fino alla porta. Una volta che fui fuori, mi sforzai invano di proseguire, poi mi sdraiai semplicemente a terra nel bosco e caddi nel sonno.

Rileggo ora un passo di *La tregua*. Il libro è stato pubblicato solo nel 1963 (Einaudi, Torino) ma queste parole le avevo scritte fin dal 1947; si parla dei primi soldati russi al cospetto del nostro Lager gremito di cadaveri e di moribondi:

Non salutavano, non sorridevano; apparivano oppressi, oltre che da pietà, da un confuso ritegno, che sigillava le loro bocche, e avvinceva i loro occhi allo scenario funereo. Era la stessa vergogna a noi ben nota, quella che ci sommergeva dopo le selezioni, ed ogni volta che ci toccava assistere o sottostare a un oltraggio: la vergogna che i tedeschi non conobbero, quella che il giusto prova davanti alla colpa commessa da altrui, e gli rimorde che esista, che sia stata introdotta irrevocabilmente nel mondo delle cose che esistono, e che la sua volontà sia stata nulla o scarsa, e non abbia valso a difesa.

Non credo di avere nulla da cancellare o da correggere, bensí qualcosa da aggiungere. Che molti (ed io stesso) abbiano provato «vergogna», e cioè senso di colpa, durante la prigionia e dopo, è un fatto accertato e confermato da numerose testimonianze. Può sembrare assurdo, ma esiste. Cercherò di interpretarlo in proprio, e di commentare le interpretazioni altrui.

Come ho accennato all'inizio, il disagio indefinito che accompagnava la liberazione forse non era propriamente vergogna, ma come tale veniva percepito. Perché? Si possono tentare varie spiegazioni.

Escluderò da questo esame alcuni casi eccezionali: i pri-

gionieri, quasi tutti politici, che ebbero la forza e la possibilità di agire all'interno del Lager a difesa e vantaggio dei loro compagni. Noi, la quasi totalità dei prigionieri comuni, li ignoravamo, neppure ne sospettavamo l'esistenza: cosa logica, poiché, per ovvia necessità politica e poliziesca (la Sezione Politica di Auschwitz non era altro che un ramo della Gestapo), essi dovevano operare in segreto, non solo verso i tedeschi, ma verso tutti. In Auschwitz, impero concentrazionario che al mio tempo era costituito per il 95% da ebrei, questo reticolo politico era embrionale; io ho assistito ad un solo episodio che avrebbe dovuto farmi intuire qualcosa, se non fossi stato schiacciato dal travaglio di tutti i giorni.

Verso il maggio 1944 il nostro quasi innocuo Kapo fu sostituito, e il nuovo arrivato si dimostrò un individuo temibile. Tutti i Kapos picchiavano: questo faceva parte ovvia delle loro mansioni, era il loro linguaggio, piú o meno accettato; era del resto l'unico linguaggio che in quella perpetua Babele potesse veramente essere inteso da tutti. Nelle sue varie sfumature, veniva inteso come incitamento al lavoro, come ammonizione o punizione, e nella gerarchia delle sofferenze stava agli ultimi posti. Ora, il nuovo Kapo picchiava in modo diverso, in modo convulso, maligno, perverso: sul naso, sugli stinchi, sui genitali. Picchiava per far male, per produrre sofferenza e umiliazione. Neppure, come molti altri, per cieco odio razziale, ma con la volontà aperta di infliggere dolore, indiscriminatamente, e senza un pretesto, a tutti i suoi soggetti. È probabile che fosse un malato mentale, ma è chiaro che, in quelle condizioni, l'indulgenza che verso questi malati sentiamo oggi come doverosa laggiú sarebbe stata fuori luogo. Ne parlai con un collega, un comunista ebreo croato: che fare? come difendersi? agire collettivamente? Lui fece uno strano sorriso e mi disse solo: «Vedrai che non dura a lungo». Infatti, il picchiatore sparí entro una settimana. Ma anni piú tardi, in un convegno di reduci, seppi che alcuni prigionieri politici addetti all'Ufficio del Lavoro all'interno

del campo avevano il terrificante potere di sostituire i numeri di matricola sugli elenchi dei prigionieri destinati al gas. Chi aveva il modo e la volontà di agire cosí, di contrastare cosí o in altri modi la macchina del Lager, era al riparo dalla «vergogna»: o almeno da quella di cui sto parlando, poiché forse ne proverà un'altra. Altrettanto al riparo doveva essere Sivadjan, uomo silenzioso e tranquillo che ho nominato casualmente in *Se questo è un uomo* (Einaudi, Torino 1958) nel capitolo *Il Canto di Ulisse*, e di cui ho saputo nella stessa occasione che introduceva esplosivo in campo, in vista di una possibile insurrezione.

A mio avviso, il senso di vergogna o di colpa che coincideva con la riacquistata libertà era fortemente composito: conteneva in sé elementi diversi, ed in proporzioni diverse per ogni singolo individuo. Va ricordato che ognuno di noi, sia oggettivamente, sia soggettivamente, ha vissuto il Lager a suo modo.

All'uscita dal buio, si soffriva per la riacquistata consapevolezza di essere stati menomati. Non per volontà né per ignavia né per colpa, avevamo tuttavia vissuto per mesi o anni ad un livello animalesco: le nostre giornate erano state ingombrate dall'alba alla notte dalla fame, dalla fatica, dal freddo, dalla paura, e lo spazio di riflettere, per ragionare, per provare affetti, era annullato. Avevamo sopportato la sporcizia, la promiscuità e la destituzione soffrendone assai meno di quanto ne avremmo sofferto nella vita normale, perché il nostro metro morale era mutato. Inoltre, tutti avevamo rubato: alle cucine, alla fabbrica, al campo, insomma «agli altri», alla controparte, ma sempre furto era; alcuni (pochi) erano discesi fino a rubare il pane al proprio compagno. Avevamo dimenticato non solo il nostro paese e la nostra cultura, ma la famiglia, il passato, il futuro che ci eravamo rappresentato, perché, come gli animali, eravamo ristretti al momento presente. Da questa condizione di appiattimento eravamo usciti solo a rari intervalli, nelle pochissime domeniche di riposo, nei minuti fugaci prima di cadere nel sonno, durante la furia

dei bombardamenti aerei, ma erano uscite dolorose, proprio perché ci davano occasione di misurare dal di fuori la nostra diminuzione.

Credo che proprio a questo volgersi indietro a guardare l'«acqua perigliosa» siano dovuti i molti casi di suicidio dopo (a volte subito dopo) la liberazione. Era sempre un momento critico, che coincideva con un'ondata di ripensamento e di depressione. Per contro, tutti gli storici dei Lager, anche di quelli sovietici, concordano nell'osservare che i casi di suicidio *durante* la prigionia erano rari. Del fatto sono state tentate diverse spiegazioni; da parte mia, ne propongo tre, che non si escludono a vicenda.

Primo: il suicidio è dell'uomo e non dell'animale, è cioè un atto meditato, una scelta non istintiva, non naturale; ed in Lager c'erano poche occasioni di scegliere, si viveva appunto come gli animali asserviti, che a volte si lasciano morire, ma non si uccidono. Secondo: «c'era altro da pensare», come si dice comunemente. La giornata era fitta: c'era da pensare a soddisfare la fame, a sottrarsi in qualche modo alla fatica e al freddo, ad evitare i colpi; proprio per la costante imminenza della morte, mancava il tempo per concentrarsi sull'idea della morte. Ha la ruvidezza della verità la notazione di Svevo, in *La coscienza di Zeno*, là dove descrive spietatamente l'agonia del padre: «Quando si muore si ha ben altro da fare che di pensare alla morte. Tutto il suo organismo era dedicato alla respirazione». Terzo: nella maggior parte dei casi, il suicidio nasce da un senso di colpa che nessuna punizione è venuta ad attenuare; ora, la durezza della prigionia veniva percepita come una punizione, ed il senso di colpa (se punizione c'è, una colpa dev'esserci stata) veniva relegato in secondo piano per riemergere dopo la liberazione: in altre parole, non occorreva punirsi col suicidio per una (vera o presunta) colpa che già si stava espiando con la sofferenza di tutti i giorni.

Quale colpa? A cose finite, emergeva la consapevolezza di non aver fatto nulla, o non abbastanza, contro il sistema

in cui eravamo stati assorbiti. Della mancata resistenza nei Lager, o meglio in alcuni Lager, si è parlato troppo e troppo leggermente, soprattutto da parte di chi aveva ben altre colpe di cui rendere conto. Chi ha provato sa che esistevano situazioni, collettive e personali, in cui una resistenza attiva era possibile; altre, molto piú frequenti, in cui non lo era. È noto che, specialmente nel 1941, caddero in mano tedesca milioni di prigionieri militari sovietici. Erano giovani, per lo piú ben nutriti e robusti, avevano una preparazione militare e politica, spesso costituivano unità organiche con graduati di truppa, sottufficiali e ufficiali; odiavano i tedeschi che avevano invaso il loro paese; eppure raramente resistettero. La denutrizione, la spoliazione e gli altri disagi fisici, che è cosí facile ed economico provocare ed in cui i nazisti erano maestri, sono rapidamente distruttivi, e prima di distruggere paralizzano; tanto piú quando sono preceduti da anni di segregazione, umiliazioni, maltrattamenti, migrazioni forzate, lacerazione dei legami famigliari, rottura dei contatti col resto del mondo. Ora, era questa la condizione del grosso dei prigionieri che erano approdati ad Auschwitz dopo l'antinferno dei ghetti o dei campi di raccolta.

Perciò, sul piano razionale, non ci sarebbe stato molto di cui vergognarsi, ma la vergogna restava ugualmente, soprattutto davanti ai pochi, lucidi esempi di chi di resistere aveva avuto la forza e la possibilità; vi ho accennato nel capitolo *L'ultimo* di *Se questo è un uomo*, in cui si descrive l'impiccagione pubblica di un resistente, davanti alla folla atterrita ed apatica dei prigionieri. È un pensiero che allora ci aveva appena sfiorati, ma che è ritornato «dopo»: anche tu forse avresti potuto, certo avresti dovuto; ed è un giudizio che il reduce vede, o crede di vedere, negli occhi di coloro (specialmente dei giovani) che ascoltano i suoi racconti, e giudicano con il facile senno del poi; o che magari si sente spietatamente rivolgere. Consapevolmente o no, si sente imputato e giudicato, spinto a giustificarsi ed a difendersi.

Piú realistica è l'autoaccusa, o l'accusa, di aver mancato sotto l'aspetto della solidarietà umana. Pochi superstiti si sentono colpevoli di aver deliberatamente danneggiato, derubato, percosso un compagno: chi lo ha fatto (i Kapos, ma non solo loro) ne rimuove il ricordo; per contro, quasi tutti si sentono colpevoli di omissione di soccorso. La presenza al tuo fianco di un compagno piú debole, o piú sprovveduto, o piú vecchio, o troppo giovane, che ti ossessiona con le sue richieste d'aiuto, o col suo semplice «esserci» che già di per sé è una preghiera, è una costante della vita in Lager. La richiesta di solidarietà, di una parola umana, di un consiglio, anche solo di un ascolto, era permanente ed universale, ma veniva soddisfatta di rado. Mancava il tempo, lo spazio, la privatezza, la pazienza, la forza; per lo piú, colui a cui la richiesta veniva rivolta si trovava a sua volta in stato di bisogno, di credito.

Ricordo con un certo sollievo di avere una volta cercato di ridare coraggio (in un momento in cui sentivo di averne) ad un diciottenne italiano appena arrivato, che si dibatteva nella disperazione senza fondo dei primi giorni di campo: ho scordato che cosa gli ho detto, certo parole di speranza, forse qualche bugia buona per un «nuovo», detta con l'autorità dei miei venticinque anni e dei miei tre mesi di anzianità; comunque, gli ho fatto dono di un'attenzione momentanea. Ma ricordo anche, con disagio, di avere molto piú spesso scosso le spalle con impazienza davanti ad altre richieste, e questo proprio quando ero in campo da quasi un anno, e quindi avevo accumulato una buona dose di esperienza: ma avevo anche assimilato a fondo la regola principale del luogo, che prescriveva di badare prima di tutto a se stessi. Mai ho trovato espressa questa regola con tanta franchezza quanto nel libro *Prisoners of Fear* (Victor Gollancz, London 1958) di Ella Lingens-Reiner (in cui però la frase viene attribuita ad una dottoressa che, contro il suo enunciato, si dimostrò generosa e coraggiosa e salvò molte vite):

Come ho potuto sopravvivere ad Auschwitz? Il mio principio è: per prima, per seconda e per terza vengo io. Poi piú niente. Poi io di nuovo; e poi tutti gli altri.

Nell'agosto del 1944 ad Auschwitz faceva molto caldo. Un vento torrido, tropicale, sollevava nuvole di polvere dagli edifici sconquassati dai bombardamenti aerei, ci asciugava il sudore addosso e ci addensava il sangue nelle vene. La mia squadra era stata mandata in una cantina a sgomberare i calcinacci, e tutti soffrivamo per la sete: una pena nuova, che si sommava, anzi, si moltiplicava con quella vecchia della fame. Né nel campo né nel cantiere c'era acqua potabile; in quei giorni mancava spesso anche l'acqua dei lavatoi, imbevibile, ma buona per rinfrescarsi e detergersi dalla polvere. Di norma, a soddisfare la sete bastava abbondantemente la zuppa della sera e il surrogato di caffè che veniva distribuito verso le dieci del mattino; ora non bastavano piú, e la sete ci straziava. È piú imperiosa della fame: la fame obbedisce ai nervi, concede remissioni, può essere temporaneamente coperta da un'emozione, un dolore, una paura (ce ne eravamo accorti nel viaggio in treno dall'Italia); non cosí la sete, che non dà tregua. La fame estenua, la sete rende furiosi; in quei giorni ci accompagnava di giorno e di notte: di giorno, nel cantiere, il cui ordine (a noi nemico, ma era pur sempre un ordine, un luogo di cose logiche e certe) si era trasformato in un caos di opere frantumate; di notte, nelle baracche prive di ventilazione, a boccheggiare nell'aria cento volte respirata.

L'angolo di cantina che mi era stato assegnato dal Kapo perché ne sgombrassi le macerie era attiguo ad un vasto locale occupato da impianti chimici in corso di installazione ma già danneggiati dalle bombe. Lungo il muro, verticale, c'era un tubo da due pollici, che terminava con un rubinetto poco sopra il pavimento. Un tubo d'acqua? Provai ad aprirlo, ero solo, nessuno mi vedeva. Era bloccato, ma usando un sasso come un martello riuscii a smuoverlo di

qualche millimetro. Ne uscirono gocce, non avevano odore, ne raccolsi sulle dita: sembrava proprio acqua. Non avevo recipienti; le gocce uscivano lente, senza pressione: il tubo doveva essere pieno solo fino a metà, forse meno. Mi sdraiai a terra con la bocca sotto il rubinetto, senza tentare di aprirlo di piú: era acqua tiepida per il sole, insipida, forse distillata o di condensazione; ad ogni modo, una delizia.

Quant'acqua può contenere un tubo da due pollici per un'altezza di un metro o due? Un litro, forse neanche. Potevo berla tutta subito, sarebbe stata la via piú sicura. O lasciarne un po' per l'indomani. O dividerla a metà con Alberto. O rivelare il segreto a tutta la squadra.

Scelsi la terza alternativa, quella dell'egoismo esteso a chi ti è piú vicino, che un mio amico in tempi lontani ha appropriatamente chiamano «nosismo». Bevemmo tutta quell'acqua, a piccoli sorsi avari, alternandoci sotto il rubinetto, noi due soli. Di nascosto; ma nella marcia di ritorno al campo mi trovai accanto a Daniele, tutto grigio di polvere di cemento, che aveva le labbra spaccate e gli occhi lucidi, e mi sentii colpevole. Scambiai un'occhiata con Alberto, ci comprendemmo a volo, e sperammo che nessuno ci avesse visti. Ma Daniele ci aveva intravisti in quella strana posizione, supini accanto al muro in mezzo ai calcinacci, ed aveva sospettato qualcosa, e poi aveva indovinato. Me lo disse con durezza, molti mesi dopo, in Russia Bianca, a liberazione avvenuta: perché voi due sí e io no? Era il codice morale «civile» che risorgeva, quello stesso per cui a me uomo oggi libero appare raggelante la condanna a morte del Kapo picchiatore, decisa e compiuta senza appello, in silenzio, con un colpo di gomma per cancellare. È giustificata o no la vergogna del poi? Non sono riuscito a stabilirlo allora, e neppure oggi ci riesco, ma la vergogna c'era e c'è, concreta, pesante, perenne. Daniele adesso è morto, ma nei nostri incontri di reduci, fraterni, affettuosi, il velo di quell'atto mancato, di quel bicchier d'acqua

non condiviso, stava fra noi, trasparente, non espresso, ma percettibile e «costoso».

Cambiare codice morale è sempre costoso: lo sanno tutti gli eretici, gli apostati e i dissidenti. Non siamo piú capaci di giudicare il comportamento nostro od altrui, tenuto allora sotto il codice di allora, in base al codice di oggi; ma mi pare giusta la collera che ci invade quando vediamo che qualcuno degli «altri» si sente autorizzato a giudicare noi «apostati», o meglio riconvertiti.

Hai vergogna perché sei vivo al posto di un altro? Ed in specie, di un uomo piú generoso, piú sensibile, piú savio, piú utile, piú degno di vivere di te? Non lo puoi escludere: ti esamini, passi in rassegna i tuoi ricordi, sperando di ritrovarli tutti, e che nessuno di loro si sia mascherato o travestito; no, non trovi trasgressioni palesi, non hai soppiantato nessuno, non hai picchiato (ma ne avresti avuto la forza?), non hai accettato cariche (ma non ti sono state offerte...), non hai rubato il pane di nessuno; tuttavia non lo puoi escludere. È solo una supposizione, anzi, l'ombra di un sospetto: che ognuno sia il Caino di suo fratello, che ognuno di noi (ma questa volta dico «noi» in un senso molto ampio, anzi universale) abbia soppiantato il suo prossimo, e viva in vece sua. È una supposizione, ma rode; si è annidata profonda, come un tarlo; non si vede dal di fuori, ma rode e stride.

Al mio ritorno dalla prigionia è venuto a visitarmi un amico piú anziano di me, mite ed intransigente, cultore di una religione sua personale, che però mi è sempre parsa severa e seria. Era contento di ritrovarmi vivo e sostanzialmente indenne, forse maturato e fortificato, certamente arricchito. Mi disse che l'essere io sopravvissuto non poteva essere stata opera del caso, di un accumularsi di circostanze fortunate (come sostenevo e tuttora sostengo io), bensí della Provvidenza. Ero un contrassegnato, un eletto: io, il non credente, ed ancor meno credente dopo la stagio-

ne di Auschwitz, ero un toccato dalla Grazia, un salvato. E perché proprio io? Non lo si può sapere, mi rispose. Forse perché scrivessi, e scrivendo portassi testimonianza: non stavo infatti scrivendo allora, nel 1946, un libro sulla mia prigionia?

Questa opinione mi parve mostruosa. Mi dolse come quando si tocca un nervo scoperto, e ravvivò il dubbio di cui dicevo prima: potrei essere vivo al posto di un altro, a spese di un altro; potrei avere soppiantato, cioè di fatto ucciso. I «salvati» del Lager non erano i migliori, i predestinati al bene, i latori di un messaggio: quanto io avevo visto e vissuto dimostrava l'esatto contrario. Sopravvivevano di preferenza i peggiori, gli egoisti, i violenti, gli insensibili, i collaboratori della «zona grigia», le spie. Non era una regola certa (non c'erano, né ci sono nelle cose umane, regole certe), ma era pure una regola. Mi sentivo sí innocente, ma intruppato fra i salvati, e perciò alla ricerca permanente di una giustificazione, davanti agli occhi miei e degli altri. Sopravvivevano i peggiori, cioè i piú adatti; i migliori sono morti tutti.

È morto Chajim, orologiaio di Cracovia, ebreo pio, che a dispetto delle difficoltà di linguaggio si era sforzato di capirmi e di farsi capire, e di spiegare a me straniero le regole essenziali di sopravvivenza nei primi giorni cruciali di cattività; è morto Szabó, il taciturno contadino ungherese, che era alto quasi due metri e perciò aveva piú fame di tutti, eppure, finché ebbe forza, non esitò ad aiutare i compagni piú deboli a tirare ed a spingere; e Robert, professore alla Sorbona, che emanava coraggio e fiducia intorno a sé, parlava cinque lingue, si logorava a registrare tutto nella sua memoria prodigiosa, e se avesse vissuto avrebbe risposto ai perché a cui io non so rispondere; ed è morto Baruch, scaricatore del porto di Livorno, subito, il primo giorno, perché aveva risposto a pugni al primo pugno che aveva ricevuto, ed è stato massacrato da tre Kapos coalizzati. Questi, ed altri innumerevoli, sono morti non malgrado il loro valore, ma per il loro valore.

L'amico religioso mi aveva detto che ero sopravvissuto affinché portassi testimonianza. L'ho fatto, meglio che ho potuto, e non avrei potuto non farlo; e ancora lo faccio, ogni volta che se ne presenta l'occasione; ma il pensiero che questo mio testimoniare abbia potuto fruttarmi da solo il privilegio di sopravvivere, e di vivere per molti anni senza grossi problemi, mi inquieta, perché non vedo proporzione fra il privilegio e il risultato.

Lo ripeto, non siamo noi, i superstiti, i testimoni veri. È questa una nozione scomoda, di cui ho preso coscienza a poco a poco, leggendo le memorie altrui, e rileggendo le mie a distanza di anni. Noi sopravvissuti siamo una minoranza anomala oltre che esigua: siamo quelli che, per loro prevaricazione o abilità o fortuna, non hanno toccato il fondo. Chi lo ha fatto, chi ha visto la Gorgone, non è tornato per raccontare, o è tornato muto; ma sono loro, i «mussulmani», i sommersi, i testimoni integrali, coloro la cui deposizione avrebbe avuto significato generale. Loro sono la regola, noi l'eccezione. Sotto altro cielo, e reduce da una schiavitú simile e diversa, lo ha notato anche Solženicyn:

> Quasi tutti coloro che hanno scontato una lunga pena e con i quali vi congratulate perché sono dei sopravvissuti, sono senz'altro dei *pridurki* o lo sono stati per la maggior parte della prigionia. Perché i Lager sono di sterminio, questo non va dimenticato.

Nel linguaggio di quell'altro universo concentrazionario, i *pridurki* sono i prigionieri che, in un modo o nell'altro, si sono conquistati una posizione di privilegio, quelli che da noi si chiamavano i Prominenti.

Noi toccati dalla sorte abbiamo cercato, con maggiore o minore sapienza, di raccontare non solo il nostro destino, ma anche quello degli altri, dei sommersi, appunto; ma è stato un discorso «per conto di terzi», il racconto di cose viste da vicino, non sperimentate in proprio. La demolizione condotta a termine, l'opera compiuta, non l'ha rac-

contata nessuno, come nessuno è mai tornato a raccontare la sua morte. I sommersi, anche se avessero avuto carta e penna, non avrebbero testimoniato, perché la loro morte era cominciata prima di quella corporale. Settimane e mesi prima di spegnersi, avevano già perduto la virtú di osservare, ricordare, commisurare ed esprimersi. Parliamo noi in loro vece, per delega.

Non saprei dire se lo abbiamo fatto, o lo facciamo, per una sorta di obbligo morale verso gli ammutoliti, o non invece per liberarci del loro ricordo; certo lo facciamo per un impulso forte e durevole. Non credo che gli psicoanalisti (che sui nostri grovigli si sono gettati con avidità professionale) siano competenti a spiegare questo impulso. La loro sapienza è stata costruita e collaudata «fuori», nel mondo che per semplicità chiamiamo civile: ne ricalca la fenomenologia e cerca di spiegarla; ne studia le deviazioni e cerca di guarirle. Le loro interpretazioni, anche quelle di chi, come Bruno Bettelheim, ha attraversato la prova del Lager, mi sembrano approssimative e semplificate, come di chi volesse applicare i teoremi della geometria piana alla risoluzione dei triangoli sferici. I meccanismi mentali degli Häftlinge erano diversi dai nostri; curiosamente, e parallelamente, diversa era anche la loro fisiologia e patologia. In Lager, il raffreddore e l'influenza erano sconosciuti, ma si moriva, a volte di colpo, per mali che i medici non hanno mai avuto occasione di studiare. Guarivano (o diventavano asintomatiche) le ulcere gastriche e le malattie mentali, ma tutti soffrivano di un disagio incessante, che inquinava il sonno e che non ha nome. Definirlo «nevrosi» è riduttivo e ridicolo. Forse sarebbe piú giusto riconoscervi un'angoscia atavica, quella di cui si sente l'eco nel secondo versetto della Genesi: l'angoscia inscritta in ognuno del «tòhu vavòhu», dell'universo deserto e vuoto, schiacciato sotto lo spirito di Dio, ma da cui lo spirito dell'uomo è assente: non ancora nato o già spento.

E c'è un'altra vergogna piú vasta, la vergogna del mondo. È stato detto memorabilmente da John Donne, e citato innumerevoli volte, a proposito e non, che «nessun uomo è un'isola», e che ogni campana di morte suona per ognuno. Eppure c'è chi davanti alla colpa altrui, o alla propria, volge le spalle, cosí da non vederla e non sentirsene toccato: cosí hanno fatto la maggior parte dei tedeschi nei dodici anni hitleriani, nell'illusione che il non vedere fosse un non sapere, e che il non sapere li alleviasse dalla loro quota di complicità o di connivenza. Ma a noi lo schermo dell'ignoranza voluta, il «partial shelter» di T. S. Eliot, è stato negato: non abbiamo potuto non vedere. Il mare di dolore, passato e presente, ci circondava, ed il suo livello è salito di anno in anno fino quasi a sommergerci. Era inutile chiudere gli occhi o volgergli le spalle, perché era tutto intorno, in ogni direzione fino all'orizzonte. Non ci era possibile, né abbiamo voluto, essere isole; i giusti fra noi, non piú né meno numerosi che in qualsiasi altro gruppo umano, hanno provato rimorso, vergogna, dolore insomma, per la colpa che altri e non loro avevano commessa, ed in cui si sono sentiti coinvolti, perché sentivano che quanto era avvenuto intorno a loro, ed in loro presenza, e in loro, era irrevocabile. Non avrebbe potuto essere lavato mai piú; avrebbe dimostrato che l'uomo, il genere umano, noi insomma, eravamo potenzialmente capaci di costruire una mole infinita di dolore; e che il dolore è la sola forza che si crei dal nulla, senza spesa e senza fatica. Basta non vedere, non ascoltare, non fare.

Ci viene chiesto sovente, come se il nostro passato ci conferisse una virtú profetica, se «Auschwitz» ritornerà: se avverranno cioè altri stermini di massa, unilaterali, sistematici, meccanizzati, voluti a livello di governo, perpetrati su popolazioni innocenti ed inermi, e legittimati dalla dottrina del disprezzo. Profeti, per nostra buona sorte, non siamo, ma qualcosa si può dire. Che una tragedia simile, quasi ignorata in Occidente, è avvenuta intorno al 1975

in Cambogia. Che la strage tedesca ha potuto innescarsi, e si è poi alimentata di se stessa, per brama di servitú e per pochezza d'animo, grazie alla combinazione di alcuni fattori (lo stato di guerra; il perfezionismo tecnologico ed organizzativo germanico; la volontà ed il carisma capovolto di Hitler; la mancanza, in Germania, di solide radici democratiche), non molto numerosi, ognuno di essi indispensabile ma insufficiente se preso da solo. Questi fattori si possono riprodurre, e in parte già si stanno riproducendo, in varie parti del mondo. La ricombinazione di tutti, entro dieci o vent'anni (di un futuro piú lontano non ha senso parlare), è poco probabile ma non impossibile. A mio avviso, una strage di massa è particolarmente improbabile nel mondo occidentale, in Giappone ed anche in Unione Sovietica: i Lager della seconda guerra mondiale sono ancora nella memoria di molti, a livello sia di popolazione sia di governi, ed è in atto una sorta di difesa immunitaria che coincide ampiamente con la vergogna di cui ho parlato.

Su cosa possa avvenire in altre parti del mondo, o dopo, è prudente sospendere il giudizio; e l'apocalissi nucleare, certamente bilaterale, probabilmente istantanea e definitiva, è un orrore maggiore e diverso, strano, nuovo, che esorbita dal tema che ho scelto.

IV.

Comunicare

Il termine «incomunicabilità», cosí di moda negli anni '70, non mi è mai piaciuto; in primo luogo perché è un mostro linguistico, in secondo per ragioni piú personali.

Nel mondo normale odierno, quello che per convenzione e per contrasto abbiamo volta a volta chiamato «civile» e «libero», non capita quasi mai di urtare contro una barriera linguistica totale: di trovarsi davanti ad un essere umano con cui dobbiamo assolutamente stabilire una comunicazione, pena la vita, e di non riuscirci. Ne ha dato un esempio famoso, ma incompleto, Antonioni in *Deserto rosso*, nell'episodio in cui la protagonista incontra nella notte un marinaio turco che non sa una parola di alcuna lingua salvo la sua, e tenta invano di farsi capire. Incompleto, perché da entrambe le parti, anche da quella del marinaio, la volontà di comunicare esiste: o almeno, manca la volontà di rifiutare il contatto.

Secondo una teoria in voga in quegli anni, e che a me pare frivola ed irritante, l'«incomunicabilità» sarebbe un ingrediente immancabile, una condanna a vita inserita nella condizione umana, ed in specie nel modo di vivere della società industriale: siamo monadi, incapaci di messaggi reciproci, o capaci solo di messaggi monchi, falsi in partenza, fraintesi all'arrivo. Il discorso è fittizio, puro rumore, velo dipinto che copre il silenzio esistenziale; ohimé, siamo soli, anche se (o specialmente se) viviamo in coppia. Mi pare che questa lamentazione proceda da pigrizia mentale e la denunci; certamente la incoraggia, in un pericoloso circolo

vizioso. Salvo casi di incapacità patologica, comunicare si può e si deve: è un modo utile e facile di contribuire alla pace altrui e propria, perché il silenzio, l'assenza di segnali, è a sua volta un segnale, ma ambiguo, e l'ambiguità genera inquietudine e sospetto. Negare che comunicare si può è falso: si può sempre. Rifiutare di comunicare è colpa; per la comunicazione, ed in specie per quella sua forma altamente evoluta e nobile che è il linguaggio, siamo biologicamente e socialmente predisposti. Tutte le razze umane parlano; nessuna specie non-umana sa parlare.

Anche sotto l'aspetto della comunicazione, anzi, della mancata comunicazione, l'esperienza di noi reduci è peculiare. È un nostro fastidioso vezzo intervenire quando qualcuno (i figli!) parla di freddo, di fame o di fatica. Che cosa ne sapete, voi? Avreste dovuto provare le nostre. Per ragioni di buon gusto e di buon vicinato, noi cerchiamo in generale di resistere alla tentazione di questi interventi da miles gloriosus; la quale, tuttavia, per me diventa imperiosa appunto quando sento parlare di comunicazione mancata o impossibile. «Avreste dovuto provare la nostra». Non è confrontabile con quella del turista che va in Finlandia o in Giappone, e trova interlocutori alloglotti ma professionalmente (od anche spontaneamente) gentili e ben intenzionati, che si sforzano di capirlo e di essergli d'aiuto: oltre tutto, chi è che in qualsiasi angolo del mondo non mastica un po' d'inglese? E le richieste dei turisti sono poche, sempre le stesse: quindi le aporie sono rare, e il quasi-non-capirsi può addirittura essere divertente come un gioco.

È certamente piú drammatico il caso dell'emigrante, italiano in America cento anni fa, turco o marocchino o pachistano in Germania o in Svezia oggi. Qui non è piú una breve esplorazione senza imprevisti, condotta lungo le piste ben collaudate delle agenzie di viaggio: è un trapianto, forse definitivo; è un inserimento in un lavoro che oggi è raramente elementare, ed in cui la comprensione della parola, pronunciata o scritta, è necessaria; comporta rapporti umani indispensabili con i vicini di casa, i bottegai, i

colleghi, i superiori: sul lavoro, in strada, al bar, con gente
straniera, di costumi diversi, spesso ostile. Ma i correttivi
non mancano, la stessa società capitalistica è intelligente
quanto basta per capire che qui il suo profitto coincide am-
piamente con il rendimento del «lavoratore ospite», e
quindi con il suo benessere e il suo inserimento. Gli si con-
cede di portarsi dietro la famiglia, cioè un pezzo di patria;
gli si trova, bene o male, un alloggio; può (talvolta deve)
frequentare scuole di lingua. Il sordomuto sbarcato dal tre-
no viene aiutato, forse senza amore, non senza efficienza,
e in breve riacquista la parola.

Noi abbiamo vissuto l'incomunicabilità in modo piú ra-
dicale. Mi riferisco in specie ai deportati italiani, jugoslavi
e greci; in misura minore ai francesi, fra cui molti erano
d'origine polacca o tedesca, ed alcuni, essendo alsaziani,
capivano bene il tedesco; ed a molti ungheresi che venivа-
no dalla campagna. Per noi italiani, l'urto contro la barrie-
ra linguistica è avvenuto drammaticamente già prima della
deportazione, ancora in Italia, al momento in cui i funzio-
nari della Pubblica Sicurezza italiana ci hanno ceduti con
visibile riluttanza alle SS, che nel febbraio 1944 si erano
arrogata la gestione del campo di smistamento di Fòssoli
presso Modena. Ci siamo accorti subito, fin dai primi con-
tatti con gli uomini sprezzanti dalle mostrine nere, che il
sapere o no il tedesco era uno spartiacque. Con chi li capi-
va, e rispondeva in modo articolato, si instaurava una par-
venza di rapporto umano. Con chi non li capiva, i neri rea-
givano in un modo che ci stupí e spaventò: l'ordine, che
era stato pronunciato con la voce tranquilla di chi sa che
verrà obbedito, veniva ripetuto identico con voce alta e
rabbiosa, poi urlato a squarciagola, come si farebbe con un
sordo, o meglio con un animale domestico, piú sensibile al
tono che al contenuto del messaggio.

Se qualcuno esitava (esitavano tutti, perché non capiva-
no ed erano terrorizzati) arrivavano i colpi, ed era eviden-
te che si trattava di una variante dello stesso linguaggio:
l'uso della parola per comunicare il pensiero, questo mec-

canismo necessario e sufficiente affinché l'uomo sia uomo, era caduto in disuso. Era un segnale: per quegli altri, uomini non eravamo piú: con noi, come con le vacche o i muli, non c'era una differenza sostanziale tra l'urlo e il pugno. Perché un cavallo corra o si fermi, svolti, tiri o smetta di tirare, non occorre venire a patti con lui o dargli spiegazioni dettagliate; basta un dizionario costituito da una dozzina di segni variamente assortiti ma univoci, non importa se acustici o tattili o visivi: trazione delle briglie, punture degli speroni, urla, gesti, schiocchi di frusta, strombettii delle labbra, pacche sulla schiena, vanno tutti ugualmente bene. Parlargli sarebbe un'azione sciocca, come parlare da soli, o un patetismo ridicolo: tanto, che cosa capirebbe? Racconta Marsalek, nel suo libro *Mauthausen* (La Pietra, Milano 1977) che in questo Lager, ancora piú mistilingue di Auschwitz, il nerbo di gomma si chiamava «der Dolmetscher», l'interprete: quello che si faceva capire da tutti.

Infatti, l'uomo incolto (e i tedeschi di Hitler, e le SS in specie, erano paurosamente incolti: non erano stati «coltivati», o erano stati coltivati male) non sa distinguere nettamente fra chi non capisce la sua lingua e chi non capisce *tout court*. Ai giovani nazisti era stato martellato in testa che esisteva al mondo una sola civiltà, quella tedesca; tutte le altre, presenti o passate, erano accettabili solo in quanto contenessero in sé qualche elemento germanico. Perciò, chi non capiva né parlava il tedesco era per definizione un barbaro; se si ostinava a cercare di esprimersi nella sua lingua, anzi, nella sua non-lingua, bisognava farlo tacere a botte e rimetterlo al suo posto, a tirare, portare e spingere, poiché non era un *Mensch*, un essere umano. Mi torna alla memoria un episodio eloquente. Nel cantiere, il Kapo novellino di una squadra costituita in prevalenza di italiani, francesi e greci non s'era accorto che alle sue spalle si era avvicinato uno dei piú temuti sorveglianti delle SS. Si volse di scatto, si mise sull'attenti tutto smarrito, ed enunciò la *Meldung* prescritta: «Kommando 83, quarantadue

uomini». Nel suo turbamento, aveva proprio detto «zweiundvierzig Mann», «uomini». Il milite lo corresse in tono burbero e paterno: non si dice cosí, si dice «zweiundvierzig Häftlinge», quarantadue prigionieri. Era un Kapo giovane, e perciò perdonabile, ma doveva imparare il mestiere, le convenienze sociali e le distanze gerarchiche.

Questo «non essere parlati a» aveva effetti rapidi e devastanti. A chi non ti parla, o ti si indirizza con urli che ti sembrano inarticolati, non osi rivolgere la parola. Se hai la fortuna di trovare accanto a te qualcuno con cui hai una lingua comune, buon per te, potrai scambiare le tue impressioni, consigliarti con lui, sfogarti; se non trovi nessuno, la lingua ti si secca in pochi giorni, e con la lingua il pensiero.

Inoltre, sul piano dell'immediato, non capisci gli ordini ed i divieti, non decifri le prescrizioni, alcune futili e derisorie, altre fondamentali. Ti trovi insomma nel vuoto, e comprendi a tue spese che la comunicazione genera l'informazione, e che senza informazione non si vive. La maggior parte dei prigionieri che non conoscevano il tedesco, quindi quasi tutti gli italiani, sono morti nei primi dieci-quindici giorni dal loro arrivo: a prima vista, per fame, freddo, fatica, malattia; ad un esame piú attento, per insufficienza d'informazione. Se avessero potuto comunicare con i compagni piú anziani, avrebbero potuto orientarsi meglio: imparare prima a procurarsi abiti, scarpe, cibo illegale; a scansare il lavoro piú duro, e gli incontri spesso mortali con le SS; a gestire senza errori fatali le inevitabili malattie. Non intendo dire che non sarebbero morti, ma avrebbero vissuto piú a lungo, ed avrebbero avuto maggiori possibilità di riguadagnare il terreno perduto.

Nella memoria di tutti noi superstiti, e scarsamente poliglotti, i primi giorni di Lager sono rimasti impressi nella forma di un film sfuocato e frenetico, pieno di fracasso e di furia e privo di significato: un tramestio di personaggi senza nome né volto annegati in un continuo assordante rumore di fondo, su cui tuttavia la parola umana

non affiorava. Un film in grigio e nero, sonoro ma non parlato.

Ho notato, su me stesso e su altri reduci, un effetto curioso di questo vuoto e bisogno di comunicazione. A distanza di quarant'anni, ricordiamo ancora, in forma puramente acustica, parole e frasi pronunciate intorno a noi in lingue che non conoscevamo né abbiamo imparato dopo: per me, ad esempio, in polacco o in ungherese. Ancora oggi io ricordo come si enunciava in polacco non il mio numero di matricola, ma quello del prigioniero che mi precedeva nel ruolino di una certa baracca: un groviglio di suoni che terminava armoniosamente, come le indecifrabili cantine dei bambini, in qualcosa come «stergísci stèri» (oggi so che queste due parole vogliono dire «quarantaquattro»). Infatti, in quella baracca erano polacchi il distributore della zuppa e la maggior parte dei prigionieri, e il polacco era la lingua ufficiale; quando si veniva chiamati, bisognava stare pronti con la gamella tesa per non perdere il turno, e perciò, per non essere colti di sorpresa, era bene scattare quando era chiamato il compagno col numero di matricola immediatamente precedente. Quello «stergísci stèri» funzionava anzi come il campanello che condizionava i cani di Pavlov: provocava una subitanea secrezione di saliva.

Queste voci straniere si erano incise nelle nostre memorie come su un nastro magnetico vuoto, bianco; allo stesso modo, uno stomaco affamato assimila rapidamente anche un cibo indigesto. Non ci ha aiutati a ricordarle il loro senso, perché per noi non ne avevano; eppure, molto piú tardi, le abbiamo recitate a persone che le potevano comprendere, e un senso, tenue e banale, lo avevano: erano imprecazioni, bestemmie, o frasette quotidiane spesso ripetute, come «che ora è?», o «non posso camminare», o «lasciami in pace». Erano frammenti strappati all'indistinto: frutto di uno sforzo inutile ed inconscio di ritagliare un senso entro l'insensato. Erano anche l'equivalente mentale del nostro bisogno corporeo di nutrimento, che ci spingeva a cer-

care le bucce di patate nei dintorni delle cucine: poco piú del niente, meglio del niente. Anche il cervello sottoalimentato soffre di una sua fame specifica. O forse, questa memoria inutile e paradossa aveva un altro significato e un altro scopo: era una inconsapevole preparazione per il «dopo», per una improbabile sopravvivenza, in cui ogni brandello di esperienza sarebbe diventato un tassello di un vasto mosaico.

Ho raccontato nelle prime pagine di *La tregua* un caso estremo di comunicazione necessaria e mancata: quello del bambino Hurbinek, di tre anni, forse nato clandestinamente in Lager, a cui nessuno aveva insegnato a parlare, e che di parlare provava un bisogno intenso, espresso da tutto il suo povero corpo. Anche sotto questo aspetto, il Lager era un laboratorio crudele in cui era dato assistere a situazioni e comportamenti mai visti né prima, né dopo, né altrove.

Avevo imparato qualche parola di tedesco pochi anni prima, quando ero ancora studente, al solo scopo di intendere i testi di chimica e di fisica: non certo per trasmettere attivamente il mio pensiero né per comprendere il linguaggio parlato. Erano gli anni delle leggi razziali fasciste, ed un mio incontro con un tedesco, o un viaggio in Germania, sembravano eventi ben poco probabili. Scaraventato ad Auschwitz, nonostante lo smarrimento iniziale (anzi, forse proprio grazie a quello) ho capito abbastanza presto che il mio scarsissimo *Wortschatz* era diventato un fattore di sopravvivenza essenziale. *Wortschatz* significa «patrimonio lessicale», ma alla lettera «tesoro di parole»; mai termine è stato altrettanto appropriato. Sapere il tedesco era la vita: bastava che mi guardassi intorno. I compagni italiani che non lo capivano, cioè quasi tutti salvo qualche triestino, stavano annegando ad uno ad uno nel mare tempestoso del non-capire: non intendevano gli ordini, ricevevano schiaffi e calci senza comprenderne il perché. Nell'e-

tica rudimentale del campo, era previsto che un colpo ve-
nisse in qualche modo giustificato, per facilitare lo stabilir-
si dell'arco trasgressione-punizione-ravvedimento; quindi,
spesso il Kapo o i suoi vice accompagnavano il pugno con
un grugnito: «Sai perché?», a cui seguiva una sommaria
«comunicazione di reato». Ma per i nuovi sordomuti que-
sto cerimoniale era inutile. Si rifugiavano istintivamente
negli angoli per avere le spalle coperte: l'aggressione pote-
va venire da tutte le direzioni. Si guardavano intorno con
occhi smarriti, come animali presi in trappola, e tali in ef-
fetti erano diventati.

Per molti italiani è stato vitale l'aiuto dei compagni
francesi e spagnoli, le cui lingue erano meno «straniere»
del tedesco. Ad Auschwitz non c'erano spagnoli, mentre i
francesi (più precisamente: i deportati dalla Francia o dal
Belgio) erano molti, nel 1944 forse il 10% del totale. Alcu-
ni erano alsaziani, oppure erano ebrei tedeschi e polacchi
che nel decennio precedente avevano cercato in Francia
un rifugio che si era rivelato una trappola: tutti questi co-
noscevano bene o male il tedesco o il jiddisch. Gli altri, i
francesi metropolitani, proletari o borghesi o intellettuali,
avevano subíto uno o due anni prima una selezione analo-
ga alla nostra: quelli che non capivano erano usciti di sce-
na. I rimasti, quasi tutti «métèques», a suo tempo accolti
in Francia piuttosto male, si erano presa una triste rivinci-
ta. Erano i nostri interpreti naturali: traducevano per noi
i comandi e gli avvertimenti fondamentali della giornata,
«alzarsi», «adunata», «in fila per il pane», «chi ha le scar-
pe rotte?», «per tre», «per cinque», eccetera.

Certo non bastava. Io supplicai uno di loro, un alsazia-
no, di tenermi un corso privato ed accelerato, distribuito
in brevi lezioni somministrate sottovoce, fra il momento
del coprifuoco e quello in cui cedevamo al sonno; lezioni
da compensarsi con pane, altra moneta non c'era. Lui ac-
cettò, e credo che mai pane fu meglio speso. Mi spiegò che
cosa significavano i ruggiti dei Kapos e delle SS, i motti in-
sulsi o ironici scritti in gotico sulle capriate della baracca,

che cosa significavano i colori dei triangoli che portavamo al petto sopra il numero di matricola. Cosí mi accorsi che il tedesco del Lager, scheletrico, urlato, costellato di oscenità e di imprecazioni, aveva soltanto una vaga parentela col linguaggio preciso e austero dei miei testi di chimica, e col tedesco melodioso e raffinato delle poesie di Heine che mi recitava Clara, una mia compagna di studi.

Non mi rendevo conto, e me ne resi conto solo molto piú tardi, che il tedesco del Lager era una lingua a sé stante: per dirla appunto in tedesco, era *orts- und zeitgebunden*, legata al luogo ed al tempo. Era una variante, particolarmente imbarbarita, di quella che un filologo ebreo tedesco, Klemperer, aveva battezzata *Lingua Tertii Imperii*, la lingua del Terzo Reich, proponendone anzi l'acrostico *LTI* in analogia ironica con i cento altri (NSDAP, SS, SA, SD, KZ, RKPA, WVHA, RSHA, BDM...) cari alla Germania di allora.

Sulla LTI, e sul suo equivalente italiano, si è già scritto molto, anche da parte di linguisti. È ovvia l'osservazione che, là dove si fa violenza all'uomo, la si fa anche al linguaggio; ed in Italia non abbiamo dimenticato le sciocche campagne fasciste contro i dialetti, contro i «barbarismi», contro i toponimi valdostani, valsusini, altoatesini, contro il «*lei*, servile e straniero». In Germania le cose stavano altrimenti: già da secoli la lingua tedesca aveva mostrato una spontanea avversione per le parole di origine non-germanica, per cui gli scienziati tedeschi si erano affannati a ribattezzare la bronchite in «aria-tubi-infiammazione», il duodeno in «dodici-dita-intestino» e l'acido piruvico in «brucia-uva-acido»; perciò, sotto questo aspetto, al nazismo che voleva purificare tutto restava ben poco da purificare. La LTI differiva dal tedesco di Goethe soprattutto per certi spostamenti semantici e per l'abuso di alcuni termini: ad esempio, gli aggettivi *völkisch* («nazionale, popolare»), che era diventato onnipresente e carico di albagia nazionalistica, e *fanatisch*, la cui connotazione da negativa si era fatta positiva. Ma nell'arcipelago dei Lager tedeschi

si era delineato un linguaggio settoriale, un gergo, il «Lagerjargon», suddiviso in sottogerghi specifici di ogni Lager, e strettamente imparentato con il vecchio tedesco delle caserme prussiane e con il nuovo tedesco delle SS. Non è strano che esso risulti parallelo al gergo dei campi di lavoro sovietici, vari termini del quale sono citati da Solženicyn: ognuno di questi trova il suo esatto riscontro nel Lagerjargon. La traduzione in tedesco dell'*Arcipelago Gulag* (Mondadori, Milano 1975) non deve aver presentato molte difficoltà: o se sí, non terminologiche.

Era comune a tutti i Lager il termine *Muselmann*, «mussulmano», attribuito al prigioniero irreversibilmente esausto, estenuato, prossimo alla morte. Se ne sono proposte due spiegazioni, entrambe poco convincenti: il fatalismo, e le fasciature alla testa che potevano simulare un turbante. Esso è rispecchiato esattamente, anche nella sua cinica ironia, dal termine russo *dochodjaga*, letteralmente «arrivato alla fine», «concluso». Nel Lager di Ravensbrück (l'unico esclusivamente femminile) lo stesso concetto veniva espresso, mi dice Lidia Rolfi, con i due sostantivi speculari *Schmutzstück* e *Schmuckstück*, rispettivamente «immondizia» e «gioiello», quasi omofoni, l'uno parodia dell'altro. Le italiane non ne capivano il senso raggelante, ed unificando i due termini pronunciavano «smistig». Anche *Prominent* è termine comune a tutti i sottogerghi. Dei «prominenti», i prigionieri che avevano fatto carriera, ho parlato diffusamente in *Se questo è un uomo*; essendo una componente indispensabile nella sociologia dei campi, esistevano anche in quelli sovietici, dove (l'ho ricordato nel terzo capitolo) erano detti *pridurki*.

Ad Auschwitz «mangiare» si rendeva con *fressen*, verbo che in buon tedesco si applica soltanto agli animali. Per «vàttene» si usava l'espressione *hau' ab*, imperativo del verbo *abhauen*; questo, in buona lingua, significa «tagliare, mozzare», ma nel gergo del Lager equivaleva a «andare all'inferno, levarsi di torno». Mi è accaduto una volta di usare in buona fede questa espressione (*Jetzt hauen wir ab*)

poco dopo la fine della guerra, per prendere congedo da alcuni educati funzionari della Bayer dopo un colloquio d'affari. Era come se avessi detto «ora ci togliamo dai piedi». Mi guardarono stupiti: il termine apparteneva ad un registro linguistico diverso da quello in cui si era svolta la conversazione precedente, e non viene certo insegnato nei corsi scolastici di «lingua straniera». Spiegai loro che non avevo imparato il tedesco a scuola, bensí in un Lager di nome Auschwitz; ne nacque un certo imbarazzo, ma, essendo io in veste di compratore, continuarono a trattarmi con cortesia. Mi sono reso conto in seguito che anche la mia pronuncia è rozza, ma deliberatamente non ho cercato di ingentilirla; per lo stesso motivo non mi sono mai fatto asportare il tatuaggio dal braccio sinistro.

Il Lagerjargon, come è naturale, era fortemente influenzato da altre lingue che venivano parlate nel Lager e nei dintorni: dal polacco, dal jiddisch, dal dialetto slesiano, piú tardi dall'ungherese. Dal frastuono di fondo dei miei primi giorni di prigionia emersero subito, con insistenza, quattro o cinque espressioni che tedesche non erano: dovevano indicare, pensai, qualche oggetto od azione basilare, come lavoro, acqua, pane. Mi si erano incise nella memoria, nel curioso modo meccanico che ho descritto prima. Solo molto piú tardi un amico polacco mi ha spiegato, malvolentieri, che volevano dire semplicemente «colera», «sangue di cane», «tuono», «figlio di puttana» e «fottuto»; i tre primi in funzione di interiezione.

Il jiddisch era di fatto la seconda lingua del campo (sostituita piú tardi dall'ungherese). Non solo non la capivo, ma sapevo solo vagamente della sua esistenza, in base a qualche citazione o storiella sentita da mio padre che per qualche anno aveva lavorato in Ungheria. Gli ebrei polacchi, russi, ungheresi erano stupiti che noi italiani non lo parlassimo: eravamo degli ebrei sospetti, da non fidarsene; oltre ad essere, naturalmente, dei «badoghlio» per le SS e dei «mussolini» per i francesi, per i greci e per i prigionieri politici. Anche a prescindere dai problemi di comunicazio-

ne, non era comodo essere ebrei italiani. Come ormai è noto dopo il meritato successo dei libri dei fratelli Singer e di tanti altri, il jiddisch è sostanzialmente un antico dialetto tedesco, diverso dal tedesco moderno come lessico e come pronuncia. Mi dava piú angoscia del polacco, che non capivo affatto, perché «avrei dovuto capirlo». Lo ascoltavo con attenzione tesa: spesso mi era difficile capire se una frase rivolta a me, o pronunciata vicino a me, era tedesca o jiddisch o ibrida: infatti, alcuni ebrei polacchi bene intenzionati si sforzavano di tedeschizzare il loro jiddisch piú che potevano, affinché io li comprendessi.

Del jiddisch respirato nell'aria, ho ritrovato una traccia singolare in *Se questo è un uomo*. Nel capitolo *Kraus* è riportato un dialogo: Gounan, ebreo francese di origine polacca, si rivolge all'ungherese Kraus con la frase «Langsam, du blöder Einer, langsam, verstanden?», che vale, tradotta parola per parola, «Piano, tu stupido uno, piano, capito?» Suonava un po' strana, ma mi pareva proprio di averla sentita cosí (erano memorie recenti: scrivevo nel 1946), e l'ho trascritta tale e quale. Il traduttore tedesco non è rimasto convinto: dovevo aver sentito o ricordato male. Dopo una lunga discussione epistolare, mi ha proposto di ritoccare l'espressione, che a lui non sembrava accettabile. Infatti, nella traduzione poi pubblicata essa suona: «Langsam, du blöder Heini,...», dove Heini è il diminutivo di Heinrich, Enrico. Ma di recente, in un bel libro sulla storia e struttura del jiddisch (*Mame Loshen*, di J. Geipel, Journeyman, London 1982) ho trovato che è tipica di questa lingua la forma «Khamòyer du eyner!», «Asino tu uno!» La memoria meccanica aveva funzionato correttamente.

Della comunicazione mancata o scarsa non soffrivano tutti in ugual misura. Il non soffrirne, l'accettare l'eclissi della parola, era un sintomo infausto: segnalava l'approssimarsi dell'indifferenza definitiva. Alcuni pochi, solitari

per natura, o assuefatti all'isolamento già nella loro vita
«civile», non davano segno di patirne; ma la maggior parte
dei prigionieri che avevano superato la fase critica dell'ini-
ziazione cercavano di difendersi, ciascuno a suo modo: chi
mendicando brandelli d'informazione, chi propalando sen-
za discernimento notizie trionfali o disastrose, vere o false
o inventate, chi aguzzando occhi ed orecchi a cogliere ed a
cercare di interpretare tutti i segni offerti dagli uomini,
dalla terra e dal cielo. Ma alla scarsa comunicazione inter-
na si sommava la scarsa comunicazione col mondo esterno.
In alcuni Lager l'isolamento era totale; il mio, Monowitz-
Auschwitz, sotto questo aspetto poteva considerarsi privi-
legiato. Arrivavano, quasi ogni settimana, prigionieri
«nuovi» da tutti i paesi dell'Europa occupata, e portavano
notizie recenti, spesso come testimoni oculari; a dispetto
dei divieti, e del pericolo di essere denunciati alla Gestapo,
nell'enorme cantiere parlavamo con operai polacchi e tede-
schi, a volte perfino con prigionieri di guerra inglesi; tro-
vavamo nei bidoni delle immondizie giornali vecchi di
qualche giorno, e li leggevamo avidamente. Un mio com-
pagno di lavoro intraprendente, bilingue in quanto alsazia-
no, e giornalista di professione, si vantava addirittura di
essersi abbonato al «Völkischer Beobachter», il piú auto-
revole quotidiano della Germania di allora: che cosa c'era
di piú semplice? Aveva pregato un operaio tedesco, fidato,
di abbonarsi, ed aveva rilevato l'abbonamento cedendogli
un dente d'oro. Ogni mattina, nella lunga attesa dell'ap-
pello, ci radunava intorno a sé e ci faceva un accurato rias-
sunto delle notizie del giorno.

Il 7 giugno 1944 vedemmo andare al lavoro i prigionieri
inglesi, e c'era in loro qualcosa di diverso: marciavano be-
ne inquadrati, impettiti, sorridenti, marziali, con un passo
talmente alacre che la sentinella tedesca che li scortava, un
territoriale non piú giovane, stentava a tenergli dietro. Ci
salutarono col segno V della vittoria. Sapemmo il giorno
dopo che da una loro radio clandestina avevano appreso la
notizia dello sbarco alleato in Normandia, e fu un gran

giorno anche per noi: la libertà sembrava a portata di mano. Ma nella maggior parte dei campi le cose stavano assai peggio. I nuovi arrivati provenivano da altri Lager o da ghetti a loro volta tagliati fuori dal mondo, e quindi portavano solo le orrende notizie locali. Non si lavorava, come noi, a contatto con lavoratori liberi di dieci o dodici paesi diversi, ma in aziende agricole, o in piccole officine, o in cave di pietra o sabbia, o addirittura in miniera: e nei Lager-miniera le condizioni erano le stesse che conducevano a morte gli schiavi di guerra dei romani e gli indios asserviti dagli spagnoli; talmente mortifere che nessuno è ritornato per descriverle. Le notizie «dal mondo», come si diceva, arrivavano saltuarie e vaghe. Ci si sentiva dimenticati, come i condannati che venivano lasciati morire nelle *oubliettes* del medioevo.

Agli ebrei, nemici per antonomasia, impuri, seminatori di impurezza, distruttori del mondo, era vietata la comunicazione piú preziosa, quella col paese d'origine e con la famiglia: chi ha provato l'esilio, in una qualsiasi delle sue tante forme, sa quanto si soffra quando questo nervo viene reciso. Ne nasce una mortale impressione di abbandono, ed anche un ingiusto risentimento: perché non mi scrivono, perché non mi aiutano, loro che sono liberi? Abbiamo avuto modo di capire bene, allora, che del grande continente della libertà la libertà di comunicare è una provincia importante. Come avviene per la salute, solo chi la perde si accorge di quanto valga. Ma non se ne soffre solo a livello individuale: nei paesi e nelle epoche in cui la comunicazione è impedita, appassiscono presto tutte le altre libertà; muore per inedia la discussione, dilaga l'ignoranza delle opinioni altrui, trionfano le opinioni imposte; ne è un esempio noto la folle genetica predicata in Urss da Lissenko, che, in mancanza di discussioni (i suoi contraddittori vennero esiliati in Siberia), compromise i raccolti per vent'anni. L'intolleranza tende a censurare, e la censura accresce l'ignoranza della ragione altrui e quindi l'intolleranza stessa: è un circolo vizioso rigido, difficile da spezzare.

L'ora settimanale in cui i nostri compagni «politici» ricevevano la posta da casa era per noi la piú sconsolata, quella in cui sentivamo tutto il peso dell'essere altri, estraniati, tagliati fuori dal nostro paese, anzi, dal genere umano. Era l'ora in cui sentivamo il tatuaggio bruciare come una ferita, e ci invadeva come una frana di fango la certezza che nessuno di noi sarebbe tornato. Del resto, se anche ci fosse stato concesso di scrivere una lettera, a chi l'avremmo indirizzata? Le famiglie degli ebrei d'Europa erano sommerse o disperse o distrutte.

A me (l'ho raccontato in *Lilít* [Einaudi, Torino 1981]) è toccata la rarissima fortuna di poter scambiare alcune lettere con la mia famiglia. Ne sono debitore a due persone fra loro molto diverse: un muratore anziano quasi analfabeta, e una giovane donna coraggiosa, Bianca Guidetti Serra, che adesso è un noto avvocato. So che è stato questo uno dei fattori che mi hanno concesso di sopravvivere; ma, come ho detto prima, ognuno di noi superstiti è per piú versi un'eccezione; cosa che noi stessi, per esorcizzare il passato, tendiamo a dimenticare.

v.
Violenza inutile

Il titolo di questo capitolo può apparire provocatorio o addirittura offensivo: esiste una violenza utile? Purtroppo sí. La morte, anche non provocata, anche la piú clemente, è una violenza, ma è tristemente utile: un mondo di immortali (gli *struldbruggs* di Swift) non sarebbe concepibile né vivibile, sarebbe piú violento del pur violento mondo attuale. Né è inutile, in generale, l'assassinio: Raskolnikov, uccidendo la vecchia usuraia, si proponeva uno scopo, anche se colpevole; cosí pure Princip a Sarajevo e i sequestratori di Aldo Moro in via Fani. Messi da parte i casi di follia omicida, chi uccide sa perché lo fa: per denaro, per sopprimere un nemico vero o presunto, per vendicare un'offesa. Le guerre sono detestabili, sono un pessimo modo di risolvere le controversie tra nazioni o tra fazioni, ma non si possono definire inutili: mirano ad uno scopo, magari iniquo o perverso. Non sono gratuite, non si propongono di infliggere sofferenze; le sofferenze ci sono, sono collettive, strazianti, ingiuste, ma sono un sottoprodotto, un di piú. Ora, io credo che i dodici anni hitleriani abbiano condiviso la loro violenza con molti altri spazi-tempi storici, ma che siano stati caratterizzati da una diffusa violenza inutile, fine a se stessa, volta unicamente alla creazione di dolore; talora tesa ad uno scopo, ma sempre ridondante, sempre fuor di proporzione rispetto allo scopo medesimo.

Ripensando con il senno del poi a quegli anni, che hanno devastato l'Europa ed infine la Germania stessa, ci si

sente combattuti fra due giudizi: abbiamo assistito allo svolgimento razionale di un piano disumano, o ad una manifestazione (unica, per ora, nella storia, e tuttora mal spiegata) di follia collettiva? Logica intesa al male o assenza di logica? Come spesso nelle cose umane, le due alternative coesistevano. Non c'è dubbio che il disegno fondamentale del nazionalsocialismo aveva una sua razionalità: la spinta verso Oriente (vecchio sogno tedesco), la soffocazione del movimento operaio, l'egemonia sull'Europa continentale, l'annientamento del bolscevismo e del giudaismo, che Hitler semplicisticamente identificava fra loro, la spartizione del potere mondiale con Inghilterra e Stati Uniti, l'apoteosi della razza germanica con l'eliminazione «spartana» dei malati mentali e delle bocche inutili: tutti questi elementi erano fra loro compatibili, e deducibili da alcuni pochi postulati già esposti con innegabile chiarezza nel *Mein Kampf*. Arroganza e radicalismo, hybris e *Gründlichkeit*; logica insolente, non follia.

Odiosi, ma non folli, erano anche i mezzi previsti per raggiungere i fini: scatenare aggressioni militari o guerre spietate, alimentare quinte colonne interne, trasferire intere popolazioni, o asservirle, o sterilizzarle, o sterminarle. Né Nietzsche né Hitler né Rosenberg erano pazzi quando ubriacavano se stessi e i loro seguaci con la loro predicazione del mito del superuomo, a cui tutto è concesso a riconoscimento della sua dogmatica e congenita superiorità; ma è degno di meditazione il fatto che tutti, il maestro e gli allievi, siano usciti progressivamente dalla realtà a mano a mano che la loro morale si andava scollando da quella morale, comune a tutti i tempi ed a tutte le civiltà, che è parte della nostra eredità umana, ed a cui da ultimo bisogna pur dare riconoscimento.

La razionalità cessa, e i discepoli hanno ampiamente superato (e tradito!) il maestro, proprio nella pratica della crudeltà inutile. Il verbo di Nietzsche mi ripugna profondamente; stento a trovarvi un'affermazione che non coincida con il contrario di quanto mi piace pensare; mi infa-

stidisce il suo tono oracolare; ma mi pare che non vi compaia mai il desiderio della sofferenza altrui. L'indifferenza sí, quasi in ogni pagina, ma mai la *Schadenfreude*, la gioia per il danno del prossimo, né tanto meno la gioia del far deliberatamente soffrire. Il dolore del volgo, degli *Ungestalten*, degli informi, dei non-nati-nobili, è un prezzo da pagare per l'avvento del regno degli eletti; è un male minore, comunque sempre un male; non è desiderabile in sé. Ben diversi erano il verbo e la prassi hitleriani.

Molte delle inutili violenze naziste appartengono oramai alla storia: si pensi ai massacri «sproporzionati» delle Fosse Ardeatine, di Oradour, Lidice, Boves, Marzabotto e troppi altri, in cui il limite della rappresaglia, già intrinsecamente disumano, è stato enormemente sorpassato; ma altre minori, singole, rimangono scritte in caratteri indelebili nella memoria di ognuno di noi ex deportati, dettagli del grande quadro.

Quasi sempre, all'inizio della sequenza del ricordo, sta il treno che ha segnato la partenza verso l'ignoto: non solo per ragioni cronologiche, ma anche per la crudeltà gratuita con cui venivano impiegati ad uno scopo inconsueto quegli (altrimenti innocui) convogli di comuni carri merci.

Non c'è diario o racconto, fra i molti nostri, in cui non compaia il treno, il vagone piombato, trasformato da veicolo commerciale in prigione ambulante o addirittura in strumento di morte. È sempre stipato, ma pare di intravedere un rozzo calcolo nel numero di persone che, caso per caso, vi venivano compresse: da cinquanta a centoventi, a seconda della lunghezza del viaggio e del livello gerarchico che il sistema nazista assegnava al «materiale umano» trasportato. I convogli in partenza dall'Italia contenevano «solo» 50-60 persone per vagone (ebrei, politici, partigiani, povera gente rastrellata per le strade, militari catturati dopo lo sfacelo dell'8 settembre 1943): può essere che si sia tenuto conto delle distanze, o forse anche dell'impres-

sione che queste tradotte potevano esercitare su eventuali
testimoni presenti lungo il percorso. All'estremo opposto
stavano i trasporti dall'Europa orientale: gli slavi, special-
mente se ebrei, erano merce piú vile, anzi, priva di qualsia-
si valore; dovevano comunque morire, non importa se du-
rante il viaggio o dopo. I convogli che trasportavano gli
ebrei polacchi dai ghetti ai Lager, o da Lager a Lager, con-
tenevano fino a 120 persone per ogni vagone: il viaggio era
breve... Ora, 50 persone in un vagone merci stanno molto
a disagio; possono sdraiarsi tutte simultaneamente per ri-
posare, ma corpo contro corpo. Se sono 100 o piú, anche
un viaggio di poche ore è un inferno, si deve stare in piedi,
o accovacciati a turno; e spesso, tra i viaggiatori, ci sono
vecchi, ammalati, bambini, donne che allattano, pazzi, o
individui che impazziscono durante il viaggio e per effetto
del viaggio.

Nella pratica dei trasporti ferroviari nazisti si distinguo-
no variabili e costanti; non ci è dato sapere se alla loro base
ci fosse un regolamento, o se i funzionari che vi erano pre-
posti avessero mano libera. Costante era il consiglio ipocri-
ta (o l'ordine) di portare con sé tutto quanto era possibile:
specialmente l'oro, i gioielli, la valuta pregiata, le pellicce,
in alcuni casi (certi trasporti di ebrei contadini dall'Unghe-
ria e dalla Slovacchia) addirittura il bestiame minuto. «È
tutta roba che vi potrà servire», veniva detto a mezza boc-
ca e con aria complice dal personale di accompagnamento.
Di fatto, era un autosaccheggio; era un artificio semplice
ed ingegnoso per trasferire valori nel Reich, senza pubbli-
cità né complicazioni burocratiche né trasporti speciali né
timore di furti *en route*: infatti, all'arrivo tutto veniva se-
questrato. Costante era la nudità totale dei vagoni; le auto-
rità tedesche, per un viaggio che poteva durare anche due
settimane (è il caso degli ebrei deportati da Salonicco) non
provvedevano letteralmente nulla: né viveri, né acqua, né
stuoie o paglia sul pavimento di legno, né recipienti per i
bisogni corporali, e neppure si curavano di avvertire le au-
torità locali, o i dirigenti (quando esistevano) dei campi di

raccolta, di provvedere in qualche modo. Un avviso non sarebbe costato nulla: ma appunto, questa sistematica negligenza si risolveva in una inutile crudeltà, in una deliberata creazione di dolore che era fine a se stessa.

In alcuni casi i prigionieri destinati alla deportazione erano in grado di imparare qualcosa dall'esperienza: avevano visto partire altri convogli, ed avevano imparato a spese dei loro predecessori che a tutte queste necessità logistiche dovevano provvedere loro stessi, del loro meglio, e compatibilmente con le limitazioni imposte dai tedeschi. È tipico il caso dei treni che partivano dal campo di raccolta di Westerbork, in Olanda; era un campo vastissimo, con decine di migliaia di prigionieri ebrei, e Berlino richiedeva al comandante locale che ogni settimana partisse un treno con circa mille deportati: in totale, partirono da Westerbork 93 treni, diretti ad Auschwitz, a Sobibór e ad altri campi minori. I superstiti furono circa 500 e nessuno di questi aveva viaggiato nei primi convogli, i cui occupanti erano partiti alla cieca, nella speranza infondata che alle necessità piú elementari per un viaggio di tre o quattro giorni si provvedesse d'ufficio; perciò non si sa quanti siano stati i morti durante il transito, né come il terribile viaggio si sia svolto, perché nessuno è tornato per raccontarlo. Ma dopo qualche settimana un addetto all'infermeria di Westerbork, osservatore perspicace, notò che i vagoni merci dei convogli erano sempre gli stessi: facevano la spola fra il Lager di partenza e quello di destinazione. Cosí avvenne che alcuni fra coloro che furono deportati successivamente poterono mandare messaggi nascosti nei vagoni che ritornavano vuoti, e da allora si poté provvedere almeno ad una scorta di viveri e d'acqua, e ad un mastello per gli escrementi.

Il convoglio con cui sono stato deportato io, nel febbraio del 1944, era il primo che partisse dal campo di raccolta di Fòssoli (altri erano partiti prima da Roma e da Milano, ma non ce n'era giunta notizia). Le SS, che poco prima avevano sottratto la gestione del campo alla Pubblica

Sicurezza italiana, non diedero alcuna disposizione precisa per il viaggio; fecero soltanto sapere che sarebbe stato lungo, e lasciarono trapelare il consiglio interessato e ironico a cui ho accennato («Portate oro e gioielli, e soprattutto abiti di lana e pellicce, perché andate a lavorare in un paese freddo»). Il capocampo, deportato anche lui, ebbe il buon senso di procurare una scorta ragionevole di cibo, ma non d'acqua: l'acqua non costa nulla, non è vero? E i tedeschi non regalano niente, ma sono buoni organizzatori... Neppure pensò a munire ogni vagone di un recipiente che fungesse da latrina, e questa dimenticanza si dimostrò gravissima: provocò un'afflizione assai peggiore della sete e del freddo. Nel mio vagone c'erano parecchi anziani, uomini e donne: tra gli altri, c'erano al completo gli ospiti della casa di riposo israelitica di Venezia. Per tutti, ma specialmente per questi, evacuare in pubblico era angoscioso o impossibile: un trauma a cui la nostra civiltà non ci prepara, una ferita profonda inferta alla dignità umana, un attentato osceno e pieno di presagio; ma anche il segnale di una malignità deliberata e gratuita. Per nostra paradossale fortuna (ma esito a scrivere questa parola in questo contesto), nel nostro vagone c'erano anche due giovani madri con i loro bambini di pochi mesi, e una di loro aveva portato con sé un vaso da notte: uno solo, e dovette servire per una cinquantina di persone. Dopo due giorni di viaggio trovammo chiodi confitti nelle pareti di legno, ne ripiantammo due in un angolo, e con uno spago e una coperta improvvisammo un riparo, sostanzialmente simbolico: non siamo ancora bestie, non lo saremo finché cercheremo di resistere.

Che cosa sia avvenuto negli altri vagoni, privi di questa minima attrezzatura, è difficile immaginare. Il convoglio venne fermato due o tre volte in aperta campagna, le portiere dei vagoni furono aperte ed ai prigionieri fu concesso di scendere: ma non di allontanarsi dalla ferrovia né di appartarsi. Un'altra volta le portiere furono aperte, ma durante una fermata in una stazione austriaca di transito. Le

SS della scorta non nascondevano il loro divertimento al vedere uomini e donne accovacciarsi dove potevano, sulle banchine, in mezzo ai binari; ed i passeggeri tedeschi esprimevano apertamente il loro disgusto: gente come questa merita il suo destino, basta vedere come si comportano. Non sono *Menschen*, esseri umani, ma bestie, porci; è evidente come la luce del sole.

Era effettivamente un prologo. Nella vita che doveva seguire, nel ritmo quotidiano del Lager, l'offesa al pudore rappresentava, almeno all'inizio, una parte importante della sofferenza globale. Non era facile né indolore abituarsi alla enorme latrina collettiva, ai tempi stretti ed obbligati, alla presenza, davanti a te, dell'aspirante alla successione; in piedi, impaziente, a volte supplichevole, altre volte prepotente, insiste ogni dieci secondi: «Hast du gemacht?», «Non hai ancora finito?» Tuttavia, entro poche settimane il disagio si attenuava fino a sparire; sopravveniva (non per tutti!) l'assuefazione, il che è un modo caritatevole di dire che la trasformazione da esseri umani in animali era sulla buona strada.

Non credo che questa trasformazione sia stata mai progettata né formulata in chiaro, a nessun livello della gerarchia nazista, in nessun documento, in nessuna «riunione di lavoro». Era una conseguenza logica del sistema: un regime disumano diffonde ed estende la sua disumanità in tutte le direzioni, anche e specialmente verso il basso; a meno di resistenze e di tempre eccezionali, corrompe anche le sue vittime ed i suoi oppositori. L'inutile crudeltà del pudore violato condizionava l'esistenza di tutti i Lager. Le donne di Birkenau raccontano che, una volta conquistata una gamella (una grossa scodella di lamiera smaltata), se ne dovevano servire per tre usi distinti: per riscuotere la zuppa quotidiana; per evacuarvi di notte, quando l'accesso alla latrina era vietato; e per lavarsi quando c'era acqua ai lavatoi.

Il regime alimentare di tutti i campi comprendeva un litro di zuppa al giorno; nel nostro Lager, per concessione

dello stabilimento chimico per cui lavoravamo, i litri erano
due. L'acqua da eliminare era dunque molta, e questo ci
costringeva a chiedere spesso di andare alla latrina, o ad
arrangiarci diversamente negli angoli del cantiere. Alcuni
fra i prigionieri non riuscivano a controllarsi: sia per debo-
lezza di vescica, sia per accessi di paura, sia per nevrosi,
erano costretti ad orinare con urgenza, e spesso si bagna-
vano, per il che venivano puniti e derisi. Un italiano mio
coetaneo, che dormiva in una cuccetta al terzo piano dei
letti a castello, ebbe di notte un incidente, e bagnò gli in-
quilini del piano di sotto che denunciarono subito il fatto
al capobaracca. Questi piombò sull'italiano, che contro
ogni evidenza negò l'addebito. Il capo allora gli ordinò di
orinare, sul posto e sul momento, per dimostrare la sua in-
nocenza; lui naturalmente non ci riuscí, e fu coperto di
botte, ma nonostante la sua ragionevole richiesta non fu
trasferito alla cuccetta piú bassa. Era un atto amministra-
tivo che avrebbe comportato troppe complicazioni al fu-
riere della baracca.

Analoga alla costrizione escrementizia era la costrizione
della nudità. In Lager si entrava nudi: anzi, piú che nudi,
privi non solo degli abiti e delle scarpe (che venivano con-
fiscati) ma dei capelli e di tutti gli altri peli. Lo stesso si fa,
o si faceva, anche all'ingresso in caserma, certo, ma qui la
rasatura era totale e settimanale, e la nudità pubblica e col-
lettiva era una condizione ricorrente, tipica e piena di si-
gnificato. Era anche questa una violenza con qualche radi-
ce di necessità (è chiaro che ci si deve spogliare per una
doccia o per una visita medica), ma offensiva per la sua
inutile ridondanza. La giornata del Lager era costellata di
innumerevoli spogliazioni vessatorie: per il controllo dei
pidocchi, per le perquisizioni degli abiti, per la visita della
scabbia, per la lavatura mattutina; ed inoltre per le selezio-
ni periodiche, in cui una «commissione» decideva chi era
ancora atto al lavoro e chi invece era destinato alla elimi-
nazione. Ora, un uomo nudo e scalzo si sente i nervi e i
tendini recisi: è una preda inerme. Gli abiti, anche quelli

immondi che venivano distribuiti, anche le scarpacce dalla suola di legno, sono una difesa tenue ma indispensabile. Chi non li ha non percepisce piú se stesso come un essere umano, bensí come un lombrico: nudo, lento, ignobile, prono al suolo. Sa che potrà essere schiacciato ad ogni momento.

La stessa sensazione debilitante di impotenza e di destituzione era provocata, nei primi giorni di prigionia, dalla mancanza di un cucchiaio: è questo un dettaglio che può apparire marginale a chi è abituato fin dall'infanzia all'abbondanza di attrezzi di cui dispone anche la piú povera delle cucine, ma marginale non era. Senza cucchiaio, la zuppa quotidiana non poteva essere consumata altrimenti che lappandola come fanno i cani; solo dopo molti giorni di apprendistato (ed anche qui, quanto era importante riuscire subito a capire ed a farsi capire!) si veniva a sapere che nel campo i cucchiai c'erano sí, ma che bisognava comprarseli al mercato nero pagandoli con zuppa o pane: un cucchiaio costava di solito mezza razione di pane o un litro di zuppa, ma ai nuovi arrivati inesperti veniva chiesto sempre molto di piú. Eppure, alla liberazione del campo di Auschwitz, abbiamo trovato nei magazzini migliaia di cucchiai nuovissimi di plastica trasparente, oltre a decine di migliaia di cucchiai d'alluminio, d'acciaio o perfino d'argento, che provenivano dal bagaglio dei deportati in arrivo. Non era dunque una questione di risparmio, ma un preciso intento di umiliare. Ritorna alla mente l'episodio narrato in *Giudici* 7.5, in cui il condottiero Gedeone sceglie i migliori fra i suoi guerrieri osservando il modo in cui si comportano nel bere al fiume: scarta tutti quelli che lambiscono l'acqua «come fa il cane» o che si inginocchiano, ed accetta solo quelli che bevono in piedi, recando la mano alla bocca.

Esiterei a definire in tutto inutili altre vessazioni e violenze che sono state descritte ripetutamente e concordemente da tutta la memorialistica sui Lager. È noto che in tutti i campi si procedeva una o due volte al giorno ad un

appello. Non era certo un appello nominale, che su migliaia o decine di migliaia di prigionieri sarebbe stato impossibile: tanto piú in quanto essi non erano mai designati col loro nome, bensí solo col numero di matricola, di cinque o sei cifre. Era uno *Zählappell*, un appello-conteggio complicato e laborioso perché doveva tenere conto dei prigionieri trasferiti in altri campi o all'infermeria la sera prima e di quelli morti nella notte, e perché l'effettivo doveva quadrare esattamente con i dati del giorno precedente e con il conteggio per cinquine che avveniva durante la sfilata delle squadre dirette al lavoro. Eugen Kogon riferisce che a Buchenwald dovevano comparire all'appello serale anche i moribondi e i morti; distesi a terra anziché in piedi, dovevano anche loro essere disposti in fila per cinque, per facilitare il conteggio.

Questo appello si svolgeva (naturalmente all'aperto) con ogni tempo, e durava almeno un'ora, ma anche due o tre se il conto non tornava; e addirittura ventiquattr'ore o piú se si sospettava una evasione. Quando pioveva, o nevicava, o il freddo era intenso, diventava una tortura, peggiore dello stesso lavoro, alla cui fatica si sommava alla sera; veniva percepito come una cerimonia vuota e rituale, ma tale probabilmente non era. Non era inutile, come del resto, in questa chiave d'interpretazione, non era inutile la fame, né il lavoro estenuante, e neppure (mi si perdoni il cinismo: sto cercando di ragionare con una logica non mia) la morte per gas di adulti e bambini. Tutte queste sofferenze erano lo svolgimento di un tema, quello del presunto diritto del popolo superiore di asservire o eliminare il popolo inferiore; tale era anche quell'appello, che nei nostri sogni del «dopo» era diventato l'emblema stesso del Lager, assommando in sé la fatica, il freddo, la fame e la frustrazione. La sofferenza che provocava, e che ogni giorno d'inverno provocava qualche collasso o qualche morte, stava dentro il sistema, dentro la tradizione del *Drill*, della feroce pratica militaresca che era eredità prussiana, e che Buchner ha eternato nel *Woyzek*.

Del resto, mi pare evidente che sotto molti dei suoi aspetti piú penosi ed assurdi il mondo concentrazionario non era che una versione, un adattamento della prassi militare tedesca. L'esercito dei prigionieri nei Lager doveva essere una copia ingloriosa dell'esercito propriamente detto: o per meglio dire, una sua caricatura. Un esercito ha una divisa: pulita, onorata e coperta di insegne quella del soldato, lurida muta e grigia quella del Häftling; ma tutte e due devono avere cinque bottoni, altrimenti sono guai. Un esercito sfila al passo militare, in ordine chiuso, al suono di una banda: perciò ci dev'essere una banda anche nel Lager, e la sfilata dev'essere una sfilata a regola d'arte, con l'attenti a sinistr davanti al palco delle autorità, a suon di musica. Questo cerimoniale è talmente necessario, talmente ovvio, da prevalere addirittura sulla legislazione antiebraica del Terzo Reich: con sofisticheria paranoica, essa vietava alle orchestre ed ai musicisti ebrei di suonare spartiti di autori ariani, perché questi ne sarebbero stati contaminati. Ma nei Lager di ebrei non c'erano musicanti ariani, né del resto esistono molte marce militari scritte da compositori ebrei; perciò, in deroga alle regole di purezza, Auschwitz era l'unico luogo tedesco in cui musicanti ebrei potessero, anzi dovessero, suonare musica ariana: necessità non ha legge.

Retaggio di caserma era anche il rito del «rifare il letto». Beninteso, quest'ultimo termine è ampiamente eufemistico; dove esistevano letti a castello, ogni cuccetta era costituita da un sottile materasso riempito di trucioli di legno, da due coperte e da un cuscino di crine, e vi dormivano di regola due persone. I letti dovevano essere rifatti subito dopo la sveglia, simultaneamente in tutta la baracca; bisognava quindi che gli inquilini dei piani bassi si arrangiassero a sistemare materasso e coperte in mezzo ai piedi degli inquilini dei piani alti, in equilibrio precario sulle sponde di legno, ed intenti allo stesso lavoro: tutti i letti dovevano essere messi in ordine entro un minuto o due, perché subito dopo incominciava la distribuzione del pa-

ne. Erano momenti di frenesia: l'atmosfera si riempiva di polvere fino a diventare opaca, di tensione nervosa e di improperi scambiati in tutte le lingue, perché il «rifare il letto» (*Bettenbauen*: era un termine tecnico) era un'operazione sacrale, da eseguirsi secondo regole ferree. Il materasso, fetido di muffa e cosparso di macchie sospette, doveva essere sprimacciato: esistevano a tale scopo due scuciture nella fodera, in cui introdurre le mani. Una delle due coperte doveva essere rimboccata sul materasso, e l'altra stesa sopra il cuscino in modo da fare uno scalino netto, a spigoli vivi. A operazione ultimata, il tutto doveva presentarsi come un parallelepipedo rettangolo a facce ben piane, a cui era sovrapposto il parallelepipedo piú piccolo del cuscino.

Per le SS del campo, e di conseguenza per tutti i capibaracca, il *Bettenbauen* rivestiva un'importanza primaria ed indecifrabile: forse era il simbolo dell'ordine e della disciplina. Chi faceva male il letto, o dimenticava di farlo, veniva punito pubblicamente e con ferocia; inoltre, in ogni baracca esisteva una coppia di funzionari, i *Bettnachzieher* («ripassatori dei letti»: termine che non credo esista nel tedesco normale, e che certo Goethe non avrebbe capito), il cui compito era di verificare ogni singolo letto, e poi di curarne l'allineamento trasversale. A tale scopo, erano muniti di uno spago lungo quanto la baracca: lo tendevano al di sopra dei letti rifatti, e rettificavano al centimetro le eventuali deviazioni. Piú che tormentoso, questo ordine maniacale appariva assurdo e grottesco: infatti, il materasso spianato con tanta cura non aveva alcuna consistenza, e a sera, sotto il peso dei corpi, si appiattiva immediatamente fino alle assicelle che lo sostenevano. Di fatto, si dormiva sul legno.

In confini ben piú estesi, si ha l'impressione che per tutta la Germania hitleriana il codice ed il galateo della caserma dovessero sostituire quelli tradizionali e «borghesi»: la violenza insulsa del *Drill* aveva cominciato a invadere fin dal 1934 il campo dell'educazione e si ritorceva contro lo

stesso popolo tedesco. Dai giornali dell'epoca, che aveva-
no conservato una certa libertà di cronaca e di critica, si ha
notizia di marce estenuanti imposte a ragazzi e ragazze
adolescenti nel quadro delle esercitazioni premilitari: fino
a 50 chilometri al giorno, con zaino in spalla, e nessuna
pietà per i ritardatari. I genitori e i medici che osavano
protestare venivano minacciati di sanzioni politiche.

Diverso è il discorso da farsi sul tatuaggio, invenzione
auschwitziana autoctona. A partire dall'inizio del 1942, ad
Auschwitz e nei Lager che ne dipendevano (nel 1944 era-
no una quarantina) il numero di matricola dei prigionieri
non veniva piú soltanto cucito agli abiti, ma tatuato sull'a-
vambraccio sinistro. Da questa norma erano esentati solo
i prigionieri tedeschi non ebrei. L'operazione veniva ese-
guita con metodica rapidità da «scrivani» specializzati, al-
l'atto dell'immatricolazione dei nuovi arrivati, provenienti
sia dalla libertà, sia da altri campi o dai ghetti. In ossequio
al tipico talento tedesco per le classificazioni, si venne pre-
sto delineando un vero e proprio codice: gli uomini dove-
vano essere tatuati sull'esterno del braccio e le donne sul-
l'interno; il numero degli zingari doveva essere preceduto
da una Z; quello degli ebrei, a partire dal maggio 1944 (e
cioè dall'arrivo in massa degli ebrei ungheresi) doveva es-
sere preceduto da una A, che poco dopo fu sostituita da
una B. Fino al settembre 1944 non c'erano bambini ad
Auschwitz: venivano uccisi tutti col gas al loro arrivo. Do-
po questa data, cominciarono ad arrivare intere famiglie di
polacchi, arrestati a caso durante l'insurrezione di Varsa-
via: essi vennero tatuati tutti, compresi i neonati.

L'operazione era poco dolorosa e non durava piú di un
minuto, ma era traumatica. Il suo significato simbolico era
chiaro a tutti: questo è un segno indelebile, di qui non
uscirete piú; questo è il marchio che si imprime agli schiavi
ed al bestiame destinato al macello, e tali voi siete diven-
tati. Non avete piú nome: questo è il vostro nuovo nome.

La violenza del tatuaggio era gratuita, fine a se stessa, pura offesa: non bastavano i tre numeri di tela cuciti ai pantaloni, alla giacca ed al mantello invernale? No, non bastavano: occorreva un di piú, un messaggio non verbale, affinché l'innocente sentisse scritta sulla carne la sua condanna. Era anche un ritorno barbarico, tanto piú conturbante per gli ebrei ortodossi; infatti, proprio a distinguere gli ebrei dai «barbari», il tatuaggio è vietato dalla legge mosaica (*Levitico* 19.28).

A distanza di quarant'anni, il mio tatuaggio è diventato parte del mio corpo. Non me ne glorio né me ne vergogno, non lo esibisco e non lo nascondo. Lo mostro malvolentieri a chi me ne fa richiesta per pura curiosità; prontamente e con ira a chi si dichiara incredulo. Spesso i giovani mi chiedono perché non me lo faccio cancellare, e questo mi stupisce: perché dovrei? Non siamo molti nel mondo a portare questa testimonianza.

Occorre fare violenza (utile?) su se stessi per indursi a parlare del destino dei piú indifesi. Cerco, ancora una volta, di seguire una logica non mia. Per un nazista ortodosso doveva essere ovvio, netto, chiaro che tutti gli ebrei dovessero essere uccisi: era un dogma, un postulato. Anche i bambini, certo: anche e specialmente le donne incinte, perché non nascessero futuri nemici. Ma perché, nelle loro razzie furiose, in tutte le città e i villaggi del loro impero sterminato, violare le porte dei morenti? Perché affannarsi a trascinarli sui loro treni, per portarli a morire lontano, dopo un viaggio insensato, in Polonia, sulla soglia delle camere a gas? Nel mio convoglio c'erano due novantenni moribonde, prelevate dall'infermeria di Fòssoli: una morí in viaggio, assistita invano dalle figlie. Non sarebbe stato piú semplice, piú «economico», lasciarle morire, o magari ucciderle, nei loro letti, anziché inserire la loro agonia nell'agonia collettiva della tradotta? Veramente si è indotti a pensare che, nel Terzo Reich, la scelta migliore, la scelta

imposta dall'alto, fosse quella che comportava la massima afflizione, il massimo spreco di sofferenza fisica e morale. Il «nemico» non doveva soltanto morire, ma morire nel tormento.

Sul lavoro nei Lager si è scritto molto; io stesso l'ho descritto a suo tempo. Il lavoro non retribuito, cioè schiavistico, era uno dei tre scopi del sistema concentrazionario; gli altri due erano l'eliminazione degli avversari politici e lo sterminio delle cosiddette razze inferiori. Sia detto per inciso: il regime concentrazionario sovietico differiva da quello nazista essenzialmente per la mancanza del terzo termine e per il prevalere del primo.

Nei primi Lager, quasi coevi con la conquista del potere da parte di Hitler, il lavoro era puramente persecutorio, praticamente inutile ai fini produttivi: mandare gente denutrita a spalare torba o a spaccare pietre serviva solo a scopo terroristico. Del resto, per la retorica nazista e fascista, erede in questo della retorica borghese, «il lavoro nobilita», e quindi gli ignobili avversari del regime non sono degni di lavorare nel senso usuale del termine. Il loro lavoro dev'essere afflittivo: non deve lasciare spazio alla professionalità, dev'essere quello delle bestie da soma, tirare, spingere, portare pesi, piegare la schiena sulla terra. Violenza inutile anche questa: utile forse solo a stroncare le resistenze attuali ed a punire le resistenze passate. Le donne di Ravensbrück raccontano di interminabili giornate trascorse durante il periodo di quarantena (e cioè prima dell'inquadramento nelle squadre di lavoro in fabbrica) a spalare la sabbia delle dune: a cerchio, sotto il sole di luglio, ogni deportata doveva spostare la sabbia dal suo mucchio a quello della vicina di destra, in un girotondo senza scopo e senza fine, poiché la sabbia tornava da dove era venuta.

Ma è dubbio che questo tormento del corpo e dello spirito, mitico e dantesco, fosse stato escogitato per prevenire l'aggregarsi di nuclei di autodifesa o di resistenza attiva: le

SS dei Lager erano piuttosto bruti ottusi che demoni sottili. Erano stati educati alla violenza: la violenza correva nelle loro vene, era normale, ovvia. Trapelava dai loro visi, dai loro gesti, dal loro linguaggio. Umiliare, far soffrire il «nemico», era il loro ufficio di ogni giorno; non ci ragionavano sopra, non avevano secondi fini: il fine era quello. Non intendo dire che fossero fatti di una sostanza umana perversa, diversa dalla nostra (i sadici, gli psicopatici c'erano anche fra loro, ma erano pochi): semplicemente, erano stati sottoposti per qualche anno ad una scuola in cui la morale corrente era stata capovolta. In un regime totalitario, l'educazione, la propaganda e l'informazione non incontrano ostacoli: hanno un potere illimitato, di cui chi è nato e vissuto in un regime pluralistico difficilmente può costruirsi un'idea.

A differenza della fatica puramente persecutoria, quale quella che ho appena descritta, il lavoro poteva invece talvolta diventare una difesa. Lo era per i pochi che in Lager riuscivano ad essere inseriti nel loro proprio mestiere: sarti, ciabattini, falegnami, fabbri, muratori; questi, ritrovando la loro attività consueta, recuperavano in pari tempo, in certa misura, la loro dignità umana. Ma lo era anche per molti altri, come esercizio della mente, come evasione dal pensiero della morte, come modo di vivere alla giornata; del resto, è esperienza comune che le cure quotidiane, anche se penose o fastidiose, aiutano a distogliere la mente da minacce piú gravi ma piú lontane.

Ho notato spesso su alcuni miei compagni (qualche volta anche su me stesso) un fenomeno curioso: l'ambizione del «lavoro ben fatto» è talmente radicata da spingere a «far bene» anche lavori nemici, nocivi ai tuoi e alla tua parte, tanto che occorre uno sforzo consapevole per farli invece «male». Il sabotaggio del lavoro nazista, oltre ad essere pericoloso, comportava anche il superamento di ataviche resistenze interne. Il muratore di Fossano che mi ha salvato la vita, e che ho descritto in *Se questo è un uomo* e in *Lilít*, detestava la Germania, i tedeschi, il loro cibo, la

loro parlata, la loro guerra; ma quando lo misero a tirare su muri di protezione contro le bombe, li faceva diritti, solidi, con mattoni bene intrecciati e con tutta la calcina che ci voleva; non per ossequio agli ordini, ma per dignità professionale. In *Una giornata di Ivan Denisovič* (Einaudi, Torino 1963) Solženicyn descrive una situazione quasi identica: Ivan, il protagonista, condannato senza alcuna sua colpa a dieci anni di lavoro forzato, prova compiacimento nel tirar su un muro a regola d'arte, e nel constatare poi che è riuscito ben diritto: Ivan «... era fatto proprio in quel modo cretino, né gli otto anni passati nei campi di prigionia erano valsi a fargli perdere quell'abitudine: apprezzava ogni cosa ed ogni lavoro e non poteva permettere che si rovinassero inutilmente». Chi ha visto un celebre film, *Il ponte sul fiume Kwai*, ricorderà lo zelo assurdo con cui l'ufficiale inglese prigioniero dei giapponesi si affanna a costruire per loro un audacissimo ponte in legno, e si scandalizza quando si accorge che i guastatori inglesi lo hanno minato. Come si vede, l'amore per il lavoro ben fatto è una virtú fortemente ambigua. Ha animato Michelangelo fino ai suoi ultimi giorni, ma anche Stangl, il diligentissimo carnefice di Treblinka, replica con stizza alla sua intervistatrice: «Tutto ciò che facevo di mia libera volontà dovevo farlo il meglio che potevo. Sono fatto cosí». Della stessa virtú va fiero Rudolf Höss, il comandante di Auschwitz, quando racconta il travaglio creativo che lo condusse ad inventare le camere a gas.

Vorrei ancora accennare, come esempio estremo di violenza ad un tempo stupida e simbolica, all'empio uso che è stato fatto (non saltuariamente, ma con metodo) del corpo umano come di un oggetto, di una cosa di nessuno, di cui si poteva disporre in modo arbitrario. Sugli esperimenti medici condotti a Dachau, ad Auschwitz, a Ravensbrück ed altrove, molto è già stato scritto, ed alcuni dei responsabili, che non tutti erano medici ma spesso si improvvisavano tali, sono anche stati puniti (non Josef Mengele, il maggiore ed il peggiore di tutti). La gamma di questi esperi-

menti si estendeva da controlli di nuovi medicamenti su prigionieri inconsapevoli, fino a torture insensate e scientificamente inutili, come quelle svolte a Dachau, per ordine di Himmler e per conto della Luftwaffe. Qui, gli individui prescelti, talvolta previamente sovralimentati per ricondurli alla normalità fisiologica, venivano sottoposti a lunghi soggiorni in acqua gelida, o introdotti in camere di decompressione in cui si simulava la rarefazione dell'aria a 20 000 metri (quota che gli aerei dell'epoca erano ben lontani dal raggiungere!) per stabilire a quale altitudine il sangue umano incomincia a bollire: un dato, questo, che si può ottenere in qualsiasi laboratorio, con minima spesa e senza vittime, o addirittura dedurre da comuni tabelle. Mi pare significativo ricordare questi abomini in un'epoca in cui, con ragione, viene messo in discussione entro quali limiti sia lecito condurre esperimenti scientifici dolorosi sugli animali da laboratorio. Questa crudeltà tipica e senza scopo apparente, ma altamente simbolica, si estendeva, appunto perché simbolica, alle spoglie umane dopo la morte: a quelle spoglie che ogni civiltà, a partire dalla piú lontana preistoria, ha rispettato, onorato e talvolta temuto. Il trattamento a cui venivano sottoposte nei Lager voleva esprimere che non si trattava di resti umani, ma di materia bruta, indifferente, buona nel migliore dei casi per qualche impiego industriale. Desta orrore e raccapriccio, dopo decenni, la vetrina del museo di Auschwitz dove sono esposte alla rinfusa, a tonnellate, le capigliature recise alle donne destinate al gas o al Lager: il tempo le ha scolorite e macerate, ma continuano a mormorare al visitatore la loro muta accusa. I tedeschi non avevano fatto in tempo a farle proseguire per la loro destinazione: questa merce insolita veniva acquistata da alcune industrie tessili tedesche che la usavano per la confezione di tralicci e di altri tessuti industriali. È poco probabile che gli utilizzatori non sapessero di quale materiale si trattava. È altrettanto poco probabile che i venditori, e cioè le autorità SS del Lager, ne

traessero un utile effettivo: sulla motivazione del profitto prevaleva quella dell'oltraggio.

Le ceneri umane provenienti dai crematori, tonnellate al giorno, erano facilmente riconoscibili come tali, poiché contenevano spesso denti o vertebre. Ciò non ostante, furono usate per vari scopi: per colmare terreni paludosi, come isolante termico nelle intercapedini di costruzioni in legno, come fertilizzante fosfatico; segnatamente, furono impiegate invece della ghiaia per rivestire i sentieri del villaggio delle SS, situato accanto al campo. Non saprei dire se per pura callosità, o se non invece perché, per la sua origine, quello era materiale da calpestare.

Non mi illudo di aver dato fondo alla questione, né di aver dimostrato che la crudeltà inutile sia stata retaggio esclusivo del Terzo Reich e conseguenza necessaria delle sue premesse ideologiche; quanto sappiamo, ad esempio, della Cambogia di Pol Pot suggerisce altre spiegazioni, ma la Cambogia è lontana dall'Europa e ne sappiamo poco: come potremmo discuterne? Certo, è stato questo uno dei lineamenti fondamentali dell'hitlerismo, non solo all'interno dei Lager; e mi pare che il suo miglior commento si trovi compendiato in queste due battute ricavate dalla lunga intervista di Gitta Sereny al già citato Franz Stangl, ex comandante di Treblinka (*In quelle tenebre*, Adelphi, Milano 1975, p. 135):

«Visto che li avreste uccisi tutti... che senso avevano le umiliazioni, le crudeltà?», chiede la scrittrice a Stangl, detenuto a vita nel carcere di Düsseldorf; e questi risponde: «Per condizionare quelli che dovevano eseguire materialmente le operazioni. Per rendergli possibile fare ciò che facevano». In altre parole: prima di morire, la vittima dev'essere degradata, affinché l'uccisore senta meno il peso della sua colpa. È una spiegazione non priva di logica, ma che grida al cielo: è l'unica utilità della violenza inutile.

L'intellettuale ad Auschwitz

Scendere in polemica con uno scomparso è imbarazzante e poco leale, tanto piú quando l'assente è un amico potenziale ed un interlocutore privilegiato; però può essere un passo obbligato. Sto parlando di Hans Mayer, alias Jean Améry, il filosofo suicida, e teorico del suicidio, che già ho citato a pagina 664: fra questi due nomi sta tesa la sua vita senza pace e senza ricerca della pace. Era nato a Vienna nel 1912, da una famiglia prevalentemente ebraica, ma assimilata ed integrata nell'Impero Austro-Ungarico. Benché nessuno si fosse convertito al cristianesimo nelle debite forme, a casa sua si festeggiava il Natale attorno all'albero adorno di lustrini; in occasione dei piccoli incidenti domestici sua madre invocava Gesú, Giuseppe e Maria, e la fotografia-ricordo di suo padre, morto al fronte nella prima guerra mondiale, non mostrava un saggio ebreo barbuto, ma un ufficiale nell'uniforme dei Kaiserjäger Tirolesi. Fino ai diciannove anni, Hans non aveva mai sentito dire che esistesse una lingua jiddisch.

Si laurea a Vienna in Lettere e Filosofia, non senza qualche scontro con il nascente partito nazionalsocialista: a lui, di essere ebreo non importa, ma per i nazisti le sue opinioni e tendenze non hanno alcun peso; la sola cosa che conti è il sangue, ed il suo è impuro quanto basta per farne un nemico del Germanesimo. Un pugno nazista gli rompe un dente, e il giovane intellettuale è fiero della lacuna nella dentatura come se fosse una cicatrice riportata in un duello studentesco. Con le leggi di Norimberga del 1935, e poi

con l'annessione dell'Austria alla Germania nel 1938, il suo destino è ad una svolta, e il giovane Hans, scettico e pessimista per natura, non si fa illusioni. È abbastanza lucido (*Luzidität* sarà sempre uno dei suoi vocaboli preferiti) da capire precocemente che ogni ebreo in mani tedesche è «un morto in vacanza, uno da assassinare».

Lui, ebreo non si considera: non conosce l'ebraico né la cultura ebraica, non dà ascolto al verbo sionista, religiosamente è un agnostico. Neppure si sente in grado di costruirsi un'identità che non ha: sarebbe una falsificazione, una mascherata. Chi non è nato entro la tradizione ebraica non è un ebreo, e difficilmente può diventarlo: per definizione, una tradizione viene ereditata; è un prodotto dei secoli, non si fabbrica a posteriori. Eppure, per vivere occorre un'identità, ossia una dignità. Per lui i due concetti coincidono, chi perde l'una perde anche l'altra, muore spiritualmente: privo di difese, è quindi esposto anche alla morte fisica. Ora, a lui, ed ai molti ebrei tedeschi che come lui avevano creduto nella cultura tedesca, l'identità tedesca viene denegata: dalla propaganda nazista, sulle immonde pagine dello *Stürmer* di Streicher, l'ebreo viene descritto come un parassita peloso, grasso, dalle gambe storte, dal naso a becco, dalle orecchie a sventola, buono solo a danneggiare gli altri. Tedesco non è, per assioma; anzi, basta la sua presenza a contaminare i bagni pubblici e perfino le panchine dei parchi.

Da questa degradazione, *Entwürdigung*, è impossibile difendersi. Il mondo intero vi assiste impassibile; gli ebrei tedeschi stessi, quasi tutti, soggiacciono alla prepotenza dello Stato e si sentono obiettivamente degradati. Il solo modo per sottrarvisi è paradossale e contraddittorio: accettare il proprio destino, in questo caso l'ebraismo, ed in pari tempo ribellarsi contro la scelta imposta. Per il giovane Hans, ebreo di ritorno, essere ebreo è simultaneamente impossibile ed obbligatorio; la sua spaccatura, che lo seguirà fino alla morte e la provocherà, incomincia di qui. Nega di possedere coraggio fisico, ma non gli manca il coraggio

morale: nel 1938 lascia la sua patria «annessa» ed emigra in Belgio. D'ora in avanti sarà Jean Améry, un quasi-anagramma del suo nome originario. Per dignità, non per altro, accetterà l'ebraismo, ma come ebreo «[andrà] per il mondo come un malato di uno di quei morbi che non provocano grandi sofferenze, ma hanno sicuramente esito letale». Lui, il dotto umanista e critico tedesco, si sforza di diventare uno scrittore francese (non ci riuscirà mai), ed aderisce in Belgio ad un movimento della Resistenza le cui effettive speranze politiche sono scarsissime; la sua morale, che pagherà caramente in termini materiali e spirituali, è ormai cambiata: almeno simbolicamente, consiste nel «rendere il colpo».

Nel 1940 la marea hitleriana sommerge anche il Belgio, e Jean, che nonostante la sua scelta è rimasto un intellettuale solitario e introverso, nel 1943 cade nelle mani della Gestapo. Gli si chiede di rivelare i nomi dei suoi compagni e mandanti, altrimenti è la tortura. Lui non è un eroe; nelle sue pagine, ammette onestamente che se li avesse conosciuti avrebbe parlato, ma non li sa. Gli legano le mani congiunte dietro la schiena, e per i polsi lo sospendono a una carrucola. Dopo pochi secondi le braccia gli si slogano e rimangono rivolte all'in su, verticali dietro la schiena. Gli aguzzini insistono, infieriscono con le fruste sul corpo appeso ormai quasi incosciente, ma Jean non sa nulla, non può rifugiarsi neppure nel tradimento. Guarisce, ma è stato identificato come ebreo, e lo spediscono ad Auschwitz-Monowitz, lo stesso Lager in cui anch'io sarei stato rinchiuso qualche mese piú tardi.

Pur senza esserci mai riveduti, ci siamo scambiate alcune lettere dopo la liberazione, essendoci riconosciuti, o per meglio dire conosciuti, attraverso i rispettivi libri. I nostri ricordi di laggiú coincidono abbastanza bene sul piano dei dettagli materiali, ma divergono su un particolare curioso: io, che ho sempre sostenuto di conservare di Auschwitz una memoria completa e indelebile, ho dimenticato la sua

figura; lui afferma di ricordarsi di me, anche se mi confondeva con Carlo Levi, a quel tempo già noto in Francia come fuoruscito e come pittore. Dice anzi che abbiamo soggiornato per qualche settimana nella stessa baracca, e che non mi ha dimenticato perché gli italiani erano cosí pochi da costituire quasi una rarità; inoltre, perché in Lager, negli ultimi due mesi, io esercitavo sostanzialmente la mia professione, quella del chimico: e questa era una rarità anche maggiore.

Questo mio saggio vorrebbe essere, allo stesso tempo, un sunto, una parafrasi, una discussione ed una critica di un *suo* saggio amaro e gelido, che ha due titoli (*L'intellettuale ad Auschwitz* e *Ai confini dello spirito*). È tratto da un volume che da molti anni vorrei vedere tradotto in italiano: anch'esso ha due titoli, *Al di là della colpa e dell'espiazione* e *Tentativo di superamento di un sopraffatto* (*Jenseits von Schuld und Sühne*, Szczesny, München 1966).

Come si vede dal primo titolo, il tema del saggio di Améry è circoscritto con precisione. Améry è stato in varie prigioni naziste, ed inoltre, dopo Auschwitz, ha soggiornato brevemente a Buchenwald ed a Bergen-Belsen, ma le sue osservazioni, per buoni motivi, si limitano ad Auschwitz: i confini dello spirito, il non-immaginabile, erano là. Essere un intellettuale era ad Auschwitz un vantaggio o uno svantaggio?

Occorre naturalmente definire che cosa si intenda per intellettuale. La definizione che Améry propone è tipica e discutibile:

certo non intendo alludere a chiunque eserciti una delle cosiddette professioni intellettuali: l'aver avuto un buon livello d'istruzione è forse una condizione necessaria, ma non sufficiente. Ognuno di noi conosce avvocati, medici, ingegneri, probabilmente anche filologi, che sono certamente intelligenti, magari anche eccellenti nel loro ramo, ma che non possono essere definiti intellettuali. Un intel-

lettuale, come io vorrei fosse qui inteso, è un uomo che vi-
ve entro un sistema di riferimento che è spirituale nel sen-
so piú vasto. Il campo delle sue associazioni è essenzial-
mente umanistico o filosofico. Ha una coscienza estetica
bene sviluppata. Per tendenza e per attitudine, è attirato
dal pensiero astratto (...) Se gli si parla di «società», non
intende il termine nel senso mondano, ma in quello socio-
logico. Il fenomeno fisico che conduce a un corto circuito
non gli interessa, ma la sa lunga su Neidhart von Reuen-
thal, poeta cortese del mondo contadino.

La definizione mi sembra inutilmente restrittiva: piú
che una definizione, è un'autodescrizione, e dal contesto
in cui è inserita non escluderei un'ombra di ironia: in ef-
fetti, conoscere von Reuenthal, come certamente Améry
lo conosceva, ad Auschwitz serviva poco. A me pare piú
opportuno che nel termine «intellettuale» vengano com-
presi, ad esempio, anche il matematico o il naturalista o il
filosofo della scienza; inoltre, va notato che in paesi diver-
si esso assume colorazioni diverse. Ma non c'è motivo di
sottilizzare; viviamo infine in una Europa che si pretende
unita, e le considerazioni di Améry reggono bene anche se
il concetto in discussione viene inteso nel suo senso piú
largo; né vorrei seguire le tracce di Améry, e modellare
una definizione alternativa sulla mia condizione attuale
(«intellettuale» sarò forse oggi, anche se il vocabolo mi dà
un vago disagio; certamente non lo ero allora, per immatu-
rità morale, ignoranza ed estraniamento; se lo sono diven-
tato poi, lo devo paradossalmente proprio all'esperienza
del Lager). Proporrei di estendere il termine alla persona
colta al di là del suo mestiere quotidiano; la cui cultura è
viva, in quanto si sforza di rinnovarsi, accrescersi ed ag-
giornarsi; e che non prova indifferenza o fastidio davanti
ad alcun ramo del sapere, anche se, evidentemente, non li
può coltivare tutti.

Comunque, e su qualunque definizione ci si soffermi,
sulle conclusioni di Améry non si può che concordare. Sul

lavoro, che era prevalentemente manuale, in generale l'uo-
mo colto stava in Lager molto peggio dell'incolto. Gli
mancava, oltre alla forza fisica, la famigliarità con gli at-
trezzi e l'allenamento, che spesso avevano invece i suoi
colleghi operai o contadini; per contro, era tormentato da
un acuto senso di umiliazione e destituzione. Di *Entwürdi-
gung*, appunto: di dignità perduta. Ricordo con precisione
il mio primo giorno di lavoro nel cantiere della Buna. Pri-
ma ancora di inserire il nostro trasporto di italiani (quasi
tutti professionisti o commercianti) nell'anagrafe del cam-
po, ci mandarono temporaneamente ad allargare una gros-
sa trincea di terra argillosa. Mi misero in mano una pala, e
fu subito un disastro: avrei dovuto impalare la terra smos-
sa del fondo della trincea, ed alzarla al di sopra del bordo,
che era ormai più alto di due metri. Sembra facile e non è:
se non si lavora di slancio, e con lo slancio giusto, la terra
non resta nella pala ma ricade, e spesso sulla testa dello
sterratore inesperto.

Anche il capomastro «civile» a cui fummo assegnati era
provvisorio. Era un tedesco anziano, aveva l'aria di un
brav'uomo, e si mostrò sinceramente scandalizzato dalla
nostra goffaggine. Quando tentammo di spiegargli che
quasi nessuno di noi aveva mai tenuto una pala in mano,
alzò le spalle con impazienza: che diamine, eravamo pri-
gionieri in panni zebra, per giunta ebrei. Tutti devono la-
vorare, perché «il lavoro rende liberi»: non stava scritto
così sulla porta del Lager? Non era uno scherzo, era pro-
prio così. Bene, se non sapevamo lavorare, avevamo solo
da imparare; non eravamo forse dei capitalisti? ci stava be-
ne: oggi a me, domani a te. Alcuni di noi si ribellarono, e
presero i primi colpi della loro carriera dai Kapos che ispe-
zionavano la zona; altri si abbatterono; altri ancora (io fra
questi) intuirono confusamente che una via d'uscita non
c'era, e che la soluzione migliore era quella di imparare a
maneggiare la pala e il piccone.

Tuttavia, a differenza di Améry e di altri, il mio sen-
so di umiliazione per il lavoro manuale è stato moderato:

evidentemente non ero ancora abbastanza «intellettuale». In fondo, perché no? Avevo una laurea, certo, ma era stata una mia fortuna non meritata; la mia famiglia era stata ricca abbastanza da farmi studiare: molti miei coetanei avevano spalato terra fin dall'adolescenza. Non volevo l'uguaglianza? Ebbene, l'avevo avuta. Ho dovuto cambiare opinione pochi giorni dopo, quando le mani e i piedi mi si sono coperti di vesciche e di infezioni: no, neanche sterratori non ci si improvvisa. Ho dovuto imparare in fretta alcune cose fondamentali, che i meno fortunati (ma in Lager erano i piú fortunati!) imparano fin da bambini: il modo giusto di impugnare gli attrezzi, i movimenti corretti delle braccia e del tronco, il controllo della fatica e la sopportazione del dolore, il sapersi fermare poco prima dell'esaurimento, a costo di prendere schiaffi e calci dai Kapos, e talvolta anche dai tedeschi «civili» della IG Farbenindustrie. I colpi, l'ho detto altrove, generalmente non sono mortali, il collasso invece sí; un pugno dato a regola d'arte contiene in sé la sua stessa anestesia, sia corporea, sia spirituale.

A parte il lavoro, anche la vita in baracca era piú penosa per l'uomo colto. Era una vita hobbesiana, una guerra continua di tutti contro tutti (insisto: cosí ad Auschwitz, capitale concentrazionaria, nel 1944. Altrove, o in altri tempi, la situazione poteva essere migliore, o anche molto peggiore). Il pugno dato dall'Autorità poteva essere accettato, era, letteralmente, un caso di forza maggiore; erano inaccettabili invece, perché inaspettati e fuori regola, i colpi ricevuti dai compagni, a cui raramente l'uomo incivilito sapeva reagire. Inoltre, una dignità poteva essere trovata nel lavoro manuale, anche nel piú faticoso, ed era possibile adattarvisi, magari ravvisandovi una rozza ascesi, o, a seconda dei temperamenti, un «misurarsi» conradiano, una ricognizione dei propri confini. Era molto piú difficile accettare la routine della baracca: rifare il letto nel modo perfezionistico ed idiota che ho descritto fra le violenze inutili, lavare il pavimento di legno con luridi stracci

bagnati, vestirsi e spogliarsi a comando, esibirsi nudi agli innumerevoli controlli dei pidocchi, della scabbia, della pulizia personale, far propria la parodia militaristica dell'«ordine chiuso», dell'«attenti a destr», del «giú il berretto» di scatto davanti al graduato SS dal ventre porcino. Questa sí era sentita come una destituzione, una regressione esiziale verso uno stato d'infanzia desolato, privo di maestri e di amore.

Anche Améry-Mayer afferma di aver sofferto per la mutilazione del linguaggio a cui ho accennato nel quarto capitolo: eppure lui era di lingua tedesca. Ne ha sofferto in modo diverso da noi alloglotti ridotti alla condizione di sordomuti: in un modo, se mi è lecito, piú spirituale che materiale. Ne ha sofferto *perché* era di lingua tedesca, perché era un filologo amante della sua lingua: come soffrirebbe uno scultore nel veder deturpare o amputare una sua statua. La sofferenza dell'intellettuale era dunque diversa, in questo caso, da quella dello straniero incolto: per questo, il tedesco del Lager era un linguaggio che lui non capiva, con rischio della sua vita; per quello, era un gergo barbarico, che lui capiva, ma che gli scorticava la bocca se cercava di parlarlo. L'uno era un deportato, l'altro uno straniero in patria.

A proposito dei colpi fra compagni: non senza divertimento e fierezza retrospettiva, Améry racconta in un altro suo saggio un episodio-chiave, da inserirsi nella sua nuova morale del *Zurückschlagen*, del «rendere il colpo». Un gigantesco criminale comune polacco, per un'inezia, gli dà un pugno sul viso; lui, non per reazione animalesca, ma per ragionata rivolta contro il mondo stravolto del Lager, rende il colpo meglio che può. «La mia dignità, – dice, – stava tutta in quel pugno diretto alla sua mascella; che poi in conclusione sia stato io, fisicamente molto piú debole, a soccombere sotto un pestaggio spietato, non ebbe piú alcuna importanza. Dolorante per le botte, ero soddisfatto di me stesso».

Qui devo ammettere una mia assoluta inferiorità: non

ho mai saputo «rendere il colpo», non per santità evange-
lica né per aristocrazia intellettualistica, ma per intrinseca
incapacità. Forse per mancanza di una seria educazione
politica: infatti, non esiste programma politico, anche il
piú moderato, anche il meno violento, che non ammetta
una qualche forma di difesa attiva. Forse per mancanza di
coraggio fisico: ne posseggo una certa misura davanti ai pe-
ricoli naturali ed alla malattia, ma ne sono sempre stato to-
talmente privo davanti all'essere umano che aggredisce.
«Fare a pugni» è un'esperienza che mi manca, fin dall'età
piú remota a cui arrivi la mia memoria; né posso dire di
rimpiangerla. Proprio per questo la mia carriera partigiana
è stata cosí breve, dolorosa, stupida e tragica: recitavo la
parte di un altro. Ammiro la resipiscenza di Améry, la sua
scelta coraggiosa di uscire dalla torre d'avorio e di scende-
re in campo, ma essa era, e tuttora è, fuori dalla mia porta-
ta. La ammiro: ma devo constatare che questa scelta, pro-
trattasi per tutto il suo dopo-Auschwitz, lo ha condotto su
posizioni di una tale severità ed intransigenza da renderlo
incapace di trovar gioia nella vita, anzi di vivere: chi «fa a
pugni» col mondo intero ritrova la sua dignità ma la paga
ad un prezzo altissimo, perché è sicuro di venire sconfitto.
Il suicidio di Améry, avvenuto nel 1978 a Salisburgo, co-
me tutti i suicidi ammette una nebulosa di spiegazioni, ma,
a posteriori, l'episodio della sfida contro il polacco ne offre
un'interpretazione.

Ho saputo qualche anno fa che, in una sua lettera alla
comune amica Hety S. di cui parlerò in seguito, Améry mi
ha definito «il perdonatore». Non la considero un'offesa
né una lode, bensí un'imprecisione. Non ho tendenza a
perdonare, non ho mai perdonato nessuno dei nostri nemi-
ci di allora, né mi sento di perdonare i loro imitatori in Al-
geria, in Vietnam, in Unione Sovietica, in Cile, in Argen-
tina, in Cambogia, in Sud-Africa, perché non conosco atti
umani che possano cancellare una colpa; chiedo giustizia,
ma non sono capace, personalmente, di fare a pugni né di
rendere il colpo.

Ho tentato di farlo una volta sola. Elias, il nano robusto di cui ho parlato in *Se questo è un uomo* e in *Lilít*, quello che, secondo ogni apparenza, «in Lager era felice», non rammento per quale motivo mi aveva preso per i polsi e mi stava insultando e spingendo contro un muro. Come Améry, provai un soprassalto di orgoglio; conscio di tradire me stesso, e di trasgredire ad una norma trasmessami da innumerevoli antenati alieni dalla violenza, cercai di difendermi e gli assestai un calcio nella tibia con lo zoccolo di legno. Elias ruggí, non per il dolore ma per la sua dignità lesa. Fulmineo, mi incrociò le braccia sul petto e mi abbatté a terra con tutto il suo peso; poi mi serrò la gola, sorvegliando attentamente il mio viso con i suoi occhi che ricordo benissimo, a una spanna dai miei, fissi, di un azzurro pallido di porcellana. Strinse finché vide approssimarsi i segni dell'incoscienza; poi, senza una parola, mi lasciò e se ne andò.

Dopo questa conferma, preferisco, nei limiti del possibile, delegare punizioni, vendette e ritorsioni alle leggi del mio paese. È una scelta obbligata: so quanto i meccanismi relativi funzionino male, ma io sono quale sono stato costruito dal mio passato, e non mi è piú possibile cambiarmi. Se anch'io mi fossi visto crollare il mondo addosso; se fossi stato condannato all'esilio ed alla perdita dell'identità nazionale; se anch'io fossi stato torturato fino a svenire ed oltre, avrei forse imparato a rendere il colpo, e nutrirei come Améry quei «risentimenti» a cui egli ha dedicato un lungo saggio pieno d'angoscia.

Questi gli evidenti svantaggi della cultura ad Auschwitz. Ma non c'erano proprio vantaggi? Sarei ingrato alla modesta (e «datata») cultura liceale ed universitaria che mi è toccata in sorte se lo negassi; né lo nega Améry. La cultura poteva servire: non sovente, non dappertutto, non a tutti, ma qualche volta, in qualche occasione rara, preziosa come una pietra preziosa, serviva pure, e ci si sentiva

come sollevati dal suolo; col pericolo di ricadervi di peso, facendosi tanto piú male quanto piú alta e piú lunga era stata la esaltazione.

Améry racconta, ad esempio, di un suo amico che a Dachau studiava Maimonide: ma l'amico era infermiere nell'ambulatorio, e a Dachau, che pure era un Lager durissimo, c'era nientemeno che una biblioteca, mentre ad Auschwitz il solo poter dare un'occhiata ad un giornale era un evento inaudito e pericoloso. Racconta anche di aver tentato una sera, nella marcia di ritorno dal lavoro, in mezzo al fango polacco, di ritrovare in certi versi di Hölderlin il messaggio poetico che in altri tempi lo aveva scosso, e di non esserci riuscito: i versi erano lí, gli suonavano all'orecchio, ma non gli dicevano piú nulla; mentre in un altro momento (tipicamente, in infermeria, dopo aver consumato una zuppa fuori razione, e cioè in una tregua della fame) si era entusiasmato fino all'ebbrezza rievocando la figura di Joachim Ziemssen, l'ufficiale ammalato a morte, ma ligio al dovere, della *Montagna incantata* di Thomas Mann.

A me, la cultura è stata utile; non sempre, a volte forse per vie sotterranee ed impreviste, ma mi ha servito e forse mi ha salvato. Rileggo dopo quarant'anni in *Se questo è un uomo* il capitolo *Il canto di Ulisse*: è uno dei pochi episodi la cui autenticità ho potuto verificare (è un'operazione rassicurante: a distanza di tempo, come ho detto nel primo capitolo, della propria memoria si può dubitare), perché il mio interlocutore di allora, Jean Samuel, è fra i pochissimi personaggi del libro che siano sopravvissuti. Siamo rimasti amici, ci siamo incontrati piú volte, ed i suoi ricordi coincidono coi miei: ricorda quel colloquio, ma, per cosí dire, senza accenti, o con gli accenti spostati. A lui, allora, non interessava Dante; gli interessavo io nel mio conato ingenuo e presuntuoso di trasmettergli Dante, la mia lingua e le mie confuse reminiscenze scolastiche, in mezz'ora di tempo e con le stanghe della zuppa sulle spalle. Ebbene, dove ho scritto «darei la zuppa di oggi per saper saldare "non ne avevo alcuna" col finale», non mentivo e non

esageravo. Avrei dato veramente pane e zuppa, cioè sangue, per salvare dal nulla quei ricordi, che oggi, col supporto sicuro della carta stampata, posso rinfrescare quando voglio e gratis, e che perciò sembrano valere poco.

Allora e là, valevano molto. Mi permettevano di ristabilire un legame col passato, salvandolo dall'oblio e fortificando la mia identità. Mi convincevano che la mia mente, benché stretta dalle necessità quotidiane, non aveva cessato di funzionare. Mi promuovevano, ai miei occhi ed a quelli del mio interlocutore. Mi concedevano una vacanza effimera ma non ebete, anzi liberatoria e differenziale: un modo insomma di ritrovare me stesso. Chi ha letto o visto *Fahrenheit 451* (Mondadori, Milano 1966) di Ray Bradbury ha avuto modo di rappresentarsi che cosa significherebbe essere costretti a vivere in un mondo senza libri, e quale valore assumerebbe in esso la memoria dei libri. Per me, il Lager è stato anche questo; prima e dopo «Ulisse», ricordo di aver ossessionato i miei compagni italiani perché mi aiutassero a recuperare questo o quel brandello del mio mondo di ieri, senza cavarne molto, anzi, leggendo nei loro occhi fastidio e sospetto: che cosa va cercando, questo qui, con Leopardi e il Numero di Avogadro? Che la fame non lo stia facendo diventare matto?

Né devo trascurare l'aiuto che ho tratto dal mio mestiere di chimico. Sul piano pratico, mi ha probabilmente salvato da almeno alcune delle selezioni per il gas: da quanto ho letto in seguito sull'argomento (in specie, in *The Crime and Punishment of IG-Farben*, di J. Borkin, McMillan, London 1978) ho appreso che il Lager di Monowitz, benché dipendesse da Auschwitz, era di proprietà della IG-Farbenindustrie, era insomma un Lager privato; e gli industriali tedeschi, un po' meno miopi dei capi nazisti, si rendevano conto che gli specialisti, di cui io facevo parte dopo aver superato l'esame di chimica a cui ero stato sottoposto, non erano facilmente sostituibili. Ma non intendo alludere qui a questa condizione di privilegio, né agli ovvi vantaggi del lavorare al coperto, senza fatica fisica e senza Kapos

maneschi: alludo ad un altro vantaggio. Credo di poter contestare «per fatto personale» l'affermazione di Améry, che esclude gli scienziati, ed a maggior ragione i tecnici, dal novero degli intellettuali: questi, per lui, sarebbero da reclutarsi esclusivamente nel campo delle lettere e della filosofia. Leonardo da Vinci, che si definiva «omo sanza lettere», non era un intellettuale?

Insieme col bagaglio di nozioni pratiche, avevo ricavato dagli studi, e mi ero portato dietro in Lager, un mal definito patrimonio di abitudini mentali che derivano dalla chimica e dai suoi dintorni, ma che trovano applicazioni piú vaste. Se io agisco in un certo modo, come reagirà la sostanza che ho tra le mani, o il mio interlocutore umano? Perché essa, o lui, o lei, manifesta o interrompe o cambia un determinato comportamento? Posso anticipare cosa avverrà intorno a me fra un minuto, o domani, o fra un mese? Se sí, quali sono i segni che contano, quali quelli da trascurarsi? Posso prevedere il colpo, sapere da che parte verrà, pararlo, sfuggirlo?

Ma soprattutto, e piú specificamente: ho contratto dal mio mestiere un'abitudine che può essere variamente giudicata, e definita a piacere umana o disumana, quella di non rimanere mai indifferente ai personaggi che il caso mi porta davanti. Sono esseri umani, ma anche «campioni», esemplari in busta chiusa, da riconoscere, analizzare e pesare. Ora, il campionario che Auschwitz mi aveva squadernato davanti era abbondante, vario e strano; fatto di amici, di neutri e di nemici, comunque cibo per la mia curiosità, che alcuni, allora e dopo, hanno giudicato distaccata. Un cibo che certamente ha contribuito a mantenere viva una parte di me, e che in seguito mi ha fornito materia per pensare e per costruire libri. Come ho detto, non so se ero un intellettuale laggiú: forse lo ero a lampi, quando la pressione si allentava; se lo sono diventato dopo, l'esperienza attinta mi ha certo dato un aiuto. Lo so, questo atteggiamento «naturalistico» non viene solo né necessariamente dalla chimica, ma per me è venuto dalla chimica. D'altra

parte, non sembri cinico affermarlo: per me, come per Lidia Rolfi e per molti altri superstiti «fortunati», il Lager è stata una Università; ci ha insegnato a guardarci intorno ed a misurare gli uomini.

Sotto questo aspetto, la mia visione del mondo è stata diversa da, e complementare con, quella del mio compagno ed antagonista Améry. Dai suoi scritti traspare un interesse diverso: quello del combattente politico per il morbo che appestava l'Europa e minacciava (ed ancora minaccia) il mondo; quello del filosofo per lo Spirito, che ad Auschwitz era vacante; quello del dotto sminuito, a cui le forze della storia hanno tolto la patria e l'identità. Infatti, il suo sguardo è rivolto verso l'alto, e si sofferma raramente sul volgo del Lager, e sul suo personaggio tipico, il «mussulmano», l'uomo stremato, il cui intelletto è moribondo o morto.

La cultura poteva dunque servire, anche se solo in qualche caso marginale, e per brevi periodi; poteva abbellire qualche ora, stabilire un legame fugace con un compagno, mantenere viva e sana la mente. Certo non era utile ad orientarsi né a capire: su questo, la mia esperienza di straniero coincide con quella del tedesco Améry. La ragione, l'arte, la poesia, non aiutano a decifrare il luogo da cui esse sono state bandite. Nella vita quotidiana di «laggiú», fatta di noia trapunta di orrore, era salutare dimenticarle, allo stesso modo come era salutare imparare a dimenticare la casa e la famiglia; non intendo parlare di un oblio definitivo, di cui del resto nessuno è capace, ma di una relegazione in quel solaio della memoria dove si accumula il materiale che ingombra, e che per la vita di tutti i giorni non serve piú.

A questa operazione erano piú proclivi gli incolti dei colti. Si adattavano prima a quel «non cercar di capire» che era il primo detto sapienziale da imparasi in Lager; cercar di capire, là, sul posto, era uno sforzo inutile, anche per i molti prigionieri che venivano da altri Lager, o che,

come Améry, conoscevano la storia, la logica e la morale,
ed inoltre avevano provato la prigionia e la tortura: uno
spreco di energie che sarebbe stato piú utile investire nella
lotta quotidiana contro la fame e la fatica. Logica e morale
impedivano di accettare una realtà illogica ed immorale:
ne risultava un rifiuto della realtà che di regola conduceva
rapidamente l'uomo colto alla disperazione; ma le varietà
dell'animale-uomo sono innumerevoli, ed ho visto e de-
scritto uomini dalla cultura raffinata, specie se giovani,
farne getto, semplificarsi, imbarbarirsi e sopravvivere.

L'uomo semplice, abituato a non porsi domande, era al
riparo dall'inutile tormento del chiedersi perché; inoltre,
spesso possedeva un mestiere o una manualità che facilita-
vano il suo inserimento. Sarebbe difficile darne un elenco
completo, anche perché variava da Lager a Lager e da mo-
mento a momento. A titolo di curiosità: ad Auschwitz, nel
dicembre 1944, con i russi alle porte, i bombardamenti
quotidiani e il gelo che spaccava le condutture, fu istituito
un *Buchhalter-Kommando*, una Squadra Contabili; fu chia-
mato a farne parte anche quello Steinlauf che ho descritto
nel terzo capitolo di *Se questo è un uomo*, il che non bastò
a salvarlo dalla morte. Questo, beninteso, era un caso limi-
te, da inquadrarsi nella follia generale del tramonto del
Terzo Reich; ma era normale, e comprensibile, che trovas-
sero un buon posto i sarti, i ciabattini, i meccanici, i mura-
tori: questi, anzi, erano troppo scarsi; proprio a Monowitz
fu istituita (non certo a scopo umanitario) una scuola
d'arte muraria, per i prigionieri d'età inferiore ai diciot-
t'anni.

Anche il filosofo, dice Améry, poteva arrivare all'accet-
tazione, ma per una strada piú lunga. Poteva accadergli di
infrangere la barriera del senso comune, che gli vietava di
tenere per buona una realtà troppo feroce; poteva infine
ammettere, vivendo in un mondo mostruoso, che i mostri
esistono, e che accanto alla logica di Cartesio esisteva quel-
la delle SS:

E se coloro che si proponevano di annientarlo avessero avuto ragione, in base al fatto innegabile che erano loro i piú forti? In questo modo la fondamentale tolleranza spirituale e il dubbio metodico dell'intellettuale diventavano fattori di autodistruzione. Sí, le SS potevano bene fare quello che facevano: il diritto naturale non esiste, e le categorie morali nascono e muoiono come le mode. C'era una Germania che mandava a morte gli ebrei e gli avversari politici perché riteneva che solo per questa via avrebbe potuto realizzarsi. Ebbene? Anche la civiltà greca era fondata sulla schiavitú, ed un esercito ateniese si era accasermato a Melos come le SS in Ucraina. Erano state uccise vittime umane in numero inaudito, fin là dove la luce della storia può illuminare il passato, e comunque, la perennità del progresso umano non era che un'ingenuità nata nel XIX secolo. «Links, zwei, drei, vier», l'ordine dei Kapos per scandire il passo, era un rituale come tanti altri. A fronte dell'orrore non c'è molto da opporre: la Via Appia era stata fiancheggiata da due siepi di schiavi crocifissi, ed a Birkenau si spandeva il fetore di corpi umani bruciati. In Lager l'intellettuale non era piú dalla parte di Crasso ma in quella di Spartaco: ecco tutto.

Questa resa davanti all'orrore intrinseco del passato poteva condurre l'uomo dotto all'abdicazione intellettuale, fornendogli in pari tempo le armi di difesa del suo compagno incolto: «cosí è sempre stato, cosí sarà sempre». Forse la mia ignoranza della storia mi ha protetto da questa metamorfosi; né d'altra parte, per mia fortuna, ero esposto ad un altro pericolo a cui giustamente accenna Améry: per sua natura, l'intellettuale (tedesco, mi permetterei di aggiungere io al suo enunciato) tende a farsi complice del Potere, e quindi ad approvarlo. Tende a seguire le orme di Hegel, ed a deificare lo Stato, qualunque Stato: il solo fatto di esistere ne giustifica l'esistenza. Le cronache della Germania hitleriana brulicano di casi che confermano questa tendenza: vi hanno soggiaciuto, confermandola, Heidegger il filosofo, maestro di Sartre; Stark il fisico, premio

Nobel; Faulhaber il cardinale, suprema autorità cattolica in Germania, ed innumerevoli altri.

Accanto a questa latente propensione dell'intellettuale agnostico, Améry osserva quanto tutti noi ex prigionieri abbiamo osservato: i non agnostici, i credenti in qualsiasi credo, hanno retto meglio alla seduzione del Potere, purché, beninteso, non fossero credenti nel verbo nazionalsocialista (la riserva non è superflua: nei Lager, e contrassegnati pure loro col triangolo rosso dei prigionieri politici, c'erano anche alcuni nazisti convinti, che erano caduti in disgrazia per dissidenza ideologica o per ragioni personali. Erano spiacenti a tutti); in definitiva, hanno anche sopportato meglio la prova del Lager, e sono sopravvissuti in numero proporzionalmente piú alto.

Come Améry, anch'io sono entrato in Lager come non credente, e come non credente sono stato liberato ed ho vissuto fino ad oggi; anzi, l'esperienza del Lager, la sua iniquità spaventosa, mi ha confermato nella mia laicità. Mi ha impedito, e tuttora mi impedisce, di concepire una qualsiasi forma di provvidenza o di giustizia trascendente: perché i moribondi in vagone bestiame? perché i bambini in gas? Devo ammettere tuttavia di aver provato (e di nuovo una volta sola) la tentazione di cedere, di cercare rifugio nella preghiera. Questo è avvenuto nell'ottobre del 1944, nell'unico momento in cui mi è accaduto di percepire lucidamente l'imminenza della morte: quando, nudo e compresso fra i compagni nudi, con la mia scheda personale in mano, aspettavo di sfilare davanti alla «commissione» che con un'occhiata avrebbe deciso se avrei dovuto andare subito alla camera a gas, o se invece ero abbastanza forte per lavorare ancora. Per un istante ho provato il bisogno di chiedere aiuto ed asilo; poi, nonostante l'angoscia, ha prevalso l'equanimità: non si cambiano le regole del gioco alla fine della partita, né quando stai perdendo. Una preghiera in quella condizione sarebbe stata non solo assurda (quali diritti potevo rivendicare? e da chi?) ma blasfema, oscena, carica della massima empietà di cui un non credente sia

capace. Cancellai quella tentazione: sapevo che altrimenti, se fossi sopravvissuto, me ne sarei dovuto vergognare.

Non solo nei momenti cruciali delle selezioni o dei bombardamenti aerei, ma anche nella macina della vita quotidiana, i credenti vivevano meglio: entrambi, Améry ed io, lo abbiamo osservato. Non aveva alcuna importanza quale fosse il loro credo, religioso o politico. Sacerdoti cattolici o riformati, rabbini delle varie ortodossie, sionisti militanti, marxisti ingenui od evoluti, Testimoni di Geova, erano accomunati dalla forza salvifica della loro fede. Il loro universo era piú vasto del nostro, piú esteso nello spazio e nel tempo, soprattutto piú comprensibile: avevano una chiave ed un punto d'appoggio, un domani millenario per cui poteva avere un senso sacrificarsi, un luogo in cielo o in terra in cui la giustizia e la misericordia avevano vinto, o avrebbero vinto in un avvenire forse lontano ma certo: Mosca, o la Gerusalemme celeste, o quella terrestre. La loro fame era diversa dalla nostra; era una punizione divina, o una espiazione, o un'offerta votiva, o il frutto della putredine capitalista. Il dolore, in loro o intorno a loro, era decifrabile, e perciò non sconfinava nella disperazione. Ci guardavano con commiserazione, a volte con disprezzo; alcuni di loro, negli intervalli della fatica, cercavano di evangelizzarci. Ma come puoi, tu laico, fabbricarti o accettare sul momento una fede «opportuna» solo perché è opportuna?

Nei giorni folgoranti e densissimi che seguirono immediatamente alla liberazione, su un miserando scenario di moribondi, di morti, di vento infetto e di neve inquinata, i russi mi mandarono dal barbiere a farmi radere per la prima volta della mia nuova vita di uomo libero. Il barbiere era un ex politico, un operaio francese della «ceinture»; ci sentimmo subito fratelli, ed io feci qualche commento banale sulla nostra cosí improbabile salvazione: eravamo dei condannati a morte liberati sulla pedana della ghigliottina, vero? Lui mi guardò a bocca aperta, e poi esclamò scandalizzato: «... mais Joseph était là!» Joseph? Mi occorse qualche istante per capire che alludeva a Stalin. Lui no, non

aveva mai disperato; Stalin era la sua fortezza, la Rocca che si canta nei Salmi.

La demarcazione fra colti e incolti, beninteso, non coincideva affatto con quella fra credenti e non credenti: anzi, la tagliava ad angolo retto, a costituire quattro quadranti abbastanza ben definiti: i colti credenti, i colti laici, gli incolti credenti, gli incolti laici; quattro piccole isole frastagliate e colorate, che si stagliavano sul mare grigio, sterminato, dei semivivi che forse colti o credenti erano stati, ma che ormai non si ponevano piú domande, ed a cui sarebbe stato inutile e crudele porre domande.

L'intellettuale, nota Améry (ed io preciserei: l'intellettuale *giovane*, quali lui ed io eravamo al tempo della cattura e della prigionia), ha ricavato dalle sue letture un'immagine della morte inodora, adorna e letteraria. Traduco qui «in italiano» le sue osservazioni di filologo tedesco, tenuto a citare il «Piú luce!» di Goethe, la *Morte a Venezia* e Tristano. Da noi, in Italia, la morte è il secondo termine del binomio «amore e morte»; è la gentile trasfigurazione di Laura, Ermengarda e Clorinda; è il sacrificio del soldato in battaglia («Chi per la patria muor, vissuto è assai»); è «Un bel morir tutta la vita onora». Questo sconfinato archivio di formule difensive ed apotropaiche, ad Auschwitz (o del resto, anche oggi in qualsiasi ospedale) aveva vita breve: la *Morte ad Auschwitz* era triviale, burocratica e quotidiana. Non veniva commentata, non era «confortata di pianto». Davanti alla morte, all'abitudine alla morte, il confine tra cultura ed incultura spariva. Améry afferma che non si pensava piú al *se* morire, cosa scontata, ma piuttosto al *come*:

> Si discuteva sul tempo necessario perché il veleno delle camere a gas facesse il suo effetto. Si speculava sulla dolorosità della morte per iniezione di fenolo. C'era da augurarsi un colpo sul cranio oppure la morte per esaurimento nell'infermeria?

Su questo punto la mia esperienza ed i miei ricordi si staccano da quelli di Améry. Forse perché più giovane, forse perché più ignorante di lui, o meno segnato, o meno cosciente, non ho quasi mai avuto tempo da dedicare alla morte; avevo ben altro a cui pensare, a trovare un po' di pane, a scansare il lavoro massacrante, a rappezzarmi le scarpe, a rubare una scopa, a interpretare i segni e i visi intorno a me. Gli scopi di vita sono la difesa ottima contro la morte: non solo in Lager.

Stereotipi

Coloro che hanno sperimentato la prigionia (e, molto piú in generale, tutti gli individui che hanno attraversato esperienze severe) si dividono in due categorie ben distinte, con rare sfumature intermedie: quelli che tacciono e quelli che raccontano. Entrambi obbediscono a valide ragioni: tacciono coloro che provano piú profondamente quel disagio che per semplificare ho chiamato «vergogna», coloro che non si sentono in pace con se stessi, o le cui ferite ancora bruciano. Parlano, e spesso parlano molto, gli altri, obbedendo a spinte diverse. Parlano perché, a vari livelli di consapevolezza, ravvisano nella loro (anche se ormai lontana) prigionia il centro della loro vita, l'evento che nel bene e nel male ha segnato la loro esistenza intiera. Parlano perché sanno di essere testimoni di un processo di dimensione planetaria e secolare. Parlano perché (recita un detto jiddisch) «è bello raccontare i guai passati»; Francesca dice a Dante che non c'è «nessun maggior dolore | che ricordarsi del tempo felice | nella miseria», ma è vero anche l'inverso, come sa ogni reduce: è bello sedere al caldo, davanti al cibo ed al vino, e ricordare a sé ed agli altri la fatica, il freddo e la fame: cosí subito cede all'urgenza del raccontare, davanti alla mensa imbandita, Ulisse alla corte del re dei Feaci. Parlano, magari esagerando, da «soldati millantatori», descrivendo paura e coraggio, astuzie, offese, sconfitte e qualche vittoria: cosí facendo, si differenziano dagli «altri», consolidano la loro identità con l'appartenen-

za ad una corporazione, e sentono accresciuto il loro prestigio.

Ma parlano, anzi (posso usare la prima persona plurale: io non appartengo ai taciturni) parliamo, anche perché veniamo invitati a farlo. Ha scritto anni fa Norberto Bobbio che i campi di annientamento nazisti sono stati «non *uno degli* eventi, ma *l'*evento mostruoso, forse irripetibile, della storia umana». Gli altri, gli ascoltatori, amici, figli, lettori, od anche estranei, lo intuiscono, al di là della indignazione e della commiserazione; capiscono l'unicità della nostra esperienza, o almeno si sforzano di capirla. Perciò ci sollecitano a raccontare e ci pongono domande, talvolta mettendoci in imbarazzo: non sempre è facile rispondere a certi perché, non siamo storici né filosofi ma testimoni, e del resto non è detto che la storia delle cose umane obbedisca a schemi logici rigorosi. Non è detto che ogni svolta segua da un solo perché: le semplificazioni sono buone solo per i testi scolastici, i perché possono essere molti, confusi fra loro, o inconoscibili, se non addirittura inesistenti. Nessuno storico o epistemologo ha ancora dimostrato che la storia umana sia un processo deterministico.

Fra le domande che ci vengono poste ce n'è una che non manca mai; anzi, a mano a mano che gli anni passano, essa viene formulata con sempre maggiore insistenza, e con un sempre meno celato accento di accusa. Piú che una domanda singola, è una famiglia di domande. Perché non siete fuggiti? Perché non vi siete ribellati? Perché non vi siete sottratti alla cattura «prima»? Proprio per la loro immancabilità, e per il loro crescere nel tempo, queste domande meritano attenzione.

Il primo commento a queste domande, e la loro prima interpretazione, sono ottimistici. Vi sono paesi in cui la libertà non è mai stata conosciuta, perché il bisogno che naturalmente l'uomo ne prova viene dopo altri ben piú urgenti bisogni: di resistere al freddo, alla fame, alle malattie, ai parassiti, alle aggressioni animali e umane. Però, nei paesi in cui i bisogni elementari sono soddisfatti, i giovani

d'oggi sentono la libertà come un bene a cui non si deve in alcun caso rinunciare: non si può farne a meno, è un diritto naturale ed ovvio, e per di piú gratuito, come la salute e l'aria che si respira. I tempi e i luoghi in cui questo diritto congenito viene negato sono sentiti come lontani, estranei, strani. Perciò, per loro, l'idea della prigionia è concatenata all'idea della fuga o della rivolta. La condizione del prigioniero è sentita come indebita, anormale: come una malattia, insomma, che deve essere guarita con l'evasione o con la ribellione. Del resto, il concetto dell'evasione come obbligo morale ha radici salde: secondo i codici militari di molti paesi il prigioniero di guerra è tenuto a liberarsi in qualsiasi modo, per riprendere il suo posto di combattente, e secondo la Convenzione dell'Aia il tentativo di fuga non deve essere punito. Nella coscienza comune, l'evasione lava ed estingue la vergogna della prigionia.

Sia detto di passata: nell'Unione Sovietica di Stalin la prassi, se non la legge, era diversa ed assai piú drastica; per il prigioniero di guerra sovietico rimpatriato non c'era guarigione né redenzione, egli era considerato irrimediabilmente colpevole, anche se era riuscito ad evadere ed a ricongiungersi con l'armata combattente. Avrebbe dovuto morire anziché arrendersi, ed inoltre, essendo stato (magari per poche ore) nelle mani del nemico, era automaticamente sospetto di collusione con lui. Al loro incauto ritorno in patria, furono deportati in Siberia, o uccisi, perfino molti militari che al fronte erano stati catturati dai tedeschi, erano stati trascinati nei territori occupati, erano evasi e si erano uniti alle bande partigiane operanti contro i tedeschi in Italia, in Francia o nelle stesse retrovie russe. Anche nel Giappone in guerra il soldato che si arrendeva era considerato con estremo disprezzo: di qui il trattamento durissimo a cui furono sottoposti i militari alleati che caddero prigionieri nelle mani dei giapponesi. Non erano solo nemici, erano anche nemici vili, degradati dall'essersi arresi.

Ancora: il concetto dell'evasione come dovere morale e

come conseguenza obbligata della cattività è costantemente ribadito dalla letteratura romantica (il Conte di Montecristo!) e popolare (si ricordi lo straordinario successo delle memorie di *Papillon* [Mondadori, Milano 1974]). Nell'universo del cinematografo, l'eroe ingiustamente (o magari giustamente) incarcerato è sempre un personaggio positivo, tenta sempre la fuga, anche nelle circostanze meno verosimili, e il tentativo è invariabilmente coronato da successo. Fra i mille film sepolti dall'oblio, restano nella memoria *Io sono un evaso* e *Uragano*. Il prigioniero tipico è visto come un uomo integro, nel pieno possesso del suo vigore fisico e morale, che, con la forza che nasce dalla disperazione e con l'ingegno aguzzato dalla necessità, si scaglia contro le barriere, le scavalca o le infrange.

Ora, questa immagine schematica della prigionia e dell'evasione assomiglia assai poco alla situazione dei campi di concentramento. Intendendo questo termine nel suo senso piú vasto (includendo cioè, oltre ai campi di distruzione dal nome universalmente noto anche i moltissimi campi per prigionieri e internati militari), esistevano in Germania parecchi milioni di stranieri in condizione di schiavitú, affaticati, disprezzati, sottoalimentati, mal vestiti e mal curati, tagliati fuori dal contatto con la madrepatria. Non erano «prigionieri tipici», non erano integri, erano anzi demoralizzati e svigoriti. Va fatta eccezione per i prigionieri di guerra alleati (gli americani e gli appartenenti al Commonwealth britannico), che ricevevano viveri e vestiario attraverso la Croce Rossa internazionale, possedevano un buon allenamento militare, forti motivazioni ed un saldo spirito di corpo, ed avevano conservato una gerarchia interna abbastanza solida, esente dalla «zona grigia» di cui ho parlato altrove; salvo poche eccezioni, potevano fidarsi l'uno dell'altro, ed inoltre sapevano che, se fossero stati ripresi, sarebbero stati trattati secondo le convenzioni internazionali. Fra di loro, in effetti, molte evasioni sono state tentate, ed alcune condotte a termine con successo.

Per gli altri, per i paria dell'universo nazista (tra cui
vanno compresi gli zingari ed i prigionieri sovietici, milita-
ri e civili, che razzialmente erano considerati di poco supe-
riori agli ebrei), le cose stavano in modo diverso. Per loro
l'evasione era difficile ed estremamente pericolosa: erano
indeboliti, oltre che demoralizzati, dalla fame e dai mal-
trattamenti; erano e si sentivano considerati di minor va-
lore che bestie da soma. Avevano i capelli rasati, abiti lerci
subito riconoscibili, scarpe di legno che impedivano un
passo rapido e silenzioso. Se erano stranieri, non avevano
conoscenze né rifugi possibili nei dintorni; se erano tede-
schi, sapevano di essere attentamente sorvegliati e scheda-
ti dalla occhiuta polizia segreta, e che pochissimi loro con-
nazionali avrebbero rischiato la libertà o la vita per ospi-
tarli.

Il caso particolare (ma numericamente imponente) degli
ebrei era il piú tragico. Anche ammettendo che fossero
riusciti a superare lo sbarramento di filo spinato e la griglia
elettrificata, a sfuggire alle pattuglie, alla sorveglianza del-
le sentinelle armate di mitragliatrice nelle torrette di guar-
dia, ai cani addestrati alla caccia all'uomo: verso dove
avrebbero potuto dirigersi? a chi chiedere ospitalità? Era-
no fuori del mondo, uomini e donne d'aria. Non avevano
piú una patria (erano stati privati della cittadinanza d'ori-
gine) né una casa, sequestrata a favore dei cittadini a pieno
titolo. Salvo eccezioni, non avevano piú famiglia, o se an-
cora viveva qualche loro parente, non sapevano dove tro-
varlo, o dove scrivergli senza mettere la polizia sulle sue
tracce. La propaganda antisemita di Goebbels e di Strei-
cher aveva dato frutto: la maggior parte dei tedeschi, ed i
giovani in specie, odiavano gli ebrei, li disprezzavano e li
consideravano nemici del popolo; gli altri, con pochissime
eroiche eccezioni, si astenevano da qualsiasi aiuto per pau-
ra della Gestapo. Chi ospitava o anche solo aiutava un
ebreo rischiava punizioni terrificanti: ed a questo proposi-
to è giusto ricordare che qualche migliaio di ebrei sono so-
pravvissuti per tutto il periodo hitleriano, nascosti in Ger-

mania ed in Polonia in conventi, in cantine, in solai, ad opera di cittadini coraggiosi, misericordiosi, e soprattutto abbastanza intelligenti da conservare per anni la piú stretta discrezione.

Inoltre, in tutti i Lager la fuga anche di un solo prigioniero era considerata una mancanza gravissima di tutto il personale di sorveglianza, a partire dai prigionieri-funzionari fino al comandante del campo, che rischiava la destituzione. Nella logica nazista, era un evento intollerabile: la fuga di uno schiavo, specie se appartenente alle razze «di minor valore biologico», appariva carica di valore simbolico, avrebbe rappresentato una vittoria di colui che è sconfitto per definizione, una lacerazione del mito; ed anche, piú realisticamente, un danno obiettivo, perché ogni prigioniero aveva visto cose che il mondo non avrebbe dovuto sapere. Di conseguenza, quando un prigioniero mancava all'appello (cosa non rarissima: spesso si trattava di un semplice errore di conteggio, o di un prigioniero svenuto per esaurimento) si scatenava l'apocalissi. L'intero campo veniva messo in stato d'allarme; oltre alle SS addette alla sorveglianza intervenivano pattuglie della Gestapo; Lager, cantieri, case coloniche, abitazioni dei dintorni venivano perquisite. Ad arbitrio del comandante del campo, venivano presi provvedimenti d'emergenza. I connazionali o gli amici notori o i vicini di cuccetta dell'evaso erano interrogati sotto tortura e poi uccisi; infatti, un'evasione era un'impresa difficile, ed era inverosimile che il fuggitivo non avesse avuto complici o che nessuno si fosse accorto dei preparativi. I suoi compagni di baracca, o a volte tutti i prigionieri del campo, venivano fatti stare in piedi, nella piazza dell'appello, senza limiti di tempo, magari per giorni, sotto la neve, la pioggia o il solleone, finché l'evaso non fosse stato ritrovato, vivo o morto. Se era stato rintracciato e catturato vivo, veniva punito invariabilmente con la morte mediante impiccagione pubblica, ma questa era preceduta da un cerimoniale vario da volta a volta,

sempre di ferocia inaudita, in cui si scatenava la crudeltà fantasiosa delle SS.

Ad illustrare quale impresa disperata fosse una fuga, ma non solo a questo scopo, ricorderò qui l'impresa di Mala Zimetbaum; vorrei infatti che ne rimanesse memoria. L'evasione di Mala dal Lager femminile di Auschwitz-Birkenau è stata narrata da piú persone, ma i particolari concordano. Mala era una giovane ebrea polacca che era stata catturata in Belgio e che parlava correntemente molte lingue, perciò a Birkenau fungeva da interprete e da portaordini, e come tale godeva di una certa libertà di spostamento. Era generosa e coraggiosa; aveva aiutato molte compagne, ed era amata da tutte. Nell'estate del 1944 decise di evadere con Edek, un prigioniero politico polacco. Non volevano soltanto riconquistarsi la libertà: intendevano documentare al mondo il massacro quotidiano di Birkenau. Riuscirono a corrompere una SS ed a procurarsi due uniformi. Uscirono travestiti e giunsero fino al confine slovacco; qui vennero fermati dai doganieri, che sospettarono di trovarsi davanti a due disertori e li consegnarono alla polizia. Vennero immediatamente riconosciuti e riportati a Birkenau. Edek venne impiccato subito, ma non volle attendere che, secondo l'accanito cerimoniale del luogo, venisse letta la sentenza: infilò il capo nel cappio scorsoio e si lasciò cadere dallo sgabello.

Anche Mala aveva risoluto di morire la sua propria morte. Mentre in una cella attendeva di essere interrogata, una compagna poté avvicinarla e le chiese «Come va, Mala?» Rispose: «A me va sempre bene». Era riuscita a nascondersi addosso una lametta da rasoio. Ai piedi della forca si recise l'arteria di un polso. L'SS che fungeva da boia cercò di strapparle la lama, e Mala, davanti a tutte le donne del campo, gli sbatté sul viso la mano insanguinata. Subito accorsero altri militi, inferociti: una prigioniera, un'ebrea, una donna, aveva osato sfidarli! La calpestarono a morte; spirò, per sua fortuna, sul carro che la portava al crematorio.

Questa non era «violenza inutile». Era utile: serviva assai bene a stroncare sul nascere ogni velleità di fuga; era normale che pensasse alla fuga il prigioniero nuovo, inesperto di queste tecniche raffinate e collaudate; era rarissimo che questo pensiero passasse per la mente degli anziani; infatti, era comune che i preparativi di una evasione venissero denunciati dai componenti della «zona grigia», o anche solo da terzi, timorosi delle rappresaglie descritte.

Ricordo con un sorriso l'avventura che mi è accaduta parecchi anni fa in una quinta elementare, in cui ero stato invitato a commentare i miei libri ed a rispondere alle domande degli allievi. Un ragazzino dall'aria sveglia, apparentemente il leader della classe, mi rivolse la domanda di rito: «Ma lei perché non è scappato?» Io gli esposi in breve quanto ho scritto qui; lui, poco convinto, mi chiese di tracciare sulla lavagna uno schizzo del campo, indicando la collocazione delle torrette di guardia, delle porte, dei reticolati e della centrale elettrica. Feci del mio meglio, sotto trenta paia di occhi intenti. Il mio interlocutore studiò il disegno per qualche istante, mi chiese qualche precisazione ulteriore, poi mi espose il piano che aveva escogitato: qui, di notte, sgozzare la sentinella; poi, indossare i suoi abiti; subito dopo, correre laggiú alla centrale e interrompere la corrente elettrica, cosí i fari si sarebbero spenti e si sarebbe disattivato il reticolato ad alta tensione; dopo me ne sarei potuto andare tranquillo. Aggiunse seriamente. «Se le dovesse capitare un'altra volta, faccia come le ho detto: vedrà che riesce».

Nei suoi limiti, mi pare che l'episodio illustri bene la spaccatura che esiste, e che si va allargando di anno in anno, fra le cose com'erano «laggiú» e le cose quali vengono rappresentate dalla immaginazione corrente, alimentata da libri, film e miti approssimativi. Essa, fatalmente, slitta verso la semplificazione e lo stereotipo; vorrei porre qui un argine contro questa deriva. In pari tempo, vorrei però ricordare che non si tratta di un fenomeno ristretto alla percezione del passato prossimo né delle tragedie storiche: è

assai piú generale, fa parte di una nostra difficoltà o inca-
pacità di percepire le esperienze altrui, che è tanto piú pro-
nunciata quanto piú queste sono lontane dalle nostre nel
tempo, nello spazio o nella qualità. Tendiamo ad assimilar-
le a quelle «viciniori», come se la fame di Auschwitz fosse
quella di chi ha saltato un pasto, o come se la fuga da Tre-
blinka fosse assimilabile alla fuga da Regina Coeli. È com-
pito dello storico scavalcare questa spaccatura, che è tan-
to piú ampia quanto piú tempo è trascorso dagli eventi stu-
diati.

Con altrettanta frequenza, e con anche piú aspro accen-
to accúsatorio, ci viene chiesto: «Perché non vi siete ribel-
lati?» Questa domanda è quantitativamente diversa dalla
precedente, ma di natura simile, ed anch'essa si fonda su
uno stereotipo. È opportuno scindere la risposta in due
parti.

In primo luogo: non è vero che in nessun Lager abbiano
avuto luogo rivolte. Sono state piú volte descritte, con ab-
bondanza di particolari, le rivolte di Treblinka, di Sobi-
bór, di Birkenau; altre avvennero in campi minori. Furono
imprese di estrema audacia, degne del piú profondo rispet-
to, ma nessuna di esse si concluse con la vittoria, se per
vittoria si intende la liberazione del campo. Sarebbe stato
insensato puntare su questo scopo: lo strapotere delle trup-
pe di guardia era tale da farlo fallire in pochi minuti, poi-
ché gli insorti erano praticamente disarmati. Il loro scopo
effettivo era quello di danneggiare o distruggere gli im-
pianti di morte, e di consentire la fuga del piccolo nucleo
degli insorti, il che talvolta (ad esempio a Treblinka, anche
se solo in parte) riuscí. Ad una fuga di massa non si pensò
mai: sarebbe stata un'impresa folle. Quale senso, quale
utilità avrebbe avuto aprire le porte a migliaia di individui
appena capaci di trascinarsi, e ad altri che non avrebbero
saputo dove, in terra nemica, andare a cercarsi un rifugio?

Insurrezioni comunque avvennero; furono preparate
con intelligenza ed incredibile coraggio da minoranze riso-
lute e fisicamente ancora indenni. Costarono un prezzo

spaventoso in termini di vite umane e di sofferenze collettive inferte a titolo di rappresaglia, ma valsero e valgono a mostrare che è falso affermare che i prigionieri dei Lager tedeschi non abbiano mai tentato di ribellarsi. Nelle intenzioni degli insorti, avrebbero dovuto condurre ad un altro risultato piú concreto: portare a conoscenza del mondo libero il terribile segreto del massacro. In effetti i pochi a cui l'impresa riuscí, e che dopo altre estenuanti peripezie poterono avere accesso agli organi d'informazione, parlarono: ma, come ho accennato nell'introduzione, non furono quasi mai ascoltati né creduti. Le verità scomode hanno un difficile cammino.

In secondo luogo: come il nesso prigionia-fuga, anche il nesso oppressione-ribellione è uno stereotipo. Non intendo dire che non sia valido mai: dico che non è valido sempre. La storia delle ribellioni, cioè delle rivolte dal basso, dei «molti oppressi» contro i «pochi potenti», è vecchia come la storia dell'umanità ed altrettanto varia e tragica. Ci sono state alcune poche ribellioni vittoriose, molte sono state sconfitte, innumerevoli altre sono state soffocate ai loro esordi, tanto precocemente da non aver lasciato traccia nelle cronache. Le variabili in gioco sono molte: la forza numerica, militare ed ideale dei ribelli e rispettivamente dell'autorità sfidata, le rispettive coesioni o spaccature interne, gli aiuti esterni agli uni ed all'altra, l'abilità, il carisma o il demonismo dei capi, la fortuna. Tuttavia, in ogni caso, si osserva che alla testa del movimento non figurano mai gli individui piú oppressi: di solito, anzi, le rivoluzioni sono guidate da capi audaci e spregiudicati, che si gettano nella mischia per generosità (o magari per ambizione) pur avendo la possibilità di vivere personalmente una vita sicura e tranquilla, magari addirittura privilegiata. L'immagine tanto spesso replicata nei monumenti, dello schiavo che spezza le sue pesanti catene, è retorica: le sue catene vengono spezzate dai compagni i cui vincoli sono piú leggeri e piú lenti.

Il fatto non può stupire. Un capo dev'essere efficiente:

deve possedere forza morale e fisica, e l'oppressione, se
spinta oltre un certo livello molto basso, deteriora l'una e
l'altra. Per suscitare la collera e l'indignazione, che sono i
motori di tutte le vere rivolte (quelle dal basso, per inten-
derci: non certo i *putsch* né le «rivolte di palazzo»), occor-
re sí che l'oppressione esista, ma essa dev'essere di misura
modesta, o condotta con scarsa efficienza. L'oppressione
nei Lager era di misura estrema, ed era condotta con la no-
ta, ed in altri campi encomiabile, efficienza tedesca. Il pri-
gioniero tipico, quello che costituiva il nerbo del campo,
era al limite dell'esaurimento: affamato, indebolito, coper-
to di piaghe (in specie ai piedi: era un uomo «impedito»,
nel senso originario del termine. Non è un dettaglio secon-
dario!), e quindi profondamente avvilito. Era un uomo-
straccio, e con gli stracci, come già sapeva Marx, le rivolu-
zioni non si fanno nel mondo reale, bensí solo in quello
della retorica letteraria o cinematografica. Tutte le rivolu-
zioni, quelle che hanno dirottato la storia del mondo e
quelle minuscole di cui ci occupiamo qui, sono state guida-
te da personaggi che conoscevano bene l'oppressione, ma
non sulla loro pelle. La rivolta di Birkenau, a cui ho già ac-
cennato, fu scatenata dal Kommando Speciale addetto ai
crematori: erano uomini disperati ed esasperati, ma ben
nutriti, vestiti e calzati. La rivolta del ghetto di Varsavia
fu un'impresa degna della piú reverente ammirazione, fu
la prima «resistenza» europea, e l'unica condotta senza la
minima speranza di vittoria o di salute; ma fu opera di una
élite politica che, giustamente, si era riserbata alcuni fon-
damentali privilegi, allo scopo di conservare la propria
forza.

 Vengo alla terza variante della domanda: perché non
siete scappati «prima»? Prima che le frontiere si chiudes-
sero? Prima che la trappola scattasse? Anche qui devo ri-
cordare che molte persone minacciate dal nazismo e dal fa-
scismo se ne andarono «prima». Erano esuli propriamente

politici, od anche intellettuali mal visti dai due regimi: migliaia di nomi, molti oscuri, alcuni illustri, quali Togliatti, Nenni, Saragat, Salvemini, Fermi, Emilio Segré, la Meitner, Arnaldo Momigliano, Thomas e Heinrich Mann, Arnold e Stefan Zweig, Brecht, e tanti altri; non tutti ritornarono, e fu un'emorragia che dissanguò l'Europa, forse in modo irrimediabile. La loro emigrazione (in Inghilterra, Stati Uniti, Sud-America, Unione Sovietica; ma anche in Belgio, Olanda, Francia, dove la marea nazista li doveva raggiungere pochi anni dopo: erano, e siamo tutti, ciechi al futuro) non fu una fuga né una diserzione, bensí un naturale ricongiungersi con alleati potenziali o reali, in cittadelle da cui riprendere la loro lotta o la loro attività creativa.

Tuttavia, è pur vero che in massima parte le famiglie minacciate (in primo luogo gli ebrei) restarono in Italia ed in Germania. Domandarsi e domandare il perché è ancora una volta il segno di una concezione stereotipa ed anacronistica della storia; piú semplicemente, di una diffusa ignoranza e dimenticanza, che tende ad aumentare con l'allontanarsi dei fatti nel tempo. L'Europa del 1930-1940 non era l'Europa odierna. Emigrare è doloroso sempre; allora era anche piú difficile e piú costoso di quanto non sia oggi. Per farlo, occorreva non solo molto denaro, ma anche una «testa di ponte» nel paese di destinazione: parenti od amici disposti a dare garanzie o anche ospitalità. Molti italiani, soprattutto contadini, avevano emigrato nei decenni precedenti, ma erano stati spinti dalla miseria e dalla fame, ed una testa di ponte l'avevano, o credevano di averla; spesso erano stati invitati e bene accolti, perché localmente la mano d'opera scarseggiava; comunque, anche per loro e per le loro famiglie lasciare la patria era stata una decisione traumatica.

«Patria»: non sarà inutile soffermarsi sul termine. Si colloca vistosamente fuori del linguaggio parlato: nessun italiano, se non per scherzo, dirà mai «prendo il treno e ritorno in patria». È di conio recente, e non ha senso univoco; non ha equivalenti esatti in lingue diverse dall'italiano,

non compare, che io sappia, in nessuno dei nostri dialetti (e questo è un segno della sua origine dotta e della sua intrinseca astrattezza), né in Italia ha avuto sempre lo stesso significato. Infatti, a seconda delle epoche, ha indicato entità geografiche di estensione diversa, dal villaggio dove si è nati e (etimologicamente) dove hanno vissuto i nostri padri, fino, dopo il Risorgimento, all'intera nazione. In altri paesi, equivale press'a poco al focolare, o al luogo natio; in Francia (e talora anche fra noi) il termine ha assunto una connotazione ad un tempo drammatica, polemica e retorica: la *Patrie* è tale quando è minacciata o disconosciuta.

Per chi si sposta, il concetto di patria diventa doloroso ed insieme tende ad impallidire; già il Pascoli, allontanatosi (non poi di molto) dalla sua Romagna, «dolce paese», sospirava «io, la mia patria or è dove si vive». Per Lucia Mondella, la patria si identificava visibilmente con le «cime ineguali» dei suoi monti sorgenti dalle acque del lago di Como. Per contro, in paesi ed in tempi di intensa mobilità, quali sono oggi gli Stati Uniti e l'Unione Sovietica, di patria non si parla se non in termini politico-burocratici: qual è il focolare, quale «la terra dei padri» di quei cittadini in eterna trasferta? Molti di loro non lo sanno né se ne preoccupano.

Ma l'Europa degli anni '30 era ben diversa. Già industrializzata, era ancora profondamente contadina, o stanzialmente urbanizzata. L'«estero», per l'enorme maggioranza della popolazione, era uno scenario lontano e vago, soprattutto per la classe media, meno assillata dal bisogno. Di fronte alla minaccia hitleriana, la massima parte degli ebrei indigeni, in Italia, in Francia, in Polonia, nella stessa Germania, preferí rimanere in quella che essi sentivano come la loro «patria», con motivazioni ampiamente comuni, e anche se con sfumature diverse da luogo a luogo.

Fu comune a tutti la difficoltà organizzativa dell'emigrazione. Erano tempi di gravi tensioni internazionali: le frontiere europee, oggi quasi inesistenti, erano praticamente chiuse, l'Inghilterra e le Americhe ammettevano

quote di immigrazione estremamente ridotte. Tuttavia, su questa difficoltà ne prevaleva un'altra di natura interna, psicologica. Questo villaggio, o città, o regione, o nazione, è il mio, ci sono nato, ci dormono i miei avi. Ne parlo la lingua, ne ho adottato i costumi e la cultura; a questa cultura ho forse anche contribuito. Ne ho pagato i tributi, ne ho osservato le leggi. Ho combattuto le sue battaglie, senza curarmi se fossero giuste o ingiuste: ho messo a rischio la mia vita per i suoi confini, alcuni miei amici o parenti giacciono nei cimiteri di guerra, io stesso, in ossequio alla retorica corrente, mi sono dichiarato disposto a morire per la patria. Non la voglio né la posso lasciare: se morrò, morrò «in patria», sarà il mio modo di morire «per la patria».

È ovvio che questa morale, sedentaria e casalinga piú che attivamente patriottica, non avrebbe retto se l'ebraismo europeo avesse potuto antivedere il futuro. Non che della strage mancassero i sintomi premonitori: fin dai suoi primi libri e discorsi, Hitler aveva parlato chiaro, gli ebrei (non solo quelli tedeschi) erano i parassiti dell'umanità, e dovevano essere eliminati come si eliminano gli insetti nocivi. Ma, appunto, le deduzioni inquietanti hanno vita difficile: fino all'estremo, fino alle incursioni dei dervisci nazisti (e fascisti) di casa in casa, si trovò modo di disconoscere i segnali, di ignorare il pericolo, di confezionare quelle verità di comodo di cui ho parlato nelle prime pagine di questo libro.

Questo avvenne in misura maggiore in Germania che non in Italia. Gli ebrei tedeschi erano quasi tutti borghesi ed erano tedeschi: come i loro quasi-compatrioti «ariani» amavano la legge e l'ordine, e non solo non prevedevano, ma erano organicamente incapaci di concepire un terrorismo di stato, anche quando già lo avevano intorno a loro. C'è un famoso e densissimo verso di Christian Morgenstern, bizzarro poeta bavarese (non ebreo, nonostante il cognome), che cade qui in acconcio, anche se è stato scritto nel 1910, nella Germania pulita proba e legalitaria descritta da J. K. Jerome in *Tre uomini a zonzo*. Un verso

talmente tedesco e talmente pregnante che è passato in
proverbio, e che non può essere tradotto in italiano se non
attraverso una goffa perifrasi:

Nicht sein kann, was nicht sein darf.

È il sigillo di una poesiola emblematica: Palmström, un
cittadino tedesco ligio ad oltranza, viene investito da
un'auto in una strada dove la circolazione è vietata. Si rial-
za malconcio, e ci pensa su: se la circolazione è vietata, i
veicoli non possono circolare, *cioè* non circolano. *Ergo*,
l'investimento non può essere avvenuto: è una «realtà im-
possibile», una *Unmögliche Tatsache* (è questo il titolo del-
la poesia). Lui deve averlo soltanto sognato, perché, ap-
punto, «non possono esistere le cose di cui non è moral-
mente lecita l'esistenza».

Bisogna guardarsi dal senno del poi e dagli stereotipi.
Più in generale, bisogna guardarsi dall'errore che consiste
nel giudicare epoche e luoghi lontani col metro che preva-
le nel qui e nell'oggi: errore tanto più difficile da evi-
tare quanto più è grande la distanza nello spazio e nel
tempo. È questo il motivo per cui, a noi non specialisti,
è così ardua la comprensione dei testi biblici ed omerici, o
anche dei classici greci e latini. Molti europei di allora, e
non solo europei, e non solo di allora, si comportarono e si
comportano come Palmström, negando l'esistenza delle
cose che non dovrebbero esistere. Secondo il senso comu-
ne, che Manzoni accortamente distingueva dal «buon sen-
so», l'uomo minacciato provvede, resiste o fugge; ma mol-
te minacce di allora, che oggi ci sembrano evidenti, a quel
tempo erano velate dall'incredulità voluta, dalla rimozio-
ne, dalle verità consolatorie generosamente scambiate ed
autocatalitiche.

Qui sorge la domanda d'obbligo: una controdomanda.
Quanto sicuri viviamo noi, uomini della fine del secolo e
del millennio? e, più in particolare, noi europei? Ci è stato
detto, e non c'è motivo di dubitarne, che per ogni essere
umano del pianeta è accantonata una quantità di esplosivo

nucleare pari a tre o quattro tonnellate di tritolo; se se ne usasse anche solo l'uno per cento, si avrebbero decine di milioni di morti subito, e danni genetici spaventosi per tutta la specie umana, anzi, per tutta la vita sulla terra, ad eccezione forse degli insetti. È almeno probabile, inoltre, che una terza guerra generalizzata, anche convenzionale, anche parziale, si combatterebbe sul nostro territorio, fra l'Atlantico e gli Urali, fra il Mediterraneo e l'Artico. La minaccia è diversa da quella degli anni '30: meno vicina ma più vasta; legata, secondo alcuni, ad un demonismo della Storia, nuovo, ancora indecifrabile, ma slegata (finora) dal demonismo umano. È puntata contro tutti, e quindi particolarmente «inutile».

Allora? Le paure di oggi sono meno o più fondate di quelle di allora? Al futuro siamo ciechi, non meno dei nostri padri. Svizzeri e svedesi hanno i rifugi antinucleari, ma che cosa troveranno quando usciranno all'aperto? C'è la Polinesia, la Nuova Zelanda, la Terra del Fuoco, l'Antartide: forse resteranno indenni. Avere passaporto e visti d'entrata è molto più facile di allora: perché non partiamo, perché non lasciamo il nostro paese, perché non fuggiamo «prima»?

Lettere di tedeschi

Se questo è un uomo è un libro di dimensioni modeste, ma, come un animale nomade, ormai da quarant'anni si lascia dietro una traccia lunga e intricata. Era stato pubblicato una prima volta nel 1947, in 2500 copie, che furono bene accolte dalla critica ma smerciate solo in parte: le 600 copie residue, riposte a Firenze in un magazzino di invenduti, vi annegarono nell'alluvione dell'autunno 1966. Dopo dieci anni di «morte apparente», ritornò alla vita quando lo accettò l'editore Einaudi, nel 1957. Mi sono spesso posto una domanda futile: che cosa sarebbe successo se il libro avesse avuto subito una buona diffusione? Forse niente di particolare: è probabile che avrei continuato la mia faticosa vita di chimico che diventava scrittore alla domenica (e neanche tutte le domeniche); o forse invece mi sarei lasciato abbagliare ed avrei, chissà con quale fortuna, issato le bandiere dello scrittore in grandezza naturale. La questione, come dicevo, è oziosa: il mestiere di ricostruire il passato ipotetico, il cosa-sarebbe-successo-se, è altrettanto screditato quanto quello di antivedere l'avvenire.

Malgrado questa falsa partenza, il libro ha camminato. È stato tradotto in otto o nove lingue, adattato per la radio e per il teatro in Italia ed all'estero, commentato in innumerevoli scuole. Del suo itinerario, una tappa è stata per me d'importanza fondamentale: quella della sua traduzione in tedesco e della sua pubblicazione in Germania Federale. Quando, verso il 1959, seppi che un editore tedesco (la Fischer Bücherei) aveva acquistato i diritti per la tra-

duzione, mi sentii invadere da un'emozione violenta e nuova, quella di aver vinto una battaglia. Ecco, avevo scritto quelle pagine senza pensare ad un destinatario specifico; per me, quelle erano cose che avevo dentro, che mi invadevano e che dovevo mettere fuori: dirle, anzi, gridarle sui tetti; ma chi grida sui tetti si indirizza a tutti e a nessuno, chiama nel deserto. All'annuncio di quel contratto, tutto era cambiato e mi era diventato chiaro: il libro lo avevo scritto sí in italiano, per gli italiani, per i figli, per chi non sapeva, per chi non voleva sapere, per chi non era ancora nato, per chi, volentieri o no, aveva acconsentito all'offesa; ma i suoi destinatari veri, quelli contro cui il libro si puntava come un'arma, erano loro, i tedeschi. Ora l'arma era carica.

Si ricordi, da Auschwitz erano passati solo quindici anni: i tedeschi che mi avrebbero letto erano «quelli», non i loro eredi. Da soverchiatori, o da spettatori indifferenti, sarebbero diventati lettori: li avrei costretti, legati davanti ad uno specchio. Era venuta l'ora di fare i conti, di abbassare le carte sul tavolo. Soprattutto, l'ora del colloquio. La vendetta non mi interessava; ero stato intimamente soddisfatto dalla (simbolica, incompleta, tendenziosa) sacra rappresentazione di Norimberga, ma mi stava bene cosí, che alle giustissime impiccagioni pensassero gli altri, i professionisti. A me spettava capire, capirli. Non il manipolo dei grandi colpevoli, ma loro, il popolo, quelli che avevo visti da vicino, quelli tra cui erano stati reclutati i militi delle SS, ed anche quegli altri, quelli che avevano creduto, che non credendo avevano taciuto, che non avevano avuto il gracile coraggio di guardarci negli occhi, di gettarci un pezzo di pane, di mormorare una parola umana.

Ricordo molto bene quel tempo e quel clima, e credo di poter giudicare i tedeschi di allora senza pregiudizi e senza collera. Quasi tutti, ma non tutti, erano stati sordi, ciechi e muti: una massa di «invalidi» intorno a un nocciolo di feroci. Quasi tutti, ma non tutti, erano stati vili. Proprio qui, e con refrigerio, e per dimostrare quanto mi siano lon-

tani i giudizi globali, vorrei raccontare un episodio: è stato eccezionale, ma è pure avvenuto.

Nel novembre del 1944 eravamo al lavoro, ad Auschwitz; io, con due compagni, ero nel laboratorio chimico che ho descritto a suo luogo. Suonò l'allarme aereo, e subito dopo si videro i bombardieri: erano centinaia, si prospettava una incursione mostruosa. C'erano nel cantiere alcuni grandi bunker, ma erano per i tedeschi, a noi erano vietati. Per noi dovevano bastare i terreni incolti, ormai già coperti di neve, compresi entro la recinzione. Tutti, prigionieri e civili, ci precipitammo per le scale verso le rispettive destinazioni, ma il capo del laboratorio, un tecnico tedesco, trattenne noi *Häftlinge*-chimici: «Voi tre venite con me». Stupiti, lo seguimmo di corsa verso il bunker, ma sulla soglia stava un guardiano armato, con la svastica sul bracciale. Gli disse: «Lei entra; gli altri, fuori dai piedi». Il capo rispose: «Sono con me: o tutti o nessuno», e cercò di forzare il passaggio; ne seguí un pugilato. Certo avrebbe avuto la meglio il guardiano, che era robusto, ma per fortuna di tutti suonò il cessato allarme: l'incursione non era per noi, gli aerei avevano proseguito verso nord. Se (un altro se! ma come resistere al fascino dei sentieri che si biforcano?), se i tedeschi anomali, capaci di questo modesto coraggio, fossero stati piú numerosi, la storia di allora e la geografia di oggi sarebbero diverse.

Non mi fidavo dell'editore tedesco. Gli scrissi una lettera quasi insolente: lo diffidavo dal togliere o cambiare una sola parola del testo, e lo impegnavo a mandarmi il manoscritto della traduzione a fascicoli, capitolo per capitolo, a mano a mano che il lavoro procedeva; volevo controllarne la fedeltà, non solo lessicale ma intima. Insieme col primo capitolo, che trovai tradotto assai bene, mi giunse uno scritto del traduttore, in italiano perfetto. L'editore gli aveva mostrato la mia lettera: non avevo niente da temere, né dall'editore né tanto meno da lui. Si presentava:

aveva la mia età precisa, aveva studiato per parecchi anni in Italia, oltre che traduttore era un italianista, studioso del Goldoni. Anche lui era un tedesco anomalo. Era stato chiamato sotto le armi, ma il nazismo gli ripugnava; nel 1941 aveva simulato una malattia, era stato ricoverato in ospedale, ed aveva ottenuto di trascorrere la convalescenza putativa studiando letteratura italiana presso l'Università di Padova. Era poi stato dichiarato rivedibile, a Padova era rimasto, e vi era venuto a contatto coi gruppi antifascisti di Concetto Marchesi, di Meneghetti e di Pighin.

Nel settembre 1943 era venuto l'armistizio italiano, ed i tedeschi, in due giorni, avevano occupato militarmente l'Italia del nord. Il mio traduttore si era aggregato «naturalmente» ai partigiani padovani delle formazioni Giustizia e Libertà, che combattevano nei Colli Euganei contro i fascisti di Salò e contro i suoi compatrioti. Non aveva avuto dubbi, si sentiva piú italiano che tedesco, partigiano e non nazista, tuttavia sapeva che cosa rischiava: fatiche, pericoli, sospetti e disagi; se catturato dai tedeschi (ed infatti era stato informato che le SS erano sulle sue tracce), una morte atroce; inoltre, nel suo paese, la qualifica di disertore e forse anche di traditore.

A guerra finita si stabilí a Berlino, che a quel tempo non era tagliata in due dal muro, ma sottostava ad un complicatissimo regime di condominio dei «Quattro Grandi» di allora (Stati Uniti, Unione Sovietica, Gran Bretagna, Francia). Dopo la sua avventura partigiana in Italia, era un perfetto bilingue: parlava l'italiano senza traccia di accento straniero. Accettò traduzioni: Goldoni in primo luogo, perché lo amava e perché conosceva bene i dialetti veneti; per lo stesso motivo, il Ruzante di Agnolo Beolco, fino allora sconosciuto in Germania; ma anche autori italiani moderni, Collodi, Gadda, D'Arrigo, Pirandello. Non era un lavoro ben pagato, o per meglio dire, lui era troppo scrupoloso, e quindi troppo lento, perché la sua giornata di lavoro risultasse giustamente retribuita; tuttavia non si risolse mai ad impiegarsi presso una casa editrice. Per due motivi:

amava l'indipendenza, ed inoltre, sottilmente, per vie traverse, i suoi trascorsi politici pesavano su di lui. Nessuno glielo disse mai in parole aperte, ma un disertore, anche nella Germania superdemocratica di Bonn, anche nella Berlino quadripartita, era «persona non grata».

Tradurre *Se questo è un uomo* lo entusiasmava: il libro gli era consono, confermava, sostanziava per contrasto il suo amore per la libertà e la giustizia; tradurlo era un modo per continuare la sua lotta temeraria e solitaria contro il suo paese traviato. A quel tempo eravamo tutti e due troppo occupati per viaggiare, e nacque fra noi uno scambio di lettere frenetico. Eravamo entrambi perfezionisti: lui, per abito professionale; io perché, quantunque avessi trovato un alleato, ed un alleato valente, temevo che il mio testo sbiadisse, perdesse pregnanza. Era la prima volta che incappavo nell'avventura sempre scottante, mai gratuita, dell'essere tradotti, del vedere il proprio pensiero manomesso, rifratto, la propria parola passata al vaglio, trasformata, o mal intesa, o magari potenziata da qualche insperata risorsa della lingua d'arrivo.

Fin dalle prime puntate potei constatare che in realtà i miei sospetti «politici» erano infondati: il mio partner era nemico dei nazi quanto me, la sua indignazione non era minore della mia. Rimanevano però i sospetti linguistici. Come ho accennato nel capitolo dedicato alla comunicazione, il tedesco di cui il mio testo aveva bisogno, soprattutto nei dialoghi e nelle citazioni, era molto piú rozzo del suo. Lui, uomo di lettere e di raffinata educazione, conosceva bensí il tedesco delle caserme (qualche mese di servizio militare lo aveva pur fatto), ma ignorava forzatamente il gergo degradato, spesso satanicamente ironico, dei campi di concentramento. Ogni nostra lettera conteneva una lista di proposte e di controproposte, ed a volte su un singolo termine si accendeva una discussione accanita, quale ad esempio quella che ho descritto qui a pagina 731. Lo schema era generale: io gli indicavo una tesi, quella che mi suggeriva la memoria acustica a cui ho accennato a suo luo-

go; lui mi opponeva l'antitesi, «questo non è buon tedesco, i lettori d'oggi non lo capirebbero»; io obiettavo che «laggiú si diceva proprio cosí»; si arrivava infine alla sintesi, cioè al compromesso. L'esperienza mi ha poi insegnato che traduzione e compromesso sono sinonimi, ma a quel tempo io ero premuto da uno scrupolo di superrealismo; volevo che in quel libro, ed in specie proprio nella sua veste tedesca, niente andasse perduto di quelle asprezze, di quelle violenze fatte al linguaggio, che del resto mi ero sforzato del mio meglio di riprodurre nell'originale italiano. In certo modo, non si trattava di una traduzione ma piuttosto di un restauro: la sua era, o io volevo che fosse, una *restitutio in pristinum*, una retroversione alla lingua in cui le cose erano avvenute ed a cui esse competevano. Doveva essere, piú che un libro, un nastro di magnetofono.

Il traduttore capí presto e bene, e ne risultò una traduzione eccellente sotto ogni aspetto: della sua fedeltà potevo giudicare io stesso, il suo livello stilistico fu lodato in seguito da tutti i recensori. Sorse la questione della prefazione: l'editore Fischer mi chiese di scriverne una io stesso; io esitai, poi rifiutai. Provavo un ritegno confuso, una ripugnanza, un blocco emotivo che strozzava il flusso delle idee e dello scrivere. Mi si chiedeva, insomma, di far seguire al libro, cioè alla testimonianza, un appello diretto al popolo tedesco, cioè una perorazione, un sermone. Avrei dovuto alzare il tono, salire sul podio; da teste farmi giudice, predicatore; esporre teorie ed interpretazioni della storia; dividere i pii dagli empi; dalla terza persona passare alla seconda. Tutti questi erano compiti che mi sorpassavano, compiti che volentieri avrei devoluto ad altri, forse agli stessi lettori, tedeschi e non.

Scrissi all'editore che non mi sentivo in grado di stendere una prefazione che non snaturasse il libro, e gli proposi una soluzione indiretta: di premettere al testo, in sede di introduzione, un brano della lettera che nel maggio 1960, alla fine della nostra laboriosa collaborazione, avevo scrit-

ta al traduttore per ringraziarlo della sua opera. Lo riproduco qui:

> ... E cosí abbiamo finito: ne sono contento, e soddisfatto del risultato, e grato a Lei, ed insieme un po' triste. Capisce, è il solo libro che io abbia scritto, e adesso che abbiamo finito di trapiantarlo in tedesco mi sento come un padre il cui figlio sia diventato maggiorenne, e se ne va, e non si può piú occuparsi di lui.
>
> Ma non è solo questo. Lei forse si sarà accorto che per me il Lager, e l'avere scritto del Lager, è stato una importante avventura, che mi ha modificato profondamente, mi ha dato maturità ed una ragione di vita. Forse è presunzione: ma ecco, oggi io, il prigioniero numero 174 517, per mezzo Suo posso parlare ai tedeschi, rammentare loro quello che hanno fatto, e dire loro «sono vivo, e vorrei capirvi per giudicarvi».
>
> Io non credo che la vita dell'uomo abbia necessariamente uno scopo definito; ma se penso alla mia vita, ed agli scopi che finora mi sono prefissi, uno solo ne riconosco ben preciso e cosciente, ed è proprio questo, di portare testimonianza, di fare udire la mia voce al popolo tedesco, di «rispondere» al Kapo che si è pulito la mano sulla mia spalla, al dottor Pannwitz, a quelli che impiccarono l'Ultimo [si tratta di personaggi di *Se questo è un uomo*], ed ai loro eredi.
>
> Sono sicuro che Lei non mi ha frainteso. Non ho mai nutrito odio nei riguardi del popolo tedesco, e se lo avessi nutrito ne sarei guarito ora, dopo aver conosciuto Lei. Non comprendo, non sopporto che si giudichi un uomo non per quello che è ma per il gruppo a cui gli accade di appartenere (...)
>
> Ma non posso dire di capire i tedeschi: ora, qualcosa che non si può capire costituisce un vuoto doloroso, una puntura, uno stimolo permanente che chiede di essere soddisfatto. Spero che questo libro avrà qualche eco in Germania: non solo per ambizione, ma anche perché la natura di questa eco mi permetterà forse di capire meglio i tedeschi, di placare questo stimolo.

L'editore accettò la mia proposta, a cui il traduttore aveva aderito con entusiasmo; perciò questa pagina costituisce l'introduzione di tutte le edizioni tedesche di *Se questo è un uomo*: anzi, viene letta come parte integrante del testo. Me ne sono accorto appunto dalla «natura» della eco a cui si accenna nelle ultime righe.

Essa si materializza in una quarantina di lettere, che mi sono state scritte da lettori tedeschi negli anni 1961-64: a cavallo cioè della crisi che condusse alla costruzione di quel Muro che tuttora spacca in due Berlino, e che costituisce uno dei punti di piú forte attrito nel mondo d'oggi: l'unico, insieme con lo Stretto di Behring, in cui americani e russi si fronteggino direttamente. Tutte queste lettere rispecchiano una lettura attenta del libro, ma tutte rispondono, o tentano di rispondere, o negano che esista una risposta, alla domanda implicita nell'ultimo periodo della mia lettera, se cioè *sia possibile capire i tedeschi*. Altre lettere mi sono pervenute alla spicciolata negli anni seguenti, in coincidenza con le ristampe del libro, ma sono tanto piú scialbe quanto piú sono recenti: chi scrive sono ormai i figli ed i nipoti, il trauma non è piú il loro, non è vissuto in prima persona. Esprimono vaga solidarietà, ignoranza e distacco. Per loro, quel passato è veramente un passato, un sentito dire. Non sono tedesco-specifici: salvo eccezioni, i loro scritti si potrebbero confondere con quelli che continuo a ricevere dai loro coetanei italiani, perciò non ne terrò conto in questa rassegna.

Le prime lettere, quelle che contano, sono quasi tutte di giovani (che si dichiarano tali, o che tali risultano dal testo) ad eccezione di una, che mi è stata mandata nel 1962 dal Dottor T. H. di Amburgo, e che riporto per prima perché ho fretta di liberarmene. Ne traduco i passi salienti, rispettandone la goffaggine:

Egregio Dott. Levi,

il Suo libro è il primo fra i racconti di superstiti di Au-
schwitz che sia venuto a nostra conoscenza. Ha commosso
profondamente mia moglie e me. Ora, poiché Ella, dopo
tutti gli orrori che ha vissuto, si rivolge ancora una volta al
popolo tedesco «per capire», «per destare una eco», io oso
tentare una risposta. Ma non sarà che una eco; «capire» si-
mili cose non può nessuno! (...)

... da un uomo che non è con Dio, tutto è da temere:
egli non ha freno, non ha ritegni! E gli si addice allora l'al-
tra parola di *Genesi* 8.21: «Poiché il senno del cuore uma-
no è malvagio fin dalla giovinezza», modernamente spiega-
ta e dimostrata dalle tremende scoperte della psicoanalisi
di Freud nel campo dell'inconscio, a Lei certamente note.
In ogni tempo è avvenuto «che il Diavolo si scatenasse»,
senza ritegno, senza senso: persecuzioni di ebrei e di cri-
stiani, sterminio di popoli interi in Sud America, degli in-
diani nel Nord America, dei Goti in Italia sotto Narsete,
orrende persecuzioni e massacri nel corso delle rivoluzioni
francese e russa. Chi potrà «capire» tutto questo?

Ella però aspetta certo una risposta specifica alla do-
manda, perché Hitler giunse al potere, e perché noi in se-
guito non abbiamo scosso il suo giogo. Ora, nel 1933 (...)
tutti i partiti moderati sparirono, e non rimase che la scelta
fra Hitler e Stalin, Nazionalsocialisti e Comunisti, di forze
circa uguali. I comunisti li conoscevamo per le varie grandi
rivolte avvenute dopo la Prima Guerra. Hitler ci appariva
sospetto, è vero, ma decisamente come il minor male. Che
tutte le sue belle parole fossero menzogna e tradimento, al-
l'inizio non ce ne accorgemmo. In politica estera, aveva un
successo dopo l'altro; tutti gli stati mantenevano con lui re-
lazioni diplomatiche, il Papa per primo conchiuse un con-
cordato. Chi poteva sospettare che noi stavamo cavalcan-
do (*sic*) un criminale e un traditore? E comunque, nessuna
colpa si può certo attribuire ai traditi: solo il traditore è
colpevole.

Ed ora la questione piú difficile, il suo insensato odio
contro gli ebrei: ebbene, quest'odio non è mai stato popo-
lare. La Germania contava a buon diritto come il paese piú

amichevole verso gli ebrei nel mondo intero. Mai, a quanto io so ed ho letto, durante tutto il periodo hitleriano fino alla sua fine, mai si è saputo di un solo caso di spontaneo oltraggio od aggressione ai danni di un ebreo. Sempre soltanto (pericolosissimi) tentativi di aiuto.

Vengo ora alla seconda questione. Ribellarsi in uno stato totalitario non è possibile. Il mondo intero, a suo tempo, non ha potuto portare aiuto agli ungheresi. (...) Tanto meno potemmo [resistere] noi da soli. Non va dimenticato che, oltre a tutte le lotte per la resistenza, solo nel giorno 20 luglio 1944 migliaia e migliaia di ufficiali furono giustiziati. Non si trattava già di «una piccola cricca», come disse poi Hitler.

Caro Dottor Levi (cosí mi permetto di chiamarLa, perché chi ha letto il Suo libro non può che averLa caro), non ho scuse, non ho spiegazioni. La colpa grava pesantemente sul mio povero popolo tradito e sviato. Si rallegri della vita che Le è stata ridonata, della pace e della Sua bella Patria che anch'io conosco. Anche nel mio scaffale stanno Dante e Boccaccio.

Suo dev.mo T. H.

A questa lettera, probabilmente all'insaputa del marito, Frau H. aveva aggiunto le seguenti laconiche righe, che pure traduco letteralmente:

Quando un popolo riconosce troppo tardi di essere diventato un prigioniero del diavolo, ne seguono alcune alterazioni psichiche.

1) Viene sollecitato quanto di male è negli uomini. Ne sono il risultato i Pannwitz, e i Kapos che si nettano la mano sulla spalla degli inermi.

2) Ne risulta, per contro, anche la resistenza attiva contro l'ingiustizia, che sacrificò se stessa e la sua famiglia (*sic*) al martirio, ma senza successo visibile.

3) Rimane la gran massa di coloro che, per salvare la propria vita, tacciono ed abbandonano il fratello in pericolo.

Questo noi riconosciamo come colpa nostra davanti a Dio ed agli uomini.

Ho spesso ripensato a questi strani coniugi. Lui mi sembra un esemplare tipico della gran massa della borghesia tedesca: un nazista non fanatico ma opportunista, pentitosi quando era opportuno pentirsi, stupido quanto basta per credere di farmi credere alla sua versione semplificata della storia recente, e per osare il ricorso alla rappresaglia retroattiva di Narsete e dei Goti. Lei, un po' meno ipocrita del marito, ma più bigotta.

Ho risposto con una lunga lettera, forse la sola iraconda che io abbia mai scritto. Che nessuna Chiesa ha indulgenza per chi segue il Diavolo, né ammette a giustificazione l'attribuire al Diavolo le proprie colpe. Che di colpe ed errori si deve rispondere in proprio, altrimenti ogni traccia di civiltà sparirebbe dalla faccia della terra, come infatti era sparita nel Terzo Reich. Che i suoi dati elettorali erano buoni per un bambino: nelle elezioni politiche del novembre 1932, le ultime tenutesi liberamente, i nazisti avevano bensí ottenuto 196 seggi al Reichstag, ma accanto ai comunisti, con 100 seggi, i socialdemocratici, che non erano certo degli estremisti, ed anzi, da Stalin erano detestati, ne avevano avuti 121. Che, soprattutto, nel *mio* scaffale, accanto a Dante e Boccaccio, tengo il *Mein Kampf*, la «Mia battaglia» scritta da Adolf Hitler molti anni prima di arrivare al potere. Quell'uomo funesto non era un traditore. Era un fanatico coerente, dalle idee estremamente chiare: non le cambiò né le nascose mai. Chi aveva votato per lui aveva certamente votato per le sue idee. Nulla manca, in quel libro: il sangue e il suolo, lo spazio vitale, l'ebreo come eterno nemico, i tedeschi che impersonano «la più alta umanità sulla terra», gli altri paesi considerati apertamente come strumenti per il dominio tedesco. Non sono «belle parole»; forse Hitler ne disse anche altre, ma queste non le smentí mai.

Quanto ai resistenti tedeschi, onore a loro, ma veramente i congiurati del 20 luglio 1944 si erano messi in azione un po' troppo tardi. Scrissi infine:

La Sua affermazione piú audace è quella che riguarda l'impopolarità dell'antisemitismo in Germania. Era il fondamento del verbo nazista, fin dai suoi inizi: era di natura mistica, gli ebrei non potevano essere «il popolo eletto da Dio» dal momento che tali erano i tedeschi. Non c'è pagina né discorso di Hitler in cui l'odio contro gli ebrei non venga ribadito fino all'ossessione. Non era marginale al nazismo: ne era il centro ideologico. E allora: come poteva il popolo «piú amichevole verso gli ebrei» votare il partito, ed osannare l'uomo, che definivano gli ebrei i primi nemici della Germania, e obiettivo primo della loro politica «strozzare l'idra giudaica»?

Quanto agli oltraggi ed alle aggressioni spontanee, la Sua stessa frase è oltraggiosa. Davanti ai milioni di morti, mi pare ozioso e odioso discutere se si sia o no trattato di persecuzioni spontanee: del resto, i tedeschi hanno poca inclinazione per la spontaneità. Ma Le posso ricordare che nessuno obbligava gli industriali tedeschi ad assumere schiavi affamati se non il loro profitto; che nessuno costrinse la ditta Topf (oggi fiorente in Wiesbaden) a costruire gli enormi crematori multipli dei Lager; che forse alle SS veniva ordinato di uccidere gli ebrei, ma l'arruolamento nelle SS era volontario; che io stesso ho trovato a Katowice, dopo la liberazione, pacchi e pacchi di moduli in cui si autorizzavano i capifamiglia tedeschi a prelevare gratis abiti e scarpe per adulti *e per bambini* dai magazzini di Auschwitz; nessuno si domandava da dove venissero tante scarpe per bambini? E non ha mai sentito parlare di una certa Notte dei Cristalli? o pensa che ogni singolo delitto commesso quella notte fosse stato imposto per forza di legge?

Che tentativi di aiuto ci siano stati, lo so, e so che erano pericolosi; cosí pure, essendo vissuto in Italia, so «che ribellarsi in uno stato totalitario è impossibile»; ma so che esistono mille modi, molto meno pericolosi, di manifestare la propria solidarietà con l'oppresso, che questi furono frequenti in Italia, anche dopo l'occupazione tedesca, e che nella Germania di Hitler essi vennero messi in atto troppo di rado.

Le altre lettere sono molto diverse: delineano un mondo migliore. Devo però ricordare che, anche con la miglior volontà di assolvere, non si possono considerare un «campione rappresentativo» del popolo tedesco di allora. In primo luogo, quel mio libro è stato pubblicato in qualche decina di migliaia di copie, e letto quindi forse dall'uno per mille dei cittadini della Repubblica Federale: pochi lo avranno comprato per caso, gli altri perché erano in qualche modo predisposti alla collisione coi fatti, sensibilizzati, permeabili. Di questi lettori, solo una quarantina, come ho accennato, si sono decisi a scrivermi.

In quarant'anni di esercizio, mi sono ormai familiarizzato con questo personaggio singolare, il lettore che scrive all'autore. Può appartenere a due costellazioni ben distinte, una gradita, l'altra incresciosa; i casi intermedi sono rari. I primi dànno gioia e insegnano. Hanno letto il libro con attenzione, spesso più di una volta; l'hanno amato e capito, a volte meglio dell'autore stesso; se ne dichiarano arricchiti; espongono con nitidezza il loro giudizio, a volte le loro critiche; ringraziano lo scrittore per la sua opera; spesso lo esonerano esplicitamente da una risposta. I secondi dànno noia e fanno perdere tempo. Si esibiscono; ostentano meriti; spesso hanno manoscritti nel cassetto, e lasciano trapelare l'intento di arrampicarsi sul libro e sull'autore come fa l'edera sui tronchi; od anche, sono bambini o adolescenti che scrivono per bravata, per scommessa, per conquistare un autografo. I miei quaranta corrispondenti tedeschi, a cui dedico con riconoscenza queste pagine, appartengono tutti (salvo il signor T. H. già citato, che è un caso a sé) alla prima costellazione.

L. I. è bibliotecaria in Vestfalia; confessa di aver avuto la tentazione violenta di chiudere il libro a metà lettura «per sottrarsi alle immagini che vi sono evocate», ma di essersi subito vergognata per questo impulso egoistico e vile. Scrive:

Nella prefazione, Lei esprime il desiderio di capire noi tedeschi. Lei deve credere quando Le diciamo che noi stessi non sappiamo concepire noi stessi né quanto abbiamo fatto. Siamo colpevoli. Io sono nata nel 1922, sono cresciuta in Alta Slesia, non lontano da Auschwitz, ma a quel tempo, in verità, non ho saputo nulla (La prego, non consideri questa affermazione come una comoda scusa, ma come un dato di fatto) delle cose atroci che si stavano commettendo, addirittura a pochi chilometri da noi. Eppure, almeno fino allo scoppiare della guerra, mi è accaduto di incontrare qua e là persone con la stella ebraica, ed io non le ho accolte in casa, non le ho ospitate come avrei fatto con altri, non sono intervenuta in loro favore. La mia colpa è questa. Posso adattarmi a questa mia terribile leggerezza, viltà ed egoismo solo contando sulla remissione cristiana.

Dice inoltre di far parte di «Aktion Sühnezeichen» («Azione espiatoria»), una associazione evangelica di giovani che trascorrono le vacanze all'estero, a ricostruire le città piú gravemente danneggiate dalla guerra tedesca (lei è stata a Coventry). Non dice nulla dei suoi genitori, ed è un sintomo: o sapevano, e non parlarono con lei; o non sapevano, ed allora non avevano parlato con loro quelli che certamente «laggiú» sapevano, i ferrovieri delle tradotte, i magazzinieri, le migliaia di lavoratori tedeschi delle fabbriche e delle miniere in cui faticavano a morte gli operai-schiavi, chiunque insomma non si coprisse gli occhi con la mano. Lo ripeto: la colpa vera, collettiva, generale, di quasi tutti i tedeschi di allora, è stata quella di non aver avuto il coraggio di parlare.

M. S., di Francoforte, non dice nulla di sé e cerca cautamente distinzioni e giustificazioni: anche questo è un sintomo.

... Ella scrive di non capire i tedeschi (...) Come tedesco, sensibile all'orrore ed alla vergogna, e che sarà consapevole fino alla fine dei suoi giorni che l'orrore stesso ha avuto luogo per mano di uomini del suo paese, mi sento chiamato in causa dalle Sue parole, e desidero rispondere.

Neppure io capisco uomini come quel Kapo che si pulí la mano sulla Sua spalla, come Pannwitz, come Eichmann, e come tutti gli altri che eseguirono ordini disumani senza rendersi conto che non si può eludere la propria responsabilità nascondendosi dietro quella degli altri. Che in Germania ci siano stati tanti esecutori materiali di un sistema criminoso, e che tutto questo abbia potuto avvenire proprio grazie al grande numero delle persone a ciò disposte, di tutto questo chi, in quanto tedesco, potrebbe non provare afflizione?

Ma sono costoro «i tedeschi»? ed è lecito, comunque, parlare come di una entità unitaria «dei tedeschi», o «degli inglesi», o «degli italiani», o «degli ebrei»? Ella ha citato delle eccezioni ai tedeschi che Lei non capisce (...): La ringrazio per queste Sue parole, ma La prego di ricordare che innumerevoli tedeschi (...) hanno sofferto e sono morti nella lotta contro l'iniquità (...)

Vorrei con tutto il cuore che molti dei miei connazionali leggessero il Suo libro, affinché noi tedeschi non diventiamo pigri ed indifferenti, ma anzi, rimanga desta in noi la consapevolezza di quanto in basso possa cadere l'uomo che si fa tormentatore del suo simile. Se cosí avverrà, il Suo libro potrà contribuire a che tutto questo non si ripeta.

A M. S. ho risposto con perplessità: con la stessa perplessità, del resto, che ho provato nel rispondere a tutti questi cortesi e civili interlocutori, membri del popolo che ha sterminato il mio (e molti altri). Si tratta, in sostanza, dello stesso imbarazzo dei cani studiati dai neurologi, condizionati a reagire in un modo al cerchio ed in un altro al quadrato, quando il quadrato si arrotondava e cominciava ad assomigliare a un cerchio: i cani si bloccavano o davano segni di nevrosi. Gli ho scritto, fra l'altro:

Sono d'accordo con Lei: è pericoloso, è illecito, parlare dei «tedeschi», o di qualsiasi altro popolo, come di un'entità unitaria, non differenziata, e accomunare tutti i singoli in un giudizio. Eppure non mi sento di negare che uno spirito di ogni popolo esiste (altrimenti, non sarebbe un popolo); una Deutschtum, una italianità, una hispanidad: sono

somme di tradizioni, abitudini, storia, lingua, cultura. Chi non sente in sé questo spirito, che è nazionale nel miglior senso della parola, non solo non appartiene per intero al suo popolo, ma neppure è inserito nella civiltà umana. Perciò, mentre ritengo insensato il sillogismo «tutti gli italiani sono passionali; tu sei italiano; perciò tu lo sei», credo invece lecito, entro certi limiti, attendersi dagli italiani nel loro complesso, o dai tedeschi, ecc., un determinato comportamento collettivo a preferenza di un altro. Vi saranno certamente eccezioni individuali, ma una previsione prudente, probabilistica, a mio parere è possibile (...)

... Sarò sincero con Lei: nella generazione che ha superato i 45 anni, quanti sono i tedeschi veramente consapevoli di quanto è avvenuto in Europa nel nome della Germania? A giudicare dall'esito sconcertante di alcuni processi, temo siano pochi: insieme con voci accorate e pietose, ne odo altre discordi, stridule, troppo fiere della potenza e ricchezza della Germania d'oggi.

I. J., di Stoccarda, è una assistente sociale. Mi dice:

Che Lei abbia potuto far sí che dai Suoi scritti non trapeli un odio irremissibile contro noi tedeschi, è veramente un miracolo, e ci deve indurre a vergogna. Di questo La vorrei ringraziare. Ci sono purtroppo fra noi ancora molti che rifiutano di credere che noi tedeschi abbiamo realmente commesso tali disumani orrori contro il popolo ebreo. Naturalmente, questo rifiuto scaturisce da molti motivi diversi, magari anche solo dal fatto che l'intelletto del cittadino medio non accetta di ritenere possibile una malvagità cosí profonda tra noi, «cristiani occidentali».

È bene che il Suo libro sia stato pubblicato qui, e possa cosí portare luce a molti giovani. Potrà anche essere messo nelle mani di alcuni anziani, forse; ma per fare questo, nella nostra «Germania dormiente», occorre un certo coraggio civile.

Le ho risposto:

... che io non provi odio verso i tedeschi, stupisce molti, e non dovrebbe. In realtà, io comprendo l'odio, ma unica-

mente «ad personam». Se fossi un giudice, pur reprimendo l'odio che dovessi sentire in me, non esiterei ad infliggere le pene piú gravi, o anche la morte, ai molti colpevoli che ancora oggi vivono indisturbati in terra tedesca, o in altri paesi di sospetta ospitalità; ma avrei orrore se un solo innocente dovesse essere punito per una colpa non commessa.

W. A., medico, scrive dal Württemberg:

Per noi tedeschi, che portiamo il grave peso del nostro passato, e (Dio lo sa!) del nostro avvenire, il Suo libro è piú di un racconto commovente: è un aiuto. È un orientamento, per il quale La ringrazio. Nulla posso dire a nostra discolpa; né credo che la colpa (*questa* colpa!) sia facile ad estinguersi (...) Per quanto io cerchi di staccarmi dal malo spirito del passato, rimango pur sempre un membro di questo popolo, che io amo, e che nel corso dei secoli ha partorito in ugual misura opere di nobile pace ed altre piene di pericolo demoniaco. In questo convergere di tutti i tempi della nostra storia, io sono cosciente di trovarmi implicato nella grandezza e nella colpa del mio popolo. Sto perciò davanti a Lei come un complice di chi fece violenza al Suo destino ed al destino del Suo popolo.

W. G. è nato nel 1935 a Brema; è storico e sociologo, militante nel partito socialdemocratico:

... alla fine della guerra ero ancora un bambino; non mi posso addossare alcuna parte di colpa per i delitti spaventosi commessi dai tedeschi; eppure ne provo vergogna. Odio i criminali che fecero soffrire Lei ed i Suoi compagni, e odio i loro complici, molti dei quali sono ancora in vita. Lei scrive di non saper comprendere i tedeschi. Se intende alludere ai carnefici ed ai loro aiutanti, allora anch'io non riesco a comprenderli: ma spero che avrò la forza di combatterli, se si presentassero di nuovo alla ribalta della storia. Ho parlato di «vergogna»: intendevo esprimere questo sentimento, che quanto a quel tempo è stato perpetrato per mano tedesca, non avrebbe mai dovuto avvenire, né mai avrebbe dovuto essere approvato da altri tedeschi.

Con H. L., bavarese, studentessa, le cose si sono complicate. Mi ha scritto una prima volta nel 1962; la sua lettera era singolarmente viva, sciolta dalla tetraggine plumbea che caratterizza quasi tutte le altre, anche le meglio intenzionate. Riteneva che io mi aspettassi «una eco» soprattutto dalle persone importanti, ufficiali, non da una ragazza, ma «si sente chiamata in causa, come erede e complice». È soddisfatta dell'educazione che riceve a scuola, e di quanto le è stato insegnato sulla storia recente del suo paese, ma non è sicura «che un giorno la mancanza di misura che è propria ai tedeschi non proromba nuovamente, sotto altra veste e diretta ad altri scopi». Deplora che i suoi coetanei rifiutino la politica «come qualcosa di sporco». È insorta in modo «violento ed incomposto» contro un prete che sparlava degli ebrei, e contro la sua insegnante di russo, una russa, che attribuiva agli ebrei la colpa della rivoluzione di ottobre, e considerava la strage hitleriana come una giusta punizione. In quei momenti, ha provato «una indicibile vergogna di appartenere al piú barbarico dei popoli». «Pure al di fuori di ogni misticismo o superstizione», è convinta «che noi tedeschi non sfuggiremo alla giusta punizione per quanto abbiamo commesso». Si sente in qualche modo autorizzata, anzi tenuta, ad affermare «che noi, figli di una generazione carica di colpa, ne siamo pienamente consapevoli, e cercheremo di alleviare gli orrori e i dolori di ieri per evitare che si ripetano domani».

Poiché mi è sembrata una interlocutrice intelligente, spregiudicata e «nuova», le ho scritto chiedendole notizie piú precise sulla situazione della Germania di allora (era l'epoca di Adenauer); quanto al suo timore di una «giusta punizione» collettiva, ho cercato di convincerla che una punizione, se è collettiva, non può essere giusta, e viceversa. Mi ha spedito a volta di corriere una cartolina, in cui mi diceva che le mie domande richiedevano un certo lavoro di ricerca; avessi pazienza, mi avrebbe risposto in modo esauriente appena possibile.

Venti giorni dopo ho ricevuto un sua lettera di 23 facciate: una tesi di laurea, insomma, compilata grazie ad un frenetico lavoro di interviste fatte di persona, per telefono e per lettera. Anche questa brava ragazza, seppure a fin di bene, era dunque propensa alla *Masslosigkeit*, alla mancanza di misura da lei stessa denunciata, ma si scusava, con comica sincerità: «avevo poco tempo, perciò molte cose che avrei potuto dire piú in breve sono rimaste com'erano». Non essendo io *masslos*, mi limito a riassumere, ed a citare i passi che mi sembrano piú significativi.

> ... amo il paese dove sono cresciuta, adoro mia madre, ma non riesco a provare simpatia per il tedesco in quanto particolare tipo umano: forse perché mi appare ancora troppo segnato da quelle qualità che nel recente passato si sono manifestate con tanto vigore, ma forse anche perché detesto in esso me stessa, riconoscendomi a lui simile come essenza.

Ad una mia domanda sulla scuola, risponde (con documenti) che l'intero corpo insegnante era stato a suo tempo passato al setaccio della «denazificazione», voluta dagli alleati, ma condotta in modo dilettantesco ed ampiamente sabotata; né avrebbe potuto essere altrimenti: si sarebbe dovuto mettere al bando un'intera generazione. Nelle scuole la storia recente viene insegnata, ma si parla poco di politica; il passato nazista affiora qua e là, in toni vari: pochi docenti se ne gloriano, pochi lo nascondono, pochissimi se ne dichiarano immuni. Un giovane insegnante le ha dichiarato:

> Gli allievi si interessano molto a questo periodo, ma passano subito all'opposizione se si parla loro di una colpa collettiva della Germania. Molti anzi affermano di averne abbastanza dei «mea culpa» della stampa e dei loro insegnanti.

H. L. commenta:

> ... proprio dalla resistenza dei ragazzi contro il «mea culpa» si può riconoscere che per loro il problema del Terzo

Reich è tuttora altrettanto irrisolto, irritante e tipicamente tedesco, quanto per tutti coloro che lo hanno vissuto prima di loro. Solo quando questa emotività sarà cessata sarà possibile ragionare in modo obiettivo.

Altrove, parlando della sua stessa esperienza, H. L. scrive (assai plausibilmente):

> I professori non evitavano i problemi; al contrario, dimostravano, documentandoli con giornali dell'epoca, i metodi di propaganda dei nazisti. Raccontavano come, da giovani, avevano seguito il nuovo movimento senza critiche e con entusiasmo: delle adunate giovanili, delle organizzazioni sportive ecc. Noi studenti li attaccavamo vivacemente, a torto, come oggi penso: come si può accusarli di aver capito la situazione, e previsto l'avvenire, peggio degli adulti? E noi, al loro posto, avremmo smascherato meglio di loro i metodi satanici con cui Hitler conquistò la gioventú per la sua guerra?

Si noti: la giustificazione è la stessa addotta dal dottor T. H. di Amburgo, e del resto nessun testimone del tempo ha negato a Hitler una veramente demoniaca virtú di persuasore, la stessa che lo favoriva nei suoi contatti politici. La si può accettare dai giovani, che comprensibilmente cercano di discolpare l'intera generazione dei loro padri; non dagli anziani compromessi, e falsamente penitenti, che cercano di circoscrivere la colpa ad un uomo solo.

H. L. mi ha mandato molte altre lettere, suscitando in me reazioni bifide. Mi ha descritto suo padre, un musicista irrequieto, timido e sensibile, morto quando lei era bambina: in me cercava un padre? Oscillava fra la serietà documentaria e la fantasia infantile. Mi ha mandato un caleidoscopio, ed insieme mi ha scritto:

> ... Anche di Lei mi sono costruita una immagine ben definita: è Lei, sfuggito ad un destino terribile (perdoni il mio ardire), che si aggira per il nostro paese, ancora straniero, come in un brutto sogno. E penso che dovrei cucirLe un vestito come quello che indossano gli eroi nelle leggende, che La protegga contro tutti i pericoli del mondo.

Non mi ravvisavo in questa immagine, ma non gliel'ho
scritto. Le ho risposto che questi abiti non si possono rega-
lare: ognuno deve tesserli e cucirli per se stesso. H. L. mi
ha spedito i due romanzi di Heinrich Mann del ciclo *Enri-
co IV*, che purtroppo non ho mai trovato tempo di leggere;
io le ho fatto avere la traduzione tedesca di *La tregua*, che
era comparsa nel frattempo. Nel dicembre 1964, da Berli-
no dove si era trasferita, mi ha mandato un paio di gemelli
da polsino d'oro, che aveva fatti fare da una sua amica ore-
fice. Non ho avuto cuore di restituirglieli; l'ho ringraziata,
ma l'ho pregata di non mandarmi altro. Spero sinceramen-
te di non avere offesa questa persona intimamente gentile;
spero che abbia compreso il motivo della mia difesa. Da al-
lora non ho piú avuto sue notizie.

Ho lasciato per ultimo lo scambio di lettere con la si-
gnora Hety S. di Wiesbaden, mia coetanea, perché costi-
tuisce un episodio a sé stante, sia come qualità, sia come
quantità. Da sola, la mia cartella «HS» è piú voluminosa
di quella in cui conservo tutte le altre «lettere di tede-
schi». La nostra corrispondenza si protrae per sedici anni,
dall'ottobre 1966 al novembre 1982. Contiene, oltre ad
una cinquantina di sue lettere (spesso di quattro o piú fac-
ciate) con le mie risposte, anche le veline di almeno altret-
tante lettere da lei scritte ai suoi figli, ad amici, ad altri
scrittori, a editori, ad enti locali, a giornali o riviste, e di
cui ha ritenuto importante mandarmi copia; inoltre, ritagli
di giornali e recensioni di libri. Alcune delle sue lettere so-
no «circolari»: mezza pagina è in fotocopia, uguale per va-
ri corrispondenti, il resto, bianco, è riempito a mano con le
notizie o le domande piú personali. La signora Hety mi
scriveva in tedesco e non conosceva l'italiano; le ho rispo-
sto inizialmente in francese, poi mi sono reso conto che ca-
piva con difficoltà e per molto tempo le ho scritto in ingle-
se. Piú tardi, col suo divertito consenso, le ho scritto nel
mio tedesco incerto, in duplice copia; lei me ne restituiva

una, con le sue correzioni «ragionate». Ci siamo incontrati solo due volte: a casa sua, durante un mio frettoloso viaggio d'affari in Germania, ed a Torino, durante una sua vacanza altrettanto frettolosa. Non sono stati incontri importanti: le lettere contano molto di piú.

Anche la sua prima lettera traeva spunto dalla questione del «capire», ma aveva un piglio energico e risentito che la distingueva da tutte le altre. Il mio libro le era stato donato da un amico comune, lo storico Hermann Langbein, molto tardi, quando già la prima edizione era esaurita. Come assessore alla Cultura presso un Governo regionale, lei stava cercando di farlo ristampare subito, e mi scriveva:

> A capire «i tedeschi», di sicuro Lei non ci riuscirà mai: non ci riusciamo neppure noi, poiché a quel tempo sono successe cose che mai, a nessun prezzo, avrebbero dovuto succedere. Ne è seguito che per molti fra noi parole come «Germania» e «Patria» hanno perduto per sempre il significato che un tempo avevano: il concetto di «patria» per noi si è estinto (...) Ciò che assolutamente non ci è lecito, è dimenticare. Per questo sono importanti per la nuova generazione i libri come il Suo, che descrivono in modo cosí umano l'inumano (...) Forse Lei non si rende conto appieno di quante cose uno scrittore può implicitamente esprimere su se stesso – e pertanto sull'Uomo in generale. Proprio questo conferisce peso e valore ad ogni capitolo del Suo libro. Piú che tutto, mi hanno sconvolto le Sue pagine sul laboratorio della Buna: era dunque questo il modo in cui voi prigionieri vedevate noi liberi!

Poco oltre, racconta di un prigioniero russo che in autunno le portava il carbone in cantina. Parlargli era proibito: lei gli infilava in tasca cibo e sigarette, e lui, per ringraziare, gridava: «Heil Hitler!» Non le era proibito invece (che labirinto di gerarchie e di divieti differenziali doveva essere la Germania di allora! anche le «lettere di tedeschi», e le sue in specie, dicono piú di quanto non paia) parlare con una giovane operaia «volontaria» francese: lei la prelevava dal suo campo, se la portava a casa, la con-

duceva perfino a qualche concerto. La ragazza, in campo, non poteva lavarsi bene, e aveva i pidocchi. Hety non osava dirglielo, provava disagio, e si vergognava del suo disagio.

A questa sua prima lettera ho risposto che il mio libro aveva bensí destato risonanza in Germania, ma proprio fra i tedeschi che avevano meno bisogno di leggerlo: mi avevano scritto lettere di pentimento gli innocenti, non i colpevoli. Questi, come è comprensibile, tacevano.

Nelle sue lettere successive, a poco a poco, nel suo modo indiretto, Hety (la chiamerò cosí per semplicità, sebbene al «tu» non siamo mai arrivati) mi ha fornito un ritratto di se stessa. Suo padre, pedagogista di professione, era un attivista socialdemocratico fin dal 1919; nel '33, l'anno in cui Hitler salí al potere, perse subito l'impiego, si susseguirono perquisizioni e difficoltà economiche, la famiglia si dovette trasferire in un alloggio piú piccolo. Nel '35 Hety fu espulsa dal liceo perché aveva rifiutato di entrare nell'organizzazione giovanile hitleriana. Sposò nel '38 un ingegnere della IG Farben (di qui il suo interesse per «il laboratorio di Buna»!) da cui ebbe subito due figli. Dopo l'attentato a Hitler del 20 luglio 1944, suo padre fu deportato a Dachau, ed il matrimonio entrò in crisi perché il marito, pur non essendo iscritto al partito, non tollerava che Hety mettesse in pericolo se stessa, lui e i figli per «fare quello che andava fatto», cioè per portare ogni settimana un po' di cibo ai cancelli del campo in cui il padre era prigioniero:

> ... a lui sembrava che i nostri sforzi fossero assolutamente insensati. Tenemmo una volta un consiglio di famiglia per vedere se ci fossero possibilità di dare un aiuto a mio padre, e se sí quali; ma lui disse soltanto: «Mettetevi il cuore in pace: non lo vedrete piú».

Invece, a guerra finita il padre tornò, ma era ridotto ad uno spettro (morí pochi anni dopo). Hety, assai legata a lui, si sentí in dovere di proseguire l'attività nel

rinnovato partito socialdemocratico; il marito non era
d'accordo, vi fu una lite, e lui chiese ed ottenne il divorzio.
La sua seconda moglie era una profuga dalla Prussia
Orientale che, per via dei due figli, mantenne discreti rap-
porti con Hety. Le disse una volta, a proposito del padre,
di Dachau e dei Lager:

> Non avertene a male se io non sopporto di leggere o di
> ascoltare queste tue cose. Quando abbiamo dovuto scappa-
> re, è stato tremendo; e la cosa peggiore è stata che abbiamo
> dovuto prendere la strada per cui erano stati evacuati pri-
> ma i prigionieri di Auschwitz. La via era fra due siepi di
> morti. Vorrei dimenticare quelle immagini e non posso:
> continuo a sognarle.

Il padre era appena ritornato quando Thomas Mann, al-
la radio, parlò di Auschwitz, del gas e dei crematori.

> Ascoltammo tutti con turbamento e tacemmo a lungo.
> Papà andava su e giú, taciturno, imbronciato, finché io gli
> chiesi: «Ma ti pare possibile, che si avveleni la gente col
> gas, la si bruci, che si utilizzino i loro capelli, la pelle, i den-
> ti?» E lui, che pure veniva da Dachau, rispose: «No, non è
> pensabile. Un Thomas Mann non dovrebbe dar fede a que-
> sti orrori». Eppure era tutto vero: poche settimane dopo
> ne abbiamo avuto le prove e ce ne siamo convinti.

In un'altra sua lunga lettera mi aveva descritto la loro
vita nella «emigrazione interna»:

> Mia madre aveva una carissima amica ebrea. Era vedo-
> va e viveva sola, i figli erano emigrati, ma lei non si risolve-
> va a lasciare la Germania. Anche noi eravamo dei persegui-
> tati, ma «politici»: per noi era diverso, ed abbiamo avuto
> fortuna nonostante i molti pericoli. Non dimenticherò la
> sera in cui quella donna venne da noi, al buio, per dirci:
> «Vi prego, non venite piú a cercarmi, e scusatemi se io non
> vengo da voi. Capite, vi metterei in pericolo…» Natural-
> mente abbiamo continuato a visitarla, finché non fu depor-
> tata a Theresienstadt. Non l'abbiamo piú rivista, e per lei
> non abbiamo «fatto» niente: che cosa avremmo potuto fa-
> re? Eppure il pensiero che non si potesse fare nulla ci tor-
> menta ancora: La prego, cerchi di comprendere.

Mi ha raccontato di aver assistito nel 1967 al processo
per l'Eutanasia. Uno degli imputati, un medico, aveva di-
chiarato in giudizio che gli era stato ordinato di iniettare
personalmente il veleno ai malati mentali, e che lui aveva
rifiutato per coscienza professionale; per contro, manovra-
re il rubinetto del gas gli era sembrato poco gradevole, ma
insomma tollerabile. Tornata a casa, Hety trova la donna
delle pulizie, una vedova di guerra, intenta al suo lavoro, e
il figlio che sta cucinando. Tutti e tre si siedono a tavola, e
lei racconta al figlio quanto ha visto e sentito al processo.
Ad un tratto,

> ... la donna ha posato la forchetta ed è intervenuta aggres-
> sivamente: «A cosa servono tutti questi processi che fanno
> adesso? Cosa potevano farci, i nostri poveri soldati, se gli
> davano quegli ordini? Quando mio marito è venuto in li-
> cenza dalla Polonia, mi ha raccontato: "Non abbiamo fatto
> quasi niente altro che fucilare ebrei: sempre fucilare ebrei.
> A furia di sparare, il braccio mi faceva male". Ma che cosa
> poteva fare, se gli avevano dato quegli ordini?» (...) L'ho
> licenziata, reprimendo la tentazione di congratularmi con
> lei per il suo povero marito caduto in guerra... Ecco, vede,
> qui in Germania viviamo ancor oggi in mezzo a persone di
> questo genere.

Hety ha lavorato per molti anni presso il Ministero del-
la Cultura del Land Hessen (Assia): era una funzionaria di-
ligente ma irruente, autrice di recensioni polemiche, orga-
nizzatrice «appassionata» di convegni ed incontri con i
giovani, altrettanto appassionata alle vittorie e sconfit-
te del suo partito. Dopo il pensionamento, avvenuto nel
1978, la sua vita culturale si è ancora arricchita: mi ha
scritto di viaggi, di letture, di *stages* linguistici.

Soprattutto, e per tutta la sua vita, è stata avida, addi-
rittura famelica, di incontri umani: quello, duraturo e fe-
condo, con me, è stato solo uno dei tanti. «Il mio destino
mi spinge verso gli uomini con un destino», mi ha scritto
una volta: ma non era il destino a spingerla, era una voca-
zione. Li cercava, li trovava, li metteva in contatto fra

loro, curiosissima dei loro incontri o scontri. È stata lei a dare a me l'indirizzo di Jean Améry e il mio a lui, ma ad una condizione: che entrambi le mandassimo le veline delle lettere che ci saremmo scambiate (lo abbiamo fatto). Ha avuto una parte importante anche nel rimettermi sulle tracce di quel dottor Müller, chimico ad Auschwitz, e poi mio fornitore di prodotti chimici e penitente, di cui ho parlato nel capitolo *Vanadio* del *Sistema periodico*: era stato collega del suo ex marito. Anche del «dossier Müller» ha chiesto, a buon diritto, le veline; ha poi scritto lettere intelligenti a lui su di me ed a me su di lui, incrociando doverosamente le «copie per conoscenza».

In una sola occasione abbiamo (o almeno, io ho) percepito una divergenza. Nel 1966 era stato rilasciato Albert Speer dal carcere interalleato di Spandau. Come è noto, era stato l'«architetto di corte» di Hitler, ma nel 1943 era stato nominato ministro dell'industria di guerra; in quanto tale, era in buona parte responsabile dell'organizzazione delle fabbriche in cui *noi* morivamo di fatica e di fame. A Norimberga era stato il solo fra gli imputati a dichiararsi colpevole, anche per le cose che non aveva saputo; anzi, appunto per non aver voluto saperle. Fu condannato a vent'anni di reclusione, che impiegò a scrivere le sue memorie carcerarie, pubblicate in Germania nel 1975. Hety dapprima esitò, poi le lesse, e ne fu profondamente turbata. Chiese a Speer un colloquio, che durò due ore; gli lasciò il libro di Langbein su Auschwitz ed una copia di *Se questo è un uomo*, dicendogli che era tenuto a leggerli. Lui le diede una copia dei suoi *Diari di Spandau* (Mondadori, Milano 1976) perché Hety me la spedisse.

Ho ricevuto e letto questi diari, che portano il segno di una mente coltivata e lucida e di un ravvedimento che sembra sincero (ma un uomo intelligente sa simulare). Speer ne traspare come un personaggio shakespeariano, dalle ambizioni sconfinate, tali da accecarlo e da infettarlo, ma non un barbaro né un vile né un servo. Di questa

lettura avrei fatto volentieri a meno, perché per me giudicare è doloroso; in specie uno Speer, un uomo non semplice, e un colpevole che aveva pagato. Scrissi a Hety, con una traccia di irritazione: «Che cosa l'ha spinta da Speer? La curiosità? Un senso del dovere? Una "missione"»?

Mi rispose:

> Spero che Lei abbia preso il dono di quel libro nel suo senso giusto. Giusta è anche la Sua domanda. Volevo vederlo in faccia: vedere com'è fatto un uomo che si è lasciato plagiare da Hitler, e che è diventato una sua creatura. Dice, ed io gli credo, che per lui la strage di Auschwitz è un trauma. E ossessionato dalla domanda di come lui abbia potuto «non voler vedere né sapere», insomma rimuovere tutto. Non mi pare che cerchi giustificazioni; anche lui vorrebbe capire quanto, anche per lui, capire è impossibile. Mi è parso un uomo che non falsifica, che lotta lealmente, e si tormenta sul suo passato. Per me, è diventato «una chiave»: è un personaggio simbolico, il simbolo del traviamento tedesco. Ha letto con estrema pena il libro di Langbein, e mi ha promesso di leggere anche il Suo. La terrò informato sulle sue reazioni.

Queste reazioni, con mio sollievo, non sono mai venute: se avessi dovuto (come è usanza fra persone civili) rispondere ad una lettera di Albert Speer, avrei avuto qualche problema. Nel 1978, scusandosi con me per la disapprovazione che aveva fiutato nelle mie lettere, Hety ha visitato Speer una seconda volta, e ne è tornata delusa. Lo ha trovato senile, egocentrico, tronfio, e stupidamente fiero del suo passato di architetto faraonico. Dopo di allora, la sostanza delle nostre lettere si è andata spostando verso temi piú allarmanti perché piú attuali: l'affare Moro, la fuga di Kappler, la morte simultanea dei terroristi della banda Baader-Meinhof nel supercarcere di Stammheim. Lei tendeva a credere alla tesi ufficiale del suicidio; io dubitavo. Speer è morto nel 1981, e Hety, improvvisamente, nel 1983.

La nostra amicizia, quasi esclusivamente epistolare, è stata lunga e fruttuosa, spesso allegra; strana, se penso all'enorme differenza fra i nostri itinerari umani ed alla lontananza geografica e linguistica, meno strana se riconosco che è stata lei, fra tutti i miei lettori tedeschi, la sola «con le carte in regola», e quindi non invischiata in sensi di colpa; e che la sua curiosità è stata ed è la mia, e si è arrovellata sugli stessi temi che ho discussi in questo libro.

Conclusione

L'esperienza di cui siamo portatori noi superstiti dei Lager nazisti è estranea alle nuove generazioni dell'Occidente, e sempre piú estranea si va facendo a mano a mano che passano gli anni. Per i giovani degli anni '50 e '60, erano cose dei loro padri: se ne parlava in famiglia, i ricordi conservavano ancora la freschezza delle cose viste. Per i giovani di questi anni '80, sono cose dei loro nonni: lontane, sfumate, «storiche». Essi sono assillati dai problemi d'oggi, diversi, urgenti: la minaccia nucleare, la disoccupazione, l'esaurimento delle risorse, l'esplosione demografica, le tecnologie che si rinnovano freneticamente ed a cui occorre adattarsi. La configurazione del mondo è profondamente mutata, l'Europa non è piú il centro del pianeta. Gli imperi coloniali hanno ceduto alla pressione dei popoli d'Asia e d'Africa assetati d'indipendenza, e si sono dissolti, non senza tragedie e lotte fra le nuove nazioni. La Germania, spaccata in due per un futuro indefinito, è diventata «rispettabile», e di fatto detiene i destini dell'Europa. Permane la diarchia Stati Uniti - Unione Sovietica, nata dalla seconda guerra mondiale; ma le ideologie su cui si reggono i governi dei due soli vincitori dell'ultimo conflitto hanno perso molto della loro credibilità e del loro splendore. Si affaccia all'età adulta una generazione scettica, priva non di ideali ma di certezze, anzi, diffidente delle grandi verità rivelate; disposta invece ad accettare le verità piccole, mutevoli di mese in mese sull'onda convulsa delle mode culturali, pilotate o selvagge.

Per noi, parlare con i giovani è sempre piú difficile. Lo percepiamo come un dovere, ed insieme come un rischio: il rischio di apparire anacronistici, di non essere ascoltati. Dobbiamo essere ascoltati: al di sopra delle nostre esperienze individuali, siamo stati collettivamente testimoni di un evento fondamentale ed inaspettato, fondamentale appunto perché inaspettato, non previsto da nessuno. È avvenuto contro ogni previsione; è avvenuto in Europa; incredibilmente, è avvenuto che un intero popolo civile, appena uscito dalla fervida fioritura culturale di Weimar, seguisse un istrione la cui figura oggi muove al riso; eppure Adolf Hitler è stato obbedito ed osannato fino alla catastrofe. È avvenuto, quindi può accadere di nuovo: questo è il nocciolo di quanto abbiamo da dire.

Può accadere, e dappertutto. Non intendo né posso dire che avverrà; come ho accennato piú sopra, è poco probabile che si verifichino di nuovo, simultaneamente, tutti i fattori che hanno scatenato la follia nazista, ma si profilano alcuni segni precursori. La violenza, «utile» o «inutile», è sotto i nostri occhi: serpeggia, in episodi saltuari e privati, o come illegalità di stato, in entrambi quelli che si sogliono chiamare il primo ed il secondo mondo, vale a dire nelle democrazie parlamentari e nei paesi dell'area comunista. Nel terzo mondo è endemica od epidemica. Attende solo il nuovo istrione (non mancano i candidati) che la organizzi, la legalizzi, la dichiari necessaria e dovuta e infetti il mondo. Pochi paesi possono essere garantiti immuni da una futura marea di violenza, generata da intolleranza, da libidine di potere, da ragioni economiche, da fanatismo religioso o politico, da attriti razziali. Occorre quindi affinare i nostri sensi, diffidare dai profeti, dagli incantatori, da quelli che dicono e scrivono «belle parole» non sostenute da buone ragioni.

È stato oscenamente detto che di un conflitto c'è bisogno: che il genere umano non ne può fare a meno. È anche stato detto che i conflitti locali, le violenze in strada, in fabbrica, negli stadi, sono un equivalente della guerra ge-

neralizzata, e che ce ne preservano, come il «piccolo male», l'equivalente epilettico, preserva dal grande male. È stato osservato che mai in Europa erano trascorsi quarant'anni senza guerre: una pace europea cosí lunga sarebbe un'anomalia storica.

Sono argomenti capziosi e sospetti. Satana non è necessario: di guerre e violenze non c'è bisogno, in nessun caso. Non esistono problemi che non possano essere risolti intorno a un tavolo, purché ci sia volontà buona e fiducia reciproca: o anche paura reciproca, come sembra dimostrare l'attuale interminabile situazione di stallo, in cui le massime potenze si fronteggiano con viso cordiale o truce, ma non hanno ritegno a scatenare (o a lasciare che si scatenino) guerre sanguinose fra i loro «protetti», inviando armi sofisticate, spie, mercenari e consiglieri militari invece che arbitri di pace.

Neppure è accettabile la teoria della violenza preventiva: dalla violenza non nasce che violenza, in una pendolarità che si esalta nel tempo invece di smorzarsi. In effetti, molti segni fanno pensare ad una genealogia della violenza odierna che si dirama proprio da quella dominante nella Germania di Hitler. Certo non mancava prima, nel passato remoto e recente: tuttavia, anche in mezzo all'insensato massacro della prima guerra mondiale, sopravvivevano i tratti di un reciproco rispetto fra i contendenti, una traccia di umanità verso i prigionieri ed i cittadini inermi, un tendenziale rispetto dei patti: un credente direbbe «un certo timor di Dio». L'avversario non era né un demonio né un verme. Dopo il *Gott mit uns* nazista tutto è cambiato. Ai bombardamenti aerei terroristici di Göring hanno risposto i bombardamenti «a tappeto» alleati. La distruzione di un popolo e di una civiltà si è dimostrata possibile, e desiderabile sia in sé, sia come strumento di regno. Lo sfruttamento massiccio della mano d'opera schiava era stato imparato da Hitler alla scuola di Stalin, ma in Unione Sovietica è ritornato moltiplicato alla fine della guerra. L'esodo di cervelli dalla Germania e dall'Italia, insieme con la paura di

un sorpasso da parte degli scienziati nazisti, ha partorito le bombe nucleari. I superstiti ebrei disperati, in fuga dall'Europa dopo il gran naufragio, hanno creato in seno al mondo arabo un'isola di civiltà occidentale, una portentosa palingenesi dell'ebraismo, ed il pretesto per un odio rinnovato. Dopo la disfatta, la silenziosa diaspora nazista ha insegnato le arti della persecuzione e della tortura ai militari ed ai politici di una dozzina di paesi, affacciati al Mediterraneo, all'Atlantico ed al Pacifico. Molti nuovi tiranni tengono nel cassetto la «Battaglia» di Adolf Hitler: magari con qualche rettifica, o con qualche sostituzione di nomi, può ancora venire a taglio.

L'esempio hitleriano ha dimostrato in quale misura sia devastante una guerra combattuta nell'era industriale, anche senza che si faccia ricorso alle armi nucleari; nell'ultimo ventennio, la sciagurata impresa vietnamita, il conflitto delle Falkland, la guerra Iran-Iraq ed i fatti di Cambogia e d'Afghanistan ne sono una conferma. Tuttavia ha anche dimostrato (non nel senso rigoroso dei matematici, purtroppo) che, almeno qualche volta, almeno in parte, le colpe storiche vengono punite; i potenti del Terzo Reich sono finiti sulla forca o nel suicidio; il paese tedesco ha subito una biblica «strage di primogeniti» che ha decimato una generazione, ed una bipartizione che ha posto fine al secolare orgoglio germanico. Non è assurdo assumere che, se il nazismo non si fosse mostrato fin dall'inizio cosí spietato, l'alleanza fra i suoi avversari non si sarebbe costituita, o si sarebbe spezzata prima della fine del conflitto. La guerra mondiale voluta dai nazisti e dai giapponesi è stata una guerra suicida: tutte le guerre dovrebbero essere temute come tali.

Agli stereotipi che ho passati in rassegna nel settimo capitolo vorrei infine aggiungerne uno. Ci viene chiesto dai giovani, tanto piú spesso e tanto piú insistentemente quanto piú quel tempo si allontana, chi erano, di che stoffa

erano fatti, i nostri «aguzzini». Il termine allude ai nostri
ex custodi, alle SS, e a mio parere è improprio: fa pensare
a individui distorti, nati male, sadici, affetti da un vizio
d'origine. Invece erano fatti della nostra stessa stoffa, era-
no esseri umani medi, mediamente intelligenti, mediamen-
te malvagi: salvo eccezioni, non erano mostri, avevano il
nostro viso, ma erano stati educati male. Erano, in massi-
ma parte, gregari e funzionari rozzi e diligenti: alcuni fana-
ticamente convinti del verbo nazista, molti indifferenti, o
paurosi di punizioni, o desiderosi di fare carriera, o troppo
obbedienti. Tutti avevano subito la terrificante diseduca-
zione fornita ed imposta dalla scuola quale era stata voluta
da Hitler e dai suoi collaboratori, e completata poi dal
Drill delle SS. A questa milizia parecchi avevano aderito
per il prestigio che conferiva, per la sua onnipotenza, o an-
che solo per sfuggire a difficoltà famigliari. Alcuni, pochis-
simi per verità, ebbero ripensamenti, chiesero il trasferi-
mento al fronte, diedero cauti aiuti ai prigionieri, o scelse-
ro il suicidio. Sia ben chiaro che responsabili, in grado
maggiore o minore, erano tutti, ma dev'essere altrettanto
chiaro che dietro la loro responsabilità sta quella della
grande maggioranza dei tedeschi, che hanno accettato al-
l'inizio, per pigrizia mentale, per calcolo miope, per stupi-
dità, per orgoglio nazionale, le «belle parole» del caporale
Hitler, lo hanno seguito finché la fortuna e la mancanza di
scrupoli lo hanno favorito, sono stati travolti dalla sua ro-
vina, funestati da lutti, miseria e rimorsi, e riabilitati pochi
anni dopo per uno spregiudicato gioco politico.

Indice

Opere Volume primo

Se questo è un uomo

La tregua

Il sistema periodico